JN003268

JAPIC
医療用
医薬品集 2025

薬剤識別コード一覧

編集・発行

一般財団法人 日本医薬情報センター（JAPIC）

目　次

凡　例

掲載対象：令和6年6月26日までに（一財）日本医薬情報センター（JAPIC）で入手した医療用医薬品の電子添文のうち、識別コード・包装コードの記載のある品目を掲載している。

構成：
1．マーク一覧
2．薬剤識別コード一覧：数字順・英字順・マーク順に分けて記載している。
　　　数字順　　：数字のあるものを小さい順に配列
　　　英字順　　：数字はないが、アルファベットがあるものをABC順に配列
　　　マーク順　：上記以外をマークごとに配列

掲載項目：原則として、電子添文に基づき記載している。
　掲載項目は、「識別コード」「色　割線」「商品名（会社名）」「一般名」「規格単位」「薬効」「掲載ページ」である。
　　　識別コード　：本体コードあるいは包装コードを記載。記載が表裏にある場合は「／」で区切ってある。漢方製剤の製品番号は、「漢：」につづけて記載。
　　　色　割線　　：本体の色を記載してある。カプセルのキャップとボディで色が異なる場合は、「／」で区切ってある。本体以外の色（外用剤のキャップ等）は（　）で記載してある。錠剤に割線がある場合は、「①」を表示してある。
　　　会社名　　　：製造販売承認取得会社・発売会社・販売会社を「／」で区切って、記載してある。JAPIC「医療用医薬品集」2025の会社名略称を使用している。
　　　掲載ページ　：JAPIC「医療用医薬品集」2025本文の掲載ページを記載してある。本文に掲載のない場合は「―」を表示してある。

例：
添付文書記載

販売名	プレドニゾロン錠1mg（旭化成）
性状・剤形	白色の円形片面割線入りの素錠
外形	265　①　⬭
大きさ	直径6.5mm、厚さ2.7mm
質量	90mg
識別コード	265

本誌記載
識別コード：265／1
色　割線：白　①
商品名（会社名）：
　　プレドニゾロン錠1mg（旭化成）
一般名：プレドニゾロン
規格単位：1mg1錠
薬効：合成副腎皮質ホルモン剤

マーク一覧

マーク	会社名	マーク	会社名	マーク	会社名
	旭化成		オーファンパシフィック	(注)	塩野義
			大石膏盛堂	Lilly (注)	
		ONO	小野薬品	(注)	シオノギファーマ
(注)	あすか		オルガノン	(注)	住友ファーマ
(注)	アステラス			P	
(注)		(注)		(注)	セオリア
(注)					ゼリア新薬
(注)	アストラゼネカ			(注)	
		ΡY	科研	(注)	第一三共
(注)	アッヴィ	Ⓚ	キッセイ	(注)	太陽ファルマ
		(注)	京都薬品		
	天藤		杏林	(注)	武田テバファーマ
(注)	アルフレッサファーマ	ΠΚ	キョーリンリメディオ		
(注)			共和薬品	(注)	武田テバ薬品
Pfizer (注)	ヴィアトリス		グラクソ・スミスクライン	(注)	武田薬品
		(注)	コーアバイオテックベイ	(注)	
W		Kowa	興和	Takeda	
(注)	エーザイ		小太郎漢方	S	
(注)		S	佐藤	ψ	田辺三菱
	MSD	(注)	サノフィ	(注)	
(注)				CH	長生堂
		LN			ツムラ
		W			帝國
(注)	LTL		三友薬品	M	
(注)		Ⓢ	シオエ	(注)	帝人

マーク	会社名	マーク	会社名	マーク	会社名
	トーアエイヨー		日本新薬		富士フイルム富山化学
TOKO	東光薬品	(注)	日本ベーリンガー	Fujimoto	藤本
(注)		(注)		SP	マルホ
TC	東洋カプセル	(注)		U	ミノファーゲン
TC		(注)		CM	ミヤリサン
NK		Heyl	日本メジフィジックス	(注)	Medical Parkland
	鳥居薬品		ノバルティス	(注)	
					持田
(注)	日医工				祐徳薬品
(注)					陽進堂
(注)			バイエル薬品	(注)	
(注)		CF		W	わかもと
(注)		CT		W	
(注)	日医工岐阜	CY		W	
(注)		HM			
(注)		SC			
(注)	日医工ファーマ		久光		
(注)		Pfizer	ファイザー		
(注)		Pfizer (注)			
(注)					
(注)					
(注)	日新	LL			
(注)	ニプロES	(注)			
Lilly (注)	日本イーライリリー		フェリング		
(注)	日本新薬				
			藤永		

番号	識別コード	色 (①:割線有)		商品名(会社名)	一般名	規格単位	薬効	掲載ページ
000	TSU000	白	①	アロプリノール錠100mg「ツルハラ」(鶴原)	アロプリノール	100mg 1錠	キサンチンオキシダーゼ阻害剤・高尿酸血症治療剤	363
0	0／PT324	白	①	コートリル錠10mg（ファイザー）	ヒドロコルチゾン	10mg 1錠	副腎皮質ホルモン	2983
	KTLD0	白		ロラタジンOD錠10mg「NIG」(日医工岐阜／日医工／武田薬品)	ロラタジン	10mg 1錠	持続性選択H₁-受容体拮抗・アレルギー治療剤	4545
	TE／C0 TEC0	薄橙		ピモベンダン錠0.625mg「TE」（トーアエイヨー）	ピモベンダン	0.625mg 1錠	Ca²⁺感受性増強・心不全治療剤	3021
	YO MG0／500	白		酸化マグネシウム錠500mg「ヨシダ」(吉田／共創未来)	酸化マグネシウム	500mg 1錠	制酸・緩下剤	3798
0.05	CG ED0.05	白〜黄白		オイラゾンクリーム0.05%（日新）	デキサメタゾン	0.05% 1g	副腎皮質ホルモン	2208
0.1	0.1TA／VLE 0.1TA VLE	白		タムスロシン塩酸塩OD錠0.1mg「VTRS」（ヴィアトリス・ヘルスケア／ヴィアトリス）	タムスロシン塩酸塩	0.1mg 1錠	α₁-遮断剤	2075
	CG ED0.1	白〜黄白		オイラゾンクリーム0.1%（日新）	デキサメタゾン	0.1% 1g	副腎皮質ホルモン	2208
	MS011／0.1	白		タムスロシン塩酸塩OD錠0.1mg「明治」(Meiji Seika／Meファルマ)	タムスロシン塩酸塩	0.1mg 1錠	α₁-遮断剤	2075
	NPI125／0.1	白		タムスロシン塩酸塩OD錠0.1mg「ケミファ」(日本薬品工業／日本ケミファ)	タムスロシン塩酸塩	0.1mg 1錠	α₁-遮断剤	2075
	NSZA／0.1	淡橙		デュタステリド錠0.1mgZA「NS」(日新)	デュタステリド	0.1mg 1錠	5α-還元酵素阻害薬	2332
	TLZ0.1 TLZ0.1	白		ターゼナカプセル0.1mg（ファイザー）	タラゾパリブトシル酸塩	0.1mg 1カプセル	抗悪性腫瘍剤・ポリアデノシン5'二リン酸リボースポリメラーゼ(PARP)阻害剤	2079
	TSU049／0.1	白		イミダフェナシンOD錠0.1mg「ツルハラ」(鶴原)	イミダフェナシン	0.1mg 1錠	過活動膀胱治療剤	501
	Tw525／0.1	白		タムスロシン塩酸塩OD錠0.1mg「トーワ」(東和薬品)	タムスロシン塩酸塩	0.1mg 1錠	α₁-遮断剤	2075
	ZAデュタステリド0.1トーワ デュタステリドZA0.1トーワ	淡橙		デュタステリドカプセル0.1mgZA「トーワ」(東和薬品)	デュタステリド	0.1mg 1カプセル	5α-還元酵素阻害薬	2332
	CH262／0.1	白		タムスロシン塩酸塩OD錠0.1mg「CH」(長生堂／日本ジェネリック)	タムスロシン塩酸塩	0.1mg 1錠	α₁-遮断剤	2075
	HA／0.1 HA0.1	白		ハルナールD錠0.1mg（アステラス）	タムスロシン塩酸塩	0.1mg 1錠	α₁-遮断剤	2075
	イミダフェナシン0.1JG	淡赤〜淡赤褐又は淡赤紫		イミダフェナシン錠0.1mg「JG」(長生堂／日本ジェネリック)	イミダフェナシン	0.1mg 1錠	過活動膀胱治療剤	501
	イミダフェナシン0.1ODトーワ	極薄赤		イミダフェナシンOD錠0.1mg「トーワ」(東和薬品)	イミダフェナシン	0.1mg 1錠	過活動膀胱治療剤	501
	イミダフェナシン0.1サワイ	淡赤〜淡赤褐又は淡赤紫		イミダフェナシン錠0.1mg「サワイ」(沢井)	イミダフェナシン	0.1mg 1錠	過活動膀胱治療剤	501
	イミダフェナシンOD0.1JG	白		イミダフェナシンOD錠0.1mg「JG」(長生堂／日本ジェネリック)	イミダフェナシン	0.1mg 1錠	過活動膀胱治療剤	501
	イミダフェナシンOD0.1TCK	白		イミダフェナシンOD錠0.1mg「TCK」(辰巳化学)	イミダフェナシン	0.1mg 1錠	過活動膀胱治療剤	501
	イミダフェナシンOD0.1サワイ	白		イミダフェナシンOD錠0.1mg「サワイ」(沢井)	イミダフェナシン	0.1mg 1錠	過活動膀胱治療剤	501
	イミダフェナシンYD0.1 YD549	淡赤〜淡赤褐又は淡赤紫		イミダフェナシン錠0.1mg「YD」(陽進堂／共創未来)	イミダフェナシン	0.1mg 1錠	過活動膀胱治療剤	501
	イミダフェナシンYD OD0.1 YD098	白		イミダフェナシンOD錠0.1mg「YD」(陽進堂／共創未来)	イミダフェナシン	0.1mg 1錠	過活動膀胱治療剤	501
	ウリトス0.1 KP-197	淡赤〜淡赤褐又は淡赤紫		ウリトス錠0.1mg（杏林）	イミダフェナシン	0.1mg 1錠	過活動膀胱治療剤	501
	ステーブラ0.1	淡赤〜淡赤褐又は淡赤紫		ステーブラ錠0.1mg（小野薬品）	イミダフェナシン	0.1mg 1錠	過活動膀胱治療剤	501
	タムスロシン0.1mgSW-611 SW-611	極薄黄／白		タムスロシン塩酸塩カプセル0.1mg「サワイ」(沢井)	タムスロシン塩酸塩	0.1mg 1カプセル	α₁-遮断剤	2075
	タムスロシンOD0.1サワイ	白		タムスロシン塩酸塩OD錠0.1mg「サワイ」(沢井)	タムスロシン塩酸塩	0.1mg 1錠	α₁-遮断剤	2075
	パルモディア0.1	白	①	パルモディア錠0.1mg（興和）	ペマフィブラート	0.1mg 1錠	高脂血症治療剤	3557
0.125	FF161／0.125	白		プラミペキソール塩酸塩錠0.125mg「FFP」(共創未来)	プラミペキソール塩酸塩水和物	0.125mg 1錠	ドパミン作動性抗パーキンソン剤，レストレスレッグス症候群治療剤	3258
	NF／0.125 NF151	薄橙	①	ジゴキシン錠0.125mg「AFP」(アルフレッサファーマ)	ジゴキシン	0.125mg 1錠	ジギタリス強心配糖体	1594

0
I
99

番号	識別コード	色 (①:割線有)	商品名(会社名)	一般名	規格単位	薬効	掲載 ページ
0.125	NS145／0.125	白	プラミペキソール塩酸塩錠0.125mg「日新」(日新)	プラミペキソール塩酸塩水和物	0.125mg 1錠	ドパミン作動性抗パーキンソン剤、レストレスレッグス症候群治療剤	3258
	PPX EP／PPX0.125 PPX EP0.125	白	プラミペキソール塩酸塩錠0.125mg「DSEP」(第一三共エスファ)	プラミペキソール塩酸塩水和物	0.125mg 1錠	ドパミン作動性抗パーキンソン剤、レストレスレッグス症候群治療剤	3258
	TTS302／0.125 TTS-302	淡黄白	プラミペキソール塩酸塩錠0.125mg「タカタ」(高田)	プラミペキソール塩酸塩水和物	0.125mg 1錠	ドパミン作動性抗パーキンソン剤、レストレスレッグス症候群治療剤	3258
	Tw570／0.125	淡赤	プラミペキソール塩酸塩OD錠0.125mg「トーワ」(東和薬品)	プラミペキソール塩酸塩水和物	0.125mg 1錠	ドパミン作動性抗パーキンソン剤、レストレスレッグス症候群治療剤	3258
	YD176／0.125	白	プラミペキソール塩酸塩錠0.125mg「YD」(陽進堂)	プラミペキソール塩酸塩水和物	0.125mg 1錠	ドパミン作動性抗パーキンソン剤、レストレスレッグス症候群治療剤	3258
0.15	T621／0.15	白	ホーネル錠0.15 (大正)	ファレカルシトリオール	0.15μg 1錠	活性型ビタミンD₃製剤	3084
	◆212／0.15	白	フルスタン錠0.15 (住友ファーマ/キッセイ)	ファレカルシトリオール	0.15μg 1錠	活性型ビタミンD₃製剤	3084
0.2	0.2／SW VG2	白〜帯黄白	ボグリボース錠0.2mg「サワイ」(沢井)	ボグリボース	0.2mg 1錠	α-グルコシダーゼ阻害・食後過血糖改善剤	3668
	0.2TA／VLE 0.2TA VLE	白	タムスロシン塩酸塩OD錠0.2mg「VTRS」(ヴィアトリス・ヘルスケア/ヴィアトリス)	タムスロシン塩酸塩	0.2mg 1錠	α₁-遮断剤	2075
	FCI351／0.2 FCI351 0.2	赤橙	フィナステリド錠0.2mg「FCI」(富士化学)	フィナステリド	0.2mg 1錠	5α-還元酵素Ⅱ型阻害薬	3090
	M652／0.2	帯黄白 ①	ボグリボースOD錠0.2mg「杏林」(キョーリンリメディオ/杏林)	ボグリボース	0.2mg 1錠	α-グルコシダーゼ阻害・食後過血糖改善剤	3668
	MED111／0.2	帯黄白	ボグリボースOD錠0.2mg「MED」(メディサ/日本ジェネリック)	ボグリボース	0.2mg 1錠	α-グルコシダーゼ阻害・食後過血糖改善剤	3668
	MS012／0.2	白	タムスロシン塩酸塩OD錠0.2mg「明治」(Meiji Seika/Meファルマ)	タムスロシン塩酸塩	0.2mg 1錠	α₁-遮断剤	2075
	NP311 0.2 NP-311	白	ボグリボース錠0.2mg「NP」(ニプロ)	ボグリボース	0.2mg 1錠	α-グルコシダーゼ阻害・食後過血糖改善剤	3668
	NPI126／0.2	白	タムスロシン塩酸塩OD錠0.2mg「ケミファ」(日本薬品工業/日本ケミファ)	タムスロシン塩酸塩	0.2mg 1錠	α₁-遮断剤	2075
	PH313／0.2	白〜帯黄白①	ボグリボース錠0.2mg「杏林」(キョーリンリメディオ/杏林)	ボグリボース	0.2mg 1錠	α-グルコシダーゼ阻害・食後過血糖改善剤	3668
	SU0.2／VTRS VTRS SU0.2	赤橙	フィナステリド錠0.2mg「VTRS」(ヴィアトリス・ヘルスケア/ヴィアトリス)	フィナステリド	0.2mg 1錠	5α-還元酵素Ⅱ型阻害薬	3090
	SW FS0.2／0.2	薄赤	フィナステリド錠0.2mg「サワイ」(沢井)	フィナステリド	0.2mg 1錠	5α-還元酵素Ⅱ型阻害薬	3090
	SW V2／0.2	帯黄白 ①	ボグリボースOD錠0.2mg「サワイ」(沢井)	ボグリボース	0.2mg 1錠	α-グルコシダーゼ阻害・食後過血糖改善剤	3668
	TTS331／0.2 TTS-331	帯黄白 ①	ボグリボースOD錠0.2mg「タカタ」(高田)	ボグリボース	0.2mg 1錠	α-グルコシダーゼ阻害・食後過血糖改善剤	3668
	Tw152／0.2	白〜帯黄白①	ボグリボース錠0.2mg「トーワ」(東和薬品)	ボグリボース	0.2mg 1錠	α-グルコシダーゼ阻害・食後過血糖改善剤	3668
	Tw172／0.2	帯黄白 ①	ボグリボースOD錠0.2mg「トーワ」(東和薬品/共創未来)	ボグリボース	0.2mg 1錠	α-グルコシダーゼ阻害・食後過血糖改善剤	3668
	Tw527／0.2	白	タムスロシン塩酸塩OD錠0.2mg「トーワ」(東和薬品)	タムスロシン塩酸塩	0.2mg 1錠	α₁-遮断剤	2075
	VS0.2	白 ①	ボグリボース錠0.2mg「VTRS」(ヴィアトリス・ヘルスケア/ヴィアトリス)	ボグリボース	0.2mg 1錠	α-グルコシダーゼ阻害・食後過血糖改善剤	3668
	YD525／0.2	白 ①	ボグリボース錠0.2mg「YD」(陽進堂/共創未来)	ボグリボース	0.2mg 1錠	α-グルコシダーゼ阻害・食後過血糖改善剤	3668
	⊗222／0.2 ⊗222：0.2	黄	スインプロイク錠0.2mg (塩野義)	ナルデメジントシル酸塩	0.2mg 1錠	経口末梢性μオピオイド受容体拮抗薬	2620
	ㄷh263／0.2	白	タムスロシン塩酸塩OD錠0.2mg「CH」(長生堂/日本ジェネリック)	タムスロシン塩酸塩	0.2mg 1錠	α₁-遮断剤	2075
	△341／0.2	帯黄白 ①	ベイスンOD錠0.2 (武田テバ薬品/武田薬品)	ボグリボース	0.2mg 1錠	α-グルコシダーゼ阻害・食後過血糖改善剤	3668
	△351／0.2	白〜帯黄白①	ベイスン錠0.2 (武田テバ薬品/武田薬品)	ボグリボース	0.2mg 1錠	α-グルコシダーゼ阻害・食後過血糖改善剤	3668
	𝑛803／0.2 𝑛803 0.2 𝑛803	白〜帯黄白①	ボグリボース錠0.2mg「日医工」(日医工)	ボグリボース	0.2mg 1錠	α-グルコシダーゼ阻害・食後過血糖改善剤	3668
	𝑛820／0.2 𝑛820 0.2 𝑛820	帯黄白 ①	ボグリボースOD錠0.2mg「日医工」(日医工)	ボグリボース	0.2mg 1錠	α-グルコシダーゼ阻害・食後過血糖改善剤	3668
	✦HA／0.2 ✦HA0.2	白	ハルナールD錠0.2mg (アステラス)	タムスロシン塩酸塩	0.2mg 1錠	α₁-遮断剤	2075
	⑰V2／0.2	帯黄白 ①	ボグリボースOD錠0.2mg「武田テバ」(武田テバファーマ/武田薬品)	ボグリボース	0.2mg 1錠	α-グルコシダーゼ阻害・食後過血糖改善剤	3668

番号	識別コード	色 (①:割線有)	商品名(会社名)	一般名	規格単位	薬効	掲載ページ
0.2	*n*VG2／0.2	白～帯黄白①	ボグリボース錠0.2mg「武田テバ」(武田テバファーマ／武田薬品)	ボグリボース	0.2mg 1錠	α-グルコシダーゼ阻害・食後過血糖改善剤	3668
	タムスロシン0.2mg SW-612 SW-612	極薄赤／白	タムスロシン塩酸塩カプセル0.2mg「サワイ」(沢井)	タムスロシン塩酸塩	0.2mg 1カプセル	α_1-遮断剤	2075
	タムスロシンOD 0.2サワイ	白	タムスロシン塩酸塩OD錠0.2mg「サワイ」(沢井)	タムスロシン塩酸塩	0.2mg 1錠	α_1-遮断剤	2075
	パルモディア XR0.2	淡黄	パルモディアXR錠0.2mg (興和)	ペマフィブラート	0.2mg 1錠	高脂血症治療剤	3557
	フィナステリド0.2 トーワ	薄赤	フィナステリド錠0.2mg「トーワ」(東和薬品)	フィナステリド	0.2mg 1錠	5α-還元酵素II型阻害薬	3090
0.25	EE36／0.25	白	エチゾラム錠0.25mg「EMEC」(アルフレッサファーマ／エルメッド／日医工)	エチゾラム	0.25mg 1錠	チエノジアゼピン系精神安定剤	738
	JG C54／0.25	白	ロピニロール錠0.25mg「JG」(長生堂／日本ジェネリック)	ロピニロール塩酸塩	0.25mg 1錠	ドパミンD$_2$受容体系作動薬	4511
	JGC40／0.25	微赤	エチゾラム錠0.25mg「JG」(長生堂／日本ジェネリック)	エチゾラム	0.25mg 1錠	チエノジアゼピン系精神安定剤	738
	KW171／0.25	白	アルファカルシドール錠0.25μg「アメル」(共和薬品)	アルファカルシドール	0.25μg 1錠	活性型ビタミンD$_3$	317
	KW555／OD0.25	白 ①	ブロチゾラムOD0.25mg「アメル」(共和薬品)	ブロチゾラム	0.25mg 1錠	チエノトリアゾロジアゼピン系睡眠導入剤	3411
	MCI061／0.25	薄橙	バソメット錠0.25mg (田辺三菱)	テラゾシン塩酸塩水和物	0.25mg 1錠	α_1-遮断剤	2353
	NF／0.25 NF133	白 ①	ジゴキシン錠0.25mg「AFP」(アルフレッサファーマ)	ジゴキシン	0.25mg 1錠	ジギタリス強心配糖体	1594
	NP547／0.25 NP-547	微赤	エチゾラム錠0.25mg「NP」(ニプロ)	エチゾラム	0.25mg 1錠	チエノジアゼピン系精神安定剤	738
	NS140／0.25	微赤	エチゾラム錠0.25mg「日新」(日新)	エチゾラム	0.25mg 1錠	チエノジアゼピン系精神安定剤	738
	SW LND／0.25	白 ①	ブロチゾラムOD0.25mg「サワイ」(メディサ／沢井)	ブロチゾラム	0.25mg 1錠	チエノトリアゾロジアゼピン系睡眠導入剤	3411
	SW036／0.25	微赤	エチゾラム錠0.25mg「SW」(メディサ／沢井)	エチゾラム	0.25mg 1錠	チエノジアゼピン系精神安定剤	738
	TLZ0.25 *pfizer*TLZ0.25	帯黄白／白	ターゼナカプセル0.25mg (ファイザー)	タラゾパリブトシル酸塩	0.25mg 1カプセル	抗悪性腫瘍剤・ポリアデノシン5′二リン酸リボースポリメラーゼ(PARP)阻害剤	2079
	Tw.D3 0.25	微黄～淡黄	アルファカルシドールカプセル0.25μg「トーワ」(東和薬品)	アルファカルシドール	0.25μg 1カプセル	活性型ビタミンD$_3$	317
	Tw.TR0.25	微黄白	カルシトリオールカプセル0.25μg「トーワ」(東和薬品)	カルシトリオール	0.25μg 1カプセル	活性型ビタミンD$_3$	1136
	Tw776／0.25	微赤	エチゾラム錠0.25mg「トーワ」(東和薬品)	エチゾラム	0.25mg 1錠	チエノジアゼピン系精神安定剤	738
	Y／FL0.25 Y-FL0.25	白	フルメジン糖衣錠(0.25) (田辺三菱)	フルフェナジン	0.25mg 1錠	フェノチアジン系精神安定剤	3331
	*n*707／0.25 *n*707 0.25 *n*707	微赤	エチゾラム錠0.25mg「日医工」(日医工)	エチゾラム	0.25mg 1錠	チエノジアゼピン系精神安定剤	738
	◇PG／0.25 ◇PG0.25	白	エチゾラム錠0.25mg「フジナガ」(藤永／第一三共)	エチゾラム	0.25mg 1錠	チエノジアゼピン系精神安定剤	738
	パルミコート吸入液 0.25mg アストラゼネカ	白～微黄白／緑	パルミコート吸入液0.25mg (アストラゼネカ)	ブデソニド	0.25mg 2mL 1管	クローン病治療剤・吸入ステロイド喘息治療剤・潰瘍性大腸炎治療剤	3211
	レパグリニド0.25 サワイ	淡赤 ①	レパグリニド錠0.25mg「サワイ」(沢井)	レパグリニド	0.25mg 1錠	速効型インスリン分泌促進剤	4386
	ロピニ0.25／アメル	白	ロピニロールOD錠0.25mg「アメル」(共和薬品)	ロピニロール塩酸塩	0.25mg 1錠	ドパミンD$_2$受容体系作動薬	4511
	ワンアルファ0.25	白	ワンアルファ錠0.25μg (帝人)	アルファカルシドール	0.25μg 1錠	活性型ビタミンD$_3$	317
0.3	0.3／SW VG3	白～帯黄白	ボグリボース錠0.3mg「サワイ」(沢井)	ボグリボース	0.3mg 1錠	α-グルコシダーゼ阻害・食後過血糖改善剤	3668
	M653／0.3	微黄	ボグリボースOD錠0.3mg「杏林」(キョーリンリメディオ／杏林)	ボグリボース	0.3mg 1錠	α-グルコシダーゼ阻害・食後過血糖改善剤	3668
	MED112／0.3	微黄	ボグリボースOD錠0.3mg「MED」(メディサ／日本ジェネリック)	ボグリボース	0.3mg 1錠	α-グルコシダーゼ阻害・食後過血糖改善剤	3668
	NP312 0.3 NP-312	白	ボグリボース錠0.3mg「NP」(ニプロ)	ボグリボース	0.3mg 1錠	α-グルコシダーゼ阻害・食後過血糖改善剤	3668
	PH314／0.3	白～帯黄白	ボグリボース錠0.3mg「杏林」(キョーリンリメディオ／杏林)	ボグリボース	0.3mg 1錠	α-グルコシダーゼ阻害・食後過血糖改善剤	3668
	SW V3／0.3	微黄	ボグリボースOD錠0.3mg「サワイ」(沢井)	ボグリボース	0.3mg 1錠	α-グルコシダーゼ阻害・食後過血糖改善剤	3668
	T622／0.3	白 ①	ホーネル錠0.3 (大正)	ファレカルシトリオール	0.3μg 1錠	活性型ビタミンD$_3$製剤	3084
	TTS332／0.3 TTS-332	微黄	ボグリボースOD錠0.3mg「タカタ」(高田)	ボグリボース	0.3mg 1錠	α-グルコシダーゼ阻害・食後過血糖改善剤	3668

番号	識別コード	色 (①:割線有)	商品名(会社名)	一般名	規格単位	薬効	掲載 ページ
0.3	Tw153／0.3	白〜帯黄白	ボグリボース錠0.3mg「トーワ」(東和薬品)	ボグリボース	0.3mg 1錠	α-グルコシダーゼ阻害・食後過血糖改善剤	3668
	Tw173／0.3	微黄	ボグリボースOD錠0.3mg「トーワ」(東和薬品／共創未来)	ボグリボース	0.3mg 1錠	α-グルコシダーゼ阻害・食後過血糖改善剤	3668
	VS0.3	白	ボグリボース錠0.3mg「VTRS」(ヴィアトリス・ヘルスケア／ヴィアトリス)	ボグリボース	0.3mg 1錠	α-グルコシダーゼ阻害・食後過血糖改善剤	3668
	YD526／0.3	白	ボグリボース錠0.3mg「YD」(陽進堂／共創未来)	ボグリボース	0.3mg 1錠	α-グルコシダーゼ阻害・食後過血糖改善剤	3668
	△342／0.3	微黄	ベイスンOD錠0.3 (武田テバ薬品／武田薬品)	ボグリボース	0.3mg 1錠	α-グルコシダーゼ阻害・食後過血糖改善剤	3668
	△352／0.3	白〜帯黄白	ベイスン錠0.3 (武田テバ薬品／武田薬品)	ボグリボース	0.3mg 1錠	α-グルコシダーゼ阻害・食後過血糖改善剤	3668
	n804／0.3 n804 0.3 ⓝ804	白〜帯黄白	ボグリボース錠0.3mg「日医工」(日医工)	ボグリボース	0.3mg 1錠	α-グルコシダーゼ阻害・食後過血糖改善剤	3668
	n821／0.3 n821 0.3 ⓝ821	微黄	ボグリボースOD錠0.3mg「日医工」(日医工)	ボグリボース	0.3mg 1錠	α-グルコシダーゼ阻害・食後過血糖改善剤	3668
	⑰V3／0.3	微黄	ボグリボースOD錠0.3mg「武田テバ」(武田テバファーマ／武田薬品)	ボグリボース	0.3mg 1錠	α-グルコシダーゼ阻害・食後過血糖改善剤	3668
	⑰VG3／0.3	白〜帯黄白	ボグリボース錠0.3mg「武田テバ」(武田テバファーマ／武田薬品)	ボグリボース	0.3mg 1錠	α-グルコシダーゼ阻害・食後過血糖改善剤	3668
0.375	SW PM LA1／0.375	白	プラミペキソール塩酸塩LA錠0.375mgMI「サワイ」(沢井)	プラミペキソール塩酸塩水和物	0.375mg 1錠	ドパミン作動性抗パーキンソン剤、レストレスレッグス症候群治療剤	3258
	プラミペキソールLA0.375JG	白	プラミペキソール塩酸塩LA錠0.375mgMI「JG」(日本ジェネリック)	プラミペキソール塩酸塩水和物	0.375mg 1錠	ドパミン作動性抗パーキンソン剤、レストレスレッグス症候群治療剤	3258
	プラミペキソールLA0.375MI DSEP	白	プラミペキソール塩酸塩LA錠0.375mgMI「DSEP」(第一三共エスファ)	プラミペキソール塩酸塩水和物	0.375mg 1錠	ドパミン作動性抗パーキンソン剤、レストレスレッグス症候群治療剤	3258
	プラミペキソールLA0.375MIアメル	白〜帯黄白	プラミペキソール塩酸塩LA錠0.375mgMI「アメル」(共和薬品)	プラミペキソール塩酸塩水和物	0.375mg 1錠	ドパミン作動性抗パーキンソン剤、レストレスレッグス症候群治療剤	3258
	プラミペキソールLA0.375MIトーワ	白	プラミペキソール塩酸塩LA錠0.375mgMI「トーワ」(東和薬品)	プラミペキソール塩酸塩水和物	0.375mg 1錠	ドパミン作動性抗パーキンソン剤、レストレスレッグス症候群治療剤	3258
	プラミペキソールLA0.375オーハラ	白	プラミペキソール塩酸塩LA錠0.375mgMI「オーハラ」(大原薬品／共創未来)	プラミペキソール塩酸塩水和物	0.375mg 1錠	ドパミン作動性抗パーキンソン剤、レストレスレッグス症候群治療剤	3258
	マーズレン0.375	淡青	マーズレン配合錠0.375ES (寿／EA)	アズレンスルホン酸ナトリウム水和物・L-グルタミン	1錠	消炎性抗潰瘍剤	70
0.4	△147／0.4	白	コンスタン0.4mg錠(武田テバ薬品／武田薬品)	アルプラゾラム	0.4mg 1錠	マイナートランキライザー	322
	パルモディアXR0.4	淡黄	パルモディアXR錠0.4mg (興和)	ペマフィブラート	0.4mg 1錠	高脂血症治療剤	3557
0.5	0.5mg╬607 ╬607	淡黄	プログラフカプセル0.5mg (アステラス)	タクロリムス水和物	0.5mg 1カプセル	免疫抑制剤	1999
	0.5mg➤647 ➤647	淡黄／橙	グラセプターカプセル0.5mg (アステラス)	タクロリムス水和物	0.5mg 1カプセル	免疫抑制剤	1999
	0.5／VTC01	白	カルデナリン錠0.5mg (ヴィアトリス)	ドキサゾシンメシル酸塩	0.5mg 1錠	$α_1$-遮断剤	2391
	0.5／VTC11	淡黄	カルデナリンOD錠0.5mg (ヴィアトリス)	ドキサゾシンメシル酸塩	0.5mg 1錠	$α_1$-遮断剤	2391
	0.5 TYK150	黄赤	アルファカルシドールカプセル0.5μg「NIG」(日医工岐阜／日医工／武田薬品)	アルファカルシドール	0.5μg 1カプセル	活性型ビタミンD_3	317
	AFP133／0.5	白	メレックス錠0.5mg (アルフレッサファーマ)	メキサゾラム	0.5mg 1錠	オキサゾロベンゾジアゼピン系抗不安剤	3901
	AL0.5g AL1.0g	茶褐	アローゼン顆粒(サンファーマ)	センナ・センナ実	1g	生薬緩下剤	1922
	AML RIS／0.5	白〜帯黄白	リスペリドン錠0.5mg「アメル」(共和薬品)	リスペリドン	0.5mg 1錠	抗精神病、D_2・5-HT_2拮抗剤	4201
	AY0.5／0.5	白	タクロリムス錠0.5mg「あゆみ」(あゆみ)	タクロリムス水和物	0.5mg 1錠	免疫抑制剤	1999
	AZE0.5 t AZE0.5[0.5mg]	白	アゼラスチン塩酸塩錠0.5mg「NIG」(日医工岐阜／日医工／武田薬品)	アゼラスチン塩酸塩	0.5mg 1錠	アレルギー性疾患治療剤	90
	D AV EP／ D AV0.5 D AV EP0.5	淡黄	デュタステリド錠0.5mgAV「DSEP」(第一三共エスファ)	デュタステリド	0.5mg 1錠	5α-還元酵素阻害薬	2332
	DS011／0.5	白	ランドセン錠0.5mg (住友ファーマ)	クロナゼパム	0.5mg 1錠	ベンゾジアゼピン系抗てんかん剤	1310
	DW／0.5 DW0.5	白〜微黄白	エンテカビル錠0.5mg「VTRS」(ヴィアトリス・ヘルスケア／ヴィアトリス)	エンテカビル水和物	0.5mg 1錠	抗ウイルス化学療法剤	921

番号	識別コード	色 (①：割線有)	商品名(会社名)	一般名	規格単位	薬効	掲載ページ
0.5	DZ0.5／⑦	白	エチゾラム錠0.5mg「NIG」(日医工岐阜／日医工／武田薬品)	エチゾラム	0.5mg 1錠	チエノジアゼピン系精神安定剤	738
	EE215／0.5	白	ドキサゾシン錠0.5mg「EMEC」(アルフレッサファーマ／エルメッド／日医工)	ドキサゾシンメシル酸塩	0.5mg 1錠	α_1-遮断剤	2391
	ETV0.5 ETV／0.5	白〜微黄白	エンテカビル錠0.5mg「CMX」(ケミックス)	エンテカビル水和物	0.5mg 1錠	抗ウイルス化学療法剤	921
	F1／0.5	白	グリメピリド錠0.5mg「フェルゼン」(フェルゼン)	グリメピリド	0.5mg 1錠	スルホニル尿素系血糖降下剤	1278
	FF162／0.5	白 ①	プラミペキソール塩酸塩錠0.5mg「FFP」(共創未来)	プラミペキソール塩酸塩水和物	0.5mg 1錠	ドパミン作動性抗パーキンソン剤, レストレスレッグス症候群治療剤	3258
	FJ75／0.5	明るい灰黄	エストラジオール錠0.5mg「F」(富士製薬)	エストラジオール	0.5mg 1錠	エストラジオール製剤	685
	FJ80／0.5	淡紅	デュタステリド錠0.5mgZA「F」(富士製薬)	デュタステリド	0.5mg 1錠	5α-還元酵素阻害薬	2332
	FTY0.5mg	明るい黄／白	ジレニアカプセル0.5mg(ノバルティス)	フィンゴリモド塩酸塩	0.5mg 1カプセル	多発性硬化症治療剤	3107
	FTY0.5mg	明るい黄／白	イムセラカプセル0.5mg(田辺三菱)	フィンゴリモド塩酸塩	0.5mg 1カプセル	多発性硬化症治療剤	3107
	FY321／0.5	白〜淡黄白	ユリス錠0.5mg(富士薬品／持田)	ドチヌラド	0.5mg 1錠	選択的尿酸再吸収阻害薬・高尿酸血症治療剤	2423
	GIL0.5	白〜ほとんど白	アジレクト錠0.5mg(武田薬品)	ラサギリンメシル酸塩	0.5mg 1錠	パーキンソン病治療剤(選択的MAO-B阻害剤)	4071
	GL0.5	薄橙	グリメピリドOD錠0.5mg「ケミファ」(シオノ／日本ケミファ)	グリメピリド	0.5mg 1錠	スルホニル尿素系血糖降下剤	1278
	GM／0.5 GM0.5	白	グリメピリド錠0.5mg「VTRS」(ヴィアトリス・ヘルスケア／ヴィアトリス)	グリメピリド	0.5mg 1錠	スルホニル尿素系血糖降下剤	1278
	HD371／0.5 HD-371	桃 ①	ワルファリンK錠0.5mg「NP」(ニプロ)	ワルファリンカリウム	0.5mg 1錠	抗凝血剤	4556
	JG J31／0.5	白〜微黄白	エンテカビル錠0.5mg「JG」(日本ジェネリック)	エンテカビル水和物	0.5mg 1錠	抗ウイルス化学療法剤	921
	JGC44／0.5	白	エチゾラム錠0.5mg「JG」(長生堂／日本ジェネリック)	エチゾラム	0.5mg 1錠	チエノジアゼピン系精神安定剤	738
	K4／0.5	白	グリメピリド錠0.5mg「科研」(ダイト／科研)	グリメピリド	0.5mg 1錠	スルホニル尿素系血糖降下剤	1278
	KT GM／0.5 KT GM0.5	白	グリメピリド錠0.5mg「NIG」(日医工岐阜／日医工／武田薬品)	グリメピリド	0.5mg 1錠	スルホニル尿素系血糖降下剤	1278
	Kw DOX／0.5	白	ドキサゾシン錠0.5mg「アメル」(共和薬品)	ドキサゾシンメシル酸塩	0.5mg 1錠	α_1-遮断剤	2391
	Kw GL／0.5	白	グリメピリド錠0.5mg「アメル」(共和薬品)	グリメピリド	0.5mg 1錠	スルホニル尿素系血糖降下剤	1278
	KW172／0.5	白	アルファカルシドール錠0.5μg「アメル」(共和薬品)	アルファカルシドール	0.5μg 1錠	活性型ビタミンD$_3$	317
	MA-S0.5g MA-S0.67g MA-S1.0g	帯青	マーズレンS配合顆粒(寿／EA)	アズレンスルホン酸ナトリウム水和物・L-グルタミン	1g	消炎性抗潰瘍剤	70
	MCI062／0.5	白 ①	バソメット錠0.5mg(田辺三菱)	テラゾシン塩酸塩水和物	0.5mg 1錠	α_1-遮断剤	2353
	MeP01／0.5	白	グリメピリド錠0.5mg「Me」(Meファルマ)	グリメピリド	0.5mg 1錠	スルホニル尿素系血糖降下剤	1278
	MS125／0.5	淡黄	デュタステリド錠0.5mgAV「明治」(Meiji Seika／Meファルマ)	デュタステリド	0.5mg 1錠	5α-還元酵素阻害薬	2332
	MS127／0.5	淡紅	デュタステリド錠0.5mgZA「明治」(Meiji Seika／Meファルマ)	デュタステリド	0.5mg 1錠	5α-還元酵素阻害薬	2332
	NF713／0.5	白	トロペロン錠0.5mg(アルフレッサファーマ／田辺三菱)	チミペロン	0.5mg 1錠	ブチロフェノン系精神安定剤	2167
	NP351／0.5 NP-351	白	リスペリドン錠0.5mg「NP」(ニプロ)	リスペリドン	0.5mg 1錠	抗精神病, D$_2$・5-HT$_2$拮抗剤	4201
	NP713／0.5 NP-713	白 ①	グリメピリド錠0.5mg「NP」(ニプロ)	グリメピリド	0.5mg 1錠	スルホニル尿素系血糖降下剤	1278
	NS／0.5	白	エチゾラム錠0.5mg「日新」(日新)	エチゾラム	0.5mg 1錠	チエノジアゼピン系精神安定剤	738
	NS146／0.5	白 ①	プラミペキソール塩酸塩錠0.5mg「日新」(日新)	プラミペキソール塩酸塩水和物	0.5mg 1錠	ドパミン作動性抗パーキンソン剤, レストレスレッグス症候群治療剤	3258
	NS255／0.5	淡黄	デュタステリド錠0.5mgAV「NS」(日新／日本薬品工業／日本ケミファ)	デュタステリド	0.5mg 1錠	5α-還元酵素阻害薬	2332
	NS500／0.5	白	ドキサゾシン錠0.5mg「NS」(日新／第一三共エスファ)	ドキサゾシンメシル酸塩	0.5mg 1錠	α_1-遮断剤	2391
	NSZA／0.5	淡紅	デュタステリド錠0.5mgZA「NS」(日新)	デュタステリド	0.5mg 1錠	5α-還元酵素阻害薬	2332
	O.S A0.5 O.S-A0.5	白〜淡黄白	エチゾラム錠0.5mg「日医工」(日医工)	エチゾラム	0.5mg 1錠	チエノジアゼピン系精神安定剤	738

番号	識別コード	色 (⊖:割線有)		商品名(会社名)	一般名	規格単位	薬効	掲載 ページ
0.5	PPX EP／ PPX0.5 PPX EP0.5	白	⊖	プラミペキソール塩酸塩錠0.5mg 「DSEP」(第一三共エスファ)	プラミペキソール塩酸塩水和物	0.5mg 1錠	ドパミン作動性抗パーキンソン剤、レストレスレッグス症候群治療剤	3258
	PT DX／0.5 PT DX0.5	白		ドキサゾシン錠0.5mg「ファイザー」(ヴィアトリス・ヘルスケア／ヴィアトリス)	ドキサゾシンメシル酸塩	0.5mg 1錠	α₁-遮断剤	2391
	R0.5／⊕	白		アデムパス錠0.5mg(バイエル薬品)	リオシグアト	0.5mg 1錠	可溶性グアニル酸シクラーゼ(sGC)刺激剤	4179
	Sc321／0.5	濃紅		グリメピリド錠0.5mg「三和」(三和化学)	グリメピリド	0.5mg 1錠	スルホニル尿素系血糖降下剤	1278
	SW DX／0.5	白		ドキサゾシン錠0.5mg「サワイ」(沢井)	ドキサゾシンメシル酸塩	0.5mg 1錠	α₁-遮断剤	2391
	SW ET 0.5	白～微黄白		エンテカビルOD錠0.5mg「サワイ」(沢井)	エンテカビル水和物	0.5mg 1錠	抗ウイルス化学療法剤	921
	SZ001／0.5	白		グリメピリド錠0.5mg「サンド」(サンド)	グリメピリド	0.5mg 1錠	スルホニル尿素系血糖降下剤	1278
	t431／0.5	白	⊖	ワルファリンK錠0.5mg「NIG」(日医工岐阜／日医工／武田薬品)	ワルファリンカリウム	0.5mg 1錠	抗凝血剤	4556
	TG001／0.5	白		ドキサゾシン錠0.5mg「タナベ」(ニプロES)	ドキサゾシンメシル酸塩	0.5mg 1錠	α₁-遮断剤	2391
	TG001／0.5	白		ドキサゾシン錠0.5mg「ニプロ」(ニプロES)	ドキサゾシンメシル酸塩	0.5mg 1錠	α₁-遮断剤	2391
	TG27／0.5	白		グリメピリド錠0.5mg「タナベ」(ニプロES)	グリメピリド	0.5mg 1錠	スルホニル尿素系血糖降下剤	1278
	TG27／0.5	白		グリメピリド錠0.5mg「ニプロ」(ニプロES)	グリメピリド	0.5mg 1錠	スルホニル尿素系血糖降下剤	1278
	TTS212／ エンテカビル0.5 TTS-212	白～微黄白		エンテカビル錠0.5mg「タカタ」(高田)	エンテカビル水和物	0.5mg 1錠	抗ウイルス化学療法剤	921
	TTS303／0.5 TTS-303	淡黄白	⊖	プラミペキソール塩酸塩錠0.5mg「タカタ」(高田)	プラミペキソール塩酸塩水和物	0.5mg 1錠	ドパミン作動性抗パーキンソン剤、レストレスレッグス症候群治療剤	3258
	TTS523／0.5 TTS-523	白		リスペリドンOD錠0.5mg「タカタ」(高田)	リスペリドン	0.5mg 1錠	抗精神病、D₂・5-HT₂拮抗剤	4201
	TU371／0.5	白		グリメピリド錠0.5mg「TCK」(辰巳化学)	グリメピリド	0.5mg 1錠	スルホニル尿素系血糖降下剤	1278
	Tu-TZ005／0.5	白		ドキサゾシン錠0.5mg「TCK」(辰巳化学)	ドキサゾシンメシル酸塩	0.5mg 1錠	α₁-遮断剤	2391
	TV ETV1／0.5	白～微黄白		エンテカビル錠0.5mg「NIG」(日医工岐阜／日医工／武田薬品)	エンテカビル水和物	0.5mg 1錠	抗ウイルス化学療法剤	921
	Tw.D3 0.5	白～微黄白		アルファカルシドールカプセル0.5μg「トーワ」(東和薬品)	アルファカルシドール	0.5μg 1カプセル	活性型ビタミンD₃	317
	Tw.TR0.5	淡褐		カルシトリオールカプセル0.5μg「トーワ」(東和薬品)	カルシトリオール	0.5μg 1カプセル	活性型ビタミンD₃	1136
	Tw070／0.5	白		グリメピリドOD錠0.5mg「トーワ」(東和薬品)	グリメピリド	0.5mg 1錠	スルホニル尿素系血糖降下剤	1278
	Tw300／0.5	白		アゼラスチン塩酸塩錠0.5mg「トーワ」(東和薬品)	アゼラスチン塩酸塩	0.5mg 1錠	アレルギー性疾患治療剤	90
	Tw347／0.5	白		グリメピリド錠0.5mg「トーワ」(東和薬品)	グリメピリド	0.5mg 1錠	スルホニル尿素系血糖降下剤	1278
	Tw350／0.5	白		リスペリドンOD錠0.5mg「トーワ」(東和薬品)	リスペリドン	0.5mg 1錠	抗精神病、D₂・5-HT₂拮抗剤	4201
	Tw531／0.5	白	⊖	ワルファリンK錠0.5mg「トーワ」(東和薬品)	ワルファリンカリウム	0.5mg 1錠	抗凝血剤	4556
	Tw541／0.5	白		ドキサゾシン錠0.5mg「トーワ」(東和薬品)	ドキサゾシンメシル酸塩	0.5mg 1錠	α₁-遮断剤	2391
	Tw577／0.5	淡赤		プラミペキソール塩酸塩OD錠0.5mg「トーワ」(東和薬品)	プラミペキソール塩酸塩水和物	0.5mg 1錠	ドパミン作動性抗パーキンソン剤、レストレスレッグス症候群治療剤	3258
	Tw716／0.5	白～微黄白		エンテカビル錠0.5mg「トーワ」(東和薬品)	エンテカビル水和物	0.5mg 1錠	抗ウイルス化学療法剤	921
	Tw761／0.5	淡紅		デュタステリド錠0.5mgZA「トーワ」(東和薬品)	デュタステリド	0.5mg 1錠	5α-還元酵素阻害薬	2332
	Tw771／0.5	白		エチゾラム錠0.5mg「トーワ」(東和薬品)	エチゾラム	0.5mg 1錠	チエノジアゼピン系精神安定剤	738
	TYP0.5／DU	白		リボトリール錠0.5mg(太陽ファルマ)	クロナゼパム	0.5mg 1錠	ベンゾジアゼピン系抗てんかん剤	1310
	VT DX／0.5 VT DX0.5	白		ドキサゾシン錠0.5mg「VTRS」(ヴィアトリス・ヘルスケア／ヴィアトリス)	ドキサゾシンメシル酸塩	0.5mg 1錠	α₁-遮断剤	2391
	Y DP／0.5 Y-DP0.5	白		デパス錠0.5mg(田辺三菱)	エチゾラム	0.5mg 1錠	チエノジアゼピン系精神安定剤	738
	Y R05／0.5 Y-R05	白		リスペリドン錠0.5mg「ヨシトミ」(全星薬品工業／田辺三菱)	リスペリドン	0.5mg 1錠	抗精神病、D₂・5-HT₂拮抗剤	4201

番号	識別コード	色 (①:割線有)		商品名(会社名)	一般名	規格単位	薬効	掲載 ページ
0.5	Y RD／0.5 Y-RD0.5	白		リスペリドンOD錠0.5mg「ヨシトミ」 (全星薬品工業／田辺三菱)	リスペリドン	0.5mg 1錠	抗精神病，D₂・5-HT₂拮抗剤	4201
	YD14／0.5 YD14	白〜微黄白		エンテカビル錠0.5mg「YD」(大興／ 陽進堂)	エンテカビル水和物	0.5mg 1錠	抗ウイルス化学療法剤	921
	YD177／0.5	白	①	プラミペキソール塩酸塩錠0.5mg 「YD」(陽進堂)	プラミペキソール塩酸塩水 和物	0.5mg 1錠	ドパミン作動性抗パーキンソ ン剤，レストレスレッグス症 候群治療剤	3258
	YD232／AV0.5 YD232	淡黄		デュタステリド錠0.5mgAV「YD」(陽 進堂)	デュタステリド	0.5mg 1錠	5α-還元酵素阻害薬	2332
	YD613／0.5	白		ドキサゾシン錠0.5mg「YD」(陽進堂)	ドキサゾシンメシル酸塩	0.5mg 1錠	α₁-遮断剤	2391
	Y／FL0.5 Y-FL0.5	淡橙		フルメジン糖衣錠(0.5)(田辺三菱)	フルフェナジン	0.5mg 1錠	フェノチアジン系精神安定剤	3331
	YP-TT0.5			ツロブテロールテープ0.5mg「YP」 (祐徳薬品／日本薬品工業／日本ケミファ)	ツロブテロール	0.5mg 1枚	気管支拡張β₂-刺激剤	2190
	ZAデュタステリド 0.5トーワ デュタステリドZA 0.5トーワ	淡紅		デュタステリドカプセル0.5mgZA「ト ーワ」(東和薬品)	デュタステリド	0.5mg 1カプ セル	5α-還元酵素阻害薬	2332
	ZE30／0.5	白		グリメピリド錠0.5mg「ZE」(全星薬 品工業／全星薬品)	グリメピリド	0.5mg 1錠	スルホニル尿素系血糖降下剤	1278
	cH126／0.5 ch126	白		ドキサゾシン錠0.5mg「JG」(長生堂／ 日本ジェネリック)	ドキサゾシンメシル酸塩	0.5mg 1錠	α₁-遮断剤	2391
	∈255／0.5 ∈255	淡黄	①	ワーファリン錠0.5mg(エーザイ)	ワルファリンカリウム	0.5mg 1錠	抗凝血剤	4556
	Ⓝ257 0.5	白	①	オドリック錠0.5mg(日本新薬)	トランドラプリル	0.5mg 1錠	ACE阻害剤	2505
	Ⓢ347／0.5 Ⓢ347：0.5	白		リンデロン錠0.5mg(シオノギファー マ／塩野義)	ベタメタゾン	0.5mg 1錠	副腎皮質ホルモン	3496
	n844／0.5 n844 0.5 Ⓝ844	白	①	グリメピリドOD錠0.5mg「日医工」 (日医工)	グリメピリド	0.5mg 1錠	スルホニル尿素系血糖降下剤	1278
	n897／0.5 n897 0.5 Ⓝ897	白		タクロリムス錠0.5mg「日医工」(日医 工)	タクロリムス水和物	0.5mg 1錠	免疫抑制剤	1999
	Pfizer／CHX0.5 Pfizer・CHX0.5	白		チャンピックス錠0.5mg(ファイザー)	バレニクリン酒石酸塩	0.5mg 1錠	α₄β₂ニコチン受容体部分作動 薬(禁煙補助薬)	2867
	◇PG／0.5 ◇PG0.5	白		エチゾラム錠0.5mg「フジナガ」(藤永 ／第一三共)	エチゾラム	0.5mg 1錠	チエノジアゼピン系精神安定 剤	738
	△△WPX／0.5 ▲▲WPX／0.5	白		ワイパックス錠0.5(ファイザー)	ロラゼパム	0.5mg 1錠	マイナートランキライザー・ 抗痙攣剤	4542
	エチゾラム0.5 アメル	白〜淡黄白		エチゾラム錠0.5mg「アメル」(共和薬 品)	エチゾラム	0.5mg 1錠	チエノジアゼピン系精神安定 剤	738
	エディロール0.5	薄赤みの黄		エディロール錠0.5μg(中外／東和薬 品)	エルデカルシトール	0.5μg 1錠	活性型ビタミンD₃	874
	グリメピリド／ 0.5オーハラ	白		グリメピリド錠0.5mg「オーハラ」(大 原薬品／第一三共エスファ)	グリメピリド	0.5mg 1錠	スルホニル尿素系血糖降下剤	1278
	グリメピリド／ 0.5オーハラ グリメピリド0.5 オーハラ	白		グリメピリド錠0.5mg「オーハラ」(大 原薬品／共創未来)	グリメピリド	0.5mg 1錠	スルホニル尿素系血糖降下剤	1278
	タクロリムス0.5 JGF28 JG F28	淡黄		タクロリムスカプセル0.5mg「JG」(日 本ジェネリック)	タクロリムス水和物	0.5mg 1カプ セル	免疫抑制剤	1999
	タクロリムス0.5mg VTRS	淡黄		タクロリムスカプセル0.5mg「VTRS」 (ヴィアトリス・ヘルスケア／ヴィアト リス)	タクロリムス水和物	0.5mg 1カプ セル	免疫抑制剤	1999
	タクロリムス0.5 サンド	淡黄		タクロリムスカプセル0.5mg「サンド」 (ニプロファーマ／サンド)	タクロリムス水和物	0.5mg 1カプ セル	免疫抑制剤	1999
	タクロリムス0.5 トーワ	白		タクロリムス錠0.5mg「トーワ」(東和 薬品)	タクロリムス水和物	0.5mg 1錠	免疫抑制剤	1999
	タクロリムス0.5 ニプロ	淡黄		タクロリムスカプセル0.5mg「ニプロ」 (ニプロ)	タクロリムス水和物	0.5mg 1カプ セル	免疫抑制剤	1999
	ツロブテロール0.5	無半透明 (白)		ツロブテロールテープ0.5mg「サワイ」 (沢井)	ツロブテロール	0.5mg 1枚	気管支拡張β₂-刺激剤	2190
	ツロブテロール0.5	無半透明 (白)		ツロブテロールテープ0.5mg「MED」 (メディサ／キョーリンリメディオ／杏 林)	ツロブテロール	0.5mg 1枚	気管支拡張β₂-刺激剤	2190
	ツロブテロール0.5	無半透明 (白)		ツロブテロールテープ0.5mg「テイコ ク」(帝國／日本ジェネリック)	ツロブテロール	0.5mg 1枚	気管支拡張β₂-刺激剤	2190
	ディナゲスト0.5	白		ディナゲスト錠0.5mg(持田)	ジエノゲスト	0.5mg 1錠	子宮内膜症治療剤・子宮腺筋 症に伴う疼痛改善治療剤・月 経困難症治療剤	1564

番号	識別コード	色 (①:割線有)	商品名(会社名)	一般名	規格単位	薬効	掲載 ページ
0.5	デュタステリド0.5 AV AFP	淡黄	デュタステリドカプセル0.5mgAV 「AFP」(東亜薬品／アルフレッサファ ーマ)	デュタステリド	0.5mg 1カプ セル	5α-還元酵素阻害薬	2332
	デュタステリド0.5 AV EP	淡黄	デュタステリドカプセル0.5mgAV 「DSEP」(第一三共エスファ)	デュタステリド	0.5mg 1カプ セル	5α-還元酵素阻害薬	2332
	デュタステリド0.5 AV JG	淡黄	デュタステリドカプセル0.5mgAV 「JG」(日本ジェネリック)	デュタステリド	0.5mg 1カプ セル	5α-還元酵素阻害薬	2332
	デュタステリド0.5 AV TC TC46	淡黄	デュタステリドカプセル0.5mgAV 「TC」(東洋カプセル／中北薬品)	デュタステリド	0.5mg 1カプ セル	5α-還元酵素阻害薬	2332
	デュタステリド0.5 AV日医工	淡黄	デュタステリドカプセル0.5mgAV「日 医工」(日医工)	デュタステリド	0.5mg 1カプ セル	5α-還元酵素阻害薬	2332
	デュタステリド0.5 AVサワイ	淡黄	デュタステリドカプセル0.5mgAV「サ ワイ」(沢井)	デュタステリド	0.5mg 1カプ セル	5α-還元酵素阻害薬	2332
	デュタステリド0.5 ZA AFP	淡紅	デュタステリドカプセル0.5mgZA 「AFP」(東洋カプセル／アルフレッサ ファーマ)	デュタステリド	0.5mg 1カプ セル	5α-還元酵素阻害薬	2332
	デュタステリド0.5 ZA YD YD184	淡紅	デュタステリドカプセル0.5mgZA 「YD」(陽進堂)	デュタステリド	0.5mg 1カプ セル	5α-還元酵素阻害薬	2332
	デュタステリド0.5 ZAイワキ	淡紅	デュタステリドカプセル0.5mgZA「イ ワキ」(岩城)	デュタステリド	0.5mg 1カプ セル	5α-還元酵素阻害薬	2332
	デュタステリド0.5 ZAサワイ	淡黄白	デュタステリドカプセル0.5mgZA「サ ワイ」(沢井)	デュタステリド	0.5mg 1カプ セル	5α-還元酵素阻害薬	2332
	デュタステリドAV 0.5トーワ	淡紅	デュタステリドカプセル0.5mgAV「ト ーワ」(東和薬品／三和化学／共創未 来)	デュタステリド	0.5mg 1カプ セル	5α-還元酵素阻害薬	2332
	デュタステリドAV 「BMD」0.5mg BMD58	淡黄白	デュタステリドカプセル0.5mgAV 「BMD」(ビオメディクス／フェルゼ ン)	デュタステリド	0.5mg 1カプ セル	5α-還元酵素阻害薬	2332
	デュタステリドZA 0.5mgMYL	淡黄白	デュタステリドカプセル0.5mgZA 「MYL」(ヴィアトリス・ヘルスケア／ ヴィアトリス)	デュタステリド	0.5mg 1カプ セル	5α-還元酵素阻害薬	2332
	デュタステリドZA 0.5SK6 SK6	淡紅	デュタステリドカプセル0.5mgZA 「SN」(シオノ)	デュタステリド	0.5mg 1カプ セル	5α-還元酵素阻害薬	2332
	パルミコート吸入液 0.5mg アストラゼネカ	白〜微黄白 ／紫	パルミコート吸入液0.5mg(アストラ ゼネカ)	ブデソニド	0.5mg 2mL 1 管	クローン病治療剤・吸入ステ ロイド喘息治療剤・ 潰瘍性大腸炎治療剤	3211
	ピムロ0.5g	茶褐	ピムロ顆粒(本草)	センナ・センナ実	1g	生薬緩下剤	1922
	マーズレン0.5	淡青	マーズレン配合錠0.5ES (寿／EA)	アズレンスルホン酸ナトリ ウム水和物・L-グルタミン	1錠	消炎性抗潰瘍剤	70
	モチダジエノゲスト 0.5	白	ジエノゲスト錠0.5mg「モチダ」(持田 製販)	ジエノゲスト	0.5mg 1錠	子宮内膜症治療剤・子宮腺筋 症に伴う疼痛改善治療剤・月 経困難症治療剤	1564
	レキサルティ OD0.5	淡赤	レキサルティOD錠0.5mg (大塚)	ブレクスピプラゾール	0.5mg 1錠	抗精神病薬	3360
	レパグリニド0.5 サワイ	白　①	レパグリニド錠0.5mg「サワイ」(沢 井)	レパグリニド	0.5mg 1錠	速効型インスリン分泌促進剤	4386
	ワンアルファ0.5	白	ワンアルファ錠0.5μg(帝人)	アルファカルシドール	0.5μg 1錠	活性型ビタミンD_3	317
0.6	AZULOXA0.6g	青	アズロキサ顆粒2.5% (寿／EA)	エグアレンナトリウム水和 物	2.5% 1g	胃潰瘍治療剤	668
0.625	0.625	白	プレマリン錠0.625mg (ファイザー)	結合型エストロゲン	0.625mg 1錠	卵胞ホルモン	702
	Sz WL／.625 WL0.625	白　①	ビソプロロールフマル酸塩錠0.625mg 「サンド」(サンド)	ビソプロロールフマル酸塩	0.625mg 1錠	選択的$β_1$-アンタゴニスト	2944
	Tw700／0.625	白	ビソプロロールフマル酸塩錠0.625mg 「トーワ」(東和薬品)	ビソプロロールフマル酸塩	0.625mg 1錠	選択的$β_1$-アンタゴニスト	2944
0.67	MA-S0.5g MA-S0.67g MA-S1.0g	帯青	マーズレンS配合顆粒(寿／EA)	アズレンスルホン酸ナトリ ウム水和物・L-グルタミン	1g	消炎性抗潰瘍剤	70
0.75	HP0.75／Kw	白	ハロペリドール錠0.75mg「アメル」 (共和薬品)	ハロペリドール	0.75mg 1錠	ブチロフェノン系精神安定剤	2887
	Y LT／0.75 Y-LT0.75	白　①	ハロペリドール錠0.75mg「ヨシトミ」 (田辺三菱)	ハロペリドール	0.75mg 1錠	ブチロフェノン系精神安定剤	2887
	P312／0.75	白　①	セレネース錠0.75mg (住友ファーマ)	ハロペリドール	0.75mg 1錠	ブチロフェノン系精神安定剤	2887
	エディロール0.75	明るい灰み の赤	エディロール錠0.75μg(中外／東和薬 品)	エルデカルシトール	0.75μg 1錠	活性型ビタミンD_3	874
0.8	SW025／0.8	白　①	アルプラゾラム錠0.8mg「サワイ」(メ ディサ／沢井)	アルプラゾラム	0.8mg 1錠	マイナートランキライザー	322
	Tw149／0.8	白　①	アルプラゾラム錠0.8mg「トーワ」(東 和薬品)	アルプラゾラム	0.8mg 1錠	マイナートランキライザー	322
	△148／0.8	白	コンスタン0.8mg錠(武田テバ薬品／武 田薬品)	アルプラゾラム	0.8mg 1錠	マイナートランキライザー	322

番号	識別コード	色 (◉：割線有)	商品名(会社名)	一般名	規格単位	薬効	掲載 ページ
0.84	YP-1FN0.84	微黄半透明 (白)	フェンタニル1日用テープ0.84mg「ユートク」(祐徳薬品)	フェンタニル	0.84mg 1枚	経皮吸収型持続性疼痛治療剤	3156
001	KH001	白	5-FU軟膏5%協和(協和キリン)	フルオロウラシル	5% 1g	抗悪性腫瘍代謝拮抗剤	3294
	KRM001	無透明	ラタノプロスト点眼液0.005%「杏林」(キョーリンリメディオ/杏林)	ラタノプロスト	0.005% 1mL	プロスタグランジンF2α誘導体 緑内障・高眼圧治療剤	4084
	KW001	白	L-アスパラギン酸K錠300mg「アメル」(共和薬品)	L-アスパラギン酸カリウム	300mg 1錠	カリウム補給剤	1115
	LT001	白	ソランタール錠100mg (LTL)	チアラミド塩酸塩	100mg 1錠	塩基性消炎鎮痛剤	2138
	PH001	無～微黄透明	クロモグリク酸Na点眼液2%「杏林」(キョーリンリメディオ/共創未来/日医工/杏林)	クロモグリク酸ナトリウム	100mg 5mL 1瓶	アレルギー性疾患治療剤	1370
	SW001	白～帯黄白	チアプリド錠25mg「サワイ」(沢井)	チアプリド塩酸塩	25mg 1錠	ベンザミド系精神・ジスキネジア改善剤	2133
	SZ001／0.5	白	グリメピリド錠0.5mg「サンド」(サンド)	グリメピリド	0.5mg 1錠	スルホニル尿素系血糖降下剤	1278
	t1 t001	白～微黄白	アムロジピンOD錠2.5mg「武田テバ」(武田テバファーマ/武田薬品)	アムロジピンベシル酸塩	2.5mg 1錠	ジヒドロピリジン系Ca拮抗剤	264
	TA001	白	アスパラ配合錠(田辺三菱/ニプロES)	アスパラギン酸カリウム・マグネシウム	(150mg)1錠	アスパラギン酸塩	1116
	TG001／0.5	白	ドキサゾシン錠0.5mg「タナベ」(ニプロES)	ドキサゾシンメシル酸塩	0.5mg 1錠	α1-遮断剤	2391
	TG001／0.5	白	ドキサゾシン錠0.5mg「ニプロ」(ニプロES)	ドキサゾシンメシル酸塩	0.5mg 1錠	α1-遮断剤	2391
	TSU001	白 ◉	プロプラノロール塩酸塩錠10mg「ツルハラ」(鶴原)	プロプラノロール塩酸塩	10mg 1錠	β-遮断剤	3437
	Tw001	白 ◉	パーキネス錠2 (東和薬品)	トリヘキシフェニジル塩酸塩	2mg 1錠	抗パーキンソン剤	2523
	TY-001	褐	〔東洋〕安中散料エキス細粒(東洋薬行)	安中散	1g	漢方製剤	4564
	ZY001	白	ペラゾリン細粒400mg (全薬工業/全薬販売)	ソブゾキサン	400mg 1包	抗悪性腫瘍剤・ビスジオキソピペラジン誘導体	1939
01	0.5／VTC01	白	カルデナリン錠0.5mg (ヴィアトリス)	ドキサゾシンメシル酸塩	0.5mg 1錠	α1-遮断剤	2391
	BMSG01 2.5mg	白～灰黄白/青緑	レナリドミドカプセル2.5mg「BMSH」(ブリストル販売/ブリストル)	レナリドミド水和物	2.5mg 1カプセル	免疫調節薬(IMiDs)	4378
	BMSG01 5mg	白～灰黄白	レナリドミドカプセル5mg「BMSH」(ブリストル販売/ブリストル)	レナリドミド水和物	5mg 1カプセル	免疫調節薬(IMiDs)	4378
	FC01	褐	ジュンコウ葛根湯FCエキス細粒医療用 (康和薬通/大杉)	葛根湯	1g	漢方製剤	4572
	FJ01	白 ◉	ワルファリンK錠1mg「F」(富士製薬)	ワルファリンカリウム	1mg 1錠	抗凝血剤	4556
	FT01	白	フロリネフ錠0.1mg (サンドファーマ/サンド)	フルドロコルチゾン酢酸エステル	0.1mg 1錠	鉱質副腎皮質ホルモン	3326
	H01	淡褐	本草葛根湯エキス顆粒-M (本草)	葛根湯	1g	漢方製剤	4572
	IW01 TB	白～淡黄白 ◉	テルビナフィン錠125mg「イワキ」(岩城)	テルビナフィン塩酸塩	125mg 1錠	アリルアミン系抗真菌剤	2367
	J-01	淡褐	JPS葛根湯エキス顆粒〔調剤用〕(ジェーピーエス)	葛根湯	1g	漢方製剤	4572
	KR01 250 KR01	白～微黄白	フォスブロック錠250mg (協和キリン)	セベラマー塩酸塩	250mg 1錠	高リン血症治療剤	1869
	KY01	赤/白	メタコリマイシンカプセル300万単位 (サンファーマ)	コリスチンメタンスルホン酸ナトリウム	300万単位 1カプセル	ポリペプチド系抗生物質	1456
	MeP01／0.5	白	グリメピリド錠0.5mg「Me」(Meファルマ)	グリメピリド	0.5mg 1錠	スルホニル尿素系血糖降下剤	1278
	MS K-01	淡黄	カナマイシンカプセル250mg「明治」(Meiji Seika)	カナマイシン硫酸塩	250mg 1カプセル	アミノグリコシド系抗生物質	1067
	NIG／IM01 NIG IM01	くすんだ黄赤～濃黄赤 ◉	イマチニブ錠100mg「NIG」(日医工岐阜/日医工/武田薬品)	イマチニブメシル酸塩	100mg 1錠	抗悪性腫瘍剤・チロシンキナーゼ阻害剤	493
	OG01	白	ハイゼット錠50mg (大塚)	ガンマ-オリザノール	50mg 1錠	自律神経賦活剤	1027
	PT P01	淡橙	ポリミキシンB硫酸塩錠25万単位「ファイザー」(ファイザー)	ポリミキシンB硫酸塩	25万単位 1錠	ポリペプチド系抗生物質	3776
	S-01	淡褐	加工ブシ末「三和生薬」(三和生薬)	ブシ製剤	1g	強心・利尿・鎮痛剤	3197
	SG-01	淡灰黄褐～淡灰茶褐	オースギ葛根湯エキスG (大杉)	葛根湯	1g	漢方製剤	4572
	SG-01T	淡褐	オースギ葛根湯エキスT錠(大杉)	葛根湯	1錠	漢方製剤	4572
	ST-01	淡褐	アコニンサン錠(三和生薬/化研生薬)	ブシ製剤	166.67mg 1錠	強心・利尿・鎮痛剤	3197
	TEVA／IM01 TEVA IM01	くすんだ黄赤～濃黄赤 ◉	イマチニブ錠100mg「テバ」(武田テバファーマ/武田薬品)	イマチニブメシル酸塩	100mg 1錠	抗悪性腫瘍剤・チロシンキナーゼ阻害剤	493
	Tu-TZ01／1	白～微黄 ◉	ドキサゾシン錠1mg「TCK」(辰巳化学)	ドキサゾシンメシル酸塩	1mg 1錠	α1-遮断剤	2391
	TwU01／50	白	ウルソデオキシコール酸錠50mg「トーワ」(東和薬品)	ウルソデオキシコール酸	50mg 1錠	肝・胆・消化機能改善剤	659

番号	識別コード	色 (⦶：割線有)	商品名(会社名)	一般名	規格単位	薬効	掲載ページ
01	YD01	白～微黄白	レバミピドOD錠100mg「YD」(陽進堂)	レバミピド	100mg 1錠	胃炎・胃潰瘍治療剤	4390
	ZB01	白	ストミンA配合錠(ゾンネボード)	ニコチン酸アミド・パパベリン塩酸塩	1錠	耳鳴治療剤	2634
	ZE01／10	淡赤	ニフェジピンL錠10mg「ZE」(全星薬品工業／全星薬品)	ニフェジピン	10mg 1錠	ジヒドロピリジン系Ca拮抗剤	2652
	✤-01	淡褐	メタライト250カプセル(ツムラ)	トリエンチン塩酸塩	250mg 1カプセル	ペニシラミン不耐性ウィルソン病治療剤	2518
	©01	白	ケトプロフェンパップ30mg「ラクール」(三友薬品／ラクール)	ケトプロフェン	10cm×14cm 1枚	プロピオン酸系消炎鎮痛剤	1410
	n01／30 n01 30	薄橙	フェキソフェナジン塩酸塩錠30mg「SANIK」(日医工)	フェキソフェナジン塩酸塩	30mg 1錠	アレルギー性疾患治療剤	3111
	㊞TI01	明るい緑	スピリーバ吸入用カプセル18μg(日本ベーリンガー)	チオトロピウム臭化物水和物	18μg 1カプセル	長時間作用性吸入気管支拡張剤	2142
	カマ250KE01	白	酸化マグネシウム錠250mg「ケンエー」(健栄／日本ジェネリック)	酸化マグネシウム	250mg 1錠	制酸・緩下剤	3798
	カマ250KE01	白(緑)	酸化マグネシウム錠250mg「ケンエー」(健栄)	酸化マグネシウム	250mg 1錠	制酸・緩下剤	3798
1	1C／㊞ ㊞1C	白　⦶	カタプレス錠75μg(Medical Parkland)	クロニジン塩酸塩	0.075mg 1錠	中枢性α_2-刺激剤	1312
	1JG	白～微黄白	ファモチジンOD錠10mg「JG」(日本ジェネリック)	ファモチジン	10mg 1錠	H_2-受容体拮抗剤	3079
	1KL160／1 SN-1	白　⦶	ブロマゼパム錠1mg「サンド」(サンド)	ブロマゼパム	1mg 1錠	ベンゾジアゼピン系精神神経用剤	3449
	1KL600	白	ポラキス錠1(クリニジェン)	オキシブチニン塩酸塩	1mg 1錠	排尿障害治療剤・原発性手掌多汗症治療剤	960
	1mg⊞617 ⊞617	白	プログラフカプセル1mg(アステラス)	タクロリムス水和物	1mg 1カプセル	免疫抑制剤	1999
	1mg➚677 ➚677	白／橙	グラセプターカプセル1mg(アステラス)	タクロリムス水和物	1mg 1カプセル	免疫抑制剤	1999
	1／PT433	淡橙　⦶	ミニプレス錠1mg(ファイザー)	プラゾシン塩酸塩	1mg 1錠	α_1-遮断剤	3254
	1／SW DX1	白　⦶	ドキサゾシン錠1mg「サワイ」(沢井)	ドキサゾシンメシル酸塩	1mg 1錠	α_1-遮断剤	2391
	1／VTC02	白　⦶	カルデナリン錠1mg(ヴィアトリス)	ドキサゾシンメシル酸塩	1mg 1錠	α_1-遮断剤	2391
	1／VTC12	淡黄　⦶	カルデナリンOD錠1mg(ヴィアトリス)	ドキサゾシンメシル酸塩	1mg 1錠	α_1-遮断剤	2391
	1／[C]	白	イーフェンバッカル錠100μg(帝國／大鵬薬品)	フェンタニルクエン酸塩	100μg 1錠	麻酔用ピペリジン系鎮痛剤,疼痛治療剤	3162
	1エスゾピクロン トーワ	白	エスゾピクロン錠1mg「トーワ」(東和薬品)	エスゾピクロン	1mg 1錠	不眠症治療剤	682
	1エスゾピクロン ニプロ	白	エスゾピクロン錠1mg「ニプロ」(ニプロ)	エスゾピクロン	1mg 1錠	不眠症治療剤	682
	1ミノドロン ニプロ	白	ミノドロン酸錠1mg「ニプロ」(ニプロ)	ミノドロン酸水和物	1mg 1錠	骨粗鬆症治療剤	3875
	1／モチダジエノゲストOD	白	ジエノゲストOD錠1mg「モチダ」(持田製販)	ジエノゲスト	1mg 1錠	子宮内膜症治療剤・子宮腺筋症に伴う疼痛改善治療剤・月経困難症治療剤	1564
	2 1/2／893	黄	エリキュース錠2.5mg(ブリストル／ファイザー)	アピキサバン	2.5mg 1錠	経口FXa阻害剤	174
	503／1MG 503：1MG	白	インチュニブ錠1mg(武田薬品)	グアンファシン塩酸塩	1mg 1錠	注意欠陥/多動性障害治療剤・選択的α_{2A}アドレナリン受容体作動薬	1222
	589／1	白	ピタバスタチンCa錠1mg「ツルハラ」(鶴原)	ピタバスタチンカルシウム水和物	1mg 1錠	HMG-CoA還元酵素阻害剤	2948
	A1	白	アナストロゾール錠1mg「NP」(ニプロ)	アナストロゾール	1mg 1錠	アロマターゼ阻害・閉経後乳癌治療剤	147
	A1	白	アナストロゾール錠1mg「サンド」(サンド)	アナストロゾール	1mg 1錠	アロマターゼ阻害・閉経後乳癌治療剤	147
	Adx1／A	白	アリミデックス錠1mg(アストラゼネカ)	アナストロゾール	1mg 1錠	アロマターゼ阻害・閉経後乳癌治療剤	147
	AFP132／1	白　⦶	メレックス錠1mg(アルフレッサファーマ)	メキサゾラム	1mg 1錠	オキサゾロベンゾジアゼピン系抗不安剤	3901
	AJ1 10	白　⦶	アテレック錠10(EA／持田)	シルニジピン	10mg 1錠	ジヒドロピリジン系Ca拮抗剤	1716
	AJ1 20	白　⦶	アテレック錠20(EA／持田)	シルニジピン	20mg 1錠	ジヒドロピリジン系Ca拮抗剤	1716
	AJ1 5	白	アテレック錠5(EA／持田)	シルニジピン	5mg 1錠	ジヒドロピリジン系Ca拮抗剤	1716
	AML RIS1	白　⦶	リスペリドン錠1mg「アメル」(共和薬品)	リスペリドン	1mg 1錠	抗精神病，D_2・5-HT_2拮抗剤	4201
	AML RIS／OD1	白　⦶	リスペリドンOD錠1mg「アメル」(共和薬品)	リスペリドン	1mg 1錠	抗精神病，D_2・5-HT_2拮抗剤	4201
	AY1／1	白	タクロリムス錠1mg「あゆみ」(あゆみ)	タクロリムス水和物	1mg 1錠	免疫抑制剤	1999
	AZE t AZE[1mg]	白	アゼラスチン塩酸塩錠1mg「NIG」(日医工岐阜／日医工／武田薬品)	アゼラスチン塩酸塩	1mg 1錠	アレルギー性疾患治療剤	90

番号	識別コード	色 (①：割線有)	商品名(会社名)	一般名	規格単位	薬効	掲載ページ
1	BMD1	淡黄白	カルシトリオールカプセル0.25µg「BMD」(ビオメディクス／日本ジェネリック)	カルシトリオール	0.25µg 1カプセル	活性型ビタミンD$_3$	1136
	BRX1	淡黄	レキサルティ錠1mg (大塚)	ブレクスピプラゾール	1mg 1錠	抗精神病薬	3360
	C1	白	ビカルタミド錠80mg「SN」(シオノ／科研)	ビカルタミド	80mg 1錠	前立腺癌治療剤	2926
	ch1Z ch1Z	淡赤	セフジニルカプセル50mg「JG」(長生堂／日本ジェネリック)	セフジニル	50mg 1カプセル	セフェム系抗生物質	1850
	CP1	白 ①	レキソタン錠1 (サンドファーマ／サンド)	ブロマゼパム	1mg 1錠	ベンゾジアゼピン系精神神経用剤	3449
	DC／I1 DC I1	薄黄	ナルラピド錠1mg (第一三共プロ／第一三共)	ヒドロモルフォン塩酸塩	1mg 1錠	癌疼痛治療剤	2994
	DS012／1	白 ①	ランドセン錠1mg (住友ファーマ)	クロナゼパム	1mg 1錠	ベンゾジアゼピン系抗てんかん剤	1310
	DZ1／①	白	エチゾラム錠1mg「NIG」(日医工岐阜／日医工／武田薬品)	エチゾラム	1mg 1錠	チエノジアゼピン系精神安定剤	738
	EE21／1	白 ①	ドキサゾシン錠1mg「EMEC」(アルフレッサファーマ／エルメッド／日医工)	ドキサゾシンメシル酸塩	1mg 1錠	α_1-遮断剤	2391
	EE28／1	白 ①	エチゾラム錠1mg「EMEC」(アルフレッサファーマ／エルメッド／日医工)	エチゾラム	1mg 1錠	チエノジアゼピン系精神安定剤	738
	EKT-1	淡褐～褐	クラシエ葛根湯エキス錠T (大峰堂／クラシエ薬品)	葛根湯	1錠	漢方製剤	4572
	EPA1	白	アナストロゾール錠1mg「DSEP」(第一三共エスファ)	アナストロゾール	1mg 1錠	アロマターゼ阻害・閉経後乳癌治療剤	147
	F1／0.5	白	グリメピリド錠0.5mg「フェルゼン」(フェルゼン)	グリメピリド	0.5mg 1錠	スルホニル尿素系血糖降下剤	1278
	F2／1	淡紅 ①	グリメピリド錠1mg「フェルゼン」(フェルゼン)	グリメピリド	1mg 1錠	スルホニル尿素系血糖降下剤	1278
	FCI352／1 FCI352 1	薄赤	フィナステリド錠1mg「FCI」(富士化学)	フィナステリド	1mg 1錠	5α-還元酵素II型阻害薬	3090
	FJ73／OD1	白	ジエノゲストOD錠1mg「F」(富士製薬)	ジエノゲスト	1mg 1錠	子宮内膜症治療剤・子宮腺筋症に伴う疼痛改善治療剤・月経困難症治療剤	1564
	FY322／1	白～淡黄白	ユリス錠1mg (富士薬品／持田)	ドチヌラド	1mg 1錠	選択的尿酸再吸収阻害薬・高尿酸血症治療剤	2423
	GIL1	白～ほとんど白	アジレクト錠1mg (武田薬品)	ラサギリンメシル酸塩	1mg 1錠	パーキンソン病治療剤(選択的MAO-B阻害剤)	4071
	GL1	白 ①	グリメピリドOD錠1mg「ケミファ」(シオノ／日本ケミファ)	グリメピリド	1mg 1錠	スルホニル尿素系血糖降下剤	1278
	GM1／VLE GM1VLE	淡紅 ①	グリメピリド錠1mg「VTRS」(ヴィアトリス・ヘルスケア／ヴィアトリス)	グリメピリド	1mg 1錠	スルホニル尿素系血糖降下剤	1278
	GS／FC1 GS FC1	帯紅白	パキシル錠10mg (グラクソ・スミスクライン)	パロキセチン塩酸塩水和物	10mg 1錠	選択的セロトニン再取り込み阻害剤(SSRI)	2878
	GSMZ1 12.5	白	レボレード錠12.5mg (ノバルティス)	エルトロンボパグ オラミン	12.5mg 1錠	経口造血刺激薬・トロンボポエチン受容体作動薬	876
	GX CF1	白～微黄白	バルトレックス錠500 (グラクソ・スミスクライン)	バラシクロビル塩酸塩	500mg 1錠	抗ウイルス剤	2810
	GX CH1	淡黄白 ①	イムラン錠50mg (サンドファーマ／サンド)	アザチオプリン	50mg 1錠	免疫抑制剤	21
	GX CM1	白	ゾビラックス錠400 (グラクソ・スミスクライン)	アシクロビル	400mg 1錠	抗ウイルス剤	25
	HC78／1	白 ①	ホクナリン錠1mg (ヴィアトリス)	ツロブテロール	1mg 1錠	気管支拡張β_2-刺激剤	2190
	HD372／1 HD-372	白 ①	ワルファリンK錠1mg「NP」(ニプロ)	ワルファリンカリウム	1mg 1錠	抗凝血剤	4556
	HK1	白～微黄白	ベプリコール錠100(オルガノン)	ベプリジル塩酸塩水和物	100mg 1錠	不整脈・狭心症治療剤	3552
	HP1／Kw HP1	白	ハロペリドール錠1mg「アメル」(共和薬品)	ハロペリドール	1mg 1錠	ブチロフェノン系精神安定剤	2887
	JA CF1	白～微黄白	バラシクロビル錠500mg「SPKK」(サンドファーマ／サンド)	バラシクロビル塩酸塩	500mg 1錠	抗ウイルス剤	2810
	JA FC1 JA／FC1	帯紅白	パロキセチン錠10mg「SPKK」(サンドファーマ／サンド)	パロキセチン塩酸塩水和物	10mg 1錠	選択的セロトニン再取り込み阻害剤(SSRI)	2878
	JG C32／1	帯青白 ①	フルニトラゼパム錠1mg「JG」(日本ジェネリック)	フルニトラゼパム	1mg 1錠	不眠症治療剤・麻酔導入剤	3328
	JG C55／1	淡黄緑	ロピニロール錠1mg「JG」(長生堂／日本ジェネリック)	ロピニロール塩酸塩	1mg 1錠	ドパミンD$_2$受容体作動薬	4511
	JGC45／①	白	エチゾラム錠1mg「JG」(長生堂／日本ジェネリック)	エチゾラム	1mg 1錠	チエノジアゼピン系精神安定剤	738
	K1	白	カイトリル錠1mg (太陽ファルマ)	グラニセトロン塩酸塩	1mg 1錠	5-HT$_3$受容体拮抗型制吐剤	1248
	KB-1 EK-1	淡赤褐～褐	クラシエ葛根湯エキス細粒(クラシエ／クラシエ薬品)	葛根湯	1g	漢方製剤	4572
	KC40／1	淡紅 ①	グリメピリド錠1mg「科研」(ダイト／科研)	グリメピリド	1mg 1錠	スルホニル尿素系血糖降下剤	1278

番号	識別コード	色 (◐：割線有)	商品名(会社名)	一般名	規格単位	薬効	掲載 ページ
1	KE SBC KE SBC[炭酸水素ナトリウム]1g	白	炭酸水素ナトリウム「ケンエー」（健栄）	炭酸水素ナトリウム	10g	制酸・中和剤	2126
	KE SWS KE SWS[センブリ・重曹散]1g	淡灰黄	センブリ・重曹散「ケンエー」（健栄）	センブリ・炭酸水素ナトリウム	1g	苦味健胃制酸剤	1924
	KH601／ オルケディア1	黄白	オルケディア錠1mg（協和キリン）	エボカルセト	1mg 1錠	カルシウム受容体作動薬	831
	KOG1	白〜帯黄白 （淡黄〜濃黄の斑点）	ピタバスタチンカルシウムOD錠1mg「KOG」（興和AG）	ピタバスタチンカルシウム水和物	1mg 1錠	HMG-CoA還元酵素阻害剤	2948
	KS213／1	白	エチゾラム錠1mg「クニヒロ」（皇漢堂）	エチゾラム	1mg 1錠	チエノジアゼピン系精神安定剤	738
	KSK122／1 KS122	白 ◐	リスペリドン錠1mg「クニヒロ」（皇漢堂）	リスペリドン	1mg 1錠	抗精神病，D_2・5-HT_2拮抗剤	4201
	Kw DOX／1	白〜微黄 ◐	ドキサゾシン錠1mg「アメル」（共和薬品）	ドキサゾシンメシル酸塩	1mg 1錠	α_1-遮断剤	2391
	Kw GL1	淡紅 ◐	グリメピリド錠1mg「アメル」（共和薬品）	グリメピリド	1mg 1錠	スルホニル尿素系血糖降下剤	1278
	KW087／1	白 ◐	エスタゾラム錠1mg「アメル」（共和薬品）	エスタゾラム	1mg 1錠	睡眠剤	684
	KW565／1	帯青白	フルニトラゼパム錠1mg「アメル」（共和薬品）	フルニトラゼパム	1mg 1錠	不眠症療剤・麻酔導入剤	3328
	KW829／1	白	ブロムペリドール錠1mg「アメル」（共和薬品）	ブロムペリドール	1mg 1錠	ブチロフェノン系精神安定剤	3453
	LC1	白〜微黄白	アムロジピンOD錠2.5mg「科研」（大興／科研）	アムロジピンベシル酸塩	2.5mg 1錠	ジヒドロピリジン系Ca拮抗剤	264
	LPR215 LPR215[1mg]	白	ロペラミド塩酸塩カプセル1mg「NIG」（日医工岐阜／日医工／武田薬品）	ロペラミド塩酸塩	1mg 1カプセル	止瀉剤	4524
	MCI063／1	白 ◐	バソメット錠1mg（田辺三菱）	テラゾシン塩酸塩水和物	1mg 1錠	α_1-遮断剤	2353
	MeP02／1	淡紅	グリメピリド錠1mg「Me」（Meファルマ）	グリメピリド	1mg 1錠	スルホニル尿素系血糖降下剤	1278
	MH273／1	白 ◐	プレドニゾロン錠1mg「VTRS」（ヴィアトリス・ヘルスケア／ヴィアトリス）	プレドニゾロン	1mg 1錠	副腎皮質ホルモン	3366
	N1	茶褐〜黄褐	コタロー葛根湯エキス細粒(小太郎漢方)	葛根湯	1g	漢方製剤	4572
	NF125／1	白 ◐	セパゾン錠1（アルフレッサファーマ）	クロキサゾラム	1mg 1錠	マイナートランキライザー	1303
	NF715／1	白	トロペロン錠1mg（アルフレッサファーマ／田辺三菱）	チミペロン	1mg 1錠	ブチロフェノン系精神安定剤	2167
	NP122／1 NP-122	白	トリクロルメチアジド錠1mg「NP」（ニプロ）	トリクロルメチアジド	1mg 1錠	チアジド系降圧利尿剤	2519
	NP160 1 NP-160	白	ピタバスタチンCa錠1mg「NP」（ニプロ）	ピタバスタチンカルシウム水和物	1mg 1錠	HMG-CoA還元酵素阻害剤	2948
	NP352／1 NP-352	白 ◐	リスペリドン錠1mg「NP」（ニプロ）	リスペリドン	1mg 1錠	抗精神病，D_2・5-HT_2拮抗剤	4201
	NP715／1 NP-715	淡紅 ◐	グリメピリド錠1mg「NP」（ニプロ）	グリメピリド	1mg 1錠	スルホニル尿素系血糖降下剤	1278
	NS194／1	白	エチゾラム錠1mg「日新」（日新）	エチゾラム	1mg 1錠	チエノジアゼピン系精神安定剤	738
	NVR／Y1 NVR Y1	薄黄	イスツリサ錠1mg（レコルダティ）	オシロドロスタットリン酸塩	1mg 1錠	副腎皮質ホルモン合成阻害剤	977
	NVR／ZY1 NVR ZY1	薄青	ジカディア錠150mg（ノバルティス）	セリチニブ	150mg 1錠	抗悪性腫瘍剤・チロシンキナーゼ阻害剤	1890
	NZ1	白〜微黄白	ランデル錠10（ゼリア新薬／塩野義）	エホニジピン塩酸塩エタノール付加物	10mg 1錠	ジヒドロピリジン系Ca拮抗剤	834
	OK1	白	セフジトレンピボキシル錠100mg「OK」（大蔵／Meiji Seika）	セフジトレン ピボキシル	100mg 1錠	セフェム系抗生物質	1847
	OK1	白	セフジトレン　ピボキシル錠100mg「OK」（大蔵／Meiji Seika）	セフジトレン ピボキシル	100mg 1錠	セフェム系抗生物質	1847
	P1／⚍ ⚍P1	白	ミラペックスLA錠0.375mg（日本ベーリンガー）	プラミペキソール塩酸塩水和物	0.375mg 1錠	ドパミン作動性抗パーキンソン剤，レストレスレッグス症候群治療剤	3258
	POML1mg	黄／暗青	ポマリストカプセル1mg（ブリストル）	ポマリドミド	1mg 1カプセル	抗造血器悪性腫瘍剤	3743
	PSC1	白	ピタバスタチンCa錠1mg「DK」（大興／江州）	ピタバスタチンカルシウム水和物	1mg 1錠	HMG-CoA還元酵素阻害剤	2948
	PT CE1	白 ◐	セレコキシブ錠100mg「ファイザー」（ヴィアトリス・ヘルスケア／ヴィアトリス）	セレコキシブ	100mg 1錠	非ステロイド性消炎・鎮痛剤（シクロオキシゲナーゼ-2選択的阻害剤）	1918
	PT DX／1 PT DX1	白 ◐	ドキサゾシン錠1mg「ファイザー」（ヴィアトリス・ヘルスケア／ヴィアトリス）	ドキサゾシンメシル酸塩	1mg 1錠	α_1-遮断剤	2391

番号	識別コード	色 (①：割線有)	商品名(会社名)	一般名	規格単位	薬効	掲載ページ
1	R1／⊕	微黄	アデムパス錠1.0mg（バイエル薬品）	リオシグアト	1mg 1錠	可溶性グアニル酸シクラーゼ(sGC)刺激剤	4179
	RL1	白	ロフラゼプ酸エチル錠1mg「SN」（シオノ／日医工／武田薬品／ヴィアトリス）	ロフラゼプ酸エチル	1mg 1錠	ベンゾジアゼピン系持続性心身安定剤	4520
	S1	白	アムロジピン錠2.5mg「フソー」（シオノ／扶桑薬品）	アムロジピンベシル酸塩	2.5mg 1錠	ジヒドロピリジン系Ca拮抗剤	264
	S1	白	フルイトラン錠1mg（シオノギファーマ／塩野義）	トリクロルメチアジド	1mg 1錠	チアジド系降圧利尿剤	2519
	Sc322／1	微紅 ①	グリメピリド錠1mg「三和」（三和化学）	グリメピリド	1mg 1錠	スルホニル尿素系血糖降下剤	1278
	SU1／VTRS VTRS SU1	薄赤	フィナステリド錠1mg「VTRS」（ヴィアトリス・ヘルスケア／ヴィアトリス）	フィナステリド	1mg 1錠	5α-還元酵素Ⅱ型阻害薬	3090
	SW AS1	白	アナストロゾール錠1mg「サワイ」（沢井）	アナストロゾール	1mg 1錠	アロマターゼ阻害・閉経後乳癌治療剤	147
	SW CG／1 SW CG1	白 ①	カベルゴリン錠1.0mg「サワイ」（沢井）	カベルゴリン	1mg 1錠	抗パーキンソン剤	1098
	SW DG1	白	ジエノゲスト錠1mg「サワイ」（沢井）	ジエノゲスト	1mg 1錠	子宮内膜症治療剤・子宮腺筋症に伴う疼痛改善治療剤・月経困難症治療剤	1564
	SW FS1／1	薄赤	フィナステリド錠1mg「サワイ」（沢井）	フィナステリド	1mg 1錠	5α-還元酵素Ⅱ型阻害薬	3090
	SW FV1	黄	フルボキサミンマレイン酸塩錠25mg「サワイ」（沢井）	フルボキサミンマレイン酸塩	25mg 1錠	選択的セロトニン再取り込み阻害剤(SSRI)	3337
	SW GM1／1	淡紅 ①	グリメピリド錠1mg「サワイ」（沢井）	グリメピリド	1mg 1錠	スルホニル尿素系血糖降下剤	1278
	SW PM LA1／ 0.375	白	プラミペキソール塩酸塩LA錠0.375mgMI「サワイ」（沢井）	プラミペキソール塩酸塩水和物	0.375mg 1錠	ドパミン作動性抗パーキンソン剤、レストレスレッグス症候群治療剤	3258
	SW PV1／1	白～帯黄白（淡黄～濃黄の斑点）	ピタバスタチンCa・OD錠1mg「サワイ」（沢井）	ピタバスタチンカルシウム水和物	1mg 1錠	HMG-CoA還元酵素阻害剤	2948
	SW RP1	白 ①	リスペリドン錠1mg「サワイ」（沢井）	リスペリドン	1mg 1錠	抗精神病、D_2・$5-HT_2$拮抗剤	4201
	SW TC1	白 ①	テモカプリル塩酸塩錠1mg「サワイ」（沢井）	テモカプリル塩酸塩	1mg 1錠	ACE阻害剤	2323
	SW Z1／5	淡橙 ①	ゾルピデム酒石酸塩錠5mg「サワイ」（沢井）	ゾルピデム酒石酸塩	5mg 1錠	入眠剤	1973
	SW ZL1／5	淡赤 ①	ゾルピデム酒石酸塩OD錠5mg「サワイ」（沢井）	ゾルピデム酒石酸塩	5mg 1錠	入眠剤	1973
	SW960／1	白	ブロムペリドール錠1mg「サワイ」（沢井）	ブロムペリドール	1mg 1錠	ブチロフェノン系精神安定剤	3453
	SWピタバ1	白	ピタバスタチンCa錠1mg「サワイ」（沢井）	ピタバスタチンカルシウム水和物	1mg 1錠	HMG-CoA還元酵素阻害剤	2948
	SWミノドロン1	白	ミノドロン酸錠1mg「サワイ」（沢井）	ミノドロン酸水和物	1mg 1錠	骨粗鬆症治療剤	3875
	SZ002／1	淡紅 ①	グリメピリド錠1mg「サンド」（サンド）	グリメピリド	1mg 1錠	スルホニル尿素系血糖降下剤	1278
	t1 t001	白～微黄白	アムロジピンOD錠2.5mg「武田テバ」（武田テバファーマ／武田薬品）	アムロジピンベシル酸塩	2.5mg 1錠	ジヒドロピリジン系Ca拮抗剤	264
	t432／1	白 ①	ワルファリンK錠1mg「NIG」（日医工岐阜／日医工／武田薬品）	ワルファリンカリウム	1mg 1錠	抗凝血剤	4556
	Tai TM-1	淡茶～淡灰	太虎堂の葛根湯エキス顆粒（太虎精堂）	葛根湯	1g	漢方製剤	4572
	TE F1／250	白～帯黄白	メトホルミン塩酸塩錠250mgMT「TE」（トーアエイヨー）	メトホルミン塩酸塩	250mg 1錠	ビグアナイド系血糖降下剤	3962
	TEC1	黄白 ①	ピモベンダン錠1.25mg「TE」（トーアエイヨー）	ピモベンダン	1.25mg 1錠	Ca^{2+}感受性増強・心不全治療剤	3021
	TED1	白 ①	アミオダロン塩酸塩速崩錠50mg「TE」（トーアエイヨー）	アミオダロン塩酸塩	50mg 1錠	不整脈治療剤	221
	tF1	白～淡黄	アカルボースOD錠50mg「NIG」（日医工岐阜／日医工／武田薬品）	アカルボース	50mg 1錠	α-グルコシダーゼ阻害剤	6
	TG002／1	白～微黄①	ドキサゾシン錠1mg「タナベ」（ニプロES）	ドキサゾシンメシル酸塩	1mg 1錠	$α_1$-遮断剤	2391
	TG002／1	白～微黄①	ドキサゾシン錠1mg「ニプロ」（ニプロES）	ドキサゾシンメシル酸塩	1mg 1錠	$α_1$-遮断剤	2391
	TG51／1	淡紅 ①	グリメピリド錠1mg「タナベ」（ニプロES）	グリメピリド	1mg 1錠	スルホニル尿素系血糖降下剤	1278
	TG51／1	淡紅 ①	グリメピリド錠1mg「ニプロ」（ニプロES）	グリメピリド	1mg 1錠	スルホニル尿素系血糖降下剤	1278
	tH1／35	白	アレンドロン酸錠35mg「NIG」（日医工岐阜／日医工）	アレンドロン酸ナトリウム水和物	35mg 1錠	骨粗鬆症治療剤	349
	tKTF[1mg] KTF1mg	白	ケトチフェンカプセル1mg「NIG」（日医工岐阜／日医工／武田薬品）	ケトチフェンフマル酸塩	1mg 1カプセル	アレルギー性疾患治療剤	1408
	tL1	白 ①	ロサルタンカリウム錠25mg「NIG」（日医工岐阜／日医工／武田薬品）	ロサルタンカリウム	25mg 1錠	アンギオテンシンⅡ受容体拮抗剤	4481

0
|
99

番号	識別コード	色 （◖：割線有）		商品名（会社名）	一般名	規格単位	薬効	掲載 ページ
1	tLI10mg L1	白	◖	リシノプリル錠10mg「NIG」（日医工岐阜／日医工／武田薬品）	リシノプリル水和物	10mg 1錠	ACE阻害剤	4193
	TLZ1 Pfizer TLZ1	淡赤／白		ターゼナカプセル1mg（ファイザー）	タラゾパリブトシル酸塩	1mg 1カプセル	抗悪性腫瘍剤・ポリアデノシン5'二リン酸リボースポリメラーゼ(PARP)阻害剤	2079
	tPX1／10	帯紅白		パロキセチン錠10mg「NIG」（日医工岐阜／日医工／武田薬品）	パロキセチン塩酸塩水和物	10mg 1錠	選択的セロトニン再取り込み阻害剤(SSRI)	2878
	tS1	白		サルポグレラート塩酸塩錠50mg「NIG」（日医工岐阜／日医工／武田薬品）	サルポグレラート塩酸塩	50mg 1錠	5-HT₂ブロッカー	1538
	TTS051／1 TTS-051	白		ハロペリドール錠1mg「タカタ」（高田）	ハロペリドール	1mg 1錠	ブチロフェノン系精神安定剤	2887
	TTS176／1 TTS-176	白	◖	リスペリドン錠1mg「タカタ」（高田）	リスペリドン	1mg 1錠	抗精神病、D₂・5-HT₂拮抗剤	4201
	TTS471／1 TTS-471	極薄赤		ピタバスタチンCa錠1mg「タカタ」（高田）	ピタバスタチンカルシウム水和物	1mg 1錠	HMG-CoA還元酵素阻害剤	2948
	TU112／1	帯青白		フルニトラゼパム錠1mg「TCK」（辰巳化学）	フルニトラゼパム	1mg 1錠	不眠症治療剤・麻酔導入剤	3328
	TU372／1	淡紅		グリメピリド錠1mg「TCK」（辰巳化学）	グリメピリド	1mg 1錠	スルホニル尿素系血糖降下剤	1278
	Tu-TZ01／1	白～微黄		ドキサゾシン錠1mg「TCK」（辰巳化学）	ドキサゾシンメシル酸塩	1mg 1錠	α₁-遮断剤	2391
	TV BF1	淡黄		ビソプロロールフマル酸塩錠0.625mg「テバ」（武田テバファーマ／武田薬品）	ビソプロロールフマル酸塩	0.625mg 1錠	選択的β₁-アンタゴニスト	2944
	TV CC1／2	白～帯黄白		カンデサルタン錠2mg「NIG」（日医工岐阜／日医工／武田薬品）	カンデサルタン シレキセチル	2mg 1錠	アンギオテンシンⅡ受容体拮抗剤	1184
	TV ETV1／0.5	白～微黄白		エンテカビル錠0.5mg「NIG」（日医工岐阜／日医工／武田薬品）	エンテカビル水和物	0.5mg 1錠	抗ウイルス化学療法剤	921
	TV FC1／25	淡黄白		ホリナート錠25mg「NIG」（日医工岐阜／日医工／武田薬品）	ホリナートカルシウム	25mg 1錠	抗葉酸代謝拮抗剤	3771
	TV FS1	薄赤		フィナステリド錠1mg「NIG」（日医工岐阜／アンファー）	フィナステリド	1mg 1錠	5α-還元酵素Ⅱ型阻害薬	3090
	TV TH1／AP	黄橙		テルチア配合錠AP「NIG」（日医工岐阜／日医工／武田薬品）	テルミサルタン・ヒドロクロロチアジド	1錠	持続性AT₁受容体ブロッカー・利尿剤合剤	2384
	TV VZ1／50	白		ボリコナゾール錠50mg「NIG」（日医工岐阜／日医工／武田薬品）	ボリコナゾール	50mg 1錠	トリアゾール系抗真菌剤	3755
	TVFS1	薄赤		フィナステリド錠1mg「NIG」（日医工岐阜／日医工／武田薬品）	フィナステリド	1mg 1錠	5α-還元酵素Ⅱ型阻害薬	3090
	TV NP1／25	白	◖	ナフトピジルOD錠25mg「NIG」（日医工岐阜／日医工／武田薬品）	ナフトピジル	25mg 1錠	排尿障害治療剤	2614
	TVO1／2.5	淡黄	◖	オランザピンOD錠2.5mg「NIG」（日医工岐阜／日医工／武田薬品）	オランザピン	2.5mg 1錠	抗精神病剤・双極性障害治療剤・制吐剤	1021
	Tw.L1 TwL1／250	黄	◖	レボフロキサシン錠250mg「トーワ」（東和薬品）	レボフロキサシン水和物	250mg 1錠（レボフロキサシンとして）	ニューキノロン系抗菌剤	4432
	Tw013／1	白～微黄白	◖	リスペリドン錠1mg「トーワ」（東和薬品）	リスペリドン	1mg 1錠	抗精神病、D₂・5-HT₂拮抗剤	4201
	Tw071／1	淡紅	◖	グリメピリドOD錠1mg「トーワ」（東和薬品）	グリメピリド	1mg 1錠	スルホニル尿素系血糖降下剤	1278
	Tw141／1	白	◖	ドキサゾシン錠1mg「トーワ」（東和薬品）	ドキサゾシンメシル酸塩	1mg 1錠	α₁-遮断剤	2391
	Tw165／1	白		トリクロルメチアジド錠1mg「トーワ」（東和薬品）	トリクロルメチアジド	1mg 1錠	チアジド系降圧利尿剤	2519
	Tw200／1	白		アナストロゾール錠1mg「トーワ」（東和薬品）	アナストロゾール	1mg 1錠	アロマターゼ阻害・閉経後乳癌治療剤	147
	Tw205／1	白		ピタバスタチンCa錠1mg「トーワ」（東和薬品）	ピタバスタチンカルシウム水和物	1mg 1錠	HMG-CoA還元酵素阻害剤	2948
	Tw351／1	淡紅	◖	グリメピリド錠1mg「トーワ」（東和薬品）	グリメピリド	1mg 1錠	スルホニル尿素系血糖降下剤	1278
	Tw355／1	白		リスペリドンOD錠1mg「トーワ」（東和薬品）	リスペリドン	1mg 1錠	抗精神病、D₂・5-HT₂拮抗剤	4201
	Tw532／1	白	◖	ワルファリンK錠1mg「トーワ」（東和薬品）	ワルファリンカリウム	1mg 1錠	抗凝血剤	4556
	Tw772／1	白		エチゾラム錠1mg「トーワ」（東和薬品）	エチゾラム	1mg 1錠	チエノジアゼピン系精神安定剤	738
	TwM1／ メトホルミン250 Tw.M1	白	◖	メトホルミン塩酸塩錠250mgMT「トーワ」（東和薬品）	メトホルミン塩酸塩	250mg 1錠	ビグアナイド系血糖降下剤	3962
	TYP1／FT	白	◖	リボトリール錠1mg（太陽ファルマ）	クロナゼパム	1mg 1錠	ベンゾジアゼピン系抗てんかん剤	1310

番号	識別コード	色 (①：割線有)		商品名(会社名)	一般名	規格単位	薬効	掲載ページ
1	V1	白		アムロジピン錠2.5mg「タイヨー」(大興／日医工／武田薬品)	アムロジピンベシル酸塩	2.5mg 1錠	ジヒドロピリジン系Ca拮抗剤	264
	VT CE1	白	①	セレコキシブ錠100mg「VTRS」(ヴィアトリス・ヘルスケア／ヴィアトリス)	セレコキシブ	100mg 1錠	非ステロイド性消炎・鎮痛剤(シクロオキシゲナーゼ-2選択的阻害剤)	1918
	VT DX／1 VT DX1	白	①	ドキサゾシン錠1mg「VTRS」(ヴィアトリス・ヘルスケア／ヴィアトリス)	ドキサゾシンメシル酸塩	1mg 1錠	α_1-遮断剤	2391
	XD1	白		レスリン錠25(オルガノン)	トラゾドン塩酸塩	25mg 1錠	トリアゾロピリジン系抗うつ剤	2470
	Y DP／1 Y-DP1	白		デパス錠1mg(田辺三菱)	エチゾラム	1mg 1錠	チエノジアゼピン系精神安定剤	738
	Y FL1 Y-FL1	橙		フルメジン糖衣錠(1)(田辺三菱)	フルフェナジン	1mg 1錠	フェノチアジン系精神安定剤	3331
	Y R1 Y-R1	白		リスペリドン錠1mg「ヨシトミ」(全星薬品工業／田辺三菱)	リスペリドン	1mg 1錠	抗精神病，D_2・5-HT_2拮抗剤	4201
	Y RD1 Y-RD1	白	①	リスペリドンOD錠1mg「ヨシトミ」(全星薬品工業／田辺三菱)	リスペリドン	1mg 1錠	抗精神病，D_2・5-HT_2拮抗剤	4201
	Y TA1 Y-TA1	白	①	ビペリデン塩酸塩錠1mg「ヨシトミ」(田辺三菱)	ビペリデン	1mg 1錠	抗パーキンソン剤	3010
	YD522 1 YD522	白	①	ドキサゾシン錠1mg「YD」(陽進堂／高田)	ドキサゾシンメシル酸塩	1mg 1錠	α_1-遮断剤	2391
	YO MG1／330	白		酸化マグネシウム錠330mg「ヨシダ」(吉田／共創未来)	酸化マグネシウム	330mg 1錠	制酸・緩下剤	3798
	YP-1FN0.84	微黄半透明(白)		フェンタニル1日用テープ0.84mg「ユートク」(祐徳薬品)	フェンタニル	0.84mg 1枚	経皮吸収型持続性疼痛治療剤	3156
	YP-1FN1.7	微黄半透明(白)		フェンタニル1日用テープ1.7mg「ユートク」(祐徳薬品)	フェンタニル	1.7mg 1枚	経皮吸収型持続性疼痛治療剤	3156
	YP-1FN3.4	微黄半透明(白)		フェンタニル1日用テープ3.4mg「ユートク」(祐徳薬品)	フェンタニル	3.4mg 1枚	経皮吸収型持続性疼痛治療剤	3156
	YP-1FN5	微黄半透明(白)		フェンタニル1日用テープ5mg「ユートク」(祐徳薬品)	フェンタニル	5mg 1枚	経皮吸収型持続性疼痛治療剤	3156
	YP-1FN6.7	微黄半透明(白)		フェンタニル1日用テープ6.7mg「ユートク」(祐徳薬品)	フェンタニル	6.7mg 1枚	経皮吸収型持続性疼痛治療剤	3156
	YP-TT1			ツロブテロールテープ1mg「YP」(祐徳薬品工業／日本薬品工業／日本ケミファ)	ツロブテロール	1mg 1枚	気管支拡張β_2-刺激剤	2190
	Z71／1	淡紅		メトトレキサート錠1mg「日本臓器」(日本臓器)	メトトレキサート	1mg 1錠	抗リウマチ剤	3952
	ZD4522／2 1/2 ZD4522：2 1/2	薄赤みの黄～くすんだ赤みの黄		クレストール錠2.5mg(アストラゼネカ)	ロスバスタチンカルシウム	2.5mg 1錠	HMG-CoA還元酵素阻害剤	4487
	ZE34／1	淡紅		グリメピリド錠1mg「ZE」(全星薬品工業／全星薬品)	グリメピリド	1mg 1錠	スルホニル尿素系血糖降下剤	1278
	ZT1	白～微黄白		ベプリコール錠50mg(オルガノン)	ベプリジル塩酸塩水和物	50mg 1錠	不整脈・狭心症治療剤	3552
	⚠141／1	白	①	ユーロジン1mg錠(武田テバ薬品／武田薬品)	エスタゾラム	1mg 1錠	睡眠剤	684
	①141／100／1 ①141：100／1	淡赤		イルトラ配合錠LD(シオノギファーマ／塩野義)	イルベサルタン・トリクロルメチアジド	1錠	長時間作用型ARB・利尿薬合剤	526
	①142／200／1 ①142：200／1	淡赤		イルトラ配合錠HD(シオノギファーマ／塩野義)	イルベサルタン・トリクロルメチアジド	1錠	長時間作用型ARB・利尿薬合剤	526
	↻1CL／10	白		クロチアゼパム錠10mg「日医工」(日医工)	クロチアゼパム	10mg 1錠	心身安定剤	1309
	cⱧ1E	白～帯黄白		エポセリン坐剤125(長生堂／日本ジェネリック)	セフチゾキシムナトリウム	125mg 1個	セファロスポリン系抗生物質	1853
	⚘／1P	白～微黄		アレジオン錠10(日本ベーリンガー)	エピナスチン塩酸塩	10mg 1錠	アレルギー性疾患治療剤	783
	Pfizer／1XNB Pfizer1XNB	赤		インライタ錠1mg(ファイザー)	アキシチニブ	1mg 1錠	抗悪性腫瘍剤・キナーゼ阻害剤	10
	Lilly／1 Lilly1	微赤白		オルミエント錠1mg(日本イーライリリー)	バリシチニブ	1mg 1錠	ヤヌスキナーゼ(JAK)阻害剤	2816
	Ⓔ201／1	淡青	①	サイレース錠1mg(エーザイ)	フルニトラゼパム	1mg 1錠	不眠症治療剤・麻酔導入剤	3328
	𝑛223／1 𝑛223 1 ⓝ223	白		アナストロゾール錠1mg「日医工」(日医工)	アナストロゾール	1mg 1錠	アロマターゼ阻害・閉経後乳癌治療剤	147
	Ⓔ256／1 Ⓔ256	白	①	ワーファリン錠1mg(エーザイ)	ワルファリンカリウム	1mg 1錠	抗凝血剤	4556
	↘258 1	白	①	オドリック錠1mg(日本新薬)	トランドラプリル	1mg 1錠	ACE阻害剤	2505
	✿265／1	白	①	プレドニゾロン錠1mg(旭化成)(旭化成)	プレドニゾロン	1mg 1錠	副腎皮質ホルモン	3366
	Ⓔ311／1	白		ルネスタ錠1mg(エーザイ)	エスゾピクロン	1mg 1錠	不眠症治療剤	682
	ℙ317／1	白～帯黄白		セレネース錠1mg(住友ファーマ)	ハロペリドール	1mg 1錠	ブチロフェノン系精神安定剤	2887
	△323／15／1	白～帯黄白／帯赤白		ソニアス配合錠LD(武田テバ薬品／武田薬品)	ピオグリタゾン塩酸塩・グリメピリド	1錠	チアゾリジン系薬／スルホニル尿素系薬配合剤・2型糖尿病治療剤	2915

番号	識別コード	色 (◍:割線有)	商品名(会社名)	一般名	規格単位	薬効	掲載 ページ
1	凡641 ビソノテープβ1 遮断剤8mg	白半透明	ビソノテープ8mg(トーアエイヨー)	ビソプロロール	8mg 1枚	選択的β₁-アンタゴニスト	2944
	凡642 ビソノテープβ1 遮断剤4mg	白半透明	ビソノテープ4mg(トーアエイヨー)	ビソプロロール	4mg 1枚	選択的β₁-アンタゴニスト	2944
	凡643 β1遮断剤 ビソノテープ2mg	白半透明	ビソノテープ2mg(トーアエイヨー)	ビソプロロール	2mg 1枚	選択的β₁-アンタゴニスト	2944
	n845/1 n845 1 ⓝ845	淡紅 ◍	グリメピリドOD錠1mg「日医工」(日医工)	グリメピリド	1mg 1錠	スルホニル尿素系血糖降下剤	1278
	n898/1 n898 1 ⓝ898	白	タクロリムス錠1mg「日医工」(日医工)	タクロリムス水和物	1mg 1錠	免疫抑制剤	1999
	⚖A1	淡赤	ミカムロ配合錠AP(日本ベーリンガー)	テルミサルタン・アムロジピンベシル酸塩	1錠	胆汁排泄型持続性AT₁受容体ブロッカー・持続性Ca拮抗薬合剤	2375
	◐K1J	淡橙	セファレキシン錠250「日医工」(日医工)	セファレキシン	250mg 1錠	セファロスポリン系抗生物質	1830
	◐K1J	淡橙	セファレキシン錠250mg「日医工」(日医工)	セファレキシン	250mg 1錠	セファロスポリン系抗生物質	1830
	◇L1	白	炭酸リチウム錠100mg「フジナガ」(藤永/第一三共)	炭酸リチウム	100mg 1錠	躁病・躁状態治療剤	4212
	ⓌLNP1g	白	レベニン散(わかもと)	耐性乳酸菌	1g	生菌製剤	2677
	㏇/M1 ㏇M1	淡黄褐 ◍	メソトレキセート錠2.5mg(ファイザー)	メトトレキサート〔葉酸代謝拮抗剤〕	2.5mg 1錠	葉酸代謝拮抗剤	3956
	⑰PG1/15 PG1	白~帯黄白◍	ピオグリタゾン錠15mg「武田テバ」(武田テバファーマ/武田薬品)	ピオグリタゾン塩酸塩	15mg 1錠	インスリン抵抗性改善血糖降下剤	2912
	◇PG/1 ◇PG1	白	エチゾラム錠1mg「フジナガ」(藤永/第一三共)	エチゾラム	1mg 1錠	チエノジアゼピン系精神安定剤	738
	アナストロゾール 1mg/ アナストロゾールNK	白	アナストロゾール錠1mg「NK」(日本化薬)	アナストロゾール	1mg 1錠	アロマターゼ阻害・閉経後乳癌治療剤	147
	アマルエット1	黄	アマルエット配合錠1番「サワイ」(沢井)	アムロジピンベシル酸塩・アトルバスタチンカルシウム水和物	1錠	持続性Ca拮抗剤・HMG-CoA還元酵素阻害剤	266
	アマルエット1 DSEP	薄黄	アマルエット配合錠1番「DSEP」(第一三共エスファ)	アムロジピンベシル酸塩・アトルバスタチンカルシウム水和物	1錠	持続性Ca拮抗剤・HMG-CoA還元酵素阻害剤	266
	アマルエット1 TCK	白	アマルエット配合錠1番「TCK」(辰巳化学)	アムロジピンベシル酸塩・アトルバスタチンカルシウム水和物	1錠	持続性Ca拮抗剤・HMG-CoA還元酵素阻害剤	266
	アマルエット1番 「ニプロ」/ アトルバスタチン 5mg アムロジピン2.5mg	薄黄	アマルエット配合錠1番「ニプロ」(ニプロ)	アムロジピンベシル酸塩・アトルバスタチンカルシウム水和物	1錠	持続性Ca拮抗剤・HMG-CoA還元酵素阻害剤	266
	アマルエット1番 日医工 ⓝ195	白	アマルエット配合錠1番「日医工」(日医工)	アムロジピンベシル酸塩・アトルバスタチンカルシウム水和物	1錠	持続性Ca拮抗剤・HMG-CoA還元酵素阻害剤	266
	アマルエット1番 トーワ/2.5 アムロジアトルバ5	白	アマルエット配合錠1番「トーワ」(東和薬品)	アムロジピンベシル酸塩・アトルバスタチンカルシウム水和物	1錠	持続性Ca拮抗剤・HMG-CoA還元酵素阻害剤	266
	アマルエット1 サンド/2.5/5	薄黄	アマルエット配合錠1番「サンド」(サンド)	アムロジピンベシル酸塩・アトルバスタチンカルシウム水和物	1錠	持続性Ca拮抗剤・HMG-CoA還元酵素阻害剤	266
	アマルエット ケミファ/1 アマルエット ケミファ1	薄黄	アマルエット配合錠1番「ケミファ」(日本ケミファ)	アムロジピンベシル酸塩・アトルバスタチンカルシウム水和物	1錠	持続性Ca拮抗剤・HMG-CoA還元酵素阻害剤	266
	アリピプラゾール1 サワイ	微赤白	アリピプラゾール錠1mg「サワイ」(沢井)	アリピプラゾール	1mg 1錠	抗精神病薬	289
	エスゾピクロン1/ 1NPI	白	エスゾピクロン錠1mg「NPI」(日本薬品工業/フェルゼン)	エスゾピクロン	1mg 1錠	不眠症治療剤	682
	エスゾピクロン1/ 1ケミファ	白	エスゾピクロン錠1mg「ケミファ」(日本ケミファ/日本薬品工業)	エスゾピクロン	1mg 1錠	不眠症治療剤	682
	エスゾピクロン1 DSEP	白	エスゾピクロン錠1mg「DSEP」(第一三共エスファ)	エスゾピクロン	1mg 1錠	不眠症治療剤	682
	エスゾピクロン1 KMP	白	エスゾピクロン錠1mg「KMP」(共創未来/三和化学)	エスゾピクロン	1mg 1錠	不眠症治療剤	682
	エスゾピクロン1 NS	白	エスゾピクロン錠1mg「日新」(日新)	エスゾピクロン	1mg 1錠	不眠症治療剤	682
	エスゾピクロン1 TCK	白	エスゾピクロン錠1mg「TCK」(辰巳化学)	エスゾピクロン	1mg 1錠	不眠症治療剤	682

番号	識別コード	色 (Ⅰ:割線有)	商品名(会社名)	一般名	規格単位	薬効	掲載 ページ
1	エスゾピクロン1 杏林	白	エスゾピクロン錠1mg「杏林」(キョーリンリメディオ/杏林)	エスゾピクロン	1mg 1錠	不眠症治療剤	682
	エスゾピクロン1 日医工	白	エスゾピクロン錠1mg「日医工」(日医工)	エスゾピクロン	1mg 1錠	不眠症治療剤	682
	エスゾピクロン1 明治	白	エスゾピクロン錠1mg「明治」(Meiji Seika)	エスゾピクロン	1mg 1錠	不眠症治療剤	682
	エスゾピクロン1 サワイ	白	エスゾピクロン錠1mg「サワイ」(沢井)	エスゾピクロン	1mg 1錠	不眠症治療剤	682
	エスゾピクロン YD1 YD943	白	エスゾピクロン錠1mg「YD」(陽進堂)	エスゾピクロン	1mg 1錠	不眠症治療剤	682
	エスゾピクロン アメル1	白	エスゾピクロン錠1mg「アメル」(共和薬品)	エスゾピクロン	1mg 1錠	不眠症治療剤	682
	エチゾラム1 アメル	白～淡黄白	エチゾラム錠1mg「アメル」(共和薬品)	エチゾラム	1mg 1錠	チエノジアゼピン系精神安定剤	738
	エヌケーエスワン NKS-1 20mg NKS-1 20mg	白	エヌケーエスワン配合カプセルT20(日本化薬)	テガフール・ギメラシル・オテラシルカリウム	20mg 1カプセル (テガフール相当量)	抗悪性腫瘍剤	2201
	エヌケーエスワン NKS-1 25mg NKS-1 25mg	橙/白	エヌケーエスワン配合カプセルT25(日本化薬)	テガフール・ギメラシル・オテラシルカリウム	25mg 1カプセル (テガフール相当量)	抗悪性腫瘍剤	2201
	グリメピリド1 オーハラ	淡紅　Ⅰ	グリメピリド錠1mg「オーハラ」(大原薬品/共創未来/第一三共エスファ)	グリメピリド	1mg 1錠	スルホニル尿素系血糖降下剤	1278
	ケトチフェン1mg/ SW-141	白	ケトチフェンカプセル1mg「サワイ」(沢井)	ケトチフェンフマル酸塩	1mg 1カプセル	アレルギー性疾患治療剤	1408
	ジエノゲスト1 キッセイ	白	ジエノゲスト錠1mg「キッセイ」(ジェイドルフ/キッセイ)	ジエノゲスト	1mg 1錠	子宮内膜症治療剤・子宮腺筋症に伴う疼痛改善治療剤・月経困難症治療剤	1564
	ジエノゲスト1 トーワ	白	ジエノゲスト錠1mg「トーワ」(東和薬品)	ジエノゲスト	1mg 1錠	子宮内膜症治療剤・子宮腺筋症に伴う疼痛改善治療剤・月経困難症治療剤	1564
	ジエノゲストMYL /ジエノゲスト1	白	ジエノゲスト錠1mg「MYL」(ヴィアトリス・ヘルスケア/ヴィアトリス)	ジエノゲスト	1mg 1錠	子宮内膜症治療剤・子宮腺筋症に伴う疼痛改善治療剤・月経困難症治療剤	1564
	ジエノゲスト OD1キッセイ	淡黄	ジエノゲストOD錠1mg「キッセイ」(ジェイドルフ/キッセイ)	ジエノゲスト	1mg 1錠	子宮内膜症治療剤・子宮腺筋症に伴う疼痛改善治療剤・月経困難症治療剤	1564
	ジエノゲスト OD1トーワ	淡黄	ジエノゲストOD錠1mg「トーワ」(東和薬品)	ジエノゲスト	1mg 1錠	子宮内膜症治療剤・子宮腺筋症に伴う疼痛改善治療剤・月経困難症治療剤	1564
	ジエノゲストニプロ /ジエノゲスト1	白	ジエノゲスト錠1mg「ニプロ」(ニプロ)	ジエノゲスト	1mg 1錠	子宮内膜症治療剤・子宮腺筋症に伴う疼痛改善治療剤・月経困難症治療剤	1564
	タクロリムス1 JGF29 JG F29	白	タクロリムスカプセル1mg「JG」(日本ジェネリック)	タクロリムス水和物	1mg 1カプセル	免疫抑制剤	1999
	タクロリムス1mg VTRS	白	タクロリムスカプセル1mg「VTRS」(ヴィアトリス・ヘルスケア/ヴィアトリス)	タクロリムス水和物	1mg 1カプセル	免疫抑制剤	1999
	タクロリムス1 サンド	白	タクロリムスカプセル1mg「サンド」(ニプロファーマ/サンド)	タクロリムス水和物	1mg 1カプセル	免疫抑制剤	1999
	タクロリムス1 トーワ	白	タクロリムス錠1mg「トーワ」(東和薬品)	タクロリムス水和物	1mg 1錠	免疫抑制剤	1999
	タクロリムス1 ニプロ	白	タクロリムスカプセル1mg「ニプロ」(ニプロ)	タクロリムス水和物	1mg 1カプセル	免疫抑制剤	1999
	ツムラ/1	淡褐	ツムラ葛根湯エキス顆粒(医療用)(ツムラ)	葛根湯	1g	漢方製剤	4572
	ツロブテロール1	無半透明 (白)	ツロブテロールテープ1mg「サワイ」(沢井)	ツロブテロール	1mg 1枚	気管支拡張β_2-刺激剤	2190
	ツロブテロール1	無半透明 (白)	ツロブテロールテープ1mg「MED」(メディサ/キョーリンリメディオ/杏林)	ツロブテロール	1mg 1枚	気管支拡張β_2-刺激剤	2190
	ツロブテロール1	無半透明 (白)	ツロブテロールテープ1mg「テイコク」(帝國/日本ジェネリック)	ツロブテロール	1mg 1枚	気管支拡張β_2-刺激剤	2190
	ピタバ1テバ TV PI1	白～淡赤白	ピタバスタチンカルシウム錠1mg「テバ」(日医工岐阜/日医工/武田薬品)	ピタバスタチンカルシウム水和物	1mg 1錠	HMG-CoA還元酵素阻害剤	2948
	ピタバスタチン1	白	ピタバスタチンCa錠1mg「VTRS」(ヴィアトリス・ヘルスケア/ヴィアトリス)	ピタバスタチンカルシウム	1mg 1錠	HMG-CoA還元酵素阻害剤	2948
	ピタバスタチン1 JG	白	ピタバスタチンCa錠1mg「JG」(日本ジェネリック)	ピタバスタチンカルシウム水和物	1mg 1錠	HMG-CoA還元酵素阻害剤	2948

番号	識別コード	色 (①:割線有)	商品名(会社名)	一般名	規格単位	薬効	掲載 ページ
1	ピタバスタチン1 KOG	白	ピタバスタチンカルシウム錠1mg 「KOG」(興和AG)	ピタバスタチンカルシウム 水和物	1mg 1錠	HMG-CoA還元酵素阻害剤	2948
	ピタバスタチン1 NS	白	ピタバスタチンCa錠1mg「日新」(日 新)	ピタバスタチンカルシウム 水和物	1mg 1錠	HMG-CoA還元酵素阻害剤	2948
	ピタバスタチン1 杏林	白	ピタバスタチンCa錠1mg「杏林」(キ ョーリンリメディオ/杏林)	ピタバスタチンカルシウム 水和物	1mg 1錠	HMG-CoA還元酵素阻害剤	2948
	ピタバスタチン1 三和	白	ピタバスタチンCa錠1mg「三和」(三 和化学)	ピタバスタチンカルシウム 水和物	1mg 1錠	HMG-CoA還元酵素阻害剤	2948
	ピタバスタチン1 日医工 ⓝ504	極薄黄赤	ピタバスタチンカルシウム錠1mg「日 医工」(日医工)	ピタバスタチンカルシウム 水和物	1mg 1錠	HMG-CoA還元酵素阻害剤	2948
	ピタバスタチン1 アメル	白〜帯黄白	ピタバスタチンCa錠1mg「アメル」 (共和薬品)	ピタバスタチンカルシウム 水和物	1mg 1錠	HMG-CoA還元酵素阻害剤	2948
	ピタバスタチン1 ケミファ	白	ピタバスタチンCa錠1mg「ケミファ」 (日本ケミファ)	ピタバスタチンカルシウム 水和物	1mg 1錠	HMG-CoA還元酵素阻害剤	2948
	ピタバスタチン OD1JG	淡黄白(淡 黄〜濃黄の 斑点)	ピタバスタチンCa・OD錠1mg「JG」 (ダイト/日本ジェネリック)	ピタバスタチンカルシウム 水和物	1mg 1錠	HMG-CoA還元酵素阻害剤	2948
	ピタバスタチン OD1/OD1 VTRS	淡黄白(淡 黄〜濃黄の 斑点)	ピタバスタチンCa・OD錠1mg 「VTRS」(ヴィアトリス・ヘルスケア /ヴィアトリス)	ピタバスタチンカルシウム	1mg 1錠	HMG-CoA還元酵素阻害剤	2948
	ピタバスタチン OD1杏林	淡黄白(淡 黄〜濃黄の 斑点)	ピタバスタチンCa・OD錠1mg「杏林」 (キョーリンリメディオ/杏林)	ピタバスタチンカルシウム 水和物	1mg 1錠	HMG-CoA還元酵素阻害剤	2948
	ピタバスタチン OD1トーワ	黄	ピタバスタチンCa・OD錠1mg「トー ワ」(東和薬品)	ピタバスタチンカルシウム 水和物	1mg 1錠	HMG-CoA還元酵素阻害剤	2948
	ピタバスタチン YD1 YD213	白	ピタバスタチンCa錠1mg「YD」(陽進 堂/共創未来)	ピタバスタチンカルシウム 水和物	1mg 1錠	HMG-CoA還元酵素阻害剤	2948
	フィナステリド1 トーワ	薄赤	フィナステリド錠1mg「トーワ」(東和 薬品)	フィナステリド	1mg 1錠	5α-還元酵素Ⅱ型阻害薬	3090
	ボノテオ1	白	ボノテオ錠1mg(アステラス)	ミノドロン酸水和物	1mg 1錠	骨粗鬆症治療剤	3875
	ミノドロン1JG	白	ミノドロン酸錠1mg「JG」(日本ジェ ネリック)	ミノドロン酸水和物	1mg 1錠	骨粗鬆症治療剤	3875
	ミノドロン1NIG	白	ミノドロン酸錠1mg「NIG」(日医工岐 阜/日医工)	ミノドロン酸水和物	1mg 1錠	骨粗鬆症治療剤	3875
	ミノドロン1 あゆみ	白	ミノドロン酸錠1mg「あゆみ」(あゆ み)	ミノドロン酸水和物	1mg 1錠	骨粗鬆症治療剤	3875
	ミノドロン1日医工 ⓝ397	白	ミノドロン酸錠1mg「日医工」(日医 工)	ミノドロン酸水和物	1mg 1錠	骨粗鬆症治療剤	3875
	ミノドロン1 トーワ	白	ミノドロン酸錠1mg「トーワ」(東和薬 品)	ミノドロン酸水和物	1mg 1錠	骨粗鬆症治療剤	3875
	ミノドロン1ミカサ	白	ミノドロン酸錠1mg「三笠」(三笠)	ミノドロン酸水和物	1mg 1錠	骨粗鬆症治療剤	3875
	ミノドロンYD1 YD208	白	ミノドロン酸錠1mg「YD」(陽進堂)	ミノドロン酸水和物	1mg 1錠	骨粗鬆症治療剤	3875
	メサラジン注腸 1g	白〜微黄	メサラジン注腸1g「JG」(日本ジェネ リック)	メサラジン	1g 1個	潰瘍性大腸炎・クローン病治 療剤	3911
	モチダ ジエノゲスト1	白	ジエノゲスト錠1mg「モチダ」(持田製 販)	ジエノゲスト	1mg 1錠	子宮内膜症治療剤・子宮腺筋 症に伴う疼痛改善治療剤・月 経困難症治療剤	1564
	リスミー1/1	白 ①	リスミー錠1mg(共和薬品)	リルマザホン塩酸塩水和物	1mg 1錠	ベンゾジアゼピン系睡眠誘導 剤	4315
	レキサルティ OD1	淡黄	レキサルティOD錠1mg(大塚)	ブレクスピプラゾール	1mg 1錠	抗精神病薬	3360
	ロピニ1/アメル	淡黄	ロピニロールOD錠1mg「アメル」(共 和薬品)	ロピニロール塩酸塩	1mg 1錠	ドパミンD₂受容体系作動薬	4511
	ロペラミド 1mg SW	白	ロペラミド塩酸塩カプセル1mg「サワ イ」(沢井)	ロペラミド塩酸塩	1mg 1カプセ ル	止瀉剤	4524
1.0	1.0 TYK151	黄赤	アルファカルシドールカプセル1μg 「NIG」(日医工岐阜/日医工/武田薬 品)	アルファカルシドール	1μg 1カプセ ル	活性型ビタミンD₃	317
	AL0.5g AL1.0g	茶褐	アローゼン顆粒(サンファーマ)	センナ・センナ実	1g	生薬緩下剤	1922
	KW173/1.0	白	アルファカルシドール錠1.0μg「アメ ル」(共和薬品)	アルファカルシドール	1μg 1錠	活性型ビタミンD₃	317
	MA-S0.5g MA-S0.67g MA-S1.0g	帯青	マーズレンS配合顆粒(寿/EA)	アズレンスルホン酸ナトリ ウム水和物・L-グルタミン	1g	消炎性抗潰瘍剤	70
	O.S A1.0 O.S-A1.0	白〜淡黄白	エチゾラム錠1mg「日医工」(日医工)	エチゾラム	1mg 1錠	チエノジアゼピン系精神安定 剤	738
	Tw.D3 1.0	微赤〜淡赤	アルファカルシドールカプセル1μg 「トーワ」(東和薬品)	アルファカルシドール	1μg 1カプセ ル	活性型ビタミンD₃	317
	Pfizer/CHX1.0 Pfizer・CHX1.0	淡青	チャンピックス錠1mg(ファイザー)	バレニクリン酒石酸塩	1mg 1錠	α₄β₂ニコチン受容体部分作動 薬(禁煙補助薬)	2867

番号	識別コード	色 (Ⅱ：割線有)	商品名(会社名)	一般名	規格単位	薬効	掲載ページ
1.0	⊿⊿WPX／1.0 ◢WPX／1.0	白 Ⅱ	ワイパックス錠1.0（ファイザー）	ロラゼパム	1mg 1錠	マイナートランキライザー・抗痙攣剤	4542
	マーズレン1.0	淡青	マーズレン配合錠1.0ES（寿／EA）	アズレンスルホン酸ナトリウム水和物・L-グルタミン	1錠	消炎性抗潰瘍剤	70
	ワンアルファ1.0	白	ワンアルファ錠1.0μg（帝人）	アルファカルシドール	1μg 1錠	活性型ビタミンD₃	317
1.25	JG N48／1.25	黄 Ⅱ	カルベジロール錠1.25mg「JG」（日本ジェネリック）	カルベジロール	1.25mg 1錠	α, β-遮断剤	1160
	KW CAR／1.25	黄 Ⅱ	カルベジロール錠1.25mg「アメル」（共和薬品）	カルベジロール	1.25mg 1錠	α, β-遮断剤	1160
	KW OLZ／OD1.25	黄	オランザピンOD錠1.25mg「アメル」（共和薬品）	オランザピン	1.25mg 1錠	抗精神病剤・双極性障害治療剤・制吐剤	1021
	MeP012／1.25	黄 Ⅱ	カルベジロール錠1.25mg「Me」（Meiji Seika／Meファルマ）	カルベジロール	1.25mg 1錠	α, β-遮断剤	1160
	OLZ1.25／アメルOLZ	白	オランザピン錠1.25mg「アメル」（共和薬品）	オランザピン	1.25mg 1錠	抗精神病剤・双極性障害治療剤・制吐剤	1021
	TG020 1.25 TG020	黄 Ⅱ	カルベジロール錠1.25mg「タナベ」（ニプロES）	カルベジロール	1.25mg 1錠	α, β-遮断剤	1160
	TG020 1.25 TG020	黄	カルベジロール錠1.25mg「ニプロ」（ニプロES）	カルベジロール	1.25mg 1錠	α, β-遮断剤	1160
	TU-CR1.25	黄 Ⅱ	カルベジロール錠1.25mg「TCK」（辰巳化学）	カルベジロール	1.25mg 1錠	α, β-遮断剤	1160
	TV-CD1.25	黄 Ⅱ	カルベジロール錠1.25mg「NIG」（日医工岐阜／日医工／武田薬品）	カルベジロール	1.25mg 1錠	α, β-遮断剤	1160
	VTRS／C1.25 VTRS C1.25	黄 Ⅱ	カルベジロール錠1.25mg「VTRS」（ヴィアトリス・ヘルスケア／ヴィアトリス）	カルベジロール	1.25mg 1錠	α, β-遮断剤	1160
	カルベジロール1.25 サワイ	黄 Ⅱ	カルベジロール錠1.25mg「サワイ」（沢井）	カルベジロール	1.25mg 1錠	α, β-遮断剤	1160
	カルベジロール1.25 トーワ	黄	カルベジロール錠1.25mg「トーワ」（東和薬品）	カルベジロール	1.25mg 1錠	α, β-遮断剤	1160
	ミネブロ1.25	微黄白	ミネブロ錠1.25mg（第一三共）	エサキセレノン	1.25mg 1錠	選択的ミネラルコルチコイド受容体ブロッカー	674
	ミネブロOD1.25	微黄白	ミネブロOD錠1.25mg（第一三共）	エサキセレノン	1.25mg 1錠	選択的ミネラルコルチコイド受容体ブロッカー	674
1.5	AY1.5／1.5	淡黄	タクロリムス錠1.5mg「あゆみ」（あゆみ）	タクロリムス水和物	1.5mg 1錠	免疫抑制剤	1999
	HP1.5／Kw	白 Ⅱ	ハロペリドール錠1.5mg「アメル」（共和薬品）	ハロペリドール	1.5mg 1錠	ブチロフェノン系精神安定剤	2887
	NL1.5	白	ノルレボ錠1.5mg（あすか／武田薬品）	レボノルゲストレル	1.5mg 1錠	黄体ホルモン	4424
	SW PM LA2／1.5	白	プラミペキソール塩酸塩LA錠1.5mgMI「サワイ」（沢井）	プラミペキソール塩酸塩水和物	1.5mg 1錠	ドパミン作動性抗パーキンソン剤, レストレスレッグス症候群治療剤	3258
	Y LT／1.5 Y-LT1.5	白 Ⅱ	ハロペリドール錠1.5mg「ヨシトミ」（田辺三菱）	ハロペリドール	1.5mg 1錠	ブチロフェノン系精神安定剤	2887
	ℙ313／1.5	白 Ⅱ	セレネース錠1.5mg（住友ファーマ）	ハロペリドール	1.5mg 1錠	ブチロフェノン系精神安定剤	2887
	タクロリムス1.5 トーワ	淡黄	タクロリムス錠1.5mg「トーワ」（東和薬品）	タクロリムス水和物	1.5mg 1錠	免疫抑制剤	1999
	プラミペキソール LA1.5JG	白	プラミペキソール塩酸塩LA錠1.5mgMI「JG」（日本ジェネリック）	プラミペキソール塩酸塩水和物	1.5mg 1錠	ドパミン作動性抗パーキンソン剤, レストレスレッグス症候群治療剤	3258
	プラミペキソール LA1.5 MI DSEP	白	プラミペキソール塩酸塩LA錠1.5mgMI「DSEP」（第一三共エスファ）	プラミペキソール塩酸塩水和物	1.5mg 1錠	ドパミン作動性抗パーキンソン剤, レストレスレッグス症候群治療剤	3258
	プラミペキソール LA1.5MI アメル	白～帯黄白	プラミペキソール塩酸塩LA錠1.5mgMI「アメル」（共和薬品）	プラミペキソール塩酸塩水和物	1.5mg 1錠	ドパミン作動性抗パーキンソン剤, レストレスレッグス症候群治療剤	3258
	プラミペキソール LA1.5MI トーワ	白	プラミペキソール塩酸塩LA錠1.5mgMI「トーワ」（東和薬品）	プラミペキソール塩酸塩水和物	1.5mg 1錠	ドパミン作動性抗パーキンソン剤, レストレスレッグス症候群治療剤	3258
	プラミペキソール LA1.5オーハラ	白	プラミペキソール塩酸塩LA錠1.5mgMI「オーハラ」（大原薬品／共創未来）	プラミペキソール塩酸塩水和物	1.5mg 1錠	ドパミン作動性抗パーキンソン剤, レストレスレッグス症候群治療剤	3258
1.7	YP-1FN1.7	微黄半透明（白）	フェンタニル1日用テープ1.7mg「ユートク」（祐徳薬品）	フェンタニル	1.7mg 1枚	経皮吸収型持続性疼痛治療剤	3156
002	H2 HPC002	白	アルセノール錠25（原沢）	アテノロール	25mg 1錠	β₁-遮断剤	115
	KR002	黄 Ⅱ	キョウベリン錠100（大峰堂／日本化薬）	ベルベリン塩化物水和物	100mg 1錠	止瀉剤	3630
	KW／002 KW002	白	オスポロット錠50mg（共和薬品）	スルチアム	50mg 1錠	スルタム系抗てんかん剤	1774
	LT002	白	ソランタール錠50mg（LTL）	チアラミド塩酸塩	50mg 1錠	塩基性消炎鎮痛剤	2138
	MS002／80	白	ビカルタミド錠80mg「明治」（Meiji Seika）	ビカルタミド	80mg 1錠	前立腺癌治療剤	2926

番号	識別コード	色 (回:割線有)	商品名(会社名)	一般名	規格単位	薬効	掲載ページ
002	SW002	白～帯黄白	チアプリド錠50mg「サワイ」(沢井)	チアプリド塩酸塩	50mg 1錠	ベンザミド系精神・ジスキネジア改善剤	2133
	SZ002／1	淡紅 ①	グリメピリド錠1mg「サンド」(サンド)	グリメピリド	1mg 1錠	スルホニル尿素系血糖降下剤	1278
	t2 t002	白～微黄白①	アムロジピンOD錠5mg「武田テバ」(武田テバファーマ／武田薬品)	アムロジピンベシル酸塩	5mg 1錠	ジヒドロピリジン系Ca拮抗剤	264
	TG002／1	白～微黄①	ドキサゾシン錠1mg「タナベ」(ニプロES)	ドキサゾシンメシル酸塩	1mg 1錠	α₁-遮断剤	2391
	TG002／1	白～微黄①	ドキサゾシン錠1mg「ニプロ」(ニプロES)	ドキサゾシンメシル酸塩	1mg 1錠	α₁-遮断剤	2391
	T Tu TM-002	淡桃	トリクロルメチアジド錠2mg「TCK」(辰巳化学)	トリクロルメチアジド	2mg 1錠	チアジド系降圧利尿剤	2519
	ZY002	白	ベラゾリン細粒800mg(全薬工業／全薬販売)	ソブゾキサン	800mg 1包	抗悪性腫瘍剤・ビスジオキソピペラジン誘導体	1939
02	1／VTC02	白 ①	カルデナリン錠1mg(ヴィアトリス)	ドキサゾシンメシル酸塩	1mg 1錠	α₁-遮断剤	2391
	FJ02	白 ①	エストリオール錠1mg「F」(富士製薬)	エストリオール	1mg 1錠	卵胞ホルモン	700
	GZ02	光沢青緑／乳白	サデルガカプセル100mg(サノフィ)	エリグルスタット酒石酸塩	100mg 1カプセル	グルコシルセラミド合成酵素阻害薬	858
	H02	褐	本草葛根湯加川芎辛夷エキス顆粒-M(本草)	葛根湯加川芎辛夷	1g	漢方製剤	4573
	IW02 CT5	白	セチリジン塩酸塩錠5mg「イワキ」(岩城)	セチリジン塩酸塩	5mg 1錠	持続性選択H₁-受容体拮抗剤	1806
	J-02	淡褐	JPS葛根湯加川芎辛夷エキス顆粒〔調剤用〕(ジェーピーエス)	葛根湯加川芎辛夷	1g	漢方製剤	4573
	JG E02	帯褐黄	ニルバジピン錠2mg「JG」(日本ジェネリック)	ニルバジピン	2mg 1錠	ジヒドロピリジン系Ca拮抗剤	2685
	JG F02／50	白～微黄白	クエン酸第一鉄Na錠50mg「JG」(日本ジェネリック)	クエン酸第一鉄ナトリウム	鉄50mg 1錠	可溶性非イオン型鉄剤	1232
	KR02	淡緑～淡黄緑	レグパラ錠25mg(協和キリン)	シナカルセト塩酸塩	25mg 1錠	カルシウム受容体作動薬	1635
	KY02	白 ①	グルコンサンK錠5mEq(サンファーマ)	グルコン酸カリウム	カリウム5mEq 1錠	カリウム補給剤	1121
	MeP02／1	淡紅 ①	グリメピリド錠1mg「Me」(Meファルマ)	グリメピリド	1mg 1錠	スルホニル尿素系血糖降下剤	1278
	MS P-02	赤／黄	ビクシリンカプセル250mg(Meiji Seika)	アンピシリン	250mg 1カプセル	合成ペニシリン	370
	NPI02	白～微黄白①	ボグリボース錠0.2mg「ケミファ」(日本薬品工業／日本ケミファ)	ボグリボース	0.2mg 1錠	α-グルコシダーゼ阻害・食後過血糖改善剤	3668
	OG02	白	ハイゼット錠25mg(大塚)	ガンマ-オリザノール	25mg 1錠	自律神経賦活剤	1027
	PT P02	白	ポリミキシンB硫酸塩錠100万単位「ファイザー」(ファイザー)	ポリミキシンB硫酸塩	100万単位1錠	ポリペプチド系抗生物質	3776
	PT U02	白	ユナシン錠375mg(ファイザー)	スルタミシリントシル酸塩水和物	375mg 1錠	アンピシリン・スルバクタム相互プロドラッグ	1773
	S-02	褐	三和真武湯エキス細粒(三和生薬)	真武湯	1g	漢方製剤	4616
	SG-02	淡灰黄褐～淡灰茶褐	オースギ葛根湯加川芎辛夷エキスG(大杉)	葛根湯加川芎辛夷	1g	漢方製剤	4573
	Tu-TZ02／2	淡橙 ①	ドキサゾシン錠2mg「TCK」(辰巳化学)	ドキサゾシンメシル酸塩	2mg 1錠	α₁-遮断剤	2391
	Tu-VG02	白～微黄白①	ボグリボース錠0.2mg「TCK」(辰巳化学)	ボグリボース	0.2mg 1錠	α-グルコシダーゼ阻害・食後過血糖改善剤	3668
	TwU02	白 ①	ウルソデオキシコール酸錠100mg「トーワ」(東和薬品)	ウルソデオキシコール酸	100mg 1錠	肝・胆・消化機能改善剤	659
	YD02／35	白	アレンドロン酸錠35mg「YD」(陽進堂)	アレンドロン酸ナトリウム水和物	35mg 1錠	骨粗鬆症治療剤	349
	ZE02／20	淡赤	ニフェジピンL錠20mg「ZE」(全星薬品工業／全星薬品)	ニフェジピン	20mg 1錠	ジヒドロピリジン系Ca拮抗剤	2652
	Ⓐ02	白～淡黄	フェルビナクパップ70mg「ラクール」(三友薬品／ラクール)	フェルビナク	10cm×14cm 1枚	鎮痛消炎フェンブフェン活性体	3153
	π02／60 π02 60	薄橙	フェキソフェナジン塩酸塩錠60mg「SANIK」(日医工)	フェキソフェナジン塩酸塩	60mg 1錠	アレルギー性疾患治療剤	3111
	カマ330KE02	白	酸化マグネシウム錠330mg「ケンエー」(健栄／日本ジェネリック)	酸化マグネシウム	330mg 1錠	制酸・緩下剤	3798
	カマ330KE02	白(青)	酸化マグネシウム錠330mg「ケンエー」(健栄)	酸化マグネシウム	330mg 1錠	制酸・緩下剤	3798
2	0.2／SW VG2	白～帯黄白①	ボグリボース錠0.2mg「サワイ」(沢井)	ボグリボース	0.2mg 1錠	α-グルコシダーゼ阻害・食後過血糖改善剤	3668
	2 1/2／893	黄	エリキュース錠2.5mg(ブリストル／ファイザー)	アピキサバン	2.5mg 1錠	経口FXa阻害剤	174
	287／2	淡黄赤	シロドシンOD錠2mg「ツルハラ」(鶴原)	シロドシン	2mg 1錠	選択的α₁ₐ-遮断剤・前立腺肥大症に伴う排尿障害改善薬	1720

番号	識別コード	色 (◖:割線有)		商品名(会社名)	一般名	規格単位	薬効	掲載 ページ
2	2JG	白～微黄白		ファモチジンOD錠20mg「JG」（日本 ジェネリック）	ファモチジン	20mg 1錠	H₂-受容体拮抗剤	3079
	2KL160/2 SN-2	白	◖	ブロマゼパム錠2mg「サンド」（サンド ／日本ジェネリック）	ブロマゼパム	2mg 1錠	ベンゾジアゼピン系精神神経 用剤	3449
	2KL600	白	◖	ポラキス錠2（クリニジェン）	オキシブチニン塩酸塩	2mg 1錠	排尿障害治療剤・原発性手掌 多汗症治療剤	960
	2/KW231	白	◖	ジアゼパム錠2mg「アメル」（共和薬品 ／日本ジェネリック）	ジアゼパム	2mg 1錠	マイナートランキライザー	1553
	2mg t372 t372	帯褐黄		ニルバジピン錠2mg「NIG」（日医工岐 阜／日医工／武田薬品）	ニルバジピン	2mg 1錠	ジヒドロピリジン系Ca拮抗剤	2685
	2/SW DX2	淡橙	◖	ドキサゾシン錠2mg「サワイ」（沢井）	ドキサゾシンメシル酸塩	2mg 1錠	α₁-遮断剤	2391
	2/VTC03	淡橙	◖	カルデナリン錠2mg（ヴィアトリス）	ドキサゾシンメシル酸塩	2mg 1錠	α₁-遮断剤	2391
	2/VTC13	淡橙	◖	カルデナリンOD錠2mg（ヴィアトリ ス）	ドキサゾシンメシル酸塩	2mg 1錠	α₁-遮断剤	2391
	2/◖	白		イーフェンバッカル錠200μg（帝國／ 大鵬薬品）	フェンタニルクエン酸塩	200μg 1錠	麻酔用ピペリジン系鎮痛剤， 疼痛治療剤	3162
	2エスゾピクロン ニプロ	淡黄	◖	エスゾピクロン錠2mg「ニプロ」（ニプ	エスゾピクロン	2mg 1錠	不眠症治療剤	682
	2シロドシン トーワ	淡赤白		シロドシン錠2mg「トーワ」（東和薬 品）	シロドシン	2mg 1錠	選択的α₁A-遮断剤・前立腺肥 大症に伴う排尿障害改善薬	1720
	2ブロナンセリン ニプロ	白		ブロナンセリン錠2mg「ニプロ」（ニプ ロ）	ブロナンセリン	2mg 1錠	抗精神病，ドパミンD₂受容 体・5-HT₂受容体遮断剤	3422
	AJ2 90	淡赤		ファスティック錠90（EA）	ナテグリニド	90mg 1錠	速効型インスリン分泌促進薬	2606
	AJ2/30 AJ2 30	白		ファスティック錠30（EA）	ナテグリニド	30mg 1錠	速効型インスリン分泌促進薬	2606
	AK242/2	白～帯黄白		カンデサルタン錠2mg「あすか」（あす か／武田薬品）	カンデサルタン シレキセチ ル	2mg 1錠	アンギオテンシンⅡ受容体拮 抗剤	1184
	AML RIS2	白		リスペリドン錠2mg「アメル」（共和薬 品）	リスペリドン	2mg 1錠	抗精神病，D₂・5-HT₂拮抗剤	4201
	AML RIS/OD2	白		リスペリドンOD錠2mg「アメル」（共 和薬品）	リスペリドン	2mg 1錠	抗精神病，D₂・5-HT₂拮抗剤	4201
	BMD2	淡紅		カルシトリオールカプセル0.5μg 「BMD」（ビオメディクス／日本ジェネ リック）	カルシトリオール	0.5μg 1カプ セル	活性型ビタミンD₃	1136
	BRX2	淡緑		レキサルティ錠2mg（大塚）	ブレクスピプラゾール	2mg 1錠	抗精神病薬	3360
	ch2Z ch2Z	淡赤		セフジニルカプセル100mg「JG」（長 生堂／日本ジェネリック）	セフジニル	100mg 1カプ セル	セフェム系抗生物質	1850
	CP2	白	◖	レキソタン錠2（サンドファーマ／サン ド）	ブロマゼパム	2mg 1錠	ベンゾジアゼピン系精神神経 用剤	3449
	DC/E2 DC E2	薄灰		ナルサス錠2mg（第一三共プロ／第一 三共）	ヒドロモルフォン塩酸塩	2mg 1錠	癌疼痛治療剤	2994
	DC/I2 DC I2	極薄赤		ナルラピド錠2mg（第一三共プロ／第 一三共）	ヒドロモルフォン塩酸塩	2mg 1錠	癌疼痛治療剤	2994
	DS013/2	薄橙	◖	ランドセン錠2mg（住友ファーマ）	クロナゼパム	2mg 1錠	ベンゾジアゼピン系抗てんか ん剤	1310
	EA2-K	白又は帯黄 白～帯黄緑 白		カログラ錠120mg（EA／キッセイ）	カロテグラストメチル	120mg 1錠	潰瘍性大腸炎治療剤/α4イン テグリン阻害剤	1176
	EE22/2	淡橙	◖	ドキサゾシン錠2mg「EMEC」（アルフ レッサファーマ／エルメッド／日医工）	ドキサゾシンメシル酸塩	2mg 1錠	α₁-遮断剤	2391
	EKT-2	淡褐～褐		クラシエ葛根湯加川芎辛夷エキス錠（大 峰堂／クラシエ薬品）	葛根湯加川芎辛夷	1錠	漢方製剤	4573
	F2/1	淡紅	◖	グリメピリド錠1mg「フェルゼン」（フ ェルゼン）	グリメピリド	1mg 1錠	スルホニル尿素系血糖降下剤	1278
	FF232/2	白～帯黄白		カンデサルタン錠2mg「FFP」（共創 未来）	カンデサルタン シレキセチ ル	2mg 1錠	アンギオテンシンⅡ受容体拮 抗剤	1184
	FJ364/2	白		ルトラール錠2mg（富士製薬）	クロルマジノン酢酸エステ ル	2mg 1錠	黄体ホルモン剤	1386
	FS2	白～微黄白		アムロジピンOD錠2.5mg「フソー」 （シオノ／扶桑薬品）	アムロジピンベシル酸塩	2.5mg 1錠	ジヒドロピリジン系Ca拮抗剤	264
	FY323/2 FY323	極薄紅		ユリス錠2mg（富士薬品／持田）	ドチヌラド	2mg 1錠	選択的尿酸再吸収阻害薬・高 尿酸血症治療剤	2423
	GS CL2/5	白		ラミクタール錠小児用5mg（グラク ソ・スミスクライン）	ラモトリギン	5mg 1錠	抗てんかん・双極性障害治療 剤	4143
	GS FC2	橙		エプジコム配合錠（ヴィーブ／グラクソ ・スミスクライン）	ラミブジン・アバカビル硫 酸塩	1錠	抗ウイルス化学療法剤	4130
	GS/3V2 GS3V2	淡紅白		レキップCR錠2mg（グラクソ・スミス クライン）	ロピニロール塩酸塩	2mg 1錠	ドパミンD₂受容体系作動薬	4511
	GS/FE2 GS FE2	帯紅白		パキシル錠20mg（グラクソ・スミスク ライン）	パロキセチン塩酸塩水和物	20mg 1錠	選択的セロトニン再取り込み 阻害剤(SSRI)	2878
	GX CE2	淡黄		アボルブカプセル0.5mg（グラクソ・ スミスクライン）	デュタステリド	0.5mg 1カプ セル	5α-還元酵素阻害薬	2332

番号	識別コード	色 (①：割線有)		商品名(会社名)	一般名	規格単位	薬効	掲載 ページ
2	GX CM2	白	①	ザイロリック錠100（グラクソ・スミスクライン）	アロプリノール	100mg 1錠	キサンチンオキシダーゼ阻害剤・高尿酸血症治療剤	363
	GX EJ2	白	①	ザイロリック錠50（グラクソ・スミスクライン）	アロプリノール	50mg 1錠	キサンチンオキシダーゼ阻害剤・高尿酸血症治療剤	363
	H2 HPC002	白		アルセノール錠25（原沢）	アテノロール	25mg 1錠	β_1-遮断剤	115
	HD373／2 HD-373	淡黄	①	ワルファリンK錠2mg「NP」（ニプロ）	ワルファリンカリウム	2mg 1錠	抗凝血剤	4556
	HP2／Kw HP2	白	①	ハロペリドール錠2mg「アメル」（共和薬品）	ハロペリドール	2mg 1錠	ブチロフェノン系精神安定剤	2887
	IC2 2.5 IC-2	白		モサプリドクエン酸塩錠2.5mg「イセイ」（コーアイセイ）	モサプリドクエン酸塩水和物	2.5mg 1錠	消化管運動促進剤	4014
	IM2 tIM2	白		イルソグラジンマレイン酸塩錠2mg「NIG」（日医工岐阜／日医工／武田薬品）	イルソグラジンマレイン酸塩	2mg 1錠	粘膜防御性胃炎・胃潰瘍治療剤	521
	JA FE2 JA／FE2	帯紅白		パロキセチン錠20mg「SPKK」（サンドファーマ／サンド）	パロキセチン塩酸塩水和物	20mg 1錠	選択的セロトニン再取り込み阻害剤(SSRI)	2878
	JG C33／2	帯青白		フルニトラゼパム錠2mg「JG」（日本ジェネリック）	フルニトラゼパム	2mg 1錠	不眠症治療剤・麻酔導入剤	3328
	JG C56／2	淡紅白		ロピニロール錠2mg「JG」（長生堂／日本ジェネリック）	ロピニロール塩酸塩	2mg 1錠	ドパミンD_2受容体系作動薬	4511
	JG E60／2	白～帯黄白		カンデサルタン錠2mg「JG」（日本ジェネリック）	カンデサルタン シレキセチル	2mg 1錠	アンギオテンシンⅡ受容体拮抗剤	1184
	JG F51／2	赤みの黄	①	メトトレキサート錠2mg「JG」（日本ジェネリック）	メトトレキサート〔抗リウマチ剤〕	2mg 1錠	抗リウマチ剤	3952
	JG N53／2	淡桃	①	トリクロルメチアジド錠2mg「JG」（日本ジェネリック）	トリクロルメチアジド	2mg 1錠	チアジド系降圧利尿剤	2519
	JG S2	白		ラモトリギン錠小児用2mg「JG」（日本ジェネリック）	ラモトリギン	2mg 1錠	抗てんかん・双極性障害治療剤	4143
	K2	白		カイトリル錠2mg（太陽ファルマ）	グラニセトロン塩酸塩	2mg 1錠	5-HT_3受容体拮抗型制吐剤	1248
	KB-2 EK-2	淡褐～褐		クラシエ葛根湯加川芎辛夷エキス細粒（クラシエ／クラシエ薬品）	葛根湯加川芎辛夷	1g	漢方製剤	4573
	KH602／ オルケディア2	淡黄		オルケディア錠2mg（協和キリン）	エボカルセト	2mg 1錠	カルシウム受容体作動薬	831
	KO74 ロルノキシカム2	白～微黄白		ロルノキシカム錠2mg「KO」（寿）	ロルノキシカム	2mg 1錠	オキシカム系消炎鎮痛剤	4548
	KRM165／2	白～帯黄白		カンデサルタン錠2mg「杏林」（キョーリンリメディオ／杏林）	カンデサルタン シレキセチル	2mg 1錠	アンギオテンシンⅡ受容体拮抗剤	1184
	KSK123／2 KS123	白		リスペリドン錠2mg「クニヒロ」（皇漢堂）	リスペリドン	2mg 1錠	抗精神病、D_2・5-HT_2拮抗剤	4201
	KW BZL／2	極薄橙		ベンザリン錠2（共和薬品）	ニトラゼパム	2mg 1錠	ベンゾジアゼピン系催眠剤	2641
	Kw DOX／2	淡橙	①	ドキサゾシン錠2mg「アメル」（共和薬品）	ドキサゾシンメシル酸塩	2mg 1錠	α_1-遮断剤	2391
	Kw L2	白		ラモトリギン錠小児用2mg「アメル」（共和薬品）	ラモトリギン	2mg 1錠	抗てんかん・双極性障害治療剤	4143
	KW RM2	白		レスミット錠2（共和薬品）	メダゼパム	2mg 1錠	ベンゾジアゼピン系精神神経用剤	3920
	KW088／2	白	①	エスタゾラム錠2mg「アメル」（共和薬品）	エスタゾラム	2mg 1錠	睡眠剤	684
	KW566／2	帯青白		フルニトラゼパム錠2mg「アメル」（共和薬品）	フルニトラゼパム	2mg 1錠	不眠症治療剤・麻酔導入剤	3328
	LC2	白～微黄白		アムロジピンOD錠5mg「科研」（大興／科研）	アムロジピンベシル酸塩	5mg 1錠	ジヒドロピリジン系Ca拮抗剤	264
	LTG2	白		ラミクタール錠小児用2mg（グラクソ・スミスクライン）	ラモトリギン	2mg 1錠	抗てんかん・双極性障害治療剤	4143
	MCI064／2	薄青	①	バソメット錠2mg（田辺三菱）	テラゾシン塩酸塩水和物	2mg 1錠	α_1-遮断剤	2353
	MET2	黄		メトトレキサートカプセル2mg「DK」（大興）	メトトレキサート〔抗リウマチ剤〕	2mg 1カプセル	抗リウマチ剤	3952
	MI／t MI[2mg]	白	①	ミドドリン塩酸塩錠2mg「NIG」（日医工岐阜／日医工／武田薬品）	ミドドリン塩酸塩	2mg 1錠	α_1-刺激剤	3870
	MTX／2mg	淡黄		メトトレキサート錠2mg「あゆみ」（あゆみ）	メトトレキサート	2mg 1錠	抗リウマチ剤	3952
	N2	茶褐～黄褐		コタロー葛根湯加辛夷川芎エキス細粒（小太郎漢方）	葛根湯加川芎辛夷	1g	漢方製剤	4573
	NF126／2	白	①	セパゾン錠2（アルフレッサファーマ）	クロキサゾラム	2mg 1錠	マイナートランキライザー	1303
	NP135／2 NP-135	微赤	①	トリクロルメチアジド錠2mg「NP」（ニプロ）	トリクロルメチアジド	2mg 1錠	チアジド系降圧利尿剤	2519
	NP161／2 NP-161	極薄黄赤		ピタバスタチンCa錠2mg「NP」（ニプロ）	ピタバスタチンカルシウム水和物	2mg 1錠	HMG-CoA還元酵素阻害剤	2948
	NP341／2 NP-341	白～帯黄白		カンデサルタン錠2mg「ニプロ」（ニプロ）	カンデサルタン シレキセチル	2mg 1錠	アンギオテンシンⅡ受容体拮抗剤	1184

番号	識別コード	色 (⨪:割線有)	商品名(会社名)	一般名	規格単位	薬効	掲載ページ
2	NP353／2 NP-353	白	リスペリドン錠2mg「NP」(ニプロ)	リスペリドン	2mg 1錠	抗精神病，D_2・5-HT$_2$拮抗剤	4201
	NS251／2	白～帯黄白	カンデサルタン錠2mg「日新」(日新)	カンデサルタン シレキセチル	2mg 1錠	アンギオテンシンⅡ受容体拮抗剤	1184
	NTBC2mg	白	オーファディンカプセル2mg(アステラス)	ニチシノン	2mg 1カプセル	高チロシン血症Ⅰ型治療剤	2640
	NVR／D2 NVR D2	白～微黄白	アフィニトール分散錠2mg(ノバルティス)	エベロリムス	2mg 1錠	免疫抑制剤・抗悪性腫瘍剤(mTOR阻害剤)	811
	NVR／Y2 NVR Y2	黄	イスツリサ錠5mg(レコルダティ)	オシロドロスタットリン酸塩	5mg 1錠	副腎皮質ホルモン合成阻害剤	977
	NZ2	白～微黄白	ランデル錠20(ゼリア新薬／塩野義)	エホニジピン塩酸塩エタノール付加物	20mg 1錠	ジヒドロピリジン系Ca拮抗剤	834
	OH272／2 OH-272	黄	ベニジピン塩酸塩錠2mg「OME」(大原薬品／エルメッド／日医工)	ベニジピン塩酸塩	2mg 1錠	ジヒドロピリジン系Ca拮抗剤	3524
	POML2mg	橙／暗青	ポマリストカプセル2mg(ブリストル)	ポマリドミド	2mg 1カプセル	抗造血器悪性腫瘍剤	3743
	PSC2／2	極薄黄赤⨪	ピタバスタチンCa錠2mg「DK」(大興／江州)	ピタバスタチンカルシウム水和物	2mg 1錠	HMG-CoA還元酵素阻害剤	2948
	PT CE2	白 ⨪	セレコキシブ錠200mg「ファイザー」(ヴィアトリス・ヘルスケア／ヴィアトリス)	セレコキシブ	200mg 1錠	非ステロイド性消炎・鎮痛剤(シクロオキシゲナーゼ-2選択的阻害剤)	1918
	PT DX／2 PT DX2	淡橙	ドキサゾシン錠2mg「ファイザー」(ヴィアトリス・ヘルスケア／ヴィアトリス)	ドキサゾシンメシル酸塩	2mg 1錠	α_1-遮断剤	2391
	RL2	薄橙	ロフラゼプ酸エチル錠2mg「SN」(シオノ／日医工／武田薬品／ヴィアトリス)	ロフラゼプ酸エチル	2mg 1錠	ベンゾジアゼピン系持続性心身安定剤	4520
	S2	白 ⨪	アムロジピン錠5mg「フソー」(シオノ／扶桑薬品)	アムロジピンベシル酸塩	5mg 1錠	ジヒドロピリジン系Ca拮抗剤	264
	SANKYO807／2	白 ⨪	メテバニール錠2mg(第一三共プロ／第一三共)	オキシメテバノール	2mg 1錠	鎮咳剤	965
	Sc241／2	白～帯黄白	カンデサルタン錠2mg「三和」(三和化学)	カンデサルタン シレキセチル	2mg 1錠	アンギオテンシンⅡ受容体拮抗剤	1184
	SI d2／SI EP SI d2EP	淡黄赤	シロドシンOD錠2mg「DSEP」(第一三共エスファ)	シロドシン	2mg 1錠	選択的α_{1A}-遮断剤・前立腺肥大症に伴う排尿障害改善薬	1720
	SI2／SI EP SI2EP	白～微黄白	シロドシン錠2mg「DSEP」(第一三共エスファ)	シロドシン	2mg 1錠	選択的α_{1A}-遮断剤・前立腺肥大症に伴う排尿障害改善薬	1720
	SK2	白	ミチグリニドCa・OD錠5mg「SN」(シオノ／江州)	ミチグリニドカルシウム水和物	5mg 1錠	速効型インスリン分泌促進剤	3859
	SW BD／2	薄橙 ⨪	ビペリデン塩酸塩錠2mg「サワイ」(沢井)	ビペリデン	2mg 1錠	抗パーキンソン剤	3010
	SW BN2	黄	ベニジピン塩酸塩錠2mg「サワイ」(メディサ／沢井)	ベニジピン塩酸塩	2mg 1錠	ジヒドロピリジン系Ca拮抗剤	3524
	SW CW2	淡黄 ⨪	ペリンドプリルエルブミン錠2mg「サワイ」(沢井／日本ジェネリック)	ペリンドプリルエルブミン	2mg 1錠	ACE阻害剤	3610
	SW FV2	黄	フルボキサミンマレイン酸塩錠50mg「サワイ」(沢井)	フルボキサミンマレイン酸塩	50mg 1錠	選択的セロトニン再取り込み阻害剤(SSRI)	3337
	SW L2	白	ラモトリギン錠小児用2mg「サワイ」(沢井)	ラモトリギン	2mg 1錠	抗てんかん・双極性障害治療剤	4143
	SW PM LA2／1.5	白	プラミペキソール塩酸塩LA錠1.5mgMI「サワイ」(沢井)	プラミペキソール塩酸塩水和物	1.5mg 1錠	ドパミン作動性抗パーキンソン剤，レストレスレッグス症候群治療剤	3258
	SW PV2／2	白～帯黄白(淡黄～濃黄の斑点)⨪	ピタバスタチンCa・OD錠2mg「サワイ」(沢井)	ピタバスタチンカルシウム水和物	2mg 1錠	HMG-CoA還元酵素阻害剤	2948
	SW RP2	白	リスペリドン錠2mg「サワイ」(沢井)	リスペリドン	2mg 1錠	抗精神病，D_2・5-HT$_2$拮抗剤	4201
	SW RR2／2 SW RR2	淡紅白	ロピニロール徐放錠2mg「サワイ」(沢井)	ロピニロール塩酸塩	2mg 1錠	ドパミンD_2受容体系作動薬	4511
	SW TC2	白 ⨪	テモカプリル塩酸塩錠2mg「サワイ」(沢井)	テモカプリル塩酸塩	2mg 1錠	ACE阻害剤	2323
	SW V2／0.2	帯黄白	ボグリボースOD錠0.2mg「サワイ」(沢井)	ボグリボース	0.2mg 1錠	α-グルコシダーゼ阻害・食後過血糖改善剤	3668
	SW Z2／10	淡橙 ⨪	ゾルピデム酒石酸塩錠10mg「サワイ」(沢井)	ゾルピデム酒石酸塩	10mg 1錠	入眠剤	1973
	SW ZL2／10	淡赤 ⨪	ゾルピデム酒石酸塩OD錠10mg「サワイ」(沢井)	ゾルピデム酒石酸塩	10mg 1錠	入眠剤	1973
	SW カンデサルタン2	白～帯黄白	カンデサルタン錠2mg「サワイ」(沢井)	カンデサルタン シレキセチル	2mg 1錠	アンギオテンシンⅡ受容体拮抗剤	1184
	SW カンデサルタンOD2	白～帯黄白	カンデサルタンOD錠2mg「サワイ」(沢井)	カンデサルタン シレキセチル	2mg 1錠	アンギオテンシンⅡ受容体拮抗剤	1184

番号	識別コード	色 (①：割線有)	商品名(会社名)	一般名	規格単位	薬効	掲載ページ
2	SWピタバ2	極薄赤 ①	ピタバスタチンCa錠2mg「サワイ」(沢井)	ピタバスタチンカルシウム水和物	2mg 1錠	HMG-CoA還元酵素阻害剤	2948
	SZ111／2	白〜帯黄白	カンデサルタン錠2mg「サンド」(サンド)	カンデサルタン シレキセチル	2mg 1錠	アンギオテンシンⅡ受容体拮抗剤	1184
	t246[2mg]	淡赤 ①	トリクロルメチアジド錠2mg「NIG」(日医工岐阜／日医工／武田薬品)	トリクロルメチアジド	2mg 1錠	チアジド系降圧利尿剤	2519
	t2 t002	白〜微黄白①	アムロジピンOD錠5mg「武田テバ」(武田テバファーマ／武田薬品)	アムロジピンベシル酸塩	5mg 1錠	ジヒドロピリジン系Ca拮抗剤	264
	TC2	白 ①	ジアゼパム錠2mg「タイホウ」(大鵬薬品)	ジアゼパム	2mg 1錠	マイナートランキライザー	1553
	TEC2	黄 ①	ピモベンダン錠2.5mg「TE」(トーアエイヨー)	ピモベンダン	2.5mg 1錠	Ca²⁺感受性増強・心不全治療剤	3021
	TED2	白 ①	アミオダロン塩酸塩速崩錠100mg「TE」(トーアエイヨー)	アミオダロン塩酸塩	100mg 1錠	不整脈治療剤	221
	TEF2／500	微黄 ①	メトホルミン塩酸塩錠500mgMT「TE」(トーアエイヨー)	メトホルミン塩酸塩	500mg 1錠	ビグアナイド系血糖降下剤	3962
	tF2	白〜淡黄	アカルボースOD錠100mg「NIG」(日医工岐阜／日医工／武田薬品)	アカルボース	100mg 1錠	α-グルコシダーゼ阻害剤	6
	TG003／2	淡橙 ①	ドキサゾシン錠2mg「タナベ」(ニプロES)	ドキサゾシンメシル酸塩	2mg 1錠	α₁-遮断剤	2391
	TG003／2	淡橙 ①	ドキサゾシン錠2mg「ニプロ」(ニプロES)	ドキサゾシンメシル酸塩	2mg 1錠	α₁-遮断剤	2391
	tL2	白 ①	ロサルタンカリウム錠50mg「NIG」(日医工岐阜／日医工／武田薬品)	ロサルタンカリウム	50mg 1錠	アンギオテンシンⅡ受容体拮抗剤	4481
	tPX2／20	帯紅白	パロキセチン錠20mg「NIG」(日医工岐阜／日医工／武田薬品)	パロキセチン塩酸塩水和物	20mg 1錠	選択的セロトニン再取り込み阻害剤(SSRI)	2878
	TR5／ ☆ORGANON TR5 ☆ORGANON KH2／ ☆ORGANON KH2 ☆ORGANON	白 緑	マーベロン28 (オルガノン)	エチニルエストラジオール・デソゲストレル	(28日分)1組	経口避妊剤	2267
	tS2	白	サルポグレラート塩酸塩錠100mg「NIG」(日医工岐阜／日医工／武田薬品)	サルポグレラート塩酸塩	100mg 1錠	5-HT₂ブロッカー	1538
	TSU155／2	白	カンデサルタン錠2mg「ツルハラ」(鶴原)	カンデサルタン シレキセチル	2mg 1錠	アンギオテンシンⅡ受容体拮抗剤	1184
	TSU590／2	薄赤 ①	ピタバスタチンCa錠2mg「ツルハラ」(鶴原)	ピタバスタチンカルシウム水和物	2mg 1錠	HMG-CoA還元酵素阻害剤	2948
	TTS052／2 TTS-052	白	ハロペリドール錠2mg「タカタ」(高田)	ハロペリドール	2mg 1錠	ブチロフェノン系精神安定剤	2887
	TTS105／2 TTS-105	白	トリヘキシフェニジル塩酸塩錠2mg「タカタ」(高田)	トリヘキシフェニジル塩酸塩	2mg 1錠	抗パーキンソン剤	2523
	TTS177／2 TTS-177	白	リスペリドン錠2mg「タカタ」(高田)	リスペリドン	2mg 1錠	抗精神病、D₂・5-HT₂拮抗剤	4201
	TTS472／2 TTS-472	極薄赤 ①	ピタバスタチンCa錠2mg「タカタ」(高田)	ピタバスタチンカルシウム水和物	2mg 1錠	HMG-CoA還元酵素阻害剤	2948
	TU113／2	帯青白 ①	フルニトラゼパム錠2mg「TCK」(辰巳化学)	フルニトラゼパム	2mg 1錠	不眠症治療剤・麻酔導入剤	3328
	TU172／2	極薄黄赤①	ピタバスタチンCa錠2mg「TCK」(辰巳化学)	ピタバスタチンカルシウム水和物	2mg 1錠	HMG-CoA還元酵素阻害剤	2948
	TU271／2	白〜帯黄白	カンデサルタン錠2mg「TCK」(辰巳化学)	カンデサルタン シレキセチル	2mg 1錠	アンギオテンシンⅡ受容体拮抗剤	1184
	Tu-TZ02／2	淡橙 ①	ドキサゾシン錠2mg「TCK」(辰巳化学)	ドキサゾシンメシル酸塩	2mg 1錠	α₁-遮断剤	2391
	TV CC1／2	白〜帯黄白	カンデサルタン錠2mg「NIG」(日医工岐阜／日医工／武田薬品)	カンデサルタン シレキセチル	2mg 1錠	アンギオテンシンⅡ受容体拮抗剤	1184
	TV CC2／4	白〜帯黄白①	カンデサルタン錠4mg「NIG」(日医工岐阜／日医工／武田薬品)	カンデサルタン シレキセチル	4mg 1錠	アンギオテンシンⅡ受容体拮抗剤	1184
	TV PI2	淡赤白 ①	ピタバスタチンカルシウム錠2mg「テバ」(日医工岐阜／日医工／武田薬品)	ピタバスタチンカルシウム水和物	2mg 1錠	HMG-CoA還元酵素阻害剤	2948
	TV TH2／BP	黄橙	テルチア配合錠BP「NIG」(日医工岐阜／日医工／武田薬品)	テルミサルタン・ヒドロクロロチアジド	1錠	持続性AT₁受容体ブロッカー・利尿剤合剤	2384
	TV VZ2／200	白	ボリコナゾール錠200mg「NIG」(日医工岐阜／日医工／武田薬品)	ボリコナゾール	200mg 1錠	トリアゾール系抗真菌剤	3755
	TV NP2／50	白 ①	ナフトピジルOD錠50mg「NIG」(日医工岐阜／日医工／武田薬品)	ナフトピジル	50mg 1錠	排尿障害治療剤	2614
	TVO2／5	淡黄 ①	オランザピンOD錠5mg「NIG」(日医工岐阜／日医工／武田薬品)	オランザピン	5mg 1錠	抗精神病剤・双極性障害治療剤・制吐剤	1021
	Tw DP2 Tw.DP2	白	ジアゼパム錠2「トーワ」(東和薬品)	ジアゼパム	2mg 1錠	マイナートランキライザー	1553

番号	識別コード	色 (◐：割線有)	商品名(会社名)	一般名	規格単位	薬効	掲載ページ
2	Tw.L2 TwL2／500	薄橙　◐	レボフロキサシン錠500mg「トーワ」(東和薬品)	レボフロキサシン水和物	500mg 1錠(レボフロキサシンとして)	ニューキノロン系抗菌剤	4432
	Tw006／2	淡黄　◐	ペリンドプリルエルブミン錠2mg「トーワ」(東和薬品)	ペリンドプリルエルブミン	2mg 1錠	ACE阻害剤	3610
	Tw014／2	白	リスペリドン錠2mg「トーワ」(東和薬品)	リスペリドン	2mg 1錠	抗精神病，D_2・5-HT_2拮抗剤	4201
	Tw107／2	白　◐	オキシブチニン塩酸塩錠2mg「トーワ」(東和薬品)	オキシブチニン塩酸塩	2mg 1錠	排尿障害治療剤・原発性手掌多汗症治療剤	960
	Tw142／2	淡橙　◐	ドキサゾシン錠2mg「トーワ」(東和薬品)	ドキサゾシンメシル酸塩	2mg 1錠	$α_1$-遮断剤	2391
	Tw191／2	淡黄	メトトレキサート錠2mg「トーワ」(東和薬品)	メトトレキサート〔抗リウマチ剤〕	2mg 1錠	抗リウマチ剤	3952
	Tw207／2	極薄黄赤◐	ピタバスタチンCa錠2mg「トーワ」(東和薬品)	ピタバスタチンカルシウム水和物	2mg 1錠	HMG-CoA還元酵素阻害剤	2948
	Tw357／2	白	リスペリドンOD錠2mg「トーワ」(東和薬品)	リスペリドン	2mg 1錠	抗精神病，D_2・5-HT_2拮抗剤	4201
	TX tTX[2mg]	白　◐	トリヘキシフェニジル塩酸塩錠2mg「NIG」(日医工岐阜／日医工／武田薬品)	トリヘキシフェニジル塩酸塩	2mg 1錠	抗パーキンソン剤	2523
	TYP2／DV	薄橙　◐	リボトリール錠2mg(太陽ファルマ)	クロナゼパム	2mg 1錠	ベンゾジアゼピン系抗てんかん剤	1310
	V2	白　◐	アムロジピン錠5mg「タイヨー」(大興／日医工／武田薬品)	アムロジピンベシル酸塩	5mg 1錠	ジヒドロピリジン系Ca拮抗剤	264
	VL2	帯黄白	ボグリボースOD錠0.2mg「ケミファ」(シオノ／日本ケミファ)	ボグリボース	0.2mg 1錠	α-グルコシダーゼ阻害・食後過血糖改善剤	3668
	VLE P2	極薄黄赤◐	ピタバスタチンCa錠2mg「VTRS」(ヴィアトリス・ヘルスケア／ヴィアトリス)	ピタバスタチンカルシウム	2mg 1錠	HMG-CoA還元酵素阻害剤	2948
	VT CE2	白　◐	セレコキシブ錠200mg「VTRS」(ヴィアトリス・ヘルスケア／ヴィアトリス)	セレコキシブ	200mg 1錠	非ステロイド性消炎・鎮痛剤(シクロオキシゲナーゼ-2選択的阻害剤)	1918
	VT DX／2 VT DX2	淡橙	ドキサゾシン錠2mg「VTRS」(ヴィアトリス・ヘルスケア／ヴィアトリス)	ドキサゾシンメシル酸塩	2mg 1錠	$α_1$-遮断剤	2391
	XD2	白	レスリン錠50(オルガノン)	トラゾドン塩酸塩	50mg 1錠	トリアゾロピリジン系抗うつ剤	2470
	Y PZ2 Y-PZ2	白	ピーゼットシー糖衣錠2mg(田辺三菱)	ペルフェナジン	2mg 1錠	フェノチアジン系精神安定剤	3626
	Y R2／2 Y-R2	白	リスペリドン錠2mg「ヨシトミ」(全星薬品工業／田辺三菱)	リスペリドン	2mg 1錠	抗精神病，D_2・5-HT_2拮抗剤	4201
	Y RD2／2 Y-RD2	白	リスペリドンOD錠2mg「ヨシトミ」(全星薬品工業／田辺三菱)	リスペリドン	2mg 1錠	抗精神病，D_2・5-HT_2拮抗剤	4201
	YD099 シロドシン YD OD2	淡黄赤	シロドシンOD錠2mg「YD」(陽進堂)	シロドシン	2mg 1錠	選択的$α_{1A}$-遮断剤・前立腺肥大症に伴う排尿障害改善薬	1720
	YD523 2 YD523	淡橙　◐	ドキサゾシン錠2mg「YD」(陽進堂／高田)	ドキサゾシンメシル酸塩	2mg 1錠	$α_1$-遮断剤	2391
	YD667／2	黄	ベニジピン塩酸塩錠2mg「YD」(陽進堂／共創未来)	ベニジピン塩酸塩	2mg 1錠	ジヒドロピリジン系Ca拮抗剤	3524
	YLT／2 Y-LT2	白　◐	ハロペリドール錠2mg「ヨシトミ」(田辺三菱)	ハロペリドール	2mg 1錠	ブチロフェノン系精神安定剤	2887
	YO MG2／250	白	酸化マグネシウム錠250mg「ヨシダ」(吉田／共創未来)	酸化マグネシウム	250mg 1錠	制酸・緩下剤	3798
	YP-TT2		ツロブテロールテープ2mg「YP」(祐徳薬品／日本薬品工業／日本ケミファ)	ツロブテロール	2mg 1枚	気管支拡張$β_2$-刺激剤	2190
	Z72／2	淡黄	メトトレキサート錠2mg「日本臓器」(日本臓器)	メトトレキサート〔抗リウマチ剤〕	2mg 1錠	抗リウマチ剤	3952
	ZD4522／2 1/2 ZD4522：2 1/2	薄赤みの黄～くすんだ赤みの黄	クレストール錠2.5mg(アストラゼネカ)	ロスバスタチンカルシウム	2.5mg 1錠	HMG-CoA還元酵素阻害剤	4487
	△110／2	白～黄みの白	2mgセルシン錠(武田テバ薬品／武田薬品)	ジアゼパム	2mg 1錠	マイナートランキライザー	1553
	△142／2	白　◐	ユーロジン2mg錠(武田テバ薬品／武田薬品)	エスタゾラム	2mg 1錠	睡眠剤	684
	メ2	青緑	デトルシトールカプセル2mg(ヴィアトリス)	トルテロジン酒石酸塩	2mg 1カプセル	過活動膀胱治療剤	2559
	Ｅ202／2	淡青　◐	サイレース錠2mg(エーザイ)	フルニトラゼパム	2mg 1錠	不眠症治療剤・麻酔導入剤	3328
	Ｅ275／2 Ｅ275	橙	フィコンパ錠2mg(エーザイ)	ペランパネル水和物	2mg 1錠	抗てんかん剤	3601
	↻2CN	桃　◐	トリクロルメチアジド錠2mg「日医工」(日医工)	トリクロルメチアジド	2mg 1錠	チアジド系降圧利尿剤	2519

番号	識別コード	色 (①:割線有)	商品名(会社名)	一般名	規格単位	薬効	掲載ページ
2	ch2E	白〜帯黄白	エポセリン坐剤250（長生堂／日本ジェネリック）	セフチゾキシムナトリウム	250mg 1個	セファロスポリン系抗生物質	1853
	⚖／2P	白〜微黄	アレジオン錠20（日本ベーリンガー）	エピナスチン塩酸塩	20mg 1錠	アレルギー性疾患治療剤	783
	Lilly／2 Lilly 2	淡赤白	オルミエント錠2mg（日本イーライリリー）	バリシチニブ	2mg 1錠	ヤヌスキナーゼ(JAK)阻害剤	2816
	E312／2	淡黄　①	ルネスタ錠2mg（エーザイ）	エスゾピクロン	2mg 1錠	不眠症治療剤	682
	n406／2 n406 2 n406	白	ラモトリギン錠小児用2mg「日医工」（日医工）	ラモトリギン	2mg 1錠	抗てんかん・双極性障害治療剤	4143
	n643 β1遮断剤 ビソノテープ2mg	白半透明	ビソノテープ2mg（トーアエイヨー）	ビソプロロール	2mg 1枚	選択的β1-アンタゴニスト	2944
	Ⓚ／KD2 ⓀKD2	白〜微黄白	ユリーフ錠2mg（キッセイ／第一三共）	シロドシン	2mg 1錠	選択的α1A-遮断剤・前立腺肥大症に伴う排尿障害改善薬	1720
	◇L2	白	炭酸リチウム錠200mg「フジナガ」（藤永／第一三共）	炭酸リチウム	200mg 1錠	躁病・躁状態治療剤	4212
	77PG2／30 PG2	白〜帯黄白①	ピオグリタゾン錠30mg「武田テバ」（武田テバファーマ／武田薬品）	ピオグリタゾン塩酸塩	30mg 1錠	インスリン抵抗性改善血糖降下剤	2912
	Ⓚ／UR2 ⓀUR2	淡黄赤	ユリーフOD錠2mg（キッセイ／第一三共）	シロドシン	2mg 1錠	選択的α1A-遮断剤・前立腺肥大症に伴う排尿障害改善薬	1720
	77V2／0.2	帯黄白　①	ボグリボースOD錠0.2mg「武田テバ」（武田テバファーマ／武田薬品）	ボグリボース	0.2mg 1錠	α-グルコシダーゼ阻害・食後過血糖改善剤	3668
	77VG2／0.2	白〜帯黄白①	ボグリボース錠0.2mg「武田テバ」（武田テバファーマ／武田薬品）	ボグリボース	0.2mg 1錠	α-グルコシダーゼ阻害・食後過血糖改善剤	3668
	アマルエット2	白	アマルエット配合錠2番「サワイ」（沢井）	アムロジピンベシル酸塩・アトルバスタチンカルシウム水和物	1錠	持続性Ca拮抗剤・HMG-CoA還元酵素阻害剤	266
	アマルエット2 DSEP	白	アマルエット配合錠2番「DSEP」（第一三共エスファ）	アムロジピンベシル酸塩・アトルバスタチンカルシウム水和物	1錠	持続性Ca拮抗剤・HMG-CoA還元酵素阻害剤	266
	アマルエット2 TCK	淡紅	アマルエット配合錠2番「TCK」（辰巳化学）	アムロジピンベシル酸塩・アトルバスタチンカルシウム水和物	1錠	持続性Ca拮抗剤・HMG-CoA還元酵素阻害剤	266
	アマルエット2番 「ニプロ」／ アトルバスタチン 10mg アムロジピン2.5mg	白	アマルエット配合錠2番「ニプロ」（ニプロ）	アムロジピンベシル酸塩・アトルバスタチンカルシウム水和物	1錠	持続性Ca拮抗剤・HMG-CoA還元酵素阻害剤	266
	アマルエット2番 日医工 n196	淡紅	アマルエット配合錠2番「日医工」（日医工）	アムロジピンベシル酸塩・アトルバスタチンカルシウム水和物	1錠	持続性Ca拮抗剤・HMG-CoA還元酵素阻害剤	266
	アマルエット2番 トーワ／2.5 アムロジアトルバ10	淡紅	アマルエット配合錠2番「トーワ」（東和薬品）	アムロジピンベシル酸塩・アトルバスタチンカルシウム水和物	1錠	持続性Ca拮抗剤・HMG-CoA還元酵素阻害剤	266
	アマルエット2 サンド／2.5/10	白	アマルエット配合錠2番「サンド」（サンド）	アムロジピンベシル酸塩・アトルバスタチンカルシウム水和物	1錠	持続性Ca拮抗剤・HMG-CoA還元酵素阻害剤	266
	アマルエット ケミファ／2 アマルエット ケミファ2	白	アマルエット配合錠2番「ケミファ」（日本ケミファ）	アムロジピンベシル酸塩・アトルバスタチンカルシウム水和物	1錠	持続性Ca拮抗剤・HMG-CoA還元酵素阻害剤	266
	アメル2 エスゾピクロン／ エスゾピクロン アメル2	淡黄　①	エスゾピクロン錠2mg「アメル」（共和薬品）	エスゾピクロン	2mg 1錠	不眠症治療剤	682
	エスゾピ2／ 2エスゾピクロン トーワ	淡黄　①	エスゾピクロン錠2mg「トーワ」（東和薬品）	エスゾピクロン	2mg 1錠	不眠症治療剤	682
	エスゾピYD2／ エスゾピクロン YD2 YD944	淡黄　①	エスゾピクロン錠2mg「YD」（陽進堂）	エスゾピクロン	2mg 1錠	不眠症治療剤	682
	エスゾピクロン2／ 2NPI	淡黄　①	エスゾピクロン錠2mg「NPI」（日本薬品工業／フェルゼン）	エスゾピクロン	2mg 1錠	不眠症治療剤	682
	エスゾピクロン2／ 2ケミファ	淡黄　①	エスゾピクロン錠2mg「ケミファ」（日本ケミファ／日本薬品工業）	エスゾピクロン	2mg 1錠	不眠症治療剤	682
	エスゾピクロン2 DSEP	淡黄　①	エスゾピクロン錠2mg「DSEP」（第一三共エスファ）	エスゾピクロン	2mg 1錠	不眠症治療剤	682
	エスゾピクロン2 KMP	淡黄　①	エスゾピクロン錠2mg「KMP」（共創未来／三和化学）	エスゾピクロン	2mg 1錠	不眠症治療剤	682
	エスゾピクロン2 TCK	淡黄　①	エスゾピクロン錠2mg「TCK」（辰巳化学）	エスゾピクロン	2mg 1錠	不眠症治療剤	682
	エスゾピクロン2 杏林	淡黄　①	エスゾピクロン錠2mg「杏林」（キョーリンリメディオ／杏林）	エスゾピクロン	2mg 1錠	不眠症治療剤	682

番号	識別コード	色 (Ⓘ:割線有)	商品名(会社名)	一般名	規格単位	薬効	掲載ページ
2	エスゾピクロン2 日医工／ エスゾピクロン2	淡黄　Ⓘ	エスゾピクロン錠2mg「日医工」(日医工)	エスゾピクロン	2mg 1錠	不眠症治療剤	682
	エスゾピクロン2 サワイ	淡黄　Ⓘ	エスゾピクロン錠2mg「サワイ」(沢井)	エスゾピクロン	2mg 1錠	不眠症治療剤	682
	エスゾピクロン／ エスゾピクロン 2NS	淡黄	エスゾピクロン錠2mg「日新」(日新)	エスゾピクロン	2mg 1錠	不眠症治療剤	682
	エスゾピクロン／ エスゾピクロン2 明治	淡黄　Ⓘ	エスゾピクロン錠2mg「明治」(Meiji Seika)	エスゾピクロン	2mg 1錠	不眠症治療剤	682
	エナロイ2	白　Ⓘ	エナロイ錠2mg(日本たばこ／鳥居薬)	エナロデュスタット	2mg 1錠	HIF-PH阻害薬・腎性貧血治療薬	769
	カンデサルタン2／ 2カンデアメル	白～帯黄白	カンデサルタン錠2mg「アメル」(共和薬品)	カンデサルタン シレキセチル	2mg 1錠	アンギオテンシンⅡ受容体拮抗剤	1184
	カンデサルタン2 DSEP	白～帯黄白	カンデサルタン錠2mg「DSEP」(第一三共エスファ)	カンデサルタン シレキセチル	2mg 1錠	アンギオテンシンⅡ受容体拮抗剤	1184
	カンデサルタン2／ Ⓣ	白～帯黄白	カンデサルタン錠2mg「武田テバ」(武田テバファーマ／武田薬品)	カンデサルタン シレキセチル	2mg 1錠	アンギオテンシンⅡ受容体拮抗剤	1184
	カンデサルタン2／ オーハラ	白～帯黄白	カンデサルタン錠2mg「オーハラ」(大原薬品／共創未来)	カンデサルタン シレキセチル	2mg 1錠	アンギオテンシンⅡ受容体拮抗剤	1184
	カンデサルタン2 ケミファ／ ケミファ2 カンデサルタン	白～帯黄白	カンデサルタン錠2mg「ケミファ」(日本ケミファ／日本薬品工業)	カンデサルタン シレキセチル	2mg 1錠	アンギオテンシンⅡ受容体拮抗剤	1184
	カンデサルタン2 タナベ	白～帯黄白	カンデサルタン錠2mg「タナベ」(ニプロES)	カンデサルタン シレキセチル	2mg 1錠	アンギオテンシンⅡ受容体拮抗剤	1184
	カンデサルタン2 トーワ	白～帯黄白	カンデサルタン錠2mg「トーワ」(東和薬品)	カンデサルタン シレキセチル	2mg 1錠	アンギオテンシンⅡ受容体拮抗剤	1184
	カンデサルタン EE2／ カンデサルタン OD2	白～帯黄白	カンデサルタンOD錠2mg「EE」(エルメッド／日医工)	カンデサルタン シレキセチル	2mg 1錠	アンギオテンシンⅡ受容体拮抗剤	1184
	カンデサルタン OD2トーワ	白	カンデサルタンOD錠2mg「トーワ」(東和薬品)	カンデサルタン シレキセチル	2mg 1錠	アンギオテンシンⅡ受容体拮抗剤	1184
	カンデサルタン YD2 YD153	白～帯黄白	カンデサルタン錠2mg「YD」(陽進堂)	カンデサルタン シレキセチル	2mg 1錠	アンギオテンシンⅡ受容体拮抗剤	1184
	サワイシロドシン OD2	淡黄赤	シロドシンOD錠2mg「サワイ」(沢井)	シロドシン	2mg 1錠	選択的α_{1A}遮断剤・前立腺肥大症に伴う排尿障害改善薬	1720
	シロドシン2JG	白～微黄白	シロドシン錠2mg「JG」(日本ジェネリック)	シロドシン	2mg 1錠	選択的α_{1A}遮断剤・前立腺肥大症に伴う排尿障害改善薬	1720
	シロドシン 2KMP	白～微黄白	シロドシン錠2mg「KMP」(共創未来／三和化学)	シロドシン	2mg 1錠	選択的α_{1A}遮断剤・前立腺肥大症に伴う排尿障害改善薬	1720
	シロドシン2TCK	淡赤白	シロドシン錠2mg「TCK」(辰巳化学)	シロドシン	2mg 1錠	選択的α_{1A}遮断剤・前立腺肥大症に伴う排尿障害改善薬	1720
	シロドシン2杏林	白～微黄白	シロドシン錠2mg「杏林」(キョーリンリメディオ／杏林)	シロドシン	2mg 1錠	選択的α_{1A}遮断剤・前立腺肥大症に伴う排尿障害改善薬	1720
	シロドシン2 オーハラ	白～微黄白	シロドシン錠2mg「オーハラ」(大原薬品)	シロドシン	2mg 1錠	選択的α_{1A}遮断剤・前立腺肥大症に伴う排尿障害改善薬	1720
	シロドシン2 ニプロ	淡赤白	シロドシン錠2mg「ニプロ」(ニプロ)	シロドシン	2mg 1錠	選択的α_{1A}遮断剤・前立腺肥大症に伴う排尿障害改善薬	1720
	シロドシンOD2 JG	微黄赤(淡黄赤～黄赤の斑点)	シロドシンOD錠2mg「JG」(日本ジェネリック)	シロドシン	2mg 1錠	選択的α_{1A}遮断剤・前立腺肥大症に伴う排尿障害改善薬	1720
	シロドシンOD2 KMP	淡黄赤	シロドシンOD錠2mg「KMP」(共創未来／三和化学)	シロドシン	2mg 1錠	選択的α_{1A}遮断剤・前立腺肥大症に伴う排尿障害改善薬	1720
	シロドシンOD2 Me	淡黄赤	シロドシンOD錠2mg「Me」(Meファルマ)	シロドシン	2mg 1錠	選択的α_{1A}遮断剤・前立腺肥大症に伴う排尿障害改善薬	1720
	シロドシンOD2 NS	淡黄赤	シロドシンOD錠2mg「日新」(日新)	シロドシン	2mg 1錠	選択的α_{1A}遮断剤・前立腺肥大症に伴う排尿障害改善薬	1720
	シロドシンOD2 杏林	淡黄赤	シロドシンOD錠2mg「杏林」(キョーリンリメディオ／杏林)	シロドシン	2mg 1錠	選択的α_{1A}遮断剤・前立腺肥大症に伴う排尿障害改善薬	1720
	シロドシンOD2 オーハラ	淡黄赤	シロドシンOD錠2mg「オーハラ」(大原薬品)	シロドシン	2mg 1錠	選択的α_{1A}遮断剤・前立腺肥大症に伴う排尿障害改善薬	1720
	シロドシンOD／ 2ケミファ	淡黄赤	シロドシンOD錠2mg「ケミファ」(日本ケミファ／日本薬品工業)	シロドシン	2mg 1錠	選択的α_{1A}遮断剤・前立腺肥大症に伴う排尿障害改善薬	1720
	シロドシンOD2 ニプロ	淡黄赤	シロドシンOD錠2mg「ニプロ」(ニプロ)	シロドシン	2mg 1錠	選択的α_{1A}遮断剤・前立腺肥大症に伴う排尿障害改善薬	1720
	シロドシンYD2 YD568	淡赤白	シロドシン錠2mg「YD」(陽進堂)	シロドシン	2mg 1錠	選択的α_{1A}遮断剤・前立腺肥大症に伴う排尿障害改善薬	1720
	タクロリムス2 あゆみ	極薄赤	タクロリムス錠2mg「あゆみ」(あゆみ)	タクロリムス水和物	2mg 1錠	免疫抑制剤	1999

番号	識別コード	色 (①:割線有)	商品名(会社名)	一般名	規格単位	薬効	掲載ページ
2	タクロリムス2トーワ	極薄赤	タクロリムス錠2mg「トーワ」(東和薬品)	タクロリムス水和物	2mg 1錠	免疫抑制剤	1999
	ツムラ/2	淡褐	ツムラ葛根湯加川芎辛夷エキス顆粒(医療用)(ツムラ)	葛根湯加川芎辛夷	1g	漢方製剤	4573
	ツロブテロール2	無半透明(白)	ツロブテロールテープ2mg「サワイ」(沢井)	ツロブテロール	2mg 1枚	気管支拡張β2-刺激剤	2190
	ツロブテロール2	無半透明(白)	ツロブテロールテープ2mg「MED」(メディサ／キョーリンリメディオ／杏林)	ツロブテロール	2mg 1枚	気管支拡張β2-刺激剤	2190
	ツロブテロール2	無半透明(白)	ツロブテロールテープ2mg「テイコク」(帝國／日本ジェネリック)	ツロブテロール	2mg 1枚	気管支拡張β2-刺激剤	2190
	トリクロルメチアジド2トーワ／トリク2	淡桃	トリクロルメチアジド錠2mg「トーワ」(東和薬品)	トリクロルメチアジド	2mg 1錠	チアジド系降圧利尿剤	2519
	ピタバ2アメル	微帯赤紫白①	ピタバスタチンCa錠2mg「アメル」(共和薬品)	ピタバスタチンカルシウム水和物	2mg 1錠	HMG-CoA還元酵素阻害剤	2948
	ピタバJG OD2／ピタバスタチンOD2JG	淡黄白(淡黄～濃黄の斑点)	ピタバスタチンCa・OD錠2mg「JG」(ダイト／日本ジェネリック)	ピタバスタチンカルシウム水和物	2mg 1錠	HMG-CoA還元酵素阻害剤	2948
	ピタバス2／ピタバスタチンOD2トーワ	黄　　①	ピタバスタチンCa・OD錠2mg「トーワ」(東和薬品)	ピタバスタチンカルシウム水和物	2mg 1錠	HMG-CoA還元酵素阻害剤	2948
	ピタバスタチン2JG	極薄黄赤①	ピタバスタチンCa錠2mg「JG」(日本ジェネリック)	ピタバスタチンカルシウム水和物	2mg 1錠	HMG-CoA還元酵素阻害剤	2948
	ピタバスタチン2KOG／ピタバ2	極薄黄赤①	ピタバスタチンカルシウム錠2mg「KOG」(興和AG)	ピタバスタチンカルシウム水和物	2mg 1錠	HMG-CoA還元酵素阻害剤	2948
	ピタバスタチン2NS	極薄黄赤	ピタバスタチンCa錠2mg「日新」(日新)	ピタバスタチンカルシウム水和物	2mg 1錠	HMG-CoA還元酵素阻害剤	2948
	ピタバスタチン2杏林	極薄黄赤①	ピタバスタチンCa錠2mg「杏林」(キョーリンリメディオ／杏林)	ピタバスタチンカルシウム水和物	2mg 1錠	HMG-CoA還元酵素阻害剤	2948
	ピタバスタチン2三和	極薄黄赤	ピタバスタチンCa錠2mg「三和」(三和化学)	ピタバスタチンカルシウム水和物	2mg 1錠	HMG-CoA還元酵素阻害剤	2948
	ピタバスタチン2日医工ⓝ505	極薄黄赤	ピタバスタチンカルシウム錠2mg「日医工」(日医工)	ピタバスタチンカルシウム水和物	2mg 1錠	HMG-CoA還元酵素阻害剤	2948
	ピタバスタチン2ケミファ	極薄黄赤	ピタバスタチンCa錠2mg「ケミファ」(日本ケミファ)	ピタバスタチンカルシウム水和物	2mg 1錠	HMG-CoA還元酵素阻害剤	2948
	ピタバスタチンOD2KOG／ピタバOD2	白～帯黄白(淡黄～濃黄の斑点)①	ピタバスタチンカルシウムOD錠2mg「KOG」(興和AG)	ピタバスタチンカルシウム水和物	2mg 1錠	HMG-CoA還元酵素阻害剤	2948
	ピタバスタチンOD2VTRS	淡黄白(淡黄～濃黄の斑点)	ピタバスタチンCa・OD錠2mg「VTRS」(ヴィアトリス・ヘルスケア／ヴィアトリス)	ピタバスタチンカルシウム	2mg 1錠	HMG-CoA還元酵素阻害剤	2948
	ピタバスタチンOD2杏林	淡黄白(淡黄～濃黄の斑点)①	ピタバスタチンCa・OD錠2mg「杏林」(キョーリンリメディオ／杏林)	ピタバスタチンカルシウム水和物	2mg 1錠	HMG-CoA還元酵素阻害剤	2948
	ピタバスタチンYD2YD214	極薄黄赤	ピタバスタチンCa錠2mg「YD」(陽進堂／共創未来)	ピタバスタチンカルシウム水和物	2mg 1錠	HMG-CoA還元酵素阻害剤	2948
	ブロナンセリン2／2DSPB	白	ブロナンセリン錠2mg「DSPB」(住友プロモ／住友ファーマ)	ブロナンセリン	2mg 1錠	抗精神病，ドパミンD2受容体・5-HT2受容体遮断剤	3422
	ブロナンセリン2DSEP	白	ブロナンセリン錠2mg「DSEP」(第一三共エスファ)	ブロナンセリン	2mg 1錠	抗精神病，ドパミンD2受容体・5-HT2受容体遮断剤	3422
	ブロナンセリン2日医工ⓝ187	白	ブロナンセリン錠2mg「日医工」(日医工)	ブロナンセリン	2mg 1錠	抗精神病，ドパミンD2受容体・5-HT2受容体遮断剤	3422
	ブロナンセリン2アメル	白	ブロナンセリン錠2mg「アメル」(共和薬品)	ブロナンセリン	2mg 1錠	抗精神病，ドパミンD2受容体・5-HT2受容体遮断剤	3422
	ブロナンセリン2サワイ	白	ブロナンセリン錠2mg「サワイ」(沢井)	ブロナンセリン	2mg 1錠	抗精神病，ドパミンD2受容体・5-HT2受容体遮断剤	3422
	ブロナンセリン2タカタ	白	ブロナンセリン錠2mg「タカタ」(高田)	ブロナンセリン	2mg 1錠	抗精神病，ドパミンD2受容体・5-HT2受容体遮断剤	3422
	ブロナンセリン2トーワ	白	ブロナンセリン錠2mg「トーワ」(東和薬品)	ブロナンセリン	2mg 1錠	抗精神病，ドパミンD2受容体・5-HT2受容体遮断剤	3422
	ブロナンセリンYD2YD088	白	ブロナンセリン錠2mg「YD」(陽進堂／アルフレッサファーマ)	ブロナンセリン	2mg 1錠	抗精神病，ドパミンD2受容体・5-HT2受容体遮断剤	3422
	プロプレス2	白～帯黄白	プロプレス錠2(武田テバ薬品／武田薬品)	カンデサルタン シレキセチル	2mg 1錠	アンギオテンシンⅡ受容体拮抗剤	1184
	ミドドリン2オーハラ	白　①	ミドドリン塩酸塩錠2mg「オーハラ」(大原薬品／ニプロES)	ミドドリン塩酸塩	2mg 1錠	α1-刺激剤	3870
	メトトレキサート2mgSW-254SW-254	黄	メトトレキサートカプセル2mg「サワイ」(沢井)	メトトレキサート〔抗リウマチ剤〕	2mg 1カプセル	抗リウマチ剤	3952

番号	識別コード (①：割線有)	色	商品名(会社名)	一般名	規格単位	薬効	掲載ページ
2	ラモトリ2／ ラモトリギントーワ2	淡黄白　①	ラモトリギン錠小児用2mg「トーワ」 (東和薬品)	ラモトリギン	2mg 1錠	抗てんかん・双極性障害治療剤	4143
	リスミー2／2	白　①	リスミー錠2mg（共和薬品）	リルマザホン塩酸塩水和物	2mg 1錠	ベンゾジアゼピン系睡眠誘導剤	4315
	レキサルティ OD2	緑	レキサルティOD錠2mg（大塚）	ブレクスピプラゾール	2mg 1錠	抗精神病薬	3360
	ロナセン2	白	ロナセン錠2mg（住友ファーマ）	ブロナンセリン	2mg 1錠	抗精神病，ドパミンD₂受容体・5-HT₂受容体遮断剤	3422
	ロピニ2／アメル	淡紅白	ロピニロールOD錠2mg「アメル」(共和薬品)	ロピニロール塩酸塩	2mg 1錠	ドパミンD₂受容体系作動薬	4511
	ロピニロール 徐放2KMP	淡紅白	ロピニロール徐放錠2mg「KMP」(共創未来)	ロピニロール塩酸塩	2mg 1錠	ドパミンD₂受容体系作動薬	4511
	ロピニロール 徐放2トーワ	淡紅白	ロピニロール徐放錠2mg「トーワ」(東和薬品)	ロピニロール塩酸塩	2mg 1錠	ドパミンD₂受容体系作動薬	4511
2.1	YP-3FN2.1	微黄半透明 (淡黄)	フェンタニル3日用テープ2.1mg「ユートク」(祐徳薬品)	フェンタニル	2.1mg 1枚	経皮吸収型持続性疼痛治療剤	3156
2.25	ニュープロ 2.25mg(/)	無〜微黄の半透明	ニュープロパッチ2.25mg（大塚）	ロチゴチン	2.25mg 1枚	ドパミン作動性パーキンソン病治療剤・レストレスレッグス症候群治療剤	4494
2.3	Takeda 2.3mg	微赤	ニンラーロカプセル2.3mg（武田薬品）	イキサゾミブクエン酸エステル	2.3mg 1カプセル	抗悪性腫瘍剤・プロテアソーム阻害剤	403
2.5	1287／20 2.5	微赤	ジルムロ配合錠LD「ツルハラ」(鶴原)	アジルサルタン・アムロジピンベシル酸塩	1錠	持続性AT₁受容体遮断剤・持続性Ca拮抗薬配合剤	44
	2.5	白	ピコスルファートナトリウム錠2.5mg「ツルハラ」(鶴原)	ピコスルファートナトリウム水和物	2.5mg 1錠	緩下剤	2934
	2.5MO／VLE 2.5MO VLE	白	モサプリドクエン酸塩錠2.5mg「VTRS」(ヴィアトリス・ヘルスケア／ヴィアトリス)	モサプリドクエン酸塩水和物	2.5mg 1錠	消化管運動促進剤	4014
	2.5RS／VLE 2.5RS VLE	白〜帯黄白	リセドロン酸Na錠2.5mg「VTRS」(ヴィアトリス・ヘルスケア／ヴィアトリス)	リセドロン酸ナトリウム水和物	2.5mg 1錠	ビスホスホネート系骨吸収抑制剤	4209
	2.5／VC 2.5VC	白	ベリキューボ錠2.5mg（バイエル薬品）	ベルイシグアト	2.5mg 1錠	慢性心不全治療剤・可溶性グアニル酸シクラーゼ(sGC)刺激剤	3612
	2.5 MH22	薄桃	エナラプリルマレイン酸塩錠2.5mg「VTRS」(ヴィアトリス・ヘルスケア／ヴィアトリス)	エナラプリルマレイン酸塩	2.5mg 1錠	ACE阻害剤	767
	2.5 SAM2.5	白	アムロジピン錠2.5mg「サンド」(サンド)	アムロジピンベシル酸塩	2.5mg 1錠	ジヒドロピリジン系Ca拮抗剤	264
	2.5アムロジ／2.5 アムロジピンOD トーワ	淡黄　①	アムロジピンOD錠2.5mg「トーワ」(東和薬品／共創未来)	アムロジピンベシル酸塩	2.5mg 1錠	ジヒドロピリジン系Ca拮抗剤	264
	2.5カルベジ／ カルベジロール2.5 トーワ	白〜微黄白①	カルベジロール錠2.5mg「トーワ」(東和薬品)	カルベジロール	2.5mg 1錠	α，β-遮断剤	1160
	2.5シオエ／Z	淡橙黄	タダラフィル錠2.5mgZA「シオエ」(シオエ／日本新薬)	タダラフィル	2.5mg 1錠	ホスホジエステラーゼ5阻害剤	2027
	2.5タダラフィル ZA ODトーワ	淡黄白	タダラフィルOD錠2.5mgZA「トーワ」(東和薬品／三和化学／共創未来)	タダラフィル	2.5mg 1錠	ホスホジエステラーゼ5阻害剤	2027
	2.5ベシケアOD	白	ベシケアOD錠2.5mg（アステラス）	コハク酸ソリフェナシン	2.5mg 1錠	過活動膀胱治療剤	1970
	2.5レボセチリジン ニプロ	白	レボセチリジン塩酸塩錠2.5mg「ニプロ」(ニプロ)	レボセチリジン塩酸塩	2.5mg 1錠	持続性選択H₁-受容体拮抗剤	4407
	2.5ロスバOD／ TTS776 TTS-776	白	ロスバスタチンOD錠2.5mg「タカタ」(高田)	ロスバスタチンカルシウム	2.5mg 1錠	HMG-CoA還元酵素阻害剤	4487
	2.5ロスバスタチン ／2.5 ロスバスタチンEE	薄赤みの黄〜くすんだ赤みの黄	ロスバスタチン錠2.5mg「EE」(エルメッド／日医工)	ロスバスタチンカルシウム	2.5mg 1錠	HMG-CoA還元酵素阻害剤	4487
	2.5ロスバスタチン ／OD ロスバスタチンEE	薄赤みの黄〜くすんだ赤みの黄	ロスバスタチンOD錠2.5mg「EE」(エルメッド／日医工)	ロスバスタチンカルシウム	2.5mg 1錠	HMG-CoA還元酵素阻害剤	4487
	2.5ロスバタカタ	薄赤みの黄〜くすんだ赤みの黄	ロスバスタチン錠2.5mg「タカタ」(高田)	ロスバスタチンカルシウム	2.5mg 1錠	HMG-CoA還元酵素阻害剤	4487
	323／2.5	白	ソリフェナシンコハク酸塩錠2.5mg「ツルハラ」(鶴原)	コハク酸ソリフェナシン	2.5mg 1錠	過活動膀胱治療剤	1970
	536／2.5 YD536	白	イミダプリル塩酸塩錠2.5mg「YD」(陽進堂)	イミダプリル塩酸塩	2.5mg 1錠	ACE阻害剤	504
	925／2.5	薄赤みの黄〜くすんだ赤みの黄	ロスバスタチン錠2.5mg「ツルハラ」(鶴原)	ロスバスタチンカルシウム	2.5mg 1錠	HMG-CoA還元酵素阻害剤	4487
	A2.5／2.5	白	アムロジピン錠2.5mg「ツルハラ」(鶴原)	アムロジピンベシル酸塩	2.5mg 1錠	ジヒドロピリジン系Ca拮抗剤	264

番号	識別コード	色 (◫：割線有)	商品名(会社名)	一般名	規格単位	薬効	掲載ページ
2.5	AA007／2.5	白	モサプリドクエン酸塩錠2.5mg「AA」(あすか／武田薬品)	モサプリドクエン酸塩水和物	2.5mg 1錠	消化管運動促進剤	4014
	AJ3／2.5 AJ3 2.5	白〜帯黄白	アクトネル錠2.5mg (EA／エーザイ)	リセドロン酸ナトリウム水和物	2.5mg 1錠	ビスホスホネート系骨吸収抑制剤	4209
	AZ125／2.5	薄橙	スプレンジール錠2.5mg (アストラゼネカ)	フェロジピン	2.5mg 1錠	ジヒドロピリジン系Ca拮抗剤	3154
	BMD38／2.5	淡黄赤	オロパタジン塩酸塩錠2.5mg「BMD」(ビオメディクス)	オロパタジン塩酸塩	2.5mg 1錠	アレルギー性疾患治療剤	1037
	BMSG01 2.5mg	白〜灰黄白／青緑	レナリドミドカプセル2.5mg「BMSH」(ブリストル販売／ブリストル)	レナリドミド水和物	2.5mg 1カプセル	免疫調節薬(IMiDs)	4378
	CD2.5 tCD2.5mg	白	ピコスルファートNa錠2.5mg「NIG」(日医工岐阜／日医工／武田薬品)	ピコスルファートナトリウム水和物	2.5mg 1錠	緩下剤	2934
	d2.5EPR	淡黄	ロスバスタチンOD錠2.5mg「DSEP」(第一三共エスファ)	ロスバスタチンカルシウム	2.5mg 1錠	HMG-CoA還元酵素阻害剤	4487
	D2.5／OL D2.5OL	極薄黄	オロパタジン塩酸塩OD錠2.5mg「VTRS」(ヴィアトリス・ヘルスケア／ヴィアトリス)	オロパタジン塩酸塩	2.5mg 1錠	アレルギー性疾患治療剤	1037
	DK509／2.5	淡黄赤	オロパタジン塩酸塩錠2.5mg「AA」(ダイト／あすか／武田薬品)	オロパタジン塩酸塩	2.5mg 1錠	アレルギー性疾患治療剤	1037
	DK509／2.5	淡黄赤	オロパタジン塩酸塩錠2.5mg「ダイト」(ダイト／共創未来)	オロパタジン塩酸塩	2.5mg 1錠	アレルギー性疾患治療剤	1037
	DK515／2.5	極薄黄	オロパタジン塩酸塩OD錠2.5mg「AA」(ダイト／あすか／武田薬品)	オロパタジン塩酸塩	2.5mg 1錠	アレルギー性疾患治療剤	1037
	DK515／2.5	極薄黄	オロパタジン塩酸塩OD錠2.5mg「ダイト」(ダイト／共創未来)	オロパタジン塩酸塩	2.5mg 1錠	アレルギー性疾患治療剤	1037
	EE30／2.5	淡桃	エナラプリルマレイン酸塩錠2.5mg「EMEC」(アルフレッサファーマ／エルメッド／日医工)	エナラプリルマレイン酸塩	2.5mg 1錠	ACE阻害剤	767
	EP R2.5	薄赤みの黄〜くすんだ赤みの黄	ロスバスタチン錠2.5mg「DSEP」(第一三共エスファ)	ロスバスタチンカルシウム	2.5mg 1錠	HMG-CoA還元酵素阻害剤	4487
	EP2.5	白　◫	ビソプロロールフマル酸塩錠2.5mg「DSEP」(第一三共エスファ)	ビソプロロールフマル酸塩	2.5mg 1錠	選択的β_1-アンタゴニスト	2944
	EP230／2.5	白	モサプリドクエン酸塩錠2.5mg「DSEP」(第一三共エスファ)	モサプリドクエン酸塩水和物	2.5mg 1錠	消化管運動促進剤	4014
	F5／2.5	極薄黄	オロパタジン塩酸塩OD錠2.5mg「フェルゼン」(フェルゼン)	オロパタジン塩酸塩	2.5mg 1錠	アレルギー性疾患治療剤	1037
	FEL020／2.5	淡黄赤	オロパタジン塩酸塩錠2.5mg「フェルゼン」(フェルゼン)	オロパタジン塩酸塩	2.5mg 1錠	アレルギー性疾患治療剤	1037
	FF131／2.5	白〜帯黄白	リセドロン酸Na錠2.5mg「FFP」(共創未来)	リセドロン酸ナトリウム水和物	2.5mg 1錠	ビスホスホネート系骨吸収抑制剤	4209
	FJ57／2.5	白〜帯黄白	リセドロン酸Na錠2.5mg「F」(富士製薬)	リセドロン酸ナトリウム水和物	2.5mg 1錠	ビスホスホネート系骨吸収抑制剤	4209
	FJ65／2.5	帯赤黄	レトロゾール錠2.5mg「F」(富士製薬)	レトロゾール	2.5mg 1錠	アロマターゼ阻害剤	4372
	FJ77 2.5mg	白／緑	レナリドミドカプセル2.5mg「F」(富士製薬)	レナリドミド水和物	2.5mg 1カプセル	免疫調節薬(IMiDs)	4378
	FP2.5 FP-OD2.5	白〜微黄(淡黄〜黄の斑点)	エフピーOD錠2.5 (エフピー)	セレギリン塩酸塩	2.5mg 1錠	抗パーキンソン剤(選択的MAO-B阻害剤)	1915
	FT2.5	白	ピコスルファートナトリウム錠2.5mg「FSK」(伏見製薬所／伏見)	ピコスルファートナトリウム水和物	2.5mg 1錠	緩下剤	2934
	IC2 2.5 IC-2	白	モサプリドクエン酸塩錠2.5mg「イセイ」(コーアイセイ)	モサプリドクエン酸塩水和物	2.5mg 1錠	消化管運動促進剤	4014
	IC531／2.5 IC-531	白	アムロジピン錠2.5mg「イセイ」(コーアイセイ)	アムロジピンベシル酸塩	2.5mg 1錠	ジヒドロピリジン系Ca拮抗剤	264
	IC536／2.5 IC-536	淡橙	アムロジピンOD錠2.5mg「イセイ」(コーアイセイ)	アムロジピンベシル酸塩	2.5mg 1錠	ジヒドロピリジン系Ca拮抗剤	264
	JG C57／OD2.5	黄	オランザピンOD錠2.5mg「JG」(日本ジェネリック)	オランザピン	2.5mg 1錠	抗精神病剤・双極性障害治療剤・制吐剤	1021
	JG E16／アムロジピン2.5JG JG E16 アムロジピン2.5JG	白	アムロジピン錠2.5mg「JG」(日本ジェネリック)	アムロジピンベシル酸塩	2.5mg 1錠	ジヒドロピリジン系Ca拮抗剤	264
	JG E37／2.5	白	モサプリドクエン酸塩錠2.5mg「JG」(日本ジェネリック)	モサプリドクエン酸塩水和物	2.5mg 1錠	消化管運動促進剤	4014
	JG G09／2.5	帯赤黄	レトロゾール錠2.5mg「JG」(日本ジェネリック)	レトロゾール	2.5mg 1錠	アロマターゼ阻害剤	4372
	JG G33／2.5	極薄黄	オロパタジン塩酸塩OD錠2.5mg「JG」(日本ジェネリック)	オロパタジン塩酸塩	2.5mg 1錠	アレルギー性疾患治療剤	1037
	JG N49／2.5	白　◫	カルベジロール錠2.5mg「JG」(日本ジェネリック)	カルベジロール	2.5mg 1錠	α,β-遮断剤	1160

番号	識別コード	色 (◍:割線有)	商品名(会社名)	一般名	規格単位	薬効	掲載ページ
2.5	JG N52／OD2.5	白	ゾルミトリプタンOD錠2.5mg「JG」 (日本ジェネリック)	ゾルミトリプタン	2.5mg 1錠	5-HT$_{1B/1D}$受容体作動型片頭痛治療剤	1978
	JG N57／2.5	白　◍	ビソプロロールフマル酸塩錠2.5mg「JG」(日本ジェネリック)	ビソプロロールフマル酸塩	2.5mg 1錠	選択的β_1-アンタゴニスト	2944
	JG3／2.5	白～帯黄白	リセドロン酸Na錠2.5mg「JG」(日本ジェネリック)	リセドロン酸ナトリウム水和物	2.5mg 1錠	ビスホスホネート系骨吸収抑制剤	4209
	KRM104／2.5	白～帯黄白	アムロジピンOD錠2.5mg「杏林」(キョーリンリメディオ／共創未来／杏林)	アムロジピンベシル酸塩	2.5mg 1錠	ジヒドロピリジン系Ca拮抗剤	264
	KRM144／2.5	白～帯黄白	リセドロン酸Na錠2.5mg「杏林」(キョーリンリメディオ／杏林)	リセドロン酸ナトリウム水和物	2.5mg 1錠	ビスホスホネート系骨吸収抑制剤	4209
	KRM171／2.5	白	モサプリドクエン酸塩錠2.5mg「杏林」(キョーリンリメディオ／杏林)	モサプリドクエン酸塩水和物	2.5mg 1錠	消化管運動促進剤	4014
	KRM237／2.5	黄	タダラフィル錠2.5mgZA「杏林」(キョーリンリメディオ／杏林)	タダラフィル	2.5mg 1錠	ホスホジエステラーゼ5阻害剤	2027
	KRM287／OD2.5	極薄黄	オロパタジン塩酸塩OD錠2.5mg「杏林」(キョーリンリメディオ／杏林)	オロパタジン塩酸塩	2.5mg 1錠	アレルギー性疾患治療剤	1037
	KSK321／2.5	白	アムロジピン錠2.5mg「クニヒロ」(皇漢堂)	アムロジピンベシル酸塩	2.5mg 1錠	ジヒドロピリジン系Ca拮抗剤	264
	KSK331／2.5	淡黄赤	オロパタジン塩酸塩錠2.5mg「クニヒロ」(皇漢堂)	オロパタジン塩酸塩	2.5mg 1錠	アレルギー性疾患治療剤	1037
	KT OPD／2.5 KT OPD・2.5	極薄黄	オロパタジン塩酸塩OD錠2.5mg「NIG」(日医工岐阜／日医工／武田薬品)	オロパタジン塩酸塩	2.5mg 1錠	アレルギー性疾患治療剤	1037
	KW CAR／2.5	白　◍	カルベジロール錠2.5mg「アメル」(共和薬品)	カルベジロール	2.5mg 1錠	α, β-遮断剤	1160
	KW ZMT／OD2.5	白	ゾルミトリプタンOD錠2.5mg「アメル」(共和薬品)	ゾルミトリプタン	2.5mg 1錠	5-HT$_{1B/1D}$受容体作動型片頭痛治療剤	1978
	LＥM／2.5 LＥM2.5	淡赤	デエビゴ錠2.5mg(エーザイ)	レンボレキサント	2.5mg 1錠	不眠症治療剤	4463
	M47／2.5	白	モサプリドクエン酸塩錠2.5mg「TSU」(鶴原)	モサプリドクエン酸塩水和物	2.5mg 1錠	消化管運動促進剤	4014
	MED224／2.5	白	イミダプリル塩酸塩錠2.5mg「ケミファ」(メディサ／日本ケミファ)	イミダプリル塩酸塩	2.5mg 1錠	ACE阻害剤	504
	MeP013／2.5	白　◍	カルベジロール錠2.5mg「Me」(Meiji Seika／Meファルマ)	カルベジロール	2.5mg 1錠	α, β-遮断剤	1160
	MS019／2.5	白～帯黄白	リセドロン酸Na錠2.5mg「明治」(Meiji Seika)	リセドロン酸ナトリウム水和物	2.5mg 1錠	ビスホスホネート系骨吸収抑制剤	4209
	MS038／2.5	白	モサプリドクエン酸塩錠2.5mg「明治」(Meiji Seika／Meファルマ)	モサプリドクエン酸塩水和物	2.5mg 1錠	消化管運動促進剤	4014
	MS043／2.5	淡黄赤	オロパタジン塩酸塩錠2.5mg「明治」(Meiji Seika／Meファルマ)	オロパタジン塩酸塩	2.5mg 1錠	アレルギー性疾患治療剤	1037
	MS045／2.5	極薄黄	オロパタジン塩酸塩OD錠2.5mg「明治」(Meiji Seika／Meファルマ)	オロパタジン塩酸塩	2.5mg 1錠	アレルギー性疾患治療剤	1037
	MS123／2.5	白　◍	ビソプロロールフマル酸塩錠2.5mg「明治」(Meファルマ)	ビソプロロールフマル酸塩	2.5mg 1錠	選択的β_1-アンタゴニスト	2944
	NC O／2.5	極薄黄	オロパタジン塩酸塩OD錠2.5mg「ケミファ」(日本ケミファ／日本薬品工業)	オロパタジン塩酸塩	2.5mg 1錠	アレルギー性疾患治療剤	1037
	NC OLO／2.5	淡黄赤	オロパタジン塩酸塩錠2.5mg「ケミファ」(日本ケミファ／日本薬品工業)	オロパタジン塩酸塩	2.5mg 1錠	アレルギー性疾患治療剤	1037
	NCP2.5	白	モサプリドクエン酸塩錠2.5mg「ケミファ」(日本ケミファ／日本薬品工業)	モサプリドクエン酸塩水和物	2.5mg 1錠	消化管運動促進剤	4014
	NP165／2.5 NP-165	帯赤黄	レトロゾール錠2.5mg「ニプロ」(ニプロ)	レトロゾール	2.5mg 1錠	アロマターゼ阻害剤	4372
	NP225／2.5 NP-225	白	モサプリドクエン酸塩錠2.5mg「NP」(ニプロ)	モサプリドクエン酸塩水和物	2.5mg 1錠	消化管運動促進剤	4014
	NP235／2.5 NP-235	淡黄　◍	プレドニゾロン錠2.5mg「NP」(ニプロ)	プレドニゾロン	2.5mg 1錠	副腎皮質ホルモン	3366
	NP331／2.5 NP-331	淡橙	アムロジピンOD錠2.5mg「NP」(ニプロ)	アムロジピンベシル酸塩	2.5mg 1錠	ジヒドロピリジン系Ca拮抗剤	264
	NP732／2.5 NP-732	白～帯黄白	リセドロン酸Na錠2.5mg「NP」(ニプロ)	リセドロン酸ナトリウム水和物	2.5mg 1錠	ビスホスホネート系骨吸収抑制剤	4209
	NPI130／2.5	白～帯黄白	リセドロン酸ナトリウム錠2.5mg「ケミファ」(日本薬品工業／日本ケミファ)	リセドロン酸ナトリウム水和物	2.5mg 1錠	ビスホスホネート系骨吸収抑制剤	4209
	NPI2.5	白	モサプリドクエン酸塩錠2.5mg「NPI」(日本薬品工業)	モサプリドクエン酸塩水和物	2.5mg 1錠	消化管運動促進剤	4014
	NS218／2.5	白	ビソプロロールフマル酸塩錠2.5mg「日新」(日新)	ビソプロロールフマル酸塩	2.5mg 1錠	選択的β_1-アンタゴニスト	2944
	NS234／2.5	白	ゾルミトリプタンOD錠2.5mg「日新」(日新)	ゾルミトリプタン	2.5mg 1錠	5-HT$_{1B/1D}$受容体作動型片頭痛治療剤	1978

番号	識別コード	色 (①:割線有)	商品名(会社名)	一般名	規格単位	薬効	掲載ページ
2.5	NS270／2.5	白	モサプリドクエン酸塩錠2.5mg「日新」(日新)	モサプリドクエン酸塩水和物	2.5mg 1錠	消化管運動促進剤	4014
	NS371／2.5	白～帯黄白	リセドロン酸Na錠2.5mg「日新」(日新)	リセドロン酸ナトリウム水和物	2.5mg 1錠	ビスホスホネート系骨吸収抑制剤	4209
	O26／2.5	淡黄赤	オロパタジン塩酸塩錠2.5mg「TSU」(鶴原)	オロパタジン塩酸塩	2.5mg 1錠	アレルギー性疾患治療剤	1037
	OD2.5あすか アムロジピン	淡黄	アムロジピンOD錠2.5mg「あすか」(あすか／武田薬品)	アムロジピンベシル酸塩	2.5mg 1錠	ジヒドロピリジン系Ca拮抗剤	264
	OL2.5	淡黄赤	オロパタジン塩酸塩錠2.5mg「VTRS」(ヴィアトリス・ヘルスケア／ヴィアトリス)	オロパタジン塩酸塩	2.5mg 1錠	アレルギー性疾患治療剤	1037
	OLZアメル2.5／ 2.5OLZアメル	白　①	オランザピン錠2.5mg「アメル」(共和薬品)	オランザピン	2.5mg 1錠	抗精神病剤・双極性障害治療剤・制吐剤	1021
	OS2.5	淡黄赤	オロパタジン塩酸塩錠2.5mg「サンド」(サンド)	オロパタジン塩酸塩	2.5mg 1錠	アレルギー性疾患治療剤	1037
	PH171／2.5	白	イミダプリル塩酸塩錠2.5mg「PH」(キョーリンリメディオ／杏林)	イミダプリル塩酸塩	2.5mg 1錠	ACE阻害剤	504
	QQ408／2.5	白	アムロジピン錠2.5mg「QQ」(救急薬品／日医工／武田薬品)	アムロジピンベシル酸塩	2.5mg 1錠	ジヒドロピリジン系Ca拮抗剤	264
	R2.5／⊕	赤橙	アデムパス錠2.5mg (バイエル薬品)	リオシグアト	2.5mg 1錠	可溶性グアニル酸シクラーゼ(sGC)刺激剤	4179
	REV2.5mg	白～灰黄白／青緑	レブラミドカプセル2.5mg (ブリストル)	レナリドミド水和物	2.5mg 1カプセル	免疫調節薬(IMiDs)	4378
	RSV2.5 RSV／2.5	白	ロスバスタチン錠2.5mg「サンド」(サンド)	ロスバスタチンカルシウム	2.5mg 1錠	HMG-CoA還元酵素阻害剤	4487
	SAO2.5／2.5	淡橙	アムロジピンOD錠2.5mg「サンド」(サンド)	アムロジピンベシル酸塩	2.5mg 1錠	ジヒドロピリジン系Ca拮抗剤	264
	SEL2.5／Kw Kw SEL2.5	白	セレギリン塩酸塩錠2.5mg「アメル」(共和薬品)	セレギリン塩酸塩	2.5mg 1錠	抗パーキンソン剤(選択的MAO-B阻害剤)	1915
	SL SL2.5	白	ピコスルファートナトリウム錠2.5mg「イワキ」(岩城)	ピコスルファートナトリウム水和物	2.5mg 1錠	緩下剤	2934
	SL SL2.5	薄桃	エナラプリルマレイン酸塩錠2.5mg「サンド」(サンド)	エナラプリルマレイン酸塩	2.5mg 1錠	ACE阻害剤	767
	STZ／2.5 STZ2.5	黄	タダラフィル錠2.5mgZA「サンド」(サンド)	タダラフィル	2.5mg 1錠	ホスホジエステラーゼ5阻害剤	2027
	SW BL2.5／2.5	白	ビソプロロールフマル酸塩錠2.5mg「サワイ」(沢井)	ビソプロロールフマル酸塩	2.5mg 1錠	選択的β₁-アンタゴニスト	2944
	SW M11／2.5	白	モサプリドクエン酸塩錠2.5mg「サワイ」(沢井)	モサプリドクエン酸塩水和物	2.5mg 1錠	消化管運動促進剤	4014
	SW OL2.5	淡黄赤	オロパタジン塩酸塩錠2.5mg「サワイ」(沢井)	オロパタジン塩酸塩	2.5mg 1錠	アレルギー性疾患治療剤	1037
	SW OL-D／2.5 SW OL-D2.5	極薄赤	オロパタジン塩酸塩OD錠2.5mg「サワイ」(沢井)	オロパタジン塩酸塩	2.5mg 1錠	アレルギー性疾患治療剤	1037
	SW RDN／2.5	白～帯黄白	リセドロン酸Na錠2.5mg「サワイ」(沢井)	リセドロン酸ナトリウム水和物	2.5mg 1錠	ビスホスホネート系骨吸収抑制剤	4209
	SW570／2.5	白	イミダプリル塩酸塩錠2.5mg「サワイ」(沢井)	イミダプリル塩酸塩	2.5mg 1錠	ACE阻害剤	504
	SW700／2.5	白	ニコランジル錠2.5mg「サワイ」(メディサ／沢井)	ニコランジル	2.5mg 1錠	狭心症・急性心不全治療剤	2635
	SWアムロジピン2.5	白～微黄白	アムロジピン錠2.5mg「サワイ」(沢井)	アムロジピンベシル酸塩	2.5mg 1錠	ジヒドロピリジン系Ca拮抗剤	264
	SWオランザピン2.5	白	オランザピン錠2.5mg「サワイ」(沢井)	オランザピン	2.5mg 1錠	抗精神病剤・双極性障害治療剤・制吐剤	1021
	SWレトロゾール2.5	帯赤黄	レトロゾール錠2.5mg「サワイ」(沢井)	レトロゾール	2.5mg 1錠	アロマターゼ阻害剤	4372
	SWロスバスタチン2.5	黄	ロスバスタチン錠2.5mg「サワイ」(沢井)	ロスバスタチンカルシウム	2.5mg 1錠	HMG-CoA還元酵素阻害剤	4487
	Sz RIS／2.5	白～帯黄白	リセドロン酸Na錠2.5mg「サンド」(サンド)	リセドロン酸ナトリウム水和物	2.5mg 1錠	ビスホスホネート系骨吸収抑制剤	4209
	SZ017／2.5	白	モサプリドクエン酸塩錠2.5mg「サンド」(サンド)	モサプリドクエン酸塩水和物	2.5mg 1錠	消化管運動促進剤	4014
	t008 t8／2.5	白	イミダプリル塩酸塩錠2.5mg「NIG」(日医工岐阜／日医工／武田薬品)	イミダプリル塩酸塩	2.5mg 1錠	ACE阻害剤	504
	TA134／2.5	白	タナトリル錠2.5 (田辺三菱)	イミダプリル塩酸塩	2.5mg 1錠	ACE阻害剤	504
	TG021 2.5 TG021	白　①	カルベジロール錠2.5mg「タナベ」(ニプロES)	カルベジロール	2.5mg 1錠	α, β-遮断剤	1160
	TG021 2.5 TG021	白　①	カルベジロール錠2.5mg「ニプロ」(ニプロES)	カルベジロール	2.5mg 1錠	α, β-遮断剤	1160
	TTS310／2.5 TTS-310	白～帯黄白	リセドロン酸Na錠2.5mg「タカタ」(高田)	リセドロン酸ナトリウム水和物	2.5mg 1錠	ビスホスホネート系骨吸収抑制剤	4209

番号	識別コード	色 (①:割線有)	商品名(会社名)	一般名	規格単位	薬効	掲載ページ
2.5	TTS372／2.5 TTS-372	白	アムロジピン錠2.5mg「タカタ」(高田)	アムロジピンベシル酸塩	2.5mg 1錠	ジヒドロピリジン系Ca拮抗剤	264
	TTS375／2.5 TTS-375	黄	オロパタジン塩酸塩OD錠2.5mg「タカタ」(高田)	オロパタジン塩酸塩	2.5mg 1錠	アレルギー性疾患治療剤	1037
	TTS555／2.5 TTS-555	淡黄赤	オロパタジン塩酸塩錠2.5mg「タカタ」(高田)	オロパタジン塩酸塩	2.5mg 1錠	アレルギー性疾患治療剤	1037
	TTS710／2.5 TTS-710	微黄白~淡黄白	アムロジピンOD錠2.5mg「タカタ」(高田)	アムロジピンベシル酸塩	2.5mg 1錠	ジヒドロピリジン系Ca拮抗剤	264
	TU211／2.5	白	アムロジピン錠2.5mg「TCK」(辰巳化学／フェルゼン)	アムロジピンベシル酸塩	2.5mg 1錠	ジヒドロピリジン系Ca拮抗剤	264
	TU220／2.5	白	イミダプリル塩酸塩錠2.5mg「TCK」(辰巳化学)	イミダプリル塩酸塩	2.5mg 1錠	ACE阻害剤	504
	TU231／2.5	淡橙	アムロジピンOD錠2.5mg「TCK」(辰巳化学／フェルゼン)	アムロジピンベシル酸塩	2.5mg 1錠	ジヒドロピリジン系Ca拮抗剤	264
	TU254／2.5	白	モサプリドクエン酸塩錠2.5mg「TCK」(辰巳化学)	モサプリドクエン酸塩水和物	2.5mg 1錠	消化管運動促進剤	4014
	TU-CR2.5	白 ①	カルベジロール錠2.5mg「TCK」(辰巳化学)	カルベジロール	2.5mg 1錠	α, β-遮断剤	1160
	TV-CD2.5	白 ①	カルベジロール錠2.5mg「NIG」(日医工岐阜／日医工／武田薬品)	カルベジロール	2.5mg 1錠	α, β-遮断剤	1160
	TVO1／2.5	淡黄 ①	オランザピンOD錠2.5mg「NIG」(日医工岐阜／日医工／武田薬品)	オランザピン	2.5mg 1錠	抗精神病剤・双極性障害治療剤・制吐剤	1021
	Tw021／2.5	白	イミダプリル塩酸塩錠2.5mg「トーワ」(東和薬品)	イミダプリル塩酸塩	2.5mg 1錠	ACE阻害剤	504
	TW055／2.5	帯黄白	レトロゾール錠2.5mg「トーワ」(東和薬品)	レトロゾール	2.5mg 1錠	アロマターゼ阻害剤	4372
	Tw128／2.5	白 ①	ビソプロロールフマル酸塩錠2.5mg「トーワ」(東和薬品)	ビソプロロールフマル酸塩	2.5mg 1錠	選択的β_1-アンタゴニスト	2944
	Tw158／2.5	白	ニコランジル錠2.5mg「トーワ」(東和薬品)	ニコランジル	2.5mg 1錠	狭心症・急性心不全治療剤	2635
	Tw322／2.5	白~帯黄白	リセドロン酸Na錠2.5mg「トーワ」(東和薬品)	リセドロン酸ナトリウム水和物	2.5mg 1錠	ビスホスホネート系骨吸収抑制剤	4209
	Tw571／2.5	白~帯黄白	モサプリドクエン酸塩錠2.5mg「トーワ」(東和薬品)	モサプリドクエン酸塩水和物	2.5mg 1錠	消化管運動促進剤	4014
	Tw756／2.5	淡黄赤	オロパタジン塩酸塩錠2.5mg「トーワ」(東和薬品)	オロパタジン塩酸塩	2.5mg 1錠	アレルギー性疾患治療剤	1037
	VTRS／C2.5 VTRS C2.5	白 ①	カルベジロール錠2.5mg「VTRS」(ヴィアトリス・ヘルスケア／ヴィアトリス)	カルベジロール	2.5mg 1錠	α, β-遮断剤	1160
	WL WL2.5	白	ビソプロロールフマル酸塩錠2.5mg「サンド」(サンド)	ビソプロロールフマル酸塩	2.5mg 1錠	選択的β_1-アンタゴニスト	2944
	YD222／2.5	淡黄赤	オロパタジン塩酸塩錠2.5mg「YD」(陽進堂)	オロパタジン塩酸塩	2.5mg 1錠	アレルギー性疾患治療剤	1037
	YD251／2.5	白	モサプリドクエン酸塩錠2.5mg「YD」(陽進堂)	モサプリドクエン酸塩水和物	2.5mg 1錠	消化管運動促進剤	4014
	YD511／2.5	白	レボセチリジン塩酸塩OD錠2.5mg「YD」(陽進堂)	レボセチリジン塩酸塩	2.5mg 1錠	持続性選択H_1-受容体拮抗剤	4407
	YDナルフラフィン2.5 YD180	淡黄白	ナルフラフィン塩酸塩カプセル2.5μg「YD」(陽進堂)	ナルフラフィン塩酸塩	2.5μg 1カプセル	経口瘙痒症改善剤	2622
	Z136 2.5 Z136	白	レボセチリジン塩酸塩錠2.5mg「日本臓器」(小財家／日本臓器)	レボセチリジン塩酸塩	2.5mg 1錠	持続性選択H_1-受容体拮抗剤	4407
	ZE25／2.5	淡橙	アムロジピンOD錠2.5mg「ZE」(全星薬品工業／全星薬品)	アムロジピンベシル酸塩	2.5mg 1錠	ジヒドロピリジン系Ca拮抗剤	264
	ZE27／2.5	白~帯黄白	リセドロン酸Na錠2.5mg「ZE」(全星薬品工業／全星薬品)	リセドロン酸ナトリウム水和物	2.5mg 1錠	ビスホスホネート系骨吸収抑制剤	4209
	ZE36／2.5	白	モサプリドクエン酸塩錠2.5mg「ZE」(全星薬品工業／全星薬品)	モサプリドクエン酸塩水和物	2.5mg 1錠	消化管運動促進剤	4014
	ZE64／2.5	白	ビソプロロールフマル酸塩錠2.5mg「ZE」(全星薬品工業／全星薬品)	ビソプロロールフマル酸塩	2.5mg 1錠	選択的β_1-アンタゴニスト	2944
	ZE94／2.5	淡黄赤	オロパタジン塩酸塩錠2.5mg「ZE」(全星薬品工業／全星薬品／ニプロ)	オロパタジン塩酸塩	2.5mg 1錠	アレルギー性疾患治療剤	1037
	ZOMIG2.5	微黄	ゾーミッグ錠2.5mg(沢井)	ゾルミトリプタン	2.5mg 1錠	5-$HT_{1B/1D}$受容体作動型片頭痛治療剤	1978
	▽2.5／⊕	淡黄	イグザレルト錠2.5mg(バイエル薬品)	リバーロキサバン	2.5mg 1錠	選択的直接作用型第Xa因子阻害剤	4263
	P217／2.5	白	ガスモチン錠2.5mg(住友ファーマ)	モサプリドクエン酸塩水和物	2.5mg 1錠	消化管運動促進剤	4014
	n221／2.5 n221	白	ゾルミトリプタンOD錠2.5mg「日医工」(日医工)	ゾルミトリプタン	2.5mg 1錠	5-$HT_{1B/1D}$受容体作動型片頭痛治療剤	1978
	△274／20／2.5	微赤	ザクラス配合錠LD(武田薬品)	アジルサルタン・アムロジピンベシル酸塩	1錠	持続性AT_1受容体遮断剤・持続性Ca拮抗薬配合剤	44

番号	識別コード	色 (◑:割線有)	商品名(会社名)	一般名	規格単位	薬効	掲載 ページ
2.5	*n*331／2.5 ⓝ331	白	モサプリドクエン酸塩錠2.5mg「日医工」(日医工)	モサプリドクエン酸塩水和物	2.5mg 1錠	消化管運動促進剤	4014
	*n*337／2.5 *n*337 2.5 ⓝ337	帯赤黄	レトロゾール錠2.5mg「日医工」(日医工)	レトロゾール	2.5mg 1錠	アロマターゼ阻害剤	4372
	ⓣ453／2.5 TYK453	白	アムロジピン錠2.5mg「TYK」(コーアバイオテックベイ／日医工／武田薬品)	アムロジピンベシル酸塩	2.5mg 1錠	ジヒドロピリジン系Ca拮抗剤	264
	*n*551／2.5 ⓝ551	薄橙	アムロジピンOD錠2.5mg「日医工」(日医工)	アムロジピンベシル酸塩	2.5mg 1錠	ジヒドロピリジン系Ca拮抗剤	264
	*n*753／2.5 *n*753 2.5 ⓝ753	白	ビソプロロールフマル酸塩錠2.5mg「日医工」(日医工)	ビソプロロールフマル酸塩	2.5mg 1錠	選択的β₁-アンタゴニスト	2944
	ⓣZAG／20/2.5 ⓣZAG LD	微赤	ジルムロ配合錠LD「武田テバ」(武田テバファーマ／武田薬品)	アジルサルタン・アムロジピンベシル酸塩	1錠	持続性AT₁受容体遮断剤・持続性Ca拮抗薬配合剤	44
	アマルエット1番「ニプロ」／アトルバスタチン5mg アムロジピン2.5mg	薄黄	アマルエット配合錠1番「ニプロ」(ニプロ)	アムロジピンベシル酸塩・アトルバスタチンカルシウム水和物	1錠	持続性Ca拮抗剤・HMG-CoA還元酵素阻害剤	266
	アマルエット1番トーワ／2.5 アムロジアトルバ5	白	アマルエット配合錠1番「トーワ」(東和薬品)	アムロジピンベシル酸塩・アトルバスタチンカルシウム水和物	1錠	持続性Ca拮抗剤・HMG-CoA還元酵素阻害剤	266
	アマルエット1サンド／2.5/5	薄黄	アマルエット配合錠1番「サンド」(サンド)	アムロジピンベシル酸塩・アトルバスタチンカルシウム水和物	1錠	持続性Ca拮抗剤・HMG-CoA還元酵素阻害剤	266
	アマルエット2番「ニプロ」／アトルバスタチン10mg アムロジピン2.5mg	白	アマルエット配合錠2番「ニプロ」(ニプロ)	アムロジピンベシル酸塩・アトルバスタチンカルシウム水和物	1錠	持続性Ca拮抗剤・HMG-CoA還元酵素阻害剤	266
	アマルエット2番トーワ／2.5 アムロジアトルバ10	淡紅	アマルエット配合錠2番「トーワ」(東和薬品)	アムロジピンベシル酸塩・アトルバスタチンカルシウム水和物	1錠	持続性Ca拮抗剤・HMG-CoA還元酵素阻害剤	266
	アマルエット2サンド／2.5/10	白	アマルエット配合錠2番「サンド」(サンド)	アムロジピンベシル酸塩・アトルバスタチンカルシウム水和物	1錠	持続性Ca拮抗剤・HMG-CoA還元酵素阻害剤	266
	アムロジ2.5／アムロジピン2.5 トーワ	白 ◑	アムロジピン錠2.5mg「トーワ」(東和薬品／共創未来)	アムロジピンベシル酸塩	2.5mg 1錠	ジヒドロピリジン系Ca拮抗剤	264
	アムロジピン2.5 ch	白	アムロジピン錠2.5mg「CH」(長生堂／日本ジェネリック)	アムロジピンベシル酸塩	2.5mg 1錠	ジヒドロピリジン系Ca拮抗剤	264
	アムロジピン2.5 DSEP	白	アムロジピン錠2.5mg「DSEP」(第一三共エスファ／エッセンシャル)	アムロジピンベシル酸塩	2.5mg 1錠	ジヒドロピリジン系Ca拮抗剤	264
	アムロジピン2.5 日医工 ⓝ555	白	アムロジピン錠2.5mg「日医工」(日医工)	アムロジピンベシル酸塩	2.5mg 1錠	ジヒドロピリジン系Ca拮抗剤	264
	アムロジピン2.5 オーハラ	白	アムロジピン錠2.5mg「オーハラ」(大原薬品)	アムロジピンベシル酸塩	2.5mg 1錠	ジヒドロピリジン系Ca拮抗剤	264
	アムロジピン NS OD2.5	淡黄	アムロジピンOD錠2.5mg「NS」(日新／第一三共エスファ)	アムロジピンベシル酸塩	2.5mg 1錠	ジヒドロピリジン系Ca拮抗剤	264
	アムロジピン OD2.5明治	淡黄	アムロジピンOD錠2.5mg「明治」(Meiji Seika／Meファルマ)	アムロジピンベシル酸塩	2.5mg 1錠	ジヒドロピリジン系Ca拮抗剤	264
	アムロジピン OD2.5ケミファ	淡黄	アムロジピンOD錠2.5mg「ケミファ」(日本薬品工業／日本ケミファ)	アムロジピンベシル酸塩	2.5mg 1錠	ジヒドロピリジン系Ca拮抗剤	264
	アムロジピン OD2.5サワイ	淡橙	アムロジピンOD錠2.5mg「サワイ」(沢井)	アムロジピンベシル酸塩	2.5mg 1錠	ジヒドロピリジン系Ca拮抗剤	264
	アムロジピン PT OD2.5	淡黄	アムロジピンOD錠2.5mg「ファイザー」(ヴィアトリス・ヘルスケア／ヴィアトリス)	アムロジピンベシル酸塩	2.5mg 1錠	ジヒドロピリジン系Ca拮抗剤	264
	アムロジピン PT2.5	白	アムロジピン錠2.5mg「ファイザー」(ヴィアトリス・ヘルスケア／ヴィアトリス)	アムロジピンベシル酸塩	2.5mg 1錠	ジヒドロピリジン系Ca拮抗剤	264
	アムロジピン VT OD2.5	淡黄	アムロジピンOD錠2.5mg「VTRS」(ヴィアトリス・ヘルスケア／ヴィアトリス)	アムロジピンベシル酸塩	2.5mg 1錠	ジヒドロピリジン系Ca拮抗剤	264
	アムロジピン VT2.5	白	アムロジピン錠2.5mg「VTRS」(ヴィアトリス・ヘルスケア／ヴィアトリス)	アムロジピンベシル酸塩	2.5mg 1錠	ジヒドロピリジン系Ca拮抗剤	264
	アムロジピン YD OD2.5 YD570	淡黄	アムロジピンOD錠2.5mg「YD」(陽進堂)	アムロジピンベシル酸塩	2.5mg 1錠	ジヒドロピリジン系Ca拮抗剤	264
	アムロジピン YD2.5 YD960	白	アムロジピン錠2.5mg「YD」(陽進堂)	アムロジピンベシル酸塩	2.5mg 1錠	ジヒドロピリジン系Ca拮抗剤	264

番号	識別コード	色(①:割線有)	商品名(会社名)	一般名	規格単位	薬効	掲載ページ
2.5	アムロジピン明治／アムロジピン2.5	白	アムロジピン錠2.5mg「明治」(Meiji Seika／Meファルマ)	アムロジピンベシル酸塩	2.5mg 1錠	ジヒドロピリジン系Ca拮抗剤	264
	アムロジン2.5	白	アムロジン錠2.5mg(住友ファーマ)	アムロジピンベシル酸塩	2.5mg 1錠	ジヒドロピリジン系Ca拮抗剤	264
	アムロジンOD2.5	淡黄	アムロジンOD錠2.5mg(住友ファーマ)	アムロジピンベシル酸塩	2.5mg 1錠	ジヒドロピリジン系Ca拮抗剤	264
	アンブリセンタン2.5JGアンブリセンタン2.5JG	白	アンブリセンタン錠2.5mg「JG」(日本ジェネリック)	アンブリセンタン	2.5mg 1錠	エンドセリン受容体拮抗薬	375
	アンブリセンタン2.5KMP	白	アンブリセンタン錠2.5mg「KMP」(共創未来／三和化学)	アンブリセンタン	2.5mg 1錠	エンドセリン受容体拮抗薬	375
	アンブリセンタン2.5サワイ	白	アンブリセンタン錠2.5mg「サワイ」(沢井)	アンブリセンタン	2.5mg 1錠	エンドセリン受容体拮抗薬	375
	イミダプリル2.5DSEP	薄桃	イミダプリル塩酸塩錠2.5mg「DSEP」(第一三共エスファ／エッセンシャル)	イミダプリル塩酸塩	2.5mg 1錠	ACE阻害剤	504
	イミダプリル2.5JG	薄桃	イミダプリル塩酸塩錠2.5mg「JG」(日本ジェネリック)	イミダプリル塩酸塩	2.5mg 1錠	ACE阻害剤	504
	イミダプリル2.5オーハラ	薄桃	イミダプリル塩酸塩錠2.5mg「オーハラ」(大原薬品)	イミダプリル塩酸塩	2.5mg 1錠	ACE阻害剤	504
	イリボー2.5	淡黄	イリボー錠2.5μg(アステラス)	ラモセトロン塩酸塩〔下痢型過敏性腸症候群治療剤〕	2.5μg 1錠	下痢型過敏性腸症候群治療剤	4140
	エナラプリル／2.5オーハラエナラプリル2.5オーハラ	薄桃	エナラプリルマレイン酸塩錠2.5mg「オーハラ」(大原薬品)	エナラプリルマレイン酸塩	2.5mg 1錠	ACE阻害剤	767
	エフィエント2.5	微黄白	エフィエント錠2.5mg(第一三共)	プラスグレル塩酸塩	2.5mg 1錠	抗血小板剤	3251
	オキシコドン錠／2.5	明るい灰みの赤紫	オキシコドン錠2.5mgNX「第一三共」(第一三共プロ／第一三共)	オキシコドン塩酸塩水和物	2.5mg 1錠	疼痛治療剤	950
	オランザ2.5／オランザピン2.5トーワ	白 ①	オランザピン錠2.5mg「トーワ」(東和薬品)	オランザピン	2.5mg 1錠	抗精神病剤・双極性障害治療剤・制吐剤	1021
	オランザ2.5／オランザピンOD2.5トーワ	淡黄白 ①	オランザピンOD錠2.5mg「トーワ」(東和薬品)	オランザピン	2.5mg 1錠	抗精神病剤・双極性障害治療剤・制吐剤	1021
	オランザピン2.5DSEP	白	オランザピン錠2.5mg「DSEP」(第一三共エスファ)	オランザピン	2.5mg 1錠	抗精神病剤・双極性障害治療剤・制吐剤	1021
	オランザピン2.5JG	白	オランザピン錠2.5mg「JG」(日本ジェネリック)	オランザピン	2.5mg 1錠	抗精神病剤・双極性障害治療剤・制吐剤	1021
	オランザピン2.5ODアメル／ODアメル2.5オランザピン	黄 ①	オランザピンOD錠2.5mg「アメル」(共和薬品)	オランザピン	2.5mg 1錠	抗精神病剤・双極性障害治療剤・制吐剤	1021
	オランザピン2.5OD／オランザピン明治	黄	オランザピンOD錠2.5mg「明治」(Meiji Seika)	オランザピン	2.5mg 1錠	抗精神病剤・双極性障害治療剤・制吐剤	1021
	オランザピン2.5TV	白	オランザピン錠2.5mg「NIG」(日医工岐阜／日医工／武田薬品)	オランザピン	2.5mg 1錠	抗精神病剤・双極性障害治療剤・制吐剤	1021
	オランザピン2.5VTRS	白	オランザピン錠2.5mg「VTRS」(ヴィアトリス・ヘルスケア／ヴィアトリス)	オランザピン	2.5mg 1錠	抗精神病剤・双極性障害治療剤・制吐剤	1021
	オランザピン2.5杏林	白	オランザピン錠2.5mg「杏林」(キョーリンリメディオ／杏林)	オランザピン	2.5mg 1錠	抗精神病剤・双極性障害治療剤・制吐剤	1021
	オランザピン2.5三和	白	オランザピン錠2.5mg「三和」(三和化学)	オランザピン	2.5mg 1錠	抗精神病剤・双極性障害治療剤・制吐剤	1021
	オランザピン2.5日新	白	オランザピン錠2.5mg「日新」(日新)	オランザピン	2.5mg 1錠	抗精神病剤・双極性障害治療剤・制吐剤	1021
	オランザピン2.5／オランザピン明治	白 ①	オランザピン錠2.5mg「明治」(Meiji Seika)	オランザピン	2.5mg 1錠	抗精神病剤・双極性障害治療剤・制吐剤	1021
	オランザピン2.5ニプロ	白 ①	オランザピン錠2.5mg「ニプロ」(ニプロ)	オランザピン	2.5mg 1錠	抗精神病剤・双極性障害治療剤・制吐剤	1021
	オランザピンOD2.5DSEP	微黄～淡黄	オランザピンOD錠2.5mg「DSEP」(第一三共エスファ)	オランザピン	2.5mg 1錠	抗精神病剤・双極性障害治療剤・制吐剤	1021
	オランザピンOD2.5／TCK	黄	オランザピンOD錠2.5mg「TCK」(辰巳化学)	オランザピン	2.5mg 1錠	抗精神病剤・双極性障害治療剤・制吐剤	1021
	オランザピンOD2.5杏林	微黄～淡黄	オランザピンOD錠2.5mg「杏林」(キョーリンリメディオ／杏林)	オランザピン	2.5mg 1錠	抗精神病剤・双極性障害治療剤・制吐剤	1021
	オランザピンOD2.5日医工Ⓝ250	微黄～淡黄	オランザピンOD錠2.5mg「日医工」(日医工)	オランザピン	2.5mg 1錠	抗精神病剤・双極性障害治療剤・制吐剤	1021
	オランザピンOD2.5／オランザピンVTRS	黄	オランザピンOD錠2.5mg「VTRS」(ヴィアトリス・ヘルスケア／ヴィアトリス)	オランザピン	2.5mg 1錠	抗精神病剤・双極性障害治療剤・制吐剤	1021

番号	識別コード	色 (①：割線有)	商品名(会社名)	一般名	規格単位	薬効	掲載ページ
2.5	オランザピン OD2.5／ オランザピンタカタ OD2.5	淡黄	オランザピンOD錠2.5mg「タカタ」 (高田)	オランザピン	2.5mg 1錠	抗精神病剤・双極性障害治療剤・制吐剤	1021
	オランザピン OD2.5ニプロ	淡黄　①	オランザピンOD錠2.5mg「ニプロ」 (ニプロ)	オランザピン	2.5mg 1錠	抗精神病剤・双極性障害治療剤・制吐剤	1021
	オランザピン YD2.5 YD545	白	オランザピン錠2.5mg「YD」(陽進堂 ／アルフレッサファーマ)	オランザピン	2.5mg 1錠	抗精神病剤・双極性障害治療剤・制吐剤	1021
	オランザピン Y-Z2.5	白　①	オランザピン錠2.5mg「NP」(ニプロ ES)	オランザピン	2.5mg 1錠	抗精神病剤・双極性障害治療剤・制吐剤	1021
	オランザピン Y-Z2.5／Y-Z2.5	白　①	オランザピン錠2.5mg「ヨシトミ」(ニ プロES)	オランザピン	2.5mg 1錠	抗精神病剤・双極性障害治療剤・制吐剤	1021
	オロパタジン2.5 EE	淡黄赤	オロパタジン塩酸塩錠2.5mg「EE」 (エルメッド／日医工)	オロパタジン塩酸塩	2.5mg 1錠	アレルギー性疾患治療剤	1037
	オロパタジン2.5 日医工 Ⓝ813	淡黄赤	オロパタジン塩酸塩錠2.5mg「日医工」 (日医工)	オロパタジン塩酸塩	2.5mg 1錠	アレルギー性疾患治療剤	1037
	オロパタジン OD2.5トーワ	極薄黄	オロパタジン塩酸塩OD錠2.5mg「トー ワ」(東和薬品)	オロパタジン塩酸塩	2.5mg 1錠	アレルギー性疾患治療剤	1037
	カムシアLDトーワ ／8カンデアムロジ 2.5	淡黄	カムシア配合錠LD「トーワ」(東和薬品)	カンデサルタン シレキセチル・アムロジピンベシル酸塩	1錠	持続性アンギオテンシンⅡ受容体拮抗剤・持続性Ca拮抗剤配合剤	1187
	カムシアLDニプロ ／カンデ8アムロ 2.5	淡黄	カムシア配合錠LD「ニプロ」(ニプロ)	カンデサルタン シレキセチル・アムロジピンベシル酸塩	1錠	持続性アンギオテンシンⅡ受容体拮抗剤・持続性Ca拮抗剤配合剤	1187
	カルベジロール2.5 サワイ	白～微黄白①	カルベジロール錠2.5mg「サワイ」(沢井)	カルベジロール	2.5mg 1錠	α, β-遮断剤	1160
	コララン2.5	薄灰	コララン錠2.5mg (小野薬品)	イバブラジン塩酸塩	2.5mg 1錠	HCNチャネル遮断薬	462
	サワイ ソリフェナシン2.5	白	ソリフェナシンコハク酸塩錠2.5mg 「サワイ」(沢井)	コハク酸ソリフェナシン	2.5mg 1錠	過活動膀胱治療剤	1970
	ジルムロLDトーワ アジル20アムロジ2.5	微赤	ジルムロ配合錠LD「トーワ」(東和薬品)	アジルサルタン・アムロジピンベシル酸塩	1錠	持続性AT₁受容体遮断剤・持続性Ca拮抗薬配合剤	44
	ジルムロLDトーワ ／アジル20 アムロジ2.5	微赤	ジルムロ配合錠LD「トーワ」(東和薬品／三和化学／共創未来)	アジルサルタン・アムロジピンベシル酸塩	1錠	持続性AT₁受容体遮断剤・持続性Ca拮抗薬配合剤	44
	ジルムロLDニプロ ／20アジルサルタン アムロジピン2.5	微赤	ジルムロ配合錠LD「ニプロ」(ニプロ)	アジルサルタン・アムロジピンベシル酸塩	1錠	持続性AT₁受容体遮断剤・持続性Ca拮抗薬配合剤	44
	ジルムロOD LD 日医工／ アジルサルタン 20OD2.5 アムロジピン	微赤	ジルムロ配合OD錠LD「日医工」(日医工)	アジルサルタン・アムロジピンベシル酸塩	1錠	持続性AT₁受容体遮断剤・持続性Ca拮抗薬配合剤	44
	ジルムロODLD トーワ アジル20アムロジ2.5	帯黄白／帯褐黄／帯褐黄白	ジルムロ配合OD錠LD「トーワ」(東和薬品)	アジルサルタン・アムロジピンベシル酸塩	1錠	持続性AT₁受容体遮断剤・持続性Ca拮抗薬配合剤	44
	ソリフェナシン2.5 ODトーワ	淡黄(帯褐黄の顆粒)	ソリフェナシンコハク酸塩OD錠2.5mg 「トーワ」(東和薬品)	コハク酸ソリフェナシン	2.5mg 1錠	過活動膀胱治療剤	1970
	ソリフェナシン2.5 TCK	白	ソリフェナシンコハク酸塩錠2.5mg 「TCK」(辰巳化学)	コハク酸ソリフェナシン	2.5mg 1錠	過活動膀胱治療剤	1970
	ソリフェナシン2.5 トーワ	白	ソリフェナシンコハク酸塩錠2.5mg 「トーワ」(東和薬品)	コハク酸ソリフェナシン	2.5mg 1錠	過活動膀胱治療剤	1970
	ソリフェナシン OD2.5JG	白	ソリフェナシンコハク酸塩OD錠2.5mg 「JG」(日本ジェネリック)	コハク酸ソリフェナシン	2.5mg 1錠	過活動膀胱治療剤	1970
	ソリフェナシン OD2.5サワイ	白	ソリフェナシンコハク酸塩OD錠2.5mg 「サワイ」(沢井)	コハク酸ソリフェナシン	2.5mg 1錠	過活動膀胱治療剤	1970
	ソリフェナシン OD2.5ニプロ	白(淡黄の斑点)	ソリフェナシンコハク酸塩OD錠2.5mg 「ニプロ」(ニプロ)	コハク酸ソリフェナシン	2.5mg 1錠	過活動膀胱治療剤	1970
	ソリフェナシン YD2.5 YD948	白	ソリフェナシンコハク酸塩錠2.5mg 「YD」(陽進堂)	コハク酸ソリフェナシン	2.5mg 1錠	過活動膀胱治療剤	1970
	ゾルミトリプタン OD2.5トーワ	帯黄白	ゾルミトリプタンOD錠2.5mg「トーワ」(東和薬品)	ゾルミトリプタン	2.5mg 1錠	5-HT₁B/₁D受容体作動型片頭痛治療剤	1978
	ゾルミトリプタン OD／ゾルミトリ プタンOD2.5 タカタ	白	ゾルミトリプタンOD錠2.5mg「タカタ」(高田)	ゾルミトリプタン	2.5mg 1錠	5-HT₁B/₁D受容体作動型片頭痛治療剤	1978
	タダラフィル2.5 ZAサワイ	淡橙黄	タダラフィル錠2.5mgZA「サワイ」 (沢井)	タダラフィル	2.5mg 1錠	ホスホジエステラーゼ5阻害剤	2027
	タダラフィルZA 2.5JG	淡橙黄	タダラフィル錠2.5mgZA「JG」(日本ジェネリック)	タダラフィル	2.5mg 1錠	ホスホジエステラーゼ5阻害剤	2027
	タダラフィルZA 2.5あすか	淡橙黄	タダラフィル錠2.5mgZA「あすか」 (あすか／武田薬品)	タダラフィル	2.5mg 1錠	ホスホジエステラーゼ5阻害剤	2027

番号	識別コード	色 (①：割線有)	商品名(会社名)	一般名	規格単位	薬効	掲載 ページ
2.5	タダラフィル ZA2.5日医工／ タダラフィルZA2.5	薄赤みの黄 〜極薄赤み の黄	タダラフィル錠2.5mgZA「日医工」 (日医工)	タダラフィル	2.5mg 1錠	ホスホジエステラーゼ5阻害 剤	2027
	タダラフィルZA ニプロ2.5	淡橙黄	タダラフィル錠2.5mgZA「ニプロ」 (ニプロ)	タダラフィル	2.5mg 1錠	ホスホジエステラーゼ5阻害 剤	2027
	タリージェ2.5	淡赤白	タリージェ錠2.5mg(第一三共)	ミロガバリンベシル酸塩	2.5mg 1錠	神経障害性疼痛治療剤	3895
	タリージェ OD2.5	淡黄白	タリージェOD錠2.5mg(第一三共)	ミロガバリンベシル酸塩	2.5mg 1錠	神経障害性疼痛治療剤	3895
	ナルフラフィン2.5 あすか	淡黄白	ナルフラフィン塩酸塩カプセル2.5μg 「あすか」(あすか／武田薬品)	ナルフラフィン塩酸塩	2.5μg 1カプ セル	経口瘙痒症改善剤	2622
	ナルフラフィン2.5 日医工 ⓝ426	淡黄白	ナルフラフィン塩酸塩カプセル2.5μg 「日医工」(日医工)	ナルフラフィン塩酸塩	2.5μg 1カプ セル	経口瘙痒症改善剤	2622
	ナルフラフィン2.5 トーワ	淡黄白	ナルフラフィン塩酸塩カプセル2.5μg 「トーワ」(シー・エイチ・オー／東和 薬品)	ナルフラフィン塩酸塩	2.5μg 1カプ セル	経口瘙痒症改善剤	2622
	ナルフラフィン2.5 ニプロ	淡黄白	ナルフラフィン塩酸塩カプセル2.5μg 「ニプロ」(ニプロ)	ナルフラフィン塩酸塩	2.5μg 1カプ セル	経口瘙痒症改善剤	2622
	ナルフラフィン OD2.5サワイ	やわらかい 紫みの赤〜 くすんだ赤	ナルフラフィン塩酸塩OD錠2.5μg「サ ワイ」(沢井)	ナルフラフィン塩酸塩	2.5μg 1錠	経口瘙痒症改善剤	2622
	ナルフラフィン OD2.5フソー	やわらかい 紫みの赤〜 くすんだ赤	ナルフラフィン塩酸塩OD錠2.5μg「フ ソー」(扶桑薬品)	ナルフラフィン塩酸塩	2.5μg 1錠	経口瘙痒症改善剤	2622
	ノルバスク2.5	白	ノルバスク錠2.5mg(ヴィアトリス)	アムロジピンベシル酸塩	2.5mg 1錠	ジヒドロピリジン系Ca拮抗剤	264
	ノルバスク OD2.5	淡黄	ノルバスクOD錠2.5mg(ヴィアトリ ス)	アムロジピンベシル酸塩	2.5mg 1錠	ジヒドロピリジン系Ca拮抗剤	264
	ベシケア2.5	白	ベシケア錠2.5mg(アステラス)	コハク酸ソリフェナシン	2.5mg 1錠	過活動膀胱治療剤	1970
	ミネブロ2.5	微黄白 ①	ミネブロ錠2.5mg(第一三共)	エサキセレノン	2.5mg 1錠	選択的ミネラルコルチコイド 受容体ブロッカー	674
	ミネブロOD2.5	微黄白 ①	ミネブロOD錠2.5mg(第一三共)	エサキセレノン	2.5mg 1錠	選択的ミネラルコルチコイド 受容体ブロッカー	674
	メルカゾール2.5	淡赤	メルカゾール錠2.5mg(あすか／武田 薬品)	チアマゾール	2.5mg 1錠	抗甲状腺剤	2135
	ルセフィ2.5	白	ルセフィ錠2.5mg(大正)	ルセオグリフロジン水和物	2.5mg 1錠	選択的SGLT2阻害剤・2型糖 尿病治療剤	4335
	レトロゾール2.5／ レトロゾールNK レトロゾール2.5 ：レトロゾール NK	帯赤黄	レトロゾール錠2.5mg「NK」(日本化 薬)	レトロゾール	2.5mg 1錠	アロマターゼ阻害剤	4372
	レナリドミド2.5mg サワイ	青緑／白〜 灰黄白	レナリドミドカプセル2.5mg「サワイ」	レナリドミド水和物	2.5mg 1カプ セル	免疫調節薬(IMiDs)	4378
	レボセチYD2.5 YD540	白	レボセチリジン塩酸塩錠2.5mg「YD」 (陽進堂／アルフレッサファーマ)	レボセチリジン塩酸塩	2.5mg 1錠	持続性選択H₁受容体拮抗剤	4407
	レボセチリジン／ 2.5杏林 レボセチリジン2.5 杏林	白	レボセチリジン塩酸塩錠2.5mg「杏林」 (キョーリンリメディオ／杏林)	レボセチリジン塩酸塩	2.5mg 1錠	持続性選択H₁受容体拮抗剤	4407
	レボセチリジン2.5 タカタ	淡黄白	レボセチリジン塩酸塩錠2.5mg「タカ タ」(高田)	レボセチリジン塩酸塩	2.5mg 1錠	持続性選択H₁受容体拮抗剤	4407
	レボセチリジン タカタOD2.5	淡黄白	レボセチリジン塩酸塩OD錠2.5mg「タ カタ」(高田)	レボセチリジン塩酸塩	2.5mg 1錠	持続性選択H₁受容体拮抗剤	4407
	ロスバ2.5JG	薄赤みの黄 〜くすんだ 赤みの黄	ロスバスタチン錠2.5mg「JG」(日本ジ ェネリック)	ロスバスタチンカルシウム	2.5mg 1錠	HMG-CoA還元酵素阻害剤	4487
	ロスバ2.5OD アメル	薄黄	ロスバスタチンOD錠2.5mg「アメル」 (共和薬品)	ロスバスタチンカルシウム	2.5mg 1錠	HMG-CoA還元酵素阻害剤	4487
	ロスバ2.5アメル	薄赤みの黄 〜くすんだ 赤みの黄	ロスバスタチン錠2.5mg「アメル」(共 和薬品)	ロスバスタチンカルシウム	2.5mg 1錠	HMG-CoA還元酵素阻害剤	4487
	ロスバ2.5 スタチントーワ	黄	ロスバスタチン錠2.5mg「トーワ」(東 和薬品)	ロスバスタチンカルシウム	2.5mg 1錠	HMG-CoA還元酵素阻害剤	4487
	ロスバOD2.5JG	薄黄	ロスバスタチンOD錠2.5mg「JG」(日 本ジェネリック)	ロスバスタチンカルシウム	2.5mg 1錠	HMG-CoA還元酵素阻害剤	4487
	ロスバ明治／ ロスバスタチン 2.5OD	黄赤 ①	ロスバスタチンOD錠2.5mg「明治」 (Meiji Seika／Meファルマ)	ロスバスタチンカルシウム	2.5mg 1錠	HMG-CoA還元酵素阻害剤	4487
	ロスバスタチン2.5／ 2.5PF	白〜灰白	ロスバスタチン錠2.5mg「VTRS」(ヴ ィアトリス・ヘルスケア／ヴィアトリ ス)	ロスバスタチンカルシウム	2.5mg 1錠	HMG-CoA還元酵素阻害剤	4487
	ロスバスタチン2.5 KMP	薄赤黄〜く すんだ赤黄	ロスバスタチン錠2.5mg「KMP」(共 創未来)	ロスバスタチンカルシウム	2.5mg 1錠	HMG-CoA還元酵素阻害剤	4487
	ロスバスタチン2.5 ODトーワ	淡黄白	ロスバスタチンOD錠2.5mg「トーワ」 (東和薬品)	ロスバスタチンカルシウム	2.5mg 1錠	HMG-CoA還元酵素阻害剤	4487

番号	識別コード	色（①：割線有）	商品名（会社名）	一般名	規格単位	薬効	掲載ページ
2.5	ロスバスタチン2.5 TCK	白〜帯黄白	ロスバスタチン錠2.5mg「TCK」（辰巳化学／フェルゼン）	ロスバスタチンカルシウム	2.5mg 1錠	HMG-CoA還元酵素阻害剤	4487
	ロスバスタチン2.5 杏林	薄赤みの黄〜くすんだ赤みの黄	ロスバスタチン錠2.5mg「杏林」（キョーリンリメディオ／杏林）	ロスバスタチンカルシウム	2.5mg 1錠	HMG-CoA還元酵素阻害剤	4487
	ロスバスタチン2.5 三和	薄赤みの黄〜くすんだ赤みの黄	ロスバスタチン錠2.5mg「三和」（三和化学）	ロスバスタチンカルシウム	2.5mg 1錠	HMG-CoA還元酵素阻害剤	4487
	ロスバスタチン2.5 日医工 ⑰015	薄赤みの黄〜くすんだ赤みの黄	ロスバスタチン錠2.5mg「日医工」（日医工）	ロスバスタチンカルシウム	2.5mg 1錠	HMG-CoA還元酵素阻害剤	4487
	ロスバスタチン2.5 日新	薄赤みの黄〜くすんだ赤みの黄	ロスバスタチン錠2.5mg「日新」（日新）	ロスバスタチンカルシウム	2.5mg 1錠	HMG-CoA還元酵素阻害剤	4487
	ロスバスタチン／2.5科研	白〜帯黄白	ロスバスタチン錠2.5mg「科研」（ダイト／科研）	ロスバスタチンカルシウム	2.5mg 1錠	HMG-CoA還元酵素阻害剤	4487
	ロスバスタチン／2.5オーハラ ロスバスタチン2.5 オーハラ	薄赤みの黄〜くすんだ赤みの黄	ロスバスタチン錠2.5mg「オーハラ」（大原薬品）	ロスバスタチンカルシウム	2.5mg 1錠	HMG-CoA還元酵素阻害剤	4487
	ロスバスタチン2.5 ケミファ	薄赤み黄〜くすんだ赤み黄	ロスバスタチン錠2.5mg「ケミファ」（日本ケミファ／日本薬品工業）	ロスバスタチンカルシウム	2.5mg 1錠	HMG-CoA還元酵素阻害剤	4487
	ロスバスタチン2.5 ニプロ	薄赤みの黄〜くすんだ赤みの黄	ロスバスタチン錠2.5mg「ニプロ」（ニプロ）	ロスバスタチンカルシウム	2.5mg 1錠	HMG-CoA還元酵素阻害剤	4487
	ロスバスタチン2.5 フェルゼン	白〜帯黄白	ロスバスタチン錠2.5mg「フェルゼン」（フェルゼン）	ロスバスタチンカルシウム	2.5mg 1錠	HMG-CoA還元酵素阻害剤	4487
	ロスバスタチンOD2.5KMP	白	ロスバスタチンOD錠2.5mg「KMP」（共創未来）	ロスバスタチンカルシウム	2.5mg 1錠	HMG-CoA還元酵素阻害剤	4487
	ロスバスタチンOD2.5／OD2.5フェルゼン	薄黄	ロスバスタチンOD錠2.5mg「フェルゼン」（フェルゼン）	ロスバスタチンカルシウム	2.5mg 1錠	HMG-CoA還元酵素阻害剤	4487
	ロスバスタチンOD2.5TCK	薄黄	ロスバスタチンOD錠2.5mg「TCK」（辰巳化学／日医工／武田薬品）	ロスバスタチンカルシウム	2.5mg 1錠	HMG-CoA還元酵素阻害剤	4487
	ロスバスタチンOD2.5三和	薄黄	ロスバスタチンOD錠2.5mg「三和」（三和化学）	ロスバスタチンカルシウム	2.5mg 1錠	HMG-CoA還元酵素阻害剤	4487
	ロスバスタチンOD／2.5日医工 ロスバスタチンOD2.5日医工 ⑰118	薄黄	ロスバスタチンOD錠2.5mg「日医工」（日医工）	ロスバスタチンカルシウム	2.5mg 1錠	HMG-CoA還元酵素阻害剤	4487
	ロスバスタチンOD／2.5科研	薄黄	ロスバスタチンOD錠2.5mg「科研」（ダイト／科研）	ロスバスタチンカルシウム	2.5mg 1錠	HMG-CoA還元酵素阻害剤	4487
	ロスバスタチン／OD2.5オーハラ ロスバスタチンOD2.5オーハラ	白	ロスバスタチンOD錠2.5mg「オーハラ」（大原薬品）	ロスバスタチンカルシウム	2.5mg 1錠	HMG-CoA還元酵素阻害剤	4487
	ロスバスタチンOD2.5ケミファ	薄黄	ロスバスタチンOD錠2.5mg「ケミファ」（日本ケミファ／日本薬品工業）	ロスバスタチンカルシウム	2.5mg 1錠	HMG-CoA還元酵素阻害剤	4487
	ロスバスタチンOD／2.5ニプロ	淡黄	ロスバスタチンOD錠2.5mg「ニプロ」（ニプロ）	ロスバスタチンカルシウム	2.5mg 1錠	HMG-CoA還元酵素阻害剤	4487
	ロスバスタチンSW OD2.5	帯黄白〜黄（淡黄〜黄の斑点）①	ロスバスタチンOD錠2.5mg「サワイ」（沢井）	ロスバスタチンカルシウム	2.5mg 1錠	HMG-CoA還元酵素阻害剤	4487
	ロスバスタチンTV2.5／2.5	薄赤みの黄〜くすんだ赤みの黄	ロスバスタチン錠2.5mg「武田テバ」（武田テバ薬品／武田テバファーマ／武田薬品）	ロスバスタチンカルシウム	2.5mg 1錠	HMG-CoA還元酵素阻害剤	4487
	ロスバスタチンTV2.5 2.5	薄赤みの黄〜くすんだ赤みの黄	ロスバスタチン錠2.5mg「NIG」（日医工岐阜／日医工／武田薬品）	ロスバスタチンカルシウム	2.5mg 1錠	HMG-CoA還元酵素阻害剤	4487
	ロスバスタチンYD OD2.5 YD200	薄黄	ロスバスタチンOD錠2.5mg「YD」（陽進堂）	ロスバスタチンカルシウム	2.5mg 1錠	HMG-CoA還元酵素阻害剤	4487
	ロスバスタチンYD2.5 YD218	薄赤みの黄〜くすんだ赤みの黄	ロスバスタチン錠2.5mg「YD」（陽進堂）	ロスバスタチンカルシウム	2.5mg 1錠	HMG-CoA還元酵素阻害剤	4487
003	FJ003 100	白	オキシコナゾール硝酸塩腟錠100mg「F」（富士製薬）	オキシコナゾール硝酸塩	100mg 1錠	イミダゾール系抗真菌剤	956
	FJ003 600	白	オキシコナゾール硝酸塩腟錠600mg「F」（富士製薬）	オキシコナゾール硝酸塩	600mg 1錠	イミダゾール系抗真菌剤	956
	HPC003	白	アルセノール錠50（原沢）	アテノロール	50mg 1錠	β_1-遮断剤	115
	KRM003	微黄〜黄透明	レボフロキサシン点眼液0.5％「杏林」（キョーリンリメディオ／杏林）	レボフロキサシン水和物	0.5% 1mL	ニューキノロン系抗菌剤	4432
	KW／003 KW003	白	オスポロット錠200mg（共和薬品）	スルチアム	200mg 1錠	スルタム系抗てんかん剤	1774

番号	識別コード	色 (①：割線有)	商品名(会社名)	一般名	規格単位	薬効	掲載ページ
003	LT003	帯褐黄	ニバジール錠2mg（LTL）	ニルバジピン	2mg 1錠	ジヒドロピリジン系Ca拮抗剤	2685
	NP003 NP-003	淡黄	ミルナシプラン塩酸塩錠15mg「NP」（ニプロ）	ミルナシプラン塩酸塩	15mg 1錠	セロトニン・ノルアドレナリン再取り込み阻害剤(SNRI)	3891
	PH003	無〜微黄透明	チモロール点眼液0.25%「杏林」（キョーリンリメディオ／杏林）	チモロールマレイン酸塩	0.25% 1mL	β-遮断剤	2171
	SZ003／3	微青白 ①	グリメピリド錠3mg「サンド」（サンド）	グリメピリド	3mg 1錠	スルホニル尿素系血糖降下剤	1278
	TG003／2	淡橙 ①	ドキサゾシン錠2mg「タナベ」（ニプロES）	ドキサゾシンメシル酸塩	2mg 1錠	α₁-遮断剤	2391
	TG003／2	淡橙 ①	ドキサゾシン錠2mg「ニプロ」（ニプロES）	ドキサゾシンメシル酸塩	2mg 1錠	α₁-遮断剤	2391
03	2／VTC03	淡橙 ①	カルデナリン錠2mg（ヴィアトリス）	ドキサゾシンメシル酸塩	2mg 1錠	α₁-遮断剤	2391
	FC03	褐	ジュンコウ乙字湯FCエキス細粒医療用（康和薬通／大杉）	乙字湯	1g	漢方製剤	4571
	FS C03 FS／C03	淡緑	セルニルトン錠（東菱薬品／扶桑薬品）	セルニチンポーレンエキス	1錠	前立腺疾患治療剤	1904
	H03	淡黄褐	本草乙字湯エキス顆粒－M（本草）	乙字湯	1g	漢方製剤	4571
	IW03 CT10	白	セチリジン塩酸塩錠10mg「イワキ」（岩城）	セチリジン塩酸塩	10mg 1錠	持続性選択H₁-受容体拮抗剤	1806
	J-03	淡黄褐	JPS乙字湯エキス顆粒〔調剤用〕（ジェーピーエス）	乙字湯	1g	漢方製剤	4571
	JG E03／75	白〜微黄白	ポラプレジンクOD錠75mg「JG」（長生堂／日本ジェネリック）	ポラプレジンク	75mg 1錠	胃潰瘍治療亜鉛・L-カルノシン錯体	3751
	JG F03	淡黄透明	イコサペント酸エチルカプセル300mg「JG」（日本ジェネリック）	イコサペント酸エチル	300mg 1カプセル	EPA剤	412
	KR03	淡黄	レグパラ錠75mg（協和キリン）	シナカルセト塩酸塩	75mg 1錠	カルシウム受容体作動薬	1635
	KY03	白	グルコンサンK錠2.5mEq（サンファーマ）	グルコン酸カリウム	カリウム2.5mEq 1錠	カリウム補給剤	1121
	MeP03／3	微黄白 ①	グリメピリド錠3mg「Me」（Meファルマ）	グリメピリド	3mg 1錠	スルホニル尿素系血糖降下剤	1278
	NPI03	白〜微黄白	ボグリボース錠0.3mg「ケミファ」（日本薬品工業）	ボグリボース	0.3mg 1錠	α-グルコシダーゼ阻害・食後過血糖改善剤	3668
	S-03	褐	三和桂枝加朮附湯エキス細粒（三和生薬）	桂枝加朮附湯	1g	漢方製剤	4584
	SG-03	淡灰茶褐〜淡灰黄褐	オースギ乙字湯エキスG（大杉）	乙字湯	1g	漢方製剤	4571
	TK03	白〜微黄褐	ビオスリー配合錠（東亜薬品工業／東亜新薬／鳥居薬品）	酪酸菌	1錠	活性生菌製剤	4064
	Tu-VG03	白〜微黄白	ボグリボース錠0.3mg「TCK」（辰巳化学）	ボグリボース	0.3mg 1錠	α-グルコシダーゼ阻害・食後過血糖改善剤	3668
	◎03	白	ケトプロフェンパップ60mg「ラクール」（三友薬品／ラクール）	ケトプロフェン	20cm×14cm 1枚	プロピオン酸系消炎鎮痛剤	1410
	n03	薄橙	プソフェキ配合錠「SANIK」（日医工）	フェキソフェナジン塩酸塩・塩酸プソイドエフェドリン	1錠	アレルギー性疾患治療剤	3114
	～03 ～／03	薄橙	アレグラ錠30mg（サノフィ）	フェキソフェナジン塩酸塩	30mg 1錠	アレルギー性疾患治療剤	3111
	カマ500KE03	白	酸化マグネシウム錠500mg「ケンエー」（健栄／日本ジェネリック）	酸化マグネシウム	500mg 1錠	制酸・緩下剤	3798
	カマ500KE03	白(ピンク)	酸化マグネシウム錠500mg「ケンエー」（健栄）	酸化マグネシウム	500mg 1錠	制酸・緩下剤	3798
3	0.3／SW VG3	白〜帯黄白	ボグリボース錠0.3mg「サワイ」（沢井）	ボグリボース	0.3mg 1錠	α-グルコシダーゼ阻害・食後過血糖改善剤	3668
	3	白	エビリファイOD錠3mg（大塚）	アリピプラゾール	3mg 1錠	抗精神病薬	289
	3KL160 SN-3	白 ①	ブロマゼパム錠3mg「サンド」（サンド）	ブロマゼパム	3mg 1錠	ベンゾジアゼピン系精神神経用剤	3449
	3KL600	白 ①	ポラキス錠3（クリニジェン）	オキシブチニン塩酸塩	3mg 1錠	排尿障害治療剤・原発性手掌多汗症治療剤	960
	3／novo 3novo	白〜淡黄	リベルサス錠3mg（ノボノルディスク）	セマグルチド(遺伝子組換え)	3mg 1錠	2型糖尿病治療剤・肥満症治療剤・GLP-1受容体作動薬	1874
	3エスゾピクロントーワ	淡赤	エスゾピクロン錠3mg「トーワ」（東和薬品）	エスゾピクロン	3mg 1錠	不眠症治療剤	682
	3エスゾピクロンニプロ	淡赤	エスゾピクロン錠3mg「ニプロ」（ニプロ）	エスゾピクロン	3mg 1錠	不眠症治療剤	682
	503／3MG 503：3MG	淡緑白	インチュニブ錠3mg（武田薬品）	グアンファシン塩酸塩	3mg 1錠	注意欠陥/多動性障害治療剤・選択的α₂Aアドレナリン受容体作動薬	1222
	AJ3／2.5 AJ3 2.5	白〜帯黄白	アクトネル錠2.5mg（EA／エーザイ）	リセドロン酸ナトリウム水和物	2.5mg 1錠	ビスホスホネート系骨吸収抑制剤	4209
	AML DO／3 AML DO3	黄	ドネペジル塩酸塩錠3mg「アメル」（共和薬品）	ドネペジル, -塩酸塩	3mg 1錠	アルツハイマー型，レビー小体型認知症治療剤	2426

番号	識別コード	色 (⦵:割線有)	商品名(会社名)	一般名	規格単位	薬効	掲載ページ
3	AML DON／ OD3 AML DON OD3	黄　⦵	ドネペジル塩酸塩OD錠3mg「アメル」 (共和薬品)	ドネペジル, -塩酸塩	3mg 1錠	アルツハイマー型, レビー小体型認知症治療剤	2426
	AML RIS3	白	リスペリドン錠3mg「アメル」(共和薬品)	リスペリドン	3mg 1錠	抗精神病, D_2・5-HT_2拮抗剤	4201
	AML RIS／OD3	白	リスペリドンOD錠3mg「アメル」(共和薬品)	リスペリドン	3mg 1錠	抗精神病, D_2・5-HT_2拮抗剤	4201
	AY3／3	淡黄	タクロリムス錠3mg「あゆみ」(あゆみ)	タクロリムス水和物	3mg 1錠	免疫抑制剤	1999
	CIR3mg	薄灰／くすんだ黄赤	ゼンタコートカプセル3mg (ゼリア新薬)	ブデソニド	3mg 1カプセル	クローン病療剤・吸入ステロイド喘息治療剤・潰瘍性大腸炎治療剤	3211
	D17／3	黄	ドネペジル塩酸塩錠3mg「TSU」(鶴原)	ドネペジル, -塩酸塩	3mg 1錠	アルツハイマー型, レビー小体型認知症治療剤	2426
	DHD3	黄	ドネペジル塩酸塩OD錠3mg「科研」(シオノ／科研)	ドネペジル, -塩酸塩	3mg 1錠	アルツハイマー型, レビー小体型認知症治療剤	2426
	DO3	淡黄	ドネペジル塩酸塩OD錠3mg「サンド」(サンド)	ドネペジル, -塩酸塩	3mg 1錠	アルツハイマー型, レビー小体型認知症治療剤	2426
	F3／3	微黄白	グリメピリド錠3mg「フェルゼン」(フェルゼン)	グリメピリド	3mg 1錠	スルホニル尿素系血糖降下剤	1278
	FF141／3	黄	ドネペジル塩酸塩錠3mg「FFP」(共創未来)	ドネペジル, -塩酸塩	3mg 1錠	アルツハイマー型, レビー小体型認知症治療剤	2426
	FF164／3	黄	ドネペジル塩酸塩OD錠3mg「FFP」(共創未来)	ドネペジル, -塩酸塩	3mg 1錠	アルツハイマー型, レビー小体型認知症治療剤	2426
	GL3	薄橙　⦵	グリメピリドOD錠3mg「ケミファ」(シオノ／日本ケミファ)	グリメピリド	3mg 1錠	スルホニル尿素系血糖降下剤	1278
	GM3／VLE GM3VLE	微黄白	グリメピリド錠3mg「VTRS」(ヴィアトリス・ヘルスケア／ヴィアトリス)	グリメピリド	3mg 1錠	スルホニル尿素系血糖降下剤	1278
	GS／3V2 GS3V2	淡紅白	レキップCR錠2mg (グラクソ・スミスクライン)	ロピニロール塩酸塩	2mg 1錠	ドパミンD_2受容体系作動薬	4511
	GSNX3 25	白	レボレード25mg (ノバルティス)	エルトロンボパグ オラミン	25mg 1錠	経口造血刺激薬・トロンボポエチン受容体作動薬	876
	GX CL3	白　⦵	ゾビラックス錠200 (グラクソ・スミスクライン)	アシクロビル	200mg 1錠	抗ウイルス剤	25
	GX CM3	淡紅白	マラロン配合錠(グラクソ・スミスクライン)	アトバコン・プログアニル塩酸塩	1錠	抗マラリア剤	120
	GX EH3／A	白	アルケラン錠2mg (サンドファーマ／サンド)	メルファラン	2mg 1錠	造血幹細胞移植前処置・抗多発性骨髄腫アルキル化剤	3996
	GX ES3	白	イミグラン錠50 (グラクソ・スミスクライン)	スマトリプタン	50mg 1錠	5-$HT_{1B/1D}$受容体作動型片頭痛治療剤	1768
	GX FC3	白～微黄白	コンビビル配合錠(ヴィーブ／グラクソ・スミスクライン)	ジドブジン・ラミブジン	1錠	抗ウイルス化学療法剤	1630
	HP3／Kw HP3	白～淡黄白	ハロペリドール錠3mg「アメル」(共和薬品)	ハロペリドール	3mg 1錠	ブチロフェノン系精神安定剤	2887
	HT3V	白～帯黄白	カモスタットメシル酸塩錠100mg「ツルハラ」(鶴原)	カモスタットメシル酸塩	100mg 1錠	蛋白分解酵素阻害剤	1110
	IC3 5 IC-3	白　⦵	モサプリドクエン酸塩錠5mg「イセイ」(コーアイセイ／カイゲンファーマ)	モサプリドクエン酸塩水和物	5mg 1錠	消化管運動促進剤	4014
	JA ES3	白	スマトリプタン錠50mg「SPKK」(サンドファーマ／サンド)	スマトリプタン	50mg 1錠	5-$HT_{1B/1D}$受容体作動型片頭痛治療剤	1768
	JG C26／3	黄	ドネペジル塩酸塩錠3mg「JG」(日本ジェネリック)	ドネペジル, -塩酸塩	3mg 1錠	アルツハイマー型, レビー小体型認知症治療剤	2426
	JG C73／3	青	アリピプラゾール錠3mg「JG」(日本ジェネリック)	アリピプラゾール	3mg 1錠	抗精神病薬	289
	JG3／2.5	白～帯黄白	リセドロン酸Na錠2.5mg「JG」(日本ジェネリック)	リセドロン酸ナトリウム水和物	2.5mg 1錠	ビスホスホネート系骨吸収抑制剤	4209
	KB-3 EK-3	淡黄褐～黄褐	クラシエ乙字湯エキス細粒(クラシエ／クラシエ薬品)	乙字湯	1g	漢方製剤	4571
	KC41／3	微黄白	グリメピリド錠3mg「科研」(ダイト／科研)	グリメピリド	3mg 1錠	スルホニル尿素系血糖降下剤	1278
	KRM131／3	黄	ドネペジル塩酸塩錠3mg「杏林」(キョーリンリメディオ／杏林)	ドネペジル, -塩酸塩	3mg 1錠	アルツハイマー型, レビー小体型認知症治療剤	2426
	KS351／3	黄	ドネペジル塩酸塩錠3mg「クニヒロ」(皇漢堂)	ドネペジル, -塩酸塩	3mg 1錠	アルツハイマー型, レビー小体型認知症治療剤	2426
	KS521／3	黄	ドネペジル塩酸塩OD錠3mg「クニヒロ」(皇漢堂)	ドネペジル, -塩酸塩	3mg 1錠	アルツハイマー型, レビー小体型認知症治療剤	2426
	KSK125／3 KS125	白	リスペリドン錠3mg「クニヒロ」(皇漢堂)	リスペリドン	3mg 1錠	抗精神病, D_2・5-HT_2拮抗剤	4201
	Kw GL3	微黄白　⦵	グリメピリド錠3mg「アメル」(共和薬品)	グリメピリド	3mg 1錠	スルホニル尿素系血糖降下剤	1278
	KW830／3	白	ブロムペリドール錠3mg「アメル」(共和薬品)	ブロムペリドール	3mg 1錠	ブチロフェノン系精神安定剤	3453

番号	識別コード	色(⏀：割線有)	商品名(会社名)	一般名	規格単位	薬効	掲載ページ
3	LC3	白～微黄白⏀	**アムロジピンOD錠10mg「科研」**(大興／科研)	アムロジピンベシル酸塩	10mg 1錠	ジヒドロピリジン系Ca拮抗剤	264
	MeP03／3	微黄白 ⏀	**グリメピリド錠3mg「Me」**(Meファルマ)	グリメピリド	3mg 1錠	スルホニル尿素系血糖降下剤	1278
	MSD／TZ3 MSD TZ3	黄	**レメロン錠15mg**(オルガノン)	ミルタザピン	15mg 1錠	ノルアドレナリン・セロトニン作動性抗うつ剤	3888
	N3	茶褐～黄褐	**コタロー乙字湯エキス細粒**(小太郎漢方)	乙字湯	1g	漢方製剤	4571
	N3	白	**クロチアゼパム錠5mg「ツルハラ」**(鶴原)	クロチアゼパム	5mg 1錠	心身安定剤	1309
	N3	白～微帯黄白	**チアプリド錠25mg「日新」**(日新)	チアプリド塩酸塩	25mg 1錠	ベンザミド系精神・ジスキネジア改善剤	2133
	NC D／3	黄	**ドネペジル塩酸塩錠3mg「ケミファ」**(日本ケミファ／日本薬品工業)	ドネペジル,-塩酸塩	3mg 1錠	アルツハイマー型，レビー小体型認知症治療剤	2426
	NC D3／D3	黄	**ドネペジル塩酸塩OD錠3mg「ケミファ」**(日本ケミファ／日本薬品工業)	ドネペジル,-塩酸塩	3mg 1錠	アルツハイマー型，レビー小体型認知症治療剤	2426
	NF717／3	白 ⏀	**トロペロン錠3mg**(アルフレッサファーマ／田辺三菱)	チミペロン	3mg 1錠	ブチロフェノン系精神安定剤	2167
	NP155／3 NP-155	白	**リスペリドン錠3mg「NP」**(ニプロ)	リスペリドン	3mg 1錠	抗精神病，D_2・5-HT_2拮抗剤	4201
	NP717／3 NP-717	微黄白 ⏀	**グリメピリド錠3mg「NP」**(ニプロ)	グリメピリド	3mg 1錠	スルホニル尿素系血糖降下剤	1278
	NP773／3 NP-773	黄	**ドネペジル塩酸塩OD錠3mg「NP」**(ニプロ)	ドネペジル,-塩酸塩	3mg 1錠	アルツハイマー型，レビー小体型認知症治療剤	2426
	NS156／3	黄	**ドネペジル塩酸塩OD錠3mg「日新」**(日新)	ドネペジル,-塩酸塩	3mg 1錠	アルツハイマー型，レビー小体型認知症治療剤	2426
	NS161／3	黄	**ドネペジル塩酸塩錠3mg「日新」**(日新)	ドネペジル,-塩酸塩	3mg 1錠	アルツハイマー型，レビー小体型認知症治療剤	2426
	NVR／D3 NVR D3	白～微黄白	**アフィニトール分散錠3mg**(ノバルティス)	エベロリムス	3mg 1錠	免疫抑制剤・抗悪性腫瘍剤(mTOR阻害剤)	811
	P3／[logo] [logo]P3	白	**ミラペックスLA錠1.5mg**(日本ベーリンガー)	プラミペキソール塩酸塩水和物	1.5mg 1錠	ドパミン作動性抗パーキンソン剤，レストレスレッグス症候群治療剤	3258
	PAL3	白	**インヴェガ錠3mg**(ヤンセン)	パリペリドン	3mg 1錠	抗精神病/D_2・5-HT_2拮抗剤	2827
	PFE／3CL PFE3CL NK	淡赤 白～微黄白	**パキロビッドパック600**(ファイザー)	ニルマトレルビル・リトナビル	1シート	抗ウイルス剤	2686
	PFE／3CL PFE3CL NK	淡赤 白～微黄白	**パキロビッドパック300**(ファイザー)	ニルマトレルビル・リトナビル	1シート	抗ウイルス剤	2686
	PFE／3CL PFE3CL [logo]NK	淡赤 白～微黄白	**パキロビッドパック**(ファイザー)	ニルマトレルビル・リトナビル	1シート	抗ウイルス剤	2686
	POML3mg	緑／暗青	**ポマリストカプセル3mg**(ブリストル)	ポマリドミド	3mg 1カプセル	抗造血器悪性腫瘍剤	3743
	S3	白 ⏀	**アムロジピン錠10mg「フソー」**(シオノ／扶桑薬品)	アムロジピンベシル酸塩	10mg 1錠	ジヒドロピリジン系Ca拮抗剤	264
	Sc323／3	微黄白 ⏀	**グリメピリド錠3mg「三和」**(三和化学)	グリメピリド	3mg 1錠	スルホニル尿素系血糖降下剤	1278
	SK3	白 ⏀	**ミチグリニドCa・OD錠10mg「SN」**(シオノ／江州)	ミチグリニドカルシウム水和物	10mg 1錠	速効型インスリン分泌促進剤	3859
	SNS3	乳白	**ブロマゼパム坐剤3mg「サンド」**(サンド)	ブロマゼパム	3mg 1個	ベンゾジアゼピン系精神神経用剤	3449
	SVJ3T	帯紅白	**ジャルカ配合錠**(ヴィーブ／グラクソ・スミスクライン)	ドルテグラビルナトリウム・リルピビリン塩酸塩	1錠	抗ウイルス化学療法剤	2553
	SW FV3	黄	**フルボキサミンマレイン酸塩錠75mg「サワイ」**(沢井)	フルボキサミンマレイン酸塩	75mg 1錠	選択的セロトニン再取り込み阻害剤(SSRI)	3337
	SW GM3／3	微黄白 ⏀	**グリメピリド錠3mg「サワイ」**(沢井)	グリメピリド	3mg 1錠	スルホニル尿素系血糖降下剤	1278
	SW RP3	白	**リスペリドン錠3mg「サワイ」**(沢井)	リスペリドン	3mg 1錠	抗精神病，D_2・5-HT_2拮抗剤	4201
	SW V3／0.3	微黄	**ボグリボースOD錠0.3mg「サワイ」**(沢井)	ボグリボース	0.3mg 1錠	α-グルコシダーゼ阻害・食後過血糖改善剤	3668
	SW アリピプラゾール3	青 ⏀	**アリピプラゾール錠3mg「サワイ」**(沢井)	アリピプラゾール	3mg 1錠	抗精神病薬	289
	SWドネペジル3	黄	**ドネペジル塩酸塩錠3mg「サワイ」**(沢井)	ドネペジル,-塩酸塩	3mg 1錠	アルツハイマー型，レビー小体型認知症治療剤	2426
	SZ003／3	微黄白 ⏀	**グリメピリド錠3mg「サンド」**(サンド)	グリメピリド	3mg 1錠	スルホニル尿素系血糖降下剤	1278
	SZ3	黄	**ドネペジル塩酸塩錠3mg「サンド」**(サンド)	ドネペジル,-塩酸塩	3mg 1錠	アルツハイマー型，レビー小体型認知症治療剤	2426
	t151／3	黄	**ドネペジル塩酸塩錠3mg「テバ」**(武田テバファーマ)	ドネペジル,-塩酸塩	3mg 1錠	アルツハイマー型，レビー小体型認知症治療剤	2426
	t154／3	黄	**ドネペジル塩酸塩OD錠3mg「テバ」**(武田テバファーマ)	ドネペジル,-塩酸塩	3mg 1錠	アルツハイマー型，レビー小体型認知症治療剤	2426

番号	識別コード	色 (①:割線有)	商品名(会社名)	一般名	規格単位	薬効	掲載ページ
3	t521 t521[3mg]	白 ①	メキタジン錠3mg「NIG」(日医工岐阜/日医工/武田薬品)	メキタジン	3mg 1錠	フェノチアジン系抗ヒスタミン剤	3905
	Tai TM-3	灰〜灰褐	太虎堂の乙字湯エキス顆粒(太虎精堂)	乙字湯	1g	漢方製剤	4571
	TG200/3	黄	ドネペジル塩酸塩錠3mg「タナベ」(ニプロES)	ドネペジル, -塩酸塩	3mg 1錠	アルツハイマー型, レビー小体型認知症治療剤	2426
	TG200/3	黄	ドネペジル塩酸塩錠3mg「ニプロ」(ニプロES)	ドネペジル, -塩酸塩	3mg 1錠	アルツハイマー型, レビー小体型認知症治療剤	2426
	TG203/3	黄	ドネペジル塩酸塩OD錠3mg「タナベ」(ニプロES)	ドネペジル, -塩酸塩	3mg 1錠	アルツハイマー型, レビー小体型認知症治療剤	2426
	TG203/3	黄	ドネペジル塩酸塩OD錠3mg「ニプロ」(ニプロES)	ドネペジル, -塩酸塩	3mg 1錠	アルツハイマー型, レビー小体型認知症治療剤	2426
	TG52/3	微黄白	グリメピリド錠3mg「タナベ」(ニプロES)	グリメピリド	3mg 1錠	スルホニル尿素系血糖降下剤	1278
	TG52/3	微黄白	グリメピリド錠3mg「ニプロ」(ニプロES)	グリメピリド	3mg 1錠	スルホニル尿素系血糖降下剤	1278
	tL3	白	ロサルタンカリウム錠100mg「NIG」(日医工岐阜/日医工/武田薬品)	ロサルタンカリウム	100mg 1錠	アンギオテンシンⅡ受容体拮抗剤	4481
	TTS178/3 TTS-178	白 ①	リスペリドン錠3mg「タカタ」(高田)	リスペリドン	3mg 1錠	抗精神病, D2・5-HT2拮抗剤	4201
	TTS645/3 TTS-645	黄	ドネペジル塩酸塩錠3mg「タカタ」(高田)	ドネペジル, -塩酸塩	3mg 1錠	アルツハイマー型, レビー小体型認知症治療剤	2426
	TTS720/3 TTS-720	黄	ドネペジル塩酸塩OD錠3mg「タカタ」(高田)	ドネペジル, -塩酸塩	3mg 1錠	アルツハイマー型, レビー小体型認知症治療剤	2426
	TU373/3	微黄白 ①	グリメピリド錠3mg「TCK」(辰巳化学)	グリメピリド	3mg 1錠	スルホニル尿素系血糖降下剤	1278
	TV CC3/8	極薄橙	カンデサルタン錠8mg「NIG」(日医工岐阜/日医工/武田薬品)	カンデサルタン シレキセチル	8mg 1錠	アンギオテンシンⅡ受容体拮抗剤	1184
	TV NP3/75	白 ①	ナフトピジルOD錠75mg「NIG」(日医工岐阜/日医工/武田薬品)	ナフトピジル	75mg 1錠	排尿障害治療剤	2614
	TVO3/10	淡黄	オランザピンOD錠10mg「NIG」(日医工岐阜/日医工/武田薬品)	オランザピン	10mg 1錠	抗精神病剤・双極性障害治療剤・制吐剤	1021
	Tw.D3 0.25	微黄〜淡黄	アルファカルシドールカプセル0.25μg「トーワ」(東和薬品)	アルファカルシドール	0.25μg 1カプセル	活性型ビタミンD3	317
	Tw.D3 0.5	白〜微黄白	アルファカルシドールカプセル0.5μg「トーワ」(東和薬品)	アルファカルシドール	0.5μg 1カプセル	活性型ビタミンD3	317
	Tw.D3 1.0	微赤〜淡赤	アルファカルシドールカプセル1μg「トーワ」(東和薬品)	アルファカルシドール	1μg 1カプセル	活性型ビタミンD3	317
	Tw.L3 TwL3/250	淡黄 ①	レボフロキサシンOD錠250mg「トーワ」(東和薬品)	レボフロキサシン水和物	250mg 1錠(レボフロキサシンとして)	ニューキノロン系抗菌剤	4432
	Tw015/3	白〜微黄白	リスペリドン錠3mg「トーワ」(東和薬品)	リスペリドン	3mg 1錠	抗精神病, D2・5-HT2拮抗剤	4201
	Tw072/3	微黄白	グリメピリドOD錠3mg「トーワ」(東和薬品)	グリメピリド	3mg 1錠	スルホニル尿素系血糖降下剤	1278
	Tw108/3	白 ①	オキシブチニン塩酸塩錠3mg「トーワ」(東和薬品)	オキシブチニン塩酸塩	3mg 1錠	排尿障害治療剤・原発性手掌多汗症治療剤	960
	Tw352/3	白	リスペリドンOD錠3mg「トーワ」(東和薬品)	リスペリドン	3mg 1錠	抗精神病, D2・5-HT2拮抗剤	4201
	Tw353/3	微黄白 ①	グリメピリド錠3mg「トーワ」(東和薬品)	グリメピリド	3mg 1錠	スルホニル尿素系血糖降下剤	1278
	U3	白〜オフホワイト	アルンブリグ錠30mg(武田薬品)	ブリグチニブ	30mg 1錠	抗悪性腫瘍剤・チロシンキナーゼ阻害剤	3271
	V3	白 ①	アムロジピン錠10mg「タイヨー」(大興/日医工/武田薬品)	アムロジピンベシル酸塩	10mg 1錠	ジヒドロピリジン系Ca拮抗剤	264
	VL3	微黄	ボグリボースOD錠0.3mg「ケミファ」(シオノ/日本ケミファ)	ボグリボース	0.3mg 1錠	α-グルコシダーゼ阻害・食後過血糖改善剤	3668
	Y R3/3 Y-R3	白	リスペリドン錠3mg「ヨシトミ」(全星薬品工業/田辺三菱)	リスペリドン	3mg 1錠	抗精神病, D2・5-HT2拮抗剤	4201
	Y RD3/3 Y-RD3	白	リスペリドンOD錠3mg「ヨシトミ」(全星薬品工業/田辺三菱)	リスペリドン	3mg 1錠	抗精神病, D2・5-HT2拮抗剤	4201
	YLT/3 Y-LT3	白 ①	ハロペリドール錠3mg「ヨシトミ」(田辺三菱)	ハロペリドール	3mg 1錠	ブチロフェノン系精神安定剤	2887
	YO MG3/200	白	酸化マグネシウム錠200mg「ヨシダ」(吉田)	酸化マグネシウム	200mg 1錠	制酸・緩下剤	3798
	YP-3FN12.6	微黄半透明(淡黄)	フェンタニル3日用テープ12.6mg「ユートク」(祐徳薬品)	フェンタニル	12.6mg 1枚	経皮吸収型持続性疼痛治療剤	3156
	YP-3FN16.8	微黄半透明(淡黄)	フェンタニル3日用テープ16.8mg「ユートク」(祐徳薬品)	フェンタニル	16.8mg 1枚	経皮吸収型持続性疼痛治療剤	3156
	YP-3FN2.1	微黄半透明(淡黄)	フェンタニル3日用テープ2.1mg「ユートク」(祐徳薬品)	フェンタニル	2.1mg 1枚	経皮吸収型持続性疼痛治療剤	3156

番号	識別コード	色 (①：割線有)	商品名(会社名)	一般名	規格単位	薬効	掲載ページ
3	YP-3FN4.2	微黄半透明 (淡黄)	フェンタニル3日用テープ4.2mg「ユートク」(祐徳薬品)	フェンタニル	4.2mg 1枚	経皮吸収型持続性疼痛治療剤	3156
	YP-3FN8.4	微黄半透明 (淡黄)	フェンタニル3日用テープ8.4mg「ユートク」(祐徳薬品)	フェンタニル	8.4mg 1枚	経皮吸収型持続性疼痛治療剤	3156
	ZE35/3	微黄白　①	グリメピリド錠3mg「ZE」(全星薬品工業/全星薬品)	グリメピリド	3mg 1錠	スルホニル尿素系血糖降下剤	1278
	ZE43/3	黄	ドネペジル塩酸塩OD錠3mg「ZE」(全星薬品工業/全星薬品)	ドネペジル, -塩酸塩	3mg 1錠	アルツハイマー型, レビー小体型認知症治療剤	2426
	ch189/3 ch189	白	リスペリドン錠3mg「CH」(長生堂/日本ジェネリック)	リスペリドン	3mg 1錠	抗精神病, D_2・5-HT_2拮抗剤	4201
	€247 3	黄	アリセプトD錠3mg (エーザイ)	ドネペジル, -塩酸塩	3mg 1錠	アルツハイマー型, レビー小体型認知症治療剤	2426
	€313/3	淡赤	ルネスタ錠3mg (エーザイ)	エスゾピクロン	3mg 1錠	不眠症治療剤	682
	P318/3	白～帯黄白	セレネース錠3mg (住友ファーマ)	ハロペリドール	3mg 1錠	ブチロフェノン系精神安定剤	2887
	n322/3 n322 3 ⓝ322	黄	ドネペジル塩酸塩錠3mg「日医工」(日医工)	ドネペジル, -塩酸塩	3mg 1錠	アルツハイマー型, レビー小体型認知症治療剤	2426
	△324/30/3	白～帯黄白 /帯黄白	ソニアス配合錠HD (武田テバ薬品/武田薬品)	ピオグリタゾン塩酸塩・グリメピリド	1錠	チアゾリジン系薬/スルホニル尿素系薬配合剤・2型糖尿病治療剤	2915
	n335/3 n335 3 ⓝ335	白	リスペリドン錠3mg「日医工」(日医工)	リスペリドン	3mg 1錠	抗精神病, D_2・5-HT_2拮抗剤	4201
	n370/3 n370 3 ⓝ370	黄	ドネペジル塩酸塩OD錠3mg「日医工」(日医工)	ドネペジル, -塩酸塩	3mg 1錠	アルツハイマー型, レビー小体型認知症治療剤	2426
	Takeda 3mg	明るい灰	ニンラーロカプセル3mg (武田薬品)	イキサゾミブクエン酸エステル	3mg 1カプセル	抗悪性腫瘍剤・プロテアソーム阻害剤	403
	Ⓢ551/3 Ⓢ551：3	微赤～淡赤	ムルプレタ錠3mg (塩野義)	ルストロンボパグ	3mg 1錠	経口血小板産生促進剤・トロンボポエチン受容体作動薬	4332
	n846/3 n846 3 ⓝ846	微黄白　①	グリメピリドOD錠3mg「日医工」(日医工)	グリメピリド	3mg 1錠	スルホニル尿素系血糖降下剤	1278
	⚖A3	淡赤	ミカムロ配合錠BP (日本ベーリンガー)	テルミサルタン・アムロジピンベシル酸塩	1錠	胆汁排泄型持続性AT_1受容体ブロッカー・持続性Ca拮抗薬合剤	2375
	◇P3	白	フェノバール錠30mg (藤永/第一三共)	フェノバルビタール	30mg 1錠	催眠・鎮静, バルビツール酸系抗てんかん剤	3137
	𝑡𝑣V3/0.3	微黄	ボグリボースOD錠0.3mg「武田テバ」(武田テバファーマ/武田薬品)	ボグリボース	0.3mg 1錠	α-グルコシダーゼ阻害・食後過血糖改善剤	3668
	𝑡𝑣VG3/0.3	白～帯黄白	ボグリボース錠0.3mg「武田テバ」(武田テバファーマ/武田薬品)	ボグリボース	0.3mg 1錠	α-グルコシダーゼ阻害・食後過血糖改善剤	3668
	€アリセプト3	黄	アリセプト錠3mg (エーザイ)	ドネペジル, -塩酸塩	3mg 1錠	アルツハイマー型, レビー小体型認知症治療剤	2426
	アマルエット3	薄紅	アマルエット配合錠3番「サワイ」(沢井)	アムロジピンベシル酸塩・アトルバスタチンカルシウム水和物	1錠	持続性Ca拮抗剤・HMG-CoA還元酵素阻害剤	266
	アマルエット3 DSEP	薄黄	アマルエット配合錠3番「DSEP」(第一三共エスファ)	アムロジピンベシル酸塩・アトルバスタチンカルシウム水和物	1錠	持続性Ca拮抗剤・HMG-CoA還元酵素阻害剤	266
	アマルエット3 TCK	微黄	アマルエット配合錠3番「TCK」(辰巳化学)	アムロジピンベシル酸塩・アトルバスタチンカルシウム水和物	1錠	持続性Ca拮抗剤・HMG-CoA還元酵素阻害剤	266
	アマルエット3番 「ニプロ」/ アトルバスタチン 5mg アムロジピン5mg	薄黄	アマルエット配合錠3番「ニプロ」(ニプロ)	アムロジピンベシル酸塩・アトルバスタチンカルシウム水和物	1錠	持続性Ca拮抗剤・HMG-CoA還元酵素阻害剤	266
	アマルエット3番 日医工 ⓝ197	微黄	アマルエット配合錠3番「日医工」(日医工)	アムロジピンベシル酸塩・アトルバスタチンカルシウム水和物	1錠	持続性Ca拮抗剤・HMG-CoA還元酵素阻害剤	266
	アマルエット3番 トーワ/5 アムロジアトルバ5	微黄	アマルエット配合錠3番「トーワ」(東和薬品)	アムロジピンベシル酸塩・アトルバスタチンカルシウム水和物	1錠	持続性Ca拮抗剤・HMG-CoA還元酵素阻害剤	266
	アマルエット3 サンド/5/5	薄黄	アマルエット配合錠3番「サンド」(サンド)	アムロジピンベシル酸塩・アトルバスタチンカルシウム水和物	1錠	持続性Ca拮抗剤・HMG-CoA還元酵素阻害剤	266
	アマルエット ケミファ/3 アマルエット ケミファ3	薄黄	アマルエット配合錠3番「ケミファ」(日本ケミファ)	アムロジピンベシル酸塩・アトルバスタチンカルシウム水和物	1錠	持続性Ca拮抗剤・HMG-CoA還元酵素阻害剤	266
	アリピ3アメル	青	アリピプラゾール錠3mg「アメル」(共和薬品)	アリピプラゾール	3mg 1錠	抗精神病薬	289
	アリピ3/ アリピプラゾール 3ODトーワ	白　①	アリピプラゾールOD錠3mg「トーワ」(東和薬品)	アリピプラゾール	3mg 1錠	抗精神病薬	289

番号	識別コード	色 (◍:割線有)	商品名(会社名)	一般名	規格単位	薬効	掲載 ページ
3	アリピ3／ アリピプラゾール 3トーワ	青　◍	アリピプラゾール錠3mg「トーワ」(東和薬品)	アリピプラゾール	3mg 1錠	抗精神病薬	289
	アリピOD3 アメル	白	アリピプラゾールOD錠3mg「アメル」(共和薬品)	アリピプラゾール	3mg 1錠	抗精神病薬	289
	アリピプラゾール3／ 3ニプロ	青　◍	アリピプラゾール錠3mg「ニプロ」(ニプロ)	アリピプラゾール	3mg 1錠	抗精神病薬	289
	アリピプラゾール 3日医工 アリピプラゾール3 日医工 ⑪163	青	アリピプラゾール錠3mg「日医工」(日医工)	アリピプラゾール	3mg 1錠	抗精神病薬	289
	アリピプラゾール3 明治	青	アリピプラゾール錠3mg「明治」(Meiji Seika)	アリピプラゾール	3mg 1錠	抗精神病薬	289
	アリピプラゾール3 オーハラ	青	アリピプラゾール錠3mg「オーハラ」(大原薬品／共創未来)	アリピプラゾール	3mg 1錠	抗精神病薬	289
	アリピプラゾール3 タカタ	青	アリピプラゾール錠3mg「タカタ」(高田)	アリピプラゾール	3mg 1錠	抗精神病薬	289
	アリピプラゾール OD3JG	青	アリピプラゾールOD錠3mg「JG」(日本ジェネリック)	アリピプラゾール	3mg 1錠	抗精神病薬	289
	アリピプラゾール OD3／OD3ニプロ	青　◍	アリピプラゾールOD錠3mg「ニプロ」(ニプロ)	アリピプラゾール	3mg 1錠	抗精神病薬	289
	アリピプラゾール OD3杏林	青	アリピプラゾールOD錠3mg「杏林」(キョーリンリメディオ／杏林)	アリピプラゾール	3mg 1錠	抗精神病薬	289
	アリピプラゾール OD／3日医工 アリピプラゾール OD3日医工 ⑪167	白	アリピプラゾールOD錠3mg「日医工」(日医工)	アリピプラゾール	3mg 1錠	抗精神病薬	289
	アリピプラゾール OD3／ アリピプラゾール OD明治	青	アリピプラゾールOD錠3mg「明治」(Meiji Seika)	アリピプラゾール	3mg 1錠	抗精神病薬	289
	アリピプラゾール OD3オーハラ	青	アリピプラゾールOD錠3mg「オーハラ」(大原薬品／共創未来)	アリピプラゾール	3mg 1錠	抗精神病薬	289
	アリピプラゾール ODタカタ3	白	アリピプラゾールOD錠3mg「タカタ」(高田)	アリピプラゾール	3mg 1錠	抗精神病薬	289
	アリピプラゾール YD3 YD400	白	アリピプラゾール錠3mg「YD」(陽進堂)	アリピプラゾール	3mg 1錠	抗精神病薬	289
	エスゾピクロン3／ 3NPI	淡赤	エスゾピクロン錠3mg「NPI」(日本薬品工業／フェルゼン)	エスゾピクロン	3mg 1錠	不眠症治療剤	682
	エスゾピクロン3／ 3ケミファ	淡赤	エスゾピクロン錠3mg「ケミファ」(日本ケミファ／日本薬品工業)	エスゾピクロン	3mg 1錠	不眠症治療剤	682
	エスゾピクロン3 DSEP	淡赤	エスゾピクロン錠3mg「DSEP」(第一三共エスファ)	エスゾピクロン	3mg 1錠	不眠症治療剤	682
	エスゾピクロン3 KMP	淡赤	エスゾピクロン錠3mg「KMP」(共創未来／三和化学)	エスゾピクロン	3mg 1錠	不眠症治療剤	682
	エスゾピクロン3 NS	淡赤	エスゾピクロン錠3mg「日新」(日新)	エスゾピクロン	3mg 1錠	不眠症治療剤	682
	エスゾピクロン3 TCK	淡赤	エスゾピクロン錠3mg「TCK」(辰巳化学)	エスゾピクロン	3mg 1錠	不眠症治療剤	682
	エスゾピクロン3 杏林	淡赤	エスゾピクロン錠3mg「杏林」(キョーリンリメディオ／杏林)	エスゾピクロン	3mg 1錠	不眠症治療剤	682
	エスゾピクロン3 日医工	淡赤	エスゾピクロン錠3mg「日医工」(日医工)	エスゾピクロン	3mg 1錠	不眠症治療剤	682
	エスゾピクロン3 明治	淡赤	エスゾピクロン錠3mg「明治」(Meiji Seika)	エスゾピクロン	3mg 1錠	不眠症治療剤	682
	エスゾピクロン3 サワイ	淡赤	エスゾピクロン錠3mg「サワイ」(沢井)	エスゾピクロン	3mg 1錠	不眠症治療剤	682
	エスゾピクロン YD3 YD945	淡赤	エスゾピクロン錠3mg「YD」(陽進堂)	エスゾピクロン	3mg 1錠	不眠症治療剤	682
	エスゾピクロン アメル3	淡赤	エスゾピクロン錠3mg「アメル」(共和薬品)	エスゾピクロン	3mg 1錠	不眠症治療剤	682
	カデュエット3	白	カデュエット配合錠3番(ヴィアトリス)	アムロジピンベシル酸塩・アトルバスタチンカルシウム水和物	1錠	持続性Ca拮抗剤・HMG-CoA還元酵素阻害剤	266
	グリメピリド3 オーハラ	微黄白　◍	グリメピリド錠3mg「オーハラ」(大原薬品／共創未来／第一三共エスファ)	グリメピリド	3mg 1錠	スルホニル尿素系血糖降下剤	1278
	サワイドネペジル OD3	黄	ドネペジル塩酸塩OD錠3mg「サワイ」(沢井)	ドネペジル, -塩酸塩	3mg 1錠	アルツハイマー型、レビー小体型認知症治療剤	2426
	タクロ3／ タクロリムス3トーワ	淡黄　◍	タクロリムス錠3mg「トーワ」(東和薬品)	タクロリムス水和物	3mg 1錠	免疫抑制剤	1999

番号	識別コード	色 (①:割線有)	商品名(会社名)	一般名	規格単位	薬効	掲載ページ
3	ツムラ/3	淡黄褐	ツムラ乙字湯エキス顆粒(医療用)（ツムラ）	乙字湯	1g	漢方製剤	4571
	デタントールR3	白	デタントールR錠3mg（エーザイ）	ブナゾシン塩酸塩	3mg 1錠	α_1-遮断剤	3229
	ドネペジル3／ ドネペジル明治	黄	ドネペジル塩酸塩錠3mg「明治」 (Meiji Seika)	ドネペジル, -塩酸塩	3mg 1錠	アルツハイマー型，レビー小体型認知症治療剤	2426
	ドネペ3／ドネペジルOD3トーワ	黄 ①	ドネペジル塩酸塩OD錠3mg「トーワ」（東和薬品）	ドネペジル, -塩酸塩	3mg 1錠	アルツハイマー型，レビー小体型認知症治療剤	2426
	ドネペジル 3DSEP／ ドネペジル3 第一三共エスファ	黄	ドネペジル塩酸塩錠3mg「DSEP」（第一三共エスファ）	ドネペジル, -塩酸塩	3mg 1錠	アルツハイマー型，レビー小体型認知症治療剤	2426
	ドネペジル3 オーハラ	黄	ドネペジル塩酸塩錠3mg「オーハラ」（大原薬品）	ドネペジル, -塩酸塩	3mg 1錠	アルツハイマー型，レビー小体型認知症治療剤	2426
	ドネペジル3 トーワ	黄	ドネペジル塩酸塩錠3mg「トーワ」（東和薬品）	ドネペジル, -塩酸塩	3mg 1錠	アルツハイマー型，レビー小体型認知症治療剤	2426
	ドネペジル3 ニプロ	黄	ドネペジル塩酸塩錠3mg「NP」（ニプロ）	ドネペジル, -塩酸塩	3mg 1錠	アルツハイマー型，レビー小体型認知症治療剤	2426
	ドネペジルOD3 DSEP／ ドネペジルOD3 第一三共エスファ	黄	ドネペジル塩酸塩OD錠3mg「DSEP」（第一三共エスファ）	ドネペジル, -塩酸塩	3mg 1錠	アルツハイマー型，レビー小体型認知症治療剤	2426
	ドネペジルOD3 明治	黄	ドネペジル塩酸塩OD錠3mg「明治」 (Meiji Seika)	ドネペジル, -塩酸塩	3mg 1錠	アルツハイマー型，レビー小体型認知症治療剤	2426
	ドネペジルOD3 オーハラ	黄	ドネペジル塩酸塩OD錠3mg「オーハラ」（大原薬品／日本ジェネリック）	ドネペジル, -塩酸塩	3mg 1錠	アルツハイマー型，レビー小体型認知症治療剤	2426
3.4	YP-1FN3.4	微黄半透明 (白)	フェンタニル1日用テープ3.4mg「ユートク」（祐徳薬品）	フェンタニル	3.4mg 1枚	経皮吸収型持続性疼痛治療剤	3156
3.75	エフィエント3.75	微赤白	エフィエント錠3.75mg（第一三共）	プラスグレル塩酸塩	3.75mg 1錠	抗血小板剤	3251
004	KRM004	無〜微黄透明	チモロールXE点眼液0.25％「杏林」（キョーリンリメディオ／杏林）	チモロールマレイン酸塩	0.25% 1mL	β-遮断剤	2171
	LT004	帯褐黄	ニバジール錠4mg（LTL）	ニルバジピン	4mg 1錠	ジヒドロピリジン系Ca拮抗剤	2685
	PH004	無〜微黄透明	チモロール点眼液0.5％「杏林」（キョーリンリメディオ／杏林）	チモロールマレイン酸塩	0.5% 1mL	β-遮断剤	2171
	TG004／4	白 ①	ドキサゾシン錠4mg「タナベ」（ニプロES）	ドキサゾシンメシル酸塩	4mg 1錠	α_1-遮断剤	2391
	TG004／4	白 ①	ドキサゾシン錠4mg「ニプロ」（ニプロES）	ドキサゾシンメシル酸塩	4mg 1錠	α_1-遮断剤	2391
04	04NVR	白〜微黄 (白／無透明)	エンレスト粒状錠小児用12.5mg（ノバルティス）	サクビトリルバルサルタンナトリウム水和物	12.5mg 1個	アンギオテンシン受容体ネプリライシン阻害薬(ARNI)	1503
	4／VTC04	白 ①	カルデナリン錠4mg（ヴィアトリス）	ドキサゾシンメシル酸塩	4mg 1錠	α_1-遮断剤	2391
	EE04	白 ①	エチゾラム錠0.5mg「EMEC」（アルフレッサファーマ／エルメッド／日医工）	エチゾラム	0.5mg 1錠	チエノジアゼピン系精神安定剤	738
	FS-B04	白	ビオチン散0.2%「フソー」（扶桑薬品）	ビオチン	0.2% 1g	ビタミンH	2923
	HM352 04 HM352 06 HM352 08 HM352 12	白	酸化マグネシウム細粒83%＜ハチ＞（東洋製化／丸石）	酸化マグネシウム	83% 1g	制酸・緩下剤	3798
	JG E04	帯褐黄	ニルバジピン錠4mg「JG」（日本ジェネリック）	ニルバジピン	4mg 1錠	ジヒドロピリジン系Ca拮抗剤	2685
	KE MG83 04 KE MG83 048 KE MG83 06 KE MG83 08 KE MG83 12	白	酸化マグネシウム細粒83%「ケンエー」（健栄）	酸化マグネシウム	83% 1g	制酸・緩下剤	3798
	MeP04／10	白	ファモチジンOD錠10mg「Me」(Meiji Seika／三和化学／共創未来／フェルゼン／Meファルマ)	ファモチジン	10mg 1錠	H_2-受容体拮抗剤	3079
	S-04	褐	三和八味地黄丸料エキス細粒（三和生薬）	八味地黄丸	1g	漢方製剤	4637
	Tu-TZ04／4	白 ①	ドキサゾシン錠4mg「TCK」（辰巳化学）	ドキサゾシンメシル酸塩	4mg 1錠	α_1-遮断剤	2391
	YO ML024 YO ML036 YO ML04 YO ML048 YO ML06 YO ML08 YO ML12	白	酸化マグネシウム細粒83%「ヨシダ」（吉田）	酸化マグネシウム	83% 1g	制酸・緩下剤	3798
	◉04	無〜微黄透明	ジクロフェナクNaローション1%「ラクール」（三友薬品／ラクール）	ジクロフェナクナトリウム	1% 1g	フェニル酢酸系消炎鎮痛剤	1579
	ビオスリー TK04	白〜微黄褐	ビオスリー配合OD錠（東亜薬品工業／東亜新薬／鳥居薬品）	酪酸菌	1錠	活性生菌製剤	4064

番号	識別コード	色 (◑：割線有)		商品名(会社名)	一般名	規格単位	薬効	掲載ページ
4	4mg t374 t374	帯褐黄		ニルバジピン錠4mg「NIG」(日医工岐阜／日医工／武田薬品)	ニルバジピン	4mg 1錠	ジヒドロピリジン系Ca拮抗剤	2685
	4／VTC04	白	◑	カルデナリン錠4mg (ヴィアトリス)	ドキサゾシンメシル酸塩	4mg 1錠	α_1-遮断剤	2391
	4／VTC14	淡黄	◑	カルデナリンOD錠4mg (ヴィアトリス)	ドキサゾシンメシル酸塩	4mg 1錠	α_1-遮断剤	2391
	4／⦅c⦆	白		イーフェンバッカル錠400μg (帝國／大鵬薬品)	フェンタニルクエン酸塩	400μg 1錠	麻酔用ピペリジン系鎮痛剤,疼痛治療剤	3162
	4ガランタミンODトーワ	微黄		ガランタミンOD錠4mg「トーワ」(東和薬品／三和化学／共創未来)	ガランタミン臭化水素酸塩	4mg 1錠	アルツハイマー型認知症治療剤	1112
	4シロドシン／シロドシン4トーワ	淡赤白	◑	シロドシン錠4mg「トーワ」(東和薬品)	シロドシン	4mg 1錠	選択的α_{1A}-遮断剤・前立腺肥大症に伴う排尿障害改善薬	1720
	AJ4／17.5 AJ4 17.5	淡紅		アクトネル錠17.5mg (EA／エーザイ)	リセドロン酸ナトリウム水和物	17.5mg 1錠	ビスホスホネート系骨吸収抑制剤	4209
	AK252／4	白～帯黄白	◑	カンデサルタン錠4mg「あすか」(あすか／武田薬品)	カンデサルタン シレキセチル	4mg 1錠	アンギオテンシンⅡ受容体拮抗剤	1184
	AK302／4C	極薄黄		カデチア配合錠LD「あすか」(あすか／武田薬品)	カンデサルタン シレキセチル・ヒドロクロロチアジド	1錠	持続性アンギオテンシンⅡ受容体拮抗薬・利尿薬配合剤	1190
	CT4	白		テトラミド錠10mg (オルガノン)	ミアンセリン塩酸塩	10mg 1錠	四環系抗うつ剤	3825
	DC／I4 DC I4	白～帯黄白		ナルラピド錠4mg (第一三共プロ／第一三共)	ヒドロモルフォン塩酸塩	4mg 1錠	癌疼痛治療剤	2994
	EE23／4	白	◑	ドキサゾシン錠4mg「EMEC」(アルフレッサファーマ／エルメッド／日医工)	ドキサゾシンメシル酸塩	4mg 1錠	α_1-遮断剤	2391
	EPSI4 SI4EP	白～微黄白	◑	シロドシン錠4mg「DSEP」(第一三共エスファ)	シロドシン	4mg 1錠	選択的α_{1A}-遮断剤・前立腺肥大症に伴う排尿障害改善薬	1720
	F4	白～淡黄白		テルビナフィン塩酸塩錠125mg「フェルゼン」(フェルゼン)	テルビナフィン塩酸塩	125mg 1錠	アリルアミン系抗真菌剤	2367
	FBN／4MG	白		リトゴビ錠4mg (大鵬薬品)	フチバチニブ	4mg 1錠	抗悪性腫瘍剤/FGFR阻害剤	3206
	FF233／4	白～帯黄白	◑	カンデサルタン錠4mg「FFP」(共創未来)	カンデサルタン シレキセチル	4mg 1錠	アンギオテンシンⅡ受容体拮抗剤	1184
	IM4 tIM[4mg]	白	◑	イルソグラジンマレイン酸塩錠4mg「NIG」(日医工岐阜／日医工／武田薬品)	イルソグラジンマレイン酸塩	4mg 1錠	粘膜防御性胃炎・胃潰瘍治療剤	521
	JANSSEN／G4 JANSSEN G4	淡黄		レミニール錠4mg (太陽ファルマ)	ガランタミン臭化水素酸塩	4mg 1錠	アルツハイマー型認知症治療剤	1112
	JG E61／4	白～帯黄白	◑	カンデサルタン錠4mg「JG」(日本ジェネリック)	カンデサルタン シレキセチル	4mg 1錠	アンギオテンシンⅡ受容体拮抗剤	1184
	JG N45／4	淡赤	◑	ピタバスタチンCa錠4mg「JG」(日本ジェネリック)	ピタバスタチンカルシウム水和物	4mg 1錠	HMG-CoA還元酵素阻害剤	2948
	JG4	淡紅		リセドロン酸Na錠17.5mg「JG」(日本ジェネリック)	リセドロン酸ナトリウム水和物	17.5mg 1錠	ビスホスホネート系骨吸収抑制剤	4209
	K4／0.5	白		グリメピリド錠0.5mg「科研」(ダイト／科研)	グリメピリド	0.5mg 1錠	スルホニル尿素系血糖降下剤	1278
	KH603／オルケディア4	黄赤		オルケディア錠4mg (協和キリン)	エボカルセト	4mg 1錠	カルシウム受容体作動薬	831
	KO75 ロルノキシカム4	白～微黄白		ロルノキシカム錠4mg「KO」(寿)	ロルノキシカム	4mg 1錠	オキシカム系消炎鎮痛剤	4548
	KRM166／4	白～帯黄白	◑	カンデサルタン錠4mg「杏林」(キョーリンリメディオ／杏林)	カンデサルタン シレキセチル	4mg 1錠	アンギオテンシンⅡ受容体拮抗剤	1184
	KRM175／4	淡赤	◑	ピタバスタチンCa錠4mg「杏林」(キョーリンリメディオ／杏林)	ピタバスタチンカルシウム水和物	4mg 1錠	HMG-CoA還元酵素阻害剤	2948
	Kw DOX／4	白	◑	ドキサゾシン錠4mg「アメル」(共和薬品)	ドキサゾシンメシル酸塩	4mg 1錠	α_1-遮断剤	2391
	Kw PEE／4 Kw PEE4	白～帯黄白		ペロスピロン塩酸塩錠4mg「アメル」(共和薬品)	ペロスピロン塩酸塩水和物	4mg 1錠	抗精神病剤	3635
	NP162／4 NP-162	極薄黄赤		ピタバスタチンCa錠4mg「NP」(ニプロ)	ピタバスタチンカルシウム水和物	4mg 1錠	HMG-CoA還元酵素阻害剤	2948
	NP342／4 NP-342	白～帯黄白	◑	カンデサルタン錠4mg「ニプロ」(ニプロ)	カンデサルタン シレキセチル	4mg 1錠	アンギオテンシンⅡ受容体拮抗剤	1184
	NS252／4	白～帯黄白	◑	カンデサルタン錠4mg「日新」(日新)	カンデサルタン シレキセチル	4mg 1錠	アンギオテンシンⅡ受容体拮抗剤	1184
	NS509／4	白	◑	ドキサゾシン錠4mg「NS」(日新／第一三共エスファ)	ドキサゾシンメシル酸塩	4mg 1錠	α_1-遮断剤	2391
	NZ4	白～微黄白		ランデル錠40 (ゼリア新薬／塩野義)	エホニジピン塩酸塩エタノール付加物	40mg 1錠	ジヒドロピリジン系Ca拮抗剤	834
	OH273／4 OH-273	黄	◑	ベニジピン塩酸塩錠4mg「OME」(大原薬品／エルメッド／日医工)	ベニジピン塩酸塩	4mg 1錠	ジヒドロピリジン系Ca拮抗剤	3524
	POML4mg	青／暗青		ポマリストカプセル4mg (ブリストル)	ポマリドミド	4mg 1カプセル	抗造血器悪性腫瘍剤	3743
	PSC4／4	淡赤		ピタバスタチンCa錠4mg「DK」(大興／江州)	ピタバスタチンカルシウム水和物	4mg 1錠	HMG-CoA還元酵素阻害剤	2948

番号	識別コード	色 (◎：割線有)	商品名（会社名）	一般名	規格単位	薬効	掲載ページ
4	PT DX／4 PT DX4	白　◎	ドキサゾシン錠4mg「ファイザー」（ヴィアトリス・ヘルスケア／ヴィアトリス）	ドキサゾシンメシル酸塩	4mg 1錠	α₁-遮断剤	2391
	Sc214／4	淡赤　◎	ピタバスタチンCa錠4mg「三和」（三和化学）	ピタバスタチンカルシウム水和物	4mg 1錠	HMG-CoA還元酵素阻害剤	2948
	Sc242／4	白～帯黄白◎	カンデサルタン錠4mg「三和」（三和化学）	カンデサルタン シレキセチル	4mg 1錠	アンギオテンシンⅡ受容体拮抗剤	1184
	SI d4／SI EP SI d4EP	淡黄赤	シロドシンOD錠4mg「DSEP」（第一三共エスファ）	シロドシン	4mg 1錠	選択的α₁ₐ-遮断剤・前立腺肥大症に伴う排尿障害改善薬	1720
	SK4	微黄	ラロキシフェン塩酸塩錠60mg「あゆみ」（シオノ／あゆみ）	ラロキシフェン塩酸塩	60mg 1錠	選択的エストロゲン受容体調節剤	4156
	SW BN4／4	黄　◎	ベニジピン塩酸塩錠4mg「サワイ」（メディサ／沢井）	ベニジピン塩酸塩	4mg 1錠	ジヒドロピリジン系Ca拮抗剤	3524
	SW COM／4	黄	コレミナール錠4mg（沢井／田辺三菱）	フルタゾラム	4mg 1錠	ベンゾジアゼピン系消化管機能安定剤	3304
	SW CW4	白～微黄白◎	ペリンドプリルエルブミン錠4mg「サワイ」（沢井）	ペリンドプリルエルブミン	4mg 1錠	ACE阻害剤	3610
	SW DX4／4	白　◎	ドキサゾシン錠4mg「サワイ」（沢井）	ドキサゾシンメシル酸塩	4mg 1錠	α₁-遮断剤	2391
	SW PV4／4	白～帯黄白（淡黄～濃黄の斑点）◎	ピタバスタチンCa・OD錠4mg「サワイ」（沢井）	ピタバスタチンカルシウム水和物	4mg 1錠	HMG-CoA還元酵素阻害剤	2948
	SW TC4	白　◎	テモカプリル塩酸塩錠4mg「サワイ」（沢井）	テモカプリル塩酸塩	4mg 1錠	ACE阻害剤	2323
	SW カンデサルタン4	白～帯黄白◎	カンデサルタン錠4mg「サワイ」（沢井）	カンデサルタン シレキセチル	4mg 1錠	アンギオテンシンⅡ受容体拮抗剤	1184
	SW カンデサルタンOD4	白～帯黄白◎	カンデサルタンOD錠4mg「サワイ」（沢井）	カンデサルタン シレキセチル	4mg 1錠	アンギオテンシンⅡ受容体拮抗剤	1184
	SWピタバ4	淡黄　◎	ピタバスタチンCa錠4mg「サワイ」（沢井）	ピタバスタチンカルシウム水和物	4mg 1錠	HMG-CoA還元酵素阻害剤	2948
	SZ112／4	白～帯黄白◎	カンデサルタン錠4mg「サンド」（サンド）	カンデサルタン シレキセチル	4mg 1錠	アンギオテンシンⅡ受容体拮抗剤	1184
	TG004／4	白　◎	ドキサゾシン錠4mg「タナベ」（ニプロES）	ドキサゾシンメシル酸塩	4mg 1錠	α₁-遮断剤	2391
	TG004／4	白　◎	ドキサゾシン錠4mg「ニプロ」（ニプロES）	ドキサゾシンメシル酸塩	4mg 1錠	α₁-遮断剤	2391
	TSU156／4	白　◎	カンデサルタン錠4mg「ツルハラ」（鶴原）	カンデサルタン シレキセチル	4mg 1錠	アンギオテンシンⅡ受容体拮抗剤	1184
	TSU288／4	淡黄赤　◎	シロドシンOD錠4mg「ツルハラ」（鶴原）	シロドシン	4mg 1錠	選択的α₁ₐ-遮断剤・前立腺肥大症に伴う排尿障害改善薬	1720
	TSU591／4	淡黄　◎	ピタバスタチンCa錠4mg「ツルハラ」（鶴原）	ピタバスタチンカルシウム水和物	4mg 1錠	HMG-CoA還元酵素阻害剤	2948
	TTS473／4 TTS-473	極薄赤　◎	ピタバスタチンCa錠4mg「タカタ」（高田）	ピタバスタチンカルシウム水和物	4mg 1錠	HMG-CoA還元酵素阻害剤	2948
	TU173／4	淡赤　◎	ピタバスタチンCa錠4mg「TCK」（辰巳化学）	ピタバスタチンカルシウム水和物	4mg 1錠	HMG-CoA還元酵素阻害剤	2948
	TU272／4	白～帯黄白◎	カンデサルタン錠4mg「TCK」（辰巳化学／フェルゼン）	カンデサルタン シレキセチル	4mg 1錠	アンギオテンシンⅡ受容体拮抗剤	1184
	Tu-TZ04／4	白　◎	ドキサゾシン錠4mg「TCK」（辰巳化学）	ドキサゾシンメシル酸塩	4mg 1錠	α₁-遮断剤	2391
	TV C4／LD	極薄黄　◎	カデチア配合錠LD「テバ」（武田テバファーマ／武田薬品）	カンデサルタン シレキセチル・ヒドロクロロチアジド	1錠	持続性アンギオテンシンⅡ受容体拮抗薬・利尿薬配合剤	1190
	TV CC2／4	白～帯黄白◎	カンデサルタン錠4mg「NIG」（日医工岐阜／日医工／武田薬品）	カンデサルタン シレキセチル	4mg 1錠	アンギオテンシンⅡ受容体拮抗剤	1184
	TV CC4／12	薄橙　◎	カンデサルタン錠12mg「NIG」（日医工岐阜／日医工／武田薬品）	カンデサルタン シレキセチル	12mg 1錠	アンギオテンシンⅡ受容体拮抗剤	1184
	TV PI4	淡赤白　◎	ピタバスタチンカルシウム錠4mg「テバ」（日医工岐阜／日医工／武田薬品）	ピタバスタチンカルシウム水和物	4mg 1錠	HMG-CoA還元酵素阻害剤	2948
	Tw.L4 TwL4／500	淡黄　◎	レボフロキサシンOD錠500mg「トーワ」（東和薬品）	レボフロキサシン水和物	500mg 1錠（レボフロキサシンとして）	ニューキノロン系抗菌剤	4432
	Tw007／4	白～微黄白◎	ペリンドプリルエルブミン錠4mg「トーワ」（東和薬品）	ペリンドプリルエルブミン	4mg 1錠	ACE阻害剤	3610
	Tw209／4	極薄黄赤◎	ピタバスタチンCa錠4mg「トーワ」（東和薬品）	ピタバスタチンカルシウム水和物	4mg 1錠	HMG-CoA還元酵素阻害剤	2948
	Tw542／4	白　◎	ドキサゾシン錠4mg「トーワ」（東和薬品）	ドキサゾシンメシル酸塩	4mg 1錠	α₁-遮断剤	2391
	VLE P4	極薄黄赤◎	ピタバスタチンCa錠4mg「VTRS」（ヴィアトリス・ヘルスケア／ヴィアトリス）	ピタバスタチンカルシウム	4mg 1錠	HMG-CoA還元酵素阻害剤	2948

番号	識別コード	色 (⓵：割線有)	商品名(会社名)	一般名	規格単位	薬効	掲載 ページ
4	VT DX／4 VT DX4	白 ⓵	ドキサゾシン錠4mg「VTRS」(ヴィアトリス・ヘルスケア／ヴィアトリス)	ドキサゾシンメシル酸塩	4mg 1錠	α_1-遮断剤	2391
	Y LU4 Y-LU4	白 ⓵	ルプラック錠4mg(田辺三菱／富士フイルム富山化学)	トラセミド	4mg 1錠	ループ利尿剤	2468
	Y PZ4 Y-PZ4	淡青	ピーゼットシー糖衣錠4mg(田辺三菱)	ペルフェナジン	4mg 1錠	フェノチアジン系精神安定剤	3626
	YD100 シロドシンOD4／ シロドシン YD OD4	淡黄赤 ⓵	シロドシンOD錠4mg「YD」(陽進堂)	シロドシン	4mg 1錠	選択的α_{1A}-遮断剤・前立腺肥大症に伴う排尿障害改善薬	1720
	YD614／4	白 ⓵	ドキサゾシン錠4mg「YD」(陽進堂)	ドキサゾシンメシル酸塩	4mg 1錠	α_1-遮断剤	2391
	YD668／4	黄 ⓵	ベニジピン塩酸塩錠4mg「YD」(陽進堂／共創未来)	ベニジピン塩酸塩	4mg 1錠	ジヒドロピリジン系Ca拮抗剤	3524
	YO MG4／400	白	酸化マグネシウム錠400mg「ヨシダ」(吉田)	酸化マグネシウム	400mg 1錠	制酸・緩下剤	3798
	ch127／4 ch127	白 ⓵	ドキサゾシン錠4mg「JG」(長生堂／日本ジェネリック)	ドキサゾシンメシル酸塩	4mg 1錠	α_1-遮断剤	2391
	Ⓝ256／4	白 ⓵	ガスロンN・OD錠4mg(日本新薬)	イルソグラジンマレイン酸塩	4mg 1錠	粘膜防御性胃炎・胃潰瘍治療剤	521
	Ⓔ277／4 Ⓔ277	赤	フィコンパ錠4mg(エーザイ)	ペランパネル水和物	4mg 1錠	抗てんかん剤	3601
	△293／4C	極薄黄	エカード配合錠LD(武田テバ薬品／武田薬品)	カンデサルタン シレキセチル・ヒドロクロロチアジド	1錠	持続性アンギオテンシンⅡ受容体拮抗薬・利尿薬配合剤	1190
	乂4	青	デトルシトールカプセル4mg(ヴィアトリス)	トルテロジン酒石酸塩	4mg 1カプセル	過活動膀胱治療剤	2559
	Ⓣakeda4mg	淡橙	ニンラーロカプセル4mg(武田薬品)	イキサゾミブクエン酸エステル	4mg 1カプセル	抗悪性腫瘍剤・プロテアソーム阻害剤	403
	Lilly／4 Lilly 4	赤白	オルミエント錠4mg(日本イーライリリー)	バリシチニブ	4mg 1錠	ヤヌスキナーゼ(JAK)阻害剤	2816
	n545 4 Ⓝ545	淡赤	デカドロン錠4mg(日医工)	デキサメタゾン	4mg 1錠	副腎皮質ホルモン	2208
	⋏642 ビソノテープβ1 遮断剤4mg	白半透明	ビソノテープ4mg(トーアエイヨー)	ビソプロロール	4mg 1枚	選択的β_1-アンタゴニスト	2944
	⚖H4	黄橙	ミコンビ配合錠AP(日本ベーリンガー)	テルミサルタン・ヒドロクロロチアジド	1錠	持続性AT_1受容体ブロッカー・利尿剤合剤	2384
	ⓀKD4	白～微黄白	ユリーフ錠4mg(キッセイ／第一三共)	シロドシン	4mg 1錠	選択的α_{1A}-遮断剤・前立腺肥大症に伴う排尿障害改善薬	1720
	ⒺLENV4mg	黄赤	レンビマカプセル4mg(エーザイ)	レンバチニブメシル酸塩	4mg 1カプセル	抗悪性腫瘍剤	4459
	Ⓚ／UR4 ⓀUR4	淡黄赤 ⓵	ユリーフOD錠4mg(キッセイ／第一三共)	シロドシン	4mg 1錠	選択的α_{1A}-遮断剤・前立腺肥大症に伴う排尿障害改善薬	1720
	アマルエット ケミファ／4 アマルエット ケミファ4	白	アマルエット配合錠4番「ケミファ」(日本ケミファ)	アムロジピンベシル酸塩・アトルバスタチンカルシウム水和物	1錠	持続性Ca拮抗剤・HMG-CoA還元酵素阻害剤	266
	アマルエット4	白	アマルエット配合錠4番「サワイ」(沢井)	アムロジピンベシル酸塩・アトルバスタチンカルシウム水和物	1錠	持続性Ca拮抗剤・HMG-CoA還元酵素阻害剤	266
	アマルエット4 DSEP	白	アマルエット配合錠4番「DSEP」(第一三共エスファ)	アムロジピンベシル酸塩・アトルバスタチンカルシウム水和物	1錠	持続性Ca拮抗剤・HMG-CoA還元酵素阻害剤	266
	アマルエット4 TCK	白	アマルエット配合錠4番「TCK」(辰巳化学)	アムロジピンベシル酸塩・アトルバスタチンカルシウム水和物	1錠	持続性Ca拮抗剤・HMG-CoA還元酵素阻害剤	266
	アマルエット4番 「ニプロ」／ アトルバスタチン 10mg アムロジピン5mg	白	アマルエット配合錠4番「ニプロ」(ニプロ)	アムロジピンベシル酸塩・アトルバスタチンカルシウム水和物	1錠	持続性Ca拮抗剤・HMG-CoA還元酵素阻害剤	266
	アマルエット4番 日医工 Ⓝ198	白	アマルエット配合錠4番「日医工」(日医工)	アムロジピンベシル酸塩・アトルバスタチンカルシウム水和物	1錠	持続性Ca拮抗剤・HMG-CoA還元酵素阻害剤	266
	アマルエット4番 トーワ 5アムロジアトルバ10	白	アマルエット配合錠4番「トーワ」(東和薬品)	アムロジピンベシル酸塩・アトルバスタチンカルシウム水和物	1錠	持続性Ca拮抗剤・HMG-CoA還元酵素阻害剤	266
	アマルエット4 サンド／5/10	白	アマルエット配合錠4番「サンド」(サンド)	アムロジピンベシル酸塩・アトルバスタチンカルシウム水和物	1錠	持続性Ca拮抗剤・HMG-CoA還元酵素阻害剤	266
	エナロイ4	白 ⓵	エナロイ錠4mg(日本たばこ／鳥居薬品)	エナロデュスタット	4mg 1錠	HIF-PH阻害薬・腎性貧血治療薬	769
	カデュエット4	白	カデュエット配合錠4番(ヴィアトリス)	アムロジピンベシル酸塩・アトルバスタチンカルシウム水和物	1錠	持続性Ca拮抗剤・HMG-CoA還元酵素阻害剤	266
	カンデ4／カンデ 4サルタントーワ	白～帯黄白⓵	カンデサルタン錠4mg「トーワ」(東和薬品)	カンデサルタン シレキセチル	4mg 1錠	アンギオテンシンⅡ受容体拮抗剤	1184

番号	識別コード	色 (①:割線有)	商品名(会社名)	一般名	規格単位	薬効	掲載 ページ
4	カンデ4／ カンデサルタン OD4トーワ	白　①	カンデサルタンOD錠4mg「トーワ」 (東和薬品)	カンデサルタン シレキセチル	4mg 1錠	アンギオテンシンⅡ受容体拮 抗剤	1184
	カンデサルタン4／ 4カンデアメル	白～帯黄白①	カンデサルタン錠4mg「アメル」(共和 薬品)	カンデサルタン シレキセチル	4mg 1錠	アンギオテンシンⅡ受容体拮 抗剤	1184
	カンデサルタン4 DSEP	白～帯黄白①	カンデサルタン錠4mg「DSEP」(第一 三共エスファ)	カンデサルタン シレキセチル	4mg 1錠	アンギオテンシンⅡ受容体拮 抗剤	1184
	カンデサルタン4 ⑰	白～帯黄白①	カンデサルタン錠4mg「武田テバ」(武 田テバファーマ／武田薬品)	カンデサルタン シレキセチル	4mg 1錠	アンギオテンシンⅡ受容体拮 抗剤	1184
	カンデサルタン4 オーハラ	白～帯黄白①	カンデサルタン錠4mg「オーハラ」(大 原薬品／共創未来)	カンデサルタン シレキセチル	4mg 1錠	アンギオテンシンⅡ受容体拮 抗剤	1184
	カンデサルタン4 ケミファ／ ケミファ4 カンデサルタン	白～帯黄白①	カンデサルタン錠4mg「ケミファ」(日 本ケミファ／日本薬品工業)	カンデサルタン シレキセチル	4mg 1錠	アンギオテンシンⅡ受容体拮 抗剤	1184
	カンデサルタン4 タナベ	白～帯黄白①	カンデサルタン錠4mg「タナベ」(ニプ ロES)	カンデサルタン シレキセチル	4mg 1錠	アンギオテンシンⅡ受容体拮 抗剤	1184
	カンデサルタン EE4／ カンデサルタンOD4	白～帯黄白①	カンデサルタンOD錠4mg「EE」(エル メッド／日医工)	カンデサルタン シレキセチル	4mg 1錠	アンギオテンシンⅡ受容体拮 抗剤	1184
	カンデサルタン YD4 YD152	白～帯黄白①	カンデサルタン錠4mg「YD」(陽進堂)	カンデサルタン シレキセチル	4mg 1錠	アンギオテンシンⅡ受容体拮 抗剤	1184
	ガランタミンOD 4DSEP	微黄	ガランタミンOD錠4mg「DSEP」(第 一三共エスファ)	ガランタミン臭化水素酸塩	4mg 1錠	アルツハイマー型認知症治療 剤	1112
	ガランタミンOD 4JG	微黄	ガランタミンOD錠4mg「JG」(日本ジ ェネリック)	ガランタミン臭化水素酸塩	4mg 1錠	アルツハイマー型認知症治療 剤	1112
	ガランタミン OD4日医工	微黄	ガランタミンOD錠4mg「日医工」(エ ルメッド／日医工)	ガランタミン臭化水素酸塩	4mg 1錠	アルツハイマー型認知症治療 剤	1112
	ガランタミン OD4アメル	微黄	ガランタミンOD錠4mg「アメル」(共 和薬品)	ガランタミン臭化水素酸塩	4mg 1錠	アルツハイマー型認知症治療 剤	1112
	ガランタミン OD4サワイ	微黄	ガランタミンOD錠4mg「サワイ」(沢 井)	ガランタミン臭化水素酸塩	4mg 1錠	アルツハイマー型認知症治療 剤	1112
	ガランタミン OD4ニプロ	微黄～淡黄	ガランタミンOD錠4mg「ニプロ」(ニ プロ)	ガランタミン臭化水素酸塩	4mg 1錠	アルツハイマー型認知症治療 剤	1112
	ガランタミン YD OD4	微黄	ガランタミンOD錠4mg「YD」(陽進 堂)	ガランタミン臭化水素酸塩	4mg 1錠	アルツハイマー型認知症治療 剤	1112
	シロドシン4JG	白～微黄白①	シロドシン錠4mg「JG」(日本ジェネ リック)	シロドシン	4mg 1錠	選択的α₁ₐ-遮断剤・前立腺肥 大症に伴う排尿障害改善薬	1720
	シロドシン 4KMP	白～微黄白①	シロドシン錠4mg「KMP」(共創未来 ／三和化学)	シロドシン	4mg 1錠	選択的α₁ₐ-遮断剤・前立腺肥 大症に伴う排尿障害改善薬	1720
	シロドシン4TCK	淡赤白	シロドシン錠4mg「TCK」(辰巳化学)	シロドシン	4mg 1錠	選択的α₁ₐ-遮断剤・前立腺肥 大症に伴う排尿障害改善薬	1720
	シロドシン4YD YD569	淡赤白　①	シロドシン錠4mg「YD」(陽進堂)	シロドシン	4mg 1錠	選択的α₁ₐ-遮断剤・前立腺肥 大症に伴う排尿障害改善薬	1720
	シロドシン4杏林	白～微黄白①	シロドシン錠4mg「杏林」(キョーリン リメディオ／杏林)	シロドシン	4mg 1錠	選択的α₁ₐ-遮断剤・前立腺肥 大症に伴う排尿障害改善薬	1720
	シロドシン4 オーハラ	白～微黄白①	シロドシン錠4mg「オーハラ」(大原薬 品)	シロドシン	4mg 1錠	選択的α₁ₐ-遮断剤・前立腺肥 大症に伴う排尿障害改善薬	1720
	シロドシン4 ニプロ	淡赤白　①	シロドシン錠4mg「ニプロ」(ニプロ)	シロドシン	4mg 1錠	選択的α₁ₐ-遮断剤・前立腺肥 大症に伴う排尿障害改善薬	1720
	シロドシンOD4 JG	微黄赤(淡 黄赤～黄赤 の斑点)	シロドシンOD錠4mg「JG」(日本ジェ ネリック)	シロドシン	4mg 1錠	選択的α₁ₐ-遮断剤・前立腺肥 大症に伴う排尿障害改善薬	1720
	シロドシンOD4 Me／ シロドシンOD4	淡黄赤	シロドシンOD錠4mg「Me」(Meファ ルマ)	シロドシン	4mg 1錠	選択的α₁ₐ-遮断剤・前立腺肥 大症に伴う排尿障害改善薬	1720
	シロドシンOD4 NS／ シロドOD4	淡黄赤	シロドシンOD錠4mg「日新」(日新)	シロドシン	4mg 1錠	選択的α₁ₐ-遮断剤・前立腺肥 大症に伴う排尿障害改善薬	1720
	シロドシンOD4 杏林	淡黄赤	シロドシンOD錠4mg「杏林」(キョー リンリメディオ／杏林)	シロドシン	4mg 1錠	選択的α₁ₐ-遮断剤・前立腺肥 大症に伴う排尿障害改善薬	1720
	シロドシンOD4 オーハラ	淡黄赤　①	シロドシンOD錠4mg「オーハラ」(大 原薬品)	シロドシン	4mg 1錠	選択的α₁ₐ-遮断剤・前立腺肥 大症に伴う排尿障害改善薬	1720
	シロドシンOD4 ケミファ／ シロドシンOD	淡黄赤	シロドシンOD錠4mg「ケミファ」(日 本ケミファ／日本薬品工業)	シロドシン	4mg 1錠	選択的α₁ₐ-遮断剤・前立腺肥 大症に伴う排尿障害改善薬	1720
	シロドシンOD4／ シロドシンOD4 KMP	淡黄赤	シロドシンOD錠4mg「KMP」(共創未 来／三和化学)	シロドシン	4mg 1錠	選択的α₁ₐ-遮断剤・前立腺肥 大症に伴う排尿障害改善薬	1720
	シロドシンOD4／ シロドシンOD4 ニプロ	淡黄赤　①	シロドシンOD錠4mg「ニプロ」(ニプ ロ)	シロドシン	4mg 1錠	選択的α₁ₐ-遮断剤・前立腺肥 大症に伴う排尿障害改善薬	1720
	シロドシンサワイ OD4	淡黄赤　①	シロドシンOD錠4mg「サワイ」(沢井)	シロドシン	4mg 1錠	選択的α₁ₐ-遮断剤・前立腺肥 大症に伴う排尿障害改善薬	1720

番号	識別コード	色 (①:割線有)	商品名(会社名)	一般名	規格単位	薬効	掲載ページ
4	トラセミドOD4 TE	白 ①	トラセミドOD錠4mg「TE」(トーアエイヨー)	トラセミド	4mg 1錠	ループ利尿剤	2468
	ピタバ4アメル	微帯赤紫白①	ピタバスタチンCa錠4mg「アメル」(共和薬品)	ピタバスタチンカルシウム水和物	4mg 1錠	HMG-CoA還元酵素阻害剤	2948
	ピタバJG OD4／ピタバスタチンOD4JG	淡黄白(淡黄〜濃黄の斑点)	ピタバスタチンCa・OD錠4mg「JG」(ダイト／日本ジェネリック)	ピタバスタチンカルシウム水和物	4mg 1錠	HMG-CoA還元酵素阻害剤	2948
	ピタバス4／ピタバスタチンOD4トーワ	淡黄白(淡黄〜濃黄の斑点)	ピタバスタチンCa・OD錠4mg「トーワ」(東和薬品)	ピタバスタチンカルシウム水和物	4mg 1錠	HMG-CoA還元酵素阻害剤	2948
	ピタバスタチン4 KOG／ピタバ4	淡黄 ①	ピタバスタチンカルシウム錠4mg「KOG」(興和AG)	ピタバスタチンカルシウム水和物	4mg 1錠	HMG-CoA還元酵素阻害剤	2948
	ピタバスタチン4 NS	白 ①	ピタバスタチンCa錠4mg「日新」(日新)	ピタバスタチンカルシウム水和物	4mg 1錠	HMG-CoA還元酵素阻害剤	2948
	ピタバスタチン4 日医工 ⓝ506	淡黄	ピタバスタチンカルシウム錠4mg「日医工」(日医工)	ピタバスタチンカルシウム水和物	4mg 1錠	HMG-CoA還元酵素阻害剤	2948
	ピタバスタチン4 ケミファ	白	ピタバスタチンCa錠4mg「ケミファ」(日本ケミファ)	ピタバスタチンカルシウム水和物	4mg 1錠	HMG-CoA還元酵素阻害剤	2948
	ピタバスタチンOD4KOG／ピタバOD4	白〜帯体白(淡黄〜濃黄の斑点)	ピタバスタチンカルシウムOD錠4mg「KOG」(興和AG)	ピタバスタチンカルシウム水和物	4mg 1錠	HMG-CoA還元酵素阻害剤	2948
	ピタバスタチンOD4VTRS	淡黄白(淡黄〜濃黄の斑点)	ピタバスタチンCa・OD錠4mg「VTRS」(ヴィアトリス・ヘルスケア／ヴィアトリス)	ピタバスタチンカルシウム	4mg 1錠	HMG-CoA還元酵素阻害剤	2948
	ピタバスタチンOD4杏林	淡黄白(淡黄〜濃黄の斑点)	ピタバスタチンCa・OD錠4mg「杏林」(キョーリンリメディオ／杏林)	ピタバスタチンカルシウム水和物	4mg 1錠	HMG-CoA還元酵素阻害剤	2948
	ピタバスタチンYD4 YD215	白	ピタバスタチンCa錠4mg「YD」(陽進堂／共創未来)	ピタバスタチンカルシウム水和物	4mg 1錠	HMG-CoA還元酵素阻害剤	2948
	ブロナン4／4トーワブロナンセリン	白 ①	ブロナンセリン錠4mg「トーワ」(東和薬品)	ブロナンセリン	4mg 1錠	抗精神病，ドパミンD₂受容体・5-HT₂受容体遮断剤	3422
	ブロナン4タカタ／ブロナンセリン4	白 ①	ブロナンセリン錠4mg「タカタ」(高田)	ブロナンセリン	4mg 1錠	抗精神病，ドパミンD₂受容体・5-HT₂受容体遮断剤	3422
	ブロナンセリン4 DSEP	白 ①	ブロナンセリン錠4mg「DSEP」(第一三共エスファ)	ブロナンセリン	4mg 1錠	抗精神病，ドパミンD₂受容体・5-HT₂受容体遮断剤	3422
	ブロナンセリン4 DSPB／ブロナンセリン4	白 ①	ブロナンセリン錠4mg「DSPB」(住友プロモ／住友ファーマ)	ブロナンセリン	4mg 1錠	抗精神病，ドパミンD₂受容体・5-HT₂受容体遮断剤	3422
	ブロナンセリン4 日医工 ⓝ188	白 ①	ブロナンセリン錠4mg「日医工」(日医工)	ブロナンセリン	4mg 1錠	抗精神病，ドパミンD₂受容体・5-HT₂受容体遮断剤	3422
	ブロナンセリン4 アメル 4アメルブロナンセリン	白 ①	ブロナンセリン錠4mg「アメル」(共和薬品)	ブロナンセリン	4mg 1錠	抗精神病，ドパミンD₂受容体・5-HT₂受容体遮断剤	3422
	ブロナンセリン4 サワイ	白 ①	ブロナンセリン錠4mg「サワイ」(沢井)	ブロナンセリン	4mg 1錠	抗精神病，ドパミンD₂受容体・5-HT₂受容体遮断剤	3422
	ブロナンセリン4／ブロナンセリン4 ニプロ	白 ①	ブロナンセリン錠4mg「ニプロ」(ニプロ)	ブロナンセリン	4mg 1錠	抗精神病，ドパミンD₂受容体・5-HT₂受容体遮断剤	3422
	ブロナンセリンYD4 YD089	白 ①	ブロナンセリン錠4mg「YD」(陽進堂／アルフレッサファーマ)	ブロナンセリン	4mg 1錠	抗精神病，ドパミンD₂受容体・5-HT₂受容体遮断剤	3422
	プロプレス4	白〜帯黄白①	プロプレス錠4(武田テバ薬品／武田薬品)	カンデサルタン シレキセチル	4mg 1錠	アンギオテンシンⅡ受容体拮抗剤	1184
	ロナセン4	白 ①	ロナセン錠4mg(住友ファーマ)	ブロナンセリン	4mg 1錠	抗精神病，ドパミンD₂受容体・5-HT₂受容体遮断剤	3422
	ロルカム4	白	ロルカム錠4mg(大正)	ロルノキシカム	4mg 1錠	オキシカム系消炎鎮痛剤	4548
4.2	YP-3FN4.2	微黄半透明(淡黄)	フェンタニル3日用テープ4.2mg「ユートク」(祐徳薬品)	フェンタニル	4.2mg 1枚	経皮吸収型持続性疼痛治療剤	3156
4.5	4.5mg イクセロン(/)	ベージュ	イクセロンパッチ4.5mg(ノバルティス)	リバスチグミン	4.5mg 1枚	アルツハイマー型認知症治療剤	4257
	4.5mg リバスタッチ(/)	ベージュ	リバスタッチパッチ4.5mg(小野薬品)	リバスチグミン	4.5mg 1枚	アルツハイマー型認知症治療剤	4257
	4.5mg リバスチグミン(/)	無半透明	リバスチグミンテープ4.5mg「トーワ」(東和薬品)	リバスチグミン	4.5mg 1枚	アルツハイマー型認知症治療剤	4257
	4.5mg リバスチグミン(/)「アメル」	無半透明(ベージュ)	リバスチグミンテープ4.5mg「アメル」(帝國／共和薬品)	リバスチグミン	4.5mg 1枚	アルツハイマー型認知症治療剤	4257
	4.5mgリバスチグミン(/)サワイ	無半透明(ベージュ)	リバスチグミンテープ4.5mg「サワイ」(沢井)	リバスチグミン	4.5mg 1枚	アルツハイマー型認知症治療剤	4257

番号	識別コード	色（①：割線有）	商品名（会社名）	一般名	規格単位	薬効	掲載ページ
4.5	4.5mgリバスチグミンDSEP	無半透明（ベージュ）	リバスチグミンテープ4.5mg「DSEP」（第一三共エスファ）	リバスチグミン	4.5mg 1枚	アルツハイマー型認知症治療剤	4257
	4.5mgリバスチグミン「KMP」（/）	無半透明（ベージュ）	リバスチグミンテープ4.5mg「KMP」（共創未来／三和化学）	リバスチグミン	4.5mg 1枚	アルツハイマー型認知症治療剤	4257
	4.5mgリバスチグミン「YD」／YD741	無透明（ベージュ）	リバスチグミンテープ4.5mg「YD」（陽進堂）	リバスチグミン	4.5mg 1枚	アルツハイマー型認知症治療剤	4257
	4.5mgリバスチグミン「YP」／YP-RT4.5	無透明（ベージュ）	リバスチグミンテープ4.5mg「YP」（祐徳薬品／日本ケミファ）	リバスチグミン	4.5mg 1枚	アルツハイマー型認知症治療剤	4257
	4.5mgリバスチグミン／4.5mgリバスチグミン	無透明（ベージュ）	リバスチグミンテープ4.5mg「日医工」（日医工）	リバスチグミン	4.5mg 1枚	アルツハイマー型認知症治療剤	4257
	I4.5	白	ペマジール錠4.5mg（インサイト）	ペミガチニブ	4.5mg 1錠	抗悪性腫瘍剤・FGFR阻害剤	3561
	ニュープロ4.5mg(/)	無～微黄の半透明	ニュープロパッチ4.5mg（大塚）	ロチゴチン	4.5mg 1枚	ドパミン作動性パーキンソン病治療剤・レストレスレッグス症候群治療剤	4494
	リバスチグミン4.5mg（/）	無半透明～淡黄半透明	リバスチグミンテープ4.5mg「ニプロ」（ニプロ）	リバスチグミン	4.5mg 1枚	アルツハイマー型認知症治療剤	4257
005	EISAI KY005	淡黄	ケーワン錠5mg（エーザイ）	フィトナジオン	5mg 1錠	ビタミンK₁	3090
	EISAI NQ005	黄～橙黄	ノイキノン錠5mg（エーザイ）	ユビデカレノン	5mg 1錠	代謝性強心剤	4048
	KRM005	無～微黄透明	チモロールXE点眼液0.5%「杏林」（キョーリンリメディオ／杏林）	チモロールマレイン酸塩	0.5% 1mL	β-遮断剤	2171
	LT005	白	ローガン錠10mg（LTL）	アモスラロール塩酸塩	10mg 1錠	α_1, β-遮断剤	282
	PH005	無透明	ノルフロキサシン点眼液0.3%「杏林」（キョーリンリメディオ／杏林）	ノルフロキサシン	0.3% 1mL	ニューキノロン系抗菌剤	2742
	TA005	白	ベストン糖衣錠（25mg）（ニプロES）	ビスベンチアミン	25mg 1錠	ビタミンB₁誘導体	2943
	Tu005	白～類白（/）	ニトラゼパム錠5mg「TCK」（辰巳化学）	ニトラゼパム	5mg 1錠	ベンゾジアゼピン系催眠剤	2641
	Tu-TZ005／0.5	白	ドキサゾシン錠0.5mg「TCK」（辰巳化学）	ドキサゾシンメシル酸塩	0.5mg 1錠	α_1-遮断剤	2391
	TY-005	褐	〔東洋〕温清飲エキス細粒（東洋薬行）	温清飲	1g	漢方製剤	4567
	☆EISAI☆SR005　EISAI SR005	帯微褐白	ストロカイン錠5mg（アルフレッサファーマ／エーザイ）	オキセサゼイン	5mg 1錠	消化管粘膜局所麻酔剤	966
	⋔005　⋔005	淡黄	アマンタジン塩酸塩錠50mg「日医工」（日医工）	アマンタジン塩酸塩	50mg 1錠	精神活動改善剤・抗パーキンソン剤・抗A型インフルエンザウイルス剤	219
05	05／c	白	イーフェンバッカル錠50μg（帝國／大鵬薬品）	フェンタニルクエン酸塩	50μg 1錠	麻酔用ピペリジン系鎮痛剤, 疼痛治療剤	3162
	50mg JG J05　JG J05	白	フルコナゾールカプセル50mg「JG」（日本ジェネリック）	フルコナゾール	50mg 1カプセル	トリアゾール系抗真菌剤	3298
	FSG05　FS/G05	白	ジメチコン錠40mg「フソー」（扶桑薬品）	ジメチコン	40mg 1錠	消化管内ガス排除剤	1679
	H05	淡褐	本草安中散料エキス顆粒－M（本草）	安中散	1g	漢方製剤	4564
	IW05　YT10	白	エピナスチン塩酸塩錠10mg「イワキ」（岩城）	エピナスチン塩酸塩	10mg 1錠	アレルギー性疾患治療剤	783
	J-05	淡灰褐	JPS安中散料エキス顆粒〔調剤用〕（ジェーピーエス）	安中散	1g	漢方製剤	4564
	KR05	淡黄赤	レグパラ錠12.5mg（協和キリン）	シナカルセト塩酸塩	12.5mg 1錠	カルシウム受容体作動薬	1635
	KSK121／05　KS121	白	リスペリドン錠0.5mg「クニヒロ」（皇漢堂）	リスペリドン	0.5mg 1錠	抗精神病、D₂・5-HT₂拮抗剤	4201
	KZ05Є	黄赤／淡黄赤	ケイツーカプセル5mg（エーザイ）	メナテトレノン	5mg 1カプセル	止血機構賦活ビタミンK₂	3976
	MeP05／20	白　①	ファモチジンOD錠20mg「Me」（Meiji Seika／三和化学／共創未来／フェルゼン／Meファルマ）	ファモチジン	20mg 1錠	H₂-受容体拮抗剤	3079
	NPI05	白	グリメピリド錠0.5mg「ケミファ」（日本薬品工業／日本ケミファ）	グリメピリド	0.5mg 1錠	スルホニル尿素系血糖降下剤	1278
	S-05	褐	三和芍薬甘草附子湯エキス細粒（三和生薬）	芍薬甘草附子湯	1g	漢方製剤	4606
	SG-05	淡灰茶褐	オースギ安中散料エキスG（大杉）	安中散	1g	漢方製剤	4564
	SG-05T	淡褐	オースギ安中散料エキスT錠（高砂薬業／大杉）	安中散	1錠	漢方製剤	4564
	Tu-TP05	白	プラバスタチンNa錠5mg「TCK」（辰巳化学）	プラバスタチンナトリウム	5mg 1錠	HMG-CoA還元酵素阻害剤	3256
	Y AD05　Y-AD05	白	アドビオール錠5mg（田辺三菱）	ブフェトロール塩酸塩	5mg 1錠	β-遮断剤	3234
	Y R05／0.5　Y-R05	白	リスペリドン錠0.5mg「ヨシトミ」（全星薬品工業／田辺三菱）	リスペリドン	0.5mg 1錠	抗精神病、D₂・5-HT₂拮抗剤	4201

番号	識別コード	色 （①：割線有）	商品名（会社名）	一般名	規格単位	薬効	掲載ページ
05	◎05	無～淡黄半透明(褐)	ケトプロフェンテープ20mg「ラクール」（三友薬品／ラクール）	ケトプロフェン	7cm×10cm 1枚	プロピオン酸系消炎鎮痛剤	1410
	Pfizer D05	白	ジフルカンカプセル50mg（ファイザー）	フルコナゾール	50mg 1カプセル	トリアゾール系抗真菌剤	3298
5	1286／20 5	微黄	ジルムロ配合錠HD「ツルハラ」（鶴原）	アジルサルタン・アムロジピンベシル酸塩	1錠	持続性AT₁受容体遮断剤・持続性Ca拮抗薬配合剤	44
	5	白～灰白	シクレスト舌下錠5mg（Meiji Seika）	アセナピンマレイン酸塩	5mg 1錠	抗精神病剤	84
	5／1427	淡黄～黄	フォシーガ錠5mg（アストラゼネカ／小野薬品）	ダパグリフロジンプロピレングリコール水和物	5mg 1錠	選択的SGLT2阻害剤	2044
	5／894	桃	エリキュース錠5mg（ブリストル／ファイザー）	アピキサバン	5mg 1錠	経口FXa阻害剤	174
	5IM／VLE 5IM VLE	白 ①	イミダプリル塩酸塩錠5mg「VTRS」（ヴィアトリス・ヘルスケア／ヴィアトリス）	イミダプリル塩酸塩	5mg 1錠	ACE阻害剤	504
	5KL160／5 SN-5	白 ①	ブロマゼパム錠5mg「サンド」（サンド／日本ジェネリック）	ブロマゼパム	5mg 1錠	ベンゾジアゼピン系精神神経用剤	3449
	5／KW NVM	微帯黄白(白)	ノバミン錠5mg（共和薬品）	プロクロルペラジン	5mg 1錠	フェノチアジン系精神安定剤	3395
	5／KW232	黄 ①	ジアゼパム錠5mg「アメル」（共和薬品／日本ジェネリック）	ジアゼパム	5mg 1錠	マイナートランキライザー	1553
	5LD／VLE 5LD VLE	白	ラフチジン錠5mg「VTRS」（ヴィアトリス・ヘルスケア／ヴィアトリス）	ラフチジン	5mg 1錠	H₂-受容体拮抗剤	4103
	5mg＋657 ＋657	灰赤	プログラフカプセル5mg（アステラス）	タクロリムス水和物	5mg 1カプセル	免疫抑制剤	1999
	5mg✈687 ✈687	灰赤／橙	グラセプターカプセル5mg（アステラス）	タクロリムス水和物	5mg 1カプセル	免疫抑制剤	1999
	5NLP TTS-581	微黄橙	ニューレプチル錠5mg（高田）	プロペリシアジン	5mg 1錠	フェノチアジン系精神安定剤	3444
	5PYT TTS-161	極薄赤橙	ピレチア錠(5mg)（高田）	プロメタジン	5mg 1錠	フェノチアジン系抗ヒスタミン・抗パーキンソン剤	3454
	5／SW703	白 ①	リシノプリル錠5mg「サワイ」（沢井）	リシノプリル水和物	5mg 1錠	ACE阻害剤	4193
	5TF11 TF11	白／橙	オキシコドン徐放カプセル5mg「テルモ」（帝國／テルモ）	オキシコドン塩酸塩水和物	5mg 1カプセル	疼痛治療剤	950
	5／VC 5VC	褐赤	ベリキューボ錠5mg（バイエル薬品）	ベルイシグアト	5mg 1錠	慢性心不全治療剤・可溶性グアニル酸シクラーゼ(sGC)刺激剤	3612
	5Z	白	ザルティア錠5mg（日本新薬）	タダラフィル	5mg 1錠	ホスホジエステラーゼ5阻害剤	2027
	5 MH23	薄桃 ①	エナラプリルマレイン酸塩錠5mg「VTRS」（ヴィアトリス・ヘルスケア／ヴィアトリス）	エナラプリルマレイン酸塩	5mg 1錠	ACE阻害剤	767
	5 SAM5	白 ①	アムロジピン錠5mg「サンド」（サンド）	アムロジピンベシル酸塩	5mg 1錠	ジヒドロピリジン系Ca拮抗剤	264
	5アトルバスタチン JG	極薄紅	アトルバスタチン錠5mg「JG」（日本ジェネリック）	アトルバスタチンカルシウム水和物	5mg 1錠	HMG-CoA還元酵素阻害剤	128
	5アムロジ／ 5アムロジピンOD トーワ	淡黄 ①	アムロジピンOD錠5mg「トーワ」（東和薬品／共創未来）	アムロジピンベシル酸塩	5mg 1錠	ジヒドロピリジン系Ca拮抗剤	264
	5シオエ／5Z	白	タダラフィル錠5mgZA「シオエ」（シオエ／日本新薬）	タダラフィル	5mg 1錠	ホスホジエステラーゼ5阻害剤	2027
	5プラバスタチン トーワ	白	プラバスタチンNa錠5mg「トーワ」（東和薬品）	プラバスタチンナトリウム	5mg 1錠	HMG-CoA還元酵素阻害剤	3256
	5ベシケアOD	淡黄	ベシケアOD錠5mg（アステラス）	コハク酸ソリフェナシン	5mg 1錠	過活動膀胱治療剤	1970
	5メマンチンOD トーワ	淡赤白	メマンチン塩酸塩OD錠5mg「トーワ」（東和薬品／共創未来）	メマンチン塩酸塩	5mg 1錠	NMDA受容体拮抗アルツハイマー型認知症治療剤	3991
	5メマンチン トーワ	淡赤	メマンチン塩酸塩錠5mg「トーワ」（東和薬品）	メマンチン塩酸塩	5mg 1錠	NMDA受容体拮抗アルツハイマー型認知症治療剤	3991
	5モンテルカスト チュアブルトーワ	薄赤	モンテルカストチュアブル錠5mg「トーワ」（東和薬品）	モンテルカストナトリウム	5mg 1錠	ロイコトリエン受容体拮抗剤	4043
	5レボセチ／ 5トーワ レボセチリジン	白 ①	レボセチリジン塩酸塩錠5mg「トーワ」（東和薬品）	レボセチリジン塩酸塩	5mg 1錠	持続性選択H₁-受容体拮抗剤	4407
	5ロスバOD／ TTS777 TTS-777	白	ロスバスタチンOD錠5mg「タカタ」（高田）	ロスバスタチンカルシウム	5mg 1錠	HMG-CoA還元酵素阻害剤	4487
	5ロスバスタチン／ 5ロスバスタチン EE	薄赤みの黄～くすんだ赤みの黄	ロスバスタチン錠5mg「EE」（エルメッド／日医工）	ロスバスタチンカルシウム	5mg 1錠	HMG-CoA還元酵素阻害剤	4487
	5ロスバスタチン／ ODロスバスタチン EE	薄赤みの黄～くすんだ赤みの黄	ロスバスタチンOD錠5mg「EE」（エルメッド／日医工）	ロスバスタチンカルシウム	5mg 1錠	HMG-CoA還元酵素阻害剤	4487
	70／5	淡黄白	オルメサルタン錠5mg「ツルハラ」（鶴原）	オルメサルタン メドキソミル	5mg 1錠	高親和性AT₁レセプターブロッカー	1031

番号	識別コード	色 (①：割線有)	商品名(会社名)	一般名	規格単位	薬効	掲載ページ
5	775／5	明るい灰黄	モンテルカスト錠5mg「ツルハラ」(鶴原)	モンテルカストナトリウム	5mg 1錠	ロイコトリエン受容体拮抗剤	4043
	A5	白	アイクルシグ錠15mg (大塚)	ポナチニブ塩酸塩	15mg 1錠	抗悪性腫瘍剤・チロシンキナーゼインヒビター	3723
	A5／5	白　①	アムロジピン錠5mg「ツルハラ」(鶴原)	アムロジピンベシル酸塩	5mg 1錠	ジヒドロピリジン系Ca拮抗剤	264
	A58／5	極薄紅	アトルバスタチン錠5mg「TSU」(鶴原)	アトルバスタチンカルシウム水和物	5mg 1錠	HMG-CoA還元酵素阻害剤	128
	A733 5mg A733/5mg	暗橙	ジャクスタピッドカプセル5mg (レコルダティ)	ロミタピドメシル酸塩	5mg 1カプセル	高脂血症治療剤	4526
	AA006／5	帯紅白	パロキセチン錠5mg「AA」(あすか／武田薬品)	パロキセチン塩酸塩水和物	5mg 1錠	選択的セロトニン再取り込み阻害剤(SSRI)	2878
	AA017／5	白　①	モサプリドクエン酸塩錠5mg「AA」(あすか／武田薬品)	モサプリドクエン酸塩水和物	5mg 1錠	消化管運動促進剤	4014
	AJ1 5	白	アテレック錠5 (EA／持田)	シルニジピン	5mg 1錠	ジヒドロピリジン系Ca拮抗剤	1716
	AML DO／5 AML DO5	白	ドネペジル塩酸塩錠5mg「アメル」(共和薬品)	ドネペジル，-塩酸塩	5mg 1錠	アルツハイマー型，レビー小体型認知症治療剤	2426
	AML DON／OD5 AML DON OD5	白　①	ドネペジル塩酸塩OD錠5mg「アメル」(共和薬品)	ドネペジル，-塩酸塩	5mg 1錠	アルツハイマー型，レビー小体型認知症治療剤	2426
	AS5	白	アレンドロン酸錠5mg「SN」(シオノ／科研)	アレンドロン酸ナトリウム水和物	5mg 1錠	骨粗鬆症治療剤	349
	AT5	白	アレンドロン酸錠5mg「DK」(大興／日本ケミファ)	アレンドロン酸ナトリウム水和物	5mg 1錠	骨粗鬆症治療剤	349
	AY5／5	白	タクロリムス錠5mg「あゆみ」(あゆみ)	タクロリムス水和物	5mg 1錠	免疫抑制剤	1999
	AZ126／5	黄	スプレンジール錠5mg (アストラゼネカ)	フェロジピン	5mg 1錠	ジヒドロピリジン系Ca拮抗剤	3154
	BMD39／5	淡黄赤	オロパタジン塩酸塩錠5mg「BMD」(ビオメディクス)	オロパタジン塩酸塩	5mg 1錠	アレルギー性疾患治療剤	1037
	BMSG01 5mg	白～灰黄白	レナリドミドカプセル5mg「BMSH」(ブリストル販売／ブリストル)	レナリドミド水和物	5mg 1カプセル	免疫調節薬(IMiDs)	4378
	C-21F5	白　①	シグマート錠5mg (中外)	ニコランジル	5mg 1錠	狭心症・急性心不全治療剤	2635
	C-22B5	白	レスプレン錠5mg (太陽ファルマ)	エプラジノン塩酸塩	5mg 1錠	鎮咳去痰剤	804
	C5	薄赤	デザレックス錠5mg (オルガノン／杏林)	デスロラタジン	5mg 1錠	持続性選択H₁-受容体拮抗・アレルギー治療剤	2262
	C5／⚖ ⚖C5	淡黄	モービック錠5mg (日本ベーリンガー)	メロキシカム	5mg 1錠	非ステロイド性消炎鎮痛剤	4000
	CEO145／5	明るい灰黄	モンテルカスト錠5mg「CEO」(セオリア／武田薬品)	モンテルカストナトリウム	5mg 1錠	ロイコトリエン受容体拮抗剤	4043
	ch5C	橙	セフジトレンピボキシル小児用細粒10%「CH」(長生堂／日本ジェネリック)	セフジトレン ピボキシル	100mg 1g	セフェム系抗生物質	1847
	CL12・5	白	コレアジン錠12.5mg (アルフレッサファーマ)	テトラベナジン	12.5mg 1錠	非律動性不随意運動治療剤	2279
	CP5	淡黄赤	レキソタン錠5 (サンドファーマ／サンド)	ブロマゼパム	5mg 1錠	ベンゾジアゼピン系精神神経用剤	3449
	D21／5	白	ドネペジル塩酸塩錠5mg「TSU」(鶴原)	ドネペジル，-塩酸塩	5mg 1錠	アルツハイマー型，レビー小体型認知症治療剤	2426
	d5EPR	淡黄	ロスバスタチンOD錠5mg「DSEP」(第一三共エスファ)	ロスバスタチンカルシウム	5mg 1錠	HMG-CoA還元酵素阻害剤	4487
	D5／OL D5OL	極薄黄	オロパタジン塩酸塩OD錠5mg「VTRS」(ヴィアトリス・ヘルスケア／ヴィアトリス)	オロパタジン塩酸塩	5mg 1錠	アレルギー性疾患治療剤	1037
	D5／⚖ ⚖D5	淡赤	トラゼンタ錠5mg (日本ベーリンガー)	リナグリプチン	5mg 1錠	胆汁排泄型選択的DPP-4阻害剤・2型糖尿病治療剤	4246
	DHD5	白	ドネペジル塩酸塩OD錠5mg「科研」(シオノ／科研)	ドネペジル，-塩酸塩	5mg 1錠	アルツハイマー型，レビー小体型認知症治療剤	2426
	DK513／5	帯紅白	パロキセチン錠5mg「科研」(ダイト／科研)	パロキセチン塩酸塩水和物	5mg 1錠	選択的セロトニン再取り込み阻害剤(SSRI)	2878
	DK516／5	極薄黄	オロパタジン塩酸塩OD錠5mg「AA」(ダイト／あすか／武田薬品)	オロパタジン塩酸塩	5mg 1錠	アレルギー性疾患治療剤	1037
	DK516／5	極薄黄　①	オロパタジン塩酸塩OD錠5mg「ダイト」(ダイト／共創未来)	オロパタジン塩酸塩	5mg 1錠	アレルギー性疾患治療剤	1037
	DO5	白	ドネペジル塩酸塩OD錠5mg「サンド」(サンド)	ドネペジル，-塩酸塩	5mg 1錠	アルツハイマー型，レビー小体型認知症治療剤	2426
	DP5 t DP5	白	ドンペリドン錠5mg「NIG」(日医工岐阜／日医工／武田薬品)	ドンペリドン	5mg 1錠	消化管運動改善剤	2599
	EB5／D VLE EB5D VLE	薄紅	エバスチンOD錠5mg「VTRS」(ヴィアトリス・ヘルスケア／ヴィアトリス)	エバスチン	5mg 1錠	持続選択H₁-受容体拮抗剤	778
	EB5／VLE EB5VLE	白	エバスチン錠5mg「VTRS」(ヴィアトリス・ヘルスケア／ヴィアトリス)	エバスチン	5mg 1錠	持続性選択H₁-受容体拮抗剤	778

番号	識別コード	色 (①:割線有)	商品名(会社名)	一般名	規格単位	薬効	掲載ページ
5	EE17／5	白　①	シンバスタチン錠5mg「EMEC」(アルフレッサファーマ／エルメッド／日医工)	シンバスタチン	5mg 1錠	HMG-CoA還元酵素阻害剤	1728
	EE29／5	白	ドンペリドン錠5mg「EMEC」(アルフレッサファーマ／エルメッド／日医工)	ドンペリドン	5mg 1錠	消化管運動改善剤	2599
	EE57／5	淡黄白	メロキシカム錠5mg「EMEC」(ダイト／エルメッド／日医工)	メロキシカム	5mg 1錠	非ステロイド性消炎鎮痛剤	4000
	EEイルアミクスLD／100イルベサルタンアムロジピン5	白〜帯黄白	イルアミクス配合錠LD「EE」(エルメッド／日医工)	イルベサルタン・アムロジピンベシル酸塩	1錠	長時間作用型アンギオテンシンⅡ受容体拮抗剤・持続性Ca拮抗剤配合剤	523
	EEテラムロAP／40テルミサルタンアムロジピン5	淡赤	テラムロ配合錠AP「EE」(ニプロファーマ／エルメッド／日医工)	テルミサルタン・アムロジピンベシル酸塩	1錠	胆汁排泄型持続性AT₁受容体ブロッカー・持続性Ca拮抗薬合剤	2375
	EEテラムロBP／80テルミサルタンアムロジピン5	淡赤	テラムロ配合錠BP「EE」(ニプロファーマ／エルメッド／日医工)	テルミサルタン・アムロジピンベシル酸塩	1錠	胆汁排泄型持続性AT₁受容体ブロッカー・持続性Ca拮抗薬合剤	2375
	EP R5／5	薄赤みの黄〜くすんだ赤みの黄	ロスバスタチン錠5mg「DSEP」(第一三共エスファ)	ロスバスタチンカルシウム	5mg 1錠	HMG-CoA還元酵素阻害剤	4487
	EP110／5	淡橙　①	ゾルピデム酒石酸塩錠5mg「DSEP」(第一三共エスファ)	ゾルピデム酒石酸塩	5mg 1錠	入眠剤	1973
	EP231／5	白	モサプリドクエン酸塩錠5mg「DSEP」(第一三共エスファ)	モサプリドクエン酸塩水和物	5mg 1錠	消化管運動促進剤	4014
	EP5	白　①	ビソプロロールフマル酸塩錠5mg「DSEP」(第一三共エスファ)	ビソプロロールフマル酸塩	5mg 1錠	選択的β₁-アンタゴニスト	2944
	F5／2.5	極薄黄	オロパタジン塩酸塩OD錠2.5mg「フェルゼン」(フェルゼン)	オロパタジン塩酸塩	2.5mg 1錠	アレルギー性疾患治療剤	1037
	F6／5	極薄黄	オロパタジン塩酸塩OD錠5mg「フェルゼン」(フェルゼン)	オロパタジン塩酸塩	5mg 1錠	アレルギー性疾患治療剤	1037
	F9／5	帯紅白	パロキセチン錠5mg「フェルゼン」(フェルゼン)	パロキセチン塩酸塩水和物	5mg 1錠	選択的セロトニン再取り込み阻害剤(SSRI)	2878
	FCI／V5 FCI V5	薄黄赤〜黄赤	バルデナフィル錠5mg「FCI」(富士化学)	バルデナフィル塩酸塩水和物	5mg 1錠	ホスホジエステラーゼ5阻害剤	2852
	FF142／5	白	ドネペジル塩酸塩錠5mg「FFP」(共創未来)	ドネペジル，-塩酸塩	5mg 1錠	アルツハイマー型，レビー小体型認知症治療剤	2426
	FF165／5	白	ドネペジル塩酸塩OD錠5mg「FFP」(共創未来)	ドネペジル，-塩酸塩	5mg 1錠	アルツハイマー型，レビー小体型認知症治療剤	2426
	FJ360／5	白	ノアルテン錠(5mg)(富士製薬)	ノルエチステロン	5mg 1錠	黄体ホルモン	2730
	FJ58／5	白	アレンドロン酸5mg「F」(富士製薬)	アレンドロン酸ナトリウム水和物	5mg 1錠	骨粗鬆症治療剤	349
	FJ78 5mg	白	レナリドミドカプセル5mg「F」(富士製薬)	レナリドミド水和物	5mg 1カプセル	免疫調節薬(IMiDs)	4378
	FS5	白〜微黄白①	アムロジピンOD錠5mg「フソー」(シオノ／扶桑薬品)	アムロジピンベシル酸塩	5mg 1錠	ジヒドロピリジン系Ca拮抗剤	264
	GS CL2／5	白	ラミクタール錠小児用5mg(グラクソ・スミスクライン)	ラモトリギン	5mg 1錠	抗てんかん・双極性障害治療剤	4143
	GS CL5／25	白	ラミクタール錠25mg(グラクソ・スミスクライン)	ラモトリギン	25mg 1錠	抗てんかん・双極性障害治療剤	4143
	GS／5CC GS5CC	赤褐	レキップCR錠8mg(グラクソ・スミスクライン)	ロピニロール塩酸塩	8mg 1錠	ドパミンD₂受容体系作動薬	4511
	GX CG5	薄橙褐	ゼフィックス錠100(グラクソ・スミスクライン)	ラミブジン	100mg 1錠	抗ウイルス・HIV逆転写酵素阻害剤	4125
	HS5／5	白	パロキセチン錠5mg「DK」(大興／三和化学)	パロキセチン塩酸塩水和物	5mg 1錠	選択的セロトニン再取り込み阻害剤(SSRI)	2878
	Hy5LT021 LT021	帯褐黄(白)	ヒポカ5mgカプセル(LTL)	バルニジピン塩酸塩	5mg 1カプセル	ジヒドロピリジン系Ca拮抗剤	2857
	IC3 5 IC-3	白　①	モサプリドクエン酸塩錠5mg「イセイ」(コーアイセイ／カイゲンファーマ)	モサプリドクエン酸塩水和物	5mg 1錠	消化管運動促進剤	4014
	IC532／5 IC-532	白　①	アムロジピン錠5mg「イセイ」(コーアイセイ)	アムロジピンベシル酸塩	5mg 1錠	ジヒドロピリジン系Ca拮抗剤	264
	IC537／5 IC-537	淡橙　①	アムロジピンOD錠5mg「イセイ」(コーアイセイ)	アムロジピンベシル酸塩	5mg 1錠	ジヒドロピリジン系Ca拮抗剤	264
	IW02 CT5	白	セチリジン塩酸塩錠5mg「イワキ」(岩城)	セチリジン塩酸塩	5mg 1錠	持続性選択H₁-受容体拮抗剤	1806
	JG C09／5	帯紅白	パロキセチン錠5mg「JG」(日本ジェネリック)	パロキセチン塩酸塩水和物	5mg 1錠	選択的セロトニン再取り込み阻害剤(SSRI)	2878
	JG C15／5	淡橙　①	ゾルピデム酒石酸塩錠5mg「JG」(日本ジェネリック)	ゾルピデム酒石酸塩	5mg 1錠	入眠剤	1973
	JG C27／5	白	ドネペジル塩酸塩錠5mg「JG」(日本ジェネリック)	ドネペジル，-塩酸塩	5mg 1錠	アルツハイマー型，レビー小体型認知症治療剤	2426

番号	識別コード	色 (①:割線有)	商品名(会社名)	一般名	規格単位	薬効	掲載 ページ
5	JG C37／5	白 ①	タルチレリン錠5mg「JG」(日本ジェネリック)	タルチレリン水和物	5mg 1錠	経口脊髄小脳変性症治療剤	2094
	JG C51／OD5	白 ①	タルチレリンOD錠5mg「JG」(日本ジェネリック)	タルチレリン水和物	5mg 1錠	経口脊髄小脳変性症治療剤	2094
	JG C58／OD5	黄	オランザピンOD錠5mg「JG」(日本ジェネリック)	オランザピン	5mg 1錠	抗精神病剤・双極性障害治療剤・制吐剤	1021
	JG E17／ アムロジピン5JG JG E17 アムロジピン5JG	①	アムロジピン錠5mg「JG」(日本ジェネリック)	アムロジピンベシル酸塩	5mg 1錠	ジヒドロピリジン系Ca拮抗剤	264
	JG E38／5	白 ①	モサプリドクエン酸塩錠5mg「JG」(日本ジェネリック)	モサプリドクエン酸塩水和物	5mg 1錠	消化管運動促進剤	4014
	JG E64／5	白 ①	ラフチジン錠5mg「JG」(日本ジェネリック)	ラフチジン	5mg 1錠	H₂-受容体拮抗剤	4103
	JG G21／5	淡黄赤	オロパタジン塩酸塩錠5mg「JG」(日本ジェネリック)	オロパタジン塩酸塩	5mg 1錠	アレルギー性疾患治療剤	1037
	JG G34／5	極薄黄	オロパタジン塩酸塩OD錠5mg「JG」(日本ジェネリック)	オロパタジン塩酸塩	5mg 1錠	アレルギー性疾患治療剤	1037
	JG N58／5	白 ①	ビソプロロールフマル酸塩錠5mg「JG」(日本ジェネリック)	ビソプロロールフマル酸塩	5mg 1錠	選択的β₁-アンタゴニスト	2944
	JG S5	白	ラモトリギン錠小児用5mg「JG」(日本ジェネリック)	ラモトリギン	5mg 1錠	抗てんかん・双極性障害治療剤	4143
	JKI5 *ifime*	白	ゼルヤンツ錠5mg (ファイザー)	トファシチニブクエン酸塩	5mg 1錠	ヤヌスキナーゼ(JAK)阻害剤	2440
	KB-5 EK-5	淡黄褐～黄褐	クラシエ安中散料エキス細粒(クラシエ／クラシエ薬品)	安中散	1g	漢方製剤	4564
	KRM105／5	白～帯黄白①	アムロジピンOD錠5mg「杏林」(キョーリンリメディオ／共創未来／杏林)	アムロジピンベシル酸塩	5mg 1錠	ジヒドロピリジン系Ca拮抗剤	264
	KRM132／5	白	ドネペジル塩酸塩錠5mg「杏林」(キョーリンリメディオ／杏林)	ドネペジル，-塩酸塩	5mg 1錠	アルツハイマー型，レビー小体型認知症治療剤	2426
	KRM147／5	淡黄赤	オロパタジン塩酸塩錠5mg「杏林」(キョーリンリメディオ／杏林)	オロパタジン塩酸塩	5mg 1錠	アレルギー性疾患治療剤	1037
	KRM172／5	白	モサプリドクエン酸塩錠5mg「杏林」(キョーリンリメディオ／杏林)	モサプリドクエン酸塩水和物	5mg 1錠	消化管運動促進剤	4014
	KRM238／5	白	タダラフィル錠5mgZA「杏林」(キョーリンリメディオ／杏林)	タダラフィル	5mg 1錠	ホスホジエステラーゼ5阻害剤	2027
	KRM283 5	白	エバスチン錠5mg「杏林」(キョーリンリメディオ／杏林)	エバスチン	5mg 1錠	持続性選択H₁-受容体拮抗剤	778
	KRM285 OD5	薄紅	エバスチンOD錠5mg「杏林」(キョーリンリメディオ／杏林)	エバスチン	5mg 1錠	持続性選択H₁-受容体拮抗剤	778
	KRM288／OD5	極薄黄	オロパタジン塩酸塩OD錠5mg「杏林」(キョーリンリメディオ／杏林)	オロパタジン塩酸塩	5mg 1錠	アレルギー性疾患治療剤	1037
	KRM292 5	白～微黄白	ドンペリドン錠5mg「杏林」(キョーリンリメディオ／杏林)	ドンペリドン	5mg 1錠	消化管運動改善剤	2599
	KS352／5	白	ドネペジル塩酸塩錠5mg「クニヒロ」(皇漢堂)	ドネペジル，-塩酸塩	5mg 1錠	アルツハイマー型，レビー小体型認知症治療剤	2426
	KS522／5	白	ドネペジル塩酸塩OD錠5mg「クニヒロ」(皇漢堂)	ドネペジル，-塩酸塩	5mg 1錠	アルツハイマー型，レビー小体型認知症治療剤	2426
	KSK112／5	淡黄	メロキシカム錠5mg「クニヒロ」(皇漢堂)	メロキシカム	5mg 1錠	非ステロイド性消炎鎮痛剤	4000
	KSK311／5	淡橙 ①	ゾルピデム酒石酸塩錠5mg「クニヒロ」(皇漢堂)	ゾルピデム酒石酸塩	5mg 1錠	入眠剤	1973
	KSK322／5	白 ①	アムロジピン錠5mg「クニヒロ」(皇漢堂)	アムロジピンベシル酸塩	5mg 1錠	ジヒドロピリジン系Ca拮抗剤	264
	KSK337／5	淡黄赤	オロパタジン塩酸塩錠5mg「クニヒロ」(皇漢堂)	オロパタジン塩酸塩	5mg 1錠	アレルギー性疾患治療剤	1037
	KT OPD／5 KT OPD・5	極薄黄	オロパタジン塩酸塩OD錠5mg「NIG」(日医工岐阜／日医工／武田薬品)	オロパタジン塩酸塩	5mg 1錠	アレルギー性疾患治療剤	1037
	KT ZP／5 KT ZP5	淡橙	ゾルピデム酒石酸塩錠5mg「NIG」(日医工岐阜／日医工／武田薬品)	ゾルピデム酒石酸塩	5mg 1錠	入眠剤	1973
	KW AM5／OD5	黄 ①	アムロジピンOD錠5mg「アメル」(共和薬品)	アムロジピンベシル酸塩	5mg 1錠	ジヒドロピリジン系Ca拮抗剤	264
	KW BZL／5	白	ベンザリン錠5 (共和薬品)	ニトラゼパム	5mg 1錠	ベンゾジアゼピン系催眠剤	2641
	KW HN5	白	ヒルナミン錠(5mg) (共和薬品)	レボメプロマジン	5mg 1錠	フェノチアジン系精神安定剤	4443
	Kw L5	白	ラモトリギン錠小児用5mg「アメル」(共和薬品)	ラモトリギン	5mg 1錠	抗てんかん・双極性障害治療剤	4143
	KW RM5	白	レスミット錠5 (共和薬品)	メダゼパム	5mg 1錠	ベンゾジアゼピン系精神神経用剤	3920
	KW TAN／5	淡黄	タンドスピロンクエン酸塩錠5mg「アメル」(共和薬品)	タンドスピロンクエン酸塩	5mg 1錠	非ベンゾジアゼピン系・セロトニン作動性抗不安薬	2129
	Kw006／ALE5	白	アレンドロン酸錠5mg「アメル」(共和薬品)	アレンドロン酸ナトリウム水和物	5mg 1錠	骨粗鬆症治療剤	349

番号	識別コード	色 (⦸:割線有)		商品名(会社名)	一般名	規格単位	薬効	掲載ページ
5	Kw272／ZOL5	淡橙	⦸	ゾルピデム酒石酸塩錠5mg「アメル」(共和薬品)	ゾルピデム酒石酸塩	5mg 1錠	入眠剤	1973
	Kw324／TAL5	白	⦸	タルチレリン錠5mg「アメル」(共和薬品)	タルチレリン水和物	5mg 1錠	経口脊髄小脳変性症治療剤	2094
	KW650／5	淡黄		メロキシカム錠5mg「アメル」(共和薬品)	メロキシカム	5mg 1錠	非ステロイド性消炎鎮痛剤	4000
	KWTAL／OD5	白		タルチレリンOD錠5mg「アメル」(共和薬品)	タルチレリン水和物	5mg 1錠	経口脊髄小脳変性症治療剤	2094
	L∈M／5 L∈M5	微黄		デエビゴ錠5mg (エーザイ)	レンボレキサント	5mg 1錠	不眠症治療剤	4463
	M117／5	白		アレンドロン酸錠5mg「VTRS」(ヴィアトリス・ヘルスケア／ヴィアトリス)	アレンドロン酸ナトリウム水和物	5mg 1錠	骨粗鬆症治療剤	349
	M46／5	白	⦸	モサプリドクエン酸塩錠5mg「TSU」(鶴原)	モサプリドクエン酸塩水和物	5mg 1錠	消化管運動促進剤	4014
	MED225／5	白	⦸	イミダプリル塩酸塩錠5mg「ケミファ」(メディサ／日本ケミファ)	イミダプリル塩酸塩	5mg 1錠	ACE阻害剤	504
	MeP06／5	白		プラバスタチンNa錠5mg「Me」(Meiji Seika／Meファルマ)	プラバスタチンナトリウム	5mg 1錠	HMG-CoA還元酵素阻害剤	3256
	MG5	白		ミチグリニドCa・OD錠5mg「三和」(大興／三和化学)	ミチグリニドカルシウム水和物	5mg 1錠	速効型インスリン分泌促進剤	3859
	MKC091／5	白	⦸	ケルロング錠5mg (クリニジェン)	ベタキソロール塩酸塩	5mg 1錠	β_1-遮断剤	3490
	MS032／5	淡橙	⦸	ゾルピデム酒石酸塩錠5mg「明治」(Meiji Seika)	ゾルピデム酒石酸塩	5mg 1錠	入眠剤	1973
	MS044／5	淡黄赤		オロパタジン塩酸塩錠5mg「明治」(Meiji Seika／Meファルマ)	オロパタジン塩酸塩	5mg 1錠	アレルギー性疾患治療剤	1037
	MS046／5	極薄黄		オロパタジン塩酸塩OD錠5mg「明治」(Meiji Seika／Meファルマ)	オロパタジン塩酸塩	5mg 1錠	アレルギー性疾患治療剤	1037
	MS124／5	白	⦸	ビソプロロールフマル酸塩錠5mg「明治」(Meファルマ)	ビソプロロールフマル酸塩	5mg 1錠	選択的β_1-アンタゴニスト	2944
	MSD／TZ5 MSD TZ5	黄赤		レメロン錠30mg (オルガノン)	ミルタザピン	30mg 1錠	ノルアドレナリン・セロトニン作動性抗うつ剤	3888
	Mt5	白		ミチグリニドCa・OD錠5mg「フソー」(リョートー／扶桑薬品)	ミチグリニドカルシウム水和物	5mg 1錠	速効型インスリン分泌促進剤	3859
	N5	淡褐～褐		コタロー安中散エキス細粒(小太郎漢方)	安中散	1g	漢方製剤	4564
	NC D11／5	白		ドネペジル塩酸塩錠5mg「ケミファ」(日本ケミファ／日本薬品工業)	ドネペジル, -塩酸塩	5mg 1錠	アルツハイマー型, レビー小体型認知症治療剤	2426
	NC D5／D5	白		ドネペジル塩酸塩OD錠5mg「ケミファ」(日本ケミファ／日本薬品工業)	ドネペジル, -塩酸塩	5mg 1錠	アルツハイマー型, レビー小体型認知症治療剤	2426
	NC M5	淡黄		メロキシカム錠5mg「ケミファ」(日本ケミファ／共創未来)	メロキシカム	5mg 1錠	非ステロイド性消炎鎮痛剤	4000
	NC OL5	淡黄赤		オロパタジン塩酸塩錠5mg「ケミファ」(日本ケミファ／日本薬品工業)	オロパタジン塩酸塩	5mg 1錠	アレルギー性疾患治療剤	1037
	NC P5	白	⦸	モサプリドクエン酸塩錠5mg「ケミファ」(日本ケミファ／日本薬品工業)	モサプリドクエン酸塩水和物	5mg 1錠	消化管運動促進剤	4014
	NC X／5	帯紅白		パロキセチン錠5mg「ケミファ」(日本ケミファ／日本薬品工業)	パロキセチン塩酸塩水和物	5mg 1錠	選択的セロトニン再取り込み阻害剤(SSRI)	2878
	NC Z5	淡橙		ゾルピデム酒石酸塩錠5mg「ケミファ」(日本ケミファ／日本薬品工業)	ゾルピデム酒石酸塩	5mg 1錠	入眠剤	1973
	NCP A5／5	極薄紅		アトルバスタチン錠5mg「ケミファ」(日本ケミファ／日本薬品工業)	アトルバスタチンカルシウム水和物	5mg 1錠	HMG-CoA還元酵素阻害剤	128
	NCP OL／5	極薄黄		オロパタジン塩酸塩OD錠5mg「ケミファ」(日本ケミファ／日本薬品工業)	オロパタジン塩酸塩	5mg 1錠	アレルギー性疾患治療剤	1037
	NF111／5	白	⦸	ネルボン錠5mg (アルフレッサファーマ)	ニトラゼパム	5mg 1錠	ベンゾジアゼピン系催眠剤	2641
	NF128／5	白	⦸	ソメリン錠5mg (アルフレッサファーマ)	ハロキサゾラム	5mg 1錠	ベンゾジアゼピン系睡眠導入剤	2874
	NF222／5	淡橙	⦸	ゾルピデム酒石酸塩錠5mg「AFP」(アルフレッサファーマ)	ゾルピデム酒石酸塩	5mg 1錠	入眠剤	1973
	NIG イルアミクスLD／ イルベサルタン100 ／5アムロジピン	白～帯黄白		イルアミクス配合錠LD「NIG」(日医工岐阜／日医工／武田薬品)	イルベサルタン・アムロジピンベシル酸塩	1錠	長時間作用型アンギオテンシンII受容体拮抗剤・持続性Ca拮抗剤配合剤	523
	NP227／5 NP-227	白	⦸	モサプリドクエン酸塩錠5mg「NP」(ニプロ)	モサプリドクエン酸塩水和物	5mg 1錠	消化管運動促進剤	4014
	NP253／5 NP-253	淡黄		メロキシカム錠5mg「NP」(ニプロ)	メロキシカム	5mg 1錠	非ステロイド性消炎鎮痛剤	4000
	NP257／5 NP-257	黄白		パロキセチン錠5mg「NP」(ニプロ)	パロキセチン塩酸塩水和物	5mg 1錠	選択的セロトニン再取り込み阻害剤(SSRI)	2878
	NP277／5 NP-277	白	⦸	プレドニゾロン錠5mg「NP」(ニプロ)	プレドニゾロン	5mg 1錠	副腎皮質ホルモン	3366

番号	識別コード	色 (Ⓘ:割線有)	商品名(会社名)	一般名	規格単位	薬効	掲載ページ
5	NP321／5 NP-321	淡橙　Ⓘ	ゾルピデム酒石酸塩錠5mg「NP」(ニプロ)	ゾルピデム酒石酸塩	5mg 1錠	入眠剤	1973
	NP323／5 NP-323	淡紅	エバスチンOD錠5mg「NP」(ニプロ)	エバスチン	5mg 1錠	持続性選択H$_1$-受容体拮抗剤	778
	NP332／5 NP-332	淡橙　Ⓘ	アムロジピンOD錠5mg「NP」(ニプロ)	アムロジピンベシル酸塩	5mg 1錠	ジヒドロピリジン系Ca拮抗剤	264
	NP775／5 NP-775	白	ドネペジル塩酸塩OD錠5mg「NP」(ニプロ)	ドネペジル,-塩酸塩	5mg 1錠	アルツハイマー型, レビー小体型認知症治療剤	2426
	NPI P5	白	プラバスタチンNa錠5mg「ケミファ」(日本薬品工業/日本ケミファ)	プラバスタチンナトリウム	5mg 1錠	HMG-CoA還元酵素阻害剤	3256
	NPI110／5	白　Ⓘ	アムロジピン錠5mg「ケミファ」(日本薬品工業/日本ケミファ)	アムロジピンベシル酸塩	5mg 1錠	ジヒドロピリジン系Ca拮抗剤	264
	NPI158／5	淡黄赤	オロパタジン塩酸塩錠5mg「NPI」(日本薬品工業)	オロパタジン塩酸塩	5mg 1錠	アレルギー性疾患治療剤	1037
	NPI5	白　Ⓘ	モサプリドクエン酸塩錠5mg「NPI」(日本薬品工業)	モサプリドクエン酸塩水和物	5mg 1錠	消化管運動促進剤	4014
	NS100／5	帯紅白	パロキセチン錠5mg「日新」(日新)	パロキセチン塩酸塩水和物	5mg 1錠	選択的セロトニン再取り込み阻害剤(SSRI)	2878
	NS153／5	淡橙　Ⓘ	ゾルピデム酒石酸塩錠5mg「日新」(日新/科研)	ゾルピデム酒石酸塩	5mg 1錠	入眠剤	1973
	NS157／5	白	ドネペジル塩酸塩OD錠5mg「日新」(日新)	ドネペジル,-塩酸塩	5mg 1錠	アルツハイマー型, レビー小体型認知症治療剤	2426
	NS162／5	白	ドネペジル塩酸塩錠5mg「日新」(日新)	ドネペジル,-塩酸塩	5mg 1錠	アルツハイマー型, レビー小体型認知症治療剤	2426
	NS276／5	白	モサプリドクエン酸塩錠5mg「日新」(日新)	モサプリドクエン酸塩水和物	5mg 1錠	消化管運動促進剤	4014
	NS414／5	淡赤	エバスチンOD錠5mg「NS」(日新/共創未来)	エバスチン	5mg 1錠	持続性選択H$_1$-受容体拮抗剤	778
	NS416／5	白	エバスチン錠5mg「NS」(日新)	エバスチン	5mg 1錠	持続性選択H$_1$-受容体拮抗剤	778
	NS422／5	明るい灰黄	モンテルカスト錠5mg「日新」(日新/Meファルマ)	モンテルカストナトリウム	5mg 1錠	ロイコトリエン受容体拮抗剤	4043
	NS／5	白	ニセルゴリン錠5mg「日新」(日新/第一三共エスファ)	ニセルゴリン	5mg 1錠	脳循環代謝改善剤	2639
	NTBC5mg	白	オーファディンカプセル5mg(アステラス)	ニチシノン	5mg 1カプセル	高チロシン血症Ⅰ型治療剤	2640
	NVR L5 NVR/L5	白	ジャカビ錠5mg(ノバルティス)	ルキソリチニブリン酸塩	5mg 1錠	ヤヌスキナーゼ(JAK)阻害剤	4329
	NVR／5 NVR5	白～微黄白	アフィニトール錠5mg(ノバルティス)	エベロリムス	5mg 1錠	免疫抑制剤・抗悪性腫瘍剤(mTOR阻害剤)	811
	O27／5	淡黄赤	オロパタジン塩酸塩錠5mg「TSU」(鶴原)	オロパタジン塩酸塩	5mg 1錠	アレルギー性疾患治療剤	1037
	OH57 5mg OH-57	帯紅白	パロキセチン錠5mg「オーハラ」(大原薬品)	パロキセチン塩酸塩水和物	5mg 1錠	選択的セロトニン再取り込み阻害剤(SSRI)	2878
	OH74／5 OH-74	白　Ⓘ	リシノプリル錠5mg「オーハラ」(大原薬品)	リシノプリル水和物	5mg 1錠	ACE阻害剤	4193
	OLZアメル5／ 5OLZアメル	白　Ⓘ	オランザピン錠5mg「アメル」(共和薬品)	オランザピン	5mg 1錠	抗精神病剤・双極性障害治療剤・制吐剤	1021
	OS5	淡黄赤	オロパタジン塩酸塩錠5mg「サンド」(サンド)	オロパタジン塩酸塩	5mg 1錠	アレルギー性疾患治療剤	1037
	PF UL／C5 PF UL C5	まだらをもつ薄赤	モンテルカストチュアブル錠5mg「VTRS」(ヴィアトリス・ヘルスケア/ヴィアトリス)	モンテルカストナトリウム	5mg 1錠	ロイコトリエン受容体拮抗剤	4043
	PH132／5	白	アムロジピン錠5mg「杏林」(キョーリンリメディオ/共創未来/杏林)	アムロジピンベシル酸塩	5mg 1錠	ジヒドロピリジン系Ca拮抗剤	264
	PH172／5	白　Ⓘ	イミダプリル塩酸塩錠5mg「PH」(キョーリンリメディオ/杏林)	イミダプリル塩酸塩	5mg 1錠	ACE阻害剤	504
	PTアムロジピン5／アムロジピンPT5	白	アムロジピン錠5mg「ファイザー」(ヴィアトリス・ヘルスケア/ヴィアトリス)	アムロジピンベシル酸塩	5mg 1錠	ジヒドロピリジン系Ca拮抗剤	264
	PTアムロジピンOD5／アムロジピンOD5 アムロジピンPT OD5	淡黄　Ⓘ	アムロジピンOD錠5mg「ファイザー」(ヴィアトリス・ヘルスケア/ヴィアトリス)	アムロジピンベシル酸塩	5mg 1錠	ジヒドロピリジン系Ca拮抗剤	264
	PX5／VLE PX5VLE	白　Ⓘ	パロキセチン錠5mg「VTRS」(ヴィアトリス・ヘルスケア/ヴィアトリス)	パロキセチン塩酸塩水和物	5mg 1錠	選択的セロトニン再取り込み阻害剤(SSRI)	2878
	QQ409／5	白　Ⓘ	アムロジピン錠5mg「QQ」(救急薬品/日医工/武田薬品)	アムロジピンベシル酸塩	5mg 1錠	ジヒドロピリジン系Ca拮抗剤	264
	REV5mg	白～灰黄白	レブラミドカプセル5mg(ブリストル)	レナリドミド水和物	5mg 1カプセル	免疫調節薬(IMiDs)	4378
	RSV5	白	ロスバスタチン錠5mg「サンド」(サンド)	ロスバスタチンカルシウム	5mg 1錠	HMG-CoA還元酵素阻害剤	4487

番号	識別コード	色 (Ⓓ:割線有)	商品名(会社名)	一般名	規格単位	薬効	掲載ページ
5	RZ5	淡黄	ラベプラゾールNa錠5mg「VTRS」 (ヴィアトリス・ヘルスケア／ヴィアトリス)	ラベプラゾールナトリウム	5mg 1錠	プロトンポンプインヒビター	4112
	SA5	極薄紅	アトルバスタチン錠5mg「サンド」(サンド)	アトルバスタチンカルシウム水和物	5mg 1錠	HMG-CoA還元酵素阻害剤	128
	SAO5／5	淡橙	アムロジピンOD錠5mg「サンド」(サンド)	アムロジピンベシル酸塩	5mg 1錠	ジヒドロピリジン系Ca拮抗剤	264
	SL5	薄桃　Ⓓ	エナラプリルマレイン酸塩錠5mg「サンド」(サンド)	エナラプリルマレイン酸塩	5mg 1錠	ACE阻害剤	767
	STZ／5 STZ5	白	タダラフィル錠5mgZA「サンド」(サンド)	タダラフィル	5mg 1錠	ホスホジエステラーゼ5阻害剤	2027
	SW ALD／5 SW ALD5	白	アレンドロン酸錠5mg「サワイ」(沢井)	アレンドロン酸ナトリウム水和物	5mg 1錠	骨粗鬆症治療剤	349
	SW BL5／5	白　Ⓓ	ビソプロロールフマル酸塩錠5mg「サワイ」(沢井)	ビソプロロールフマル酸塩	5mg 1錠	選択的β₁-アンタゴニスト	2944
	SW CT5	白	クロチアゼパム錠5mg「サワイ」(沢井)	クロチアゼパム	5mg 1錠	心身安定剤	1309
	SW CTR5	白	セチリジン塩酸塩錠5mg「サワイ」(沢井)	セチリジン塩酸塩	5mg 1錠	持続性選択H₁-受容体拮抗剤	1806
	SW E5／5	淡紅	エバスチンOD錠5mg「サワイ」(沢井)	エバスチン	5mg 1錠	持続性選択H₁-受容体拮抗剤	778
	SW ES5	白	エバスチン錠5mg「サワイ」(沢井)	エバスチン	5mg 1錠	持続性選択H₁-受容体拮抗剤	778
	SW L5	白	ラモトリギン錠小児用5mg「サワイ」(沢井)	ラモトリギン	5mg 1錠	抗てんかん・双極性障害治療剤	4143
	SW LD5／5	白	ラフチジン錠5mg「サワイ」(沢井)	ラフチジン	5mg 1錠	H₂-受容体拮抗剤	4103
	SW M12／5	白　Ⓓ	モサプリドクエン酸塩錠5mg「サワイ」(沢井)	モサプリドクエン酸塩水和物	5mg 1錠	消化管運動促進剤	4014
	SW MD／5 SW MD5	黄白　Ⓓ	マニジピン塩酸塩錠5mg「サワイ」(沢井)	マニジピン塩酸塩	5mg 1錠	ジヒドロピリジン系Ca拮抗剤	3811
	SW MT5	黄(白～微黄白の斑点)	モンテルカストOD錠5mg「サワイ」(沢井)	モンテルカストナトリウム	5mg 1錠	ロイコトリエン受容体拮抗剤	4043
	SW MTC／5	薄赤	モンテルカストチュアブル錠5mg「サワイ」(沢井)	モンテルカストナトリウム	5mg 1錠	ロイコトリエン受容体拮抗剤	4043
	SW MX5／5	淡黄	メロキシカム錠5mg「サワイ」(沢井)	メロキシカム	5mg 1錠	非ステロイド性消炎鎮痛剤	4000
	SW OL5／5	淡黄赤	オロパタジン塩酸塩錠5mg「サワイ」(沢井)	オロパタジン塩酸塩	5mg 1錠	アレルギー性疾患治療剤	1037
	SW OL-D／5 SW OL-D5	極薄赤	オロパタジン塩酸塩OD錠5mg「サワイ」(沢井)	オロパタジン塩酸塩	5mg 1錠	アレルギー性疾患治療剤	1037
	SW P5／15	白～帯黄白Ⓓ	ピオグリタゾン錠15mg「サワイ」(沢井)	ピオグリタゾン塩酸塩	15mg 1錠	インスリン抵抗性改善血糖降下剤	2912
	SW PX5／5	黄白	パロキセチン錠5mg「サワイ」(沢井)	パロキセチン塩酸塩水和物	5mg 1錠	選択的セロトニン再取り込み阻害剤(SSRI)	2878
	SW RP5	白　Ⓓ	リスペリドンOD錠1mg「サワイ」(沢井／日本ジェネリック)	リスペリドン	1mg 1錠	抗精神病，D₂・5-HT₂拮抗剤	4201
	SW TDS5	淡黄	タンドスピロンクエン酸塩錠5mg「サワイ」(沢井)	タンドスピロンクエン酸塩	5mg 1錠	非ベンゾジアゼピン系・セロトニン作動性抗不安薬	2129
	SW Z1／5	淡橙	ゾルピデム酒石酸塩錠5mg「サワイ」(沢井)	ゾルピデム酒石酸塩	5mg 1錠	入眠剤	1973
	SW ZL1／5	淡赤	ゾルピデム酒石酸塩OD錠5mg「サワイ」(沢井)	ゾルピデム酒石酸塩	5mg 1錠	入眠剤	1973
	SW571／5	白	イミダプリル塩酸塩錠5mg「サワイ」(沢井)	イミダプリル塩酸塩	5mg 1錠	ACE阻害剤	504
	SWBT5／5	白	ベポタスチンベシル酸塩錠5mg「サワイ」(沢井)	ベポタスチンベシル酸塩	5mg 1錠	アレルギー性疾患治療剤	3556
	SWアトルバ5	極薄紅	アトルバスタチン錠5mg「サワイ」(沢井)	アトルバスタチンカルシウム水和物	5mg 1錠	HMG-CoA還元酵素阻害剤	128
	SWオランザピン5	白	オランザピン錠5mg「サワイ」(沢井)	オランザピン	5mg 1錠	抗精神病剤・双極性障害治療剤・制吐剤	1021
	SWオルメサルタンOD5	淡黄白	オルメサルタンOD錠5mg「サワイ」(沢井)	オルメサルタン メドキソミル	5mg 1錠	高親和性AT₁レセプターブロッカー	1031
	SWドネペジル5	白	ドネペジル塩酸塩錠5mg「サワイ」(沢井)	ドネペジル，-塩酸塩	5mg 1錠	アルツハイマー型，レビー小体型認知症治療剤	2426
	SWベポタスチンOD5	白	ベポタスチンベシル酸塩OD錠5mg「サワイ」(沢井)	ベポタスチンベシル酸塩	5mg 1錠	アレルギー性疾患治療剤	3556
	SWモンテルカスト5	明るい灰黄	モンテルカスト錠5mg「サワイ」(沢井)	モンテルカストナトリウム	5mg 1錠	ロイコトリエン受容体拮抗剤	4043
	SWロスバスタチン5	黄	ロスバスタチン錠5mg「サワイ」(沢井)	ロスバスタチンカルシウム	5mg 1錠	HMG-CoA還元酵素阻害剤	4487
	SZ011／5	黄白	パロキセチン錠5mg「サンド」(サンド)	パロキセチン塩酸塩水和物	5mg 1錠	選択的セロトニン再取り込み阻害剤(SSRI)	2878
	SZ018／5	白　Ⓓ	モサプリドクエン酸塩錠5mg「サンド」(サンド)	モサプリドクエン酸塩水和物	5mg 1錠	消化管運動促進剤	4014

番号	識別コード	色 (⊙：割線有)	商品名(会社名)	一般名	規格単位	薬効	掲載ページ
5	SZ5	白	ドネペジル塩酸塩錠5mg「サンド」(サンド)	ドネペジル, -塩酸塩	5mg 1錠	アルツハイマー型, レビー小体型認知症治療剤	2426
	t009 t9/5	白 ⊙	イミダプリル塩酸塩錠5mg「NIG」(日医工岐阜／日医工／武田薬品)	イミダプリル塩酸塩	5mg 1錠	ACE阻害剤	504
	t152/5	白	ドネペジル塩酸塩錠5mg「テバ」(武田テバファーマ)	ドネペジル, -塩酸塩	5mg 1錠	アルツハイマー型, レビー小体型認知症治療剤	2426
	t155/5	白	ドネペジル塩酸塩OD錠5mg「テバ」(武田テバファーマ)	ドネペジル, -塩酸塩	5mg 1錠	アルツハイマー型, レビー小体型認知症治療剤	2426
	t229[5mg] 229	白	メトクロプラミド錠5mg「NIG」(日医工岐阜／日医工／武田薬品)	メトクロプラミド	5mg 1錠	ベンザミド系消化器機能異常治療剤	3951
	t35 t035 5mg	微黄白～帯黄白 ⊙	ペミロラストK錠5mg「NIG」(日医工岐阜／日医工／武田薬品)	ペミロラストカリウム	5mg 1錠	アレルギー性疾患治療剤	3564
	t923/5	黄白	マニジピン塩酸塩錠5mg「NIG」(日医工岐阜／日医工／武田薬品)	マニジピン塩酸塩	5mg 1錠	ジヒドロピリジン系Ca拮抗剤	3811
	TA130/5	白	カルグート錠5(田辺三菱)	デノパミン	5mg 1錠	心機能改善剤	2297
	TA135/5	白	タナトリル錠5(田辺三菱)	イミダプリル塩酸塩	5mg 1錠	ACE阻害剤	504
	tBX5mg BX5	白 ⊙	ベタキソロール塩酸塩錠5mg「NIG」(日医工岐阜／日医工／武田薬品)	ベタキソロール塩酸塩	5mg 1錠	β_1-遮断剤	3490
	TC21/5	白	プロテカジン5(大鵬薬品)	ラフチジン	5mg 1錠	H₂-受容体拮抗剤	4103
	TC23/5	淡黄白	プロテカジンOD錠5(大鵬薬品)	ラフチジン	5mg 1錠	H₂-受容体拮抗剤	4103
	TC260 5g TC260 10g	白	メサデルムクリーム0.1%(岡山大鵬／大鵬薬品)	デキサメタゾンプロピオン酸エステル	0.1% 1g	副腎皮質ホルモン	2220
	TC261 5g TC261 10g	白～微黄	メサデルム軟膏0.1%(岡山大鵬／大鵬薬品)	デキサメタゾンプロピオン酸エステル	0.1% 1g	副腎皮質ホルモン	2220
	TC5	白 ⊙	ジアゼパム錠5mg「タイホウ」(大鵬薬品)	ジアゼパム	5mg 1錠	マイナートランキライザー	1553
	tC5	白	ビカルタミド錠80mg「NIG」(日医工岐阜／日医工／武田薬品)	ビカルタミド	80mg 1錠	前立腺癌治療剤	2926
	TG201/5	白	ドネペジル塩酸塩錠5mg「タナベ」(ニプロES)	ドネペジル, -塩酸塩	5mg 1錠	アルツハイマー型, レビー小体型認知症治療剤	2426
	TG201/5	白	ドネペジル塩酸塩錠5mg「ニプロ」(ニプロES)	ドネペジル, -塩酸塩	5mg 1錠	アルツハイマー型, レビー小体型認知症治療剤	2426
	TG204/5	白	ドネペジル塩酸塩OD錠5mg「タナベ」(ニプロES)	ドネペジル, -塩酸塩	5mg 1錠	アルツハイマー型, レビー小体型認知症治療剤	2426
	TG204/5	白	ドネペジル塩酸塩OD錠5mg「ニプロ」(ニプロES)	ドネペジル, -塩酸塩	5mg 1錠	アルツハイマー型, レビー小体型認知症治療剤	2426
	TG211/5	白 ⊙	パロキセチン錠5mg「タナベ」(ニプロES)	パロキセチン塩酸塩水和物	5mg 1錠	選択的セロトニン再取り込み阻害剤(SSRI)	2878
	TG211/5	白 ⊙	パロキセチン錠5mg「ニプロ」(ニプロES)	パロキセチン塩酸塩水和物	5mg 1錠	選択的セロトニン再取り込み阻害剤(SSRI)	2878
	TJN BNT/5	白	ボナロン錠5mg(帝人)	アレンドロン酸ナトリウム水和物	5mg 1錠	骨粗鬆症治療剤	349
	tLI5 5mg LI5	白 ⊙	リシノプリル錠5mg「NIG」(日医工岐阜／日医工／武田薬品)	リシノプリル水和物	5mg 1錠	ACE阻害剤	4193
	tPX/5	帯紅白	パロキセチン錠5mg「NIG」(日医工岐阜／日医工／武田薬品)	パロキセチン塩酸塩水和物	5mg 1錠	選択的セロトニン再取り込み阻害剤(SSRI)	2878
	TR5/ ☆ORGANON TR5 ☆ORGANON	白	マーベロン21(オルガノン)	エチニルエストラジオール・デソゲストレル	(21日分)1組	経口避妊剤	2267
	TR5/ ☆ORGANON TR5 ☆ORGANON KH2/ ☆ORGANON KH2 ☆ORGANON	白 緑	マーベロン28(オルガノン)	エチニルエストラジオール・デソゲストレル	(28日分)1組	経口避妊剤	2267
	TSU322/5	極薄黄	ソリフェナシンコハク酸塩錠5mg「ツルハラ」(鶴原)	コハク酸ソリフェナシン	5mg 1錠	過活動膀胱治療剤	1970
	TSU387 5mg TSU387	白	チキジウム臭化物カプセル5mg「ツルハラ」(鶴原)	チキジウム臭化物	5mg 1カプセル	キノリジジン系抗ムスカリン剤	2158
	TSU926/5	薄赤みの黄～くすんだ赤みの黄	ロスバスタチン錠5mg「ツルハラ」(鶴原)	ロスバスタチンカルシウム	5mg 1錠	HMG-CoA還元酵素阻害剤	4487
	TTS200/5 TTS-200	白	メトクロプラミド錠5mg「タカタ」(高田)	メトクロプラミド	5mg 1錠	ベンザミド系消化器機能異常治療剤	3951
	TTS373/5 TTS-373	白 ⊙	アムロジピン錠5mg「タカタ」(高田)	アムロジピンベシル酸塩	5mg 1錠	ジヒドロピリジン系Ca拮抗剤	264
	TTS376/5 TTS-376	黄	オロパタジン塩酸塩OD錠5mg「タカタ」(高田)	オロパタジン塩酸塩	5mg 1錠	アレルギー性疾患治療剤	1037
	TTS556/5 TTS-556	淡黄赤	オロパタジン塩酸塩錠5mg「タカタ」(高田)	オロパタジン塩酸塩	5mg 1錠	アレルギー性疾患治療剤	1037

番号	識別コード	色 (◐:割線有)	商品名(会社名)	一般名	規格単位	薬効	掲載ページ
5	TTS646／5 TTS-646	白	ドネペジル塩酸塩錠5mg「タカタ」(高田)	ドネペジル，-塩酸塩	5mg 1錠	アルツハイマー型，レビー小体型認知症治療剤	2426
	TTS711／5 TTS-711	微黄白〜淡黄白 ◐	アムロジピンOD錠5mg「タカタ」(高田)	アムロジピンベシル酸塩	5mg 1錠	ジヒドロピリジン系Ca拮抗剤	264
	TTS721／5 TTS-721	白 ◐	ドネペジル塩酸塩OD錠5mg「タカタ」(高田)	ドネペジル，-塩酸塩	5mg 1錠	アルツハイマー型，レビー小体型認知症治療剤	2426
	TTS730／5 TTS-730	淡橙	ゾルピデム酒石酸塩錠5mg「タカタ」(高田)	ゾルピデム酒石酸塩	5mg 1錠	入眠剤	1973
	TTS770／5 TTS-770	帯紅白	パロキセチン錠5mg「タカタ」(高田)	パロキセチン塩酸塩水和物	5mg 1錠	選択的セロトニン再取り込み阻害剤(SSRI)	2878
	TU131／5	白	パロキセチン錠5mg「TCK」(辰巳化学)	パロキセチン塩酸塩水和物	5mg 1錠	選択的セロトニン再取り込み阻害剤(SSRI)	2878
	TU212／5	白 ◐	アムロジピン錠5mg「TCK」(辰巳化学/フェルゼン)	アムロジピンベシル酸塩	5mg 1錠	ジヒドロピリジン系Ca拮抗剤	264
	TU221／5	白 ◐	イミダプリル塩酸塩錠5mg「TCK」(辰巳化学)	イミダプリル塩酸塩	5mg 1錠	ACE阻害剤	504
	TU232／5	淡橙	アムロジピンOD錠5mg「TCK」(辰巳化学/フェルゼン)	アムロジピンベシル酸塩	5mg 1錠	ジヒドロピリジン系Ca拮抗剤	264
	TU241／5	白	ラフチジン錠5mg「TCK」(辰巳化学)	ラフチジン	5mg 1錠	H₂-受容体拮抗剤	4103
	TU255／5	白	モサプリドクエン酸塩錠5mg「TCK」(辰巳化学)	モサプリドクエン酸塩水和物	5mg 1錠	消化管運動促進剤	4014
	TU313／5	白	アレンドロン酸錠5mg「TCK」(辰巳化学)	アレンドロン酸ナトリウム水和物	5mg 1錠	骨粗鬆症治療剤	349
	TVO2／5	淡黄 ◐	オランザピンOD錠5mg「NIG」(日医工岐阜/日医工/武田薬品)	オランザピン	5mg 1錠	抗精神病剤・双極性障害治療剤・制吐剤	1021
	Tw DP5 Tw.DP5	微黄〜黄	ジアゼパム錠5「トーワ」(東和薬品)	ジアゼパム	5mg 1錠	マイナートランキライザー	1553
	Tw022／5	白	イミダプリル塩酸塩錠5mg「トーワ」(東和薬品)	イミダプリル塩酸塩	5mg 1錠	ACE阻害剤	504
	Tw160／5	白	アレンドロン酸錠5mg「トーワ」(東和薬品)	アレンドロン酸ナトリウム水和物	5mg 1錠	骨粗鬆症治療剤	349
	Tw161／5	白 ◐	リシノプリル錠5mg「トーワ」(東和薬品)	リシノプリル水和物	5mg 1錠	ACE阻害剤	4193
	Tw246／5	白 ◐	ベタキソロール塩酸塩錠5mg「トーワ」(東和薬品)	ベタキソロール塩酸塩	5mg 1錠	β₁-遮断剤	3490
	Tw324／5	淡橙	ゾルピデム酒石酸塩錠5mg「トーワ」(東和薬品)	ゾルピデム酒石酸塩	5mg 1錠	入眠剤	1973
	Tw515／5	淡黄	メロキシカム錠5mg「トーワ」(東和薬品)	メロキシカム	5mg 1錠	非ステロイド性消炎鎮痛剤	4000
	Tw572／5	白〜帯黄白	モサプリドクエン酸塩錠5mg「トーワ」(東和薬品)	モサプリドクエン酸塩水和物	5mg 1錠	消化管運動促進剤	4014
	Tw702／5	白	ラフチジン錠5mg「トーワ」(東和薬品)	ラフチジン	5mg 1錠	H₂-受容体拮抗剤	4103
	Tw725／5	淡黄	タンドスピロンクエン酸塩錠5mg「トーワ」(東和薬品)	タンドスピロンクエン酸塩	5mg 1錠	非ベンゾジアゼピン系・セロトニン作動性抗不安薬	2129
	Tw733／5	白	エバスチン錠5mg「トーワ」(東和薬品)	エバスチン	5mg 1錠	持続性選択H₁-受容体拮抗剤	778
	Tw747／5	黄白 ◐	パロキセチン錠5mg「トーワ」(東和薬品)	パロキセチン塩酸塩水和物	5mg 1錠	選択的セロトニン再取り込み阻害剤(SSRI)	2878
	Tw750／5	帯紅白 ◐	パロキセチンOD錠5mg「トーワ」(東和薬品)	パロキセチン塩酸塩水和物	5mg 1錠	選択的セロトニン再取り込み阻害剤(SSRI)	2878
	Tw757／5	淡黄赤	オロパタジン塩酸塩錠5mg「トーワ」(東和薬品)	オロパタジン塩酸塩	5mg 1錠	アレルギー性疾患治療剤	1037
	t t162[5mg]	白	ニトラゼパム錠5mg「NIG」(日医工岐阜/日医工/武田薬品)	ニトラゼパム	5mg 1錠	ベンゾジアゼピン系催眠剤	2641
	VLE／ATR5 VLE ATR5	極薄紅	アトルバスタチン錠5mg「VTRS」(ヴィアトリス・ヘルスケア/ヴィアトリス)	アトルバスタチンカルシウム水和物	5mg 1錠	HMG-CoA還元酵素阻害剤	128
	VTRS／5MO VTRS5MO	白 ◐	モサプリドクエン酸塩錠5mg「VTRS」(ヴィアトリス・ヘルスケア/ヴィアトリス)	モサプリドクエン酸塩水和物	5mg 1錠	消化管運動促進剤	4014
	WL5	白 ◐	ビソプロロールフマル酸塩錠5mg「サンド」(サンド)	ビソプロロールフマル酸塩	5mg 1錠	選択的β₁-アンタゴニスト	2944
	Y BL5 Y-BL5	淡黄白	バイロテンシン錠5mg(田辺三菱)	ニトレンジピン	5mg 1錠	ジヒドロピリジン系Ca拮抗剤	2642
	Y HB5 Y-HB5	橙	ヒベルナ糖衣錠5mg(田辺三菱)	プロメタジン	5mg 1錠	フェノチアジン系抗ヒスタミン・抗パーキンソン剤	3454
	Y LV5／5 Y-LV5	白	レボトミン錠5mg(田辺三菱)	レボメプロマジン	5mg 1錠	フェノチアジン系精神安定剤	4443
	Y RZ5 Y-RZ5	白	リーゼ錠5mg(田辺三菱)	クロチアゼパム	5mg 1錠	心身安定剤	1309

番号	識別コード	色 (◎：割線有)	商品名(会社名)	一般名	規格単位	薬効	掲載ページ
5	YD080／5	白	アレンドロン酸錠5mg「YD」(陽進堂)	アレンドロン酸ナトリウム水和物	5mg 1錠	骨粗鬆症治療剤	349
	YD157／5	薄赤	モンテルカストチュアブル錠5mg「YD」(陽進堂)	モンテルカストナトリウム	5mg 1錠	ロイコトリエン受容体拮抗剤	4043
	YD223／5	淡黄赤 ◎	オロパタジン塩酸塩錠5mg「YD」(陽進堂)	オロパタジン塩酸塩	5mg 1錠	アレルギー性疾患治療剤	1037
	YD224／5	白	ラフチジン錠5mg「YD」(陽進堂)	ラフチジン	5mg 1錠	H₂-受容体拮抗剤	4103
	YD252／5	白 ◎	モサプリドクエン酸塩錠5mg「YD」(陽進堂)	モサプリドクエン酸塩水和物	5mg 1錠	消化管運動促進剤	4014
	YD347／5	帯紅白	パロキセチン錠5mg「YD」(陽進堂)	パロキセチン塩酸塩水和物	5mg 1錠	選択的セロトニン再取り込み阻害剤(SSRI)	2878
	YD368／5	白	エバスチン錠5mg「YD」(陽進堂)	エバスチン	5mg 1錠	持続性選択H₁-受容体拮抗剤	778
	YD512／5	白 ◎	レボセチリジン塩酸塩OD錠5mg「YD」(陽進堂)	レボセチリジン塩酸塩	5mg 1錠	持続性選択H₁-受容体拮抗剤	4407
	YD537／5	白 ◎	イミダプリル塩酸塩錠5mg「YD」(陽進堂)	イミダプリル塩酸塩	5mg 1錠	ACE阻害剤	504
	YD572／5	淡赤	エバスチンOD錠5mg「YD」(陽進堂)	エバスチン	5mg 1錠	持続性選択H₁-受容体拮抗剤	778
	YD649 ラベプラゾール YD5	淡黄	ラベプラゾールNa錠5mg「YD」(陽進堂)	ラベプラゾールナトリウム	5mg 1錠	プロトンポンプインヒビター	4112
	YO MG5／300	白	酸化マグネシウム錠300mg「ヨシダ」(吉田)	酸化マグネシウム	300mg 1錠	制酸・緩下剤	3798
	YP-1FN5	微黄半透明(白)	フェンタニル1日用テープ5mg「ユートク」(祐徳薬品)	フェンタニル	5mg 1枚	経皮吸収型持続性疼痛治療剤	3156
	Z125／5	明るい灰黄	モンテルカストナトリウム錠5mg「日本臓器」(日本臓器)	モンテルカストナトリウム	5mg 1錠	ロイコトリエン受容体拮抗剤	4043
	Z135 5 Z135	白	レボセチリジン塩酸塩錠5mg「日本臓器」(小財家／日本臓器)	レボセチリジン塩酸塩	5mg 1錠	持続性選択H₁-受容体拮抗剤	4407
	ZD4522 5	薄赤み黄〜くすんだ赤み黄	クレストール錠5mg (アストラゼネカ)	ロスバスタチンカルシウム	5mg 1錠	HMG-CoA還元酵素阻害剤	4487
	ZE15／5	淡紅	エバスチンOD錠5mg「ZE」(全星薬品工業／サンド／全星薬品)	エバスチン	5mg 1錠	持続性選択H₁-受容体拮抗剤	778
	ZE26／5	淡橙 ◎	アムロジピンOD錠5mg「ZE」(全星薬品工業／全星薬品)	アムロジピンベシル酸塩	5mg 1錠	ジヒドロピリジン系Ca拮抗剤	264
	ZE37／5	白	モサプリドクエン酸塩錠5mg「ZE」(全星薬品工業／全星薬品)	モサプリドクエン酸塩水和物	5mg 1錠	消化管運動促進剤	4014
	ZE44／5	白	ドネペジル塩酸塩OD錠5mg「ZE」(全星薬品工業／全星薬品)	ドネペジル,-塩酸塩	5mg 1錠	アルツハイマー型，レビー小体型認知症治療剤	2426
	ZE54／5	淡橙 ◎	ゾルピデム酒石酸塩錠5mg「ZE」(全星薬品工業／全星薬品)	ゾルピデム酒石酸塩	5mg 1錠	入眠剤	1973
	ZE56／5	極薄紅	アトルバスタチン錠5mg「ZE」(全星薬品工業／全星薬品)	アトルバスタチンカルシウム水和物	5mg 1錠	HMG-CoA還元酵素阻害剤	128
	ZE95／5	淡黄赤 ◎	オロパタジン塩酸塩錠5mg「ZE」(全星薬品工業／全星薬品／ニプロ)	オロパタジン塩酸塩	5mg 1錠	アレルギー性疾患治療剤	1037
	ZLP5	白 ◎	ゾルピデム酒石酸塩錠5mg「サンド」(サンド)	ゾルピデム酒石酸塩	5mg 1錠	入眠剤	1973
	𝑛045／5 𝑛045 5 (𝑛)045	淡黄	タンドスピロンクエン酸塩錠5mg「日医工」(日医工)	タンドスピロンクエン酸塩	5mg 1錠	非ベンゾジアゼピン系・セロトニン作動性抗不安薬	2129
	⚓／10／5 ⚓10／5	淡黄	トラディアンス配合錠AP (日本ベーリンガー)	エンパグリフロジン・リナグリプチン	1錠	選択的SGLT2阻害剤／胆汁排泄型選択的DPP-4阻害薬配合剤・2型糖尿病治療剤	931
	△107／5	白〜帯黄白	5mgコントール錠(武田テバ薬品／武田薬品)	クロルジアゼポキシド	5mg 1錠	マイナートランキライザー	1376
	△111／5	淡黄〜淡橙黄	5mgセルシン錠(武田テバ薬品／武田薬品)	ジアゼパム	5mg 1錠	マイナートランキライザー	1553
	cʜ129／5 cʜ129	淡黄 ◎	アムロジピンOD錠5mg「CH」(長生堂／日本ジェネリック)	アムロジピンベシル酸塩	5mg 1錠	ジヒドロピリジン系Ca拮抗剤	264
	P174／5	白	エバステル錠5mg (住友ファーマ)	エバスチン	5mg 1錠	持続性選択H₁-受容体拮抗剤	778
	P177／5	薄紅	エバステルOD錠5mg (住友ファーマ／Meiji Seika)	エバスチン	5mg 1錠	持続性選択H₁-受容体拮抗剤	778
	𝑛180／5 (𝑛)180	淡橙 ◎	ゾルピデム酒石酸塩OD錠5mg「日医工」(日医工)	ゾルピデム酒石酸塩	5mg 1錠	入眠剤	1973
	cʜ183／5	白	エバスチン錠5mg「CH」(長生堂／日本ジェネリック)	エバスチン	5mg 1錠	持続性選択H₁-受容体拮抗剤	778
	P218／5	白 ◎	ガスモチン錠5mg (住友ファーマ)	モサプリドクエン酸塩水和物	5mg 1錠	消化管運動促進剤	4014
	△228 5 △228	白	5mcgチロナミン錠(武田薬品)	リオチロニンナトリウム	5μg 1錠	甲状腺ホルモン	4181
	△230／5	黄白 ◎	カルスロット錠5 (武田テバ薬品／武田薬品)	マニジピン塩酸塩	5mg 1錠	ジヒドロピリジン系Ca拮抗剤	3811

番号	識別コード	色 (①：割線有)		商品名(会社名)	一般名	規格単位	薬効	掲載 ページ
0 - 99								
5	△243／5	白	①	プレドニゾロン錠「タケダ」5mg（武田 テバ薬品／武田薬品）	プレドニゾロン	5mg 1錠	副腎皮質ホルモン	3366
	€248 5	白		アリセプトD錠5mg（エーザイ）	ドネペジル，-塩酸塩	5mg 1錠	アルツハイマー型，レビー小 体型認知症治療剤	2426
	△／25／5 △25／5	淡赤		トラディアンス配合錠BP（日本ベーリ ンガー）	エンパグリフロジン・リナ グリプチン	1錠	選択的SGLT2阻害剤/ 胆汁排泄型選択的DPP-4阻害 薬配合剤・2型糖尿病治療剤	931
	€257／5 €257	微帯赤橙①		ワーファリン錠5mg（エーザイ）	ワルファリンカリウム	5mg 1錠	抗凝血剤	4556
	❀261／5	白	①	プレドニゾロン錠5mg（旭化成）（旭化 成）	プレドニゾロン	5mg 1錠	副腎皮質ホルモン	3366
	△275／20／5	微黄		ザクラス配合錠HD（武田薬品）	アジルサルタン・アムロジ ピンベシル酸塩	1錠	持続性AT₁受容体遮断剤・持 続性Ca拮抗薬配合剤	44
	Lilly 3226 5mg Lilly 3226	橙		ストラテラカプセル5mg（日本イーラ イリリー）	アトモキセチン塩酸塩	5mg 1カプセ ル	注意欠陥/多動性障害治療 剤・選択的ノルアドレナリン 再取り込み阻害剤	124
	n323／5 n323 5 ⓝ323	白		ドネペジル塩酸塩錠5mg「日医工」（日 医工）	ドネペジル，-塩酸塩	5mg 1錠	アルツハイマー型，レビー小 体型認知症治療剤	2426
	n332／5 ⓝ332	白	①	モサプリドクエン酸塩錠5mg「日医工」 （日医工）	モサプリドクエン酸塩水和 物	5mg 1錠	消化管運動促進剤	4014
	①341／5 ①341：5	薄橙		プレドニン錠5mg（シオノギファーマ ／塩野義）	プレドニゾロン	5mg 1錠	副腎皮質ホルモン	3366
	n371／5 N371 5 ⓝ371	白		ドネペジル塩酸塩OD錠5mg「日医工」 （日医工）	ドネペジル，-塩酸塩	5mg 1錠	アルツハイマー型，レビー小 体型認知症治療剤	2426
	n407／5 n407 5 ⓝ407	白		ラモトリギン錠小児用5mg「日医工」 （日医工）	ラモトリギン	5mg 1錠	抗てんかん・双極性障害治療 剤	4143
	▽454／5 TYK454	白	①	アムロジピン錠5mg「TYK」（コーア バイオテックベイ／日医工／武田薬品）	アムロジピンベシル酸塩	5mg 1錠	ジヒドロピリジン系Ca拮抗剤	264
	C5	くすんだ黄		シアリス錠5mg（日本新薬）	タダラフィル	5mg 1錠	ホスホジエステラーゼ5阻害 剤	2027
	n552／5 ⓝ552	薄橙		アムロジピンOD錠5mg「日医工」（日 医工）	アムロジピンベシル酸塩	5mg 1錠	ジヒドロピリジン系Ca拮抗剤	264
	n574／5 ⓝ574	白		デノパミン錠5mg「日医工」（日医工）	デノパミン	5mg 1錠	心機能改善剤	2297
	Pfizer／5XNB Pfizer5XNB	赤		インライタ錠5mg（ファイザー）	アキシチニブ	5mg 1錠	抗悪性腫瘍剤・キナーゼ阻害 剤	10
	ℒℒ5 LL5	白〜淡黄		ロイコボリン錠5mg（ファイザー）	ホリナートカルシウム	5mg 1錠	抗葉酸代謝拮抗剤	3771
	n730／5 n730 5 ⓝ730	黄白	①	マニジピン塩酸塩錠5mg「日医工」（日 医工）	マニジピン塩酸塩	5mg 1錠	ジヒドロピリジン系Ca拮抗剤	3811
	n768／5 n768 5 ⓝ768	淡黄		メロキシカム錠5mg「日医工」（日医 工）	メロキシカム	5mg 1錠	非ステロイド性消炎鎮痛剤	4000
	P771／5	薄橙	①	マイスタン錠5mg（住友ファーマ／ア ルフレッサファーマ）	クロバザム	5mg 1錠	ベンゾジアゼピン系抗てんか ん剤	1313
	n818／5 n818 5 ⓝ818	白		アレンドロン酸錠5mg「日医工」（日医 工）	アレンドロン酸ナトリウム 水和物	5mg 1錠	骨粗鬆症治療剤	349
	n878／5 n878 5 ⓝ878	白		ラフチジン錠5mg「日医工」（日医工）	ラフチジン	5mg 1錠	H₂-受容体拮抗剤	4103
	n899／5 n899 5 ⓝ899	白		タクロリムス錠5mg「日医工」（日医 工）	タクロリムス水和物	5mg 1錠	免疫抑制剤	1999
	①920：5 ①920／5	薄橙		オキシコンチンTR錠5mg（シオノギフ ァーマ／塩野義）	オキシコドン塩酸塩水和物	5mg 1錠	疼痛治療剤	950
	Ⓚ／GF D5 ⓀGF D5	微黄白		グルファストOD錠5mg（キッセイ）	ミチグリニドカルシウム水 和物	5mg 1錠	速効型インスリン分泌促進剤	3859
	Ⓚ／GF5 ⓀGF5	白		グルファスト錠5mg（キッセイ）	ミチグリニドカルシウム水 和物	5mg 1錠	速効型インスリン分泌促進剤	3859
	◇NC5 NC5	青／ベージュ		コタロー安中散エキスカプセル(小太郎 漢方)	安中散	1カプセル	漢方製剤	4564
	€NR5	白		ニトロール錠5mg（エーザイ）	硝酸イソソルビド	5mg 1錠	冠動脈拡張剤	1693
	Ⓚ／S5 ⓀS5	白		サラジェン錠5mg（キッセイ）	ピロカルピン塩酸塩	5mg 1錠	副交感神経刺激・縮瞳・口腔 乾燥症状改善剤	3058
	𝑤ZAG／20／5 𝑤ZAG HD	微黄		ジルムロ配合錠HD「武田テバ」（武田 テバファーマ／武田薬品）	アジルサルタン・アムロジ ピンベシル酸塩	1錠	持続性AT₁受容体遮断剤・持 続性Ca拮抗薬配合剤	44
	€アリセプト5	白		アリセプト錠5mg（エーザイ）	ドネペジル，-塩酸塩	5mg 1錠	アルツハイマー型，レビー小 体型認知症治療剤	2426
	€パリエット5	淡黄		パリエット錠5mg（エーザイ／EA）	ラベプラゾールナトリウム	5mg 1錠	プロトンポンプインヒビター	4112
	徐放 オキシコドン5	微橙		オキシコドン徐放錠5mgNX「第一三 共」（第一三共プロ／第一三共）	オキシコドン塩酸塩水和物	5mg 1錠	疼痛治療剤	950

番号	識別コード	色 (①:割線有)	商品名(会社名)	一般名	規格単位	薬効	掲載ページ
5	アイミクスLD／100 5	白〜帯黄白	アイミクス配合錠LD（住友ファーマ）	イルベサルタン・アムロジピンベシル酸塩	1錠	長時間作用型アンギオテンシンⅡ受容体拮抗剤・持続性Ca拮抗剤配合剤	523
	アトモ5キセチンJG	白	アトモキセチン錠5mg「JG」（日本ジェネリック）	アトモキセチン塩酸塩	5mg 1錠	注意欠陥/多動性障害治療剤・選択的ノルアドレナリン再取り込み阻害剤	124
	アトモ5キセチントーワ	白	アトモキセチン錠5mg「トーワ」（東和薬品）	アトモキセチン塩酸塩	5mg 1錠	注意欠陥/多動性障害治療剤・選択的ノルアドレナリン再取り込み阻害剤	124
	アトモ5キセチンニプロ	白	アトモキセチン錠5mg「ニプロ」（ニプロ）	アトモキセチン塩酸塩	5mg 1錠	注意欠陥/多動性障害治療剤・選択的ノルアドレナリン再取り込み阻害剤	124
	アトモキセチン5DSEP	白	アトモキセチン錠5mg「DSEP」（第一三共エスファ）	アトモキセチン塩酸塩	5mg 1錠	注意欠陥/多動性障害治療剤・選択的ノルアドレナリン再取り込み阻害剤	124
	アトモキセチン5mgVTRS	橙	アトモキセチンカプセル5mg「VTRS」（ヴィアトリス・ヘルスケア／ヴィアトリス）	アトモキセチン塩酸塩	5mg 1カプセル	注意欠陥/多動性障害治療剤・選択的ノルアドレナリン再取り込み阻害剤	124
	アトモキセチン5mg日医工 ⓝ137	橙	アトモキセチンカプセル5mg「日医工」（日医工）	アトモキセチン塩酸塩	5mg 1カプセル	注意欠陥/多動性障害治療剤・選択的ノルアドレナリン再取り込み阻害剤	124
	アトモキセチン5mgサワイ	橙	アトモキセチンカプセル5mg「サワイ」（沢井）	アトモキセチン塩酸塩	5mg 1カプセル	注意欠陥/多動性障害治療剤・選択的ノルアドレナリン再取り込み阻害剤	124
	アトモキセチン5タカタ	淡黄	アトモキセチン錠5mg「タカタ」（高田）	アトモキセチン塩酸塩	5mg 1錠	注意欠陥/多動性障害治療剤・選択的ノルアドレナリン再取り込み阻害剤	124
	アトモキセチンアメル5mg	橙	アトモキセチンカプセル5mg「アメル」（共和薬品）	アトモキセチン塩酸塩	5mg 1カプセル	注意欠陥/多動性障害治療剤・選択的ノルアドレナリン再取り込み阻害剤	124
	アトルバ5杏林	紅	アトルバスタチン錠5mg「杏林」（キョーリンリメディオ／杏林）	アトルバスタチンカルシウム水和物	5mg 1錠	HMG-CoA還元酵素阻害剤	128
	アトルバ5／アトルバMe	極薄紅	アトルバスタチン錠5mg「Me」（Meファルマ／三和化学／共創未来／フェルゼン）	アトルバスタチンカルシウム水和物	5mg 1錠	HMG-CoA還元酵素阻害剤	128
	アトルバ5スタチントーワ	極薄紅	アトルバスタチン錠5mg「トーワ」（東和薬品）	アトルバスタチンカルシウム水和物	5mg 1錠	HMG-CoA還元酵素阻害剤	128
	アトルバYD5 YD226	紅	アトルバスタチン錠5mg「YD」（陽進堂）	アトルバスタチンカルシウム水和物	5mg 1錠	HMG-CoA還元酵素阻害剤	128
	アトルバスタチン5DSEP／アトルバスタチン5第一三共エスファ	極薄紅	アトルバスタチン錠5mg「DSEP」（第一三共エスファ）	アトルバスタチンカルシウム水和物	5mg 1錠	HMG-CoA還元酵素阻害剤	128
	アトルバスタチン5NS	極薄紅	アトルバスタチン錠5mg「NS」（日新／科研）	アトルバスタチンカルシウム水和物	5mg 1錠	HMG-CoA還元酵素阻害剤	128
	アトルバスタチン／5TCK	紅	アトルバスタチン錠5mg「TCK」（辰巳化学）	アトルバスタチンカルシウム水和物	5mg 1錠	HMG-CoA還元酵素阻害剤	128
	アトルバスタチン5日医工 ⓝ694	極薄紅	アトルバスタチン錠5mg「日医工」（日医工）	アトルバスタチンカルシウム水和物	5mg 1錠	HMG-CoA還元酵素阻害剤	128
	アトルバスタチン5アメル	極薄紅	アトルバスタチン錠5mg「アメル」（共和薬品）	アトルバスタチンカルシウム水和物	5mg 1錠	HMG-CoA還元酵素阻害剤	128
	アトルバスタチン5ニプロ	極薄紅	アトルバスタチン錠5mg「NP」（ニプロ）	アトルバスタチンカルシウム水和物	5mg 1錠	HMG-CoA還元酵素阻害剤	128
	アトルバスタチンOD5トーワ	淡黄	アトルバスタチンOD錠5mg「トーワ」（東和薬品）	アトルバスタチンカルシウム水和物	5mg 1錠	HMG-CoA還元酵素阻害剤	128
	アマルエット1番「ニプロ」／アトルバスタチン5mgアムロジピン2.5mg	薄黄	アマルエット配合錠1番「ニプロ」（ニプロ）	アムロジピンベシル酸塩・アトルバスタチンカルシウム水和物	1錠	持続性Ca拮抗剤・HMG-CoA還元酵素阻害剤	266
	アマルエット1番トーワ／2.5アムロジアトルバ5	白	アマルエット配合錠1番「トーワ」（東和薬品）	アムロジピンベシル酸塩・アトルバスタチンカルシウム水和物	1錠	持続性Ca拮抗剤・HMG-CoA還元酵素阻害剤	266
	アマルエット1サンド／2.5/5	薄黄	アマルエット配合錠1番「サンド」（サンド）	アムロジピンベシル酸塩・アトルバスタチンカルシウム水和物	1錠	持続性Ca拮抗剤・HMG-CoA還元酵素阻害剤	266
	アマルエット3番「ニプロ」／アトルバスタチン5mgアムロジピン5mg	薄黄	アマルエット配合錠3番「ニプロ」（ニプロ）	アムロジピンベシル酸塩・アトルバスタチンカルシウム水和物	1錠	持続性Ca拮抗剤・HMG-CoA還元酵素阻害剤	266
	アマルエット3番トーワ／5アムロジアトルバ5	微黄	アマルエット配合錠3番「トーワ」（東和薬品）	アムロジピンベシル酸塩・アトルバスタチンカルシウム水和物	1錠	持続性Ca拮抗剤・HMG-CoA還元酵素阻害剤	266
	アマルエット3サンド／5/5	薄黄	アマルエット配合錠3番「サンド」（サンド）	アムロジピンベシル酸塩・アトルバスタチンカルシウム水和物	1錠	持続性Ca拮抗剤・HMG-CoA還元酵素阻害剤	266

番号	識別コード	色 (①:割線有)	商品名(会社名)	一般名	規格単位	薬効	掲載 ページ
5	アマルエット4番「ニプロ」／アトルバスタチン10mgアムロジピン5mg	白	アマルエット配合錠4番「ニプロ」（ニプロ）	アムロジピンベシル酸塩・アトルバスタチンカルシウム水和物	1錠	持続性Ca拮抗剤・HMG-CoA還元酵素阻害剤	266
	アマルエット4番トーワ／5アムロジアトルバ10	白	アマルエット配合錠4番「トーワ」（東和薬品）	アムロジピンベシル酸塩・アトルバスタチンカルシウム水和物	1錠	持続性Ca拮抗剤・HMG-CoA還元酵素阻害剤	266
	アマルエット4サンド／5/10	白	アマルエット配合錠4番「サンド」（サンド）	アムロジピンベシル酸塩・アトルバスタチンカルシウム水和物	1錠	持続性Ca拮抗剤・HMG-CoA還元酵素阻害剤	266
	アムバロOD配合トーワ／80バルサアムロジ5	淡黄	アムバロ配合OD錠「トーワ」（東和薬品）	バルサルタン・アムロジピンベシル酸塩	1錠	選択的AT₁受容体ブロッカー・持続性Ca拮抗薬合剤	2842
	アムバロ配合錠オーハラ／バルサルタン80mgアムロジピン5mgアムバロ配合錠オーハラバルサルタン80mgアムロジピン5mg	帯黄白	アムバロ配合錠「オーハラ」（大原薬品／エッセンシャル）	バルサルタン・アムロジピンベシル酸塩	1錠	選択的AT₁受容体ブロッカー・持続性Ca拮抗薬合剤	2842
	アムバロ配合トーワ／80バルサアムロジ5	帯黄白	アムバロ配合錠「トーワ」（東和薬品）	バルサルタン・アムロジピンベシル酸塩	1錠	選択的AT₁受容体ブロッカー・持続性Ca拮抗薬合剤	2842
	アムロOD5／アムロジピンNS OD5	淡黄 ①	アムロジピンOD錠5mg「NS」（日新／第一三共エスファ）	アムロジピンベシル酸塩	5mg 1錠	ジヒドロピリジン系Ca拮抗剤	264
	アムロジ5／アムロジピン5トーワ	白 ①	アムロジピン錠5mg「トーワ」（東和薬品／共創未来）	アムロジピンベシル酸塩	5mg 1錠	ジヒドロピリジン系Ca拮抗剤	264
	アムロジピン5ch	白 ①	アムロジピン錠5mg「CH」（長生堂／日本ジェネリック）	アムロジピンベシル酸塩	5mg 1錠	ジヒドロピリジン系Ca拮抗剤	264
	アムロジピン5DSEP	白 ①	アムロジピン錠5mg「DSEP」（第一三共エスファ／エッセンシャル）	アムロジピンベシル酸塩	5mg 1錠	ジヒドロピリジン系Ca拮抗剤	264
	アムロジピン5オーハラ	白 ①	アムロジピン錠5mg「オーハラ」（大原薬品）	アムロジピンベシル酸塩	5mg 1錠	ジヒドロピリジン系Ca拮抗剤	264
	アムロジピン5サワイ	白～微黄白①	アムロジピン錠5mg「サワイ」（沢井）	アムロジピンベシル酸塩	5mg 1錠	ジヒドロピリジン系Ca拮抗剤	264
	アムロジピンOD5あすか／OD5あすかアムロジピン	淡黄 ①	アムロジピンOD錠5mg「あすか」（あすか／武田薬品）	アムロジピンベシル酸塩	5mg 1錠	ジヒドロピリジン系Ca拮抗剤	264
	アムロジピンOD5／アムロジピンOD5明治	淡黄 ①	アムロジピンOD錠5mg「明治」（Meiji Seika／Meファルマ）	アムロジピンベシル酸塩	5mg 1錠	ジヒドロピリジン系Ca拮抗剤	264
	アムロジピンOD5ケミファ	淡黄 ①	アムロジピンOD錠5mg「ケミファ」（日本薬品工業／日本ケミファ）	アムロジピンベシル酸塩	5mg 1錠	ジヒドロピリジン系Ca拮抗剤	264
	アムロジピンOD5サワイ	淡橙	アムロジピンOD錠5mg「サワイ」（沢井）	アムロジピンベシル酸塩	5mg 1錠	ジヒドロピリジン系Ca拮抗剤	264
	アムロジピンVT OD5／VTアムロジピンOD5アムロジピンOD5	淡黄 ①	アムロジピンOD錠5mg「VTRS」（ヴィアトリス・ヘルスケア／ヴィアトリス）	アムロジピンベシル酸塩	5mg 1錠	ジヒドロピリジン系Ca拮抗剤	264
	アムロジピンVT5／VTアムロジピン5	白 ①	アムロジピン錠5mg「VTRS」（ヴィアトリス・ヘルスケア／ヴィアトリス）	アムロジピンベシル酸塩	5mg 1錠	ジヒドロピリジン系Ca拮抗剤	264
	アムロジピンYD OD5YD571	淡黄 ①	アムロジピンOD錠5mg「YD」（陽進堂）	アムロジピンベシル酸塩	5mg 1錠	ジヒドロピリジン系Ca拮抗剤	264
	アムロジピンYD5YD961	白 ①	アムロジピン錠5mg「YD」（陽進堂）	アムロジピンベシル酸塩	5mg 1錠	ジヒドロピリジン系Ca拮抗剤	264
	アムロジピン明治／アムロジピン5	白 ①	アムロジピン錠5mg「明治」（Meiji Seika／Meファルマ）	アムロジピンベシル酸塩	5mg 1錠	ジヒドロピリジン系Ca拮抗剤	264
	アムロジン5	白 ①	アムロジン錠5mg（住友ファーマ）	アムロジピンベシル酸塩	5mg 1錠	ジヒドロピリジン系Ca拮抗剤	264
	アムロジンOD5	淡黄 ①	アムロジンOD錠5mg（住友ファーマ）	アムロジピンベシル酸塩	5mg 1錠	ジヒドロピリジン系Ca拮抗剤	264
	イミダプリル5DSEP	白 ①	イミダプリル塩酸塩錠5mg「DSEP」（第一三共エスファ／エッセンシャル）	イミダプリル塩酸塩	5mg 1錠	ACE阻害剤	504
	イミダプリル5JG	白 ①	イミダプリル塩酸塩錠5mg「JG」（日本ジェネリック）	イミダプリル塩酸塩	5mg 1錠	ACE阻害剤	504
	イミダプリル5オーハラ	白 ①	イミダプリル塩酸塩錠5mg「オーハラ」（大原薬品）	イミダプリル塩酸塩	5mg 1錠	ACE阻害剤	504
	イリボー5	淡黄	イリボー錠5μg（アステラス）	ラモセトロン塩酸塩〔下痢型過敏性腸症候群治療剤〕	5μg 1錠	下痢型過敏性腸症候群治療剤	4140
	イルアミクスLD三和／イルアミクスLD100/5	白～帯黄白	イルアミクス配合錠LD「三和」（ダイト／三和化学）	イルベサルタン・アムロジピンベシル酸塩	1錠	長時間作用型アンジオテンシンⅡ受容体拮抗剤・持続性Ca拮抗剤配合剤	523

番号	識別コード	色（①：割線有）	商品名(会社名)	一般名	規格単位	薬効	掲載ページ
5	イルアミクスLD配合錠オーハラ／イルベサルタン100mgアムロジピン5mg	白～帯黄白	イルアミクス配合錠LD「オーハラ」（大原薬品／共創未来）	イルベサルタン・アムロジピンベシル酸塩	1錠	長時間作用型アンギオテンシンⅡ受容体拮抗剤・持続性Ca拮抗剤配合剤	523
	イルアミクスLDケミファ／イルベサルタン100アムロジピン5	白～帯黄白	イルアミクス配合錠LD「ケミファ」（日本ケミファ／日本薬品工業）	イルベサルタン・アムロジピンベシル酸塩	1錠	長時間作用型アンギオテンシンⅡ受容体拮抗剤・持続性Ca拮抗剤配合剤	523
	イルアミクスLDサンド／100/5	白～帯黄白	イルアミクス配合錠LD「サンド」（サンド）	イルベサルタン・アムロジピンベシル酸塩	1錠	長時間作用型アンギオテンシンⅡ受容体拮抗剤・持続性Ca拮抗剤配合剤	523
	イルアミクスLDダイト／イルアミクスLD100/5	白～帯黄白	イルアミクス配合錠LD「ダイト」（ダイト／フェルゼン）	イルベサルタン・アムロジピンベシル酸塩	1錠	長時間作用型アンギオテンシンⅡ受容体拮抗剤・持続性Ca拮抗剤配合剤	523
	イルアミクスLDトーワ／100イルペアムロジ5	白～帯黄白	イルアミクス配合錠LD「トーワ」（東和薬品）	イルベサルタン・アムロジピンベシル酸塩	1錠	長時間作用型アンギオテンシンⅡ受容体拮抗剤・持続性Ca拮抗剤配合剤	523
	エナラプリル5オーハラ	薄桃 ①	エナラプリルマレイン酸塩錠5mg「オーハラ」（大原薬品／アルフレッサファーマ）	エナラプリルマレイン酸塩	5mg 1錠	ACE阻害剤	767
	エフィエント5	微黄赤	エフィエント錠5mg（第一三共）	プラスグレル塩酸塩	5mg 1錠	抗血小板剤	3251
	オキシコドン錠／5	微黄	オキシコドン錠5mgNX「第一三共」（第一三共プロ／第一三共）	オキシコドン塩酸塩水和物	5mg 1錠	疼痛治療剤	950
	オランザ5／オランザピン5トーワ	白 ①	オランザピン錠5mg「トーワ」（東和薬品）	オランザピン	5mg 1錠	抗精神病剤・双極性障害治療剤・制吐剤	1021
	オランザ5／オランザピンOD5トーワ	淡黄白 ①	オランザピンOD錠5mg「トーワ」（東和薬品）	オランザピン	5mg 1錠	抗精神病剤・双極性障害治療剤・制吐剤	1021
	オランザピン5DSEP	白	オランザピン錠5mg「DSEP」（第一三共エスファ）	オランザピン	5mg 1錠	抗精神病剤・双極性障害治療剤・制吐剤	1021
	オランザピン5JG	白	オランザピン錠5mg「JG」（日本ジェネリック）	オランザピン	5mg 1錠	抗精神病剤・双極性障害治療剤・制吐剤	1021
	オランザピン5ODアメル／ODアメル5オランザピン	黄 ①	オランザピンOD錠5mg「アメル」（共和薬品）	オランザピン	5mg 1錠	抗精神病剤・双極性障害治療剤・制吐剤	1021
	オランザピン5OD／オランザピンOD明治	黄	オランザピンOD錠5mg「明治」（Meiji Seika）	オランザピン	5mg 1錠	抗精神病剤・双極性障害治療剤・制吐剤	1021
	オランザピン5TV	白	オランザピン錠5mg「NIG」（日医工岐阜／日医工／武田薬品）	オランザピン	5mg 1錠	抗精神病剤・双極性障害治療剤・制吐剤	1021
	オランザピン5VTRS	白	オランザピン錠5mg「VTRS」（ヴィアトリス・ヘルスケア／ヴィアトリス）	オランザピン	5mg 1錠	抗精神病剤・双極性障害治療剤・制吐剤	1021
	オランザピン5Y-Z	白	オランザピン錠5mg「ヨシトミ」（ニプロES）	オランザピン	5mg 1錠	抗精神病剤・双極性障害治療剤・制吐剤	1021
	オランザピン5Y-Z	淡黄	オランザピンOD錠5mg「ヨシトミ」（ニプロES）	オランザピン	5mg 1錠	抗精神病剤・双極性障害治療剤・制吐剤	1021
	オランザピン5Y-Z	白	オランザピン錠5mg「NP」（ニプロES）	オランザピン	5mg 1錠	抗精神病剤・双極性障害治療剤・制吐剤	1021
	オランザピン5Y-Z	淡黄	オランザピンOD錠5mg「NP」（ニプロES）	オランザピン	5mg 1錠	抗精神病剤・双極性障害治療剤・制吐剤	1021
	オランザピン5杏林	白	オランザピン錠5mg「杏林」（キョーリンリメディオ／杏林）	オランザピン	5mg 1錠	抗精神病剤・双極性障害治療剤・制吐剤	1021
	オランザピン5三和	白	オランザピン錠5mg「三和」（三和化学）	オランザピン	5mg 1錠	抗精神病剤・双極性障害治療剤・制吐剤	1021
	オランザピン5日新	白	オランザピン錠5mg「日新」（日新）	オランザピン	5mg 1錠	抗精神病剤・双極性障害治療剤・制吐剤	1021
	オランザピン5／オランザピン明治	白	オランザピン錠5mg「明治」（Meiji Seika）	オランザピン	5mg 1錠	抗精神病剤・双極性障害治療剤・制吐剤	1021
	オランザピン5ニプロ	白	オランザピン錠5mg「ニプロ」（ニプロ）	オランザピン	5mg 1錠	抗精神病剤・双極性障害治療剤・制吐剤	1021
	オランザピンOD5DSEP	微黄～淡黄	オランザピンOD錠5mg「DSEP」（第一三共エスファ）	オランザピン	5mg 1錠	抗精神病剤・双極性障害治療剤・制吐剤	1021
	オランザピンOD5TCK	黄	オランザピンOD錠5mg「TCK」（辰巳化学）	オランザピン	5mg 1錠	抗精神病剤・双極性障害治療剤・制吐剤	1021
	オランザピンOD5VTRS	黄	オランザピンOD錠5mg「VTRS」（ヴィアトリス・ヘルスケア／ヴィアトリス）	オランザピン	5mg 1錠	抗精神病剤・双極性障害治療剤・制吐剤	1021
	オランザピンOD5杏林	微黄～淡黄	オランザピンOD錠5mg「杏林」（キョーリンリメディオ／杏林）	オランザピン	5mg 1錠	抗精神病剤・双極性障害治療剤・制吐剤	1021
	オランザピンOD5日医工 ⓝ233	微黄～淡黄	オランザピンOD錠5mg「日医工」（日医工）	オランザピン	5mg 1錠	抗精神病剤・双極性障害治療剤・制吐剤	1021

番号	識別コード	色 (Ⓘ:割線有)	商品名(会社名)	一般名	規格単位	薬効	掲載ページ
5	オランザピンOD5／オランザピンタカタOD5	淡黄	オランザピンOD錠5mg「タカタ」(高田)	オランザピン	5mg 1錠	抗精神病剤・双極性障害治療剤・制吐剤	1021
	オランザピンOD5ニプロ	淡黄	オランザピンOD錠5mg「ニプロ」(ニプロ)	オランザピン	5mg 1錠	抗精神病剤・双極性障害治療剤・制吐剤	1021
	オランザピンYD5 YD546	白	オランザピン錠5mg「YD」(陽進堂／アルフレッサファーマ)	オランザピン	5mg 1錠	抗精神病剤・双極性障害治療剤・制吐剤	1021
	オルメ5アメル	淡黄白	オルメサルタン錠5mg「アメル」(共和薬品)	オルメサルタン メドキソミル	5mg 1錠	高親和性AT$_1$レセプターブロッカー	1031
	オルメEP OD5	淡黄白	オルメサルタンOD錠5mg「DSEP」(第一三共エスファ)	オルメサルタン メドキソミル	5mg 1錠	高親和性AT$_1$レセプターブロッカー	1031
	オルメサルタン5JG	淡黄白	オルメサルタン錠5mg「JG」(日本ジェネリック)	オルメサルタン メドキソミル	5mg 1錠	高親和性AT$_1$レセプターブロッカー	1031
	オルメサルタン5ODトーワ	淡黄白	オルメサルタンOD錠5mg「トーワ」(東和薬品／共創未来)	オルメサルタン メドキソミル	5mg 1錠	高親和性AT$_1$レセプターブロッカー	1031
	オルメサルタン5TCK	淡黄白	オルメサルタン錠5mg「TCK」(辰巳化学)	オルメサルタン メドキソミル	5mg 1錠	高親和性AT$_1$レセプターブロッカー	1031
	オルメサルタン5杏林	淡黄白	オルメサルタン錠5mg「杏林」(キョーリンリメディオ／杏林)	オルメサルタン メドキソミル	5mg 1錠	高親和性AT$_1$レセプターブロッカー	1031
	オルメサルタン5三和	淡黄白	オルメサルタン錠5mg「三和」(日本薬品工業／三和化学)	オルメサルタン メドキソミル	5mg 1錠	高親和性AT$_1$レセプターブロッカー	1031
	オルメサルタン／5日医工 Ⓝ112	淡黄白	オルメサルタン錠5mg「日医工」(日医工)	オルメサルタン メドキソミル	5mg 1錠	高親和性AT$_1$レセプターブロッカー	1031
	オルメサルタン5日新	淡黄白	オルメサルタン錠5mg「日新」(日新)	オルメサルタン メドキソミル	5mg 1錠	高親和性AT$_1$レセプターブロッカー	1031
	オルメサルタン5オーハラ	淡黄白	オルメサルタン錠5mg「オーハラ」(大原薬品)	オルメサルタン メドキソミル	5mg 1錠	高親和性AT$_1$レセプターブロッカー	1031
	オルメサルタン5ケミファ／ケミファ5オルメサルタン	淡黄白	オルメサルタン錠5mg「ケミファ」(日本ケミファ／日本薬品工業)	オルメサルタン メドキソミル	5mg 1錠	高親和性AT$_1$レセプターブロッカー	1031
	オルメサルタン5ニプロ	淡黄白	オルメサルタン錠5mg「ニプロ」(ニプロ)	オルメサルタン メドキソミル	5mg 1錠	高親和性AT$_1$レセプターブロッカー	1031
	オルメサルタンOD5／OD5VTRS	淡黄白	オルメサルタンOD錠5mg「VTRS」(ヴィアトリス・ヘルスケア／ヴィアトリス)	オルメサルタン メドキソミル	5mg 1錠	高親和性AT$_1$レセプターブロッカー	1031
	オルメサルタンOD／5日医工 Ⓝ146 オルメサルタンOD5日医工	白～微黄白	オルメサルタンOD錠5mg「日医工」(日医工)	オルメサルタン メドキソミル	5mg 1錠	高親和性AT$_1$レセプターブロッカー	1031
	オルメサルタンOD5／オルメサルタンEE5	淡黄白	オルメサルタンOD錠5mg「EE」(エルメッド／日医工)	オルメサルタン メドキソミル	5mg 1錠	高親和性AT$_1$レセプターブロッカー	1031
	オルメサルタンOD5ニプロ	淡黄白	オルメサルタンOD錠5mg「ニプロ」(ニプロ)	オルメサルタン メドキソミル	5mg 1錠	高親和性AT$_1$レセプターブロッカー	1031
	オルメサルタンYD5 YD404	淡黄白	オルメサルタン錠5mg「YD」(陽進堂)	オルメサルタン メドキソミル	5mg 1錠	高親和性AT$_1$レセプターブロッカー	1031
	オルメテックOD5	淡黄白	オルメテックOD錠5mg (第一三共)	オルメサルタン メドキソミル	5mg 1錠	高親和性AT$_1$レセプターブロッカー	1031
	オロパタ5オロパタジンOD5トーワ	極薄黄 Ⓘ	オロパタジン塩酸塩OD錠5mg「トーワ」(東和薬品)	オロパタジン塩酸塩	5mg 1錠	アレルギー性疾患治療剤	1037
	オロパタジン5	淡黄赤 Ⓘ	オロパタジン塩酸塩錠5mg「VTRS」(ヴィアトリス・ヘルスケア／ヴィアトリス)	オロパタジン塩酸塩	5mg 1錠	アレルギー性疾患治療剤	1037
	オロパタジン5	淡黄赤 Ⓘ	オロパタジン塩酸塩錠5mg「フェルゼン」(フェルゼン)	オロパタジン塩酸塩	5mg 1錠	アレルギー性疾患治療剤	1037
	オロパタジン5EE	淡黄赤 Ⓘ	オロパタジン塩酸塩錠5mg「EE」(エルメッド／日医工)	オロパタジン塩酸塩	5mg 1錠	アレルギー性疾患治療剤	1037
	カムシアHDトーワ／8カンデアムロジ5	淡赤	カムシア配合錠HD「トーワ」(東和薬品)	カンデサルタン シレキセチル・アムロジピンベシル酸塩	1錠	持続性アンギオテンシンⅡ受容体拮抗剤・持続性Ca拮抗剤配合剤	1187
	カムシアHDニプロ／カンデ8アムロ5	淡赤	カムシア配合錠HD「ニプロ」(ニプロ)	カンデサルタン シレキセチル・アムロジピンベシル酸塩	1錠	持続性アンギオテンシンⅡ受容体拮抗剤・持続性Ca拮抗剤配合剤	1187
	コララン5	薄黄	コララン錠5mg (小野薬品)	イバブラジン塩酸塩	5mg 1錠	HCNチャネル遮断薬	462
	サワイアロチノロール5	白	アロチノロール塩酸塩錠5mg「サワイ」(沢井)	アロチノロール塩酸塩	5mg 1錠	α, β-遮断剤	362
	サワイドネペジルOD5	白 Ⓘ	ドネペジル塩酸塩OD錠5mg「サワイ」(沢井)	ドネペジル,塩酸塩	5mg 1錠	アルツハイマー型，レビー小体型認知症治療剤	2426
	サワイラベプラ5	淡黄	ラベプラゾールNa錠5mg「サワイ」(沢井)	ラベプラゾールナトリウム	5mg 1錠	プロトンポンプインヒビター	4112

番号	識別コード	色 (①:割線有)	商品名(会社名)	一般名	規格単位	薬効	掲載ページ
5	シンバスタチン5 オーハラ	白　①	シンバスタチン錠5mg「オーハラ」(大原薬品)	シンバスタチン	5mg 1錠	HMG-CoA還元酵素阻害剤	1728
	ジルムロHDトーワ アジル20アムロジ5	微黄	ジルムロ配合錠HD「トーワ」(東和薬品)	アジルサルタン・アムロジピンベシル酸塩	1錠	持続性AT₁受容体遮断剤・持続性Ca拮抗薬配合剤	44
	ジルムロHDトーワ ／アジル20アムロジ5	微黄	ジルムロ配合錠HD「トーワ」(東和薬品/三和化学/共創未来)	アジルサルタン・アムロジピンベシル酸塩	1錠	持続性AT₁受容体遮断剤・持続性Ca拮抗薬配合剤	44
	ジルムロHDニプロ ／20アジルサルタン アムロジピン5	微黄	ジルムロ配合錠HD「ニプロ」(ニプロ)	アジルサルタン・アムロジピンベシル酸塩	1錠	持続性AT₁受容体遮断剤・持続性Ca拮抗薬配合剤	44
	ジルムロOD HD 日医工／アジル サルタン20OD5 アムロジピン	微黄	ジルムロ配合OD錠HD「日医工」(日医工)	アジルサルタン・アムロジピンベシル酸塩	1錠	持続性AT₁受容体遮断剤・持続性Ca拮抗薬配合剤	44
	ジルムロODHD トーワ アジル20アムロジ5	帯黄白/帯褐黄/帯褐黄白	ジルムロ配合OD錠HD「トーワ」(東和薬品)	アジルサルタン・アムロジピンベシル酸塩	1錠	持続性AT₁受容体遮断剤・持続性Ca拮抗薬配合剤	44
	ソリフェ5／ ソリフェナシン 5OD トーワ	淡黄(帯褐黄の顆粒)①	ソリフェナシンコハク酸塩OD錠5mg「トーワ」(東和薬品)	コハク酸ソリフェナシン	5mg 1錠	過活動膀胱治療剤	1970
	ソリフェナシン5 TCK	極薄黄	ソリフェナシンコハク酸塩錠5mg「TCK」(辰巳化学)	コハク酸ソリフェナシン	5mg 1錠	過活動膀胱治療剤	1970
	ソリフェナシン5 サワイ	極薄黄　①	ソリフェナシンコハク酸塩錠5mg「サワイ」(沢井)	コハク酸ソリフェナシン	5mg 1錠	過活動膀胱治療剤	1970
	ソリフェナシン5 トーワ	極薄黄	ソリフェナシンコハク酸塩錠5mg「トーワ」(東和薬品)	コハク酸ソリフェナシン	5mg 1錠	過活動膀胱治療剤	1970
	ソリフェナシン OD5JG	帯黄白	ソリフェナシンコハク酸OD錠5mg「JG」(日本ジェネリック)	コハク酸ソリフェナシン	5mg 1錠	過活動膀胱治療剤	1970
	ソリフェナシン OD5サワイ	淡黄　①	ソリフェナシンコハク酸OD錠5mg「サワイ」(沢井)	コハク酸ソリフェナシン	5mg 1錠	過活動膀胱治療剤	1970
	ソリフェナシン OD5ニプロ	薄黄(淡黄の斑点)	ソリフェナシンコハク酸OD錠5mg「ニプロ」(ニプロ)	コハク酸ソリフェナシン	5mg 1錠	過活動膀胱治療剤	1970
	ソリフェナシン YD5 YD949	極薄黄	ソリフェナシンコハク酸塩錠5mg「YD」(陽進堂)	コハク酸ソリフェナシン	5mg 1錠	過活動膀胱治療剤	1970
	ゾルピ5／ゾルピ デムOD5トーワ	淡黄　①	ゾルピデム酒石酸塩OD錠5mg「トーワ」(東和薬品)	ゾルピデム酒石酸塩	5mg 1錠	入眠剤	1973
	ゾルピデム5 オーハラ	淡橙　①	ゾルピデム酒石酸塩錠5mg「オーハラ」(大原薬品/エッセンシャル)	ゾルピデム酒石酸塩	5mg 1錠	入眠剤	1973
	ゾルピデム5／ ゾルピデム5KMP ゾルピデム5KMP	淡橙　①	ゾルピデム酒石酸塩錠5mg「KMP」(共創未来)	ゾルピデム酒石酸塩	5mg 1錠	入眠剤	1973
	タクロリムス5 JGF30 JG F30	灰赤	タクロリムスカプセル5mg「JG」(日本ジェネリック)	タクロリムス水和物	5mg 1カプセル	免疫抑制剤	1999
	タクロリムス5mg VTRS	灰赤	タクロリムスカプセル5mg「VTRS」(ヴィアトリス・ヘルスケア/ヴィアトリス)	タクロリムス水和物	5mg 1カプセル	免疫抑制剤	1999
	タクロリムス5 サンド	灰赤	タクロリムスカプセル5mg「サンド」(ニプロファーマ/サンド)	タクロリムス水和物	5mg 1カプセル	免疫抑制剤	1999
	タクロリムス5 トーワ	白	タクロリムス錠5mg「トーワ」(東和薬品)	タクロリムス水和物	5mg 1錠	免疫抑制剤	1999
	タクロリムス5 ニプロ	灰赤	タクロリムスカプセル5mg「ニプロ」(ニプロ)	タクロリムス水和物	5mg 1カプセル	免疫抑制剤	1999
	タダラZA5／ 5タダラフィル ZA OD トーワ	淡黄白	タダラフィルOD錠5mgZA「トーワ」(東和薬品/三和化学/共創未来)	タダラフィル	5mg 1錠	ホスホジエステラーゼ5阻害剤	2027
	タダラフィル5 ZAサワイ	白　①	タダラフィル錠5mgZA「サワイ」(沢井)	タダラフィル	5mg 1錠	ホスホジエステラーゼ5阻害剤	2027
	タダラフィルZA 5JG	白	タダラフィル錠5mgZA「JG」(日本ジェネリック)	タダラフィル	5mg 1錠	ホスホジエステラーゼ5阻害剤	2027
	タダラフィルZA 5あすか	白	タダラフィル錠5mgZA「あすか」(あすか/武田薬品)	タダラフィル	5mg 1錠	ホスホジエステラーゼ5阻害剤	2027
	タダラフィルZA 5日医工	白	タダラフィル錠5mgZA「日医工」(日医工)	タダラフィル	5mg 1錠	ホスホジエステラーゼ5阻害剤	2027
	タダラフィルZA ニプロ5	白	タダラフィル錠5mgZA「ニプロ」(ニプロ)	タダラフィル	5mg 1錠	ホスホジエステラーゼ5阻害剤	2027
	タリージェ5	赤白	タリージェ錠5mg(第一三共)	ミロガバリンベシル酸塩	5mg 1錠	神経障害性疼痛治療剤	3895
	タリージェOD5	白　①	タリージェOD錠5mg(第一三共)	ミロガバリンベシル酸塩	5mg 1錠	神経障害性疼痛治療剤	3895
	タリオン5	白	タリオン錠5mg(田辺三菱)	ベポタスチンベシル酸塩	5mg 1錠	アレルギー性疾患治療剤	3556
	タリオンOD5	白	タリオンOD錠5mg(田辺三菱)	ベポタスチンベシル酸塩	5mg 1錠	アレルギー性疾患治療剤	3556
	タルチレリン5 サワイ	白　①	タルチレリン錠5mg「サワイ」(沢井)	タルチレリン水和物	5mg 1錠	経口脊髄小脳変性症治療剤	2094

番号	識別コード	色 (①:割線有)	商品名(会社名)	一般名	規格単位	薬効	掲載 ページ
5	タルチレリン OD5サワイ	白 ①	タルチレリンOD錠5mg「サワイ」(沢井)	タルチレリン水和物	5mg 1錠	経口脊髄小脳変性症治療剤	2094
	チキジウム 5mg SW	淡橙	チキジウム臭化物カプセル5mg「サワイ」(沢井)	チキジウム臭化物	5mg 1カプセル	キノリジジン系抗ムスカリン剤	2158
	ツムラ/5	淡褐	ツムラ安中散エキス顆粒(医療用)(ツムラ)	安中散	1g	漢方製剤	4564
	テラムロAPトーワ /テルミ40 アムロジピン5	淡赤	テラムロ配合錠AP「トーワ」(東和薬品)	テルミサルタン・アムロジピンベシル酸塩	1錠	胆汁排泄型持続性AT₁受容体ブロッカー・持続性Ca拮抗薬合剤	2375
	テラムロAPニプロ /40テルミサルタン アムロジピン5	淡赤	テラムロ配合錠AP「ニプロ」(ニプロ)	テルミサルタン・アムロジピンベシル酸塩	1錠	胆汁排泄型持続性AT₁受容体ブロッカー・持続性Ca拮抗薬合剤	2375
	テラムロBPトーワ /テルミ80 アムロジピン5	淡赤	テラムロ配合錠BP「トーワ」(東和薬品)	テルミサルタン・アムロジピンベシル酸塩	1錠	胆汁排泄型持続性AT₁受容体ブロッカー・持続性Ca拮抗薬合剤	2375
	テラムロBPニプロ /80テルミサルタン アムロジピン5	淡赤	テラムロ配合錠BP「ニプロ」(ニプロ)	テルミサルタン・アムロジピンベシル酸塩	1錠	胆汁排泄型持続性AT₁受容体ブロッカー・持続性Ca拮抗薬合剤	2375
	ドネペジル5/ ドネペジル明治	白	ドネペジル塩酸塩錠5mg「明治」(Meiji Seika)	ドネペジル, -塩酸塩	5mg 1錠	アルツハイマー型, レビー小体型認知症治療剤	2426
	ドネペ5/ドネペジル OD5トーワ	白 ①	ドネペジル塩酸塩OD錠5mg「トーワ」(東和薬品)	ドネペジル, -塩酸塩	5mg 1錠	アルツハイマー型, レビー小体型認知症治療剤	2426
	ドネペジル 5DSEP/ ドネペジル5 第一三共エスファ	白	ドネペジル塩酸塩錠5mg「DSEP」(第一三共エスファ)	ドネペジル, -塩酸塩	5mg 1錠	アルツハイマー型, レビー小体型認知症治療剤	2426
	ドネペジル5 オーハラ	白	ドネペジル塩酸塩錠5mg「オーハラ」(大原薬品)	ドネペジル, -塩酸塩	5mg 1錠	アルツハイマー型, レビー小体型認知症治療剤	2426
	ドネペジル5 トーワ	白	ドネペジル塩酸塩錠5mg「トーワ」(東和薬品)	ドネペジル, -塩酸塩	5mg 1錠	アルツハイマー型, レビー小体型認知症治療剤	2426
	ドネペジル5 ニプロ	白	ドネペジル塩酸塩錠5mg「NP」(ニプロ)	ドネペジル, -塩酸塩	5mg 1錠	アルツハイマー型, レビー小体型認知症治療剤	2426
	ドネペジルOD5 DSEP/ ドネペジルOD5 第一三共エスファ	白	ドネペジル塩酸塩OD錠5mg「DSEP」(第一三共エスファ)	ドネペジル, -塩酸塩	5mg 1錠	アルツハイマー型, レビー小体型認知症治療剤	2426
	ドネペジルOD5 明治	白	ドネペジル塩酸塩OD錠5mg「明治」(Meiji Seika)	ドネペジル, -塩酸塩	5mg 1錠	アルツハイマー型, レビー小体型認知症治療剤	2426
	ドネペジルOD5 オーハラ	白	ドネペジル塩酸塩OD錠5mg「オーハラ」(大原薬品/日本ジェネリック)	ドネペジル, -塩酸塩	5mg 1錠	アルツハイマー型, レビー小体型認知症治療剤	2426
	ノルバスク5	白 ①	ノルバスク錠5mg(ヴィアトリス)	アムロジピンベシル酸塩	5mg 1錠	ジヒドロピリジン系Ca拮抗剤	264
	ノルバスクOD5	淡黄 ①	ノルバスクOD錠5mg(ヴィアトリス)	アムロジピンベシル酸塩	5mg 1錠	ジヒドロピリジン系Ca拮抗剤	264
	パロキセチン5 DSEP/ パロキセチン5 第一三共エスファ	黄白	パロキセチン錠5mg「DSEP」(第一三共エスファ)	パロキセチン塩酸塩水和物	5mg 1錠	選択的セロトニン再取り込み阻害剤(SSRI)	2878
	パロキセチン5/ 明治	淡赤 ①	パロキセチン錠5mg「明治」(Meiji Seika)	パロキセチン塩酸塩水和物	5mg 1錠	選択的セロトニン再取り込み阻害剤(SSRI)	2878
	パロキセチン5 アメル	帯紅白 ①	パロキセチン錠5mg「アメル」(共和薬品)	パロキセチン塩酸塩水和物	5mg 1錠	選択的セロトニン再取り込み阻害剤(SSRI)	2878
	プラバスタチン5 NS	白	プラバスタチンNa錠5mg「NS」(日新/科研)	プラバスタチンナトリウム	5mg 1錠	HMG-CoA還元酵素阻害剤	3256
	プラバスタチン5 オーハラ	白	プラバスタチンNa錠5mg「オーハラ」(大原薬品)	プラバスタチンナトリウム	5mg 1錠	HMG-CoA還元酵素阻害剤	3256
	ベシケア5	極薄黄	ベシケア錠5mg(アステラス)	コハク酸ソリフェナシン	5mg 1錠	過活動膀胱治療剤	1970
	ベポタスチン5 JG	白	ベポタスチンベシル酸塩錠5mg「JG」(日本ジェネリック)	ベポタスチンベシル酸塩	5mg 1錠	アレルギー性疾患治療剤	3556
	ベポタスチン5 ODトーワ	白	ベポタスチンベシル酸塩OD錠5mg「トーワ」(東和薬品)	ベポタスチンベシル酸塩	5mg 1錠	アレルギー性疾患治療剤	3556
	ベポタスチン5 日医工 ⓝ416	白	ベポタスチンベシル酸塩錠5mg「日医工」(日医工)	ベポタスチンベシル酸塩	5mg 1錠	アレルギー性疾患治療剤	3556
	ベポタスチン5 タナベ	白	ベポタスチンベシル酸塩錠5mg「タナベ」(ニプロES/ニプロ)	ベポタスチンベシル酸塩	5mg 1錠	アレルギー性疾患治療剤	3556
	ベポタスチン5 トーワ	白	ベポタスチンベシル酸塩錠5mg「トーワ」(東和薬品)	ベポタスチンベシル酸塩	5mg 1錠	アレルギー性疾患治療剤	3556
	ベポタスチン OD5日医工 ⓝ418	白	ベポタスチンベシル酸塩OD錠5mg「日医工」(日医工)	ベポタスチンベシル酸塩	5mg 1錠	アレルギー性疾患治療剤	3556
	ベポタスチン OD5タナベ	白	ベポタスチンベシル酸塩OD錠5mg「タナベ」(ニプロES/ニプロ)	ベポタスチンベシル酸塩	5mg 1錠	アレルギー性疾患治療剤	3556
	ベポタスチン 「DK」/5	白	ベポタスチンベシル酸塩錠5mg「DK」(大興/江州)	ベポタスチンベシル酸塩	5mg 1錠	アレルギー性疾患治療剤	3556

番号	識別コード	色 (①:割線有)	商品名(会社名)	一般名	規格単位	薬効	掲載ページ
5	ベポタスチン「SN」/5	白	ベポタスチンベシル酸塩錠5mg「SN」(シオノ/サンド)	ベポタスチンベシル酸塩	5mg 1錠	アレルギー性疾患治療剤	3556
	マスーレッド5	淡赤黄	マスーレッド錠5mg(バイエル薬品)	モリデュスタットナトリウム	5mg 1錠	HIF-PH阻害薬・腎性貧血治療薬	4028
	ミネブロ5	微赤白 ①	ミネブロ錠5mg(第一三共)	エサキセレノン	5mg 1錠	選択的ミネラルコルチコイド受容体ブロッカー	674
	ミネブロOD5	微赤白 ①	ミネブロOD錠5mg(第一三共)	エサキセレノン	5mg 1錠	選択的ミネラルコルチコイド受容体ブロッカー	674
	メマリー5	淡赤～帯黄淡赤	メマリー錠5mg(第一三共)	メマンチン塩酸塩	5mg 1錠	NMDA受容体拮抗アルツハイマー型認知症治療剤	3991
	メマリーOD5	淡赤白	メマリーOD錠5mg(第一三共)	メマンチン塩酸塩	5mg 1錠	NMDA受容体拮抗アルツハイマー型認知症治療剤	3991
	メマンチン5DSEP	淡赤～帯黄淡赤	メマンチン塩酸塩錠5mg「DSEP」(第一三共エスファ)	メマンチン塩酸塩	5mg 1錠	NMDA受容体拮抗アルツハイマー型認知症治療剤	3991
	メマンチン5日医工／メマンチン5OD	淡赤白	メマンチン塩酸塩OD錠5mg「日医工」(エルメッド/日医工)	メマンチン塩酸塩	5mg 1錠	NMDA受容体拮抗アルツハイマー型認知症治療剤	3991
	メマンチン5明治	淡赤	メマンチン塩酸塩錠5mg「明治」(Meiji Seika)	メマンチン塩酸塩	5mg 1錠	NMDA受容体拮抗アルツハイマー型認知症治療剤	3991
	メマンチン5明治／メマンチン5OD	淡赤白	メマンチン塩酸塩OD錠5mg「明治」(Meiji Seika)	メマンチン塩酸塩	5mg 1錠	NMDA受容体拮抗アルツハイマー型認知症治療剤	3991
	メマンチン5アメル	淡赤～帯黄淡赤	メマンチン塩酸塩錠5mg「アメル」(共和薬品)	メマンチン塩酸塩	5mg 1錠	NMDA受容体拮抗アルツハイマー型認知症治療剤	3991
	メマンチン5オーハラ	淡赤	メマンチン塩酸塩錠5mg「オーハラ」(大原薬品)	メマンチン塩酸塩	5mg 1錠	NMDA受容体拮抗アルツハイマー型認知症治療剤	3991
	メマンチン5サワイ	淡赤～帯黄淡赤	メマンチン塩酸塩錠5mg「サワイ」(沢井)	メマンチン塩酸塩	5mg 1錠	NMDA受容体拮抗アルツハイマー型認知症治療剤	3991
	メマンチン5ニプロ	淡赤～帯黄淡赤	メマンチン塩酸塩錠5mg「ニプロ」(ニプロ)	メマンチン塩酸塩	5mg 1錠	NMDA受容体拮抗アルツハイマー型認知症治療剤	3991
	メマンチンOD5／5サンド	淡赤白	メマンチン塩酸OD錠5mg「サンド」(サンド)	メマンチン塩酸塩	5mg 1錠	NMDA受容体拮抗アルツハイマー型認知症治療剤	3991
	メマンチンOD5／5フェルゼン	淡赤白	メマンチン塩酸塩OD錠5mg「フェルゼン」(ダイト/フェルゼン)	メマンチン塩酸塩	5mg 1錠	NMDA受容体拮抗アルツハイマー型認知症治療剤	3991
	メマンチンOD5DSEP	淡赤白	メマンチン塩酸塩OD錠5mg「DSEP」(第一三共エスファ)	メマンチン塩酸塩	5mg 1錠	NMDA受容体拮抗アルツハイマー型認知症治療剤	3991
	メマンチンOD5JG	淡赤白	メマンチン塩酸塩OD錠5mg「JG」(日本ジェネリック)	メマンチン塩酸塩	5mg 1錠	NMDA受容体拮抗アルツハイマー型認知症治療剤	3991
	メマンチンOD／5NIG	淡赤白	メマンチン塩酸塩OD錠5mg「NIG」(日医工岐阜/日医工)	メマンチン塩酸塩	5mg 1錠	NMDA受容体拮抗アルツハイマー型認知症治療剤	3991
	メマンチンOD5／TCK	淡赤白	メマンチン塩酸塩OD錠5mg「TCK」(辰巳化学)	メマンチン塩酸塩	5mg 1錠	NMDA受容体拮抗アルツハイマー型認知症治療剤	3991
	メマンチンOD5ZE	淡赤白～帯黄淡赤白	メマンチン塩酸塩OD錠5mg「ZE」(全星薬品工業/全星薬品)	メマンチン塩酸塩	5mg 1錠	NMDA受容体拮抗アルツハイマー型認知症治療剤	3991
	メマンチンOD5杏林	淡赤白	メマンチン塩酸塩OD錠5mg「杏林」(キョーリンリメディオ/杏林)	メマンチン塩酸塩	5mg 1錠	NMDA受容体拮抗アルツハイマー型認知症治療剤	3991
	メマンチンOD5アメル	淡赤白	メマンチン塩酸塩OD錠5mg「アメル」(共和薬品)	メマンチン塩酸塩	5mg 1錠	NMDA受容体拮抗アルツハイマー型認知症治療剤	3991
	メマンチンOD5オーハラ	淡赤白	メマンチン塩酸塩OD錠5mg「オーハラ」(大原薬品)	メマンチン塩酸塩	5mg 1錠	NMDA受容体拮抗アルツハイマー型認知症治療剤	3991
	メマンチンOD／5ケミファ	淡赤白	メマンチン塩酸塩OD錠5mg「ケミファ」(日本ケミファ/日本薬品工業)	メマンチン塩酸塩	5mg 1錠	NMDA受容体拮抗アルツハイマー型認知症治療剤	3991
	メマンチンOD5サワイ	淡赤白	メマンチン塩酸塩OD錠5mg「サワイ」(沢井)	メマンチン塩酸塩	5mg 1錠	NMDA受容体拮抗アルツハイマー型認知症治療剤	3991
	メマンチンOD5ニプロ	淡赤白～帯黄淡赤白	メマンチン塩酸塩OD錠5mg「ニプロ」(ニプロ)	メマンチン塩酸塩	5mg 1錠	NMDA受容体拮抗アルツハイマー型認知症治療剤	3991
	メマンチンOD5／メマンチンNS5	淡赤白	メマンチン塩酸塩OD錠5mg「日新」(日新)	メマンチン塩酸塩	5mg 1錠	NMDA受容体拮抗アルツハイマー型認知症治療剤	3991
	メマンチンOD5／メマンチンクラシエ	淡赤白	メマンチン塩酸塩OD錠5mg「クラシエ」(日本薬品工業/クラシエ薬品)	メマンチン塩酸塩	5mg 1錠	NMDA受容体拮抗アルツハイマー型認知症治療剤	3991
	メマンチンODタカタ5	淡赤白	メマンチン塩酸塩OD錠5mg「タカタ」(高田)	メマンチン塩酸塩	5mg 1錠	NMDA受容体拮抗アルツハイマー型認知症治療剤	3991
	メマンチンYD OD5 YD437	淡赤白	メマンチン塩酸塩OD錠5mg「YD」(陽進堂)	メマンチン塩酸塩	5mg 1錠	NMDA受容体拮抗アルツハイマー型認知症治療剤	3991
	メルカゾール5	淡黄	メルカゾール錠5mg(あすか/武田薬品)	チアマゾール	5mg 1錠	抗甲状腺剤	2135
	モンテルカスト5DSEP	明るい灰黄	モンテルカスト錠5mg「DSEP」(第一三共エスファ)	モンテルカストナトリウム	5mg 1錠	ロイコトリエン受容体拮抗剤	4043
	モンテルカスト5JG	明るい灰黄	モンテルカスト錠5mg「JG」(日本ジェネリック)	モンテルカストナトリウム	5mg 1錠	ロイコトリエン受容体拮抗剤	4043
	モンテルカスト5ODタカタ	淡黄	モンテルカストOD錠5mg「タカタ」(高田)	モンテルカストナトリウム	5mg 1錠	ロイコトリエン受容体拮抗剤	4043

番号	識別コード	色 （⦶：割線有）	商品名（会社名）	一般名	規格単位	薬効	掲載ページ
5	モンテルカスト5 ODトーワ	微黄白	モンテルカストOD錠5mg「トーワ」（東和薬品）	モンテルカストナトリウム	5mg 1錠	ロイコトリエン受容体拮抗剤	4043
	モンテルカスト5 SK9 SK9	淡橙	モンテルカスト錠5mg「SN」（シオノ／江州）	モンテルカストナトリウム	5mg 1錠	ロイコトリエン受容体拮抗剤	4043
	モンテルカスト5 TCK	淡橙	モンテルカスト錠5mg「TCK」（辰巳化学／フェルゼン）	モンテルカストナトリウム	5mg 1錠	ロイコトリエン受容体拮抗剤	4043
	モンテルカスト5 三和	明るい灰黄	モンテルカスト錠5mg「三和」（三和化学）	モンテルカストナトリウム	5mg 1錠	ロイコトリエン受容体拮抗剤	4043
	モンテルカスト5 日医工 ⋒086	明るい灰黄	モンテルカスト錠5mg「日医工」（日医工）	モンテルカストナトリウム	5mg 1錠	ロイコトリエン受容体拮抗剤	4043
	モンテルカスト5／ 科研 DK551	明るい灰黄	モンテルカスト錠5mg「科研」（ダイト／科研）	モンテルカストナトリウム	5mg 1錠	ロイコトリエン受容体拮抗剤	4043
	モンテルカスト5 オーハラ	淡橙	モンテルカスト錠5mg「オーハラ」（大原薬品）	モンテルカストナトリウム	5mg 1錠	ロイコトリエン受容体拮抗剤	4043
	モンテルカスト5 オーハラチュアブル	淡赤	モンテルカストチュアブル錠5mg「オーハラ」（大原薬品）	モンテルカストナトリウム	5mg 1錠	ロイコトリエン受容体拮抗剤	4043
	モンテルカスト5 ケミファ	明るい灰黄	モンテルカスト錠5mg「ケミファ」（日本ケミファ／日本薬品工業）	モンテルカストナトリウム	5mg 1錠	ロイコトリエン受容体拮抗剤	4043
	モンテルカスト5 ケミファチュアブル モンテルカスト チュアブル5ケミファ	薄赤	モンテルカストチュアブル錠5mg「ケミファ」（日本ケミファ／日本薬品工業）	モンテルカストナトリウム	5mg 1錠	ロイコトリエン受容体拮抗剤	4043
	モンテルカスト5 サンド	明るい灰黄	モンテルカスト錠5mg「サンド」（サンド）	モンテルカストナトリウム	5mg 1錠	ロイコトリエン受容体拮抗剤	4043
	モンテルカスト5 タカタ	明るい灰黄	モンテルカスト錠5mg「タカタ」（高田）	モンテルカストナトリウム	5mg 1錠	ロイコトリエン受容体拮抗剤	4043
	モンテルカスト5 チュアブル DSEP	薄赤	モンテルカストチュアブル錠5mg「DSEP」（第一三共エスファ）	モンテルカストナトリウム	5mg 1錠	ロイコトリエン受容体拮抗剤	4043
	モンテルカスト5 チュアブル三和	薄赤	モンテルカストチュアブル錠5mg「三和」（三和化学）	モンテルカストナトリウム	5mg 1錠	ロイコトリエン受容体拮抗剤	4043
	モンテルカスト5 チュアブル日医工 ⋒085	薄赤	モンテルカストチュアブル錠5mg「日医工」（日医工）	モンテルカストナトリウム	5mg 1錠	ロイコトリエン受容体拮抗剤	4043
	モンテルカスト5 チュアブルタカタ	薄赤	モンテルカストチュアブル錠5mg「タカタ」（高田／共創未来）	モンテルカストナトリウム	5mg 1錠	ロイコトリエン受容体拮抗剤	4043
	モンテルカスト5 チュアブルニプロ	薄赤	モンテルカストチュアブル錠5mg「ニプロ」（ニプロ）	モンテルカストナトリウム	5mg 1錠	ロイコトリエン受容体拮抗剤	4043
	モンテルカスト5 トーワ	明るい灰黄	モンテルカスト錠5mg「トーワ」（東和薬品）	モンテルカストナトリウム	5mg 1錠	ロイコトリエン受容体拮抗剤	4043
	モンテルカスト5 ニプロ	明るい灰黄	モンテルカスト錠5mg「ニプロ」（ニプロ）	モンテルカストナトリウム	5mg 1錠	ロイコトリエン受容体拮抗剤	4043
	モンテルカスト5 ファイザー	薄褐～褐	モンテルカスト錠5mg「VTRS」（ヴィアトリス・ヘルスケア／ヴィアトリス）	モンテルカストナトリウム	5mg 1錠	ロイコトリエン受容体拮抗剤	4043
	モンテルカスト5 フェルゼン	明灰黄	モンテルカスト錠5mg「フェルゼン」（フェルゼン）	モンテルカストナトリウム	5mg 1錠	ロイコトリエン受容体拮抗剤	4043
	モンテルカスト OD5明治	淡黄	モンテルカストOD錠5mg「明治」（Meiji Seika／Meファルマ）	モンテルカストナトリウム	5mg 1錠	ロイコトリエン受容体拮抗剤	4043
	モンテルカスト YD5 YD228	淡橙	モンテルカスト錠5mg「YD」（陽進堂）	モンテルカストナトリウム	5mg 1錠	ロイコトリエン受容体拮抗剤	4043
	モンテルカスト チュアブル5JG	薄赤	モンテルカストチュアブル錠5mg「JG」（日本ジェネリック）	モンテルカストナトリウム	5mg 1錠	ロイコトリエン受容体拮抗剤	4043
	モンテルカスト チュアブル5科研 DK555	薄赤	モンテルカストチュアブル錠5mg「科研」（ダイト／科研）	モンテルカストナトリウム	5mg 1錠	ロイコトリエン受容体拮抗剤	4043
	モンテルカスト チュアブル5サンド	薄赤	モンテルカストチュアブル錠5mg「サンド」（サンド）	モンテルカストナトリウム	5mg 1錠	ロイコトリエン受容体拮抗剤	4043
	ラベプラ5明治	淡黄	ラベプラゾールNa塩錠5mg「明治」（Meiji Seika／Meファルマ）	ラベプラゾールナトリウム	5mg 1錠	プロトンポンプインヒビター	4112
	ラベプラ5オーハラ	淡黄	ラベプラゾールNa塩錠5mg「オーハラ」（大原薬品／第一三共エスファ）	ラベプラゾールナトリウム	5mg 1錠	プロトンポンプインヒビター	4112
	ラベプラ5ニプロ	淡黄	ラベプラゾールNa錠5mg「ニプロ」（ニプロES／ニプロ）	ラベプラゾールナトリウム	5mg 1錠	プロトンポンプインヒビター	4112
	ラベプラゾール5 AFP	淡黄	ラベプラゾールNa錠5mg「AFP」（アルフレッサファーマ）	ラベプラゾールナトリウム	5mg 1錠	プロトンポンプインヒビター	4112
	ラベプラゾール5 JG	淡黄	ラベプラゾールNa錠5mg「JG」（日本ジェネリック）	ラベプラゾールナトリウム	5mg 1錠	プロトンポンプインヒビター	4112
	ラベプラゾール5 NIG	淡黄	ラベプラゾールNa錠5mg「NIG」（日医工岐阜／日医工／武田薬品）	ラベプラゾールナトリウム	5mg 1錠	プロトンポンプインヒビター	4112

番号	識別コード	色 (①:割線有)	商品名(会社名)	一般名	規格単位	薬効	掲載ページ
5	ラベプラゾール5 NS	淡黄	ラベプラゾールNa錠5mg「日新」(日新)	ラベプラゾールナトリウム	5mg 1錠	プロトンポンプインヒビター	4112
	ラベプラゾール5 TCK	淡黄	ラベプラゾールナトリウム錠5mg「TCK」(辰巳化学)	ラベプラゾールナトリウム	5mg 1錠	プロトンポンプインヒビター	4112
	ラベプラゾール5 杏林	淡黄	ラベプラゾールNa錠5mg「杏林」(キョーリンリメディオ/杏林)	ラベプラゾールナトリウム	5mg 1錠	プロトンポンプインヒビター	4112
	ラベプラゾール5 日医工 ⓝ307	淡黄	ラベプラゾールナトリウム錠5mg「日医工」(日医工)	ラベプラゾールナトリウム	5mg 1錠	プロトンポンプインヒビター	4112
	ラベプラゾール5／ 科研	淡黄	ラベプラゾールナトリウム錠5mg「科研」(ダイト/科研)	ラベプラゾールナトリウム	5mg 1錠	プロトンポンプインヒビター	4112
	ラベプラゾール5 ケミファ	淡黄	ラベプラゾールナトリウム錠5mg「ケミファ」(日本ケミファ)	ラベプラゾールナトリウム	5mg 1錠	プロトンポンプインヒビター	4112
	ラベプラゾール5 サンド	淡黄	ラベプラゾールナトリウム錠5mg「サンド」(サンド)	ラベプラゾールナトリウム	5mg 1錠	プロトンポンプインヒビター	4112
	ラベプラゾール5 トーワ	淡黄	ラベプラゾールNa錠5mg「トーワ」(東和薬品)	ラベプラゾールナトリウム	5mg 1錠	プロトンポンプインヒビター	4112
	ラモトリ5／ラモ トリギン5トーワ	淡黄白 ①	ラモトリギン錠小児用5mg「トーワ」(東和薬品)	ラモトリギン	5mg 1錠	抗てんかん・双極性障害治療剤	4143
	リマプロスト5 サワイ	白	リマプロストアルファデクス錠5μg「サワイ」(メディサ/日本ジェネリック/沢井)	リマプロスト アルファデクス	5μg 1錠	プロスタグランジンE₁誘導体	4284
	ルセフィ5	白	ルセフィ錠5mg (大正)	ルセオグリフロジン水和物	5mg 1錠	選択的SGLT2阻害剤・2型糖尿病治療剤	4335
	レナリドミド5mg サワイ	白〜灰黄白	レナリドミドカプセル5mg「サワイ」(沢井)	レナリドミド水和物	5mg 1カプセル	免疫調節薬(IMiDs)	4378
	レボセチ5	白 ①	レボセチリジン塩酸塩錠5mg「サンド」(ダイト/サンド)	レボセチリジン塩酸塩	5mg 1錠	持続性選択H₁-受容体拮抗剤	4407
	レボセチ5／明治 レボセチ	白 ①	レボセチリジン塩酸塩錠5mg「明治」(Meiji Seika/Meファルマ)	レボセチリジン塩酸塩	5mg 1錠	持続性選択H₁-受容体拮抗剤	4407
	レボセチ5／ フェルゼン	白 ①	レボセチリジン塩酸塩錠5mg「フェルゼン」(フェルゼン)	レボセチリジン塩酸塩	5mg 1錠	持続性選択H₁-受容体拮抗剤	4407
	レボセチYD5 YD541	白	レボセチリジン塩酸塩錠5mg「YD」(陽進堂/アルフレッサファーマ)	レボセチリジン塩酸塩	5mg 1錠	持続性選択H₁-受容体拮抗剤	4407
	レボセチリジン5 JG	白 ①	レボセチリジン塩酸塩錠5mg「JG」(長生堂/岩城/日本ジェネリック)	レボセチリジン塩酸塩	5mg 1錠	持続性選択H₁-受容体拮抗剤	4407
	レボセチリジン5 KMP	白	レボセチリジン塩酸塩錠5mg「KMP」(共創未来/三和化学)	レボセチリジン塩酸塩	5mg 1錠	持続性選択H₁-受容体拮抗剤	4407
	レボセチリジン5 TCK	白 ①	レボセチリジン塩酸塩錠5mg「TCK」(辰巳化学)	レボセチリジン塩酸塩	5mg 1錠	持続性選択H₁-受容体拮抗剤	4407
	レボセチリジン／5 杏林 レボセチリジン5 杏林	白	レボセチリジン塩酸塩錠5mg「杏林」(キョーリンリメディオ/杏林)	レボセチリジン塩酸塩	5mg 1錠	持続性選択H₁-受容体拮抗剤	4407
	レボセチリジン5 アメル	白 ①	レボセチリジン塩酸塩錠5mg「アメル」(共和薬品)	レボセチリジン塩酸塩	5mg 1錠	持続性選択H₁-受容体拮抗剤	4407
	レボセチリジン5 サワイ	白 ①	レボセチリジン塩酸塩錠5mg「サワイ」(沢井)	レボセチリジン塩酸塩	5mg 1錠	持続性選択H₁-受容体拮抗剤	4407
	レボセチリジン5 タカタ	白 ①	レボセチリジン塩酸塩錠5mg「タカタ」(高田)	レボセチリジン塩酸塩	5mg 1錠	持続性選択H₁-受容体拮抗剤	4407
	レボセチリジン5 ニプロ	白 ①	レボセチリジン塩酸塩錠5mg「ニプロ」(ニプロ)	レボセチリジン塩酸塩	5mg 1錠	持続性選択H₁-受容体拮抗剤	4407
	レボセチリジン OD5サワイ	白〜微黄	レボセチリジン塩酸塩OD錠5mg「サワイ」(沢井)	レボセチリジン塩酸塩	5mg 1錠	持続性選択H₁-受容体拮抗剤	4407
	レボセチリジン OD5タカタ／ レボセチリジン タカタOD5	淡黄白 ①	レボセチリジン塩酸塩OD錠5mg「タカタ」(高田)	レボセチリジン塩酸塩	5mg 1錠	持続性選択H₁-受容体拮抗剤	4407
	ロスバ5JG	薄赤みの黄 〜くすんだ 赤みの黄	ロスバスタチン錠5mg「JG」(日本ジェネリック)	ロスバスタチンカルシウム	5mg 1錠	HMG-CoA還元酵素阻害剤	4487
	ロスバ5OD アメル	薄黄	ロスバスタチンOD錠5mg「アメル」(共和薬品)	ロスバスタチンカルシウム	5mg 1錠	HMG-CoA還元酵素阻害剤	4487
	ロスバ5明治／ ロスバスタチン5OD	黄赤 ①	ロスバスタチンOD錠5mg「明治」(Meiji Seika/Meファルマ)	ロスバスタチンカルシウム	5mg 1錠	HMG-CoA還元酵素阻害剤	4487
	ロスバ5アメル	薄赤みの黄 〜くすんだ 赤みの黄	ロスバスタチン錠5mg「アメル」(共和薬品)	ロスバスタチンカルシウム	5mg 1錠	HMG-CoA還元酵素阻害剤	4487
	ロスバ5スタチン トーワ	黄	ロスバスタチン錠5mg「トーワ」(東和薬品)	ロスバスタチンカルシウム	5mg 1錠	HMG-CoA還元酵素阻害剤	4487
	ロスバOD5JG	薄黄	ロスバスタチンOD錠5mg「JG」(日本ジェネリック)	ロスバスタチンカルシウム	5mg 1錠	HMG-CoA還元酵素阻害剤	4487

番号	識別コード	色 (◊:割線有)	商品名(会社名)	一般名	規格単位	薬効	掲載ページ
5	ロスバスタチン5／5ファイザー	白～灰白	ロスバスタチン錠5mg「VTRS」(ヴィアトリス・ヘルスケア／ヴィアトリス)	ロスバスタチンカルシウム	5mg 1錠	HMG-CoA還元酵素阻害剤	4487
	ロスバスタチン5KMP	薄赤黄～くすんだ赤黄	ロスバスタチン錠5mg「KMP」(共創未来)	ロスバスタチンカルシウム	5mg 1錠	HMG-CoA還元酵素阻害剤	4487
	ロスバスタチン5ODトーワ	淡黄白	ロスバスタチンOD錠5mg「トーワ」(東和薬品)	ロスバスタチンカルシウム	5mg 1錠	HMG-CoA還元酵素阻害剤	4487
	ロスバスタチン5TCK	白～帯黄白	ロスバスタチン錠5mg「TCK」(辰巳化学／フェルゼン)	ロスバスタチンカルシウム	5mg 1錠	HMG-CoA還元酵素阻害剤	4487
	ロスバスタチン5杏林	薄赤みの黄～くすんだ赤みの黄	ロスバスタチン錠5mg「杏林」(キョーリンリメディオ／杏林)	ロスバスタチンカルシウム	5mg 1錠	HMG-CoA還元酵素阻害剤	4487
	ロスバスタチン5三和	薄赤みの黄～くすんだ赤みの黄	ロスバスタチン錠5mg「三和」(三和化学)	ロスバスタチンカルシウム	5mg 1錠	HMG-CoA還元酵素阻害剤	4487
	ロスバスタチン5日医工Ⓝ016	薄赤みの黄～くすんだ赤みの黄	ロスバスタチン錠5mg「日医工」(日医工)	ロスバスタチンカルシウム	5mg 1錠	HMG-CoA還元酵素阻害剤	4487
	ロスバスタチン5日新	薄赤みの黄～くすんだ赤みの黄	ロスバスタチン錠5mg「日新」(日新)	ロスバスタチンカルシウム	5mg 1錠	HMG-CoA還元酵素阻害剤	4487
	ロスバスタチン／5科研	白～帯黄白	ロスバスタチン錠5mg「科研」(ダイト／科研)	ロスバスタチンカルシウム	5mg 1錠	HMG-CoA還元酵素阻害剤	4487
	ロスバスタチン5オーハラ	薄赤みの黄～くすんだ赤みの黄	ロスバスタチン錠5mg「オーハラ」(大原薬品)	ロスバスタチンカルシウム	5mg 1錠	HMG-CoA還元酵素阻害剤	4487
	ロスバスタチン5ケミファ	薄赤み黄～くすんだ赤み黄	ロスバスタチン錠5mg「ケミファ」(日本ケミファ／日本薬品工業)	ロスバスタチンカルシウム	5mg 1錠	HMG-CoA還元酵素阻害剤	4487
	ロスバスタチン5タカタ	薄赤みの黄～くすんだ赤みの黄	ロスバスタチン錠5mg「タカタ」(高田)	ロスバスタチンカルシウム	5mg 1錠	HMG-CoA還元酵素阻害剤	4487
	ロスバスタチン5ニプロ	薄赤みの黄～くすんだ赤みの黄	ロスバスタチン錠5mg「ニプロ」(ニプロ)	ロスバスタチンカルシウム	5mg 1錠	HMG-CoA還元酵素阻害剤	4487
	ロスバスタチン5フェルゼン	白～帯黄白	ロスバスタチン錠5mg「フェルゼン」(フェルゼン)	ロスバスタチンカルシウム	5mg 1錠	HMG-CoA還元酵素阻害剤	4487
	ロスバスタチンOD5KMP	白	ロスバスタチンOD錠5mg「KMP」(共創未来)	ロスバスタチンカルシウム	5mg 1錠	HMG-CoA還元酵素阻害剤	4487
	ロスバスタチンOD5／OD5フェルゼン	薄黄	ロスバスタチンOD錠5mg「フェルゼン」(フェルゼン)	ロスバスタチンカルシウム	5mg 1錠	HMG-CoA還元酵素阻害剤	4487
	ロスバスタチンOD5TCK	薄黄	ロスバスタチンOD錠5mg「TCK」(辰巳化学／日医工／武田薬品)	ロスバスタチンカルシウム	5mg 1錠	HMG-CoA還元酵素阻害剤	4487
	ロスバスタチンOD5三和	薄黄	ロスバスタチンOD錠5mg「三和」(三和化学)	ロスバスタチンカルシウム	5mg 1錠	HMG-CoA還元酵素阻害剤	4487
	ロスバスタチンOD／5日医工 ロスバスタチンOD5日医工Ⓝ119	薄黄	ロスバスタチンOD錠5mg「日医工」(日医工)	ロスバスタチンカルシウム	5mg 1錠	HMG-CoA還元酵素阻害剤	4487
	ロスバスタチンOD／5科研	薄黄	ロスバスタチンOD錠5mg「科研」(ダイト／科研)	ロスバスタチンカルシウム	5mg 1錠	HMG-CoA還元酵素阻害剤	4487
	ロスバスタチンOD5オーハラ	白	ロスバスタチンOD錠5mg「オーハラ」(大原薬品)	ロスバスタチンカルシウム	5mg 1錠	HMG-CoA還元酵素阻害剤	4487
	ロスバスタチンOD5ケミファ	薄黄	ロスバスタチンOD錠5mg「ケミファ」(日本ケミファ／日本薬品工業)	ロスバスタチンカルシウム	5mg 1錠	HMG-CoA還元酵素阻害剤	4487
	ロスバスタチンOD／5ニプロ	淡黄	ロスバスタチンOD錠5mg「ニプロ」(ニプロ)	ロスバスタチンカルシウム	5mg 1錠	HMG-CoA還元酵素阻害剤	4487
	ロスバスタチンSW OD5	帯黄白～(淡黄～黄の斑点)	ロスバスタチンOD錠5mg「サワイ」(沢井)	ロスバスタチンカルシウム	5mg 1錠	HMG-CoA還元酵素阻害剤	4487
	ロスバスタチンTV5／5	薄赤みの黄～くすんだ赤みの黄	ロスバスタチン錠5mg「武田テバ」(武田テバ薬品／武田テバファーマ／武田薬品)	ロスバスタチンカルシウム	5mg 1錠	HMG-CoA還元酵素阻害剤	4487
	ロスバスタチンTV55	薄赤みの黄～くすんだ赤みの黄	ロスバスタチン錠5mg「NIG」(日医工岐阜／日医工／武田薬品)	ロスバスタチンカルシウム	5mg 1錠	HMG-CoA還元酵素阻害剤	4487
	ロスバスタチンYD OD5 YD201	薄黄	ロスバスタチンOD錠5mg「YD」(陽進堂)	ロスバスタチンカルシウム	5mg 1錠	HMG-CoA還元酵素阻害剤	4487
	ロスバスタチンYD5 YD220	薄赤みの黄～くすんだ赤みの黄	ロスバスタチン錠5mg「YD」(陽進堂)	ロスバスタチンカルシウム	5mg 1錠	HMG-CoA還元酵素阻害剤	4487
	ロンゲス／5	白 ◊	ロンゲス錠5mg (共和薬品)	リシノプリル水和物	5mg 1錠	ACE阻害剤	4193
006	AA006／5	帯紅白	パロキセチン錠5mg「AA」(あすか／武田薬品)	パロキセチン塩酸塩水和物	5mg 1錠	選択的セロトニン再取り込み阻害剤(SSRI)	2878

番号	識別コード	色 (①:割線有)	商品名(会社名)	一般名	規格単位	薬効	掲載ページ
006	KRM006	微黄〜黄透明	レボフロキサシン点眼液1.5%「杏林」(キョーリンリメディオ／日東メディック／杏林)	レボフロキサシン水和物	1.5% 1mL	ニューキノロン系抗菌剤	4432
	Kw006／ALE5	白	アレンドロン酸錠5mg「アメル」(共和薬品)	アレンドロン酸ナトリウム水和物	5mg 1錠	骨粗鬆症治療剤	349
	LT006	淡紅	ノイロビタン配合錠(LTL)	複合ビタミンB剤	1錠	混合ビタミン	2956
	PH006	無〜微黄透明	ケトチフェン点眼液0.05%「杏林」(キョーリンリメディオ／共創未来／杏林)	ケトチフェンフマル酸塩	3.45mg 5mL 1瓶	アレルギー性疾患治療剤	1408
	Tu-SZ006	白 ①	ベタヒスチンメシル酸塩錠6mg「TCK」(辰巳化学)	ベタヒスチンメシル酸塩	6mg 1錠	めまい・平衡障害治療剤	3496
	Tw006／2	淡黄 ①	ペリンドプリルエルブミン錠2mg「トーワ」(東和薬品)	ペリンドプリルエルブミン	2mg 1錠	ACE阻害剤	3610
	ɳ006 ⓝ006	白	アマンタジン塩酸塩錠100mg「日医工」(日医工)	アマンタジン塩酸塩	100mg 1錠	精神活動改善剤・抗パーキンソン剤・抗A型インフルエンザウイルス剤	219
06	100mg JG J06 JG J06	橙	フルコナゾールカプセル100mg「JG」(日本ジェネリック)	フルコナゾール	100mg 1カプセル	トリアゾール系抗真菌剤	3298
	EE06	白 ①	ドンペリドン錠10mg「EMEC」(アルフレッサファーマ／エルメッド／日医工)	ドンペリドン	10mg 1錠	消化管運動改善剤	2599
	FS-L06	白〜微帯黄白	炭酸ランタン顆粒分包250mg「フソー」(扶桑薬品)	炭酸ランタン水和物	250mg 1包	高リン血症治療剤	4174
	H06	淡黄褐	本草十味敗毒湯エキス顆粒−M (本草)	十味敗毒湯	1g	漢方製剤	4607
	HM352 04 HM352 06 HM352 08 HM352 12	白	酸化マグネシウム細粒83%＜ハチ＞(東洋製化／丸石)	酸化マグネシウム	83% 1g	制酸・緩下剤	3798
	J-06	淡褐	JPS十味敗毒湯エキス顆粒〔調剤用〕(ジェーピーエス)	十味敗毒湯	1g	漢方製剤	4607
	JG N06	白	アテノロール錠25mg「JG」(長生堂／日本ジェネリック)	アテノロール	25mg 1錠	β_1-遮断剤	115
	KCI FG06 KCI FG12	白	マグミット細粒83%(マグミット製薬／シオエ／日本新薬)	酸化マグネシウム	83% 1g	制酸・緩下剤	3798
	KE MG83 04 KE MG83 048 KE MG83 06 KE MG83 08 KE MG83 12	白	酸化マグネシウム細粒83%「ケンエー」(健栄)	酸化マグネシウム	83% 1g	制酸・緩下剤	3798
	MeP06／5	白	プラバスタチンNa錠5mg「Me」(Meiji Seika／Meファルマ)	プラバスタチンナトリウム	5mg 1錠	HMG-CoA還元酵素阻害剤	3256
	MS C-06	淡赤／白	サイクロセリンカプセル250mg「明治」(Meiji Seika)	サイクロセリン	250mg 1カプセル	抗結核抗生物質	1497
	S-06	褐	三和大防風湯エキス細粒(三和生薬)	大防風湯	1g	漢方製剤	4624
	SG-06	淡灰褐	オースギ十味敗毒湯エキスG (大杉)	十味敗毒湯	1g	漢方製剤	4607
	YO ML024 YO ML036 YO ML04 YO ML048 YO ML06 YO ML08 YO ML12	白	酸化マグネシウム細粒83%「ヨシダ」(吉田)	酸化マグネシウム	83% 1g	制酸・緩下剤	3798
	⊕06	無〜淡黄半透明(褐)	ケトプロフェンテープ40mg「ラクール」(三友薬品／ラクール)	ケトプロフェン	10cm×14cm 1枚	プロピオン酸系消炎鎮痛剤	1410
	〜06 〜／06	薄橙	アレグラ錠60mg(サノフィ)	フェキソフェナジン塩酸塩	60mg 1錠	アレルギー性疾患治療剤	3111
	Pfizer D06	橙	ジフルカンカプセル100mg(ファイザー)	フルコナゾール	100mg 1カプセル	トリアゾール系抗真菌剤	3298
6	6	白	エビリファイOD錠6mg(大塚)	アリピプラゾール	6mg 1錠	抗精神病薬	289
	6／[c]	白	イーフェンバッカル錠600μg(帝國／大鵬薬品)	フェンタニルクエン酸塩	600μg 1錠	麻酔用ピペリジン系鎮痛剤,疼痛治療剤	3162
	BMS895 6mg BMS895	薄黄赤	ソーティクツ錠6mg(ブリストル)	デュークラバシチニブ	6mg 1錠	TYK2阻害剤	2329
	CH-6A	青／白	セファクロルカプセル250mg「JG」(長生堂／日本ジェネリック)	セファクロル	250mg 1カプセル	セフェム系抗生物質	1825
	ch6Z	赤白	セフカペンピボキシル塩酸塩細粒小児用10%「CH」(長生堂／日本ジェネリック)	セフカペン ピボキシル塩酸塩水和物	100mg 1g	セフェム系抗生物質	1845
	DC／E6 DC E6	薄黄	ナルサス錠6mg(第一三共プロ／第一三共)	ヒドロモルフォン塩酸塩	6mg 1錠	癌疼痛治療剤	2994
	EKT-6	淡褐〜褐	クラシエ十味敗毒湯エキス錠(大峰堂／クラシエ薬品)	十味敗毒湯	1錠	漢方製剤	4607
	F6／5	極薄黄 ①	オロパタジン塩酸塩OD錠5mg「フェルゼン」(フェルゼン)	オロパタジン塩酸塩	5mg 1錠	アレルギー性疾患治療剤	1037

番号	識別コード	色 (①：割線有)	商品名(会社名)	一般名	規格単位	薬効	掲載ページ
6	JG C74／6	白	アリピプラゾール錠6mg「JG」(日本ジェネリック)	アリピプラゾール	6mg 1錠	抗精神病薬	289
	KB-6 EK-6	淡黄褐～淡褐	クラシエ十味敗毒湯エキス細粒(クラシエ／クラシエ薬品)	十味敗毒湯	1g	漢方製剤	4607
	KW831／6	白	ブロムペリドール錠6mg「アメル」(共和薬品)	ブロムペリドール	6mg 1錠	ブチロフェノン系精神安定剤	3453
	M6	白～微黄白	プラミペキソール塩酸塩錠0.125mg「VTRS」(ヴィアトリス・ヘルスケア／ヴィアトリス)	プラミペキソール塩酸塩水和物	0.125mg 1錠	ドパミン作動性抗パーキンソン剤，レストレスレッグス症候群治療剤	3258
	N6	白	一硝酸イソソルビド錠10mg「日新」(日新)	一硝酸イソソルビド	10mg 1錠	冠動脈拡張剤	1698
	N6	黄褐～褐	コタロー十味敗毒湯エキス細粒(小太郎漢方)	十味敗毒湯	1g	漢方製剤	4607
	P6／⛰ ⛰P6	白	ビ・シフロール錠0.125mg(日本ベーリンガー)	プラミペキソール塩酸塩水和物	0.125mg 1錠	ドパミン作動性抗パーキンソン剤，レストレスレッグス症候群治療剤	3258
	PAL6	淡褐	インヴェガ錠6mg(ヤンセン)	パリペリドン	6mg 1錠	抗精神病／D_2・$5-HT_2$拮抗剤	2827
	SW P6／30	白～帯黄白①	ピオグリタゾン錠30mg「サワイ」(沢井)	ピオグリタゾン塩酸塩	30mg 1錠	インスリン抵抗性改善血糖降下剤	2912
	SW RP6	白	リスペリドンOD錠2mg「サワイ」(沢井)	リスペリドン	2mg 1錠	抗精神病，D_2・$5-HT_2$拮抗剤	4201
	SW アリピプラゾール6	白　①	アリピプラゾール錠6mg「サワイ」(沢井)	アリピプラゾール	6mg 1錠	抗精神病薬	289
	Tai TM-6	淡茶～灰褐	太虎堂の十味敗毒湯エキス顆粒(太虎精堂)	十味敗毒湯	1g	漢方製剤	4607
	Tw320／6	白　①	ベタヒスチンメシル酸塩錠6mg「トーワ」(東和薬品)	ベタヒスチンメシル酸塩	6mg 1錠	めまい・平衡障害治療剤	3496
	アリピ6／ アリピプラゾール60Dトーワ	白　①	アリピプラゾールOD錠6mg「トーワ」(東和薬品)	アリピプラゾール	6mg 1錠	抗精神病薬	289
	アリピ6／ アリピプラゾール6トーワ	白　①	アリピプラゾール錠6mg「トーワ」(東和薬品)	アリピプラゾール	6mg 1錠	抗精神病薬	289
	アリピプラゾール6OD／アリピOD6アメル	白	アリピプラゾールOD錠6mg「アメル」(共和薬品)	アリピプラゾール	6mg 1錠	抗精神病薬	289
	アリピプラゾール／6日医工 アリピプラゾール6日医工 ⓝ164	白　①	アリピプラゾール錠6mg「日医工」(日医工)	アリピプラゾール	6mg 1錠	抗精神病薬	289
	アリピプラゾール6明治	白	アリピプラゾール錠6mg「明治」(Meiji Seika)	アリピプラゾール	6mg 1錠	抗精神病薬	289
	アリピプラゾール6／アメルアリピ6	白　①	アリピプラゾール錠6mg「アメル」(共和薬品)	アリピプラゾール	6mg 1錠	抗精神病薬	289
	アリピプラゾール6オーハラ	白	アリピプラゾール錠6mg「オーハラ」(大原薬品／共創未来)	アリピプラゾール	6mg 1錠	抗精神病薬	289
	アリピプラゾール6タカタ	白	アリピプラゾール錠6mg「タカタ」(高田)	アリピプラゾール	6mg 1錠	抗精神病薬	289
	アリピプラゾール6ニプロ	白	アリピプラゾール錠6mg「ニプロ」(ニプロ)	アリピプラゾール	6mg 1錠	抗精神病薬	289
	アリピプラゾールOD6JG	白	アリピプラゾールOD錠6mg「JG」(日本ジェネリック)	アリピプラゾール	6mg 1錠	抗精神病薬	289
	アリピプラゾールOD6杏林	白	アリピプラゾールOD錠6mg「杏林」(キョーリンリメディオ／杏林)	アリピプラゾール	6mg 1錠	抗精神病薬	289
	アリピプラゾールOD／6日医工 アリピプラゾールOD6日医工 ⓝ168	白	アリピプラゾールOD錠6mg「日医工」(日医工)	アリピプラゾール	6mg 1錠	抗精神病薬	289
	アリピプラゾールOD6明治	白	アリピプラゾールOD錠6mg「明治」(Meiji Seika)	アリピプラゾール	6mg 1錠	抗精神病薬	289
	アリピプラゾールOD6オーハラ	白	アリピプラゾールOD錠6mg「オーハラ」(大原薬品／共創未来)	アリピプラゾール	6mg 1錠	抗精神病薬	289
	アリピプラゾールOD6ニプロ	白	アリピプラゾールOD錠6mg「ニプロ」(ニプロ)	アリピプラゾール	6mg 1錠	抗精神病薬	289
	アリピプラゾールODタカタ6	白	アリピプラゾールOD錠6mg「タカタ」(高田)	アリピプラゾール	6mg 1錠	抗精神病薬	289
	アリピプラゾールYD6 YD401	白	アリピプラゾール錠6mg「YD」(陽進堂)	アリピプラゾール	6mg 1錠	抗精神病薬	289
	ツムラ／6	淡灰褐	ツムラ十味敗毒湯エキス顆粒(医療用)(ツムラ)	十味敗毒湯	1g	漢方製剤	4607

番号	識別コード	色(①:割線有)	商品名(会社名)	一般名	規格単位	薬効	掲載ページ
6	デュタステリド ZA0.5SK6 SK6	淡紅	デュタステリドカプセル0.5mgZA「SN」(シオノ)	デュタステリド	0.5mg 1カプセル	5α-還元酵素阻害薬	2332
	デタントールR6	白	デタントールR錠6mg(エーザイ)	ブナゾシン塩酸塩	6mg 1錠	α_1-遮断剤	3229
6.25	GSK／6.25 GSK6.25	白〜帯黄白	パキシルCR錠6.25mg(グラクソ・スミスクライン)	パロキセチン塩酸塩水和物	6.25mg 1錠	選択的セロトニン再取り込み阻害剤(SSRI)	2878
	TSU553／80 6.25	薄赤	バルヒディオ配合錠MD「ツルハラ」(鶴原)	バルサルタン・ヒドロクロロチアジド	1錠	選択的AT₁受容体ブロッカー・利尿剤合剤	2848
	ネシーナ6.25	淡赤 ①	ネシーナ錠6.25mg(武田薬品)	アログリプチン安息香酸塩	6.25mg 1錠	選択的DPP-4阻害剤・2型糖尿病治療剤	352
	バルヒディオMD トーワ／80 バルサルタン ヒドロクロロ6.25	薄赤	バルヒディオ配合錠MD「トーワ」(東和薬品)	バルサルタン・ヒドロクロロチアジド	1錠	選択的AT₁受容体ブロッカー・利尿剤合剤	2848
6.7	YP-1FN6.7	微黄半透明(白)	フェンタニル1日用テープ6.7mg「ユートク」(祐徳薬品)	フェンタニル	6.7mg 1枚	経皮吸収型持続性疼痛治療剤	3156
007	AA007／2.5	白	モサプリドクエン酸塩錠2.5mg「AA」(あすか／武田薬品)	モサプリドクエン酸塩水和物	2.5mg 1錠	消化管運動促進剤	4014
	KP007 KP-007	白〜淡黄(灰白〜淡灰黄の斑点)①	ペンタサ錠250mg(杏林)	メサラジン	250mg 1錠	潰瘍性大腸炎・クローン病治療剤	3911
	KRM007	無〜微黄透明	オロパタジン点眼液0.1%「杏林」(キョーリンリメディオ／杏林)	オロパタジン塩酸塩	0.1% 1mL	アレルギー性疾患治療剤	1037
	KW007／35	白	アレンドロン酸錠35mg「アメル」(共和薬品)	アレンドロン酸ナトリウム水和物	35mg 1錠	骨粗鬆症治療剤	349
	TA007	白	アフロット錠20mg(ニプロES)	アフロクアロン	20mg 1錠	筋弛緩性疾患治療剤	202
	Tw007／4	白〜微黄白①	ペリンドプリルエルブミン錠4mg「トーワ」(東和薬品)	ペリンドプリルエルブミン	4mg 1錠	ACE阻害剤	3610
	TY-007	褐	〔東洋〕黄耆建中湯エキス細粒(東洋薬行)	黄耆建中湯	1g	漢方製剤	4568
07	FJ07	白	リトドリン塩酸塩錠5mg「F」(富士製薬)	リトドリン塩酸塩	5mg 1錠	切迫流・早産治療剤β₂-刺激剤	4236
	FS-L07	白〜微帯黄白	炭酸ランタン顆粒分包500mg「フソー」(扶桑薬品)	炭酸ランタン水和物	500mg 1包	高リン血症治療剤	4174
	H07	淡褐	本草八味地黄料エキス顆粒-M(本草)	八味地黄丸	1g	漢方製剤	4637
	J-07	灰褐	JPS八味地黄丸料エキス顆粒〔調剤用〕(ジェーピーエス)	八味地黄丸	1g	漢方製剤	4637
	JG F07	白	アレンドロン酸錠5mg「JG」(日本ジェネリック)	アレンドロン酸ナトリウム水和物	5mg 1錠	骨粗鬆症治療剤	349
	JG J07／500	白〜微黄白	バラシクロビル錠500mg「JG」(日本ジェネリック)	バラシクロビル塩酸塩	500mg 1錠	抗ウイルス剤	2810
	JG N07	白	アテノロール錠50mg「JG」(長生堂／日本ジェネリック)	アテノロール	50mg 1錠	β₁-遮断剤	115
	MeP07／10	微紅 ①	プラバスタチンNa錠10mg「Me」(Meiji Seika／Meファルマ)	プラバスタチンナトリウム	10mg 1錠	HMG-CoA還元酵素阻害剤	3256
	MS F07	白 ①	ホスミシン錠250(Meiji Seika)	ホスホマイシン	250mg 1錠	抗生物質	3697
	MS P07	薄橙	ビクシリンS配合錠(Meiji Seika)	アンピシリン(ナトリウム)・クロキサシリンナトリウム水和物	(250mg)1錠	複合合成ペニシリン	372
	S-07	褐	三和葛根加朮附湯エキス細粒(三和生薬)	葛根加朮附湯	1g	漢方製剤	4571
	SG-07	淡灰褐〜淡灰茶褐	オースギ八味地黄丸料エキスG(大杉)	八味地黄丸	1g	漢方製剤	4637
	SG-07T	淡褐	オースギ八味地黄丸料エキスT錠(大杉)	八味地黄丸	1錠	漢方製剤	4637
	◎07	白半透明	ジクロフェナクNaテープ15mg「ラクール」(三友薬品／ラクール)	ジクロフェナクナトリウム	7cm×10cm 1枚	フェニル酢酸系消炎鎮痛剤	1579
7	7／novo 7novo	白〜淡黄	リベルサス錠7mg(ノボノルディスク)	セマグルチド(遺伝子組換え)	7mg 1錠	2型糖尿病治療剤・肥満症治療剤・GLP-1受容体作動薬	1874
	C7	白	ビカルタミド錠80mg「ケミファ」(大興／日本ケミファ)	ビカルタミド	80mg 1錠	前立腺癌治療剤	2926
	CT7	白 ①	テトラミド錠30mg(オルガノン)	ミアンセリン塩酸塩	30mg 1錠	四環系抗うつ剤	3825
	D7	白	エチゾラム錠0.5mg「ツルハラ」(鶴原)	エチゾラム	0.5mg 1錠	チエノジアゼピン系精神安定剤	738
	GS CL7／100	白	ラミクタール錠100mg(グラクソ・スミスクライン)	ラモトリギン	100mg 1錠	抗てんかん・双極性障害治療剤	4143
	GS V7	黄	ダーブロック錠2mg(グラクソ・スミスクライン／協和キリン)	ダプロデュスタット	2mg 1錠	HIF-PH阻害剤	2069
	GX CG7	淡紅白	マラロン小児用配合錠(グラクソ・スミスクライン)	アトバコン・プログアニル塩酸塩	1錠	抗マラリア剤	120
	GX CJ7	白	エピビル錠150(ヴィーブ／グラクソ・スミスクライン)	ラミブジン	150mg 1錠	抗ウイルス・HIV逆転写酵素阻害剤	4125

番号	識別コード	色 (⦸:割線有)		商品名(会社名)	一般名	規格単位	薬効	掲載ページ
7	GX EJ7	灰		エピビル錠300（ヴィーブ／グラクソ・スミスクライン）	ラミブジン	300mg 1錠	抗ウイルス・HIV逆転写酵素阻害剤	4125
	GX ES7	白		オラセフ錠250mg（サンドファーマ／第一三共／サンド）	セフロキシム アキセチル	250mg 1錠	セファロスポリン系抗生物質	1868
	JG7	白～微黄白		アムロジピンOD錠2.5mg「JG」（日本ジェネリック）	アムロジピンベシル酸塩	2.5mg 1錠	ジヒドロピリジン系Ca拮抗剤	264
	KB-7 EK-7	褐～暗褐		クラシエ八味地黄丸料エキス細粒（クラシエ／クラシエ薬品）	八味地黄丸	1g	漢方製剤	4637
	MF7 t MF7	白　⦸		ビソプロロールフマル酸錠5mg「テバ」（武田テバファーマ／武田薬品）	ビソプロロールフマル酸塩	5mg 1錠	選択的β₁-アンタゴニスト	2944
	N7	茶褐～濃茶		コタロー八味丸料エキス細粒（小太郎漢方）	八味地黄丸	1g	漢方製剤	4637
	N7	白		クロチアゼパム錠10mg「ツルハラ」（鶴原）	クロチアゼパム	10mg 1錠	心身安定剤	1309
	SW RP7	白		リスペリドンOD錠3mg「サワイ」（沢井）	リスペリドン	3mg 1錠	抗精神病、D₂・5-HT₂拮抗剤	4201
	t C7	白		ビソプロロールフマル酸塩錠2.5mg「テバ」（武田テバファーマ／武田薬品）	ビソプロロールフマル酸塩	2.5mg 1錠	選択的β₁-アンタゴニスト	2944
	U7	白～オフホワイト		アルンブリグ錠90mg（武田薬品）	ブリグチニブ	90mg 1錠	抗悪性腫瘍剤・チロシンキナーゼ阻害剤	3271
	漢：EKT-7	褐～暗褐		クラシエ八味地黄丸料エキス錠（大峰堂／クラシエ薬品）	八味地黄丸	1錠	漢方製剤	4637
	ツムラ／7	灰褐		ツムラ八味地黄丸エキス顆粒(医療用)（ツムラ）	八味地黄丸	1g	漢方製剤	4637
7.5	7.5トルバプ／トルバプタンOD7.5トーワ	青　⦸		トルバプタンOD錠7.5mg「トーワ」（東和薬品）	トルバプタン	7.5mg 1錠	バソプレシンV₂-受容体拮抗剤	2563
	Tw240／7.5	白　⦸		ゾピクロン錠7.5mg「トーワ」（東和薬品）	ゾピクロン	7.5mg 1錠	シクロピロロン系睡眠障害改善剤	1937
	△221／7.5	白～帯黄白		アデカット7.5mg錠（武田テバ薬品／武田薬品）	デラプリル塩酸塩	7.5mg 1錠	ACE阻害剤	2355
	◎7.5 ◎75	緑		リンヴォック錠7.5mg（アッヴィ）	ウパダシチニブ水和物	7.5mg 1錠	ヤヌスキナーゼ(JAK)阻害剤	642
	コララン7.5	薄赤		コララン錠7.5mg（小野薬品）	イバブラジン塩酸塩	7.5mg 1錠	HCNチャネル遮断薬	462
	サムスカOD7.5	青　⦸		サムスカOD錠7.5mg（大塚）	トルバプタン	7.5mg 1錠	バソプレシンV₂-受容体拮抗剤	2563
	トルバプタン／7.5TE OD	薄青　⦸		トルバプタンOD錠7.5mg「TE」（トーアエイヨー）	トルバプタン	7.5mg 1錠	バソプレシンV₂-受容体拮抗剤	2563
	トルバプタン／OD7.5DSEP	薄青　⦸		トルバプタンOD錠7.5mg「DSEP」（第一三共エスファ）	トルバプタン	7.5mg 1錠	バソプレシンV₂-受容体拮抗剤	2563
	トルバプタンOD7.5トルバプタンサワイ7.5トルバプタンOD7.5サワイ	薄青		トルバプタンOD錠7.5mg「サワイ」（沢井）	トルバプタン	7.5mg 1錠	バソプレシンV₂-受容体拮抗剤	2563
	トルバプタンOD7.5／トルバプタンKMP7.5トルバプタンOD7.5KMP	薄青　⦸		トルバプタンOD錠7.5mg「KMP」（共創未来）	トルバプタン	7.5mg 1錠	バソプレシンV₂-受容体拮抗剤	2563
	トルバプタンOD7.5／トルバプタンオーツカ7.5	青　⦸		トルバプタンOD錠7.5mg「オーツカ」（大塚製薬工場）	トルバプタン	7.5mg 1錠	バソプレシンV₂-受容体拮抗剤	2563
	トルバプタン／OD7.5ニプロ	薄青　⦸		トルバプタンOD錠7.5mg「ニプロ」（ニプロ／フェルゼン）	トルバプタン	7.5mg 1錠	バソプレシンV₂-受容体拮抗剤	2563
008	HK008	白		ミルマグ錠350mg（エムジーファーマ／共和薬品）	水酸化マグネシウム	350mg 1錠	制酸・緩下剤	3799
	KP-008	白～微黄		ペンタサ注腸1g（杏林）	メサラジン	1g 1個	潰瘍性大腸炎・クローン病治療剤	3911
	t008 t8／2.5	白		イミダプリル塩酸塩錠2.5mg「NIG」（日医工岐阜／日医工／武田薬品）	イミダプリル塩酸塩	2.5mg 1錠	ACE阻害剤	504
	TY-008	黄褐		〔東洋〕黄連解毒湯エキス細粒（東洋薬行）	黄連解毒湯	1g	漢方製剤	4570
	YD008	橙黄		カルバゾクロムスルホン酸Na錠30mg「YD」（陽進堂）	カルバゾクロムスルホン酸ナトリウム水和物	30mg 1錠	血管強化・止血剤	1149
	nc008	白		ミニトロテープ27mg（キョーリンリメディオ／共創未来／杏林）	ニトログリセリン	(27mg)14cm²1枚	冠動脈拡張剤	2644
08	FC08	灰褐		ジュンコウ大柴胡湯FCエキス細粒医療用（康和薬通／大杉）	大柴胡湯	1g	漢方製剤	4622
	FJ08	黄		チニダゾール錠200mg「F」（富士製薬）	チニダゾール	200mg 1錠	抗トリコモナス剤	2166

番号	識別コード	色 (⏸:割線有)	商品名(会社名)	一般名	規格単位	薬効	掲載 ページ
08	FS-H08	白	ヘモリンガル舌下錠0.18mg (東菱薬品／扶桑薬品)	静脈血管叢エキス	1錠	痔疾治療剤	1699
	H08	淡褐	本草大柴胡湯エキス顆粒-M (本草)	大柴胡湯	1g	漢方製剤	4622
	HM352 04 HM352 06 HM352 08 HM352 12	白	酸化マグネシウム細粒83％<ハチ> (東洋製化／丸石)	酸化マグネシウム	83％ 1g	制酸・緩下剤	3798
	IW08／500mg	薄橙	⏸	レボフロキサシン錠500mg「イワキ」(岩城)	レボフロキサシン水和物	500mg 1錠 (レボフロキサシンとして)	ニューキノロン系抗菌剤	4432
	J-08	褐	JPS大柴胡湯エキス顆粒〔調剤用〕(ジェーピーエス)	大柴胡湯	1g	漢方製剤	4622
	JG J08	茶褐	サラゾスルファピリジン錠500mg「JG」(大興／日本ジェネリック)	サラゾスルファピリジン	500mg 1錠	潰瘍性大腸炎治療・抗リウマチ剤	1522
	KE MG83 04 KE MG83 048 KE MG83 06 KE MG83 08 KE MG83 12	白	酸化マグネシウム細粒83％「ケンエー」(健栄)	酸化マグネシウム	83％ 1g	制酸・緩下剤	3798
	MeP08／160	白 ⏸	バルサルタン錠160mg「Me」(Meファルマ)	バルサルタン	160mg 1錠	選択的AT$_1$受容体遮断剤	2840
	MS F08	白 ⏸	ホスミシン錠500 (Meiji Seika)	ホスホマイシン	500mg 1錠	抗生物質	3697
	MS T08	橙	ツベルミン錠100mg (Meiji Seika)	エチオナミド	100mg 1錠	結核化学療法剤	737
	S-08	褐	三和麻黄附子細辛湯エキス細粒(三和生薬)	麻黄附子細辛湯	1g	漢方製剤	4646
	SG-08	淡灰黄褐～淡灰茶褐	オースギ大柴胡湯エキスG (大杉)	大柴胡湯	1g	漢方製剤	4622
	SG-08T	淡褐	オースギ大柴胡湯エキスT錠(大杉)	大柴胡湯	1錠	漢方製剤	4622
	TYK08	暗赤	センノシド錠12mg「NIG」(日医工岐阜／日医工／武田薬品)	センノシド	12mg 1錠	緩下剤	1923
	YO ML024 YO ML036 YO ML04 YO ML048 YO ML06 YO ML08 YO ML12	白	酸化マグネシウム細粒83％「ヨシダ」(吉田)	酸化マグネシウム	83％ 1g	制酸・緩下剤	3798
	◎08	白半透明	ジクロフェナクNaテープ30mg「ラクール」(三友薬品／ラクール)	ジクロフェナクナトリウム	10cm×14cm 1枚	フェニル酢酸系消炎鎮痛剤	1579
8	8／⒞	白	イーフェンバッカル錠800μg (帝國／大鵬薬品)	フェンタニルクエン酸塩	800μg 1錠	麻酔用ピペリジン系鎮痛剤，疼痛治療剤	3162
	8ラメルテオントーワ	極薄黄	ラメルテオン錠8mg「トーワ」(東和薬品)	ラメルテオン	8mg 1錠	メラトニン受容体アゴニスト	4138
	AK262／8	極薄橙	⏸	カンデサルタン錠8mg「あすか」(あすか／武田薬品)	カンデサルタン シレキセチル	8mg 1錠	アンギオテンシンⅡ受容体拮抗剤	1184
	AK312／8C	極薄紅	カデチア配合錠HD「あすか」(あすか／武田薬品)	カンデサルタン シレキセチル・ヒドロクロロチアジド	1錠	持続性アンギオテンシンⅡ受容体拮抗薬・利尿薬配合剤	1190
	BMD49／8	淡黄白 ⏸	アゼルニジピン錠8mg「BMD」(ビオメディクス)	アゼルニジピン	8mg 1錠	持続性Ca拮抗剤	90
	FF234／8	極薄橙 ⏸	カンデサルタン錠8mg「FFP」(共創未来)	カンデサルタン シレキセチル	8mg 1錠	アンギオテンシンⅡ受容体拮抗剤	1184
	JANSSEN／G8 JANSSEN G8	桃	レミニール錠8mg (太陽ファルマ)	ガランタミン臭化水素酸塩	8mg 1錠	アルツハイマー型認知症治療剤	1112
	JG E62／8	極薄橙 ⏸	カンデサルタン錠8mg「JG」(日本ジェネリック)	カンデサルタン シレキセチル	8mg 1錠	アンギオテンシンⅡ受容体拮抗剤	1184
	JG E71／8	淡黄白 ⏸	アゼルニジピン錠8mg「JG」(日本ジェネリック／共創未来)	アゼルニジピン	8mg 1錠	持続性Ca拮抗剤	90
	KB-8 EK-8	淡黄褐～褐	クラシエ大柴胡湯エキス細粒(クラシエ／クラシエ薬品)	大柴胡湯	1g	漢方製剤	4622
	KRM167／8	極薄橙 ⏸	カンデサルタン錠8mg「杏林」(キョーリンリメディオ／杏林)	カンデサルタン シレキセチル	8mg 1錠	アンギオテンシンⅡ受容体拮抗剤	1184
	Kw PEE／8 Kw PEE8	淡黄	⏸	ペロスピロン塩酸塩錠8mg「アメル」(共和薬品)	ペロスピロン塩酸塩水和物	8mg 1錠	抗精神病剤	3635
	M8	白～微黄白	プラミペキソール塩酸塩錠0.5mg「VTRS」(ヴィアトリス・ヘルスケア／ヴィアトリス)	プラミペキソール塩酸塩水和物	0.5mg 1錠	ドパミン作動性抗パーキンソン剤，レストレスレッグス症候群治療剤	3258
	N8	茶褐～褐	コタロー大柴胡湯エキス細粒(小太郎漢方)	大柴胡湯	1g	漢方製剤	4622
	NC A8／8	淡黄白 ⏸	アゼルニジピン錠8mg「ケミファ」(日本ケミファ／日本薬品工業)	アゼルニジピン	8mg 1錠	持続性Ca拮抗剤	90
	NP343／8 NP-343	極薄橙 ⏸	カンデサルタン錠8mg「ニプロ」(ニプロ)	カンデサルタン シレキセチル	8mg 1錠	アンギオテンシンⅡ受容体拮抗剤	1184

番号	識別コード	色 (①：割線有)	商品名(会社名)	一般名	規格単位	薬効	掲載 ページ
8	NP553／8 NP-553	淡黄白 ①	アゼルニジピン錠8mg「NP」(ニプロ)	アゼルニジピン	8mg 1錠	持続性Ca拮抗剤	90
	NS253／8	極薄橙 ①	カンデサルタン錠8mg「日新」(日新)	カンデサルタン シレキセチル	8mg 1錠	アンギオテンシンⅡ受容体拮抗剤	1184
	NS544／8	黄 ①	ベニジピン塩酸塩錠8mg「NS」(日新／科研)	ベニジピン塩酸塩	8mg 1錠	ジヒドロピリジン系Ca拮抗剤	3524
	OH274／8 OH-274	黄 ①	ベニジピン塩酸塩錠8mg「OME」(大原薬品／エルメッド／日医工)	ベニジピン塩酸塩	8mg 1錠	ジヒドロピリジン系Ca拮抗剤	3524
	P8／⚖ ⚖P8	白 ①	ビ・シフロール錠0.5mg (日本ベーリンガー)	プラミペキソール塩酸塩水和物	0.5mg 1錠	ドパミン作動性抗パーキンソン剤、レストレスレッグス症候群治療剤	3258
	SANKYO241／8	淡黄白 ①	カルブロック錠8mg (第一三共)	アゼルニジピン	8mg 1錠	持続性Ca拮抗剤	90
	Sc243／8	極薄橙 ①	カンデサルタン錠8mg「三和」(三和化学)	カンデサルタン シレキセチル	8mg 1錠	アンギオテンシンⅡ受容体拮抗剤	1184
	SW BN8／8	黄 ①	ベニジピン塩酸塩錠8mg「サワイ」(メディサ／沢井)	ベニジピン塩酸塩	8mg 1錠	ジヒドロピリジン系Ca拮抗剤	3524
	SW RR8／8 SW RR8	赤褐	ロピニロール徐放錠8mg「サワイ」(沢井)	ロピニロール塩酸塩	8mg 1錠	ドパミンD₂受容体系作動薬	4511
	SW カンデサルタン8	極薄橙 ①	カンデサルタン錠8mg「サワイ」(沢井)	カンデサルタン シレキセチル	8mg 1錠	アンギオテンシンⅡ受容体拮抗剤	1184
	SW カンデサルタンOD8	極薄黄	カンデサルタンOD錠8mg「サワイ」(沢井)	カンデサルタン シレキセチル	8mg 1錠	アンギオテンシンⅡ受容体拮抗剤	1184
	SZ113／8	極薄橙 ①	カンデサルタン錠8mg「サンド」(サンド)	カンデサルタン シレキセチル	8mg 1錠	アンギオテンシンⅡ受容体拮抗剤	1184
	t008 t8／2.5	白	イミダプリル塩酸塩錠2.5mg「NIG」(日医工岐阜／日医工／武田薬品)	イミダプリル塩酸塩	2.5mg 1錠	ACE阻害剤	504
	Tai TM-8	淡黄～淡灰	太虎堂の大柴胡湯エキス顆粒(太虎精堂)	大柴胡湯	1g	漢方製剤	4622
	TG221／8	淡黄白 ①	アゼルニジピン錠8mg「タナベ」(ニプロES)	アゼルニジピン	8mg 1錠	持続性Ca拮抗剤	90
	TG221／8	淡黄白 ①	アゼルニジピン錠8mg「ニプロ」(ニプロES)	アゼルニジピン	8mg 1錠	持続性Ca拮抗剤	90
	TSU157／8	極薄橙 ①	カンデサルタン錠8mg「ツルハラ」(鶴原)	カンデサルタン シレキセチル	8mg 1錠	アンギオテンシンⅡ受容体拮抗剤	1184
	TU244／8	淡黄白 ①	アゼルニジピン錠8mg「TCK」(辰巳化学)	アゼルニジピン	8mg 1錠	持続性Ca拮抗剤	90
	TU273／8	極薄橙 ①	カンデサルタン錠8mg「TCK」(辰巳化学／フェルゼン)	カンデサルタン シレキセチル	8mg 1錠	アンギオテンシンⅡ受容体拮抗剤	1184
	TV C8／HD	極薄紅	カデチア配合錠HD「テバ」(武田テバファーマ／武田薬品)	カンデサルタン シレキセチル・ヒドロクロロチアジド	1錠	持続性アンギオテンシンⅡ受容体拮抗薬・利尿薬配合剤	1190
	TV CC3／8	極薄橙	カンデサルタン錠8mg「NIG」(日医工岐阜／日医工／武田薬品)	カンデサルタン シレキセチル	8mg 1錠	アンギオテンシンⅡ受容体拮抗剤	1184
	Tw270／8	黄 ①	ベニジピン塩酸塩錠8mg「トーワ」(東和薬品)	ベニジピン塩酸塩	8mg 1錠	ジヒドロピリジン系Ca拮抗剤	3524
	Tw441／8	淡黄白 ①	アゼルニジピン錠8mg「トーワ」(東和薬品)	アゼルニジピン	8mg 1錠	持続性Ca拮抗剤	90
	Y LU8 Y-LU8	白 ①	ルプラック錠8mg (田辺三菱／富士フイルム富山化学)	トラセミド	8mg 1錠	ループ利尿剤	2468
	Y PZ8 Y-PZ8	青	ピーゼットシー糖衣錠8mg (田辺三菱)	ペルフェナジン	8mg 1錠	フェノチアジン系精神安定剤	3626
	YD174／8	淡黄白 ①	アゼルニジピン錠8mg「YD」(陽進堂)	アゼルニジピン	8mg 1錠	持続性Ca拮抗剤	90
	YD963／8	黄 ①	ベニジピン塩酸塩錠8mg「YD」(陽進堂／共創未来)	ベニジピン塩酸塩	8mg 1錠	ジヒドロピリジン系Ca拮抗剤	3524
	△294／8C	極薄紅	エカード配合錠HD (武田テバ薬品／武田薬品)	カンデサルタン シレキセチル・ヒドロクロロチアジド	1錠	持続性アンギオテンシンⅡ受容体拮抗薬・利尿薬配合剤	1190
	ℼ432／8 ℼ432 8 ℼ432	淡黄白 ①	アゼルニジピン錠8mg「日医工」(日医工)	アゼルニジピン	8mg 1錠	持続性Ca拮抗剤	90
	ℼ641 ビソノテープβ1 遮断剤8mg	白半透明	ビソノテープ8mg (トーアエイヨー)	ビソプロロール	8mg 1枚	選択的β₁-アンタゴニスト	2944
	⚖C8	淡橙	ミカトリオ配合錠(日本ベーリンガー)	テルミサルタン・アムロジピンベシル酸塩・ヒドロクロロチアジド	1錠	胆汁排泄型持続性AT₁受容体ブロッカー・持続性Ca拮抗薬・利尿薬合剤	2379
	⚖H8	黄橙	ミコンビ配合錠BP (日本ベーリンガー)	テルミサルタン・ヒドロクロロチアジド	1錠	持続性AT₁受容体ブロッカー・利尿剤合剤	2384
	漢：EKT-8	淡褐～褐	クラシエ大柴胡湯エキス錠(大峰堂／クラシエ薬品)	大柴胡湯	1錠	漢方製剤	4622
	カムシアHDトーワ ／8カンデ アムロジ5	淡赤	カムシア配合錠HD「トーワ」(東和薬品)	カンデサルタン シレキセチル・アムロジピンベシル酸塩	1錠	持続性アンギオテンシンⅡ受容体拮抗剤・持続性Ca拮抗剤配合剤	1187

番号	識別コード	色 (Ⓘ:割線有)		商品名(会社名)	一般名	規格単位	薬効	掲載ページ
8	カムシアHDニプロ／カンデ8アムロ5	淡赤		カムシア配合錠HD「ニプロ」(ニプロ)	カンデサルタン シレキセチル・アムロジピンベシル酸塩	1錠	持続性アンギオテンシンII受容体拮抗剤・持続性Ca拮抗剤配合剤	1187
	カムシアLDトーワ／8カンデアムロジ2.5	淡黄		カムシア配合錠LD「トーワ」(東和薬品)	カンデサルタン シレキセチル・アムロジピンベシル酸塩	1錠	持続性アンギオテンシンII受容体拮抗剤・持続性Ca拮抗剤配合剤	1187
	カムシアLDニプロ／カンデ8アムロ2.5	淡黄		カムシア配合錠LD「ニプロ」(ニプロ)	カンデサルタン シレキセチル・アムロジピンベシル酸塩	1錠	持続性アンギオテンシンII受容体拮抗剤・持続性Ca拮抗剤配合剤	1187
	カンデ8／カンデ8サルタントーワ	極薄橙	Ⓘ	カンデサルタン錠8mg「トーワ」(東和薬品)	カンデサルタン シレキセチル	8mg 1錠	アンギオテンシンII受容体拮抗剤	1184
	カンデ8／カンデサルタンOD8トーワ	白	Ⓘ	カンデサルタンOD錠8mg「トーワ」(東和薬品)	カンデサルタン シレキセチル	8mg 1錠	アンギオテンシンII受容体拮抗剤	1184
	カンデサルタン8／8カンデアメル	極薄橙	Ⓘ	カンデサルタン錠8mg「アメル」(共和薬品)	カンデサルタン シレキセチル	8mg 1錠	アンギオテンシンII受容体拮抗剤	1184
	カンデサルタン8DSEP	極薄橙	Ⓘ	カンデサルタン錠8mg「DSEP」(第一三共エスファ)	カンデサルタン シレキセチル	8mg 1錠	アンギオテンシンII受容体拮抗剤	1184
	カンデサルタン8 ⑦	極薄橙	Ⓘ	カンデサルタン錠8mg「武田テバ」(武田テバファーマ／武田薬品)	カンデサルタン シレキセチル	8mg 1錠	アンギオテンシンII受容体拮抗剤	1184
	カンデサルタン8オーハラ	極薄橙	Ⓘ	カンデサルタン錠8mg「オーハラ」(大原薬品／共創未来)	カンデサルタン シレキセチル	8mg 1錠	アンギオテンシンII受容体拮抗剤	1184
	カンデサルタン8ケミファ／ケミファ8カンデサルタン	極薄橙	Ⓘ	カンデサルタン錠8mg「ケミファ」(日本ケミファ／日本薬品工業)	カンデサルタン シレキセチル	8mg 1錠	アンギオテンシンII受容体拮抗剤	1184
	カンデサルタン8タナベ	極薄橙	Ⓘ	カンデサルタン錠8mg「タナベ」(ニプロES)	カンデサルタン シレキセチル	8mg 1錠	アンギオテンシンII受容体拮抗剤	1184
	カンデサルタンEE8／カンデサルタンOD8	極薄橙	Ⓘ	カンデサルタンOD錠8mg「EE」(エルメッド／日医工)	カンデサルタン シレキセチル	8mg 1錠	アンギオテンシンII受容体拮抗剤	1184
	カンデサルタンYD8 YD151	極薄橙	Ⓘ	カンデサルタン錠8mg「YD」(陽進堂)	カンデサルタン シレキセチル	8mg 1錠	アンギオテンシンII受容体拮抗剤	1184
	ガランタ8／8ガランタミンODトーワ	微赤	Ⓘ	ガランタミンOD錠8mg「トーワ」(東和薬品／三和化学／共創未来)	ガランタミン臭化水素酸塩	8mg 1錠	アルツハイマー型認知症治療剤	1112
	ガランタミンOD8DSEP	微赤		ガランタミンOD錠8mg「DSEP」(第一三共エスファ)	ガランタミン臭化水素酸塩	8mg 1錠	アルツハイマー型認知症治療剤	1112
	ガランタミンOD8JG	微赤		ガランタミンOD錠8mg「JG」(日本ジェネリック)	ガランタミン臭化水素酸塩	8mg 1錠	アルツハイマー型認知症治療剤	1112
	ガランタミンOD8日医工	微赤		ガランタミンOD錠8mg「日医工」(エルメッド／日医工)	ガランタミン臭化水素酸塩	8mg 1錠	アルツハイマー型認知症治療剤	1112
	ガランタミンOD8アメル	微赤		ガランタミンOD錠8mg「アメル」(共和薬品)	ガランタミン臭化水素酸塩	8mg 1錠	アルツハイマー型認知症治療剤	1112
	ガランタミンOD8サワイ	微赤	Ⓘ	ガランタミンOD錠8mg「サワイ」(沢井)	ガランタミン臭化水素酸塩	8mg 1錠	アルツハイマー型認知症治療剤	1112
	ガランタミンOD8ニプロ	微赤〜淡赤		ガランタミンOD錠8mg「ニプロ」(ニプロ)	ガランタミン臭化水素酸塩	8mg 1錠	アルツハイマー型認知症治療剤	1112
	ガランタミンYD OD8	微赤		ガランタミンOD錠8mg「YD」(陽進堂)	ガランタミン臭化水素酸塩	8mg 1錠	アルツハイマー型認知症治療剤	1112
	ツムラ／8	淡黄褐		ツムラ大柴胡湯エキス顆粒(医療用)(ツムラ)	大柴胡湯	1g	漢方製剤	4622
	トラセミドOD8TE	白	Ⓘ	トラセミドOD錠8mg「TE」(トーアエイヨー)	トラセミド	8mg 1錠	ループ利尿剤	2468
	ブロナン8／ブロナンセリン8トーワ	白	Ⓘ	ブロナンセリン錠8mg「トーワ」(東和薬品)	ブロナンセリン	8mg 1錠	抗精神病，ドパミンD_2受容体・5-HT_2受容体遮断剤	3422
	ブロナンセリン8／8ブロナンセリンニプロ	白	Ⓘ	ブロナンセリン錠8mg「ニプロ」(ニプロ)	ブロナンセリン	8mg 1錠	抗精神病，ドパミンD_2受容体・5-HT_2受容体遮断剤	3422
	ブロナンセリン8DSEP	白	Ⓘ	ブロナンセリン錠8mg「DSEP」(第一三共エスファ)	ブロナンセリン	8mg 1錠	抗精神病，ドパミンD_2受容体・5-HT_2受容体遮断剤	3422
	ブロナンセリン8DSPB／ブロナンセリン8	白	Ⓘ	ブロナンセリン錠8mg「DSPB」(住友プロモ／住友ファーマ)	ブロナンセリン	8mg 1錠	抗精神病，ドパミンD_2受容体・5-HT_2受容体遮断剤	3422
	ブロナンセリン8日医工 ⓝ189	白	Ⓘ	ブロナンセリン錠8mg「日医工」(日医工)	ブロナンセリン	8mg 1錠	抗精神病，ドパミンD_2受容体・5-HT_2受容体遮断剤	3422
	ブロナンセリン8アメル 8アメルブロナンセリン	白	Ⓘ	ブロナンセリン錠8mg「アメル」(共和薬品)	ブロナンセリン	8mg 1錠	抗精神病，ドパミンD_2受容体・5-HT_2受容体遮断剤	3422
	ブロナンセリン8サワイ	白	Ⓘ	ブロナンセリン錠8mg「サワイ」(沢井)	ブロナンセリン	8mg 1錠	抗精神病，ドパミンD_2受容体・5-HT_2受容体遮断剤	3422

番号	識別コード	色（①：割線有）		商品名（会社名）	一般名	規格単位	薬効	掲載ページ
8	ブロナンセリン8タカタブロナンセリン／ブロナンセリン8タカタ	白	①	ブロナンセリン錠8mg「タカタ」（高田）	ブロナンセリン	8mg 1錠	抗精神病，ドパミンD_2受容体・5-HT_2受容体遮断剤	3422
	ブロナンセリンYD8 YD090	白	①	ブロナンセリン錠8mg「YD」（陽進堂／アルフレッサファーマ）	ブロナンセリン	8mg 1錠	抗精神病，ドパミンD_2受容体・5-HT_2受容体遮断剤	3422
	プロプレス8	極薄橙	①	プロプレス錠8（武田テバ薬品／武田薬品）	カンデサルタン シレキセチル	8mg 1錠	アンギオテンシンⅡ受容体拮抗剤	1184
	ラメルテオン8JG	微黄〜淡黄		ラメルテオン錠8mg「JG」（日本ジェネリック）	ラメルテオン	8mg 1錠	メラトニン受容体アゴニスト	4138
	ラメルテオン8NS	薄橙みの黄		ラメルテオン錠8mg「日新」（日新）	ラメルテオン	8mg 1錠	メラトニン受容体アゴニスト	4138
	ラメルテオン8杏林	薄橙みの黄		ラメルテオン錠8mg「杏林」（キョーリンリメディオ／杏林）	ラメルテオン	8mg 1錠	メラトニン受容体アゴニスト	4138
	ラメルテオン8サワイ	薄橙みの黄		ラメルテオン錠8mg「サワイ」（沢井）	ラメルテオン	8mg 1錠	メラトニン受容体アゴニスト	4138
	ロナセン8	白	①	ロナセン錠8mg（住友ファーマ）	ブロナンセリン	8mg 1錠	抗精神病，ドパミンD_2受容体・5-HT_2受容体遮断剤	3422
	ロピニロール徐放8KMP	赤褐		ロピニロール徐放錠8mg「KMP」（共創未来）	ロピニロール塩酸塩	8mg 1錠	ドパミンD_2受容体系作動薬	4511
	ロピニロール徐放8トーワ	赤褐		ロピニロール徐放錠8mg「トーワ」（東和薬品）	ロピニロール塩酸塩	8mg 1錠	ドパミンD_2受容体系作動薬	4511
8.4	YP-3FN8.4	微黄半透明（淡黄）		フェンタニル3日用テープ8.4mg「ユートク」（祐徳薬品）	フェンタニル	8.4mg 1枚	経皮吸収型持続性疼痛治療剤	3156
009	KP-009	無透明		プレドネマ注腸20mg（杏林）	プレドニゾロンリン酸エステルナトリウム	20mg 1個	副腎皮質ホルモン	3374
	MS009／10	白		タモキシフェン錠10mg「明治」（メディサ／Meiji Seika）	タモキシフェンクエン酸塩	10mg 1錠	抗エストロゲン剤	2077
	PH009	無透明		ヒアルロン酸Na点眼液0.1％「杏林」（キョーリンリメディオ／杏林）	精製ヒアルロン酸ナトリウム	0.1％ 5mL 1瓶	眼科手術補助・関節機能改善剤	2904
	t009 t9／5	白	①	イミダプリル塩酸塩錠5mg「NIG」（日医工岐阜／日医工／武田薬品）	イミダプリル塩酸塩	5mg 1錠	ACE阻害剤	504
	TY-009	褐		〔東洋〕黄連湯エキス細粒（東洋薬行）	黄連湯	1g	漢方製剤	4569
09	EE09	淡桃	①	エナラプリルマレイン酸塩錠5mg「EMEC」（アルフレッサファーマ／エルメッド／日医工）	エナラプリルマレイン酸塩	5mg 1錠	ACE阻害剤	767
	FC09	灰褐		ジュンコウ小柴胡湯FCエキス細粒医療用（康和薬通／大杉）	小柴胡湯	1g	漢方製剤	4609
	FJ09	黄		チニダゾール錠500mg「F」（富士製薬）	チニダゾール	500mg 1錠	抗トリコモナス剤	2166
	FS-K09	微黄白〜淡黄		ポリスチレンスルホン酸Ca「フソー」原末（扶桑薬品）	ポリスチレンスルホン酸カルシウム	1g	高カリウム血症改善イオン交換樹脂	3761
	H09	淡黄褐		本草小柴胡湯エキス顆粒−M（本草）	小柴胡湯	1g	漢方製剤	4609
	IW09／250mg	黄	①	レボフロキサシン錠250mg「イワキ」（岩城）	レボフロキサシン水和物	250mg 1錠（レボフロキサシンとして）	ニューキノロン系抗菌剤	4432
	JG C09／5	帯紅白		パロキセチン錠5mg「JG」（日本ジェネリック）	パロキセチン塩酸塩水和物	5mg 1錠	選択的セロトニン再取り込み阻害剤（SSRI）	2878
	JG G09／2.5	帯赤黄		レトロゾール錠2.5mg「JG」（日本ジェネリック）	レトロゾール	2.5mg 1錠	アロマターゼ阻害剤	4372
	MeP09／100	白		レバミピド錠100mg「Me」（Meファルマ）	レバミピド	100mg 1錠	胃炎・胃潰瘍治療剤	4390
	S-09	褐		三和附子理中湯エキス細粒（三和生薬）	附子理中湯	1g	漢方製剤	4641
	SG-09	淡灰茶褐		オースギ小柴胡湯エキスG（大杉）	小柴胡湯	1g	漢方製剤	4609
	SG-09T	淡褐		オースギ小柴胡湯エキスT錠（大杉）	小柴胡湯	1錠	漢方製剤	4609
	❺09	白〜淡黄		インドメタシンパップ70mg「三友」（三友薬品／ラクール）	インドメタシン	10cm×14cm 1枚	インドール酢酸系解熱消炎鎮痛剤・未熟児動脈管開存症治療剤	619
	漢：J-09	淡褐		JPS小柴胡湯エキス顆粒〔調剤用〕（ジェービーピーエス）	小柴胡湯	1g	漢方製剤	4609
9	9mgイクセロン（／）	ベージュ		イクセロンパッチ9mg（ノバルティス）	リバスチグミン	9mg 1枚	アルツハイマー型認知症治療剤	4257
	9mgリバスタッチ（／）	ベージュ		リバスタッチパッチ9mg（小野薬品）	リバスチグミン	9mg 1枚	アルツハイマー型認知症治療剤	4257
	9mgリバスチグミン（／）	無半透明		リバスチグミンテープ9mg「トーワ」（東和薬品）	リバスチグミン	9mg 1枚	アルツハイマー型認知症治療剤	4257
	9mgリバスチグミン（／）「アメル」	無半透明（ベージュ）		リバスチグミンテープ9mg「アメル」（帝國／共和薬品）	リバスチグミン	9mg 1枚	アルツハイマー型認知症治療剤	4257
	9mgリバスチグミン（／）サワイ	無半透明（ベージュ）		リバスチグミンテープ9mg「サワイ」（沢井）	リバスチグミン	9mg 1枚	アルツハイマー型認知症治療剤	4257

番号	識別コード	色 (①：割線有)	商品名(会社名)	一般名	規格単位	薬効	掲載ページ
9	9mgリバスチグミン DSEP	無半透明 (ベージュ)	リバスチグミンテープ9mg「DSEP」 (第一三共エスファ)	リバスチグミン	9mg 1枚	アルツハイマー型認知症治療剤	4257
	9mgリバスチグミン 「KMP」(/)	無半透明 (ベージュ)	リバスチグミンテープ9mg「KMP」 (共創未来/三和化学)	リバスチグミン	9mg 1枚	アルツハイマー型認知症治療剤	4257
	9mgリバスチグミン 「YD」/YD742	無透明(ベージュ)	リバスチグミンテープ9mg「YD」(陽進堂)	リバスチグミン	9mg 1枚	アルツハイマー型認知症治療剤	4257
	9mgリバスチグミン 「YP」/YP-RT9	無透明(ベージュ)	リバスチグミンテープ9mg「YP」(祐徳薬品/日本ケミファ)	リバスチグミン	9mg 1枚	アルツハイマー型認知症治療剤	4257
	9mgリバスチグミン 日医工(/) 9mgリバスチグミン 日医工	無透明(ベージュ)	リバスチグミンテープ9mg「日医工」 (日医工)	リバスチグミン	9mg 1枚	アルツハイマー型認知症治療剤	4257
	F9/5	帯紅白	パロキセチン錠5mg「フェルゼン」(フェルゼン)	パロキセチン塩酸塩水和物	5mg 1錠	選択的セロトニン再取り込み阻害剤(SSRI)	2878
	KB-9 EK-9	淡黄褐～黄褐	クラシエ小柴胡湯エキス細粒(クラシエ/クラシエ薬品)	小柴胡湯	1g	漢方製剤	4609
	MX9	白～微黄白	コレチメント錠9mg(フェリング/持田)	ブデソニド	9mg 1錠	クローン病治療剤・吸入ステロイド喘息治療剤・潰瘍性大腸炎療剤	3211
	N9	茶褐～黄褐	コタロー小柴胡湯エキス細粒(小太郎漢方)	小柴胡湯	1g	漢方製剤	4609
	PAL9	桃	インヴェガ錠9mg(ヤンセン)	パリペリドン	9mg 1錠	抗精神病/D₂・5-HT₂拮抗剤	2827
	R9	淡橙　①	スピロノラクトン錠25mg「ツルハラ」(鶴原)	スピロノラクトン	25mg 1錠	抗アルドステロン性降圧利尿剤	1761
	t009 t9/5	白　①	イミダプリル塩酸塩錠5mg「NIG」(日医工岐阜/日医工/武田薬品)	イミダプリル塩酸塩	5mg 1錠	ACE阻害剤	504
	Tai TM-9	淡灰～灰褐	太虎堂の小柴胡湯エキス顆粒(太虎精堂)	小柴胡湯	1g	漢方製剤	4609
	漢：EKT-9	淡黄～褐	クラシエ小柴胡湯エキス錠(大峰堂/クラシエ薬品)	小柴胡湯	1錠	漢方製剤	4609
	ツムラ/9	淡黄褐	ツムラ小柴胡湯エキス顆粒(医療用)(ツムラ)	小柴胡湯	1g	漢方製剤	4609
	ニュープロ 9mg(/)	無～微黄の半透明	ニュープロパッチ9mg(大塚)	ロチゴチン	9mg 1枚	ドパミン作動性パーキンソン病治療剤・レストレスレッグス症候群治療剤	4494
	モンテルカスト5 SK9 SK9	淡橙	モンテルカスト錠5mg「SN」(シオノ/江州)	モンテルカストナトリウム	5mg 1錠	ロイコトリエン受容体拮抗剤	4043
	リバスチグミン9mg (/)	無半透明～淡黄半透明	リバスチグミンテープ9mg「ニプロ」(ニプロ)	リバスチグミン	9mg 1枚	アルツハイマー型認知症治療剤	4257
010	010	白～微黄白	アマンタジン塩酸塩錠50mg「ツルハラ」(鶴原/日本ジェネリック)	アマンタジン塩酸塩	50mg 1錠	精神活動改善剤・抗パーキンソン剤・抗A型インフルエンザウイルス剤	219
	EISAI NQ010	黄～橙黄	ノイキノン錠10mg(エーザイ)	ユビデカレノン	10mg 1錠	代謝性強心剤	4048
	JD010	白	ヘモナーゼ配合錠(ジェイドルフ/堀井薬品)	ブロメライン・トコフェロール酢酸エステル	1錠	痔疾患治療剤	3456
	KRM010	無透明	ヒアルロン酸Na点眼液0.3%「杏林」(キョーリンリメディオ/杏林)	精製ヒアルロン酸ナトリウム	0.3% 5mL 1瓶	眼科手術補助・関節機能改善剤	2904
	LT010	白	エミレース錠10mg(LTL)	ネモナプリド	10mg 1錠	ベンザミド系D₂-ドパミン受容体遮断剤	2716
	MS010/20	白	タモキシフェン錠20mg「明治」(メディサ/Meiji Seika)	タモキシフェンクエン酸塩	20mg 1錠	抗エストロゲン剤	2077
	PH010	微黄～淡黄透明	オフロキサシン点眼液0.3%「杏林」(キョーリンリメディオ/共創未来/杏林)	オフロキサシン	0.3% 1mL	ニューキノロン系抗菌剤	996
	SW010	白～微黄	ノルフロキサシン錠100mg「サワイ」(沢井)	ノルフロキサシン	100mg 1錠	ニューキノロン系抗菌剤	2742
	t010 t10/10	白　①	イミダプリル塩酸塩錠10mg「NIG」(日医工岐阜/日医工/武田薬品)	イミダプリル塩酸塩	10mg 1錠	ACE阻害剤	504
	Tu010	淡黄　①	ニトラゼパム錠10mg「TCK」(辰巳化学)	ニトラゼパム	10mg 1錠	ベンゾジアゼピン系催眠剤	2641
	Kowa010	白	アジャストAコーワ錠40mg(興和)	センナエキス	40mg 1錠	緩下剤	1923
10	033/10	淡赤	ニフェジピンL錠10mg「ツルハラ」(鶴原)	ニフェジピン	10mg 1錠	ジヒドロピリジン系Ca拮抗剤	2652
	10	白	オプスミット錠10mg(ヤンセン)	マシテンタン	10mg 1錠	エンドセリン受容体拮抗薬	3804
	10	白～灰白	シクレスト舌下錠10mg(Meiji Seika)	アセナピンマレイン酸塩	10mg 1錠	抗精神病剤	84
	10/1428	淡黄～黄	フォシーガ錠10mg(アストラゼネカ/小野薬品)	ダパグリフロジンプロピレングリコール水和物	10mg 1錠	選択的SGLT2阻害剤	2044
	10CA/VLE 10CA VLE	黄	カルベジロール錠10mg「VTRS」(ヴィアトリス・ヘルスケア/ヴィアトリス)	カルベジロール	10mg 1錠	α, β-遮断剤	1160
	10/FI 10FI	淡赤	ケレンディア錠10mg(バイエル薬品)	フィネレノン	10mg 1錠	非ステロイド型選択的ミネラルコルチコイド受容体拮抗薬	3092

番号	識別コード	色 (◐：割線有)	商品名(会社名)	一般名	規格単位	薬効	掲載ページ
10	10IM／VLE 10IM VLE	白	イミダプリル塩酸塩錠10mg「VTRS」 (ヴィアトリス・ヘルスケア／ヴィアトリス)	イミダプリル塩酸塩	10mg 1錠	ACE阻害剤	504
	10／KSK131	白～微黄白	ファモチジン錠10mg「クニヒロ」(皇漢堂)	ファモチジン	10mg 1錠	H₂-受容体拮抗剤	3079
	10LD／VLE 10LD VLE	白	ラフチジン錠10mg「VTRS」(ヴィアトリス・ヘルスケア／ヴィアトリス)	ラフチジン	10mg 1錠	H₂-受容体拮抗剤	4103
	10NLP TTS-582	淡黄橙	ニューレプチル錠10mg (高田)	プロペリシアジン	10mg 1錠	フェノチアジン系精神安定剤	3444
	10NVR	白～微黄 (黄／無透明)	エンレスト粒状錠小児用31.25mg (ノバルティス)	サクビトリルバルサルタンナトリウム水和物	31.25mg 1個	アンギオテンシン受容体ネプリライシン阻害薬(ARNI)	1503
	10TF12 TF12	白／青	オキシコドン徐放カプセル10mg「テルモ」(帝國／テルモ)	オキシコドン塩酸塩水和物	10mg 1カプセル	疼痛治療剤	950
	10／VC 10VC	黄橙	ベリキューボ錠10mg (バイエル薬品)	ベルイシグアト	10mg 1錠	慢性心不全治療剤・可溶性グアニル酸シクラーゼ(sGC)刺激剤	3612
	10／V V10	淡黄	ベネクレクスタ錠10mg (アッヴィ)	ベネトクラクス	10mg 1錠	抗悪性腫瘍剤・BCL-2阻害剤	3529
	10YY／VT 10YYVT	白～灰白	リザトリプタンOD錠10mg「VTRS」(ヴィアトリス・ヘルスケア／ヴィアトリス)	リザトリプタン安息香酸塩	10mg 1錠	5-HT₁ᵦ/₁ᴅ受容体作動型片頭痛治療剤	4186
	10⑰／ エゼチミブ	白 ◐	エゼチミブ錠10mg「武田テバ」(武田テバファーマ／武田薬品)	エゼチミブ	10mg 1錠	小腸コレステロールトランスポーター阻害剤	708
	10 MH24	薄桃	エナラプリルマレイン酸塩錠10mg「VTRS」(ヴィアトリス・ヘルスケア／ヴィアトリス)	エナラプリルマレイン酸塩	10mg 1錠	ACE阻害剤	767
	10アトルバスタチン JG	白	アトルバスタチン錠10mg「JG」(日本ジェネリック)	アトルバスタチンカルシウム水和物	10mg 1錠	HMG-CoA還元酵素阻害剤	128
	10アムロジ／10 アムロジピンOD トーワ	淡黄	アムロジピンOD錠10mg「トーワ」(東和薬品)	アムロジピンベシル酸塩	10mg 1錠	ジヒドロピリジン系Ca拮抗剤	264
	10イグザレルト OD	白	イグザレルトOD錠10mg (バイエル薬品)	リバーロキサバン	10mg 1錠	選択的直接作用型第Xa因子阻害剤	4263
	10エスシタ／ エスシタロプラム 10ODトーワ	淡黄 ◐	エスシタロプラムOD錠10mg「トーワ」(東和薬品／共創未来)	エスシタロプラムシュウ酸塩	10mg 1錠	選択的セロトニン再取り込み阻害剤(SSRI)	677
	10エスシタ／ エスシタロプラム 10トーワ	白 ◐	エスシタロプラム錠10mg「トーワ」(東和薬品)	エスシタロプラムシュウ酸塩	10mg 1錠	選択的セロトニン再取り込み阻害剤(SSRI)	677
	10エゼチ／ エゼチミブ10KMP	白 ◐	エゼチミブ錠10mg「KMP」(共創未来)	エゼチミブ	10mg 1錠	小腸コレステロールトランスポーター阻害剤	708
	10エゼチ／ エゼチミブ10トーワ	白 ◐	エゼチミブ錠10mg「トーワ」(東和薬品)	エゼチミブ	10mg 1錠	小腸コレステロールトランスポーター阻害剤	708
	10ニプロ／ エゼチミブ	白 ◐	エゼチミブ錠10mg「ニプロ」(ニプロ)	エゼチミブ	10mg 1錠	小腸コレステロールトランスポーター阻害剤	708
	10 フェブキソスタット トーワ	白	フェブキソスタット錠10mg「トーワ」(東和薬品)	フェブキソスタット	10mg 1錠	非プリン型選択的キサンチンオキシダーゼ阻害剤・高尿酸血症治療剤	3148
	10フェブリク／ フェブリク10	白～微黄◐	フェブリク錠10mg (帝人)	フェブキソスタット	10mg 1錠	非プリン型選択的キサンチンオキシダーゼ阻害剤・高尿酸血症治療剤	3148
	239 ENP-10	白	オメプラゾール錠10mg「ケミファ」(シオノ／日本ケミファ)	オメプラゾール	10mg 1錠	プロトンポンプインヒビター	1010
	A10／10	白 ◐	アムロジピン錠10mg「ツルハラ」(鶴原)	アムロジピンベシル酸塩	10mg 1錠	ジヒドロピリジン系Ca拮抗剤	264
	A59／10	白	アトルバスタチン錠10mg「TSU」(鶴原)	アトルバスタチンカルシウム水和物	10mg 1錠	HMG-CoA還元酵素阻害剤	128
	A733 10mg A733／10mg	暗橙／白	ジャクスタピッドカプセル10mg (レコルダティ)	ロミタピドメシル酸塩	10mg 1カプセル	高脂血症治療剤	4526
	AA016／10	帯紅白	パロキセチン錠10mg「AA」(あすか／武田薬品)	パロキセチン塩酸塩水和物	10mg 1錠	選択的セロトニン再取り込み阻害剤(SSRI)	2878
	AJ1 10	白 ◐	アテレック錠10 (EA／持田)	シルニジピン	10mg 1錠	ジヒドロピリジン系Ca拮抗剤	1716
	AML DO／10 AML DO10	赤橙	ドネペジル塩酸塩錠10mg「アメル」(共和薬品)	ドネペジル, -塩酸塩	10mg 1錠	アルツハイマー型、レビー小体型認知症治療剤	2426
	AML DON／ OD10 AML DON OD10	淡赤	ドネペジル塩酸塩OD錠10mg「アメル」(共和薬品)	ドネペジル, -塩酸塩	10mg 1錠	アルツハイマー型、レビー小体型認知症治療剤	2426
	AO10／⊕	帯赤灰	アダラートCR錠10mg (バイエル薬品)	ニフェジピン	10mg 1錠	ジヒドロピリジン系Ca拮抗剤	2652
	APR／10	淡赤	オテズラ錠10mg (アムジェン)	アプレミラスト	10mg 1錠	PDE4阻害剤	199
	AZ10	白～微黄白	エピナスチン塩酸塩錠10mg「SN」(シオノ)	エピナスチン塩酸塩	10mg 1錠	アレルギー性疾患治療剤	783
	AZネキシウム10	灰紫／薄黄	ネキシウムカプセル10mg (アストラゼネカ)	エソメプラゾールマグネシウム水和物	10mg 1カプセル	プロトンポンプインヒビター	720

番号	識別コード	色 （⚊：割線有）	商品名（会社名）	一般名	規格単位	薬効	掲載ページ
10	BMD10mg BMD31	淡黄白	シクロスポリンカプセル10mg「BMD」（ビオメディクス／フェルゼン／富士製薬／日本ジェネリック）	シクロスポリン	10mg 1カプセル	免疫抑制剤	1570
	C10	白	クラリチンレディタブ錠10mg（バイエル薬品／塩野義）	ロラタジン	10mg 1錠	持続性選択H$_1$-受容体拮抗・アレルギー治療剤	4545
	C10／⚊ ⚊C10	淡黄 ⚊	モービック錠10mg（日本ベーリンガー）	メロキシカム	10mg 1錠	非ステロイド性消炎鎮痛剤	4000
	C-31A10	白	ピドキサール錠10mg（太陽ファルマ）	ピリドキサールリン酸エステル水和物	10mg 1錠	補酵素型ビタミンB$_6$	3038
	CEO146／10	明るい灰黄	モンテルカスト錠10mg「CEO」（セオリア／武田薬品）	モンテルカストナトリウム	10mg 1錠	ロイコトリエン受容体拮抗剤	4043
	D10／LR D10LR	白	ロラタジンOD錠10mg「VTRS」（ヴィアトリス・ヘルスケア／ヴィアトリス）	ロラタジン	10mg 1錠	持続性選択H$_1$-受容体拮抗・アレルギー治療剤	4545
	D22／10	赤橙	ドネペジル塩酸塩錠10mg「TSU」（鶴原）	ドネペジル，-塩酸塩	10mg 1錠	アルツハイマー型，レビー小体型認知症治療剤	2426
	DHD10	淡赤	ドネペジル塩酸塩OD錠10mg「科研」（シオノ／科研）	ドネペジル，-塩酸塩	10mg 1錠	アルツハイマー型，レビー小体型認知症治療剤	2426
	DK511／10	淡紅白	パロキセチン錠10mg「科研」（ダイト／科研）	パロキセチン塩酸塩水和物	10mg 1錠	選択的セロトニン再取り込み阻害剤(SSRI)	2878
	DLT／10	微赤	ラシックス錠10mg（サノフィ／日医工）	フロセミド	10mg 1錠	ループ利尿剤	3405
	DO10	淡赤	ドネペジル塩酸塩OD錠10mg「サンド」（サンド）	ドネペジル，-塩酸塩	10mg 1錠	アルツハイマー型，レビー小体型認知症治療剤	2426
	DP t DP10	白	ドンペリドン錠10mg「NIG」（日医工岐阜／日医工／武田薬品）	ドンペリドン	10mg 1錠	消化管運動改善剤	2599
	DSEPエソメ10	灰／極薄黄赤	エソメプラゾールカプセル10mg「DSEP」（第一三共エスファ）	エソメプラゾールマグネシウム水和物	10mg 1カプセル	プロトンポンプインヒビター	720
	EB10／D VLE EB10D VLE	白 ⚊	エバスチンOD錠10mg「VTRS」（ヴィアトリス・ヘルスケア／ヴィアトリス）	エバスチン	10mg 1錠	持続性選択H$_1$-受容体拮抗剤	778
	EB10／VLE EB10VLE	白 ⚊	エバスチン錠10mg「VTRS」（ヴィアトリス・ヘルスケア／ヴィアトリス）	エバスチン	10mg 1錠	持続性選択H$_1$-受容体拮抗剤	778
	EE216／10	白	シンバスタチン錠10mg「EMEC」（アルフレッサファーマ／エルメッド／日医工）	シンバスタチン	10mg 1錠	HMG-CoA還元酵素阻害剤	1728
	EE233／10	白 ⚊	ロラタジン錠10mg「EE」（エルメッド／日医工）	ロラタジン	10mg 1錠	持続性選択H$_1$-受容体拮抗・アレルギー治療剤	4545
	EE24／D10	白～淡黄白	ファモチジンD錠10mg「EMEC」（アルフレッサファーマ／エルメッド／日医工）	ファモチジン	10mg 1錠	H$_2$-受容体拮抗剤	3079
	EE31／10	淡桃 ⚊	エナラプリルマレイン酸塩錠10mg「EMEC」（アルフレッサファーマ／エルメッド／日医工）	エナラプリルマレイン酸塩	10mg 1錠	ACE阻害剤	767
	EE58／10	淡黄白 ⚊	メロキシカム錠10mg「EMEC」（ダイト／エルメッド／日医工）	メロキシカム	10mg 1錠	非ステロイド性消炎鎮痛剤	4000
	EE72／10	白	ロラタジンOD錠10mg「EE」（エルメッド／日医工）	ロラタジン	10mg 1錠	持続性選択H$_1$-受容体拮抗・アレルギー治療剤	4545
	EEイルアミクスHD／100 イルベサルタンアムロジピン10	薄橙	イルアミクス配合錠HD「EE」（エルメッド／日医工）	イルベサルタン・アムロジピンベシル酸塩	1錠	長時間作用型アンギオテンシンⅡ受容体拮抗剤・持続性Ca拮抗剤配合剤	523
	EKT-10	淡褐～褐	クラシエ柴胡桂枝湯エキス錠(大峰堂／クラシエ薬品)	柴胡桂枝湯	1錠	漢方製剤	4595
	EP10	白～微黄白	エピナスチン塩酸塩錠10mg「NIG」（日医工岐阜／日医工／武田薬品）	エピナスチン塩酸塩	10mg 1錠	アレルギー性疾患治療剤	783
	EP111／10	淡橙 ⚊	ゾルピデム酒石酸塩錠10mg「DSEP」（第一三共エスファ）	ゾルピデム酒石酸塩	10mg 1錠	入眠剤	1973
	EPT10	白	タモキシフェン錠10mg「DSEP」（第一三共エスファ）	タモキシフェンクエン酸塩	10mg 1錠	抗エストロゲン剤	2077
	ER10	黄 ⚊	タダラフィル錠10mgCI「あすか」（大興／あすか／武田薬品）	タダラフィル	10mg 1錠	ホスホジエステラーゼ5阻害剤	2027
	ET10／VLE ET10VLE	白～微黄	エピナスチン塩酸塩錠10mg「VTRS」（ヴィアトリス・ヘルスケア／ヴィアトリス）	エピナスチン塩酸塩	10mg 1錠	アレルギー性疾患治療剤	783
	EZ10	白 ⚊	ゼチーア錠10mg（オルガノン／バイエル薬品）	エゼチミブ	10mg 1錠	小腸コレステロールトランスポーター阻害剤	708
	F10／10	淡紅白	パロキセチン錠10mg「フェルゼン」（フェルゼン）	パロキセチン塩酸塩水和物	10mg 1錠	選択的セロトニン再取り込み阻害剤(SSRI)	2878
	FC10	灰褐	ジュンコウ柴胡桂枝湯FCエキス細粒医療用(康和薬通／大杉)	柴胡桂枝湯	1g	漢方製剤	4595
	FCI10	黄 ⚊	タダラフィル錠10mgCI「FCI」（富士化学）	タダラフィル	10mg 1錠	ホスホジエステラーゼ5阻害剤	2027

番号	識別コード	色 (①:割線有)		商品名(会社名)	一般名	規格単位	薬効	掲載ページ
10	FCI／V10 FCI V10	薄黄赤〜黄赤		バルデナフィル錠10mg「FCI」(富士化学)	バルデナフィル塩酸塩水和物	10mg 1錠	ホスホジエステラーゼ5阻害剤	2852
	FEL021／10	白	①	ロラタジン錠10mg「フェルゼン」(フェルゼン)	ロラタジン	10mg 1錠	持続性選択H₁-受容体拮抗・アレルギー治療剤	4545
	FEL022／OD10	白		ロラタジンOD錠10mg「フェルゼン」(フェルゼン)	ロラタジン	10mg 1錠	持続性選択H₁-受容体拮抗・アレルギー治療剤	4545
	FF143／10	赤橙		ドネペジル塩酸塩錠10mg「FFP」(共創未来)	ドネペジル，-塩酸塩	10mg 1錠	アルツハイマー型，レビー小体型認知症治療剤	2426
	FF166／10	淡赤		ドネペジル塩酸塩OD錠10mg「FFP」(共創未来)	ドネペジル，-塩酸塩	10mg 1錠	アルツハイマー型，レビー小体型認知症治療剤	2426
	FG10	白〜微黄白		ファモチジン錠10mg「ケミファ」(シオノ／日本薬品工業／日本ケミファ)	ファモチジン	10mg 1錠	H₂-受容体拮抗剤	3079
	FJ10	白		チニダゾール腟錠200mg「F」(富士製薬)	チニダゾール	200mg 1個	抗トリコモナス剤	2166
	FLV10	淡黄		フルバスタチン錠10mg「三和」(シオノ／三和化学)	フルバスタチンナトリウム	10mg 1錠	HMG-CoA還元酵素阻害剤	3330
	FMT10 t FMT[10mg]	白〜微黄白		ファモチジン錠10mg「テバ」(武田テバファーマ／武田薬品)	ファモチジン	10mg 1錠	H₂-受容体拮抗剤	3079
	FS D10 FS/D10	白	①	アメジニウムメチル硫酸塩錠10mg「フソー」(扶桑薬品)	アメジニウムメチル硫酸塩	10mg 1錠	低血圧治療剤	271
	FS10	白〜微黄白①		アムロジピンOD錠10mg「フソー」(シオノ／扶桑薬品)	アムロジピンベシル酸塩	10mg 1錠	ジヒドロピリジン系Ca拮抗剤	264
	GT10	黄	①	タダラフィル錠10mgCI「GO」(江州)	タダラフィル	10mg 1錠	ホスホジエステラーゼ5阻害剤	2027
	HBI10	白		ハイヤスタ錠10mg (Meiji Seika)	ツシジノスタット	10mg 1錠	抗悪性腫瘍剤・ヒストン脱アセチル化酵素(HDAC)阻害剤	2184
	HS10／10	白		パロキセチン錠10mg「DK」(大興／三和化学)	パロキセチン塩酸塩水和物	10mg 1錠	選択的セロトニン再取り込み阻害剤(SSRI)	2878
	Hy10LT019 LT019	帯褐黄(白)		ヒポカ10mgカプセル(LTL)	バルニジピン塩酸塩	10mg 1カプセル	ジヒドロピリジン系Ca拮抗剤	2857
	HYZ17／10	白		プロピベリン塩酸塩錠10mg「NIG」(日医工岐阜／日医工／武田薬品)	プロピベリン塩酸塩	10mg 1錠	排尿抑制ベンジル酸誘導体	3433
	IC533／10 IC-533	白	①	アムロジピン錠10mg「イセイ」(コーアイセイ)	アムロジピンベシル酸塩	10mg 1錠	ジヒドロピリジン系Ca拮抗剤	264
	IC538／10 IC-538	淡橙	①	アムロジピンOD錠10mg「イセイ」(コーアイセイ)	アムロジピンベシル酸塩	10mg 1錠	ジヒドロピリジン系Ca拮抗剤	264
	IN10	白		一硝酸イソソルビド錠10mg「NIG」(日医工岐阜／日医工／武田薬品)	一硝酸イソソルビド	10mg 1錠	冠動脈拡張剤	1698
	IW03 CT10	白		セチリジン塩酸塩錠10mg「イワキ」(岩城)	セチリジン塩酸塩	10mg 1錠	持続性選択H₁-受容体拮抗剤	1806
	IW05 YT10	白		エピナスチン塩酸塩錠10mg「イワキ」(岩城)	エピナスチン塩酸塩	10mg 1錠	アレルギー性疾患治療剤	783
	J-10	淡褐		JPS柴胡桂枝湯エキス顆粒〔調剤用〕(ジェービーエス)	柴胡桂枝湯	1g	漢方製剤	4595
	JG C16／10	淡橙	①	ゾルピデム酒石酸塩錠10mg「JG」(日本ジェネリック)	ゾルピデム酒石酸塩	10mg 1錠	入眠剤	1973
	JG C17／10	帯紅白		パロキセチン錠10mg「JG」(日本ジェネリック)	パロキセチン塩酸塩水和物	10mg 1錠	選択的セロトニン再取り込み阻害剤(SSRI)	2878
	JG C28／10	赤橙	①	ドネペジル塩酸塩錠10mg「JG」(日本ジェネリック)	ドネペジル，-塩酸塩	10mg 1錠	アルツハイマー型，レビー小体型認知症治療剤	2426
	JG C59／OD10	黄		オランザピンOD錠10mg「JG」(日本ジェネリック)	オランザピン	10mg 1錠	抗精神病剤・双極性障害治療剤・制吐剤	1021
	JG E10	白		レバミピド錠100mg「JG」(日本ジェネリック)	レバミピド	100mg 1錠	胃炎・胃潰瘍治療剤	4390
	JG E58／ アムロジピン10JG JG E58 アムロジピン10JG	白	①	アムロジピン錠10mg「JG」(日本ジェネリック)	アムロジピンベシル酸塩	10mg 1錠	ジヒドロピリジン系Ca拮抗剤	264
	JG E65／10	白		ラフチジン錠10mg「JG」(日本ジェネリック)	ラフチジン	10mg 1錠	H₂-受容体拮抗剤	4103
	JG N46／10	黄		カルベジロール錠10mg「JG」(日本ジェネリック)	カルベジロール	10mg 1錠	α, β-遮断剤	1160
	KB-10 EK-10	淡褐〜褐		クラシエ柴胡桂枝湯エキス細粒(クラシエ／クラシエ薬品)	柴胡桂枝湯	1g	漢方製剤	4595
	KRM108／10	白		シンバスタチン錠10mg「杏林」(キョーリンリメディオ／杏林)	シンバスタチン	10mg 1錠	HMG-CoA還元酵素阻害剤	1728
	KRM112／10	薄桃	①	エナラプリルマレイン酸塩錠10mg「杏林」(キョーリンリメディオ／杏林)	エナラプリルマレイン酸塩	10mg 1錠	ACE阻害剤	767
	KRM133／10	赤橙		ドネペジル塩酸塩錠10mg「杏林」(キョーリンリメディオ／杏林)	ドネペジル，-塩酸塩	10mg 1錠	アルツハイマー型，レビー小体型認知症治療剤	2426
	KRM143／10	白	①	アムロジピン錠10mg「杏林」(キョーリンリメディオ／杏林)	アムロジピンベシル酸塩	10mg 1錠	ジヒドロピリジン系Ca拮抗剤	264

番号	識別コード	色 (①：割線有)	商品名（会社名）	一般名	規格単位	薬効	掲載ページ
10	KRM148／10	微黄白～淡黄白 ①	アムロジピンOD錠10mg「杏林」（キョーリンリメディオ／杏林）	アムロジピンベシル酸塩	10mg 1錠	ジヒドロピリジン系Ca拮抗剤	264
	KRM231／10	淡赤	ニフェジピンL錠10mg「杏林」（キョーリンリメディオ／杏林）	ニフェジピン	10mg 1錠	ジヒドロピリジン系Ca拮抗剤	2652
	KRM281／CI10	くすんだ黄①	タダラフィル錠10mgCI「杏林」（キョーリンリメディオ／杏林）	タダラフィル	10mg 1錠	ホスホジエステラーゼ5阻害剤	2027
	KRM284 10	白 ①	エバスチン錠10mg「杏林」（キョーリンリメディオ／杏林）	エバスチン	10mg 1錠	持続性選択H₁-受容体拮抗剤	778
	KRM286 OD10	白 ①	エバスチンOD錠10mg「杏林」（キョーリンリメディオ／杏林）	エバスチン	10mg 1錠	持続性選択H₁-受容体拮抗剤	778
	KS357／10	赤	ドネペジル塩酸塩錠10mg「クニヒロ」（皇漢堂）	ドネペジル，-塩酸塩	10mg 1錠	アルツハイマー型，レビー小体型認知症治療剤	2426
	KS527／10	淡赤	ドネペジル塩酸塩OD錠10mg「クニヒロ」（皇漢堂）	ドネペジル，-塩酸塩	10mg 1錠	アルツハイマー型，レビー小体型認知症治療剤	2426
	KSK113／10	淡黄 ①	メロキシカム錠10mg「クニヒロ」（皇漢堂）	メロキシカム	10mg 1錠	非ステロイド性消炎鎮痛剤	4000
	KSK317／10	淡橙 ①	ゾルピデム酒石酸塩錠10mg「クニヒロ」（皇漢堂）	ゾルピデム酒石酸塩	10mg 1錠	入眠剤	1973
	KSK327／10	白 ①	アムロジピン錠10mg「クニヒロ」（皇漢堂）	アムロジピンベシル酸塩	10mg 1錠	ジヒドロピリジン系Ca拮抗剤	264
	KT ZP／10 KT ZP10	淡橙 ①	ゾルピデム酒石酸塩錠10mg「NIG」（日医工岐阜／日医工／武田薬品）	ゾルピデム酒石酸塩	10mg 1錠	入眠剤	1973
	KW AM／OD10	黄 ①	アムロジピンOD錠10mg「アメル」（共和薬品）	アムロジピンベシル酸塩	10mg 1錠	ジヒドロピリジン系Ca拮抗剤	264
	KW BZL／10	薄橙	ベンザリン錠10（共和薬品）	ニトラゼパム	10mg 1錠	ベンゾジアゼピン系催眠剤	2641
	Kw CAR／10	黄	カルベジロール錠10mg「アメル」（共和薬品）	カルベジロール	10mg 1錠	α，β-遮断剤	1160
	Kw LOR／10	白 ①	ロラタジン錠10mg「アメル」（共和薬品）	ロラタジン	10mg 1錠	持続性選択H₁-受容体拮抗・アレルギー治療剤	4545
	Kw LOR／OD10	白	ロラタジンOD錠10mg「アメル」（共和薬品）	ロラタジン	10mg 1錠	持続性選択H₁-受容体拮抗・アレルギー治療剤	4545
	KW OM10	白～微褐白	オメプラゾール錠10mg「アメル」（共和薬品／日本薬品工業）	オメプラゾール	10mg 1錠	プロトンポンプインヒビター	1010
	KW ST10	極薄紅	スルモンチール錠10mg（共和薬品）	トリミプラミンマレイン酸塩	10mg 1錠	抗うつ剤	2529
	KW TAN／10	白	タンドスピロンクエン酸塩錠10mg「アメル」（共和薬品）	タンドスピロンクエン酸塩	10mg 1錠	非ベンゾジアゼピン系・セロトニン作動性抗不安薬	2129
	Kw273／ZOL10	淡橙 ①	ゾルピデム酒石酸塩錠10mg「アメル」（共和薬品）	ゾルピデム酒石酸塩	10mg 1錠	入眠剤	1973
	KY10	白～淡黄白	アクロマイシンVカプセル50mg（サンファーマ）	テトラサイクリン塩酸塩	50mg 1カプセル	テトラサイクリン系抗生物質	2277
	KYO10	淡赤	ニフェジピンL錠10mg「KPI」（京都薬品／アルフレッサファーマ）	ニフェジピン	10mg 1錠	ジヒドロピリジン系Ca拮抗剤	2652
	LR10／VLE LR10VLE	白 ①	ロラタジン錠10mg「VTRS」（ヴィアトリス・ヘルスケア／ヴィアトリス）	ロラタジン	10mg 1錠	持続性選択H₁-受容体拮抗・アレルギー治療剤	4545
	L∈M／10 L∈M10	橙	デエビゴ錠10mg（エーザイ）	レンボレキサント	10mg 1錠	不眠症治療剤	4463
	MED226／10	白 ①	イミダプリル塩酸塩錠10mg「ケミファ」（メディサ／日本ケミファ）	イミダプリル塩酸塩	10mg 1錠	ACE阻害剤	504
	MeP014／10	黄	カルベジロール錠10mg「Me」（Meiji Seika／Meファルマ）	カルベジロール	10mg 1錠	α，β-遮断剤	1160
	MeP04／10	白	ファモチジンOD錠10mg「Me」（Meiji Seika／三和化学／共創未来／フェルゼン／Meファルマ）	ファモチジン	10mg 1錠	H₂-受容体拮抗剤	3079
	MeP07／10	微紅 ①	プラバスタチンNa錠10mg「Me」（Meiji Seika／Meファルマ）	プラバスタチンナトリウム	10mg 1錠	HMG-CoA還元酵素阻害剤	3256
	MeP10	白～帯黄白	メトホルミン塩酸塩錠250mgMT「明治」（Meiji Seika／フェルゼン／Meファルマ）	メトホルミン塩酸塩	250mg 1錠	ビグアナイド系血糖降下剤	3962
	MG10	白 ①	ミチグリニドCa・OD錠10mg「三和」（大興／三和化学）	ミチグリニドカルシウム水和物	10mg 1錠	速効型インスリン分泌促進剤	3859
	MKC092／10	白 ①	ケルロング錠10mg（クリニジェン）	ベタキソロール塩酸塩	10mg 1錠	β₁-遮断剤	3490
	MS009／10	白	タモキシフェン錠10mg「明治」（メディサ／Meiji Seika）	タモキシフェンクエン酸塩	10mg 1錠	抗エストロゲン剤	2077
	MS033／10	淡橙	ゾルピデム酒石酸塩錠10mg「明治」（Meiji Seika）	ゾルピデム酒石酸塩	10mg 1錠	入眠剤	1973
	Mt10	白 ①	ミチグリニドCa・OD錠10mg「フソー」（リョートー／扶桑薬品）	ミチグリニドカルシウム水和物	10mg 1錠	速効型インスリン分泌促進剤	3859
	N10	茶褐～黄褐	コタロー柴胡桂枝湯エキス細粒（小太郎漢方）	柴胡桂枝湯	1g	漢方製剤	4595

番号	識別コード	色 (Ⓘ:割線有)	商品名(会社名)	一般名	規格単位	薬効	掲載ページ
10	NC D10／D10	淡赤	ドネペジル塩酸塩OD錠10mg「ケミファ」(日本ケミファ／日本薬品工業)	ドネペジル, -塩酸塩	10mg 1錠	アルツハイマー型, レビー小体型認知症治療剤	2426
	NC D119／10	赤橙	ドネペジル塩酸塩錠10mg「ケミファ」(日本ケミファ)	ドネペジル, -塩酸塩	10mg 1錠	アルツハイマー型, レビー小体型認知症治療剤	2426
	NC M10	淡黄 Ⓘ	メロキシカム錠10mg「ケミファ」(日本ケミファ／共創未来)	メロキシカム	10mg 1錠	非ステロイド性消炎鎮痛剤	4000
	NC PX／10	帯紅白	パロキセチン錠10mg「ケミファ」(日本ケミファ／日本薬品工業)	パロキセチン塩酸塩水和物	10mg 1錠	選択的セロトニン再取り込み阻害剤(SSRI)	2878
	NC Z10	淡橙 Ⓘ	ゾルピデム酒石酸塩錠10mg「ケミファ」(日本ケミファ／日本薬品工業)	ゾルピデム酒石酸塩	10mg 1錠	入眠剤	1973
	NCP A10／10	白	アトルバスタチン錠10mg「ケミファ」(日本ケミファ／日本薬品工業)	アトルバスタチンカルシウム水和物	10mg 1錠	HMG-CoA還元酵素阻害剤	128
	NF112／10	白 Ⓘ	ネルボン錠10mg(アルフレッサファーマ)	ニトラゼパム	10mg 1錠	ベンゾジアゼピン系催眠剤	2641
	NF129／10	白 Ⓘ	ソメリン錠10mg(アルフレッサファーマ)	ハロキサゾラム	10mg 1錠	ベンゾジアゼピン系睡眠導入剤	2874
	NF223／10	淡橙 Ⓘ	ゾルピデム酒石酸塩錠10mg「AFP」(アルフレッサファーマ)	ゾルピデム酒石酸塩	10mg 1錠	入眠剤	1973
	NIGイルアミクスHD／イルベサルタン100／10アムロジピン	薄橙	イルアミクス配合錠HD「NIG」(日医工岐阜／日工／武田薬品)	イルベサルタン・アムロジピンベシル酸塩	1錠	長時間作用型アンジオテンシンⅡ受容体拮抗剤・持続性Ca拮抗剤配合剤	523
	NK7421 10	白	ベスタチンカプセル10mg(日本化薬)	ウベニメクス	10mg 1カプセル	抗悪性腫瘍剤	653
	NOLVADEX10	白	ノルバデックス錠10mg(アストラゼネカ)	タモキシフェンクエン酸塩	10mg 1錠	抗エストロゲン剤	2077
	NP133／10 NP-133	淡橙 Ⓘ	アムロジピンOD錠10mg「NP」(ニプロ)	アムロジピンベシル酸塩	10mg 1錠	ジヒドロピリジン系Ca拮抗剤	264
	NP217／10 NP-217	微赤 Ⓘ	フロセミド錠10mg「NP」(ニプロ)	フロセミド	10mg 1錠	ループ利尿剤	3405
	NP258／10 NP-258	淡黄	メロキシカム錠10mg「NP」(ニプロ)	メロキシカム	10mg 1錠	非ステロイド性消炎鎮痛剤	4000
	NP271／10 NP-271	帯紅白	パロキセチン錠10mg「NP」(ニプロ)	パロキセチン塩酸塩水和物	10mg 1錠	選択的セロトニン再取り込み阻害剤(SSRI)	2878
	NP325／10 NP-325	淡橙 Ⓘ	ゾルピデム酒石酸塩錠10mg「NP」(ニプロ)	ゾルピデム酒石酸塩	10mg 1錠	入眠剤	1973
	NP327／10 NP-327	白	エバスチンOD錠10mg「NP」(ニプロ)	エバスチン	10mg 1錠	持続性選択H₁-受容体拮抗剤	778
	NP721／10 NP-721	白 Ⓘ	ロラタジン錠10mg「NP」(ニプロ)	ロラタジン	10mg 1錠	持続性選択H₁-受容体拮抗・アレルギー治療剤	4545
	NP722／10 NP-722	白	ロラタジンOD錠10mg「NP」(ニプロ)	ロラタジン	10mg 1錠	持続性選択H₁-受容体拮抗・アレルギー治療剤	4545
	NP777／10 NP-777	淡赤	ドネペジル塩酸塩OD錠10mg「NP」(ニプロ)	ドネペジル, -塩酸塩	10mg 1錠	アルツハイマー型, レビー小体型認知症治療剤	2426
	NPI P10	微紅 Ⓘ	プラバスタチンNa錠10mg「ケミファ」(日本薬品工業／日本ケミファ)	プラバスタチンナトリウム	10mg 1錠	HMG-CoA還元酵素阻害剤	3256
	NS104／10	帯紅白	パロキセチン錠10mg「日新」(日新)	パロキセチン塩酸塩水和物	10mg 1錠	選択的セロトニン再取り込み阻害剤(SSRI)	2878
	NS154／10	淡橙 Ⓘ	ゾルピデム酒石酸塩錠10mg「日新」(日新／科研)	ゾルピデム酒石酸塩	10mg 1錠	入眠剤	1973
	NS158／10	淡赤	ドネペジル塩酸塩OD錠10mg「日新」(日新)	ドネペジル, -塩酸塩	10mg 1錠	アルツハイマー型, レビー小体型認知症治療剤	2426
	NS163／10	赤橙	ドネペジル塩酸塩錠10mg「日新」(日新)	ドネペジル, -塩酸塩	10mg 1錠	アルツハイマー型, レビー小体型認知症治療剤	2426
	NS415／10	白	エバスチンOD錠10mg「NS」(日新／共創未来)	エバスチン	10mg 1錠	持続性選択H₁-受容体拮抗剤	778
	NS417／10	白 Ⓘ	エバスチン錠10mg「NS」(日新)	エバスチン	10mg 1錠	持続性選択H₁-受容体拮抗剤	778
	NS423／10	明るい灰黄	モンテルカスト錠10mg「日新」(日新／Meファルマ)	モンテルカストナトリウム	10mg 1錠	ロイコトリエン受容体拮抗剤	4043
	NSアジルサルタンOD10	微黄赤	アジルサルタンOD錠10mg「日新」(日新)	アジルサルタン	10mg 1錠	持続性AT₁受容体遮断剤	42
	NTBC10mg	白	オーファディンカプセル10mg(アステラス)	ニチシノン	10mg 1カプセル	高チロシン血症Ⅰ型治療剤	2640
	NVR L10 NVR／L10	白	ジャカビ錠10mg(ノバルティス)	ルキソリチニブリン酸塩	10mg 1錠	ヤヌスキナーゼ(JAK)阻害剤	4329
	NVR10	帯黄白	ネオーラル10mgカプセル(ノバルティス)	シクロスポリン	10mg 1カプセル	免疫抑制剤	1570
	NVR10 Csz10	帯黄白	シクロスポリンカプセル10mg「サンド」(サンド)	シクロスポリン	10mg 1カプセル	免疫抑制剤	1570
	OH58 10mg OH-58	帯紅白	パロキセチン錠10mg「オーハラ」(大原薬品／エッセンシャル)	パロキセチン塩酸塩水和物	10mg 1錠	選択的セロトニン再取り込み阻害剤(SSRI)	2878
	OH77／10 OH-77	白 Ⓘ	リシノプリル錠10mg「オーハラ」(大原薬品)	リシノプリル水和物	10mg 1錠	ACE阻害剤	4193

番号	識別コード	色（◎：割線有）	商品名（会社名）	一般名	規格単位	薬効	掲載ページ
10	OLZアメル10／10OLZアメル	白　◎	オランザピン錠10mg「アメル」（共和薬品）	オランザピン	10mg 1錠	抗精神病剤・双極性障害治療剤・制吐剤	1021
	OMP10	白	オメプラール錠20（太陽ファルマ）	オメプラゾール	20mg 1錠	プロトンポンプインヒビター	1010
	P10 TTS-370	薄橙	プロピベリン塩酸塩錠10mg「タカタ」（高田）	プロピベリン塩酸塩	10mg 1錠	排尿抑制ベンジル酸誘導体	3433
	PH173／10	白　◎	イミダプリル塩酸塩錠10mg「PH」（キョーリンリメディオ／杏林）	イミダプリル塩酸塩	10mg 1錠	ACE阻害剤	504
	PH731／10	白	プロピベリン塩酸塩錠10mg「杏林」（キョーリンリメディオ／杏林）	プロピベリン塩酸塩	10mg 1錠	排尿抑制ベンジル酸誘導体	3433
	PTアモロジピン10／アモロジピンPT10	白　◎	アムロジピン錠10mg「ファイザー」（ヴィアトリス・ヘルスケア／ヴィアトリス）	アムロジピンベシル酸塩	10mg 1錠	ジヒドロピリジン系Ca拮抗剤	264
	PTアモロジピンOD10／アモロジピンOD10 アモロジピンPT OD10	淡黄	アムロジピンOD錠10mg「ファイザー」（ヴィアトリス・ヘルスケア／ヴィアトリス）	アムロジピンベシル酸塩	10mg 1錠	ジヒドロピリジン系Ca拮抗剤	264
	PX10／VLE PX10VLE	白	パロキセチン錠10mg「VTRS」（ヴィアトリス・ヘルスケア／ヴィアトリス）	パロキセチン塩酸塩水和物	10mg 1錠	選択的セロトニン再取り込み阻害剤（SSRI）	2878
	QQ410／10	白	アムロジピン錠10mg「QQ」（救急薬品／日医工／武田薬品）	アムロジピンベシル酸塩	10mg 1錠	ジヒドロピリジン系Ca拮抗剤	264
	RZ10	淡黄	ラベプラゾールNa錠10mg「VTRS」（ヴィアトリス・ヘルスケア／ヴィアトリス）	ラベプラゾールナトリウム	10mg 1錠	プロトンポンプインヒビター	4112
	RZT10 ODアメル	白	リザトリプタンOD錠10mg「アメル」（共和薬品）	リザトリプタン安息香酸塩	10mg 1錠	5-HT$_{1B/1D}$受容体作動型片頭痛治療剤	4186
	S-10	褐	三和桂芍知母湯エキス細粒（三和生薬）	桂芍知母湯	1g	漢方製剤	4587
	S10／薫 薫S10	淡黄	ジャディアンス錠10mg（日本ベーリンガー）	エンパグリフロジン	10mg 1錠	選択的SGLT2阻害剤、2型糖尿病・慢性心不全・慢性腎臓病治療剤	925
	S／10 S10	白～微黄白	セリンクロ錠10mg（大塚）	ナルメフェン塩酸塩水和物	10mg 1錠	アルコール依存症飲酒量低減剤	2625
	SA10	白	アトルバスタチン錠10mg「サンド」（サンド）	アトルバスタチンカルシウム水和物	10mg 1錠	HMG-CoA還元酵素阻害剤	128
	SAO10／10	淡橙　◎	アムロジピンOD錠10mg「サンド」（サンド）	アムロジピンベシル酸塩	10mg 1錠	ジヒドロピリジン系Ca拮抗剤	264
	Sc10NFCR	帯赤灰	ニフェジピンCR錠10mg「三和」（三和化学）	ニフェジピン	10mg 1錠	ジヒドロピリジン系Ca拮抗剤	2652
	SEL10	白	コセルゴカプセル10mg（アレクシオ）	セルメチニブ硫酸塩	10mg 1カプセル	神経線維腫症1型治療剤（MEK阻害剤）	1908
	SG-10	淡灰黄褐～淡灰茶褐	オースギ柴胡桂枝湯エキスG（大杉）	柴胡桂枝湯	1g	漢方製剤	4595
	SL10	薄桃　◎	エナラプリルマレイン酸塩錠10mg「サンド」（サンド）	エナラプリルマレイン酸塩	10mg 1錠	ACE阻害剤	767
	SW CI10	薄黄	タダラフィル錠10mgCI「サワイ」（沢井）	タダラフィル	10mg 1錠	ホスホジエステラーゼ5阻害剤	2027
	SW CTR10	白	セチリジン塩酸塩錠10mg「サワイ」（沢井）	セチリジン塩酸塩	10mg 1錠	持続性選択H$_1$-受容体拮抗剤	1806
	SW E10／10	白	エバスチンOD錠10mg「サワイ」（沢井）	エバスチン	10mg 1錠	持続性選択H$_1$-受容体拮抗剤	778
	SW ES／10 SW ES10	白　◎	エバスチン錠10mg「サワイ」（沢井）	エバスチン	10mg 1錠	持続性選択H$_1$-受容体拮抗剤	778
	SW F10／10	白	ファモチジンD錠10mg「サワイ」（沢井）	ファモチジン	10mg 1錠	H$_2$-受容体拮抗剤	3079
	SW L21／10	白　◎	ロラタジン錠10mg「サワイ」（沢井）	ロラタジン	10mg 1錠	持続性選択H$_1$-受容体拮抗・アレルギー治療剤	4545
	SW LD10	白	ラフチジン錠10mg「サワイ」（沢井）	ラフチジン	10mg 1錠	H$_2$-受容体拮抗剤	4103
	SW MD／10 SW MD10	淡黄　◎	マニジピン塩酸塩錠10mg「サワイ」（沢井）	マニジピン塩酸塩	10mg 1錠	ジヒドロピリジン系Ca拮抗剤	3811
	SW MT10	黄（白～微黄白の斑点）	モンテルカストOD錠10mg「サワイ」（沢井／日本ジェネリック）	モンテルカストナトリウム	10mg 1錠	ロイコトリエン受容体拮抗剤	4043
	SW MX10／10	淡黄　◎	メロキシカム錠10mg「サワイ」（沢井）	メロキシカム	10mg 1錠	非ステロイド性消炎鎮痛剤	4000
	SW NF CR10	帯赤灰	ニフェジピンCR錠10mg「サワイ」（沢井）	ニフェジピン	10mg 1錠	ジヒドロピリジン系Ca拮抗剤	2652
	SW PPV10	白	塩酸プロピベリン錠10mg「SW」（沢井）	プロピベリン塩酸塩	10mg 1錠	排尿抑制ベンジル酸誘導体	3433
	SW PPV10	白	プロピベリン塩酸塩錠10mg「サワイ」（沢井）	プロピベリン塩酸塩	10mg 1錠	排尿抑制ベンジル酸誘導体	3433
	SW PX10	帯紅白	パロキセチン錠10mg「サワイ」（沢井）	パロキセチン塩酸塩水和物	10mg 1錠	選択的セロトニン再取り込み阻害剤（SSRI）	2878
	SW TDS10	白	タンドスピロンクエン酸塩錠10mg「サワイ」（沢井）	タンドスピロンクエン酸塩	10mg 1錠	非ベンゾジアゼピン系・セロトニン作動性抗不安薬	2129

番号	識別コード	色 (①:割線有)	商品名(会社名)	一般名	規格単位	薬効	掲載 ページ
10	SW Z2／10	淡橙	ゾルピデム酒石酸塩錠10mg「サワイ」(沢井)	ゾルピデム酒石酸塩	10mg 1錠	入眠剤	1973
	SW ZL2／10	淡赤 ①	ゾルピデム酒石酸塩OD錠10mg「サワイ」(沢井)	ゾルピデム酒石酸塩	10mg 1錠	入眠剤	1973
	SW137／10	白〜微黄	エピナスチン塩酸塩錠10mg「サワイ」(沢井)	エピナスチン塩酸塩	10mg 1錠	アレルギー性疾患治療剤	783
	SW299／10	白	タモキシフェン錠10mg「サワイ」(沢井/日本ジェネリック)	タモキシフェンクエン酸塩	10mg 1錠	抗エストロゲン剤	2077
	SW391／10	白	クロチアゼパム錠10mg「サワイ」(沢井)	クロチアゼパム	10mg 1錠	心身安定剤	1309
	SW520／10	白	一硝酸イソソルビド錠10mg「サワイ」(沢井)	一硝酸イソソルビド	10mg 1錠	冠動脈拡張剤	1698
	SW550／10	白 ①	シンバスタチン錠10mg「SW」(メディサ/沢井)	シンバスタチン	10mg 1錠	HMG-CoA還元酵素阻害剤	1728
	SW572／10	白 ①	イミダプリル塩酸塩錠10mg「サワイ」(沢井)	イミダプリル塩酸塩	10mg 1錠	ACE阻害剤	504
	SW630／10	白	イフェンプロジル酒石酸塩錠10mg「サワイ」(沢井)	イフェンプロジル酒石酸塩	10mg 1錠	鎮うん剤	473
	SWBT10 SWBT／10	白 ①	ベポタスチンベシル酸塩錠10mg「サワイ」(沢井)	ベポタスチンベシル酸塩	10mg 1錠	アレルギー性疾患治療剤	3556
	SWアトルバ10	白	アトルバスタチン錠10mg「サワイ」(沢井)	アトルバスタチンカルシウム水和物	10mg 1錠	HMG-CoA還元酵素阻害剤	128
	SWオランザピン10	白	オランザピン錠10mg「サワイ」(沢井)	オランザピン	10mg 1錠	抗精神病剤・双極性障害治療剤・制吐剤	1021
	SWオルメサルタンOD10	白 ①	オルメサルタンOD錠10mg「サワイ」(沢井)	オルメサルタン メドキソミル	10mg 1錠	高親和性AT₁レセプターブロッカー	1031
	SWドネペジル10	赤橙	ドネペジル塩酸塩錠10mg「サワイ」(沢井)	ドネペジル, -塩酸塩	10mg 1錠	アルツハイマー型, レビー小体型認知症治療剤	2426
	SWベポタスチンOD10	白 ①	ベポタスチンベシル酸塩OD錠10mg「サワイ」(沢井)	ベポタスチンベシル酸塩	10mg 1錠	アレルギー性疾患治療剤	3556
	SWモンテルカスト10	明るい灰黄	モンテルカスト錠10mg「サワイ」(沢井)	モンテルカストナトリウム	10mg 1錠	ロイコトリエン受容体拮抗剤	4043
	SZ012／10	帯紅白	パロキセチン錠10mg「サンド」(サンド)	パロキセチン塩酸塩水和物	10mg 1錠	選択的セロトニン再取り込み阻害剤(SSRI)	2878
	t010 t10／10	白 ①	イミダプリル塩酸塩錠10mg「NIG」(日医工岐阜/日医工/武田薬品)	イミダプリル塩酸塩	10mg 1錠	ACE阻害剤	504
	t153／10	桃	ドネペジル塩酸塩錠10mg「テバ」(武田テバファーマ)	ドネペジル, -塩酸塩	10mg 1錠	アルツハイマー型, レビー小体型認知症治療剤	2426
	t156／10	淡赤	ドネペジル塩酸塩OD錠10mg「テバ」(武田テバファーマ)	ドネペジル, -塩酸塩	10mg 1錠	アルツハイマー型, レビー小体型認知症治療剤	2426
	t36 t036 10mg	帯黄白 ①	ペミロラストK錠10mg「NIG」(日医工岐阜/日医工/武田薬品)	ペミロラストカリウム	10mg 1錠	アレルギー性疾患治療剤	3564
	TA136／10	白	タナトリル錠10(田辺三菱)	イミダプリル塩酸塩	10mg 1錠	ACE阻害剤	504
	Tai TM-10	淡黄〜淡灰	太虎堂の柴胡桂枝湯エキス顆粒(太虎精堂)	柴胡桂枝湯	1g	漢方製剤	4595
	tBX10mg BX10	白 ①	ベタキソロール塩酸塩錠10mg「NIG」(日医工岐阜/日医工/武田薬品)	ベタキソロール塩酸塩	10mg 1錠	β_1-遮断剤	3490
	TC22／10	白	プロテカジン錠10(大鵬薬品)	ラフチジン	10mg 1錠	H₂-受容体拮抗剤	4103
	TC24／10	白	プロテカジンOD錠10(大鵬薬品)	ラフチジン	10mg 1錠	H₂-受容体拮抗剤	4103
	TC260 5g TC260 10g	白	メサデルムクリーム0.1%(岡山大鵬/大鵬薬品)	デキサメタゾンプロピオン酸エステル	0.1% 1g	副腎皮質ホルモン	2220
	TC261 5g TC261 10g	白〜微黄	メサデルム軟膏0.1%(岡山大鵬/大鵬薬品)	デキサメタゾンプロピオン酸エステル	0.1% 1g	副腎皮質ホルモン	2220
	TC271／10	白	バップフォー錠10(大鵬薬品)	プロピベリン塩酸塩	10mg 1錠	排尿抑制ベンジル酸誘導体	3433
	TD10	黄	タダラフィル錠10mgCI「TCK」(辰巳化学/本草)	タダラフィル	10mg 1錠	ホスホジエステラーゼ5阻害剤	2027
	TF10	淡黄赤	ルパフィン錠10mg(帝國/田辺三菱)	ルパタジンフマル酸塩	10mg 1錠	アレルギー性疾患治療剤	4341
	TF-TL10	黄/無透明	MSツワイスロンカプセル10mg(帝國)	モルヒネ硫酸塩水和物	10mg 1カプセル	持続性癌疼痛治療剤	4040
	TG124／10	白〜淡黄白①	アムロジピン錠10mg「タナベ」(ニプロES)	アムロジピンベシル酸塩	10mg 1錠	ジヒドロピリジン系Ca拮抗剤	264
	TG124／10	白〜淡黄白①	アムロジピン錠10mg「ニプロ」(ニプロES)	アムロジピンベシル酸塩	10mg 1錠	ジヒドロピリジン系Ca拮抗剤	264
	TG172／10	白	プロピベリン塩酸塩錠10mg「タナベ」(ニプロES)	プロピベリン塩酸塩	10mg 1錠	排尿抑制ベンジル酸誘導体	3433
	TG172／10	白	プロピベリン塩酸塩錠10mg「ニプロ」(ニプロES)	プロピベリン塩酸塩	10mg 1錠	排尿抑制ベンジル酸誘導体	3433
	TG202／10	赤橙	ドネペジル塩酸塩錠10mg「タナベ」(ニプロES)	ドネペジル, -塩酸塩	10mg 1錠	アルツハイマー型, レビー小体型認知症治療剤	2426
	TG202／10	赤橙	ドネペジル塩酸塩錠10mg「ニプロ」(ニプロES)	ドネペジル, -塩酸塩	10mg 1錠	アルツハイマー型, レビー小体型認知症治療剤	2426

番号	識別コード	色 （①：割線有）	商品名（会社名）	一般名	規格単位	薬効	掲載ページ
10	TG205／10	淡赤	ドネペジル塩酸塩OD錠10mg「タナベ」（ニプロES）	ドネペジル，-塩酸塩	10mg 1錠	アルツハイマー型，レビー小体型認知症治療剤	2426
	TG205／10	淡赤	ドネペジル塩酸塩OD錠10mg「ニプロ」（ニプロES）	ドネペジル，-塩酸塩	10mg 1錠	アルツハイマー型，レビー小体型認知症治療剤	2426
	TG212／10	白	パロキセチン錠10mg「タナベ」（ニプロES）	パロキセチン塩酸塩水和物	10mg 1錠	選択的セロトニン再取り込み阻害剤(SSRI)	2878
	TG212／10	白	パロキセチン錠10mg「ニプロ」（ニプロES）	パロキセチン塩酸塩水和物	10mg 1錠	選択的セロトニン再取り込み阻害剤(SSRI)	2878
	TIGASON10 TYP TIGASON10／ TYP	淡赤褐／淡赤白	チガソンカプセル10（太陽ファルマ）	エトレチナート	10mg 1カプセル	角化症治療芳香族テトラエン誘導体	765
	TL10	黄　①	タダラフィル錠10mgCI「クラシエ」（シオノ／クラシエ薬品）	タダラフィル	10mg 1錠	ホスホジエステラーゼ5阻害剤	2027
	tLI10mg L1	白　①	リシノプリル錠10mg「NIG」（日医工岐阜／日医工／武田薬品）	リシノプリル水和物	10mg 1錠	ACE阻害剤	4193
	tPX1／10	帯紅白	パロキセチン錠10mg「NIG」（日医工岐阜／日医工／武田薬品）	パロキセチン塩酸塩水和物	10mg 1錠	選択的セロトニン再取り込み阻害剤(SSRI)	2878
	TSU388 10mg TSU388	白	チキジウム臭化物カプセル10mg「ツルハラ」（鶴原）	チキジウム臭化物	10mg 1カプセル	キノリジジン系抗ムスカリン剤	2158
	TSU71／10	白　①	オルメサルタン錠10mg「ツルハラ」（鶴原）	オルメサルタン メドキソミル	10mg 1錠	高親和性AT₁レセプターブロッカー	1031
	TSU776／10	明るい灰黄	モンテルカスト錠10mg「ツルハラ」（鶴原）	モンテルカストナトリウム	10mg 1錠	ロイコトリエン受容体拮抗剤	4043
	TTS374／10 TTS-374	白　①	アムロジピン錠10mg「タカタ」（高田）	アムロジピンベシル酸塩	10mg 1錠	ジヒドロピリジン系Ca拮抗剤	264
	TTS647／10 TTS-647	赤橙	ドネペジル塩酸塩錠10mg「タカタ」（高田）	ドネペジル，-塩酸塩	10mg 1錠	アルツハイマー型，レビー小体型認知症治療剤	2426
	TTS712／10 TTS-712	微黄白～淡黄白	アムロジピンOD錠10mg「タカタ」（高田）	アムロジピンベシル酸塩	10mg 1錠	ジヒドロピリジン系Ca拮抗剤	264
	TTS722／10 TTS-722	淡赤	ドネペジル塩酸塩OD錠10mg「タカタ」（高田）	ドネペジル，-塩酸塩	10mg 1錠	アルツハイマー型，レビー小体型認知症治療剤	2426
	TTS731／10 TTS-731	淡橙　①	ゾルピデム酒石酸塩錠10mg「タカタ」（高田）	ゾルピデム酒石酸塩	10mg 1錠	入眠剤	1973
	TTS771／10 TTS-771	帯紅白	パロキセチン錠10mg「タカタ」（高田）	パロキセチン塩酸塩水和物	10mg 1錠	選択的セロトニン再取り込み阻害剤(SSRI)	2878
	TU132／10	白	パロキセチン錠10mg「TCK」（辰巳化学）	パロキセチン塩酸塩水和物	10mg 1錠	選択的セロトニン再取り込み阻害剤(SSRI)	2878
	Tu201／10	白	プロピベリン塩酸塩錠10mg「TCK」（辰巳化学）	プロピベリン塩酸塩	10mg 1錠	排尿抑制ベンジル酸誘導体	3433
	TU217／10	白　①	アムロジピン錠10mg「TCK」（辰巳化学）	アムロジピンベシル酸塩	10mg 1錠	ジヒドロピリジン系Ca拮抗剤	264
	TU222／10	白　①	イミダプリル塩酸塩錠10mg「TCK」（辰巳化学）	イミダプリル塩酸塩	10mg 1錠	ACE阻害剤	504
	TU233／10	淡橙　①	アムロジピンOD錠10mg「TCK」（辰巳化学）	アムロジピンベシル酸塩	10mg 1錠	ジヒドロピリジン系Ca拮抗剤	264
	TU242／10	白	ラフチジン錠10mg「TCK」（辰巳化学）	ラフチジン	10mg 1錠	H₂-受容体拮抗剤	4103
	Tu-CR10	黄	カルベジロール錠10mg「TCK」（辰巳化学／ニプロ／日医工）	カルベジロール	10mg 1錠	α, β-遮断剤	1160
	Tu-HT10	白～微黄白	ファモチジン錠10mg「TCK」（辰巳化学）	ファモチジン	10mg 1錠	H₂-受容体拮抗剤	3079
	Tu-TP10	微紅　①	プラバスタチンNa錠10mg「TCK」（辰巳化学）	プラバスタチンナトリウム	10mg 1錠	HMG-CoA還元酵素阻害剤	3256
	TV10	白～微黄白	アムロジピンOD錠10mg「武田テバ」（武田テバファーマ／武田薬品）	アムロジピンベシル酸塩	10mg 1錠	ジヒドロピリジン系Ca拮抗剤	264
	TVO3／10	淡黄　①	オランザピンOD錠10mg「NIG」（日医工岐阜／日医工／武田薬品）	オランザピン	10mg 1錠	抗精神病剤・双極性障害治療剤・制吐剤	1021
	Tw023／10	白	イミダプリル塩酸塩錠10mg「トーワ」（東和薬品）	イミダプリル塩酸塩	10mg 1錠	ACE阻害剤	504
	Tw／10 Tw10	淡赤	ニフェジピンL錠10mg「トーワ」（東和薬品）	ニフェジピン	10mg 1錠	ジヒドロピリジン系Ca拮抗剤	2652
	Tw180／10	白	一硝酸イソソルビド錠10mg「トーワ」（東和薬品）	一硝酸イソソルビド	10mg 1錠	冠動脈拡張剤	1698
	Tw225／10	白～微黄	エピナスチン塩酸塩錠10mg「トーワ」（東和薬品）	エピナスチン塩酸塩	10mg 1錠	アレルギー性疾患治療剤	783
	Tw242／10	白	クロチアゼパム錠10mg「トーワ」（東和薬品）	クロチアゼパム	10mg 1錠	心身安定剤	1309
	Tw253／10	帯赤灰	ニフェジピンCR錠10mg「トーワ」（東和薬品）	ニフェジピン	10mg 1錠	ジヒドロピリジン系Ca拮抗剤	2652
	Tw273／10	白	プロピベリン塩酸塩錠10mg「トーワ」（東和薬品）	プロピベリン塩酸塩	10mg 1錠	排尿抑制ベンジル酸誘導体	3433

番号	識別コード	色(⦶：割線有)	商品名(会社名)	一般名	規格単位	薬効	掲載ページ
10	Tw325／10	淡橙 ⦶	ゾルピデム酒石酸塩錠10mg「トーワ」(東和薬品)	ゾルピデム酒石酸塩	10mg 1錠	入眠剤	1973
	Tw337／10	白 ⦶	ロラタジンOD錠10mg「トーワ」(東和薬品)	ロラタジン	10mg 1錠	持続性選択H_1-受容体拮抗・アレルギー治療剤	4545
	Tw517／10	淡黄 ⦶	メロキシカム錠10mg「トーワ」(東和薬品)	メロキシカム	10mg 1錠	非ステロイド性消炎鎮痛剤	4000
	Tw703／10	白	ラフチジン錠10mg「トーワ」(東和薬品)	ラフチジン	10mg 1錠	H_2-受容体拮抗剤	4103
	Tw727／10	白 ⦶	タンドスピロンクエン酸塩錠10mg「トーワ」(東和薬品)	タンドスピロンクエン酸塩	10mg 1錠	非ベンゾジアゼピン系・セロトニン作動性抗不安薬	2129
	Tw734／10	白 ⦶	エバスチン錠10mg「トーワ」(東和薬品)	エバスチン	10mg 1錠	持続性選択H_1-受容体拮抗剤	778
	Tw752／10	帯紅白 ⦶	パロキセチンOD錠10mg「トーワ」(東和薬品)	パロキセチン塩酸塩水和物	10mg 1錠	選択的セロトニン再取り込み阻害剤(SSRI)	2878
	Tw754／10	帯紅白 ⦶	パロキセチン錠10mg「トーワ」(東和薬品)	パロキセチン塩酸塩水和物	10mg 1錠	選択的セロトニン再取り込み阻害剤(SSRI)	2878
	TZ199／10	白	シンバスタチン錠10mg「あすか」(あすか／武田薬品)	シンバスタチン	10mg 1錠	HMG-CoA還元酵素阻害剤	1728
	TZ217／10	白	プロピベリン塩酸塩錠10mg「あすか」(あすか／武田薬品)	プロピベリン塩酸塩	10mg 1錠	排尿抑制ベンジル酸誘導体	3433
	UPJOHN10	淡紫	ハルシオン0.125mg錠(ファイザー)	トリアゾラム	0.125mg 1錠	ベンゾジアゼピン系睡眠導入剤	2507
	VLE／ATR10 VLE ATR10	白	アトルバスタチン錠10mg「VTRS」(ヴィアトリス・ヘルスケア／ヴィアトリス)	アトルバスタチンカルシウム水和物	10mg 1錠	HMG-CoA還元酵素阻害剤	128
	Y BL10 Y-BL10	淡黄	バイロテンシン錠10mg(田辺三菱)	ニトレンジピン	10mg 1錠	ジヒドロピリジン系Ca拮抗剤	2642
	Y CF10 Y-CF10	白	クロフェクトン錠10mg(田辺三菱)	クロカプラミン塩酸塩水和物	10mg 1錠	精神神経安定剤	1302
	Y CR10 Y-CR10	淡青	クレミン錠10mg(田辺三菱)	モサプラミン塩酸塩	10mg 1錠	イミノジベンジル系精神神経安定剤	4012
	Y HU10 Y-HU10	紅	フスタゾール糖衣錠10mg(ニプロES)	クロペラスチン	10mg 1錠	鎮咳剤	1365
	Y IM10 Y-IM10	白	イミドール糖衣錠(10)(田辺三菱)	イミプラミン塩酸塩	10mg 1錠	抗うつ剤・遺尿症治療剤	506
	Y OM10 Y-OM10	白	オメプラゾン錠10mg(田辺三菱)	オメプラゾール	10mg 1錠	プロトンポンプインヒビター	1010
	Y RZ10 Y-RZ10	白	リーゼ錠10mg(田辺三菱)	クロチアゼパム	10mg 1錠	心身安定剤	1309
	YD225／10	白	ラフチジン錠10mg「YD」(陽進堂)	ラフチジン	10mg 1錠	H_2-受容体拮抗剤	4103
	YD348／10	帯紅白	パロキセチン錠10mg「YD」(陽進堂)	パロキセチン塩酸塩水和物	10mg 1錠	選択的セロトニン再取り込み阻害剤(SSRI)	2878
	YD369／10	白 ⦶	エバスチン錠10mg「YD」(陽進堂)	エバスチン	10mg 1錠	持続性選択H_1-受容体拮抗剤	778
	YD538／10	白 ⦶	イミダプリル塩酸塩錠10mg「YD」(陽進堂)	イミダプリル塩酸塩	10mg 1錠	ACE阻害剤	504
	YD573／10	白	エバスチンOD錠10mg「YD」(陽進堂)	エバスチン	10mg 1錠	持続性選択H_1-受容体拮抗剤	778
	YD642 ラベプラゾール YD10	淡黄	ラベプラゾールNa錠10mg「YD」(陽進堂)	ラベプラゾールナトリウム	10mg 1錠	プロトンポンプインヒビター	4112
	Z126／10	明るい灰黄	モンテルカストナトリウム錠10mg「日本臓器」(日本臓器)	モンテルカストナトリウム	10mg 1錠	ロイコトリエン受容体拮抗剤	4043
	ZE01／10	淡赤	ニフェジピンL錠10mg「ZE」(全星薬品工業／全星薬品)	ニフェジピン	10mg 1錠	ジヒドロピリジン系Ca拮抗剤	2652
	ZE16／10	白	エバスチンOD錠10mg「ZE」(全星薬品工業／サンド／全星薬品)	エバスチン	10mg 1錠	持続性選択H_1-受容体拮抗剤	778
	ZE24／10	淡橙 ⦶	アムロジピンOD錠10mg「ZE」(全星薬品工業／全星薬品)	アムロジピンベシル酸塩	10mg 1錠	ジヒドロピリジン系Ca拮抗剤	264
	ZE45／10	淡赤	ドネペジル塩酸塩OD錠10mg「ZE」(全星薬品工業／全星薬品)	ドネペジル，-塩酸塩	10mg 1錠	アルツハイマー型，レビー小体型認知症治療剤	2426
	ZE55／10	淡橙 ⦶	ゾルピデム酒石酸塩錠10mg「ZE」(全星薬品工業／全星薬品)	ゾルピデム酒石酸塩	10mg 1錠	入眠剤	1973
	ZE57／10	白	アトルバスタチン錠10mg「ZE」(全星薬品工業／全星薬品)	アトルバスタチンカルシウム水和物	10mg 1錠	HMG-CoA還元酵素阻害剤	128
	ZLP10	黄 ⦶	ゾルピデム酒石酸塩錠10mg「サンド」(サンド)	ゾルピデム酒石酸塩	10mg 1錠	入眠剤	1973
	ZNC219／10 ZNC219：10	白 ⦶	インデラル錠10mg(太陽ファルマ)	プロプラノロール塩酸塩	10mg 1錠	β-遮断剤	3437
	✿044／10	白	セディール錠10mg(住友ファーマ)	タンドスピロンクエン酸塩	10mg 1錠	非ベンゾジアゼピン系・セロトニン作動性抗不安薬	2129
	n046／10 n046 10 ⓝ046	白	タンドスピロンクエン酸塩錠10mg「日医工」(日医工)	タンドスピロンクエン酸塩	10mg 1錠	非ベンゾジアゼピン系・セロトニン作動性抗不安薬	2129

番号	識別コード	色 (①：割線有)	商品名(会社名)	一般名	規格単位	薬効	掲載ページ
10	*C*10	くすんだ黄	シアリス錠10mg（日本新薬）	タダラフィル	10mg 1錠	ホスホジエステラーゼ5阻害剤	2027
	◎10	白〜淡黄	フェルビナクパップ140mg「ラクール」 （三友薬品／ラクール）	フェルビナク	20cm×14cm 1枚	鎮痛消炎フェンブフェン活性体	3153
	⚖/10/5 ⚖10/5	淡黄	トラディアンス配合錠AP（日本ベーリンガー）	エンパグリフロジン・リナグリプチン	1錠	選択的SGLT2阻害剤／胆汁排泄型選択的DPP-4阻害薬配合剤・2型糖尿病治療剤	931
	△108／10	白〜帯黄白	10mgコントール錠(武田テバ薬品／武田薬品)	クロルジアゼポキシド	10mg 1錠	マイナートランキライザー	1376
	▽10／⊕	淡赤	イグザレルト錠10mg（バイエル薬品）	リバーロキサバン	10mg 1錠	選択的直接作用型第Xa因子阻害剤	4263
	△112／10 ①	白〜黄みの白	10mgセルシン錠(武田テバ薬品／武田薬品)	ジアゼパム	10mg 1錠	マイナートランキライザー	1553
	△114／10	微黄	①	トリンテリックス錠10mg（武田薬品）	ボルチオキセチン臭化水素酸塩	10mg 1錠	セロトニン再取り込み阻害・セロトニン受容体調節剤	3777
	*CH*130／10 ch130	淡黄	①	アムロジピンOD錠10mg「CH」（長生堂／日本ジェネリック）	アムロジピンベシル酸塩	10mg 1錠	ジヒドロピリジン系Ca拮抗剤	264
	*n*158／10 *n*158 10 Ⓝ158	白	イフェンプロジル酒石酸塩錠10mg「日医工」（日医工ファーマ／日医工）	イフェンプロジル酒石酸塩	10mg 1錠	鎮うん剤	473
	℗175／10	白	①	エバステル錠10mg（住友ファーマ／Meiji Seika）	エバスチン	10mg 1錠	持続性選択H₁-受容体拮抗剤	778
	*n*176／10 *n*176 10 Ⓝ176	白	①	ロラタジン錠10mg「日医工」（日医工）	ロラタジン	10mg 1錠	持続性選択H₁-受容体拮抗・アレルギー治療剤	4545
	*n*177／10 *n*177 10 Ⓝ177	白	①	ロラタジンOD錠10mg「日医工」（日医工）	ロラタジン	10mg 1錠	持続性選択H₁-受容体拮抗・アレルギー治療剤	4545
	℗178／10	白	①	エバステルOD錠10mg（住友ファーマ／Meiji Seika）	エバスチン	10mg 1錠	持続性選択H₁-受容体拮抗剤	778
	*n*181／10 Ⓝ181	淡橙	①	ゾルピデム酒石酸塩OD錠10mg「日医工」（日医工）	ゾルピデム酒石酸塩	10mg 1錠	入眠剤	1973
	*CH*184／10	白	①	エバスチン錠10mg「CH」（長生堂／日本ジェネリック）	エバスチン	10mg 1錠	持続性選択H₁-受容体拮抗剤	778
	↺1CL／10	白	①	クロチアゼパム錠10mg「日医工」（日医工）	クロチアゼパム	10mg 1錠	心身安定剤	1309
	△231／10	淡黄	①	カルスロット錠10（武田テバ薬品／武田薬品）	マニジピン塩酸塩	10mg 1錠	ジヒドロピリジン系Ca拮抗剤	3811
	Ⲉ250 10	淡赤	①	アリセプトD錠10mg（エーザイ）	ドネペジル，-塩酸塩	10mg 1錠	アルツハイマー型，レビー小体型認知症治療剤	2426
	*n*298／10 *n*298 10 Ⓝ298-L10	淡赤	ニフェジピンL錠10mg「日医工」（日医工）	ニフェジピン	10mg 1錠	ジヒドロピリジン系Ca拮抗剤	2652
	Lilly 3227 10mg *Lilly* 3227	白	ストラテラカプセル10mg（日本イーライリリー）	アトモキセチン塩酸塩	10mg 1カプセル	注意欠陥/多動性障害治療剤・選択的ノルアドレナリン再取り込み阻害剤	124
	*n*324／10 *n*324 10 Ⓝ324	赤橙	ドネペジル塩酸塩錠10mg「日医工」（日医工）	ドネペジル，-塩酸塩	10mg 1錠	アルツハイマー型，レビー小体型認知症治療剤	2426
	*n*372／10 *n*372 10 Ⓝ372	淡赤	ドネペジル塩酸塩OD錠10mg「日医工」（日医工）	ドネペジル，-塩酸塩	10mg 1錠	アルツハイマー型，レビー小体型認知症治療剤	2426
	⬧455／10 TYK455	白	①	アムロジピン錠10mg「TYK」（コーアバイオテックベイ／日医工／武田薬品）	アムロジピンベシル酸塩	10mg 1錠	ジヒドロピリジン系Ca拮抗剤	264
	*n*558／10 Ⓝ558	白	①	アムロジピン錠10mg「日医工」（日医工）	アムロジピンベシル酸塩	10mg 1錠	ジヒドロピリジン系Ca拮抗剤	264
	*n*586／10 Ⓝ586	薄橙	①	アムロジピンOD錠10mg「日医工」（日医工）	アムロジピンベシル酸塩	10mg 1錠	ジヒドロピリジン系Ca拮抗剤	264
	*CH*73／10	白	プロピベリン塩酸塩錠10mg「JG」（長生堂／日本ジェネリック）	プロピベリン塩酸塩	10mg 1錠	排尿抑制ベンジル酸誘導体	3433
	*n*731／10 *n*731 10 Ⓝ731	淡黄	①	マニジピン塩酸塩錠10mg「日医工」（日医工）	マニジピン塩酸塩	10mg 1錠	ジヒドロピリジン系Ca拮抗剤	3811
	Ⓩ771／10 Ⓩ771：10	白〜淡黄白	ゾフルーザ錠10mg（塩野義）	バロキサビル・マルボキシル	10mg 1錠	抗インフルエンザウイルス剤	2875
	℗772／10	白	①	マイスタン錠10mg（住友ファーマ／アルフレッサファーマ）	クロバザム	10mg 1錠	ベンゾジアゼピン系抗てんかん剤	1313
	*n*879／10 *n*879 10 Ⓝ879	白	ラフチジン錠10mg「日医工」（日医工）	ラフチジン	10mg 1錠	H₂-受容体拮抗剤	4103
	Ⓩ902／10 Ⓩ902：10	薄黄褐	MSコンチン錠10mg（シオノギファーマ／塩野義）	モルヒネ硫酸塩水和物	10mg 1錠	持続性癌疼痛治療剤	4040
	℗915／10	白	リズミック錠10mg（住友ファーマ）	アメジニウムメチル硫酸塩	10mg 1錠	低血圧治療剤	271
	Ⓩ921：10 Ⓩ921／10	白	オキシコンチンTR錠10mg（シオノギファーマ／塩野義）	オキシコドン塩酸塩水和物	10mg 1錠	疼痛治療剤	950

番号	識別コード	色 (①:割線有)	商品名(会社名)	一般名	規格単位	薬効	掲載ページ
10	⊿BXA10	淡褐	バキソカプセル10(富士フイルム富山化学)	ピロキシカム	10mg 1カプセル	オキシカム系消炎鎮痛剤	3061
	Ⓚ／GF D10 ⓀGF D10	微黄白 ①	グルファストOD錠10mg(キッセイ)	ミチグリニドカルシウム水和物	10mg 1錠	速効型インスリン分泌促進剤	3859
	ⓀGF10	白 ①	グルファスト錠10mg(キッセイ)	ミチグリニドカルシウム水和物	10mg 1錠	速効型インスリン分泌促進剤	3859
	ЄLENV10mg	黄赤／黄	レンビマカプセル10mg(エーザイ)	レンバチニブメシル酸塩	10mg 1カプセル	抗悪性腫瘍剤	4459
	Єアリセプト10	赤橙	アリセプト錠10mg(エーザイ)	ドネペジル，-塩酸塩	10mg 1錠	アルツハイマー型，レビー小体型認知症治療剤	2426
	Єパリエット10	淡黄	パリエット錠10mg(エーザイ／EA)	ラベプラゾールナトリウム	10mg 1錠	プロトンポンプインヒビター	4112
	Єパリエット10 250SAW ②763	淡黄 薄橙 白	ラベファインパック(エーザイ／EA)	ラベプラゾールナトリウム・アモキシシリン水和物・メトロニダゾール	1シート	ヘリコバクター・ピロリ除菌用組み合わせ製剤	4121
	Єパリエット10 250SAW クラリス200	淡黄 薄橙 白	ラベキュアパック400(エーザイ／EA)	ラベプラゾールナトリウム・アモキシシリン水和物・クラリスロマイシン	1シート	ヘリコバクター・ピロリ除菌用組み合わせ製剤	4116
	Єパリエット10 250SAW クラリス200	淡黄 薄橙	ラベキュアパック800(エーザイ／EA)	ラベプラゾールナトリウム・アモキシシリン水和物・クラリスロマイシン	1シート	ヘリコバクター・ピロリ除菌用組み合わせ製剤	4116
	徐放 オキシコドン10	白〜帯黄白	オキシコドン徐放錠10mgNX「第一三共」(第一三共プロ／第一三共)	オキシコドン塩酸塩水和物	10mg 1錠	疼痛治療剤	950
	アイミクスHD／ 100 10	薄橙	アイミクス配合錠HD(住友ファーマ)	イルベサルタン・アムロジピンベシル酸塩	1錠	長時間作用型アンギオテンシンⅡ受容体拮抗剤・持続性Ca拮抗剤配合剤	523
	アジルOD10DS EP	微黄赤	アジルサルタンOD錠10mg「DSEP」(第一三共エスファ)	アジルサルタン	10mg 1錠	持続性AT₁受容体遮断剤	42
	アジル㋞10	微黄赤	アジルサルタン錠10mg「武田テバ」(武田テバファーマ／武田薬品)	アジルサルタン	10mg 1錠	持続性AT₁受容体遮断剤	42
	アジル明治10／ アジルOD10	微黄赤	アジルサルタンOD錠10mg「明治」(Meiji Seika／Meファルマ)	アジルサルタン	10mg 1錠	持続性AT₁受容体遮断剤	42
	アジルサルタン10 JG	淡黄赤	アジルサルタン錠10mg「JG」(日本ジェネリック)	アジルサルタン	10mg 1錠	持続性AT₁受容体遮断剤	42
	アジルサルタン10／ OD10ケミファ	微黄赤	アジルサルタンOD錠10mg「ケミファ」(日本ケミファ／日本薬品工業)	アジルサルタン	10mg 1錠	持続性AT₁受容体遮断剤	42
	アジルサルタン10 TCK	微黄赤	アジルサルタン錠10mg「TCK」(辰巳化学)	アジルサルタン	10mg 1錠	持続性AT₁受容体遮断剤	42
	アジルサルタン10 サワイ	微黄赤	アジルサルタン錠10mg「サワイ」(沢井)	アジルサルタン	10mg 1錠	持続性AT₁受容体遮断剤	42
	アジルサルタン10 サンド	微黄赤	アジルサルタン錠10mg「サンド」(サンド)	アジルサルタン	10mg 1錠	持続性AT₁受容体遮断剤	42
	アジルサルタン10 トーワ	微黄赤	アジルサルタン錠10mg「トーワ」(東和薬品／三和化学／共創未来)	アジルサルタン	10mg 1錠	持続性AT₁受容体遮断剤	42
	アジルサルタン10 ニプロ	微黄赤	アジルサルタン錠10mg「ニプロ」(ニプロ)	アジルサルタン	10mg 1錠	持続性AT₁受容体遮断剤	42
	アジルサルタン OD10杏林	微黄赤	アジルサルタンOD錠10mg「杏林」(キョーリンリメディオ／杏林)	アジルサルタン	10mg 1錠	持続性AT₁受容体遮断剤	42
	アジルサルタン OD10 10フェルゼン	微黄赤	アジルサルタンOD錠10mg「フェルゼン」(ダイト／フェルゼン)	アジルサルタン	10mg 1錠	持続性AT₁受容体遮断剤	42
	アジルサルタン OD10サワイ	微黄赤	アジルサルタンOD錠10mg「サワイ」(沢井)	アジルサルタン	10mg 1錠	持続性AT₁受容体遮断剤	42
	アジルバ10	微黄赤	アジルバ錠10mg(武田薬品)	アジルサルタン	10mg 1錠	持続性AT₁受容体遮断剤	42
	アトモ10キセチン JG	白	アトモキセチン錠10mg「JG」(日本ジェネリック)	アトモキセチン塩酸塩	10mg 1錠	注意欠陥/多動性障害治療剤・選択的ノルアドレナリン再取り込み阻害剤	124
	アトモ10キセチン トーワ	白	アトモキセチン錠10mg「トーワ」(東和薬品)	アトモキセチン塩酸塩	10mg 1錠	注意欠陥/多動性障害治療剤・選択的ノルアドレナリン再取り込み阻害剤	124
	アトモ10キセチン ニプロ	白	アトモキセチン錠10mg「ニプロ」(ニプロ)	アトモキセチン塩酸塩	10mg 1錠	注意欠陥/多動性障害治療剤・選択的ノルアドレナリン再取り込み阻害剤	124
	アトモキセチン10 DSEP	白	アトモキセチン錠10mg「DSEP」(第一三共エスファ)	アトモキセチン塩酸塩	10mg 1錠	注意欠陥/多動性障害治療剤・選択的ノルアドレナリン再取り込み阻害剤	124
	アトモキセチン10mg VTRS	白	アトモキセチンカプセル10mg「VTRS」(ヴィアトリス・ヘルスケア／ヴィアトリス)	アトモキセチン塩酸塩	10mg 1カプセル	注意欠陥/多動性障害治療剤・選択的ノルアドレナリン再取り込み阻害剤	124
	アトモキセチン10mg 日医工 ⓝ138	白	アトモキセチンカプセル10mg「日医工」(日医工)	アトモキセチン塩酸塩	10mg 1カプセル	注意欠陥/多動性障害治療剤・選択的ノルアドレナリン再取り込み阻害剤	124
	アトモキセチン10mg サワイ	白	アトモキセチンカプセル10mg「サワイ」(沢井)	アトモキセチン塩酸塩	10mg 1カプセル	注意欠陥/多動性障害治療剤・選択的ノルアドレナリン再取り込み阻害剤	124

番号	識別コード	色 (◍：割線有)	商品名(会社名)	一般名	規格単位	薬効	掲載ページ
10	アトモキセチン10 タカタ	白	アトモキセチン錠10mg「タカタ」(高田)	アトモキセチン塩酸塩	10mg 1錠	注意欠陥/多動性障害治療剤・選択的ノルアドレナリン再取り込み阻害剤	124
	アトモキセチン アメル10mg	白	アトモキセチンカプセル10mg「アメル」(共和薬品)	アトモキセチン塩酸塩	10mg 1カプセル	注意欠陥/多動性障害治療剤・選択的ノルアドレナリン再取り込み阻害剤	124
	アトルバ10杏林	白	アトルバスタチン錠10mg「杏林」(キョーリンリメディオ/杏林)	アトルバスタチンカルシウム水和物	10mg 1錠	HMG-CoA還元酵素阻害剤	128
	アトルバ10／ アトルバ10スタチン トーワ	白	◍	アトルバスタチン錠10mg「トーワ」(東和薬品)	アトルバスタチンカルシウム水和物	10mg 1錠	HMG-CoA還元酵素阻害剤	128
	アトルバ10／ アトルバMe	白	アトルバスタチン錠10mg「Me」(Meファルマ／三和化学／共創未来／フェルゼン)	アトルバスタチンカルシウム水和物	10mg 1錠	HMG-CoA還元酵素阻害剤	128
	アトルバ10／ アトルバスタチン OD10トーワ	淡黄	◍	アトルバスタチンOD錠10mg「トーワ」(東和薬品)	アトルバスタチンカルシウム水和物	10mg 1錠	HMG-CoA還元酵素阻害剤	128
	アトルバYD10 YD227	白	アトルバスタチン錠10mg「YD」(陽進堂)	アトルバスタチンカルシウム水和物	10mg 1錠	HMG-CoA還元酵素阻害剤	128
	アトルバスタチン10 DSEP／ アトルバスタチン10 第一三共エスファ	白	アトルバスタチン錠10mg「DSEP」(第一三共エスファ)	アトルバスタチンカルシウム水和物	10mg 1錠	HMG-CoA還元酵素阻害剤	128
	アトルバスタチン10 NS	白	アトルバスタチン錠10mg「NS」(日新／科研)	アトルバスタチンカルシウム水和物	10mg 1錠	HMG-CoA還元酵素阻害剤	128
	アトルバスタチン ／10TCK	白	アトルバスタチン錠10mg「TCK」(辰巳化学)	アトルバスタチンカルシウム水和物	10mg 1錠	HMG-CoA還元酵素阻害剤	128
	アトルバスタチン10 日医工 ⓝ695	白	アトルバスタチン錠10mg「日医工」(日医工)	アトルバスタチンカルシウム水和物	10mg 1錠	HMG-CoA還元酵素阻害剤	128
	アトルバスタチン10 アメル	白	アトルバスタチン錠10mg「アメル」(共和薬品)	アトルバスタチンカルシウム水和物	10mg 1錠	HMG-CoA還元酵素阻害剤	128
	アトルバスタチン10 ニプロ	白	アトルバスタチン錠10mg「NP」(ニプロ)	アトルバスタチンカルシウム水和物	10mg 1錠	HMG-CoA還元酵素阻害剤	128
	アマルエット2番 「ニプロ」／ アトルバスタチン 10mg アムロジピン2.5mg	白	アマルエット配合錠2番「ニプロ」(ニプロ)	アムロジピンベシル酸塩・アトルバスタチンカルシウム水和物	1錠	持続性Ca拮抗剤・HMG-CoA還元酵素阻害剤	266
	アマルエット2番 トーワ／2.5 アムロジアトルバ10	淡紅	アマルエット配合錠2番「トーワ」(東和薬品)	アムロジピンベシル酸塩・アトルバスタチンカルシウム水和物	1錠	持続性Ca拮抗剤・HMG-CoA還元酵素阻害剤	266
	アマルエット2 サンド／2.5/10	白	アマルエット配合錠2番「サンド」(サンド)	アムロジピンベシル酸塩・アトルバスタチンカルシウム水和物	1錠	持続性Ca拮抗剤・HMG-CoA還元酵素阻害剤	266
	アマルエット4番 「ニプロ」／ アトルバスタチン 10mg アムロジピン5mg	白	アマルエット配合錠4番「ニプロ」(ニプロ)	アムロジピンベシル酸塩・アトルバスタチンカルシウム水和物	1錠	持続性Ca拮抗剤・HMG-CoA還元酵素阻害剤	266
	アマルエット4番 トーワ／5アムロジ アトルバ10	白	アマルエット配合錠4番「トーワ」(東和薬品)	アムロジピンベシル酸塩・アトルバスタチンカルシウム水和物	1錠	持続性Ca拮抗剤・HMG-CoA還元酵素阻害剤	266
	アマルエット4 サンド／5/10	白	アマルエット配合錠4番「サンド」(サンド)	アムロジピンベシル酸塩・アトルバスタチンカルシウム水和物	1錠	持続性Ca拮抗剤・HMG-CoA還元酵素阻害剤	266
	アムロOD10／ アムロジピン NS OD10	淡黄	◍	アムロジピンOD錠10mg「NS」(日新／第一三共エスファ)	アムロジピンベシル酸塩	10mg 1錠	ジヒドロピリジン系Ca拮抗剤	264
	アムロジ10／ アムロジピン10 トーワ	白	◍	アムロジピン錠10mg「トーワ」(東和薬品)	アムロジピンベシル酸塩	10mg 1錠	ジヒドロピリジン系Ca拮抗剤	264
	アムロジピン10 ch	白	◍	アムロジピン錠10mg「CH」(長生堂／日本ジェネリック)	アムロジピンベシル酸塩	10mg 1錠	ジヒドロピリジン系Ca拮抗剤	264
	アムロジピン10 DSEP	白	◍	アムロジピン錠10mg「DSEP」(第一三共エスファ／エッセンシャル)	アムロジピンベシル酸塩	10mg 1錠	ジヒドロピリジン系Ca拮抗剤	264
	アムロジピン10 オーハラ	白	◍	アムロジピン錠10mg「オーハラ」(大原薬品)	アムロジピンベシル酸塩	10mg 1錠	ジヒドロピリジン系Ca拮抗剤	264
	アムロジピン10 サワイ	白～微黄白◍	アムロジピン錠10mg「サワイ」(沢井)	アムロジピンベシル酸塩	10mg 1錠	ジヒドロピリジン系Ca拮抗剤	264
	アムロジピン OD10あすか／ OD10あすか アムロジピン	淡黄	◍	アムロジピンOD錠10mg「あすか」(あすか／武田薬品)	アムロジピンベシル酸塩	10mg 1錠	ジヒドロピリジン系Ca拮抗剤	264
	アムロジピン OD10／ アムロジピンOD10 明治	淡黄	◍	アムロジピンOD錠10mg「明治」(Meiji Seika／Meファルマ)	アムロジピンベシル酸塩	10mg 1錠	ジヒドロピリジン系Ca拮抗剤	264

番号	識別コード	色 (◐:割線有)		商品名(会社名)	一般名	規格単位	薬効	掲載 ページ
10	アムロジピン OD10ケミファ	淡黄	◐	アムロジピンOD錠10mg「ケミファ」 (日本薬品工業/日本ケミファ)	アムロジピンベシル酸塩	10mg 1錠	ジヒドロピリジン系Ca拮抗剤	264
	アムロジピン OD10サワイ	淡橙	◐	アムロジピンOD錠10mg「サワイ」(沢井)	アムロジピンベシル酸塩	10mg 1錠	ジヒドロピリジン系Ca拮抗剤	264
	アムロジピン VT10/VT アムロジピン10	白		アムロジピン錠10mg「VTRS」(ヴィアトリス・ヘルスケア/ヴィアトリス)	アムロジピンベシル酸塩	10mg 1錠	ジヒドロピリジン系Ca拮抗剤	264
	アムロジピン VTOD10/VT アムロジピンOD10 アムロジピン OD10	淡黄	◐	アムロジピンOD錠10mg「VTRS」(ヴィアトリス・ヘルスケア/ヴィアトリス)	アムロジピンベシル酸塩	10mg 1錠	ジヒドロピリジン系Ca拮抗剤	264
	アムロジピン YD OD10 YD615	淡黄	◐	アムロジピンOD錠10mg「YD」(陽進堂)	アムロジピンベシル酸塩	10mg 1錠	ジヒドロピリジン系Ca拮抗剤	264
	アムロジピン YD10 YD562	白		アムロジピン錠10mg「YD」(陽進堂)	アムロジピンベシル酸塩	10mg 1錠	ジヒドロピリジン系Ca拮抗剤	264
	アムロジピン明治 /アムロジピン10	白		アムロジピン錠10mg「明治」(Meiji Seika/Meファルマ)	アムロジピンベシル酸塩	10mg 1錠	ジヒドロピリジン系Ca拮抗剤	264
	アムロジン10	白		アムロジン錠10mg (住友ファーマ)	アムロジピンベシル酸塩	10mg 1錠	ジヒドロピリジン系Ca拮抗剤	264
	アムロジンOD10	淡黄		アムロジンOD錠10mg (住友ファーマ)	アムロジピンベシル酸塩	10mg 1錠	ジヒドロピリジン系Ca拮抗剤	264
	イミダプリル10 DSEP	薄橙	◐	イミダプリル塩酸塩錠10mg「DSEP」(第一三共エスファ/エッセンシャル)	イミダプリル塩酸塩	10mg 1錠	ACE阻害剤	504
	イミダプリル10 JG	薄橙		イミダプリル塩酸塩錠10mg「JG」(日本ジェネリック)	イミダプリル塩酸塩	10mg 1錠	ACE阻害剤	504
	イミダプリル10 オーハラ	薄橙		イミダプリル塩酸塩錠10mg「オーハラ」(大原薬品)	イミダプリル塩酸塩	10mg 1錠	ACE阻害剤	504
	イルアミクスHD 三和/イルアミクス HD100/10	薄橙		イルアミクス配合錠HD「三和」(ダイト/三和化学)	イルベサルタン・アムロジピンベシル酸塩	1錠	長時間作用型アンギオテンシンII受容体拮抗剤・持続性Ca拮抗剤配合剤	523
	イルアミクスHD 配合錠オーハラ/ イルベサルタン 100mg アムロジピン10mg	薄橙		イルアミクス配合錠HD「オーハラ」(大原薬品/共創未来)	イルベサルタン・アムロジピンベシル酸塩	1錠	長時間作用型アンギオテンシンII受容体拮抗剤・持続性Ca拮抗剤配合剤	523
	イルアミクスHD ケミファ/ イルベサルタン100 アムロジピン10	薄橙		イルアミクス配合錠HD「ケミファ」(日本ケミファ/日本薬品工業)	イルベサルタン・アムロジピンベシル酸塩	1錠	長時間作用型アンギオテンシンII受容体拮抗剤・持続性Ca拮抗剤配合剤	523
	イルアミクスHD サンド/100/10	薄橙		イルアミクス配合錠HD「サンド」(サンド)	イルベサルタン・アムロジピンベシル酸塩	1錠	長時間作用型アンギオテンシンII受容体拮抗剤・持続性Ca拮抗剤配合剤	523
	イルアミクスHD ダイト/イルア ミクスHD100/10	薄橙		イルアミクス配合錠HD「ダイト」(ダイト/フェルゼン)	イルベサルタン・アムロジピンベシル酸塩	1錠	長時間作用型アンギオテンシンII受容体拮抗剤・持続性Ca拮抗剤配合剤	523
	イルアミクスHD トーワ/100 イルベアムロジ10	薄橙		イルアミクス配合錠HD「トーワ」(東和薬品)	イルベサルタン・アムロジピンベシル酸塩	1錠	長時間作用型アンギオテンシンII受容体拮抗剤・持続性Ca拮抗剤配合剤	523
	エスシタ10/ エスシタロプラム 10明治	白	◐	エスシタロプラム錠10mg「明治」(Meiji Seika/フェルゼン)	エスシタロプラムシュウ酸塩	10mg 1錠	選択的セロトニン再取り込み阻害剤(SSRI)	677
	エスシタロ 10OD DSEP	白~微黄白		エスシタロプラムOD錠10mg「DSEP」(第一三共エスファ)	エスシタロプラムシュウ酸塩	10mg 1錠	選択的セロトニン再取り込み阻害剤(SSRI)	677
	エスシタロ 10TCK	白		エスシタロプラム錠10mg「TCK」(辰巳化学)	エスシタロプラムシュウ酸塩	10mg 1錠	選択的セロトニン再取り込み阻害剤(SSRI)	677
	エスシタロプラム10 JG	白		エスシタロプラム錠10mg「JG」(日本ジェネリック)	エスシタロプラムシュウ酸塩	10mg 1錠	選択的セロトニン再取り込み阻害剤(SSRI)	677
	エスシタロプラム10 VTRS	白		エスシタロプラム錠10mg「VTRS」(ヴィアトリス・ヘルスケア/ヴィアトリス)	エスシタロプラムシュウ酸塩	10mg 1錠	選択的セロトニン再取り込み阻害剤(SSRI)	677
	エスシタロプラム10 日医工	白		エスシタロプラム錠10mg「日医工」(日医工)	エスシタロプラムシュウ酸塩	10mg 1錠	選択的セロトニン再取り込み阻害剤(SSRI)	677
	エスシタロプラム10 サワイ	白	◐	エスシタロプラム錠10mg「サワイ」(沢井)	エスシタロプラムシュウ酸塩	10mg 1錠	選択的セロトニン再取り込み阻害剤(SSRI)	677
	エスシタロプラム10 タカタ/ エスシタロプラム10	白	◐	エスシタロプラム錠10mg「タカタ」(高田)	エスシタロプラムシュウ酸塩	10mg 1錠	選択的セロトニン再取り込み阻害剤(SSRI)	677
	エスシタロプラム10 ニプロ	白	◐	エスシタロプラム錠10mg「ニプロ」(ニプロ)	エスシタロプラムシュウ酸塩	10mg 1錠	選択的セロトニン再取り込み阻害剤(SSRI)	677
	エスシタロプラム OD10サワイ	白~帯黄白	◐	エスシタロプラムOD錠10mg「サワイ」(沢井)	エスシタロプラムシュウ酸塩	10mg 1錠	選択的セロトニン再取り込み阻害剤(SSRI)	677
	エゼチ10/ エゼチミブ10 ODトーワ	白	◐	エゼチミブOD錠10mg「トーワ」(東和薬品)	エゼチミブ	10mg 1錠	小腸コレステロールトランスポーター阻害剤	708

番号	識別コード	色 (Ⓘ：割線有)		商品名（会社名）	一般名	規格単位	薬効	掲載 ページ
10	エゼチミブ10mg TCK	白	Ⓘ	エゼチミブ錠10mg「TCK」(辰巳化学)	エゼチミブ	10mg 1錠	小腸コレステロールトランスポーター阻害剤	708
	エゼチミブ／ 10mg明治	白	Ⓘ	エゼチミブ錠10mg「明治」(Meファルマ)	エゼチミブ	10mg 1錠	小腸コレステロールトランスポーター阻害剤	708
	エゼチミブ10NS	白	Ⓘ	エゼチミブ錠10mg「日新」(日新)	エゼチミブ	10mg 1錠	小腸コレステロールトランスポーター阻害剤	708
	エゼチミブ10TE	白	Ⓘ	エゼチミブ錠10mg「TE」(トーアエイヨー)	エゼチミブ	10mg 1錠	小腸コレステロールトランスポーター阻害剤	708
	エゼチミブ10YD／ エゼチミブYD10 YD097	白	Ⓘ	エゼチミブ錠10mg「YD」(陽進堂／アルフレッサファーマ)	エゼチミブ	10mg 1錠	小腸コレステロールトランスポーター阻害剤	708
	エゼチミブ10 杏林	白	Ⓘ	エゼチミブ錠10mg「杏林」(キョーリンリメディオ／杏林)	エゼチミブ	10mg 1錠	小腸コレステロールトランスポーター阻害剤	708
	エゼチミブ10 日医工	白	Ⓘ	エゼチミブ錠10mg「日医工」(日医工)	エゼチミブ	10mg 1錠	小腸コレステロールトランスポーター阻害剤	708
	エゼチミブ10 エゼチミブJG	白	Ⓘ	エゼチミブ錠10mg「JG」(日本ジェネリック)	エゼチミブ	10mg 1錠	小腸コレステロールトランスポーター阻害剤	708
	エゼチミブ10 アメル エゼチミブ10	白	Ⓘ	エゼチミブ錠10mg「アメル」(共和薬品)	エゼチミブ	10mg 1錠	小腸コレステロールトランスポーター阻害剤	708
	エゼチミブ／10 ケミファ エゼチミブ10 ケミファ	白	Ⓘ	エゼチミブ錠10mg「ケミファ」(ダイト／日本薬品工業／日本ケミファ)	エゼチミブ	10mg 1錠	小腸コレステロールトランスポーター阻害剤	708
	エゼチミブ10 サワイ	白	Ⓘ	エゼチミブ錠10mg「サワイ」(沢井)	エゼチミブ	10mg 1錠	小腸コレステロールトランスポーター阻害剤	708
	エゼチミブ10 サンド エゼチミブ10	白	Ⓘ	エゼチミブ錠10mg「サンド」(サンド)	エゼチミブ	10mg 1錠	小腸コレステロールトランスポーター阻害剤	708
	エソメ10ニプロ	灰紫／薄黄		エソメプラゾールカプセル10mg「ニプロ」(ニプロ)	エソメプラゾールマグネシウム水和物	10mg 1カプセル	プロトンポンプインヒビター	720
	エソメプラゾール10mg サワイ	灰紫／薄黄		エソメプラゾールカプセル10mg「サワイ」(沢井)	エソメプラゾールマグネシウム水和物	10mg 1カプセル	プロトンポンプインヒビター	720
	エソメプラゾール10 NS	薄黄／灰紫		エソメプラゾールカプセル10mg「日新」(日新)	エソメプラゾールマグネシウム水和物	10mg 1カプセル	プロトンポンプインヒビター	720
	エソメプラゾール10 YD／YD186	薄黄／灰紫		エソメプラゾールカプセル10mg「YD」(陽進堂)	エソメプラゾールマグネシウム水和物	10mg 1カプセル	プロトンポンプインヒビター	720
	エソメプラゾール10 杏林	灰紫／薄黄		エソメプラゾールカプセル10mg「杏林」(キョーリンリメディオ／杏林)	エソメプラゾールマグネシウム水和物	10mg 1カプセル	プロトンポンプインヒビター	720
	エソメプラゾール10 ケミファ	薄黄／灰紫		エソメプラゾールカプセル10mg「ケミファ」(日本ケミファ)	エソメプラゾールマグネシウム水和物	10mg 1カプセル	プロトンポンプインヒビター	720
	エナラプリル10 オーハラ	薄桃	Ⓘ	エナラプリルマレイン酸塩錠10mg「オーハラ」(大原薬品)	エナラプリルマレイン酸塩	10mg 1錠	ACE阻害剤	767
	オキシコドン錠／ 10	白		オキシコドン錠10mgNX「第一三共」(第一三共プロ／第一三共)	オキシコドン塩酸塩水和物	10mg 1錠	疼痛治療剤	950
	オランザ10／ オランザピン10 トーワ	白	Ⓘ	オランザピン錠10mg「トーワ」(東和薬品)	オランザピン	10mg 1錠	抗精神病剤・双極性障害治療剤・制吐剤	1021
	オランザ10／ オランザピンOD 10トーワ	淡黄白		オランザピンOD錠10mg「トーワ」(東和薬品)	オランザピン	10mg 1錠	抗精神病剤・双極性障害治療剤・制吐剤	1021
	オランザピン10 DSEP	白		オランザピン錠10mg「DSEP」(第一三共エスファ)	オランザピン	10mg 1錠	抗精神病剤・双極性障害治療剤・制吐剤	1021
	オランザピン10 JG	白		オランザピン錠10mg「JG」(日本ジェネリック)	オランザピン	10mg 1錠	抗精神病剤・双極性障害治療剤・制吐剤	1021
	オランザピン10 ODアメル／OD アメル10 オランザピン	黄	Ⓘ	オランザピンOD錠10mg「アメル」(共和薬品)	オランザピン	10mg 1錠	抗精神病剤・双極性障害治療剤・制吐剤	1021
	オランザピン10 OD／オランザピン OD明治	黄		オランザピンOD錠10mg「明治」(Meiji Seika)	オランザピン	10mg 1錠	抗精神病剤・双極性障害治療剤・制吐剤	1021
	オランザピン10 TV	淡黄		オランザピン錠10mg「NIG」(日医工岐阜／日医工／武田薬品)	オランザピン	10mg 1錠	抗精神病剤・双極性障害治療剤・制吐剤	1021
	オランザピン10 VTRS	白		オランザピン錠10mg「VTRS」(ヴィアトリス・ヘルスケア／ヴィアトリス)	オランザピン	10mg 1錠	抗精神病剤・双極性障害治療剤・制吐剤	1021
	オランザピン10 Y-Z	白		オランザピン錠10mg「ヨシトミ」(ニプロES)	オランザピン	10mg 1錠	抗精神病剤・双極性障害治療剤・制吐剤	1021
	オランザピン10 Y-Z	淡黄		オランザピンOD錠10mg「ヨシトミ」(ニプロES)	オランザピン	10mg 1錠	抗精神病剤・双極性障害治療剤・制吐剤	1021
	オランザピン10 Y-Z	白		オランザピン錠10mg「NP」(ニプロES)	オランザピン	10mg 1錠	抗精神病剤・双極性障害治療剤・制吐剤	1021
	オランザピン10 Y-Z	淡黄		オランザピンOD錠10mg「NP」(ニプロES)	オランザピン	10mg 1錠	抗精神病剤・双極性障害治療剤・制吐剤	1021

番号	識別コード	色 (◗：割線有)	商品名(会社名)	一般名	規格単位	薬効	掲載 ページ
10	オランザピン10 杏林	白	オランザピン錠10mg「杏林」(キョー リンリメディオ／杏林)	オランザピン	10mg 1錠	抗精神病剤・双極性障害治療 剤・制吐剤	1021
	オランザピン10 日新	白	オランザピン錠10mg「日新」(日新)	オランザピン	10mg 1錠	抗精神病剤・双極性障害治療 剤・制吐剤	1021
	オランザピン10／ オランザピン10 三和	白　◗	オランザピン錠10mg「三和」(三和化 学)	オランザピン	10mg 1錠	抗精神病剤・双極性障害治療 剤・制吐剤	1021
	オランザピン10／ オランザピン明治	白	オランザピン錠10mg「明治」(Meiji Seika)	オランザピン	10mg 1錠	抗精神病剤・双極性障害治療 剤・制吐剤	1021
	オランザピン10 ニプロ	白	オランザピン錠10mg「ニプロ」(ニプ ロ)	オランザピン	10mg 1錠	抗精神病剤・双極性障害治療 剤・制吐剤	1021
	オランザピンOD 10DSEP	微黄～淡黄	オランザピンOD錠10mg「DSEP」(第 一三共エスファ)	オランザピン	10mg 1錠	抗精神病剤・双極性障害治療 剤・制吐剤	1021
	オランザピンOD 10TCK	黄	オランザピンOD錠10mg「TCK」(辰 巳化学)	オランザピン	10mg 1錠	抗精神病剤・双極性障害治療 剤・制吐剤	1021
	オランザピンOD 10VTRS	黄	オランザピンOD錠10mg「VTRS」(ヴ ィアトリス・ヘルスケア／ヴィアトリ ス)	オランザピン	10mg 1錠	抗精神病剤・双極性障害治療 剤・制吐剤	1021
	オランザピン OD10杏林	微黄～淡黄	オランザピンOD錠10mg「杏林」(キョ ーリンリメディオ／杏林)	オランザピン	10mg 1錠	抗精神病剤・双極性障害治療 剤・制吐剤	1021
	オランザピン OD10日医工 ⓝ234	微黄～淡黄	オランザピンOD錠10mg「日医工」(日 医工)	オランザピン	10mg 1錠	抗精神病剤・双極性障害治療 剤・制吐剤	1021
	オランザピンOD10 ／オランザピン タカタOD10	淡黄	オランザピンOD錠10mg「タカタ」(高 田)	オランザピン	10mg 1錠	抗精神病剤・双極性障害治療 剤・制吐剤	1021
	オランザピン OD10ニプロ	淡黄	オランザピンOD錠10mg「ニプロ」(ニ プロ)	オランザピン	10mg 1錠	抗精神病剤・双極性障害治療 剤・制吐剤	1021
	オランザピン YD10 YD547	白	オランザピン錠10mg「YD」(陽進堂／ アルフレッサファーマ)	オランザピン	10mg 1錠	抗精神病剤・双極性障害治療 剤・制吐剤	1021
	オルメ100Dアメル／ オルメサルタン 10ODアメル	白～微黄白◗	オルメサルタンOD錠10mg「アメル」 (共和薬品)	オルメサルタン メドキソミ ル	10mg 1錠	高親和性AT₁レセプターブロ ッカー	1031
	オルメ10／ オルメサルタン10 ODトーワ	白　◗	オルメサルタンOD錠10mg「トーワ」 (東和薬品／共創未来)	オルメサルタン メドキソミ ル	10mg 1錠	高親和性AT₁レセプターブロ ッカー	1031
	オルメ10／ オルメサルタン10 日新	白　◗	オルメサルタン錠10mg「日新」(日新)	オルメサルタン メドキソミ ル	10mg 1錠	高親和性AT₁レセプターブロ ッカー	1031
	オルメEP OD10	白～微黄白◗	オルメサルタンOD錠10mg「DSEP」 (第一三共エスファ)	オルメサルタン メドキソミ ル	10mg 1錠	高親和性AT₁レセプターブロ ッカー	1031
	オルメJG10／ オルメサルタン 10JG	白　◗	オルメサルタン錠10mg「JG」(日本ジ ェネリック)	オルメサルタン メドキソミ ル	10mg 1錠	高親和性AT₁レセプターブロ ッカー	1031
	オルメOD10／ オルメテックOD10	白～微黄白◗	オルメテックOD錠10mg (第一三共)	オルメサルタン メドキソミ ル	10mg 1錠	高親和性AT₁レセプターブロ ッカー	1031
	オルメサルタン10 TCK	白　◗	オルメサルタン錠10mg「TCK」(辰巳 化学)	オルメサルタン メドキソミ ル	10mg 1錠	高親和性AT₁レセプターブロ ッカー	1031
	オルメサルタン10 杏林	白　◗	オルメサルタン錠10mg「杏林」(キョ ーリンリメディオ／杏林)	オルメサルタン メドキソミ ル	10mg 1錠	高親和性AT₁レセプターブロ ッカー	1031
	オルメサルタン10 三和	白　◗	オルメサルタン錠10mg「三和」(日本 薬品工業／三和化学)	オルメサルタン メドキソミ ル	10mg 1錠	高親和性AT₁レセプターブロ ッカー	1031
	オルメサルタン／ 10日医工 ⓝ113	白　◗	オルメサルタン錠10mg「日医工」(日 医工)	オルメサルタン メドキソミ ル	10mg 1錠	高親和性AT₁レセプターブロ ッカー	1031
	オルメサルタン10 オーハラ	白　◗	オルメサルタン錠10mg「オーハラ」 (大原薬品)	オルメサルタン メドキソミ ル	10mg 1錠	高親和性AT₁レセプターブロ ッカー	1031
	オルメサルタン10 ケミファ／ケミファ 10オルメサルタン	白　◗	オルメサルタン錠10mg「ケミファ」 (日本ケミファ／日本薬品工業)	オルメサルタン メドキソミ ル	10mg 1錠	高親和性AT₁レセプターブロ ッカー	1031
	オルメサルタン10 ニプロ	白　◗	オルメサルタン錠10mg「ニプロ」(ニ プロ)	オルメサルタン メドキソミ ル	10mg 1錠	高親和性AT₁レセプターブロ ッカー	1031
	オルメサルタン OD10JG	白　◗	オルメサルタンOD錠10mg「JG」(日 本ジェネリック)	オルメサルタン メドキソミ ル	10mg 1錠	高親和性AT₁レセプターブロ ッカー	1031
	オルメサルタン OD10VTRS	白～微黄白◗	オルメサルタンOD錠10mg「VTRS」 (ヴィアトリス・ヘルスケア／ヴィアト リス)	オルメサルタン メドキソミ ル	10mg 1錠	高親和性AT₁レセプターブロ ッカー	1031
	オルメサルタン OD10杏林	白　◗	オルメサルタンOD錠10mg「杏林」(キ ョーリンリメディオ／杏林)	オルメサルタン メドキソミ ル	10mg 1錠	高親和性AT₁レセプターブロ ッカー	1031
	オルメサルタン OD／10日医工 ⓝ182 オルメサルタン OD10日医工	白～微黄白◗	オルメサルタンOD錠10mg「日医工」 (日医工)	オルメサルタン メドキソミ ル	10mg 1錠	高親和性AT₁レセプターブロ ッカー	1031

番号	識別コード	色 (①：割線有)	商品名(会社名)	一般名	規格単位	薬効	掲載ページ
10	オルメサルタンOD10オーハラ	白　①	オルメサルタンOD錠10mg「オーハラ」(大原薬品)	オルメサルタン メドキソミル	10mg 1錠	高親和性AT₁レセプターブロッカー	1031
	オルメサルタンOD10／オルメサルタンEE10	白　①	オルメサルタンOD錠10mg「EE」(エルメッド／日医工)	オルメサルタン メドキソミル	10mg 1錠	高親和性AT₁レセプターブロッカー	1031
	オルメサルタンOD10ニプロ	白～微黄白①	オルメサルタンOD錠10mg「ニプロ」(ニプロ)	オルメサルタン メドキソミル	10mg 1錠	高親和性AT₁レセプターブロッカー	1031
	オルメサルタンYD10 YD405	白　①	オルメサルタン錠10mg「YD」(陽進堂)	オルメサルタン メドキソミル	10mg 1錠	高親和性AT₁レセプターブロッカー	1031
	カルベジ10／カルベジロール10トーワ	黄　①	カルベジロール錠10mg「トーワ」(東和薬品)	カルベジロール	10mg 1錠	α, β-遮断剤	1160
	カルベジロール10サワイ	黄　①	カルベジロール錠10mg「サワイ」(沢井)	カルベジロール	10mg 1錠	α, β-遮断剤	1160
	ガスター10	白～微黄白	ガスター錠10mg (LTL)	ファモチジン	10mg 1錠	H₂-受容体拮抗剤	3079
	ガスターD10	白	ガスターD錠10mg (LTL)	ファモチジン	10mg 1錠	H₂-受容体拮抗剤	3079
	クラシエメマンチンOD10	淡黄白	メマンチン塩酸塩OD錠10mg「クラシエ」(日本薬品工業／クラシエ薬品)	メマンチン塩酸塩	10mg 1錠	NMDA受容体拮抗アルツハイマー型認知症治療剤	3991
	ケタス10mg KP-305	白	ケタスカプセル10mg (杏林)	イブジラスト	10mg 1カプセル	脳血管障害・気管支喘息改善・アレルギー性結膜炎治療剤、ホスホジエステラーゼ阻害剤	473
	サワイドネペジルOD10	淡赤　①	ドネペジル塩酸塩OD錠10mg「サワイ」(沢井)	ドネペジル, -塩酸塩	10mg 1錠	アルツハイマー型、レビー小体型認知症治療剤	2426
	サワイラベプラ10	淡黄	ラベプラゾールNa錠10mg「サワイ」(沢井)	ラベプラゾールナトリウム	10mg 1錠	プロトンポンプインヒビター	4112
	シクロス10トーワ	淡黄白	シクロスポリンカプセル10mg「トーワ」(東和薬品)	シクロスポリン	10mg 1カプセル	免疫抑制剤	1570
	シンバスタチン10オーハラ	白～帯黄白	シンバスタチン錠10mg「オーハラ」(大原薬品)	シンバスタチン	10mg 1錠	HMG-CoA還元酵素阻害剤	1728
	セパミットR10 JG	濃橙／橙	セパミット-Rカプセル10 (日本ジェネリック)	ニフェジピン	10mg 1カプセル	ジヒドロピリジン系Ca拮抗剤	2652
	ゾルピ10／ゾルピデムOD10トーワ	淡黄　①	ゾルピデム酒石酸塩OD錠10mg「トーワ」(東和薬品)	ゾルピデム酒石酸塩	10mg 1錠	入眠剤	1973
	ゾルピデム10オーハラ	淡橙	ゾルピデム酒石酸塩錠10mg「オーハラ」(大原薬品／エッセンシャル)	ゾルピデム酒石酸塩	10mg 1錠	入眠剤	1973
	ゾルピデム10／ゾルピデム10KMP ゾルピデム10KMP	淡橙　①	ゾルピデム酒石酸塩錠10mg「KMP」(共創未来)	ゾルピデム酒石酸塩	10mg 1錠	入眠剤	1973
	タケキャブ10	微黄	タケキャブ錠10mg (武田薬品)	ボノプラザンフマル酸塩	10mg 1錠	カリウムイオン競合型アシッドブロッカー・プロトンポンプインヒビター	3730
	タケキャブ／OD10 タケキャブOD10	白～ほとんど白	タケキャブOD錠10mg (武田薬品)	ボノプラザンフマル酸塩	10mg 1錠	カリウムイオン競合型アシッドブロッカー・プロトンポンプインヒビター	3730
	タダラ10／タダラフィルOD10CIトーワ	くすんだ黄①	タダラフィルOD錠10mgCI「トーワ」(東和薬品)	タダラフィル	10mg 1錠	ホスホジエステラーゼ5阻害剤	2027
	タダラフィルCI10VTRS	黄　①	タダラフィル錠10mgCI「VTRS」(リョートー／ヴィアトリス)	タダラフィル	10mg 1錠	ホスホジエステラーゼ5阻害剤	2027
	タリージェ10	淡赤白	タリージェ錠10mg (第一三共)	ミロガバリンベシル酸塩	10mg 1錠	神経障害性疼痛治療剤	3895
	タリージェOD10	淡黄白	タリージェOD錠10mg (第一三共)	ミロガバリンベシル酸塩	10mg 1錠	神経障害性疼痛治療剤	3895
	タリオン10	白　①	タリオン錠10mg (田辺三菱)	ベポタスチンベシル酸塩	10mg 1錠	アレルギー性疾患治療剤	3556
	タリオンOD10	白	タリオンOD錠10mg (田辺三菱)	ベポタスチンベシル酸塩	10mg 1錠	アレルギー性疾患治療剤	3556
	チキジウム10mg SW	白	チキジウム臭化物カプセル10mg「サワイ」(沢井)	チキジウム臭化物	10mg 1カプセル	キノリジジン系抗ムスカリン剤	2158
	ツムラ/10	淡褐	ツムラ柴胡桂枝湯エキス顆粒(医療用)(ツムラ)	柴胡桂枝湯	1g	漢方製剤	4595
	トーワエソメプラゾール10	灰／極薄黄赤	エソメプラゾールカプセル10mg「トーワ」(東和薬品)	エソメプラゾールマグネシウム水和物	10mg 1カプセル	プロトンポンプインヒビター	720
	ドネペ10／ドネペジル10トーワ	赤橙　①	ドネペジル塩酸塩錠10mg「トーワ」(東和薬品)	ドネペジル, -塩酸塩	10mg 1錠	アルツハイマー型、レビー小体型認知症治療剤	2426
	ドネペジル10／ドネペジル明治	赤橙	ドネペジル塩酸塩錠10mg「明治」(Meiji Seika)	ドネペジル, -塩酸塩	10mg 1錠	アルツハイマー型、レビー小体型認知症治療剤	2426
	ドネペ10／ドネペジルOD10トーワ	淡赤　①	ドネペジル塩酸塩OD錠10mg「トーワ」(東和薬品)	ドネペジル, -塩酸塩	10mg 1錠	アルツハイマー型、レビー小体型認知症治療剤	2426
	ドネペジル10DSEP／ドネペジル10第一三共エスファ	赤橙	ドネペジル塩酸塩錠10mg「DSEP」(第一三共エスファ)	ドネペジル, -塩酸塩	10mg 1錠	アルツハイマー型, レビー小体型認知症治療剤	2426

番号	識別コード	色 (①:割線有)	商品名(会社名)	一般名	規格単位	薬効	掲載 ページ
10	ドネペジル10 オーハラ	赤橙	ドネペジル塩酸塩錠10mg「オーハラ」 (大原薬品)	ドネペジル, -塩酸塩	10mg 1錠	アルツハイマー型, レビー小 体型認知症治療剤	2426
	ドネペジル10 ニプロ	赤橙	ドネペジル塩酸塩錠10mg「NP」(ニプ ロ)	ドネペジル, -塩酸塩	10mg 1錠	アルツハイマー型, レビー小 体型認知症治療剤	2426
	ドネペジルOD10 DSEP／ ドネペジルOD10 第一三共エスファ	淡赤	ドネペジル塩酸塩OD錠10mg「DSEP」 (第一三共エスファ)	ドネペジル, -塩酸塩	10mg 1錠	アルツハイマー型, レビー小 体型認知症治療剤	2426
	ドネペジルOD10 明治	淡赤	ドネペジル塩酸塩OD錠10mg「明治」 (Meiji Seika)	ドネペジル, -塩酸塩	10mg 1錠	アルツハイマー型, レビー小 体型認知症治療剤	2426
	ドネペジルOD10 オーハラ	淡赤	ドネペジル塩酸塩OD錠10mg「オーハ ラ」(大原薬品／日本ジェネリック)	ドネペジル, -塩酸塩	10mg 1錠	アルツハイマー型, レビー小 体型認知症治療剤	2426
	ノルバスク10	白 ①	ノルバスク錠10mg (ヴィアトリス)	アムロジピンベシル酸塩	10mg 1錠	ジヒドロピリジン系Ca拮抗剤	264
	ノルバスクOD10	淡黄 ①	ノルバスクOD錠10mg (ヴィアトリス)	アムロジピンベシル酸塩	10mg 1錠	ジヒドロピリジン系Ca拮抗剤	264
	バルデナ10／ バルデナフィル10 トーワ	薄黄 ①	バルデナフィル錠10mg「トーワ」(東 和薬品)	バルデナフィル塩酸塩水和 物	10mg 1錠	ホスホジエステラーゼ5阻害 剤	2852
	バルデナフィル10 サワイ	淡黄赤	バルデナフィル錠10mg「サワイ」(沢 井)	バルデナフィル塩酸塩水和 物	10mg 1錠	ホスホジエステラーゼ5阻害 剤	2852
	パロキセチン10 DSEP／ パロキセチン10 第一三共エスファ	帯紅白	パロキセチン錠10mg「DSEP」(第一 三共エスファ)	パロキセチン塩酸塩水和物	10mg 1錠	選択的セロトニン再取り込み 阻害剤(SSRI)	2878
	パロキセチン10 明治	帯紅白 ①	パロキセチン錠10mg「明治」(Meiji Seika)	パロキセチン塩酸塩水和物	10mg 1錠	選択的セロトニン再取り込み 阻害剤(SSRI)	2878
	パロキセチン10 アメル	帯紅白	パロキセチン錠10mg「アメル」(共和 薬品)	パロキセチン塩酸塩水和物	10mg 1錠	選択的セロトニン再取り込み 阻害剤(SSRI)	2878
	ファモチジン OD10オーハラ	白	ファモチジンOD錠10mg「オーハラ」 (大原薬品)	ファモチジン	10mg 1錠	H₂-受容体拮抗剤	3079
	ファモチジン OD10トーワ	白	ファモチジンOD錠10mg「トーワ」(東 和薬品)	ファモチジン	10mg 1錠	H₂-受容体拮抗剤	3079
	フェブキソ 10AFP	白～微黄	フェブキソスタット錠10mg「AFP」 (アルフレッサファーマ)	フェブキソスタット	10mg 1錠	非プリン型選択的キサンチン オキシダーゼ阻害剤・高尿酸 血症治療剤	3148
	フェブキソ10OD ケミファ／OD ケミファ10 フェブキソ	白～微黄	フェブキソスタットOD錠10mg「ケミ ファ」(日本ケミファ／日本薬品工業)	フェブキソスタット	10mg 1錠	非プリン型選択的キサンチン オキシダーゼ阻害剤・高尿酸 血症治療剤	3148
	フェブキソ10 杏林	白～微黄	フェブキソスタット錠10mg「杏林」 (キョーリンリメディオ／杏林)	フェブキソスタット	10mg 1錠	非プリン型選択的キサンチン オキシダーゼ阻害剤・高尿酸 血症治療剤	3148
	フェブキソ10 ケミファ／ケミファ 10フェブキソ	白～微黄	フェブキソスタット錠10mg「ケミフ ァ」(日本ケミファ／日本薬品工業)	フェブキソスタット	10mg 1錠	非プリン型選択的キサンチン オキシダーゼ阻害剤・高尿酸 血症治療剤	3148
	フェブキソ10 サワイ	白～微黄	フェブキソスタット錠10mg「サワイ」 (沢井)	フェブキソスタット	10mg 1錠	非プリン型選択的キサンチン オキシダーゼ阻害剤・高尿酸 血症治療剤	3148
	フェブキソ NS OD10	白～微黄	フェブキソスタットOD錠10mg「日新」 (日新)	フェブキソスタット	10mg 1錠	非プリン型選択的キサンチン オキシダーゼ阻害剤・高尿酸 血症治療剤	3148
	フェブキソOD10 NPI	白～微黄	フェブキソスタットOD錠10mg「NPI」 (日本薬品工業／フェルゼン)	フェブキソスタット	10mg 1錠	非プリン型選択的キサンチン オキシダーゼ阻害剤・高尿酸 血症治療剤	3148
	フェブキソOD10 サワイ	白	フェブキソスタットOD錠10mg「サワ イ」(沢井)	フェブキソスタット	10mg 1錠	非プリン型選択的キサンチン オキシダーゼ阻害剤・高尿酸 血症治療剤	3148
	フェブキソYD10 YD233	白～微黄	フェブキソスタット錠10mg「YD」(陽 進堂)	フェブキソスタット	10mg 1錠	非プリン型選択的キサンチン オキシダーゼ阻害剤・高尿酸 血症治療剤	3148
	フェブキソ明治 10／10 フェブキソ	白～微黄	フェブキソスタット錠10mg「明治」 (Meiji Seika／Meファルマ)	フェブキソスタット	10mg 1錠	非プリン型選択的キサンチン オキシダーゼ阻害剤・高尿酸 血症治療剤	3148
	フェブキソ明治 OD10／OD10 フェブキソ	白～微黄	フェブキソスタットOD錠10mg「明治」 (Meiji Seika／Meファルマ)	フェブキソスタット	10mg 1錠	非プリン型選択的キサンチン オキシダーゼ阻害剤・高尿酸 血症治療剤	3148
	フェブキソスタット 10DSEP	白～微黄	フェブキソスタット錠10mg「DSEP」 (第一三共エスファ)	フェブキソスタット	10mg 1錠	非プリン型選択的キサンチン オキシダーゼ阻害剤・高尿酸 血症治療剤	3148
	フェブキソスタット 10JG	白～微黄白	フェブキソスタット錠10mg「JG」(日 本ジェネリック)	フェブキソスタット	10mg 1錠	非プリン型選択的キサンチン オキシダーゼ阻害剤・高尿酸 血症治療剤	3148
	フェブキソスタット 10NS	白～微黄	フェブキソスタット錠10mg「日新」 (日新)	フェブキソスタット	10mg 1錠	非プリン型選択的キサンチン オキシダーゼ阻害剤・高尿酸 血症治療剤	3148
	フェブキソスタット ／10TCK	白～微黄	フェブキソスタット錠10mg「TCK」 (辰巳化学)	フェブキソスタット	10mg 1錠	非プリン型選択的キサンチン オキシダーゼ阻害剤・高尿酸 血症治療剤	3148

番号	識別コード	色 (Ⓘ:割線有)	商品名(会社名)	一般名	規格単位	薬効	掲載ページ
10	フェブキソスタット10ニプロ	白〜微黄	フェブキソスタット錠10mg「ニプロ」（ニプロ）	フェブキソスタット	10mg 1錠	非プリン型選択的キサンチンオキシダーゼ阻害剤・高尿酸血症治療剤	3148
	フェルゼン／エゼチミブ10	白 Ⓘ	エゼチミブ錠10mg「フェルゼン」（フェルゼン）	エゼチミブ	10mg 1錠	小腸コレステロールトランスポーター阻害剤	708
	フロセミド10SK11SK11	微赤 Ⓘ	フロセミド錠10mg「SN」（シオノ／江州）	フロセミド	10mg 1錠	ループ利尿剤	3405
	フロセミドTV10	微赤 Ⓘ	フロセミド錠10mg「NIG」（日医工岐阜／武田薬品）	フロセミド	10mg 1錠	ループ利尿剤	3405
	プラバ10／プラバスタチン10NS	微紅 Ⓘ	プラバスタチンNa錠10mg「NS」（日新／科研）	プラバスタチンナトリウム	10mg 1錠	HMG-CoA還元酵素阻害剤	3256
	プラバスタチン10オーハラ	微紅 Ⓘ	プラバスタチンNa錠10mg「オーハラ」（大原薬品）	プラバスタチンナトリウム	10mg 1錠	HMG-CoA還元酵素阻害剤	3256
	ベポタス10／ベポタスチン10ODトーワ	白 Ⓘ	ベポタスチンベシル酸塩OD錠10mg「トーワ」（東和薬品）	ベポタスチンベシル酸塩	10mg 1錠	アレルギー性疾患治療剤	3556
	ベポタス10／ベポタスチン10トーワ	白 Ⓘ	ベポタスチンベシル酸塩錠10mg「トーワ」（東和薬品）	ベポタスチンベシル酸塩	10mg 1錠	アレルギー性疾患治療剤	3556
	ベポタスチン10JG	白	ベポタスチンベシル酸塩錠10mg「JG」（日本ジェネリック）	ベポタスチンベシル酸塩	10mg 1錠	アレルギー性疾患治療剤	3556
	ベポタスチン10日医工ⓝ417	白 Ⓘ	ベポタスチンベシル酸塩錠10mg「日医工」（日医工）	ベポタスチンベシル酸塩	10mg 1錠	アレルギー性疾患治療剤	3556
	ベポタスチン10タナベ	白 Ⓘ	ベポタスチンベシル酸塩錠10mg「タナベ」（ニプロES／ニプロ）	ベポタスチンベシル酸塩	10mg 1錠	アレルギー性疾患治療剤	3556
	ベポタスチンOD10日医工ⓝ419	白	ベポタスチンベシル酸塩OD錠10mg「日医工」（日医工）	ベポタスチンベシル酸塩	10mg 1錠	アレルギー性疾患治療剤	3556
	ベポタスチンOD10タナベ	白	ベポタスチンベシル酸塩OD錠10mg「タナベ」（ニプロES／ニプロ）	ベポタスチンベシル酸塩	10mg 1錠	アレルギー性疾患治療剤	3556
	ベポタスチン「DK」／10	白	ベポタスチンベシル酸塩錠10mg「DK」（大興／江州）	ベポタスチンベシル酸塩	10mg 1錠	アレルギー性疾患治療剤	3556
	ベポタスチン「SN」／10	白	ベポタスチンベシル酸塩錠10mg「SN」（シオノ／サンド）	ベポタスチンベシル酸塩	10mg 1錠	アレルギー性疾患治療剤	3556
	ベルジピン10	白	ベルジピン錠10mg（LTL）	ニカルジピン塩酸塩	10mg 1錠	ジヒドロピリジン系Ca拮抗剤	2628
	メマリー10	白〜帯黄白	メマリー錠10mg（第一三共）	メマンチン塩酸塩	10mg 1錠	NMDA受容体拮抗アルツハイマー型認知症治療剤	3991
	メマリーOD10	淡黄白	メマリーOD錠10mg（第一三共）	メマンチン塩酸塩	10mg 1錠	NMDA受容体拮抗アルツハイマー型認知症治療剤	3991
	メマンチン10／10メマンチンODトーワ	淡黄白 Ⓘ	メマンチン塩酸塩OD錠10mg「トーワ」（東和薬品）	メマンチン塩酸塩	10mg 1錠	NMDA受容体拮抗アルツハイマー型認知症治療剤	3991
	メマンチン10／10メマンチントーワ	白 Ⓘ	メマンチン塩酸塩錠10mg「トーワ」（東和薬品）	メマンチン塩酸塩	10mg 1錠	NMDA受容体拮抗アルツハイマー型認知症治療剤	3991
	メマンチン10DSEP	白〜帯黄白	メマンチン塩酸塩錠10mg「DSEP」（第一三共エスファ）	メマンチン塩酸塩	10mg 1錠	NMDA受容体拮抗アルツハイマー型認知症治療剤	3991
	メマンチン10／10メマンチンODトーワ	淡黄白 Ⓘ	メマンチン塩酸塩OD錠10mg「トーワ」（東和薬品／共創未来）	メマンチン塩酸塩	10mg 1錠	NMDA受容体拮抗アルツハイマー型認知症治療剤	3991
	メマンチン10アメル	白〜帯黄白	メマンチン塩酸塩錠10mg「アメル」（共和薬品）	メマンチン塩酸塩	10mg 1錠	NMDA受容体拮抗アルツハイマー型認知症治療剤	3991
	メマンチン10オーハラ	淡黄	メマンチン塩酸塩錠10mg「オーハラ」（大原薬品）	メマンチン塩酸塩	10mg 1錠	NMDA受容体拮抗アルツハイマー型認知症治療剤	3991
	メマンチン10サワイ	白〜帯黄白 Ⓘ	メマンチン塩酸塩錠10mg「サワイ」（沢井）	メマンチン塩酸塩	10mg 1錠	NMDA受容体拮抗アルツハイマー型認知症治療剤	3991
	メマンチン10ニプロ	白〜帯黄白	メマンチン塩酸塩錠10mg「ニプロ」（ニプロ）	メマンチン塩酸塩	10mg 1錠	NMDA受容体拮抗アルツハイマー型認知症治療剤	3991
	メマンチンOD10／10NIG	淡黄白	メマンチン塩酸塩OD錠10mg「NIG」（日医工岐阜／日医工）	メマンチン塩酸塩	10mg 1錠	NMDA受容体拮抗アルツハイマー型認知症治療剤	3991
	メマンチンOD10DSEP	淡黄白	メマンチン塩酸塩OD錠10mg「DSEP」（第一三共エスファ）	メマンチン塩酸塩	10mg 1錠	NMDA受容体拮抗アルツハイマー型認知症治療剤	3991
	メマンチンOD10JG	淡黄白	メマンチン塩酸塩OD錠10mg「JG」（日本ジェネリック）	メマンチン塩酸塩	10mg 1錠	NMDA受容体拮抗アルツハイマー型認知症治療剤	3991
	メマンチンOD10NS	淡黄白	メマンチン塩酸塩OD錠10mg「日新」（日新）	メマンチン塩酸塩	10mg 1錠	NMDA受容体拮抗アルツハイマー型認知症治療剤	3991
	メマンチンOD10TCK	淡黄白	メマンチン塩酸塩OD錠10mg「TCK」（辰巳化学）	メマンチン塩酸塩	10mg 1錠	NMDA受容体拮抗アルツハイマー型認知症治療剤	3991
	メマンチンOD10ZE	淡黄白〜白	メマンチン塩酸塩OD錠10mg「ZE」（全星薬品工業／全星薬品）	メマンチン塩酸塩	10mg 1錠	NMDA受容体拮抗アルツハイマー型認知症治療剤	3991
	メマンチンOD10杏林	淡黄白	メマンチン塩酸塩OD錠10mg「杏林」（キョーリンリメディオ／杏林）	メマンチン塩酸塩	10mg 1錠	NMDA受容体拮抗アルツハイマー型認知症治療剤	3991

番号	識別コード	色 (①：割線有)	商品名(会社名)	一般名	規格単位	薬効	掲載ページ
10	メマンチンOD10 日医工	淡黄白 ①	メマンチン塩酸塩OD錠10mg「日医工」 (エルメッド／日医工)	メマンチン塩酸塩	10mg 1錠	NMDA受容体拮抗アルツハイマー型認知症治療剤	3991
	メマンチンOD10 アメル	淡黄白	メマンチン塩酸塩OD錠10mg「アメル」 (共和薬品)	メマンチン塩酸塩	10mg 1錠	NMDA受容体拮抗アルツハイマー型認知症治療剤	3991
	メマンチンOD10 オーハラ	淡黄白	メマンチン塩酸塩OD錠10mg「オーハラ」(大原薬品)	メマンチン塩酸塩	10mg 1錠	NMDA受容体拮抗アルツハイマー型認知症治療剤	3991
	メマンチンOD10 ケミファ	淡黄白	メマンチン塩酸塩OD錠10mg「ケミファ」(日本ケミファ／日本薬品工業)	メマンチン塩酸塩	10mg 1錠	NMDA受容体拮抗アルツハイマー型認知症治療剤	3991
	メマンチンOD10 サワイ	淡黄白 ①	メマンチン塩酸塩OD錠10mg「サワイ」(沢井)	メマンチン塩酸塩	10mg 1錠	NMDA受容体拮抗アルツハイマー型認知症治療剤	3991
	メマンチンOD10 サンド	淡黄白	メマンチン塩酸塩OD錠10mg「サンド」(サンド)	メマンチン塩酸塩	10mg 1錠	NMDA受容体拮抗アルツハイマー型認知症治療剤	3991
	メマンチンOD10 ニプロ	淡黄白～黄白	メマンチン塩酸塩OD錠10mg「ニプロ」(ニプロ)	メマンチン塩酸塩	10mg 1錠	NMDA受容体拮抗アルツハイマー型認知症治療剤	3991
	メマンチンOD10 フェルゼン	淡黄白	メマンチン塩酸塩OD錠10mg「フェルゼン」(ダイト／フェルゼン)	メマンチン塩酸塩	10mg 1錠	NMDA受容体拮抗アルツハイマー型認知症治療剤	3991
	メマンチンOD タカタ10	淡黄白	メマンチン塩酸塩OD錠10mg「タカタ」(高田)	メマンチン塩酸塩	10mg 1錠	NMDA受容体拮抗アルツハイマー型認知症治療剤	3991
	メマンチン YD OD10 YD438	淡黄白	メマンチン塩酸塩OD錠10mg「YD」(陽進堂)	メマンチン塩酸塩	10mg 1錠	NMDA受容体拮抗アルツハイマー型認知症治療剤	3991
	メマンチン明治／ メマンチン10	淡黄白 ①	メマンチン塩酸塩錠10mg「明治」(Meiji Seika)	メマンチン塩酸塩	10mg 1錠	NMDA受容体拮抗アルツハイマー型認知症治療剤	3991
	メマンチン明治／ メマンチン10OD	淡黄白 ①	メマンチン塩酸塩OD錠10mg「明治」(Meiji Seika)	メマンチン塩酸塩	10mg 1錠	NMDA受容体拮抗アルツハイマー型認知症治療剤	3991
	モンテルカスト10 DSEP	明るい灰黄	モンテルカスト錠10mg「DSEP」(第一三共エスファ)	モンテルカストナトリウム	10mg 1錠	ロイコトリエン受容体拮抗剤	4043
	モンテルカスト10 JG	明るい灰黄	モンテルカスト錠10mg「JG」(日本ジェネリック)	モンテルカストナトリウム	10mg 1錠	ロイコトリエン受容体拮抗剤	4043
	モンテルカスト10 ODタカタ	淡黄	モンテルカストOD錠10mg「タカタ」(高田／共創未来)	モンテルカストナトリウム	10mg 1錠	ロイコトリエン受容体拮抗剤	4043
	モンテルカスト10 ODトーワ	微黄白	モンテルカストOD錠10mg「トーワ」(東和薬品)	モンテルカストナトリウム	10mg 1錠	ロイコトリエン受容体拮抗剤	4043
	モンテルカスト10 SK10 SK10	淡橙	モンテルカスト錠10mg「SN」(シオノ／江州)	モンテルカストナトリウム	10mg 1錠	ロイコトリエン受容体拮抗剤	4043
	モンテルカスト10 TCK	淡橙	モンテルカスト錠10mg「TCK」(辰巳化学／フェルゼン)	モンテルカストナトリウム	10mg 1錠	ロイコトリエン受容体拮抗剤	4043
	モンテルカスト10 三和	明るい灰黄	モンテルカスト錠10mg「三和」(三和化学)	モンテルカストナトリウム	10mg 1錠	ロイコトリエン受容体拮抗剤	4043
	モンテルカスト10 日医工 ⓝ087	明るい灰黄	モンテルカスト錠10mg「日医工」(日医工)	モンテルカストナトリウム	10mg 1錠	ロイコトリエン受容体拮抗剤	4043
	モンテルカスト10／ 科研 DK552	明るい灰黄	モンテルカスト錠10mg「科研」(ダイト／科研)	モンテルカストナトリウム	10mg 1錠	ロイコトリエン受容体拮抗剤	4043
	モンテルカスト10 オーハラ	淡橙	モンテルカスト錠10mg「オーハラ」(大原薬品)	モンテルカストナトリウム	10mg 1錠	ロイコトリエン受容体拮抗剤	4043
	モンテルカスト10 ケミファ	明るい灰黄	モンテルカスト錠10mg「ケミファ」(日本ケミファ／日本薬品工業)	モンテルカストナトリウム	10mg 1錠	ロイコトリエン受容体拮抗剤	4043
	モンテルカスト10 サンド	明るい灰黄	モンテルカスト錠10mg「サンド」(サンド)	モンテルカストナトリウム	10mg 1錠	ロイコトリエン受容体拮抗剤	4043
	モンテルカスト10 タカタ	明るい灰黄	モンテルカスト錠10mg「タカタ」(高田)	モンテルカストナトリウム	10mg 1錠	ロイコトリエン受容体拮抗剤	4043
	モンテルカスト10 トーワ	明るい灰黄	モンテルカスト錠10mg「トーワ」(東和薬品)	モンテルカストナトリウム	10mg 1錠	ロイコトリエン受容体拮抗剤	4043
	モンテルカスト10 ニプロ	明るい灰黄	モンテルカスト錠10mg「ニプロ」(ニプロ)	モンテルカストナトリウム	10mg 1錠	ロイコトリエン受容体拮抗剤	4043
	モンテルカスト10 ファイザー	薄褐～褐	モンテルカスト錠10mg「VTRS」(ヴィアトリス・ヘルスケア／ヴィアトリス)	モンテルカストナトリウム	10mg 1錠	ロイコトリエン受容体拮抗剤	4043
	モンテルカスト10 フェルゼン	明灰黄	モンテルカスト錠10mg「フェルゼン」(フェルゼン)	モンテルカストナトリウム	10mg 1錠	ロイコトリエン受容体拮抗剤	4043
	モンテルカスト OD10明治	淡黄	モンテルカストOD錠10mg「明治」(Meiji Seika／Meファルマ)	モンテルカストナトリウム	10mg 1錠	ロイコトリエン受容体拮抗剤	4043
	モンテルカスト YD10 YD229	淡橙	モンテルカスト錠10mg「YD」(陽進堂)	モンテルカストナトリウム	10mg 1錠	ロイコトリエン受容体拮抗剤	4043
	ラベプラ10明治	淡黄	ラベプラゾールNa塩錠10mg「明治」(Meiji Seika／Meファルマ)	ラベプラゾールナトリウム	10mg 1錠	プロトンポンプインヒビター	4112
	ラベプラ10 オーハラ	淡黄	ラベプラゾールNa塩錠10mg「オーハラ」(大原薬品／第一三共エスファ／共創未来／エッセンシャル)	ラベプラゾールナトリウム	10mg 1錠	プロトンポンプインヒビター	4112

番号	識別コード	色 (◐：割線有)	商品名(会社名)	一般名	規格単位	薬効	掲載 ページ
10	ラベプラ10 ニプロ	淡黄	ラベプラゾールNa錠10mg「ニプロ」 (ニプロES／ニプロ)	ラベプラゾールナトリウム	10mg 1錠	プロトンポンプインヒビター	4112
	ラベプラゾール10 AFP	淡黄	ラベプラゾールNa錠10mg「AFP」(ア ルフレッサファーマ)	ラベプラゾールナトリウム	10mg 1錠	プロトンポンプインヒビター	4112
	ラベプラゾール10 JG	淡黄	ラベプラゾールNa錠10mg「JG」(日 本ジェネリック)	ラベプラゾールナトリウム	10mg 1錠	プロトンポンプインヒビター	4112
	ラベプラゾール10 NIG	淡黄	ラベプラゾールNa錠10mg「NIG」(日 医工岐阜／日医工／武田薬品)	ラベプラゾールナトリウム	10mg 1錠	プロトンポンプインヒビター	4112
	ラベプラゾール10 NS	淡黄	ラベプラゾールNa錠10mg「日新」(日 新)	ラベプラゾールナトリウム	10mg 1錠	プロトンポンプインヒビター	4112
	ラベプラゾール10 TCK	淡黄	ラベプラゾールナトリウム錠10mg 「TCK」(辰巳化学)	ラベプラゾールナトリウム	10mg 1錠	プロトンポンプインヒビター	4112
	ラベプラゾール10 杏林	淡黄	ラベプラゾールNa錠10mg「杏林」(キ ョーリンリメディオ／杏林)	ラベプラゾールナトリウム	10mg 1錠	プロトンポンプインヒビター	4112
	ラベプラゾール10 日医工 ⑩892	淡黄	ラベプラゾールナトリウム錠10mg「日 医工」(日医工)	ラベプラゾールナトリウム	10mg 1錠	プロトンポンプインヒビター	4112
	ラベプラゾール10／ 科研 KC80	淡黄	ラベプラゾールナトリウム錠10mg「科 研」(ダイト／科研)	ラベプラゾールナトリウム	10mg 1錠	プロトンポンプインヒビター	4112
	ラベプラゾール10 ケミファ	淡黄	ラベプラゾールナトリウム錠10mg「ケ ミファ」(日本ケミファ／日本薬品工 業)	ラベプラゾールナトリウム	10mg 1錠	プロトンポンプインヒビター	4112
	ラベプラゾール10 サンド	淡黄	ラベプラゾールナトリウム錠10mg「サ ンド」(サンド)	ラベプラゾールナトリウム	10mg 1錠	プロトンポンプインヒビター	4112
	ラベプラゾール10 トーワ	淡黄	ラベプラゾールNa錠10mg「トーワ」 (東和薬品)	ラベプラゾールナトリウム	10mg 1錠	プロトンポンプインヒビター	4112
	リザトリプタン OD10トーワ	淡黄	リザトリプタンOD錠10mg「トーワ」 (東和薬品)	リザトリプタン安息香酸塩	10mg 1錠	5-HT$_{1B/1D}$受容体作動型片頭 痛治療剤	4186
	ロスバ10スタチン トーワ	黄	ロスバスタチン錠10mg「トーワ」(東 和薬品)	ロスバスタチンカルシウム	10mg 1錠	HMG-CoA還元酵素阻害剤	4487
	ロスバスタチン10 ODトーワ	淡黄白	ロスバスタチンOD錠10mg「トーワ」 (東和薬品)	ロスバスタチンカルシウム	10mg 1錠	HMG-CoA還元酵素阻害剤	4487
	ロスバスタチン10 タカタ	薄赤みの黄 〜くすんだ 赤みの黄	ロスバスタチン錠10mg「タカタ」(高 田)	ロスバスタチンカルシウム	10mg 1錠	HMG-CoA還元酵素阻害剤	4487
	ロンゲス／10	白　◐	ロンゲス錠10mg (共和薬品)	リシノプリル水和物	10mg 1錠	ACE阻害剤	4193
011	ch011	赤橙	ジピリダモール錠12.5mg「JG」(長生 堂／日本ジェネリック)	ジピリダモール	12.5mg 1錠	冠循環増強・抗血小板剤	1646
	DS011／0.5	白	ランドセン錠0.5mg (住友ファーマ)	クロナゼパム	0.5mg 1錠	ベンゾジアゼピン系抗てんか ん剤	1310
	KP011 KP-011	白〜淡黄 (灰白〜淡灰 黄の斑点) ◐	ペンタサ錠500mg (杏林)	メサラジン	500mg 1錠	潰瘍性大腸炎・クローン病治 療剤	3911
	LT011	白	エミレース錠3mg (LTL)	ネモナプリド	3mg 1錠	ベンザミド系D$_2$ードパミン受 容体遮断剤	2716
	MS011／0.1	白	タムスロシン塩酸塩OD錠0.1mg「明 治」(Meiji Seika／Meファルマ)	タムスロシン塩酸塩	0.1mg 1錠	α_1-遮断剤	2075
	PH011	紅透明	シアノコバラミン点眼液0.02%「杏林」 (キョーリンリメディオ／日本ジェネリ ック／杏林)	シアノコバラミン	0.02% 5mL 1瓶	ビタミンB$_{12}$	1559
	SW011	白〜微黄	ノルフロキサシン錠200mg「サワイ」 (沢井)	ノルフロキサシン	200mg 1錠	ニューキノロン系抗菌剤	2742
	SZ011／5	黄白	パロキセチン錠5mg「サンド」(サン ド)	パロキセチン塩酸塩水和物	5mg 1錠	選択的セロトニン再取り込み 阻害剤(SSRI)	2878
	TSU011	白〜微黄白	アマンタジン塩酸塩錠100mg「ツルハ ラ」(鶴原)	アマンタジン塩酸塩	100mg 1錠	精神活動改善剤・抗パーキン ソン剤・抗A型インフルエン ザウイルス剤	219
	Tw011	白	シベンゾリンコハク酸塩錠100mg「ト ーワ」(東和薬品)	シベンゾリンコハク酸塩	100mg 1錠	不整脈治療剤	1672
11	0.5／VTC11	淡黄	カルデナリンOD錠0.5mg (ヴィアトリ ス)	ドキサゾシンメシル酸塩	0.5mg 1錠	α_1-遮断剤	2391
	5TF11 TF11	白／橙	オキシコドン徐放カプセル5mg「テル モ」(帝國／テルモ)	オキシコドン塩酸塩水和物	5mg 1カプセ ル	疼痛治療剤	950
	BF11	白	ビオフェルミン配合散(ビオフェルミン ／大正)	ラクトミン	1g	乳酸菌製剤	4067
	BMH／11	白〜微黄白	ダサチニブ錠20mg「BMSH」(ブリス トル販売／ブリストル)	ダサチニブ	20mg 1錠	抗悪性腫瘍剤・チロシンキナ ーゼ阻害剤	2014
	EK-11	淡黄〜淡灰	太虎堂の柴胡桂枝乾姜湯エキス顆粒(太 虎精堂／クラシエ薬品)	柴胡桂枝乾姜湯	1g	漢方製剤	4596

番号	識別コード	色 (①:割線有)	商品名(会社名)	一般名	規格単位	薬効	掲載 ページ
11	F11	白〜微黄白	ファモチジンOD錠10mg「ケミファ」(シオノ/日本薬品工業/日本ケミファ)	ファモチジン	10mg 1錠	H₂-受容体拮抗剤	3079
	F11/20	淡紅白	パロキセチン錠20mg「フェルゼン」(フェルゼン)	パロキセチン塩酸塩水和物	20mg 1錠	選択的セロトニン再取り込み阻害剤(SSRI)	2878
	FJ11 50mg FJ11	白	フルコナゾールカプセル50mg「F」(富士製薬)	フルコナゾール	50mg 1カプセル	トリアゾール系抗真菌剤	3298
	GS/K11 GS K11	白	ヴォリブリス錠2.5mg(グラクソ・スミスクライン)	アンブリセンタン	2.5mg 1錠	エンドセリン受容体拮抗薬	375
	H11	淡黄褐	本草柴胡桂枝乾姜湯エキス顆粒-M(本草)	柴胡桂枝乾姜湯	1g	漢方製剤	4596
	JG F11	類白	カモスタットメシル酸塩錠100mg「JG」(日本ジェネリック)	カモスタットメシル酸塩	100mg 1錠	蛋白分解酵素阻害剤	1110
	JG G11	白	アナストロゾール錠1mg「JG」(日本ジェネリック)	アナストロゾール	1mg 1錠	アロマターゼ阻害・閉経後乳癌治療剤	147
	JG11	白〜微黄白①	アムロジピンOD錠5mg「JG」(日本ジェネリック)	アムロジピンベシル酸塩	5mg 1錠	ジヒドロピリジン系Ca拮抗剤	264
	KC11	淡黄	エブトール250mg錠(科研)	エタンブトール塩酸塩	250mg 1錠	抗酸菌症治療剤	736
	KH11	白	アブストラル舌下錠100μg(協和キリン/久光)	フェンタニルクエン酸塩	100μg 1錠	麻酔用ピペリジン系鎮痛剤、疼痛治療剤	3162
	KM11 KM-11	明るい灰黄	モンテルカスト錠5mg「KM」(キョーリンリメディオ/杏林)	モンテルカストナトリウム	5mg 1錠	ロイコトリエン受容体拮抗剤	4043
	KY11	白〜淡黄白	アクロマイシンVカプセル250mg(サンファーマ)	テトラサイクリン塩酸塩	250mg 1カプセル	テトラサイクリン系抗生物質	2277
	MeP11	白〜帯黄白①	メトホルミン塩酸塩錠500mgMT「明治」(Meiji Seika/フェルゼン/Mefファルマ)	メトホルミン塩酸塩	500mg 1錠	ビグアナイド系血糖降下剤	3962
	N11	黄褐〜褐	コタロー柴胡桂枝乾姜湯エキス細粒(小太郎漢方)	柴胡桂枝乾姜湯	1g	漢方製剤	4596
	NC D11/5	白	ドネペジル塩酸塩錠5mg「ケミファ」(日本ケミファ/日本薬品工業)	ドネペジル,-塩酸塩	5mg 1錠	アルツハイマー型、レビー小体型認知症治療剤	2426
	NS11	白	エペリゾン塩酸塩錠50mg「日新」(日新/第一三共エスファ)	エペリゾン塩酸塩	50mg 1錠	γ-系筋緊張・循環改善剤	811
	NVR/L11 NVR L11	薄赤白	エンレスト錠200mg(ノバルティス)	サクビトリルバルサルタンナトリウム水和物	200mg 1錠	アンギオテンシン受容体ネプリライシン阻害薬(ARNI)	1503
	PT A11	白	アタラックス錠10mg(ファイザー)	ヒドロキシジン塩酸塩	10mg 1錠	抗アレルギー性精神安定剤	2975
	SW L11	白 ①	ロラタジンOD錠10mg「サワイ」(沢井)	ロラタジン	10mg 1錠	持続性選択H₁-受容体拮抗・アレルギー治療剤	4545
	SW M11/2.5	白	モサプリドクエン酸塩錠2.5mg「サワイ」(沢井)	モサプリドクエン酸塩水和物	2.5mg 1錠	消化管運動促進剤	4014
	TA/11 TA11	白 ①	メインテート錠0.625mg(田辺三菱)	ビソプロロールフマル酸塩	0.625mg 1錠	選択的β₁-アンタゴニスト	2944
	Tai TM-11	淡黄〜淡灰	太虎堂の柴胡桂枝乾姜湯エキス顆粒(太虎精堂)	柴胡桂枝乾姜湯	1g	漢方製剤	4596
	TC11	白	ビラノア錠20mg(大鵬薬品/Meiji Seika)	ビラスチン	20mg 1錠	アレルギー性疾患治療剤	3030
	TR11	極薄黄〜薄黄	レミッチカプセル2.5μg(東レ/鳥居薬)	ナルフラフィン塩酸塩	2.5μg 1カプセル	経口瘙痒症改善剤	2622
	Tw V11/20 Tw.V11	淡黄 ①	バルサルタン錠20mg「トーワ」(東和薬品)	バルサルタン	20mg 1錠	選択的AT₁受容体遮断剤	2840
	TX11	白	酸化マグネシウム錠250mg「TX」(原沢)	酸化マグネシウム	250mg 1錠	制酸・緩下剤	3798
	ZE11	白 ①	ウルソデオキシコール酸錠100mg「ZE」(全星薬品工業/高田/全星薬品)	ウルソデオキシコール酸	100mg 1錠	肝・胆・消化機能改善剤	659
	◉11	白	ジクロフェナクNaパップ70mg「ラクール」(三友薬品/ラクール)	ジクロフェナクナトリウム	7cm×10cm 1枚	フェニル酢酸系消炎鎮痛剤	1579
	➲11L	白	クロチアゼパム錠5mg「日医工」(日医工)	クロチアゼパム	5mg 1錠	心身安定剤	1309
	〰11 W11	白〜微淡黄褐	レベニンS配合錠(わかもと)	ビフィズス菌	1錠	乳酸菌	3006
	漢:S-11	黄褐	三和小柴胡湯エキス細粒(三和生薬)	小柴胡湯	1g	漢方製剤	4609
	ツムラ/11	淡褐	ツムラ柴胡桂枝乾姜湯エキス顆粒(医療用)(ツムラ)	柴胡桂枝乾姜湯	1g	漢方製剤	4596
	フロセミド10SK11 SK11	微赤 ①	フロセミド錠10mg「SN」(シオノ/江州)	フロセミド	10mg 1錠	ループ利尿剤	3405
012	DS012/1	白 ①	ランドセン錠1mg(住友ファーマ)	クロナゼパム	1mg 1錠	ベンゾジアゼピン系抗てんかん剤	1310
	KP-012	灰白〜淡灰黄褐	ペンタサ顆粒94%(杏林)	メサラジン	94% 1g	潰瘍性大腸炎・クローン病治療剤	3911

番号	識別コード	色 (⦶:割線有)	商品名(会社名)	一般名	規格単位	薬効	掲載ページ
012	KW012／25	白～淡黄白	トラゾドン塩酸塩錠25mg「アメル」(共和薬品)	トラゾドン塩酸塩	25mg 1錠	トリアゾロピリジン系抗うつ剤	2470
	MeP012／1.25	黄　⦶	カルベジロール錠1.25mg「Me」(Meiji Seika／Meファルマ)	カルベジロール	1.25mg 1錠	α, β-遮断剤	1160
	MS012／0.2	白	タムスロシン塩酸塩OD錠0.2mg「明治」(Meiji Seika／Meファルマ)	タムスロシン塩酸塩	0.2mg 1錠	α_1-遮断剤	2075
	PH012	無透明	ペミロラストK点眼液0.1％「杏林」(キョーリンリメディオ／日東メディック／杏林)	ペミロラストカリウム	5mg 5mL 1瓶	アレルギー性疾患治療剤	3564
	SZ012／10	帯紅白	パロキセチン錠10mg「サンド」(サンド)	パロキセチン塩酸塩水和物	10mg 1錠	選択的セロトニン再取り込み阻害剤(SSRI)	2878
	TSU012	白～微黄白	アロプリノール錠50mg「ツルハラ」(鶴原)	アロプリノール	50mg 1錠	キサンチンオキシダーゼ阻害剤・高尿酸血症治療剤	363
	Tu-SZ012	白　⦶	ベタヒスチンメシル酸塩錠12mg「TCK」(辰巳化学)	ベタヒスチンメシル酸塩	12mg 1錠	めまい・平衡障害治療剤	3496
	Tw012	白	シベンゾリンコハク酸塩錠50mg「トーワ」(東和薬品)	シベンゾリンコハク酸塩	50mg 1錠	不整脈治療剤	1672
	ch012 ch012	赤橙	ジピリダモール錠25mg「JG」(長生堂／日本ジェネリック)	ジピリダモール	25mg 1錠	冠循環増強・抗血小板剤	1646
12	10TF12 TF12	白／青	オキシコドン徐放カプセル10mg「テルモ」(帝國／テルモ)	オキシコドン塩酸塩水和物	10mg 1カプセル	疼痛治療剤	950
	12	白	エビリファイOD錠12mg(大塚)	アリピプラゾール	12mg 1錠	抗精神病薬	289
	12ガランタミンODトーワ	白	ガランタミンOD錠12mg「トーワ」(東和薬品／三和化学／共創未来)	ガランタミン臭化水素酸塩	12mg 1錠	アルツハイマー型認知症治療剤	1112
	1／VTC12	淡黄　⦶	カルデナリンOD錠1mg(ヴィアトリス)	ドキサゾシンメシル酸塩	1mg 1錠	α_1-遮断剤	2391
	AK272／12	薄橙　⦶	カンデサルタン錠12mg「あすか」(あすか／武田薬品)	カンデサルタン シレキセチル	12mg 1錠	アンギオテンシンⅡ受容体拮抗剤	1184
	BG-12 120mg	淡緑／白	テクフィデラカプセル120mg(バイオジェン)	フマル酸ジメチル	120mg 1カプセル	多発性硬化症治療剤	3242
	BG-12 240mg	淡緑	テクフィデラカプセル240mg(バイオジェン)	フマル酸ジメチル	240mg 1カプセル	多発性硬化症治療剤	3242
	BMH／12	白～微黄白	ダサチニブ錠50mg「BMSH」(ブリストル販売／ブリストル)	ダサチニブ	50mg 1錠	抗悪性腫瘍剤・チロシンキナーゼ阻害剤	2014
	CL12・5	白	コレアジン錠12.5mg(アルフレッサファーマ)	テトラベナジン	12.5mg 1錠	非律動性不随意運動治療剤	2279
	DC／E12 DC E12	極薄赤	ナルサス錠12mg(第一三共プロ／第一三共)	ヒドロモルフォン塩酸塩	12mg 1錠	癌疼痛治療剤	2994
	EKT-12	淡褐～褐	クラシエ柴胡加竜骨牡蛎湯エキス錠(大峰堂／クラシエ薬品)	柴胡加竜骨牡蛎湯	1錠	漢方製剤	4594
	FC12	褐	ジュンコウ柴胡加龍骨牡蠣湯FCエキス細粒医療用(康和薬通／大杉)	柴胡加竜骨牡蛎湯	1g	漢方製剤	4594
	FF235／12	薄橙　⦶	カンデサルタン錠12mg「FFP」(共創未来)	カンデサルタン シレキセチル	12mg 1錠	アンギオテンシンⅡ受容体拮抗剤	1184
	FJ12 100mg FJ12	橙	フルコナゾールカプセル100mg「F」(富士製薬)	フルコナゾール	100mg 1カプセル	トリアゾール系抗真菌剤	3298
	FS-E12	褐透明	アルファカルシドールカプセル0.25μg「フソー」(扶桑薬品／沢井)	アルファカルシドール	0.25μg 1カプセル	活性型ビタミンD_3	317
	H12	淡褐	本草柴胡加竜骨牡蛎湯エキス顆粒－M(本草)	柴胡加竜骨牡蛎湯	1g	漢方製剤	4594
	HM352 04 HM352 06 HM352 08 HM352 12	白	酸化マグネシウム細粒83％＜ハチ＞(東洋製化／丸石)	酸化マグネシウム	83％ 1g	制酸・緩下剤	3798
	J-12	淡褐	JPS柴胡加竜骨牡蛎湯エキス顆粒〔調剤用〕(ジェーピーエス)	柴胡加竜骨牡蛎湯	1g	漢方製剤	4594
	JANSSEN／G12 JANSSEN G12	白～淡黄	レミニール錠12mg(太陽ファルマ)	ガランタミン臭化水素酸塩	12mg 1錠	アルツハイマー型認知症治療剤	1112
	JG C75／12	黄	アリピプラゾール錠12mg「JG」(日本ジェネリック)	アリピプラゾール	12mg 1錠	抗精神病薬	289
	JG E63／12	薄橙　⦶	カンデサルタン錠12mg「JG」(日本ジェネリック)	カンデサルタン シレキセチル	12mg 1錠	アンギオテンシンⅡ受容体拮抗剤	1184
	JG F12	白	シロスタゾール錠50mg「JG」(日本ジェネリック)	シロスタゾール	50mg 1錠	抗血小板剤	1718
	KB-12 EK-12	淡褐～褐	クラシエ柴胡加竜骨牡蛎湯エキス細粒(クラシエ／クラシエ薬品)	柴胡加竜骨牡蛎湯	1g	漢方製剤	4594
	KC12	淡黄	エブトール125mg錠(科研)	エタンブトール塩酸塩	125mg 1錠	抗菌症治療剤	736
	KCI FG06 KCI FG12	白	マグミット細粒83％(マグミット製薬／シオエ／日本新薬)	酸化マグネシウム	83％ 1g	制酸・緩下剤	3798

番号	識別コード	色 ((①：割線有))		商品名(会社名)	一般名	規格単位	薬効	掲載 ページ
12	KE MG83 04 KE MG83 048 KE MG83 06 KE MG83 08 KE MG83 12	白		酸化マグネシウム細粒83%「ケンエー」(健栄)	酸化マグネシウム	83% 1g	制酸・緩下剤	3798
	KH12	まだらをもつ極薄黄		アブストラル舌下錠200μg(協和キリン/久光)	フェンタニルクエン酸塩	200μg 1錠	麻酔用ピペリジン系鎮痛剤,疼痛治療剤	3162
	KM12 KM-12	明るい灰黄		モンテルカスト錠10mg「KM」(キョーリンリメディオ/杏林)	モンテルカストナトリウム	10mg 1錠	ロイコトリエン受容体拮抗剤	4043
	KRM168/12	薄橙	①	カンデサルタン錠12mg「杏林」(キョーリンリメディオ/杏林)	カンデサルタン シレキセチル	12mg 1錠	アンギオテンシンⅡ受容体拮抗剤	1184
	KY12	橙		アクロマイシントローチ15mg(サンファーマ)	テトラサイクリン塩酸塩	15mg 1錠	テトラサイクリン系抗生物質	2277
	MI-AA12	淡黄		アセトアミノフェン細粒20%「マルイシ」(丸石)	アセトアミノフェン	20% 1g	アミノフェノール系解熱鎮痛剤	77
	N12	茶褐~褐		コタロー柴胡加竜骨牡蛎湯エキス細粒(小太郎漢方)	柴胡加竜骨牡蛎湯	1g	漢方製剤	4594
	NP345/12 NP-345	薄橙	①	カンデサルタン錠12mg「ニプロ」(ニプロ)	カンデサルタン シレキセチル	12mg 1錠	アンギオテンシンⅡ受容体拮抗剤	1184
	NS254/12	薄橙		カンデサルタン錠12mg「日新」(日新)	カンデサルタン シレキセチル	12mg 1錠	アンギオテンシンⅡ受容体拮抗剤	1184
	PT A12/25	桃		アタラックス錠25mg(ファイザー)	ヒドロキシジン塩酸塩	25mg 1錠	抗アレルギー性精神安定剤	2975
	S-12	黄褐		三和補中益気湯エキス細粒(三和生薬)	補中益気湯	1g	漢方製剤	4644
	Sc244/12	薄橙		カンデサルタン錠12mg「三和」(三和化学)	カンデサルタン シレキセチル	12mg 1錠	アンギオテンシンⅡ受容体拮抗剤	1184
	SG-12	淡灰黄褐~淡灰茶褐		オースギ柴胡加竜骨牡蛎湯エキスG(大杉)	柴胡加竜骨牡蛎湯	1g	漢方製剤	4594
	SW M12/5	白	①	モサプリドクエン酸塩錠5mg「サワイ」(沢井)	モサプリドクエン酸塩水和物	5mg 1錠	消化管運動促進剤	4014
	SW アリピプラゾール12	黄	①	アリピプラゾール錠12mg「サワイ」(沢井)	アリピプラゾール	12mg 1錠	抗精神病薬	289
	SW カンデサルタン12	薄橙		カンデサルタン錠12mg「サワイ」(沢井)	カンデサルタン シレキセチル	12mg 1錠	アンギオテンシンⅡ受容体拮抗剤	1184
	SW カンデサルタンOD12	薄黄		カンデサルタンOD錠12mg「サワイ」(沢井)	カンデサルタン シレキセチル	12mg 1錠	アンギオテンシンⅡ受容体拮抗剤	1184
	SZ114/12	薄橙	①	カンデサルタン錠12mg「サンド」(サンド)	カンデサルタン シレキセチル	12mg 1錠	アンギオテンシンⅡ受容体拮抗剤	1184
	Tai TM-12	淡灰~灰褐		太虎堂の柴胡加竜骨牡蛎湯エキス顆粒(太虎精堂)	柴胡加竜骨牡蛎湯	1g	漢方製剤	4594
	TC12	白		ビラノアOD錠20mg(大鵬薬品/Meiji Seika)	ビラスチン	20mg 1錠	アレルギー性疾患治療剤	3030
	TR12	やわらかい紫みの赤~くすんだ赤		レミッチOD錠2.5μg(東レ/鳥居薬品)	ナルフラフィン塩酸塩	2.5μg 1錠	経口瘙痒症改善剤	2622
	TSU158/12	薄橙		カンデサルタン錠12mg「ツルハラ」(鶴原)	カンデサルタン シレキセチル	12mg 1錠	アンギオテンシンⅡ受容体拮抗剤	1184
	TU274/12	薄橙	①	カンデサルタン錠12mg「TCK」(辰巳化学)	カンデサルタン シレキセチル	12mg 1錠	アンギオテンシンⅡ受容体拮抗剤	1184
	TV CC4/12	薄橙		カンデサルタン錠12mg「NIG」(日医工岐阜/日医工/武田薬品)	カンデサルタン シレキセチル	12mg 1錠	アンギオテンシンⅡ受容体拮抗剤	1184
	Tw340/12	白	①	ベタヒスチンメシル酸塩錠12mg「トーワ」(東和薬品)	ベタヒスチンメシル酸塩	12mg 1錠	めまい・平衡障害治療剤	3496
	TX12	白		酸化マグネシウム錠330mg「TX」(原沢)	酸化マグネシウム	330mg 1錠	制酸・緩下剤	3798
	YO ML024 YO ML036 YO ML04 YO ML048 YO ML06 YO ML08 YO ML12	白		酸化マグネシウム細粒83%「ヨシダ」(吉田)	酸化マグネシウム	83% 1g	制酸・緩下剤	3798
	◎12	白		ジクロフェナクNaパップ140mg「ラクール」(三友薬品/ラクール)	ジクロフェナクナトリウム	10cm×14cm 1枚	フェニル酢酸系消炎鎮痛剤	1579
	アリピ12/ アリピプラゾール12 ODトーワ	白	①	アリピプラゾールOD錠12mg「トーワ」(東和薬品)	アリピプラゾール	12mg 1錠	抗精神病薬	289
	アリピ12/ アリピプラゾール12 トーワ	淡黄		アリピプラゾール錠12mg「トーワ」(東和薬品)	アリピプラゾール	12mg 1錠	抗精神病薬	289
	アリピプラゾール12 OD/アリピ OD12アメル	白		アリピプラゾールOD錠12mg「アメル」(共和薬品)	アリピプラゾール	12mg 1錠	抗精神病薬	289

番号	識別コード	色 (◫：割線有)	商品名(会社名)	一般名	規格単位	薬効	掲載ページ
12	アリピプラゾール／12日医工 アリピプラゾール12日医工 ⓝ165	黄 ◫	アリピプラゾール錠12mg「日医工」 (日医工)	アリピプラゾール	12mg 1錠	抗精神病薬	289
	アリピプラゾール12明治	黄	アリピプラゾール錠12mg「明治」 (Meiji Seika)	アリピプラゾール	12mg 1錠	抗精神病薬	289
	アリピプラゾール12／アメルアリピ12	黄 ◫	アリピプラゾール錠12mg「アメル」 (共和薬品)	アリピプラゾール	12mg 1錠	抗精神病薬	289
	アリピプラゾール12オーハラ	黄	アリピプラゾール錠12mg「オーハラ」 (大原薬品／共創未来)	アリピプラゾール	12mg 1錠	抗精神病薬	289
	アリピプラゾール12タカタ	黄	アリピプラゾール錠12mg「タカタ」 (高田)	アリピプラゾール	12mg 1錠	抗精神病薬	289
	アリピプラゾール12ニプロ	黄	アリピプラゾール錠12mg「ニプロ」 (ニプロ)	アリピプラゾール	12mg 1錠	抗精神病薬	289
	アリピプラゾールOD12JG	黄	アリピプラゾールOD錠12mg「JG」 (日本ジェネリック)	アリピプラゾール	12mg 1錠	抗精神病薬	289
	アリピプラゾールOD12杏林	黄	アリピプラゾールOD錠12mg「杏林」 (キョーリンリメディオ／杏林)	アリピプラゾール	12mg 1錠	抗精神病薬	289
	アリピプラゾールOD12日医工 ⓝ169	白	アリピプラゾールOD錠12mg「日医工」 (日医工)	アリピプラゾール	12mg 1錠	抗精神病薬	289
	アリピプラゾールOD12明治	黄	アリピプラゾールOD錠12mg「明治」 (Meiji Seika)	アリピプラゾール	12mg 1錠	抗精神病薬	289
	アリピプラゾールOD12オーハラ	黄	アリピプラゾールOD錠12mg「オーハラ」(大原薬品／共創未来)	アリピプラゾール	12mg 1錠	抗精神病薬	289
	アリピプラゾールOD12ニプロ	橙	アリピプラゾールOD錠12mg「ニプロ」 (ニプロ)	アリピプラゾール	12mg 1錠	抗精神病薬	289
	アリピプラゾールODタカタ12	白	アリピプラゾールOD錠12mg「タカタ」 (高田)	アリピプラゾール	12mg 1錠	抗精神病薬	289
	アリピプラゾールYD12 YD402	白	アリピプラゾール錠12mg「YD」(陽進堂)	アリピプラゾール	12mg 1錠	抗精神病薬	289
	カンデ12／カンデ12サルタントーワ	薄橙 ◫	カンデサルタン錠12mg「トーワ」(東和薬品)	カンデサルタン シレキセチル	12mg 1錠	アンギオテンシンⅡ受容体拮抗剤	1184
	カンデ12／カンデサルタンOD12トーワ	白 ◫	カンデサルタンOD錠12mg「トーワ」(東和薬品)	カンデサルタン シレキセチル	12mg 1錠	アンギオテンシンⅡ受容体拮抗剤	1184
	カンデサルタン12／12カンデアメル	薄橙 ◫	カンデサルタン錠12mg「アメル」(共和薬品)	カンデサルタン シレキセチル	12mg 1錠	アンギオテンシンⅡ受容体拮抗剤	1184
	カンデサルタン12DSEP	薄橙 ◫	カンデサルタン錠12mg「DSEP」(第一三共エスファ)	カンデサルタン シレキセチル	12mg 1錠	アンギオテンシンⅡ受容体拮抗剤	1184
	カンデサルタン12 ⓣ	薄橙 ◫	カンデサルタン錠12mg「武田テバ」(武田テバファーマ／武田薬品)	カンデサルタン シレキセチル	12mg 1錠	アンギオテンシンⅡ受容体拮抗剤	1184
	カンデサルタン12オーハラ	薄橙 ◫	カンデサルタン錠12mg「オーハラ」(大原薬品／共創未来)	カンデサルタン シレキセチル	12mg 1錠	アンギオテンシンⅡ受容体拮抗剤	1184
	カンデサルタン12ケミファ／ケミファ12カンデサルタン	薄橙 ◫	カンデサルタン錠12mg「ケミファ」(日本ケミファ／日本薬品工業)	カンデサルタン シレキセチル	12mg 1錠	アンギオテンシンⅡ受容体拮抗剤	1184
	カンデサルタン12タナベ	薄橙 ◫	カンデサルタン錠12mg「タナベ」(ニプロES)	カンデサルタン シレキセチル	12mg 1錠	アンギオテンシンⅡ受容体拮抗剤	1184
	カンデサルタンEE12／カンデサルタンOD12	薄橙 ◫	カンデサルタンOD錠12mg「EE」(エルメッド／日医工)	カンデサルタン シレキセチル	12mg 1錠	アンギオテンシンⅡ受容体拮抗剤	1184
	カンデサルタンYD12 YD150	薄橙 ◫	カンデサルタン錠12mg「YD」(陽進堂)	カンデサルタン シレキセチル	12mg 1錠	アンギオテンシンⅡ受容体拮抗剤	1184
	ガランタミンOD12DSEP	白	ガランタミンOD錠12mg「DSEP」(第一三共エスファ)	ガランタミン臭化水素酸塩	12mg 1錠	アルツハイマー型認知症治療剤	1112
	ガランタミンOD12JG	白	ガランタミンOD錠12mg「JG」(日本ジェネリック)	ガランタミン臭化水素酸塩	12mg 1錠	アルツハイマー型認知症治療剤	1112
	ガランタミンOD12日医工	白	ガランタミンOD錠12mg「日医工」(エルメッド／日医工)	ガランタミン臭化水素酸塩	12mg 1錠	アルツハイマー型認知症治療剤	1112
	ガランタミンOD12アメル	白	ガランタミンOD錠12mg「アメル」(共和薬品)	ガランタミン臭化水素酸塩	12mg 1錠	アルツハイマー型認知症治療剤	1112
	ガランタミンOD12サワイ	白	ガランタミンOD錠12mg「サワイ」(沢井)	ガランタミン臭化水素酸塩	12mg 1錠	アルツハイマー型認知症治療剤	1112
	ガランタミンOD12ニプロ	白～微黄白	ガランタミンOD錠12mg「ニプロ」(ニプロ)	ガランタミン臭化水素酸塩	12mg 1錠	アルツハイマー型認知症治療剤	1112
	ガランタミンYD OD12	白	ガランタミンOD錠12mg「YD」(陽進堂)	ガランタミン臭化水素酸塩	12mg 1錠	アルツハイマー型認知症治療剤	1112
	ツムラ／12	黄褐	ツムラ柴胡加竜骨牡蛎湯エキス顆粒(医療用)(ツムラ)	柴胡加竜骨牡蛎湯	1g	漢方製剤	4594

番号	識別コード	色 (Ⓘ：割線有)	商品名(会社名)	一般名	規格単位	薬効	掲載 ページ
12	フロセミド 20SK12 SK12	白　Ⓘ	フロセミド錠20mg「SN」（シオノ／江州）	フロセミド	20mg 1錠	ループ利尿剤	3405
	プロプレス12	薄橙	プロプレス錠12（武田テバ薬品／武田薬品）	カンデサルタン シレキセチル	12mg 1錠	アンジオテンシンⅡ受容体拮抗剤	1184
12.5	GSK／12.5 GSK12.5	白〜帯黄白／淡黄	パキシルCR錠12.5mg（グラクソ・スミスクライン）	パロキセチン塩酸塩水和物	12.5mg 1錠	選択的セロトニン再取り込み阻害剤(SSRI)	2878
	GSMZ1 12.5	白	レボレード錠12.5mg（ノバルティス）	エルトロンボパグ オラミン	12.5mg 1錠	経口造血刺激薬・トロンボポエチン受容体作動薬	876
	MS082／ クエチアピン12.5	白	クエチアピン錠12.5mg「明治」(Meiji Seika)	クエチアピンフマル酸塩	12.5mg 1錠	抗精神病，D_2・$5-HT_2$拮抗剤	1225
	O.S-MC12.5	白〜微黄	ジクロフェナクナトリウム坐剤12.5mg「日医工」(日医工)	ジクロフェナクナトリウム	12.5mg 1個	フェニル酢酸系消炎鎮痛剤	1579
	Queアメル12.5	白〜帯黄白	クエチアピン錠12.5mg「アメル」（共和薬品）	クエチアピンフマル酸塩	12.5mg 1錠	抗精神病，D_2・$5-HT_2$拮抗剤	1225
	TSU552／ 80 12.5	極薄赤	バルヒディオ配合錠EX「ツルハラ」（鶴原）	バルサルタン・ヒドロクロロチアジド	1錠	選択的AT_1受容体ブロッカー・利尿剤合剤	2848
	TSU923／ 50 12.5	白〜微黄白	ロサルヒド配合錠LD「ツルハラ」（鶴原）	ロサルタンカリウム・ヒドロクロロチアジド	1錠	持続性アンジオテンシンⅡ受容体拮抗剤・利尿剤合剤	4483
	TSU924／ 100 12.5	白〜微黄白	ロサルヒド配合錠HD「ツルハラ」（鶴原）	ロサルタンカリウム・ヒドロクロロチアジド	1錠	持続性アンジオテンシンⅡ受容体拮抗剤・利尿剤合剤	4483
	Tw163／12.5	白	ヒドロクロロチアジド錠12.5mg「トーワ」（東和薬品）	ヒドロクロロチアジド	12.5mg 1錠	チアジド系降圧利尿剤	2982
	Tw507／12.5	淡黄　Ⓘ	ヒドロクロロチアジドOD錠12.5mg「トーワ」（東和薬品）	ヒドロクロロチアジド	12.5mg 1錠	チアジド系降圧利尿剤	2982
	TZ244／12.5	赤	チラーヂンS錠12.5μg（あすか／武田薬品）	レボチロキシンナトリウム水和物	12.5μg 1錠	甲状腺ホルモン	4411
	Y／CO12.5 Y-CO12.5	黄	コントミン糖衣錠12.5mg（田辺三菱）	クロルプロマジン	12.5mg 1錠	フェノチアジン系精神安定剤	1379
	Pfizer STN12.5mg Pfizer STN 12.5mg	濃赤褐	スーテントカプセル12.5mg（ファイザー）	スニチニブリンゴ酸塩	12.5mg 1カプセル	抗悪性腫瘍剤・キナーゼ阻害剤	1754
	テルチアAPトーワ／テルミ40 ヒドロクロロ12.5	淡黄	テルチア配合錠AP「トーワ」（東和薬品／ニプロ）	テルミサルタン・ヒドロクロロチアジド	1錠	持続性AT_1受容体ブロッカー・利尿剤合剤	2384
	テルチアBPトーワ／テルミ80 ヒドロクロロ12.5	淡黄	テルチア配合錠BP「トーワ」（東和薬品／ニプロ）	テルミサルタン・ヒドロクロロチアジド	1錠	持続性AT_1受容体ブロッカー・利尿剤合剤	2384
	ネシーナ12.5	微黄　Ⓘ	ネシーナ錠12.5mg（武田薬品）	アログリプチン安息香酸塩	12.5mg 1錠	選択的DPP-4阻害剤・2型糖尿病治療剤	352
	バルヒディオEX トーワ／80 バルサルタン ヒドロクロロ12.5	極薄赤	バルヒディオ配合錠EX「トーワ」（東和薬品）	バルサルタン・ヒドロクロロチアジド	1錠	選択的AT_1受容体ブロッカー・利尿剤合剤	2848
	マスーレッド12.5	白	マスーレッド錠12.5mg（バイエル薬品）	モリデュスタットナトリウム	12.5mg 1錠	HIF-PH阻害薬・腎性貧血治療薬	4028
	ロサルヒド配合 錠HDニプロ／ ロサルタンK100mg ヒドロクロロチアジド 12.5mg	白	ロサルヒド配合錠HD「ニプロ」（ニプロ）	ロサルタンカリウム・ヒドロクロロチアジド	1錠	持続性アンジオテンシンⅡ受容体拮抗剤・利尿剤合剤	4483
	ロサルヒド配合 錠LD「ニプロ」／ ロサルタンカリウム 50mg ヒドロクロロチアジド 12.5mg	白	ロサルヒド配合錠LD「ニプロ」（ニプロ）	ロサルタンカリウム・ヒドロクロロチアジド	1錠	持続性アンジオテンシンⅡ受容体拮抗剤・利尿剤合剤	4483
12.6	YP-3FN12.6	微黄半透明（淡黄）	フェンタニル3日用テープ12.6mg「ユートク」（祐徳薬品）	フェンタニル	12.6mg 1枚	経皮吸収型持続性疼痛治療剤	3156
013	DS013／2	薄橙　Ⓘ	ランドセン錠2mg（住友ファーマ）	クロナゼパム	2mg 1錠	ベンゾジアゼピン系抗てんかん剤	1310
	KRM013	無透明	エピナスチン塩酸塩点眼液0.05%「杏林」（キョーリンリメディオ／杏林）	エピナスチン塩酸塩	0.05% 1mL	アレルギー性疾患治療剤	783
	KW013／50	白〜淡黄白	トラゾドン塩酸塩錠50mg「アメル」（共和薬品）	トラゾドン塩酸塩	50mg 1錠	トリアゾロピリジン系抗うつ剤	2470
	MeP013／2.5	白　Ⓘ	カルベジロール錠2.5mg「Me」(Meiji Seika／Meファルマ)	カルベジロール	2.5mg 1錠	α，β-遮断剤	1160
	NP013 NP-013	白	ミルナシプラン塩酸塩錠25mg「NP」（ニプロ）	ミルナシプラン塩酸塩	25mg 1錠	セロトニン・ノルアドレナリン再取り込み阻害剤(SNRI)	3891
	RU／013J RU013J	白〜微黄白	リスモダンR錠150mg（クリニジェン）	ジソピラミド	150mg 1錠	不整脈治療剤	1608
	SZ013／20	帯紅白	パロキセチン錠20mg「サンド」（サンド）	パロキセチン塩酸塩水和物	20mg 1錠	選択的セロトニン再取り込み阻害剤(SSRI)	2878
	Tw013／1	白〜微黄白Ⓘ	リスペリドン錠1mg「トーワ」（東和薬品）	リスペリドン	1mg 1錠	抗精神病，D_2・$5-HT_2$拮抗剤	4201

番号	識別コード	色 (⦿:割線有)	商品名(会社名)	一般名	規格単位	薬効	掲載 ページ
013	TY-013	褐	〔東洋〕葛根湯エキス細粒(東洋薬行)	葛根湯	1g	漢方製剤	4572
	ch013 ch013	淡赤	ジピリダモール錠100mg「JG」(長生堂/日本ジェネリック)	ジピリダモール	100mg 1錠	冠循環増強・抗血小板剤	1646
13	13A/⛟ ⛟13A	白 ⦿	レンドルミン錠0.25mg(日本ベーリンガー)	ブロチゾラム	0.25mg 1錠	チエノトリアゾロジアゼピン系睡眠導入剤	3411
	13C/⛟ ⛟13C	白 ⦿	レンドルミンD錠0.25mg(日本ベーリンガー)	ブロチゾラム	0.25mg 1錠	チエノトリアゾロジアゼピン系睡眠導入剤	3411
	13/M M13	類白	エリスロシン錠100mg(ヴィアトリス・ヘルスケア/ヴィアトリス)	エリスロマイシンステアリン酸塩	100mg 1錠	マクロライド系抗生物質	866
	20TF13 TF13	白/桃	オキシコドン徐放カプセル20mg「テルモ」(帝國/テルモ)	オキシコドン塩酸塩水和物	20mg 1カプセル	疼痛治療剤	950
	2/VTC13	淡橙 ⦿	カルデナリンOD錠2mg(ヴィアトリス)	ドキサゾシンメシル酸塩	2mg 1錠	α_1-遮断剤	2391
	BF13	白〜微淡黄	ビオフェルミン錠剤(ビオフェルミン/大正)	ビフィズス菌	1錠	乳酸菌	3006
	BF13P	白〜微淡黄	ビオフェルミン散剤(ビオフェルミン/大正)	ビフィズス菌	1g	乳酸菌	3006
	EE13	白 ⦿	ブロチゾラム錠0.25mg「EMEC」(アルフレッサファーマ/エルメッド/日医工)	ブロチゾラム	0.25mg 1錠	チエノトリアゾロジアゼピン系睡眠導入剤	3411
	F13	白	クラリスロマイシン錠200mg「フェルゼン」(フェルゼン)	クラリスロマイシン	200mg 1錠	マクロライド系抗生物質	1250
	FS-D13	無〜淡黄褐の透明又は微半透明	デュタステリドカプセル0.5mgAV「フソー」(扶桑薬品)	デュタステリド	0.5mg 1カプセル	5α-還元酵素阻害薬	2332
	FS-E13	淡褐透明	アルファカルシドールカプセル0.5μg「フソー」(扶桑薬品/沢井)	アルファカルシドール	0.5μg 1カプセル	活性型ビタミンD_3	317
	GS13	白	ダーブロック錠4mg(グラクソ・スミスクライン/協和キリン)	ダプロデュスタット	4mg 1錠	HIF-PH阻害剤	2069
	H13	淡黄褐	本草三黄瀉心湯エキス顆粒-M(本草)	三黄瀉心湯	1g	漢方製剤	4599
	JG F13	白 ⦿	シロスタゾール錠100mg「JG」(日本ジェネリック)	シロスタゾール	100mg 1錠	抗血小板剤	1718
	JG13	白〜微黄白	アムロジピンOD錠10mg「JG」(日本ジェネリック)	アムロジピンベシル酸塩	10mg 1錠	ジヒドロピリジン系Ca拮抗剤	264
	KB-13 EK-13	淡黄褐〜淡褐	クラシエ三黄瀉心湯エキス細粒(クラシエ/クラシエ薬品)	三黄瀉心湯	1g	漢方製剤	4599
	KH13	まだらをもつ薄帯黄赤	アブストラル舌下錠400μg(協和キリン/久光)	フェンタニルクエン酸塩	400μg 1錠	麻酔用ピペリジン系鎮痛剤,疼痛治療剤	3162
	KY13	白〜淡黄白	レダマイシンカプセル150mg(サンファーマ)	デメチルクロルテトラサイクリン塩酸塩	150mg 1カプセル	テトラサイクリン系抗生物質	2322
	NS13	淡緑	ヒドロキシジンパモ酸塩錠25mg「日新」(日新)	ヒドロキシジンパモ酸塩	25mg 1錠	抗アレルギー性精神安定剤	2977
	S-13	褐	三和半夏厚朴湯エキス細粒(三和生薬)	半夏厚朴湯	1g	漢方製剤	4638
	Tw V13/40 Tw.V13	白 ⦿	バルサルタン錠40mg「トーワ」(東和薬品)	バルサルタン	40mg 1錠	選択的AT$_1$受容体遮断剤	2840
	ZE13	白〜微黄白	ファモチジン錠10mg「ZE」(全星薬品工業/全星薬品)	ファモチジン	10mg 1錠	H$_2$-受容体拮抗剤	3079
	⦿13	無〜微黄透明	ジクロフェナクNaゲル1%「ラクール」(三友薬品/ラクール)	ジクロフェナクナトリウム	1% 1g	フェニル酢酸系消炎鎮痛剤	1579
	⚕13 S13	淡黄	コンバントリン錠100mg(佐藤)	ピランテルパモ酸塩	100mg 1錠	広域駆虫剤	3034
	フロセミド 40SK13 SK13	白 ⦿	フロセミド錠40mg「SN」(シオノ/江州)	フロセミド	40mg 1錠	ループ利尿剤	3405
13.5	13.5mg イクセロン	ベージュ	イクセロンパッチ13.5mg(ノバルティス)	リバスチグミン	13.5mg 1枚	アルツハイマー型認知症治療剤	4257
	13.5mg リバスタッチ(/)	ベージュ	リバスタッチパッチ13.5mg(小野薬品)	リバスチグミン	13.5mg 1枚	アルツハイマー型認知症治療剤	4257
	13.5mg リバスチグミン(/)	無半透明	リバスチグミンテープ13.5mg「トーワ」(東和薬品)	リバスチグミン	13.5mg 1枚	アルツハイマー型認知症治療剤	4257
	13.5mg リバスチグミン(/) 「アメル」	無半透明 (ベージュ)	リバスチグミンテープ13.5mg「アメル」(帝國/共和薬品)	リバスチグミン	13.5mg 1枚	アルツハイマー型認知症治療剤	4257
	13.5mg リバスチグミン サワイ	無半透明 (ベージュ)	リバスチグミンテープ13.5mg「サワイ」(沢井)	リバスチグミン	13.5mg 1枚	アルツハイマー型認知症治療剤	4257
	13.5mg リバスチグミン DSEP	無半透明 (ベージュ)	リバスチグミンテープ13.5mg「DSEP」(第一三共エスファ)	リバスチグミン	13.5mg 1枚	アルツハイマー型認知症治療剤	4257
	13.5mg リバスチグミン 「KMP」(/)	無半透明 (ベージュ)	リバスチグミンテープ13.5mg「KMP」(共創未来/三和化学)	リバスチグミン	13.5mg 1枚	アルツハイマー型認知症治療剤	4257

番号	識別コード	色 (①:割線有)	商品名(会社名)	一般名	規格単位	薬効	掲載ページ
13.5	13.5mgリバスチグミン「YD」／YD743	無透明(ベージュ)	リバスチグミンテープ13.5mg「YD」(陽進堂)	リバスチグミン	13.5mg 1枚	アルツハイマー型認知症治療剤	4257
	13.5mgリバスチグミン「YP」／YP-RT13.5	無透明(ベージュ)	リバスチグミンテープ13.5mg「YP」(祐徳薬品／日本ケミファ)	リバスチグミン	13.5mg 1枚	アルツハイマー型認知症治療剤	4257
	13.5mgリバスチグミン日医工(／)13.5mgリバスチグミン日医工	無透明(ベージュ)	リバスチグミンテープ13.5mg「日医工」(日医工)	リバスチグミン	13.5mg 1枚	アルツハイマー型認知症治療剤	4257
	ニュープロ13.5mg(／)	無～微黄の半透明	ニュープロパッチ13.5mg(大塚)	ロチゴチン	13.5mg 1枚	ドパミン作動性パーキンソン病治療剤・レストレスレッグス症候群治療剤	4494
	リバスチグミン13.5mg(／)	無半透明～淡黄半透明	リバスチグミンテープ13.5mg「ニプロ」(ニプロ)	リバスチグミン	13.5mg 1枚	アルツハイマー型認知症治療剤	4257
014	014／FEL FEL014	白	ピタバスタチンカルシウム錠1mg「フェルゼン」(フェルゼン)	ピタバスタチンカルシウム	1mg 1錠	HMG-CoA還元酵素阻害剤	2948
	HPC-014	白～淡黄	インドメタシンパップ70mg「ハラサワ」(原沢／高田)	インドメタシン	10cm×14cm 1枚	インドール酢酸系解熱消炎鎮痛剤・未熟児動脈管開存症治療剤	619
	MeP014／10	黄	カルベジロール錠10mg「Me」(Meiji Seika／Meファルマ)	カルベジロール	10mg 1錠	α，β-遮断剤	1160
	Tw014／2	白	リスペリドン錠2mg「トーワ」(東和薬品)	リスペリドン	2mg 1錠	抗精神病，D₂・5-HT₂拮抗剤	4201
	TY-014	褐	〔東洋〕葛根湯加川芎辛夷エキス細粒(東洋薬行)	葛根湯加川芎辛夷	1g	漢方製剤	4573
	YD051 SYT014	白	トラネキサム酸錠250mg「三恵」(三恵薬品)	トラネキサム酸	250mg 1錠	抗プラスミン剤	2474
14	14／M M14	類白	エリスロシン錠200mg(ヴィアトリス・ヘルスケア／ヴィアトリス)	エリスロマイシンステアリン酸塩	200mg 1錠	マクロライド系抗生物質	866
	14／novo 14novo	白～淡黄	リベルサス錠14mg(ノボノルディスク)	セマグルチド(遺伝子組換え)	14mg 1錠	2型糖尿病治療剤・肥満症治療剤・GLP-1受容体作動薬	1874
	40TF14 TF14	白／黄	オキシコドン徐放カプセル40mg「テルモ」(帝國／テルモ)	オキシコドン塩酸塩水和物	40mg 1カプセル	疼痛治療剤	950
	4／VTC14	淡黄 ①	カルデナリンOD錠4mg(ヴィアトリス)	ドキサゾシンメシル酸塩	4mg 1錠	α₁-遮断剤	2391
	FC14	灰褐	ジュンコウ半夏瀉心湯FCエキス細粒医療用(康和薬通／大杉)	半夏瀉心湯	1g	漢方製剤	4638
	FS-E14	淡黄褐透明	アルファカルシドールカプセル1.0μg「フソー」(扶桑薬品／沢井)	アルファカルシドール	1μg 1カプセル	活性型ビタミンD₃	317
	FS-K14	黄褐	ポリスチレンスルホン酸Na「フソー」原末(扶桑薬品)	ポリスチレンスルホン酸ナトリウム	1g	高カリウム血症改善イオン交換樹脂	3762
	H14	淡黄褐	本草半夏瀉心湯エキス顆粒－M(本草)	半夏瀉心湯	1g	漢方製剤	4638
	J-14	黄褐	JPS半夏瀉心湯エキス顆粒〔調剤用〕(ジェーピーエス)	半夏瀉心湯	1g	漢方製剤	4638
	KB-14 EK-14	淡黄～淡褐	クラシエ半夏瀉心湯エキス細粒(大峰堂／クラシエ薬品)	半夏瀉心湯	1g	漢方製剤	4638
	MSD14	薄桃	レニベース錠2.5(オルガノン)	エナラプリルマレイン酸塩	2.5mg 1錠	ACE阻害剤	767
	N14	黄褐～茶黄	コタロー半夏瀉心湯エキス細粒(小太郎漢方)	半夏瀉心湯	1g	漢方製剤	4638
	S-14	褐	三和竜胆瀉肝湯エキス細粒(三和生薬)	竜胆瀉肝湯	1g	漢方製剤	4653
	SG-14	淡灰黄褐	オースギ半夏瀉心湯エキスG(大杉)	半夏瀉心湯	1g	漢方製剤	4638
	Tai TM-14	淡黄～淡灰	太虎堂の半夏瀉心湯エキス顆粒(太虎精堂)	半夏瀉心湯	1g	漢方製剤	4638
	YD14／0.5 YD14	白～微黄白	エンテカビル錠0.5mg「YD」(大興／陽進堂)	エンテカビル水和物	0.5mg 1錠	抗ウイルス化学療法剤	921
	ZE14	白～微黄白	ファモチジン錠20mg「ZE」(全星薬品工業／全星薬品)	ファモチジン	20mg 1錠	H₂-受容体拮抗剤	3079
	◉14	無～微黄透明	ロキソプロフェンNaゲル1%「ラクール」(三友薬品／ラクール)	ロキソプロフェンナトリウム水和物	1% 1g	プロピオン酸系消炎鎮痛剤	4473
	漢：EKT-14	淡黄～淡褐	クラシエ半夏瀉心湯エキス錠(大峰堂／クラシエ薬品)	半夏瀉心湯	1錠	漢方製剤	4638
	ツムラ／14	黄褐	ツムラ半夏瀉心湯エキス顆粒(医療用)(ツムラ)	半夏瀉心湯	1g	漢方製剤	4638
015	FEL015	白 ①	ピタバスタチンカルシウム錠2mg「フェルゼン」(フェルゼン)	ピタバスタチンカルシウム	2mg 1錠	HMG-CoA還元酵素阻害剤	2948
	HP015	白	メファキン「ヒサミツ」錠275(久光)	メフロキン塩酸塩	275mg 1錠	抗マラリア剤	3984
	MeP015／20	白～微黄白①	カルベジロール錠20mg「Me」(Meiji Seika／Meファルマ)	カルベジロール	20mg 1錠	α，β-遮断剤	1160
	t15 t015	白～淡黄白①	メサラジン徐放錠250mg「日医工P」(日医工ファーマ／日医工)	メサラジン	250mg 1錠	潰瘍性大腸炎・クローン病治療剤	3911

番号	識別コード	色 (①：割線有)	商品名(会社名)	一般名	規格単位	薬効	掲載ページ
015	Tw015／3	白～微黄白	リスペリドン錠3mg「トーワ」(東和薬品)	リスペリドン	3mg 1錠	抗精神病，D_2・5-HT_2拮抗剤	4201
	TY-015	褐	〔東洋〕加味帰脾湯エキス細粒(東洋薬行)	加味帰脾湯	1g	漢方製剤	4574
	ロスバスタチン2.5 日医工 ⓝ015	薄赤みの黄 ～くすんだ 赤みの黄	ロスバスタチン錠2.5mg「日医工」(日医工)	ロスバスタチンカルシウム	2.5mg 1錠	HMG-CoA還元酵素阻害剤	4487
15	15 PG／VLE 15 PG VLE	白～帯黄白	ピオグリタゾン錠15mg「VTRS」(ヴィアトリス・ヘルスケア／ヴィアトリス)	ピオグリタゾン塩酸塩	15mg 1錠	インスリン抵抗性改善血糖降下剤	2912
	15C／△ △15C	白　①	カタプレス錠150μg (Medical Parkland)	クロニジン塩酸塩	0.15mg 1錠	中枢性α_2-刺激剤	1312
	15mg JG E44 JG E44	白	ランソプラゾールカプセル15mg「JG」(大興／日本ジェネリック)	ランソプラゾール	15mg 1カプセル	プロトンポンプインヒビター	4168
	15M／sa sa15M	白　①	ムコサール錠15mg (サノフィ)	アンブロキソール塩酸塩	15mg 1錠	気道潤滑去痰剤	378
	15PG／D VLE 15PG D VLE	白～帯黄白①	ピオグリタゾンOD錠15mg「VTRS」(ヴィアトリス・ヘルスケア／ヴィアトリス)	ピオグリタゾン塩酸塩	15mg 1錠	インスリン抵抗性改善血糖降下剤	2912
	15イグザレルト OD	白	イグザレルトOD錠15mg (バイエル薬品)	リバーロキサバン	15mg 1錠	選択的直接作用型第Xa因子阻害剤	4263
	15トルバプタン／ トルバプタン 15OD トーワ	青　①	トルバプタンOD錠15mg「トーワ」(東和薬品)	トルバプタン	15mg 1錠	バソプレシンV_2-受容体拮抗剤	2563
	D15	白	エチゾラム錠1mg「ツルハラ」(鶴原)	エチゾラム	1mg 1錠	チエノジアゼピン系精神安定剤	738
	DCB15 Pfizer Pfizer DCB15	青	ビジンプロ錠15mg (ファイザー)	ダコミチニブ水和物	15mg 1錠	抗悪性腫瘍剤・チロシンキナーゼ阻害剤	2012
	EKT-15	褐～黄褐	クラシエ黄連解毒湯エキス錠(大峰堂／クラシエ薬品)	黄連解毒湯	1錠	漢方製剤	4570
	EP401／15	白～帯黄白①	ピオグリタゾン錠15mg「DSEP」(第一三共エスファ)	ピオグリタゾン塩酸塩	15mg 1錠	インスリン抵抗性改善血糖降下剤	2912
	EP403／15	白～帯黄白①	ピオグリタゾンOD錠15mg「DSEP」(第一三共エスファ)	ピオグリタゾン塩酸塩	15mg 1錠	インスリン抵抗性改善血糖降下剤	2912
	FC15	黄褐	ジュンコウ黄連解毒湯FCエキス細粒医療用(康和薬通／大杉)	黄連解毒湯	1g	漢方製剤	4570
	FF101／15	白～帯黄白①	ピオグリタゾン錠15mg「FFP」(共創未来)	ピオグリタゾン塩酸塩	15mg 1錠	インスリン抵抗性改善血糖降下剤	2912
	FF124／15	白～帯黄白①	ピオグリタゾンOD錠15mg「FFP」(共創未来)	ピオグリタゾン塩酸塩	15mg 1錠	インスリン抵抗性改善血糖降下剤	2912
	FS-E15	淡黄透明	イコサペント酸エチルカプセル300mg「フソー」(扶桑薬品)	イコサペント酸エチル	300mg 1カプセル	EPA剤	412
	H15	淡褐	本草黄連解毒湯エキス顆粒－M (本草)	黄連解毒湯	1g	漢方製剤	4570
	Hy15LT020 LT020	帯褐黄(白)	ヒポカ15mgカプセル(LTL)	バルニジピン塩酸塩	15mg 1カプセル	ジヒドロピリジン系Ca拮抗剤	2857
	J-15	淡黄褐	JPS黄連解毒湯エキス顆粒〔調剤用〕(ジェーピーエス)	黄連解毒湯	1g	漢方製剤	4570
	JG C15／5	淡橙　①	ゾルピデム酒石酸塩錠5mg「JG」(日本ジェネリック)	ゾルピデム酒石酸塩	5mg 1錠	入眠剤	1973
	JG F15	白	アレンドロン酸錠35mg「JG」(日本ジェネリック)	アレンドロン酸ナトリウム水和物	35mg 1錠	骨粗鬆症治療剤	349
	JG F31／15	白～帯黄白①	ピオグリタゾン錠15mg「JG」(日本ジェネリック)	ピオグリタゾン塩酸塩	15mg 1錠	インスリン抵抗性改善血糖降下剤	2912
	KB-15 EK-15	淡黄褐～淡褐	クラシエ黄連解毒湯エキス細粒(クラシエ／クラシエ薬品)	黄連解毒湯	1g	漢方製剤	4570
	KO15	淡青	アズロキサ15mg (寿／EA)	エグアレンナトリウム水和物	15mg 1錠	胃潰瘍治療剤	668
	KRM127／15	白～帯黄白①	ピオグリタゾン錠15mg「杏林」(キョーリンリメディオ／杏林)	ピオグリタゾン塩酸塩	15mg 1錠	インスリン抵抗性改善血糖降下剤	2912
	KRM129／15	白～帯黄白①	ピオグリタゾンOD錠15mg「杏林」(キョーリンリメディオ／杏林)	ピオグリタゾン塩酸塩	15mg 1錠	インスリン抵抗性改善血糖降下剤	2912
	Kw503／PI15	白～帯黄白①	ピオグリタゾン錠15mg「アメル」(共和薬品)	ピオグリタゾン塩酸塩	15mg 1錠	インスリン抵抗性改善血糖降下剤	2912
	LP15	白～帯黄白 (淡褐～暗褐の斑点)	ランソプラゾールOD錠15mg「DK」(大興／江州)	ランソプラゾール	15mg 1錠	プロトンポンプインヒビター	4168
	LZ15	白～帯黄白 (淡褐～暗褐の斑点)	ランソプラゾールOD錠15mg「ケミファ」(シオノ／日本薬品工業／日本ケミファ)	ランソプラゾール	15mg 1錠	プロトンポンプインヒビター	4168
	M15	褐	リパクレオン顆粒300mg分包(ヴィアトリス)	パンクレリパーゼ	300mg 1包	膵消化酵素補充剤	2893
	MO352／15	白～帯黄白①	ピオグリタゾン錠15mg「モチダ」(持田製薬／持田)	ピオグリタゾン塩酸塩	15mg 1錠	インスリン抵抗性改善血糖降下剤	2912

番号	識別コード	色 (◑:割線有)	商品名(会社名)	一般名	規格単位	薬効	掲載 ページ
15	MT15	橙	メナテトレノンカプセル15mg「科研」(大興／科研)	メナテトレノン	15mg 1カプセル	止血機構賦活ビタミンK₂	3976
	N15	黄褐～黄	コタロー黄連解毒湯エキス細粒(小太郎漢方)	黄連解毒湯	1g	漢方製剤	4570
	NC OS／15	白～帯黄白◑	ピオグリタゾンOD錠15mg「ケミファ」(日本ケミファ)	ピオグリタゾン塩酸塩	15mg 1錠	インスリン抵抗性改善血糖降下剤	2912
	NPI140／15	白～帯黄白◑	ピオグリタゾンOD錠15mg「NPI」(日本薬品工業)	ピオグリタゾン塩酸塩	15mg 1錠	インスリン抵抗性改善血糖降下剤	2912
	NS311／15	白～帯黄白◑	ピオグリタゾン錠15mg「NS」(日新／科研)	ピオグリタゾン塩酸塩	15mg 1錠	インスリン抵抗性改善血糖降下剤	2912
	NS350／15	白～帯黄白◑	ピオグリタゾンOD錠15mg「NS」(日新／科研)	ピオグリタゾン塩酸塩	15mg 1錠	インスリン抵抗性改善血糖降下剤	2912
	OG／15 OG15	白	ミケラン錠5mg(大塚)	カルテオロール塩酸塩	5mg 1錠	β-遮断剤	1143
	PGT15	白　◑	ピオグリタゾン錠15mg「サンド」(サンド)	ピオグリタゾン塩酸塩	15mg 1錠	インスリン抵抗性改善血糖降下剤	2912
	S-15	黄褐	三和黄連解毒湯エキス細粒(三和生薬)	黄連解毒湯	1g	漢方製剤	4570
	SG-15	淡灰黄褐～淡灰赤褐	オースギ黄連解毒湯エキスG(大杉)	黄連解毒湯	1g	漢方製剤	4570
	SG-15T	淡褐	オースギ黄連解毒湯エキスT錠(大杉)	黄連解毒湯	1錠	漢方製剤	4570
	SW ML15	淡黄	ミルナシプラン塩酸塩錠15mg「サワイ」(沢井)	ミルナシプラン塩酸塩	15mg 1錠	セロトニン・ノルアドレナリン再取り込み阻害剤(SNRI)	3891
	SW P5／15	白～帯黄白◑	ピオグリタゾン錠15mg「サワイ」(沢井)	ピオグリタゾン塩酸塩	15mg 1錠	インスリン抵抗性改善血糖降下剤	2912
	SW751／15	淡橙	クアゼパム錠15mg「サワイ」(沢井)	クアゼパム	15mg 1錠	ベンゾジアゼピン系睡眠障害改善剤	1218
	t15 t015	白～淡黄白	メサラジン徐放錠250mg「日医工P」(日医工ファーマ／日医工)	メサラジン	250mg 1錠	潰瘍性大腸炎・クローン病治療剤	3911
	Tai TM-15	黄～淡黄	太虎堂の黄連解毒湯エキス顆粒(太虎精堂)	黄連解毒湯	1g	漢方製剤	4570
	TG60／15	白～帯黄白◑	ピオグリタゾン錠15mg「タナベ」(ニプロES)	ピオグリタゾン塩酸塩	15mg 1錠	インスリン抵抗性改善血糖降下剤	2912
	TG60／15	白～帯黄白◑	ピオグリタゾン錠15mg「ニプロ」(ニプロES)	ピオグリタゾン塩酸塩	15mg 1錠	インスリン抵抗性改善血糖降下剤	2912
	TTS551／15 TTS-551	白～帯黄白◑	ピオグリタゾン錠15mg「タカタ」(高田)	ピオグリタゾン塩酸塩	15mg 1錠	インスリン抵抗性改善血糖降下剤	2912
	TTS751／15 TTS-751	白～帯黄白◑	ピオグリタゾンOD錠15mg「タカタ」(高田)	ピオグリタゾン塩酸塩	15mg 1錠	インスリン抵抗性改善血糖降下剤	2912
	TU321／15	白～帯黄白◑	ピオグリタゾン錠15mg「TCK」(辰巳化学)	ピオグリタゾン塩酸塩	15mg 1錠	インスリン抵抗性改善血糖降下剤	2912
	Tw V15／80 Tw.V15	白　◑	バルサルタン錠80mg「トーワ」(東和薬品)	バルサルタン	80mg 1錠	選択的AT₁受容体遮断剤	2840
	Tw500／15	白～帯黄白◑	ピオグリタゾン錠15mg「トーワ」(東和薬品)	ピオグリタゾン塩酸塩	15mg 1錠	インスリン抵抗性改善血糖降下剤	2912
	Tw502／15	淡黄白　◑	ピオグリタゾンOD錠15mg「トーワ」(東和薬品)	ピオグリタゾン塩酸塩	15mg 1錠	インスリン抵抗性改善血糖降下剤	2912
	YP-DFT15	白半透明	ジクロフェナクナトリウムテープ15mg「ユートク」(祐徳薬品)	ジクロフェナクナトリウム	7cm×10cm 1枚	フェニル酢酸系消炎鎮痛剤	1579
	ZE15／5	淡紅	エバスチンOD錠5mg「ZE」(全星薬品工業／サンド／全星薬品)	エバスチン	5mg 1錠	持続性選択H₁-受容体拮抗剤	778
	ZE41／15	白～帯黄白◑	ピオグリタゾン錠15mg「ZE」(全星薬品工業／全星薬品)	ピオグリタゾン塩酸塩	15mg 1錠	インスリン抵抗性改善血糖降下剤	2912
	𝓃123／15 𝓃123 15 Ⓝ123	白～帯黄白◑	ピオグリタゾンOD錠15mg「日医工」(日医工)	ピオグリタゾン塩酸塩	15mg 1錠	インスリン抵抗性改善血糖降下剤	2912
	𝓃132／15 𝓃132 15 Ⓝ132	白～帯黄白◑	ピオグリタゾン錠15mg「日医工」(日医工)	ピオグリタゾン塩酸塩	15mg 1錠	インスリン抵抗性改善血糖降下剤	2912
	●15	淡黄半透明	ロキソプロフェンNaテープ50mg「三友」(三友薬品／ラクール)	ロキソプロフェンナトリウム水和物	7cm×10cm 1枚	プロピオン酸系消炎鎮痛剤	4473
	◯15	紫	リンヴォック錠15mg(アッヴィ)	ウパダシチニブ水和物	15mg 1錠	ヤヌスキナーゼ(JAK)阻害剤	642
	◯150／15 ◯150：15	白	メジコン錠15mg(シオノギファーマ／塩野義)	デキストロメトルファン臭化水素酸塩水和物	15mg 1錠	中枢性鎮咳剤	2228
	▽15／⊕	赤	イグザレルト錠15mg(バイエル薬品)	リバーロキサバン	15mg 1錠	選択的直接作用型第Xa因子阻害剤	4263
	⌂／15 ⌂15	黄～暗黄	メクトビ錠15mg(小野薬品)	ビニメチニブ	15mg 1錠	抗悪性腫瘍剤・MEK阻害剤	2998
	△212／15	白～帯黄白(赤橙～暗褐の斑点)	タケプロンOD錠15(武田テバ薬品／武田薬品)	ランソプラゾール	15mg 1錠	プロトンポンプインヒビター	4168
	△222／15	極薄橙　◑	アデカット15mg錠(武田テバ薬品／武田薬品)	デラプリル塩酸塩	15mg 1錠	ACE阻害剤	2355

番号	識別コード	色 (①：割線有)	商品名(会社名)	一般名	規格単位	薬効	掲載ページ
15	△321／15／500	白	メタクト配合錠LD（武田テバ薬品／武田薬品）	ピオグリタゾン塩酸塩・メトホルミン塩酸塩	1錠	チアゾリジン系薬・ビグアナイド系薬配合2型糖尿病治療剤	2919
	△323／15／1	白～帯黄白／帯赤白	ソニアス配合錠LD（武田テバ薬品／武田薬品）	ピオグリタゾン塩酸塩・グリメピリド	1錠	チアゾリジン系薬／スルホニル尿素系薬配合剤・2型糖尿病治療剤	2915
	△376／15 ①	帯黄白	アクトスOD錠15（武田テバ薬品／武田薬品）	ピオグリタゾン塩酸塩	15mg 1錠	インスリン抵抗性改善血糖降下剤	2912
	△382／15 25	微黄	リオベル配合錠LD（帝人／武田薬品）	アログリプチン安息香酸塩・ピオグリタゾン塩酸塩	1錠	選択的DPP-4阻害剤／チアゾリジン系薬配合剤・2型糖尿病治療剤	355
	△390／15	白～帯黄白①	アクトス錠15（武田テバ薬品／武田薬品）	ピオグリタゾン塩酸塩	15mg 1錠	インスリン抵抗性改善血糖降下剤	2912
	㋚F15	白	ファロム錠150mg（マルホ）	ファロペネムナトリウム水和物	150mg 1錠	ペネム系抗生物質	3086
	◇FS15 FS15	淡橙／ベージュ	コタロー黄連解毒湯エキスカプセル（小太郎漢方／扶桑薬品）	黄連解毒湯	1カプセル	漢方製剤	4570
	◇NC15 NC15	淡橙／ベージュ	コタロー黄連解毒湯エキスカプセル（小太郎漢方）	黄連解毒湯	1カプセル	漢方製剤	4570
	㋒PG1／15 PG1	白～帯黄白①	ピオグリタゾン錠15mg「武田テバ」（武田テバファーマ／武田薬品）	ピオグリタゾン塩酸塩	15mg 1錠	インスリン抵抗性改善血糖降下剤	2912
	㋒ランソ／15	白～帯黄白（赤橙～暗褐の斑点）	ランソプラゾールOD錠15mg「武田テバ」（武田テバファーマ／武田薬品）	ランソプラゾール	15mg 1錠	プロトンポンプインヒビター	4168
	クラシエメマンチンOD15	白～微黄白	メマンチン塩酸塩OD錠15mg「クラシエ」（日本薬品工業／クラシエ薬品）	メマンチン塩酸塩	15mg 1錠	NMDA受容体拮抗アルツハイマー型認知症治療剤	3991
	サムスカOD15	青 ①	サムスカOD錠15mg（大塚）	トルバプタン	15mg 1錠	バソプレシンV₂-受容体拮抗剤	2563
	タケルダ／100/15	白～帯黄白（赤橙～暗褐の斑点）	タケルダ配合錠（武田テバ薬品／武田薬品）	アスピリン・ランソプラゾール	1錠	アスピリン・ランソプラゾール配合剤	63
	タリージェ15	赤白	タリージェ錠15mg（第一三共）	ミロガバリンベシル酸塩	15mg 1錠	神経障害性疼痛治療剤	3895
	タリージェOD15	白 ①	タリージェOD錠15mg（第一三共）	ミロガバリンベシル酸塩	15mg 1錠	神経障害性疼痛治療剤	3895
	ツムラ／15	黄褐	ツムラ黄連解毒湯エキス顆粒（医療用）（ツムラ）	黄連解毒湯	1g	漢方製剤	4570
	トルバプタン／OD15DSEP	薄青 ①	トルバプタンOD錠15mg「DSEP」（第一三共エスファ）	トルバプタン	15mg 1錠	バソプレシンV₂-受容体拮抗剤	2563
	トルバプタンOD15KMP	薄青 ①	トルバプタンOD錠15mg「KMP」（共創未来）	トルバプタン	15mg 1錠	バソプレシンV₂-受容体拮抗剤	2563
	トルバプタン／OD15TE	薄青 ①	トルバプタンOD錠15mg「TE」（トーアエイヨー）	トルバプタン	15mg 1錠	バソプレシンV₂-受容体拮抗剤	2563
	トルバプタンOD15サワイ	薄青 ①	トルバプタンOD錠15mg「サワイ」（沢井）	トルバプタン	15mg 1錠	バソプレシンV₂-受容体拮抗剤	2563
	トルバプタン／OD15ニプロ	薄青 ①	トルバプタンOD錠15mg「ニプロ」（ニプロ／フェルゼン）	トルバプタン	15mg 1錠	バソプレシンV₂-受容体拮抗剤	2563
	トルバプタンODオーツカ15	青 ①	トルバプタンOD錠15mg「オーツカ」（大塚製薬工場）	トルバプタン	15mg 1錠	バソプレシンV₂-受容体拮抗剤	2563
	ミルタザ15／ミルタザピン15ODトーワ	黄	ミルタザピンOD錠15mg「トーワ」（東和薬品）	ミルタザピン	15mg 1錠	ノルアドレナリン・セロトニン作動性うつ剤	3888
	ミルタザピン15EE	黄	ミルタザピン錠15mg「EE」（エルメッド／日医工）	ミルタザピン	15mg 1錠	ノルアドレナリン・セロトニン作動性抗うつ剤	3888
	ミルタザピン15JG	黄	ミルタザピン錠15mg「JG」（長生堂／日本ジェネリック）	ミルタザピン	15mg 1錠	ノルアドレナリン・セロトニン作動性抗うつ剤	3888
	ミルタザピン15KMP	黄	ミルタザピン錠15mg「共創未来」（共創未来）	ミルタザピン	15mg 1錠	ノルアドレナリン・セロトニン作動性抗うつ剤	3888
	ミルタザピン15KMP	黄	ミルタザピン錠15mg「KMP」（共創未来）	ミルタザピン	15mg 1錠	ノルアドレナリン・セロトニン作動性抗うつ剤	3888
	ミルタザピン15ODアメル	淡黄（斑点）	ミルタザピンOD錠15mg「アメル」（共和薬品／高田）	ミルタザピン	15mg 1錠	ノルアドレナリン・セロトニン作動性抗うつ剤	3888
	ミルタザピン15TCK	黄	ミルタザピン錠15mg「TCK」（辰巳化学）	ミルタザピン	15mg 1錠	ノルアドレナリン・セロトニン作動性抗うつ剤	3888
	ミルタザピン15VTRS	黄	ミルタザピン錠15mg「VTRS」（ダイト／ヴィアトリス）	ミルタザピン	15mg 1錠	ノルアドレナリン・セロトニン作動性抗うつ剤	3888
	ミルタザピン15YD YD258	黄	ミルタザピン錠15mg「YD」（陽進堂／アルフレッサファーマ）	ミルタザピン	15mg 1錠	ノルアドレナリン・セロトニン作動性抗うつ剤	3888
	ミルタザピン15杏林	黄	ミルタザピン錠15mg「杏林」（キョーリンリメディオ／杏林）	ミルタザピン	15mg 1錠	ノルアドレナリン・セロトニン作動性抗うつ剤	3888
	ミルタザピン15日新	黄	ミルタザピン錠15mg「日新」（日新）	ミルタザピン	15mg 1錠	ノルアドレナリン・セロトニン作動性抗うつ剤	3888
	ミルタザピン15アメル	黄	ミルタザピン錠15mg「アメル」（共和薬品）	ミルタザピン	15mg 1錠	ノルアドレナリン・セロトニン作動性抗うつ剤	3888

番号	識別コード	色 (◫:割線有)	商品名(会社名)	一般名	規格単位	薬効	掲載ページ
15	ミルタザピン15 ケミファ	黄	ミルタザピン錠15mg「ケミファ」(日本ケミファ/日本薬品工業)	ミルタザピン	15mg 1錠	ノルアドレナリン・セロトニン作動性抗うつ剤	3888
	ミルタザピン15 サワイ	黄	ミルタザピン錠15mg「サワイ」(沢井)	ミルタザピン	15mg 1錠	ノルアドレナリン・セロトニン作動性抗うつ剤	3888
	ミルタザピン15 トーワ	黄	ミルタザピン錠15mg「トーワ」(東和薬品)	ミルタザピン	15mg 1錠	ノルアドレナリン・セロトニン作動性抗うつ剤	3888
	ミルタザピン15 ニプロ	黄	ミルタザピン錠15mg「ニプロ」(ニプロ)	ミルタザピン	15mg 1錠	ノルアドレナリン・セロトニン作動性抗うつ剤	3888
	ミルタザピン15 フェルゼン	黄	ミルタザピン錠15mg「フェルゼン」(フェルゼン)	ミルタザピン	15mg 1錠	ノルアドレナリン・セロトニン作動性抗うつ剤	3888
	ミルタザピンOD 15DSEP	黄	ミルタザピンOD錠15mg「DSEP」(ジェイドルフ/第一三共エスファ)	ミルタザピン	15mg 1錠	ノルアドレナリン・セロトニン作動性抗うつ剤	3888
	ミルタザピンOD 15サワイ	黄	ミルタザピンOD錠15mg「サワイ」(沢井)	ミルタザピン	15mg 1錠	ノルアドレナリン・セロトニン作動性抗うつ剤	3888
	ミルタザピンOD 15ニプロ	淡黄	ミルタザピンOD錠15mg「ニプロ」(ニプロ)	ミルタザピン	15mg 1錠	ノルアドレナリン・セロトニン作動性抗うつ剤	3888
	メマンチンOD15 NS	白〜微黄白	メマンチン塩酸塩OD錠15mg「日新」(日新)	メマンチン塩酸塩	15mg 1錠	NMDA受容体拮抗アルツハイマー型認知症治療剤	3991
	メマンチンOD15 TCK	白〜微黄白	メマンチン塩酸塩OD錠15mg「TCK」(辰巳化学)	メマンチン塩酸塩	15mg 1錠	NMDA受容体拮抗アルツハイマー型認知症治療剤	3991
	メマンチンOD15 ケミファ	白〜微黄白	メマンチン塩酸塩OD錠15mg「ケミファ」(日本ケミファ/日本薬品工業)	メマンチン塩酸塩	15mg 1錠	NMDA受容体拮抗アルツハイマー型認知症治療剤	3991
	メマンチンOD15 サンド	白〜微黄白	メマンチン塩酸塩OD錠15mg「サンド」(サンド)	メマンチン塩酸塩	15mg 1錠	NMDA受容体拮抗アルツハイマー型認知症治療剤	3991
	ランソSW／15 ランソSW15	白〜帯黄白 (赤橙〜暗褐の斑点)	ランソプラゾールOD錠15mg「サワイ」(沢井)	ランソプラゾール	15mg 1錠	プロトンポンプインヒビター	4168
	ランソプラゾール15mg SW-182 SW-182	白	ランソプラゾールカプセル15mg「サワイ」(沢井)	ランソプラゾール	15mg 1カプセル	プロトンポンプインヒビター	4168
	ランソプラゾール OD15NIG	白〜帯黄白 (淡橙〜暗褐の斑点)	ランソプラゾールOD錠15mg「NIG」(日医工岐阜/日医工)	ランソプラゾール	15mg 1錠	プロトンポンプインヒビター	4168
	ランソプラゾール OD15トーワ	白〜帯黄白 (赤橙〜暗褐の斑点)	ランソプラゾールOD錠15mg「トーワ」(東和薬品/三和化学)	ランソプラゾール	15mg 1錠	プロトンポンプインヒビター	4168
	リクシアナOD15	微黄白	リクシアナOD錠15mg (第一三共)	エドキサバントシル酸塩水和物	15mg 1錠	経口活性化血液凝固第Ⅹ因子(FⅩa)阻害剤	754
	ロンサーフ15	白	ロンサーフ配合錠T15(大鵬薬品)	トリフルリジン・チピラシル塩酸塩	15mg 1錠 (トリフルリジン相当量)	抗悪性腫瘍剤	2521
016	AA016／10	帯紅白	パロキセチン錠10mg「AA」(あすか/武田薬品)	パロキセチン塩酸塩水和物	10mg 1錠	選択的セロトニン再取り込み阻害剤(SSRI)	2878
	FEL016	白 ◫	ピタバスタチンカルシウム錠4mg「フェルゼン」(フェルゼン)	ピタバスタチンカルシウム	4mg 1錠	HMG-CoA還元酵素阻害剤	2948
	HPC016	淡黄	イコサペント酸エチルカプセル300mg「Hp」(原沢)	イコサペント酸エチル	300mg 1カプセル	EPA剤	412
	LT016	薄赤みの黄 ／くすんだ赤みの黄	ナゼアOD錠0.1mg (LTL)	ラモセトロン塩酸塩〔制吐剤〕	0.1mg 1錠	5-HT₃受容体拮抗型制吐剤	4142
	TY-016	褐	〔東洋〕加味逍遙散エキス細粒(東洋薬行)	加味逍遙散	1g	漢方製剤	4575
	ロスバスタチン5 日医工 ⓝ016	薄赤みの黄 〜くすんだ赤みの黄	ロスバスタチン錠5mg「日医工」(日医工)	ロスバスタチンカルシウム	5mg 1錠	HMG-CoA還元酵素阻害剤	4487
16	BMD50／16	淡黄白 ◫	アゼルニジピン錠16mg「BMD」(ビオメディクス)	アゼルニジピン	16mg 1錠	持続性Ca拮抗剤	90
	EKT-16	淡褐〜褐	クラシエ半夏厚朴湯エキス錠(大峰堂/クラシエ薬品)	半夏厚朴湯	1錠	漢方製剤	4638
	FC16	灰褐	ジュンコウ半夏厚朴湯FCエキス細粒医療用(康和通/大杉)	半夏厚朴湯	1g	漢方製剤	4638
	H16	淡褐	本草半夏厚朴湯エキス顆粒－M (本草)	半夏厚朴湯	1g	漢方製剤	4638
	J-16	淡褐	JPS半夏厚朴湯エキス顆粒〔調剤用〕(ジェーピーエス)	半夏厚朴湯	1g	漢方製剤	4638
	JG C16／10	淡橙 ◫	ゾルピデム酒石酸塩錠10mg「JG」(日本ジェネリック)	ゾルピデム酒石酸塩	10mg 1錠	入眠剤	1973
	JG E16／ アムロジピン2.5JG JG E16 アムロジピン2.5JG	白	アムロジピン錠2.5mg「JG」(日本ジェネリック)	アムロジピンベシル酸塩	2.5mg 1錠	ジヒドロピリジン系Ca拮抗剤	264
	JG E72／16	淡黄白 ◫	アゼルニジピン錠16mg「JG」(日本ジェネリック／共創未来)	アゼルニジピン	16mg 1錠	持続性Ca拮抗剤	90

0
|
99

番号	識別コード	色 (①：割線有)	商品名(会社名)	一般名	規格単位	薬効	掲載 ページ
16	JG16	白	プラミペキソール塩酸塩錠0.125mg「JG」（日本ジェネリック）	プラミペキソール塩酸塩水和物	0.125mg 1錠	ドパミン作動性抗パーキンソン剤，レストレスレッグス症候群治療剤	3258
	KB-16 EK-16	淡褐～褐	クラシエ半夏厚朴湯エキス細粒(クラシエ／クラシエ薬品)	半夏厚朴湯	1g	漢方製剤	4638
	KC16	白～帯黄白	ベネシッド錠250mg（科研）	プロベネシド	250mg 1錠	痛風治療・安息香酸誘導体	3443
	MYLAN16	淡橙／淡黄	リパクレオンカプセル150mg（ヴィアトリス）	パンクレリパーゼ	150mg 1カプセル	膵消化酵素補充剤	2893
	N16	褐～灰褐	コタロー半夏厚朴湯エキス細粒(小太郎漢方)	半夏厚朴湯	1g	漢方製剤	4638
	NCP A16／16	淡黄白 ①	アゼルニジピン錠16mg「ケミファ」（日本ケミファ／日本薬品工業）	アゼルニジピン	16mg 1錠	持続性Ca拮抗剤	90
	NP555／16 NP-555	淡黄白 ①	アゼルニジピン錠16mg「NP」（ニプロ）	アゼルニジピン	16mg 1錠	持続性Ca拮抗剤	90
	OG16	橙／白	ミケランLAカプセル15mg（大塚）	カルテオロール塩酸塩	15mg 1カプセル	β-遮断剤	1143
	S-16	褐	三和苓桂朮甘湯エキス細粒(三和生薬)	苓桂朮甘湯	1g	漢方製剤	4655
	SANKYO242／16	淡黄白	カルブロック錠16mg（第一三共）	アゼルニジピン	16mg 1錠	持続性Ca拮抗剤	90
	SG-16	淡灰褐	オースギ半夏厚朴湯エキスG（大杉）	半夏厚朴湯	1g	漢方製剤	4638
	SG-16T	淡褐	オースギ半夏厚朴湯エキスT錠(大杉)	半夏厚朴湯	1錠	漢方製剤	4638
	T16	微赤白	クラリスドライシロップ10%小児用(大正)	クラリスロマイシン	100mg 1g	マクロライド系抗生物質	1250
	T16	微赤白	クラリスロマイシンドライシロップ10%小児用「大正」（トクホン／大正）	クラリスロマイシン	100mg 1g	マクロライド系抗生物質	1250
	Tai TM-16	淡灰～灰褐	太虎堂の半夏厚朴湯エキス顆粒(太虎精堂)	半夏厚朴湯	1g	漢方製剤	4638
	TG222／16	淡黄白 ①	アゼルニジピン錠16mg「タナベ」（ニプロES）	アゼルニジピン	16mg 1錠	持続性Ca拮抗剤	90
	TG222／16	淡黄白 ①	アゼルニジピン錠16mg「ニプロ」（ニプロES）	アゼルニジピン	16mg 1錠	持続性Ca拮抗剤	90
	TU245／16	淡黄白 ①	アゼルニジピン錠16mg「TCK」（辰巳化学）	アゼルニジピン	16mg 1錠	持続性Ca拮抗剤	90
	Tw442／16	淡黄白 ①	アゼルニジピン錠16mg「トーワ」（東和薬品）	アゼルニジピン	16mg 1錠	持続性Ca拮抗剤	90
	YD175／16	淡黄白 ①	アゼルニジピン錠16mg「YD」（陽進堂）	アゼルニジピン	16mg 1錠	持続性Ca拮抗剤	90
	ZE16／10	白	エバスチンOD錠10mg「ZE」（全星薬品工業／サンド／全星薬品）	エバスチン	10mg 1錠	持続性選択H$_1$-受容体拮抗剤	778
	cℋ16	白 ①	ブロチゾラム錠0.25mg「CH」（長生堂／日本ジェネリック）	ブロチゾラム	0.25mg 1錠	チエノトリアゾロジアゼピン系睡眠導入剤	3411
	⊙16	淡黄半透明	ロキソプロフェンNaテープ100mg「三友」（三友薬品／ラクール）	ロキソプロフェンナトリウム水和物	10cm×14cm 1枚	プロピオン酸系消炎鎮痛剤	4473
	⑰433／16 ⑰433 16 ⑰433	淡黄白 ①	アゼルニジピン錠16mg「日医工」（日医工）	アゼルニジピン	16mg 1錠	持続性Ca拮抗剤	90
	ツムラ／16	灰褐	ツムラ半夏厚朴湯エキス顆粒(医療用)(ツムラ)	半夏厚朴湯	1g	漢方製剤	4638
16.8	YP-3FN16.8	微黄半透明(淡黄)	フェンタニル3日用テープ16.8mg「ユ ートク」(祐徳薬品)	フェンタニル	16.8mg 1枚	経皮吸収型持続性疼痛治療剤	3156
017	AA017／5	白	モサプリドクエン酸塩錠5mg「AA」（あすか／武田薬品）	モサプリドクエン酸塩水和物	5mg 1錠	消化管運動促進剤	4014
	FEL017 FEL-017	白 ①	テモカプリル塩酸塩錠1mg「フェルゼン」（ダイト／フェルゼン）	テモカプリル塩酸塩	1mg 1錠	ACE阻害剤	2323
	KW017	微赤	エチゾラム錠0.25mg「アメル」（共和薬品）	エチゾラム	0.25mg 1錠	チエノジアゼピン系精神安定剤	738
	SZ017／2.5	白	モサプリドクエン酸塩錠2.5mg「サンド」（サンド）	モサプリドクエン酸塩水和物	2.5mg 1錠	消化管運動促進剤	4014
	テルミサルタン20日医工 ⑰017	白～微黄	テルミサルタン錠20mg「日医工」（日医工）	テルミサルタン	20mg 1錠	持続性AT$_1$受容体遮断剤	2372
17	D17／3	黄	ドネペジル塩酸塩錠3mg「TSU」（鶴原）	ドネペジル，-塩酸塩	3mg 1錠	アルツハイマー型，レビー小体型認知症治療剤	2426
	EE17／5	白 ①	シンバスタチン錠5mg「EMEC」（アルフレッサファーマ／エルメッド／日医工）	シンバスタチン	5mg 1錠	HMG-CoA還元酵素阻害剤	1728
	EKT-17	淡褐～褐	クラシエ五苓散料エキス錠(大峰堂／クラシエ薬品)	五苓散	1錠	漢方製剤	4593
	FC17	灰褐	ジュンコウ五苓散料FCエキス細粒医療用(康和薬通／大杉)	五苓散	1g	漢方製剤	4593
	H17	淡褐	本草五苓散顆粒－R（本草）	五苓散	1g	漢方製剤	4593

番号	識別コード	色(①:割線有)	商品名(会社名)	一般名	規格単位	薬効	掲載ページ
17	HYZ17／10	白	プロピベリン塩酸塩錠10mg「NIG」(日医工岐阜／日医工／武田薬品)	プロピベリン塩酸塩	10mg 1錠	排尿抑制ベンジル酸誘導体	3433
	J-17	淡褐	JPS五苓散料エキス顆粒〔調剤用〕(ジェービーエス)	五苓散	1g	漢方製剤	4593
	JG C17／10	帯紅白	パロキセチン錠10mg「JG」(日本ジェネリック)	パロキセチン塩酸塩水和物	10mg 1錠	選択的セロトニン再取り込み阻害剤(SSRI)	2878
	JG E17／アムロジピン5JG JG E17 アムロジピン5JG	白 ①	アムロジピン錠5mg「JG」(日本ジェネリック)	アムロジピンベシル酸塩	5mg 1錠	ジヒドロピリジン系Ca拮抗剤	264
	JG17	白 ①	プラミペキソール塩酸塩錠0.5mg「JG」(日本ジェネリック)	プラミペキソール塩酸塩水和物	0.5mg 1錠	ドパミン作動性抗パーキンソン剤,レストレスレッグス症候群治療剤	3258
	KB-17 EK-17	淡褐〜褐	クラシエ五苓散料エキス細粒(クラシエ／クラシエ薬品)	五苓散	1g	漢方製剤	4593
	M17	白 ①	デュファストン錠5mg(ヴィアトリス)	ジドロゲステロン	5mg 1錠	合成黄体ホルモン	1634
	N17	茶褐〜褐	コタロー五苓散料エキス細粒(小太郎漢方)	五苓散	1g	漢方製剤	4593
	S-17	褐	三和葛根湯エキス細粒(三和生薬)	葛根湯	1g	漢方製剤	4572
	SG-17	淡褐	JPS五苓散料エキス顆粒〔調剤用〕(ジェービーエス／大杉)	五苓散	1g	漢方製剤	4593
	T17	白	クラリス錠50小児用(大正)	クラリスロマイシン	50mg 1錠	マクロライド系抗生物質	1250
	T17	白	クラリスロマイシン錠50mg小児用「大正」(トクホン／大正)	クラリスロマイシン	50mg 1錠	マクロライド系抗生物質	1250
	Tai TM-17	淡茶〜灰褐	太虎堂の五苓散料エキス顆粒(太虎精堂)	五苓散	1g	漢方製剤	4593
	Tw V17／160 Tw.V17	白 ①	バルサルタン錠160mg「トーワ」(東和薬品)	バルサルタン	160mg 1錠	選択的AT₁受容体遮断剤	2840
	UPJOHN17	淡青 ①	ハルシオン0.25mg錠(ファイザー)	トリアゾラム	0.25mg 1錠	ベンゾジアゼピン系睡眠導入剤	2507
	ZE17	白(微黄白〜淡黄白の斑点)	アンブロキソール塩酸塩徐放OD錠45mg「ZE」(全星薬品工業／三和化学／全星薬品)	アンブロキソール塩酸塩	45mg 1錠	気道潤滑去痰剤	378
	⊚17	白	ジクロフェナクNaパップ280mg「ラクール」(三友薬品／ラクール)	ジクロフェナクナトリウム	20cm×14cm 1枚	フェニル酢酸系消炎鎮痛剤	1579
	ツムラ／17	淡灰褐	ツムラ五苓散エキス顆粒(医療用)(ツムラ)	五苓散	1g	漢方製剤	4593
	トアラセット SK17 SK17	淡黄	トアラセット配合錠「SN」(シオノ／江州)	トラマドール塩酸塩・アセトアミノフェン	1錠	慢性疼痛・抜歯後疼痛治療剤	2496
17.5	AJ4／17.5 AJ4 17.5	淡紅	アクトネル錠17.5mg(EA／エーザイ)	リセドロン酸ナトリウム水和物	17.5mg 1錠	ビスホスホネート系骨吸収抑制剤	4209
	FF132／17.5	淡紅	リセドロン酸Na錠17.5mg「FFP」(共創未来)	リセドロン酸ナトリウム水和物	17.5mg 1錠	ビスホスホネート系骨吸収抑制剤	4209
	FJ63／17.5	淡紅	リセドロン酸Na錠17.5mg「F」(富士製薬)	リセドロン酸ナトリウム水和物	17.5mg 1錠	ビスホスホネート系骨吸収抑制剤	4209
	NPI131／17.5	淡紅	リセドロン酸ナトリウム錠17.5mg「ケミファ」(日本薬品工業／日本ケミファ)	リセドロン酸ナトリウム水和物	17.5mg 1錠	ビスホスホネート系骨吸収抑制剤	4209
	NS370／17.5	淡紅	リセドロン酸Na錠17.5mg「日新」(日新)	リセドロン酸ナトリウム水和物	17.5mg 1錠	ビスホスホネート系骨吸収抑制剤	4209
	TTS312／17.5 TTS-312	淡紅	リセドロン酸Na錠17.5mg「タカタ」(高田)	リセドロン酸ナトリウム水和物	17.5mg 1錠	ビスホスホネート系骨吸収抑制剤	4209
	Tw323／17.5	淡紅	リセドロン酸Na錠17.5mg「トーワ」(東和薬品)	リセドロン酸ナトリウム水和物	17.5mg 1錠	ビスホスホネート系骨吸収抑制剤	4209
	VTRS／17.5 VTRS17.5	淡紅	リセドロン酸Na錠17.5mg「VTRS」(ヴィアトリス・ヘルスケア／ヴィアトリス)	リセドロン酸ナトリウム水和物	17.5mg 1錠	ビスホスホネート系骨吸収抑制剤	4209
	リセドロン17.5	淡紅	リセドロン酸Na錠17.5mg「サンド」(サンド)	リセドロン酸ナトリウム水和物	17.5mg 1錠	ビスホスホネート系骨吸収抑制剤	4209
	リセドロン17.5 日医工 ⓝ823	淡紅	リセドロン酸Na錠17.5mg「日医工」(日医工)	リセドロン酸ナトリウム水和物	17.5mg 1錠	ビスホスホネート系骨吸収抑制剤	4209
	リセドロン17.5 サワイ	淡紅	リセドロン酸Na錠17.5mg「サワイ」(沢井)	リセドロン酸ナトリウム水和物	17.5mg 1錠	ビスホスホネート系骨吸収抑制剤	4209
	リセドロン17.5／リセドロン明治	淡紅	リセドロン酸Na錠17.5mg「明治」(Meiji Seika)	リセドロン酸ナトリウム水和物	17.5mg 1錠	ビスホスホネート系骨吸収抑制剤	4209
	リセドロンNP／リセドロン17.5	淡紅	リセドロン酸Na錠17.5mg「NP」(ニプロ)	リセドロン酸ナトリウム水和物	17.5mg 1錠	ビスホスホネート系骨吸収抑制剤	4209
	リセドロンZE／17.5	淡紅	リセドロン酸Na錠17.5mg「ZE」(全星薬品工業／全星薬品)	リセドロン酸ナトリウム水和物	17.5mg 1錠	ビスホスホネート系骨吸収抑制剤	4209
018	FEL018 FEL-018	白 ①	テモカプリル塩酸塩錠2mg「フェルゼン」(ダイト／フェルゼン)	テモカプリル塩酸塩	2mg 1錠	ACE阻害剤	2323

番号	識別コード	色 (①:割線有)	商品名(会社名)	一般名	規格単位	薬効	掲載 ページ
018	SZ018／5	白 ①	モサプリドクエン酸塩錠5mg「サンド」 (サンド)	モサプリドクエン酸塩水和 物	5mg 1錠	消化管運動促進剤	4014
	テルミサルタン40 日医工／ テルミサルタン40 ⓝ018	白～微黄①	テルミサルタン錠40mg「日医工」(日 医工)	テルミサルタン	40mg 1錠	持続性AT$_1$受容体遮断剤	2372
18	18mgイクセロン (／)	ベージュ	イクセロンパッチ18mg (ノバルティ ス)	リバスチグミン	18mg 1枚	アルツハイマー型認知症治療 剤	4257
	18mgリバスタッチ	ベージュ	リバスタッチパッチ18mg (小野薬品)	リバスチグミン	18mg 1枚	アルツハイマー型認知症治療 剤	4257
	18mg リバスチグミン(／)	無半透明	リバスチグミンテープ18mg「トーワ」 (東和薬品)	リバスチグミン	18mg 1枚	アルツハイマー型認知症治療 剤	4257
	18mgリバスチグ ミン(／)「アメル」	無半透明 (ベージュ)	リバスチグミンテープ18mg「アメル」 (帝國／共和薬品)	リバスチグミン	18mg 1枚	アルツハイマー型認知症治療 剤	4257
	18mgリバスチグ ミン(／)サワイ	無半透明 (ベージュ)	リバスチグミンテープ18mg「サワイ」 (沢井)	リバスチグミン	18mg 1枚	アルツハイマー型認知症治療 剤	4257
	18mgリバスチグ ミンDSEP	無半透明 (ベージュ)	リバスチグミンテープ18mg「DSEP」 (第一三共エスファ)	リバスチグミン	18mg 1枚	アルツハイマー型認知症治療 剤	4257
	18mgリバスチグ ミン「KMP」(／)	無半透明 (ベージュ)	リバスチグミンテープ18mg「KMP」 (共創未来／三和化学)	リバスチグミン	18mg 1枚	アルツハイマー型認知症治療 剤	4257
	18mgリバスチグ ミン「YD」／ YD744	無透明(ベ ージュ)	リバスチグミンテープ18mg「YD」(陽 進堂)	リバスチグミン	18mg 1枚	アルツハイマー型認知症治療 剤	4257
	18mgリバスチグ ミン「YP」／ YP-RT18	無透明(ベ ージュ)	リバスチグミンテープ18mg「YP」(祐 徳薬品／日本ケミファ)	リバスチグミン	18mg 1枚	アルツハイマー型認知症治療 剤	4257
	18mgリバスチグ ミン日医工(／) 18mgリバスチグ ミン日医工	無透明(ベ ージュ)	リバスチグミンテープ18mg「日医工」 (日医工)	リバスチグミン	18mg 1枚	アルツハイマー型認知症治療 剤	4257
	alza18	黄	コンサータ錠18mg (ヤンセン)	メチルフェニデート塩酸塩	18mg 1錠	中枢神経興奮剤	3931
	FJ18	白	リマプロストアルファデクス錠5μg 「F」(富士製薬)	リマプロスト アルファデク ス	5μg 1錠	プロスタグランジンE$_1$誘導体	4284
	HYZ18／20	白	プロピベリン塩酸塩錠20mg「NIG」 (日医工岐阜／日医工／武田薬品)	プロピベリン塩酸塩	20mg 1錠	排尿抑制ベンジル酸誘導体	3433
	J-18	淡褐	JPS桂枝加朮附湯エキス顆粒〔調剤用〕 (ジェーピーエス)	桂枝加朮附湯	1g	漢方製剤	4584
	JG C18	淡黄	エトドラク錠100mg「JG」(大興／日 本ジェネリック)	エトドラク	100mg 1錠	ピラノ酢酸系消炎鎮痛剤	760
	KB-18 EK-18	淡褐～褐	クラシエ桂枝加苓朮附湯エキス細粒(ク ラシエ／クラシエ薬品)	桂枝加苓朮附湯	1g	漢方製剤	4585
	MS M18	白	メイラックス錠1mg (Meiji Seika)	ロフラゼプ酸エチル	1mg 1錠	ベンゾジアゼピン系持続性心 身安定剤	4520
	N18	茶褐～黄褐	コタロー桂枝加朮附湯エキス細粒(小太 郎漢方)	桂枝加朮附湯	1g	漢方製剤	4584
	OG18／ プレタール100	白 ①	プレタールOD錠100mg (大塚)	シロスタゾール	100mg 1錠	抗血小板剤	1718
	S-18	黄褐	三和半夏瀉心湯エキス細粒(三和生薬)	半夏瀉心湯	1g	漢方製剤	4638
	SATO18	赤／黄	ネイリンカプセル100mg (佐藤)	ホスラブコナゾール・L-リ シンエタノール付加物	100mg 1カプ セル	経口抗真菌剤	3699
	SG-18R	淡灰茶褐	オースギ桂枝加苓朮附湯エキスG (大 杉)	桂枝加苓朮附湯	1g	漢方製剤	4585
	SK18	淡橙黄	タダラフィル錠2.5mgZA「フソー」 (シオノ／扶桑薬品)	タダラフィル	2.5mg 1錠	ホスホジエステラーゼ5阻害 剤	2027
	漢：EKT-18	淡褐～褐	クラシエ桂枝加苓朮附湯エキス錠(大峰 堂／クラシエ薬品)	桂枝加苓朮附湯	1錠	漢方製剤	4585
	ツムラ／18	淡褐	ツムラ桂枝加朮附湯エキス顆粒(医療 用) (ツムラ)	桂枝加朮附湯	1g	漢方製剤	4584
	ニュープロ 18mg(／)	無～微黄の 半透明	ニュープロパッチ18mg (大塚)	ロチゴチン	18mg 1枚	ドパミン作動性パーキンソン 病治療剤・レストレスレッグ ス症候群治療剤	4494
	リバスチグミン18mg (／)	無半透明～ 淡黄半透明	リバスチグミンテープ18mg「ニプロ」 (ニプロ)	リバスチグミン	18mg 1枚	アルツハイマー型認知症治療 剤	4257
019	FEL019 FEL-019	白 ①	テモカプリル塩酸塩錠4mg「フェルゼ ン」(ダイト／フェルゼン)	テモカプリル塩酸塩	4mg 1錠	ACE阻害剤	2323
	Hy10LT019 LT019	帯褐黄(白)	ヒポカ10mgカプセル(LTL)	バルニジピン塩酸塩	10mg 1カプ セル	ジヒドロピリジン系Ca拮抗剤	2857
	MS019／2.5	白～帯黄白	リセドロン酸Na錠2.5mg「明治」 (Meiji Seika)	リセドロン酸ナトリウム水 和物	2.5mg 1錠	ビスホスホネート系骨吸収抑 制剤	4209
	ⓚ019	白	キャベジンUコーワ錠25mg (興和)	メチルメチオニンスルホニ ウムクロリド	25mg 1錠	消化性潰瘍・肝疾患治療剤	3945

番号	識別コード	色 （①：割線有）	商品名(会社名)	一般名	規格単位	薬効	掲載ページ
019	テルミサルタン80 日医工／ テルミサルタン80 ⑪019	白～微黄	テルミサルタン錠80mg「日医工」(日医工)	テルミサルタン	80mg 1錠	持続性AT₁受容体遮断剤	2372
19	E19	白	エペリゾン塩酸塩錠50mg「ツルハラ」(鶴原／日本ジェネリック)	エペリゾン塩酸塩	50mg 1錠	γ-系筋緊張・循環改善剤	811
	H19	淡褐	本草小青竜湯エキス顆粒-M (本草)	小青竜湯	1g	漢方製剤	4611
	J-19	茶褐	JPS小青竜湯エキス顆粒〔調剤用〕(ジェーピーエス)	小青竜湯	1g	漢方製剤	4611
	JG C19	淡黄	エトドラク錠200mg「JG」(大興／日本ジェネリック)	エトドラク	200mg 1錠	ピラノ酢酸系消炎鎮痛剤	760
	KB-19 EK-19	淡褐～褐	クラシエ小青竜湯エキス細粒(クラシエ／クラシエ薬品)	小青竜湯	1g	漢方製剤	4611
	MS M19	薄橙	メイラックス錠2mg (Meiji Seika)	ロフラゼプ酸エチル	2mg 1錠	ベンゾジアゼピン系持続性心身安定剤	4520
	N19	茶褐～黄褐	コタロー小青竜湯エキス細粒(小太郎漢方)	小青竜湯	1g	漢方製剤	4611
	S-19	褐	三和小青竜湯エキス細粒(三和生薬)	小青竜湯	1g	漢方製剤	4611
	SG-19	淡灰黄褐～淡灰茶褐	オースギ小青竜湯エキスG (大杉)	小青竜湯	1g	漢方製剤	4611
	SG-19T	淡褐	オースギ小青竜湯エキスT錠(大杉)	小青竜湯	1錠	漢方製剤	4611
	SK19	白	タダラフィル錠5mgZA「フソー」(シタダラフィル オノ／扶桑薬品)	タダラフィル	5mg 1錠	ホスホジエステラーゼ5阻害剤	2027
	Tai TM-19	淡灰～灰褐	太虎堂の小青竜湯エキス顆粒(太虎精堂)	小青竜湯	1g	漢方製剤	4611
	漢：EKT-19	淡褐～褐	クラシエ小青竜湯エキス錠(大峰堂／クラシエ薬品)	小青竜湯	1錠	漢方製剤	4611
	ツムラ／19	淡褐	ツムラ小青竜湯エキス顆粒(医療用)(ツムラ)	小青竜湯	1g	漢方製剤	4611
020	FEL020／2.5	淡黄赤	オロパタジン塩酸塩錠2.5mg「フェルゼン」(フェルゼン)	オロパタジン塩酸塩	2.5mg 1錠	アレルギー性疾患治療剤	1037
	Hy15LT020 LT020	帯褐黄(白)	ヒポカ15mgカプセル(LTL)	バルニジピン塩酸塩	15mg 1カプセル	ジヒドロピリジン系Ca拮抗剤	2857
	KH020	淡黄赤	アレロック錠2.5 (協和キリン)	オロパタジン塩酸塩	2.5mg 1錠	アレルギー性疾患治療剤	1037
	SW-020	橙	トコフェロールニコチン酸エステルカプセル200mg「サワイ」(沢井)	トコフェロールニコチン酸エステル	200mg 1カプセル	ビタミンE	2405
	TG020 1.25 TG020	黄	①	カルベジロール錠1.25mg「タナベ」(ニプロES)	カルベジロール	1.25mg 1錠	α, β-遮断剤	1160
	TG020 1.25 TG020	黄	①	カルベジロール錠1.25mg「ニプロ」(ニプロES)	カルベジロール	1.25mg 1錠	α, β-遮断剤	1160
	ラロキシフェン60 日医工 ⑪020	白	ラロキシフェン塩酸塩錠60mg「日医工」(日医工)	ラロキシフェン塩酸塩	60mg 1錠	選択的エストロゲン受容体調節剤	4156
20	1286／20 5	微黄	ジルムロ配合錠HD「ツルハラ」(鶴原)	アジルサルタン・アムロジピンベシル酸塩	1錠	持続性AT₁受容体遮断剤・持続性Ca拮抗薬配合剤	44
	1287／20 2.5	微赤	ジルムロ配合錠LD「ツルハラ」(鶴原)	アジルサルタン・アムロジピンベシル酸塩	1錠	持続性AT₁受容体遮断剤・持続性Ca拮抗薬配合剤	44
	20	白 ①	バルサルタン錠20mg「ツルハラ」(鶴原)	バルサルタン	20mg 1錠	選択的AT₁受容体遮断剤	2840
	20BR／VLE 20BR VLE	白	ベラプロストNa錠20μg「VTRS」(ヴィアトリス・ヘルスケア／ヴィアトリス)	ベラプロストナトリウム	20μg 1錠	プロスタサイクリン(PGI₂)誘導体	3597
	20CA／VLE 20CA VLE	白～微黄白①	カルベジロール錠20mg「VTRS」(ヴィアトリス・ヘルスケア／ヴィアトリス)	カルベジロール	20mg 1錠	α, β-遮断剤	1160
	20DSEP デュロキセチン	淡赤白／微黄白	デュロキセチンカプセル20mg「DSEP」(第一三共エスファ)	デュロキセチン塩酸塩	20mg 1カプセル	セロトニン・ノルアドレナリン再取り込み阻害剤(SNRI)	2348
	20／FI 20FI	淡黄	ケレンディア20mg (バイエル薬品)	フィネレノン	20mg 1錠	非ステロイド型選択的ミネラルコルチコイド受容体拮抗薬	3092
	20／KSK132	白～微黄白	ファモチジン錠20mg「クニヒロ」(皇漢堂)	ファモチジン	20mg 1錠	H₂-受容体拮抗剤	3079
	20P	帯紅白	パロキセチン錠5mg「TSU」(鶴原)	パロキセチン塩酸塩水和物	5mg 1錠	選択的セロトニン再取り込み阻害剤(SSRI)	2878
	20TF13 TF13	白／桃	オキシコドン徐放カプセル20mg「テルモ」(帝國／テルモ)	オキシコドン塩酸塩水和物	20mg 1カプセル	疼痛治療剤	950
	20／XL XL20	黄	カボメティクス錠20mg (武田薬品)	カボザンチニブリンゴ酸塩	20mg 1錠	抗悪性腫瘍剤・キナーゼ阻害剤	1101
	20 PH468	白～微黄①	エピナスチン塩酸塩錠20mg「杏林」(キョーリンリメディオ／杏林)	エピナスチン塩酸塩	20mg 1錠	アレルギー性疾患治療剤	783
	20アジル／ 20アジルサルタントーワ	微赤 ①	アジルサルタン錠20mg「トーワ」(東和薬品／三和化学／共創未来)	アジルサルタン	20mg 1錠	持続性AT₁受容体遮断剤	42

番号	識別コード	色 （①：割線有）		商品名（会社名）	一般名	規格単位	薬効	掲載ページ
20	20エシタ／エシタロプラム20ODトーワ	淡黄		エスシタロプラムOD錠20mg「トーワ」（東和薬品／共創未来）	エスシタロプラムシュウ酸塩	20mg 1錠	選択的セロトニン再取り込み阻害剤（SSRI）	677
	20エシタ／エシタロプラム20トーワ	白	①	エスシタロプラム錠20mg「トーワ」（東和薬品）	エスシタロプラムシュウ酸塩	20mg 1錠	選択的セロトニン再取り込み阻害剤（SSRI）	677
	20ダサチニブトーワ	白		ダサチニブ錠20mg「トーワ」（東和薬品）	ダサチニブ	20mg 1錠	抗悪性腫瘍剤・チロシンキナーゼ阻害剤	2014
	20バルサルタンFFP	淡黄	①	バルサルタン錠20mg「FFP」（共創未来）	バルサルタン	20mg 1錠	選択的AT₁受容体遮断剤	2840
	20フェブキソ／20フェブキソスタットトーワ	白	①	フェブキソスタット錠20mg「トーワ」（東和薬品）	フェブキソスタット	20mg 1錠	非プリン型選択的キサンチンオキシダーゼ阻害剤・高尿酸血症治療剤	3148
	20フェブリク／フェブリク20	白〜微黄	①	フェブリク錠20mg（帝人）	フェブキソスタット	20mg 1錠	非プリン型選択的キサンチンオキシダーゼ阻害剤・高尿酸血症治療剤	3148
	20メマンチン／メマンチン20トーワ	白	①	メマンチン塩酸塩錠20mg「トーワ」（東和薬品）	メマンチン塩酸塩	20mg 1錠	NMDA受容体拮抗アルツハイマー型認知症治療剤	3991
	20メマンチン／メマンチンOD NIG	白〜微黄白		メマンチン塩酸塩OD錠20mg「NIG」（日医工岐阜／日医工）	メマンチン塩酸塩	20mg 1錠	NMDA受容体拮抗アルツハイマー型認知症治療剤	3991
	227 t227［20mg］	白		メトプロロール酒石酸塩錠20mg「NIG」（日医工岐阜／日医工／武田薬品）	メトプロロール酒石酸塩	20mg 1錠	β₁-遮断剤	3960
	331 ENP-20	白		オメプラゾール錠20mg「ケミファ」（シオノ／日本ケミファ）	オメプラゾール	20mg 1錠	プロトンポンプインヒビター	1010
	A733 20mg A733／20mg	白		ジャクスタピッドカプセル20mg（レコルダティ）	ロミタピドメシル酸塩	20mg 1カプセル	高脂血症治療剤	4526
	AA026／20	帯紅白		パロキセチン錠20mg「AA」（あすか／武田薬品）	パロキセチン塩酸塩水和物	20mg 1錠	選択的セロトニン再取り込み阻害剤（SSRI）	2878
	ADタダラフィル20TE	薄赤褐		タダラフィル錠20mgAD「TE」（トーアエイヨー）	タダラフィル	20mg 1錠	ホスホジエステラーゼ5阻害剤	2027
	AJ1 20	白	①	アテレック錠20（EA／持田）	シルニジピン	20mg 1錠	ジヒドロピリジン系Ca拮抗剤	1716
	AO20／⊕	淡赤		アダラートCR錠20mg（バイエル薬品）	ニフェジピン	20mg 1錠	ジヒドロピリジン系Ca拮抗剤	2652
	APR／20	褐		オテズラ錠20mg（アムジェン）	アプレミラスト	20mg 1錠	PDE4阻害剤	199
	AVA／20 AVA20	淡黄		ドプテレット錠20mg（Sobi／旭化成）	アバトロンボパグマレイン酸塩	20mg 1錠	トロンボポエチン受容体作動薬	165
	AZ20	白〜微黄白		エピナスチン塩酸塩錠20mg「SN」（シオノ）	エピナスチン塩酸塩	20mg 1錠	アレルギー性疾患治療剤	783
	AZネキシウム20	濃青／極薄黄赤		ネキシウムカプセル20mg（アストラゼネカ）	エソメプラゾールマグネシウム水和物	20mg 1カプセル	プロトンポンプインヒビター	720
	C-22B20	白		レスプレン錠20mg（太陽ファルマ）	エプラジノン塩酸塩	20mg 1錠	鎮咳去痰剤	804
	C-31A20	白		ピドキサール錠20mg（太陽ファルマ）	ピリドキサールリン酸エステル水和物	20mg 1錠	補酵素型ビタミンB₆	3038
	DK512／20	淡紅白		パロキセチン錠20mg「科研」（ダイト／科研）	パロキセチン塩酸塩水和物	20mg 1錠	選択的セロトニン再取り込み阻害剤（SSRI）	2878
	DLF／20	白		ラシックス錠20mg（サノフィ／日医工）	フロセミド	20mg 1錠	ループ利尿剤	3405
	DPK20	淡褐〜褐半透明（淡褐〜褐）		ケトプロフェンテープ20mg「パテル」（大石膏盛堂／キョーリンリメディオ／杏林）	ケトプロフェン	7cm×10cm 1枚	プロピオン酸系消炎鎮痛剤	1410
	DS047／20	白		セディール錠20mg（住友ファーマ）	タンドスピロンクエン酸塩	20mg 1錠	非ベンゾジアゼピン系・セロトニン作動性抗不安薬	2129
	DSEPエソメ20	青／薄黄赤		エソメプラゾールカプセル20mg「DSEP」（第一三共エスファ）	エソメプラゾールマグネシウム水和物	20mg 1カプセル	プロトンポンプインヒビター	720
	EE217／20	白		シンバスタチン錠20mg「EMEC」（アルフレッサファーマ／エルメッド／日医工）	シンバスタチン	20mg 1錠	HMG-CoA還元酵素阻害剤	1728
	EE25／D20	白〜淡黄白	①	ファモチジンD錠20mg「EMEC」（アルフレッサファーマ／エルメッド／日医工）	ファモチジン	20mg 1錠	H₂-受容体拮抗剤	3079
	ELT20	橙		エレトリプタン錠20mg「ファイザー」（ヴィアトリス・ヘルスケア／ヴィアトリス）	エレトリプタン臭化水素酸塩	20mg 1錠	5-HT₁B/₁D受容体作動型片頭痛治療剤	896
	ELT20	橙		エレトリプタン錠20mg「VTRS」（ヴィアトリス・ヘルスケア／ヴィアトリス）	エレトリプタン臭化水素酸塩	20mg 1錠	5-HT₁B/₁D受容体作動型片頭痛治療剤	896
	EP20	白〜微黄		エピナスチン塩酸塩錠20mg「NIG」（日医工岐阜／日医工／武田薬品）	エピナスチン塩酸塩	20mg 1錠	アレルギー性疾患治療剤	783
	EPT20	白		タモキシフェン錠20mg「DSEP」（第一三共エスファ）	タモキシフェンクエン酸塩	20mg 1錠	抗エストロゲン剤	2077
	ER20	黄		タダラフィル錠20mgCI「あすか」（大興／あすか／武田薬品）	タダラフィル	20mg 1錠	ホスホジエステラーゼ5阻害剤	2027

番号	識別コード	色 （①：割線有）	商品名（会社名）	一般名	規格単位	薬効	掲載 ページ
20	ET20／VLE ET20VLE	白～微黄	エピナスチン塩酸塩錠20mg「VTRS」 （ヴィアトリス・ヘルスケア／ヴィアトリス）	エピナスチン塩酸塩	20mg 1錠	アレルギー性疾患治療剤	783
	F11／20	淡紅白	パロキセチン錠20mg「フェルゼン」 （フェルゼン）	パロキセチン塩酸塩水和物	20mg 1錠	選択的セロトニン再取り込み阻害剤（SSRI）	2878
	FC20	褐	ジュンコウ防已黄耆湯FCエキス細粒医療用（康和薬通／大杉）	防已黄耆湯	1g	漢方製剤	4642
	FCI293／20 FCI293 20	明るい赤みの黄～つよい赤みの黄	タダラフィル錠20mgCI「FCI」（富士化学）	タダラフィル	20mg 1錠	ホスホジエステラーゼ5阻害剤	2027
	FCI／V20 FCI V20	薄紫赤～黄赤	バルデナフィル錠20mg「FCI」（富士化学）	バルデナフィル塩酸塩水和物	20mg 1錠	ホスホジエステラーゼ5阻害剤	2852
	FG20	白～微黄白	ファモチジン錠20mg「ケミファ」（シオノ／日本薬品工業／日本ケミファ）	ファモチジン	20mg 1錠	H₂-受容体拮抗剤	3079
	FLV20	淡黄	フルバスタチン錠20mg「三和」（シオノ／三和化学）	フルバスタチンナトリウム	20mg 1錠	HMG-CoA還元酵素阻害剤	3330
	FMT20 [t FMT]20mg	白～微黄白	ファモチジン錠20mg「テバ」（武田テバファーマ／武田薬品）	ファモチジン	20mg 1錠	H₂-受容体拮抗剤	3079
	FY311／20	白～淡黄白	トピロリック錠20mg（富士薬品）	トピロキソスタット	20mg 1錠	非プリン型選択的キサンチンオキシダーゼ阻害剤・高尿酸血症治療剤	2437
	GT20	黄	タダラフィル錠20mgCI「GO」（江州）	タダラフィル	20mg 1錠	ホスホジエステラーゼ5阻害剤	2027
	H20	淡黄褐	本草防已黄耆湯エキス顆粒－M（本草）	防已黄耆湯	1g	漢方製剤	4642
	HS20／20	白	パロキセチン錠20mg「DK」（大興／三和化学）	パロキセチン塩酸塩水和物	20mg 1錠	選択的セロトニン再取り込み阻害剤（SSRI）	2878
	HYZ18／20	白	プロピベリン塩酸塩錠20mg「NIG」（日医工岐阜／日医工／武田薬品）	プロピベリン塩酸塩	20mg 1錠	排尿抑制ベンジル酸誘導体	3433
	IN20 tIN20[20mg]	白	一硝酸イソソルビド錠20mg「NIG」（日医工岐阜／日医工／武田薬品）	一硝酸イソソルビド	20mg 1錠	冠動脈拡張剤	1698
	J-20	灰褐	JPS防已黄耆湯エキス顆粒〔調剤用〕（ジェーピーエス）	防已黄耆湯	1g	漢方製剤	4642
	JG C20／20	帯紅白	パロキセチン錠20mg「JG」（日本ジェネリック）	パロキセチン塩酸塩水和物	20mg 1錠	選択的セロトニン再取り込み阻害剤（SSRI）	2878
	JG F20／OD50	白	シロスタゾールOD錠50mg「JG」（ダイト／日本ジェネリック）	シロスタゾール	50mg 1錠	抗血小板剤	1718
	JG G20	淡黄赤	オロパタジン塩酸塩錠2.5mg「JG」（日本ジェネリック）	オロパタジン塩酸塩	2.5mg 1錠	アレルギー性疾患治療剤	1037
	JG N47／20	白～微黄白①	カルベジロール錠20mg「JG」（日本ジェネリック）	カルベジロール	20mg 1錠	α, β-遮断剤	1160
	JG N73 20	赤褐	タダラフィル錠20mgAD「JG」（日本ジェネリック）	タダラフィル	20mg 1錠	ホスホジエステラーゼ5阻害剤	2027
	JG72／20	淡黄　　①	バルサルタン錠20mg「JG」（日本ジェネリック）	バルサルタン	20mg 1錠	選択的AT₁受容体遮断剤	2840
	KB-20 EK-20	淡褐～褐	クラシエ防已黄耆湯エキス細粒（大峰堂／クラシエ薬品）	防已黄耆湯	1g	漢方製剤	4642
	KRM232／20	淡赤	ニフェジピンL錠20mg「杏林」（キョーリンリメディオ／杏林）	ニフェジピン	20mg 1錠	ジヒドロピリジン系Ca拮抗剤	2652
	KRM240／20	赤褐	タダラフィル錠20mgAD「杏林」（キョーリンリメディオ／三和化学／共創未来／杏林）	タダラフィル	20mg 1錠	ホスホジエステラーゼ5阻害剤	2027
	KRM282／CI20	くすんだ黄①	タダラフィル錠20mgCI「杏林」（キョーリンリメディオ／杏林）	タダラフィル	20mg 1錠	ホスホジエステラーゼ5阻害剤	2027
	Kw CAR／20	白～微黄白①	カルベジロール錠20mg「アメル」（共和薬品）	カルベジロール	20mg 1錠	α, β-遮断剤	1160
	KW MS20	白	ミグリステン20（共和薬品）	ジメチアジンメシル酸塩	20mg 1錠	抗セロトニン剤	1683
	KW OM20	白～微褐白	オメプラゾール錠20mg「アメル」（共和薬品／日本薬品工業）	オメプラゾール	20mg 1錠	プロトンポンプインヒビター	1010
	KW TAN／20	白～帯黄白	タンドスピロンクエン酸塩錠20mg「アメル」（共和薬品）	タンドスピロンクエン酸塩	20mg 1錠	非ベンゾジアゼピン系・セロトニン作動性抗不安薬	2129
	MeP015／20	白～微黄白①	カルベジロール錠20mg「Me」（Meiji Seika／Meファルマ）	カルベジロール	20mg 1錠	α, β-遮断剤	1160
	MeP05／20	白　　　①	ファモチジンOD錠20mg「Me」（Meiji Seika／三和化学／共創未来／フェルゼン／Meファルマ）	ファモチジン	20mg 1錠	H₂-受容体拮抗剤	3079
	MO20A	微黄透明	エパデールS600（持田）	イコサペント酸エチル	600mg 1包	EPA剤	412
	MO20C	白	アラセナ-Aクリーム3%（持田）	ビダラビン	3% 1g	抗ウイルス剤	2958
	MO20D	微黄透明	エパデールS900（持田）	イコサペント酸エチル	900mg 1包	EPA剤	412
	MO20E	白	アラセナ-A軟膏3%（持田）	ビダラビン	3% 1g	抗ウイルス剤	2958
	MO20J	微黄～淡黄透明	エパデールEMカプセル2g（持田）	イコサペント酸エチル	2g 1包	EPA剤	412

番号	識別コード	色 (①：割線有)	商品名(会社名)	一般名	規格単位	薬効	掲載ページ
20	MO25G バルサルタン20 MO25G	淡黄 ①	バルサルタン錠20mg「モチダ」(持田製販／持田)	バルサルタン	20mg 1錠	選択的AT₁受容体遮断剤	2840
	MS010／20	白	タモキシフェン錠20mg「明治」(メディサ／Meiji Seika)	タモキシフェンクエン酸塩	20mg 1錠	抗エストロゲン剤	2077
	MZ-ZEPT20	微黄〜黄	ゼポラステープ20mg (三笠)	フルルビプロフェン	7cm×10cm 1枚	フェニルアルカン酸系消炎鎮痛剤	3345
	N20	黄褐〜褐	コタロー防已黄耆湯エキス細粒(小太郎漢方)	防已黄耆湯	1g	漢方製剤	4642
	NC PRX／20	帯紅白	パロキセチン錠20mg「ケミファ」(日本ケミファ／日本薬品工業)	パロキセチン塩酸塩水和物	20mg 1錠	選択的セロトニン再取り込み阻害剤(SSRI)	2878
	NOLVADEX20	白	ノルバデックス錠20mg (アストラゼネカ)	タモキシフェンクエン酸塩	20mg 1錠	抗エストロゲン剤	2077
	NP121／20 NP-121	淡黄 ①	グリクラジド錠20mg「NP」(ニプロ)	グリクラジド	20mg 1錠	スルホニル尿素系血糖降下剤	1257
	NP212／20 NP-212	微黄 ①	フロセミド錠20mg「NP」(ニプロ)	フロセミド	20mg 1錠	ループ利尿剤	3405
	NP272／20 NP-272	帯紅白	パロキセチン錠20mg「NP」(ニプロ)	パロキセチン塩酸塩水和物	20mg 1錠	選択的セロトニン再取り込み阻害剤(SSRI)	2878
	NR20Є	白	ニトロールRカプセル20mg (エーザイ)	硝酸イソソルビド	20mg 1カプセル	冠動脈拡張剤	1693
	NS105／20	帯紅白	パロキセチン錠20mg「日新」(日新)	パロキセチン塩酸塩水和物	20mg 1錠	選択的セロトニン再取り込み阻害剤(SSRI)	2878
	NS230／20	淡黄 ①	バルサルタン錠20mg「日新」(日新)	バルサルタン	20mg 1錠	選択的AT₁受容体遮断剤	2840
	OH59 20mg OH-59	帯紅白	パロキセチン錠20mg「オーハラ」(大原薬品／エッセンシャル)	パロキセチン塩酸塩水和物	20mg 1錠	選択的セロトニン再取り込み阻害剤(SSRI)	2878
	OH78／20 OH-78	白 ①	リシノプリル錠20mg「オーハラ」(大原薬品)	リシノプリル水和物	20mg 1錠	ACE阻害剤	4193
	OLZアメル20／ 20OLZアメル	白 ①	オランザピン錠20mg「アメル」(共和薬品)	オランザピン	20mg 1錠	抗精神病剤・双極性障害治療剤・制吐剤	1021
	OMP20	白	オメプラール錠10 (太陽ファルマ)	オメプラゾール	10mg 1錠	プロトンポンプインヒビター	1010
	OT41／20	白／薄青緑	エスワンタイホウ配合OD錠T20 (岡山大鵬)	テガフール・ギメラシル・オテラシルカリウム	20mg 1錠 (テガフール相当量)	抗悪性腫瘍剤	2201
	P20 TTS-371	橙	プロピベリン塩酸塩錠20mg「タカタ」(高田)	プロピベリン塩酸塩	20mg 1錠	排尿抑制ベンジル酸誘導体	3433
	PH732／20	白	プロピベリン塩酸塩錠20mg「杏林」(キョーリンリメディオ／杏林)	プロピベリン塩酸塩	20mg 1錠	排尿抑制ベンジル酸誘導体	3433
	PX20／VLE PX20VLE	白	パロキセチン錠20mg「VTRS」(ヴィアトリス・ヘルスケア／ヴィアトリス)	パロキセチン塩酸塩水和物	20mg 1錠	選択的セロトニン再取り込み阻害剤(SSRI)	2878
	RZ20	淡黄	ラベプラゾールNa錠20mg「VTRS」(ヴィアトリス・ヘルスケア／ヴィアトリス)	ラベプラゾールナトリウム	20mg 1錠	プロトンポンプインヒビター	4112
	S-20	淡褐	三和苓姜朮甘湯エキス細粒(三和生薬)	苓姜朮甘湯	1g	漢方製剤	4654
	S489 20mg	淡黄白	ビバンセカプセル20mg (武田薬品)	リスデキサンフェタミンメシル酸塩	20mg 1カプセル	中枢神経刺激剤	4199
	Sc20NFCR	淡赤	ニフェジピンCR錠20mg「三和」(三和化学)	ニフェジピン	20mg 1錠	ジヒドロピリジン系Ca拮抗剤	2652
	Sc341／20	白〜淡黄白	ウリアデック錠20mg (三和化学)	トピロキソスタット	20mg 1錠	非プリン型選択的キサンチンオキシダーゼ阻害剤・高尿酸血症治療剤	2437
	SG-20	淡灰茶褐	オースギ防已黄耆湯エキスG (大杉)	防已黄耆湯	1g	漢方製剤	4642
	Sh-KPT20	淡褐	ケトプロフェンテープ20mg「SN」(シオノ／日本薬品工業)	ケトプロフェン	7cm×10cm 1枚	プロピオン酸系消炎鎮痛剤	1410
	SW CI20	薄黄	タダラフィル錠20mgCI「サワイ」(沢井)	タダラフィル	20mg 1錠	ホスホジエステラーゼ5阻害剤	2027
	SW F20／20	白	ファモチジンD錠20mg「サワイ」(沢井)	ファモチジン	20mg 1錠	H₂-受容体拮抗剤	3079
	SW MD／20 SW MD20	薄橙黄 ①	マニジピン塩酸塩錠20mg「サワイ」(沢井)	マニジピン塩酸塩	20mg 1錠	ジヒドロピリジン系Ca拮抗剤	3811
	SW NF CR20	淡赤	ニフェジピンCR錠20mg「サワイ」(沢井)	ニフェジピン	20mg 1錠	ジヒドロピリジン系Ca拮抗剤	2652
	SW PPV20	白	塩酸プロピベリン錠20mg「SW」(沢井)	プロピベリン塩酸塩	20mg 1錠	排尿抑制ベンジル酸誘導体	3433
	SW PPV20	白	プロピベリン塩酸塩錠20mg「サワイ」(沢井)	プロピベリン塩酸塩	20mg 1錠	排尿抑制ベンジル酸誘導体	3433
	SW PX20	帯紅白	パロキセチン錠20mg「サワイ」(沢井)	パロキセチン塩酸塩水和物	20mg 1錠	選択的セロトニン再取り込み阻害剤(SSRI)	2878
	SW TDS／20 SW TDS20	白 ①	タンドスピロンクエン酸塩錠20mg「サワイ」(沢井)	タンドスピロンクエン酸塩	20mg 1錠	非ベンゾジアゼピン系・セロトニン作動性抗不安薬	2129
	SW233／20	淡黄 ①	グリクラジド錠20mg「サワイ」(メディサ／沢井)	グリクラジド	20mg 1錠	スルホニル尿素系血糖降下剤	1257

番号	識別コード	色 (⦶：割線有)	商品名(会社名)	一般名	規格単位	薬効	掲載ページ
20	SW297／20	白	タモキシフェン錠20mg「サワイ」(沢井／日本ジェネリック)	タモキシフェンクエン酸塩	20mg 1錠	抗エストロゲン剤	2077
	SW752／20	淡橙　⦶	クアゼパム錠20mg「サワイ」(沢井)	クアゼパム	20mg 1錠	ベンゾジアゼピン系睡眠障害改善剤	1218
	SW757／20	白　⦶	リシノプリル錠20mg「サワイ」(沢井)	リシノプリル水和物	20mg 1錠	ACE阻害剤	4193
	SWエスエーワン T20	薄青緑	エスエーワン配合OD錠T20(沢井／日本ジェネリック)	テガフール・ギメラシル・オテラシルカリウム	20mg 1錠(テガフール相当量)	抗悪性腫瘍剤	2201
	SWオルメサルタン OD20	白　⦶	オルメサルタンOD錠20mg「サワイ」(沢井)	オルメサルタン メドキソミル	20mg 1錠	高親和性AT_1レセプターブロッカー	1031
	SWテルミサルタン 20	白	テルミサルタン錠20mg「サワイ」(沢井)	テルミサルタン	20mg 1錠	持続性AT_1受容体遮断剤	2372
	SZ013／20	帯紅白	パロキセチン錠20mg「サンド」(サンド)	パロキセチン塩酸塩水和物	20mg 1錠	選択的セロトニン再取り込み阻害剤(SSRI)	2878
	T20／≜ ≜T20	白～微帯黄白	ジオトリフ錠20mg(日本ベーリンガー)	アファチニブマレイン酸塩	20mg 1錠	抗悪性腫瘍剤・チロシンキナーゼ阻害剤	183
	Tai TM-20	淡茶～灰褐	太虎堂の防已黄耆湯エキス顆粒(太虎精堂)	防已黄耆湯	1g	漢方製剤	4642
	tBR[20μg] BR20	白～淡黄白	ベラプロストNa錠20μg「NIG」(日医工岐阜／日医工／武田薬品)	ベラプロストナトリウム	20μg 1錠	プロスタサイクリン(PGI_2)誘導体	3597
	TC272／20	白	バップフォー錠20(大鵬薬品)	プロピベリン塩酸塩	20mg 1錠	排尿抑制ベンジル酸誘導体	3433
	TC41／20	白／薄青緑	ティーエスワン配合OD錠T20(大鵬薬品)	テガフール・ギメラシル・オテラシルカリウム	20mg 1錠(テガフール相当量)	抗悪性腫瘍剤	2201
	TD20	黄	タダラフィル錠20mgCI「TCK」(辰巳化学／本草)	タダラフィル	20mg 1錠	ホスホジエステラーゼ5阻害剤	2027
	TEMODAL20mg ℰ20mg	白	テモダールカプセル20mg(MSD／大原薬品)	テモゾロミド	20mg 1カプセル	抗悪性腫瘍剤	2325
	TG173／20	白	プロピベリン塩酸塩錠20mg「タナベ」(ニプロES)	プロピベリン塩酸塩	20mg 1錠	排尿抑制ベンジル酸誘導体	3433
	TG173／20	白	プロピベリン塩酸塩錠20mg「ニプロ」(ニプロES)	プロピベリン塩酸塩	20mg 1錠	排尿抑制ベンジル酸誘導体	3433
	TG213／20	白	パロキセチン錠20mg「タナベ」(ニプロES)	パロキセチン塩酸塩水和物	20mg 1錠	選択的セロトニン再取り込み阻害剤(SSRI)	2878
	TG213／20	白	パロキセチン錠20mg「ニプロ」(ニプロES)	パロキセチン塩酸塩水和物	20mg 1錠	選択的セロトニン再取り込み阻害剤(SSRI)	2878
	TL20	黄	タダラフィル錠20mgCI「クラシエ」(シオノ／クラシエ薬品)	タダラフィル	20mg 1錠	ホスホジエステラーゼ5阻害剤	2027
	tLI20 20mg LI20	白　⦶	リシノプリル錠20mg「NIG」(日医工岐阜／日医工／武田薬品)	リシノプリル水和物	20mg 1錠	ACE阻害剤	4193
	tPX2／20	帯紅白	パロキセチン錠20mg「NIG」(日医工岐阜／日医工／武田薬品)	パロキセチン塩酸塩水和物	20mg 1錠	選択的セロトニン再取り込み阻害剤(SSRI)	2878
	TSU436／20	白	テルミサルタン錠20mg「ツルハラ」(鶴原)	テルミサルタン	20mg 1錠	持続性AT_1受容体遮断剤	2372
	TSU72／20	白　⦶	オルメサルタン錠20mg「ツルハラ」(鶴原)	オルメサルタン メドキソミル	20mg 1錠	高親和性AT_1レセプターブロッカー	1031
	TTS772／20 TTS-772	帯紅白	パロキセチン錠20mg「タカタ」(高田)	パロキセチン塩酸塩水和物	20mg 1錠	選択的セロトニン再取り込み阻害剤(SSRI)	2878
	TU133／20	白	パロキセチン錠20mg「TCK」(辰巳化学)	パロキセチン塩酸塩水和物	20mg 1錠	選択的セロトニン再取り込み阻害剤(SSRI)	2878
	TU151／20	白　⦶	バルサルタン錠20mg「TCK」(辰巳化学)	バルサルタン	20mg 1錠	選択的AT_1受容体遮断剤	2840
	Tu202／20	白	プロピベリン塩酸塩錠20mg「TCK」(辰巳化学)	プロピベリン塩酸塩	20mg 1錠	排尿抑制ベンジル酸誘導体	3433
	Tu-CR20	白～微黄白⦶	カルベジロール錠20mg「TCK」(辰巳化学／ニプロ／日医工)	カルベジロール	20mg 1錠	α, β-遮断剤	1160
	Tu-HT20	白～微黄白	ファモチジン錠20mg「TCK」(辰巳化学)	ファモチジン	20mg 1錠	H_2-受容体拮抗剤	3079
	TV C20	白　⦶	シルニジピン錠20mg「NIG」(日医工岐阜／日医工／武田薬品)	シルニジピン	20mg 1錠	ジヒドロピリジン系Ca拮抗剤	1716
	Tw V11／20 Tw.V11	淡黄　⦶	バルサルタン錠20mg「トーワ」(東和薬品)	バルサルタン	20mg 1錠	選択的AT_1受容体遮断剤	2840
	Tw／20 Tw20	淡赤	ニフェジピンL錠20mg「トーワ」(東和薬品)	ニフェジピン	20mg 1錠	ジヒドロピリジン系Ca拮抗剤	2652
	Tw226／20	白～微黄	エピナスチン塩酸塩錠20mg「トーワ」(東和薬品)	エピナスチン塩酸塩	20mg 1錠	アレルギー性疾患治療剤	783
	Tw254／20	淡赤	ニフェジピンCR錠20mg「トーワ」(東和薬品)	ニフェジピン	20mg 1錠	ジヒドロピリジン系Ca拮抗剤	2652
	Tw274／20	白	プロピベリン塩酸塩錠20mg「トーワ」(東和薬品)	プロピベリン塩酸塩	20mg 1錠	排尿抑制ベンジル酸誘導体	3433
	Tw331／20	白　⦶	リシノプリル錠20mg「トーワ」(東和薬品)	リシノプリル水和物	20mg 1錠	ACE阻害剤	4193

番号	識別コード	色 (⚪:割線有)	商品名(会社名)	一般名	規格単位	薬効	掲載ページ
20	Tw335／20	淡黄　⚪	グリクラジド錠20mg「トーワ」(東和薬品)	グリクラジド	20mg 1錠	スルホニル尿素系血糖降下剤	1257
	Tw730／20	白　　⚪	タンドスピロンクエン酸塩錠20mg「トーワ」(東和薬品)	タンドスピロンクエン酸塩	20mg 1錠	非ベンゾジアゼピン系・セロトニン作動性抗不安薬	2129
	Tw753／20	帯紅白	パロキセチンOD錠20mg「トーワ」(東和薬品)	パロキセチン塩酸塩水和物	20mg 1錠	選択的セロトニン再取り込み阻害剤(SSRI)	2878
	Tw755／20	帯紅白	パロキセチン錠20mg「トーワ」(東和薬品)	パロキセチン塩酸塩水和物	20mg 1錠	選択的セロトニン再取り込み阻害剤(SSRI)	2878
	Tw／IB20 Tw.IB20	白～微黄白	イフェンプロジル酒石酸塩錠20mg「トーワ」(東和薬品)	イフェンプロジル酒石酸塩	20mg 1錠	鎮うん剤	473
	Tw／SP20 Tw.SP20	白	メトプロロール酒石酸塩錠20mg「トーワ」(東和薬品)	メトプロロール酒石酸塩	20mg 1錠	β_1-遮断剤	3960
	TZ209／20	白	シンバスタチン錠20mg「あすか」(あすか／武田薬品)	シンバスタチン	20mg 1錠	HMG-CoA還元酵素阻害剤	1728
	TZ227／20	白	プロピベリン塩酸塩錠20mg「あすか」(あすか／武田薬品)	プロピベリン塩酸塩	20mg 1錠	排尿抑制ベンジル酸誘導体	3433
	VL／20 VL20	淡黄　⚪	バルサルタン錠20mg「サンド」(サンド)	バルサルタン	20mg 1錠	選択的AT_1受容体遮断剤	2840
	VLE／REP20 VLE・REP20	橙	レルパックス錠20mg (ヴィアトリス)	エレトリプタン臭化水素酸塩	20mg 1錠	5-$HT_{1B/1D}$受容体作動型片頭痛治療剤	896
	VYN20	黄	ビンダケルカプセル20mg (ファイザー)	タファミジス，-メグルミン	20mg 1カプセル	TTR型アミロイドーシス治療剤	2053
	WY20	淡黄	ビビアント錠20mg (ファイザー)	バゼドキシフェン酢酸塩	20mg 1錠	選択的エストロゲン受容体調節剤	2786
	Y OM20 Y-OM20	白	オメプラゾン錠20mg (田辺三菱)	オメプラゾール	20mg 1錠	プロトンポンプインヒビター	1010
	YD154 テルミサルタン YD20	白～微黄	テルミサルタン錠20mg「YD」(陽進堂)	テルミサルタン	20mg 1錠	持続性AT_1受容体遮断剤	2372
	YD349／20	帯紅白	パロキセチン錠20mg「YD」(陽進堂)	パロキセチン塩酸塩水和物	20mg 1錠	選択的セロトニン再取り込み阻害剤(SSRI)	2878
	YP-FQ20	微黄半透明～黄半透明	フルルビプロフェンテープ20mg「QQ」(救急薬品／祐徳薬品)	フルルビプロフェン	7cm×10cm 1枚	フェニルアルカン酸系消炎鎮痛剤	3345
	YT YT20	白	エピナスチン塩酸塩錠20mg「イワキ」(岩城)	エピナスチン塩酸塩	20mg 1錠	アレルギー性疾患治療剤	783
	ZE02／20	淡赤	ニフェジピンL錠20mg「ZE」(全星薬品工業／全星薬品)	ニフェジピン	20mg 1錠	ジヒドロピリジン系Ca拮抗剤	2652
	㉛031 20 *Lilly* ㉛031 20	淡赤白／微黄白	サインバルタカプセル20mg (塩野義／日本イーライリリー)	デュロキセチン塩酸塩	20mg 1カプセル	セロトニン・ノルアドレナリン再取り込み阻害剤(SNRI)	2348
	𝑛047／20 𝑛047 20 ⓝ047	白～帯黄白⚪	タンドスピロンクエン酸塩錠20mg「日医工」(日医工)	タンドスピロンクエン酸塩	20mg 1錠	非ベンゾジアゼピン系・セロトニン作動性抗不安薬	2129
	△115／20	微黄赤　⚪	トリンテリックス錠20mg (武田薬品)	ボルチオキセチン臭化水素酸塩	20mg 1錠	セロトニン再取り込み阻害・セロトニン受容体調節剤	3777
	ch115／20	白	プロピベリン塩酸塩錠20mg「JG」(長生堂／日本ジェネリック)	プロピベリン塩酸塩	20mg 1錠	排尿抑制ベンジル酸誘導体	3433
	𝑛161／20 𝑛161 20 ⓝ161	白	イフェンプロジル酒石酸塩錠20mg「日医工」(日医工ファーマ／日医工)	イフェンプロジル酒石酸塩	20mg 1錠	鎮うん剤	473
	𝒸20	くすんだ黄	シアリス錠20mg (日本新薬)	タダラフィル	20mg 1錠	ホスホジエステラーゼ5阻害剤	2027
	♭／20 ♭20	微黄	セムブリックス錠20mg (ノバルティス)	アシミニブ塩酸塩	20mg 1錠	抗悪性腫瘍剤・チロシンキナーゼインヒビター(ABLミリストイルポケット結合型阻害剤)	40
	ℙ210／20	薄橙　⚪	グリミクロンHA錠20mg (住友ファーマ)	グリクラジド	20mg 1錠	スルホニル尿素系血糖降下剤	1257
	△232／20	薄橙黄　⚪	カルスロット錠20 (武田テバ薬品／武田薬品)	マニジピン塩酸塩	20mg 1錠	ジヒドロピリジン系Ca拮抗剤	3811
	△274／20/2.5	微赤	ザクラス配合錠LD (武田薬品)	アジルサルタン・アムロジピンベシル酸塩	1錠	持続性AT_1受容体遮断剤・持続性Ca拮抗薬配合剤	44
	△275／20/5	微黄	ザクラス配合錠HD (武田薬品)	アジルサルタン・アムロジピンベシル酸塩	1錠	持続性AT_1受容体遮断剤・持続性Ca拮抗薬配合剤	44
	𝑛299／20 𝑛299 20 ⓝ299-L20	淡赤	ニフェジピンL錠20mg「日医工」(日医工)	ニフェジピン	20mg 1錠	ジヒドロピリジン系Ca拮抗剤	2652
	𝑛732／20 𝑛732 20 ⓝ732	薄橙黄　⚪	マニジピン塩酸塩錠20mg「日医工」(日医工)	マニジピン塩酸塩	20mg 1錠	ジヒドロピリジン系Ca拮抗剤	3811
	⦸772／20 ⦸772：20	白～淡黄白	ゾフルーザ錠20mg (塩野義)	バロキサビル・マルボキシル	20mg 1錠	抗インフルエンザウイルス剤	2875
	⦸779／100 20 ⦸779：100 20	白	バクタミニ配合錠(シオノギファーマ／塩野義)	スルファメトキサゾール・トリメトプリム	1錠	合成抗菌剤	1781

番号	識別コード	色 (◐:割線有)	商品名(会社名)	一般名	規格単位	薬効	掲載ページ
20	△871／20	白〜微黄白	コデインリン酸塩錠20mg「タケダ」(武田薬品)	コデインリン酸塩水和物	20mg 1錠	麻薬性鎮咳剤	1450
	◐922：20 ◐922／20	淡赤	オキシコンチンTR錠20mg（シオノギファーマ／塩野義）	オキシコドン塩酸塩水和物	20mg 1錠	疼痛治療剤	950
	亾BXA20	淡褐	バキソカプセル20（富士フイルム富山化学）	ピロキシカム	20mg 1カプセル	オキシカム系消炎鎮痛剤	3061
	ЅℙF20	白	ファロム錠200mg（マルホ）	ファロペネムナトリウム水和物	200mg 1錠	ペネム系抗生物質	3086
	pfizer／RVT20 Pfizer RVT20	白	レバチオ錠20mg（ヴィアトリス）	シルデナフィルクエン酸塩	20mg 1錠	ホスホジエステラーゼ5阻害剤	1709
	77ZAG／20/2.5 77ZAG LD	微赤	ジルムロ配合錠LD「武田テバ」(武田テバファーマ／武田薬品)	アジルサルタン・アムロジピンベシル酸塩	1錠	持続性AT₁受容体遮断剤・持続性Ca拮抗薬配合剤	44
	77ZAG／20/5 77ZAG HD	微黄	ジルムロ配合錠HD「武田テバ」(武田テバファーマ／武田薬品)	アジルサルタン・アムロジピンベシル酸塩	1錠	持続性AT₁受容体遮断剤・持続性Ca拮抗薬配合剤	44
	Ｅパリエット20	淡黄	パリエット錠20mg（エーザイ／EA）	ラベプラゾールナトリウム	20mg 1錠	プロトンポンプインヒビター	4112
	徐放オキシコドン20	微赤	オキシコドン徐放錠20mgNX「第一三共」(第一三共プロ／第一三共)	オキシコドン塩酸塩水和物	20mg 1錠	疼痛治療剤	950
	漢：EKT-20	淡褐〜褐	クラシエ防已黄耆湯エキス錠（大峰堂／クラシエ薬品）	防已黄耆湯	1錠	漢方製剤	4642
	アジル20／NSアジルサルタンOD20	微赤	◐	アジルサルタンOD錠20mg「日新」(日新)	アジルサルタン	20mg 1錠	持続性AT₁受容体遮断剤	42
	アジル20／アジルOD20DSEP	微赤	◐	アジルサルタンOD錠20mg「DSEP」(第一三共エスファ)	アジルサルタン	20mg 1錠	持続性AT₁受容体遮断剤	42
	アジルOD20杏林／アジルサルタンOD20杏林	微赤	◐	アジルサルタンOD錠20mg「杏林」(キョーリンリメディオ／杏林)	アジルサルタン	20mg 1錠	持続性AT₁受容体遮断剤	42
	アジル77 20	微赤	◐	アジルサルタン錠20mg「武田テバ」(武田テバファーマ／武田薬品)	アジルサルタン	20mg 1錠	持続性AT₁受容体遮断剤	42
	アジル明治OD20／アジル	微赤	◐	アジルサルタンOD錠20mg「明治」(Meiji Seika／Meファルマ)	アジルサルタン	20mg 1錠	持続性AT₁受容体遮断剤	42
	アジルサルタン20JG	微赤		アジルサルタン錠20mg「JG」(日本ジェネリック)	アジルサルタン	20mg 1錠	持続性AT₁受容体遮断剤	42
	アジルサルタン20／OD20ケミファ	微赤	◐	アジルサルタンOD錠20mg「ケミファ」(日本ケミファ／日本薬品工業)	アジルサルタン	20mg 1錠	持続性AT₁受容体遮断剤	42
	アジルサルタン20TCK	微赤	◐	アジルサルタン錠20mg「TCK」(辰巳化学)	アジルサルタン	20mg 1錠	持続性AT₁受容体遮断剤	42
	アジルサルタン20サワイ	微赤	◐	アジルサルタン錠20mg「サワイ」(沢井)	アジルサルタン	20mg 1錠	持続性AT₁受容体遮断剤	42
	アジルサルタン20サンド	微赤	◐	アジルサルタン錠20mg「サンド」(サンド)	アジルサルタン	20mg 1錠	持続性AT₁受容体遮断剤	42
	アジルサルタン20ニプロ	微赤	◐	アジルサルタン錠20mg「ニプロ」(ニプロ)	アジルサルタン	20mg 1錠	持続性AT₁受容体遮断剤	42
	アジルサルタンOD2020フェルゼン	微赤	◐	アジルサルタンOD錠20mg「フェルゼン」(ダイト／フェルゼン)	アジルサルタン	20mg 1錠	持続性AT₁受容体遮断剤	42
	アジルサルタンOD20サワイ	微赤	◐	アジルサルタンOD錠20mg「サワイ」(沢井)	アジルサルタン	20mg 1錠	持続性AT₁受容体遮断剤	42
	アジルバ20	微赤		アジルバ錠20mg（武田薬品）	アジルサルタン	20mg 1錠	持続性AT₁受容体遮断剤	42
	アドシルカ204467	赤褐		アドシルカ錠20mg（日本新薬）	タダラフィル	20mg 1錠	ホスホジエステラーゼ5阻害剤	2027
	アメルELT／OD20	淡黄		エレトリプタンOD錠20mg「アメル」(共和薬品)	エレトリプタン臭化水素酸塩	20mg 1錠	5-HT₁B/₁D受容体作動型片頭痛治療剤	896
	エスエーワンT20	白		エスエーワン配合カプセルT20（沢井）	テガフール・ギメラシル・オテラシルカリウム	20mg 1カプセル(テガフール相当量)	抗悪性腫瘍剤	2201
	エスシタ20／エスシタロプラム20明治	白	◐	エスシタロプラム錠20mg「明治」(Meiji Seika／フェルゼン)	エスシタロプラムシュウ酸塩	20mg 1錠	選択的セロトニン再取り込み阻害剤(SSRI)	677
	エスシタロ20OD DSEP	白〜微黄白	◐	エスシタロプラムOD錠20mg「DSEP」(第一三共エスファ)	エスシタロプラムシュウ酸塩	20mg 1錠	選択的セロトニン再取り込み阻害剤(SSRI)	677
	エスシタロ20TCK	白		エスシタロプラム錠20mg「TCK」(辰巳化学)	エスシタロプラムシュウ酸塩	20mg 1錠	選択的セロトニン再取り込み阻害剤(SSRI)	677
	エスシタロプラム20JG	白		エスシタロプラム錠20mg「JG」(日本ジェネリック)	エスシタロプラムシュウ酸塩	20mg 1錠	選択的セロトニン再取り込み阻害剤(SSRI)	677
	エスシタロプラム20VTRS	白		エスシタロプラム錠20mg「VTRS」(ヴィアトリス・ヘルスケア／ヴィアトリス)	エスシタロプラムシュウ酸塩	20mg 1錠	選択的セロトニン再取り込み阻害剤(SSRI)	677
	エスシタロプラム20日医工	白		エスシタロプラム錠20mg「日医工」(日医工)	エスシタロプラムシュウ酸塩	20mg 1錠	選択的セロトニン再取り込み阻害剤(SSRI)	677
	エスシタロプラム20サワイ	白	◐	エスシタロプラム錠20mg「サワイ」(沢井)	エスシタロプラムシュウ酸塩	20mg 1錠	選択的セロトニン再取り込み阻害剤(SSRI)	677

番号	識別コード	色 (○：割線有)	商品名(会社名)	一般名	規格単位	薬効	掲載ページ
20	エスシタロプラム20 タカタ／ エスシタロプラム20	白　　○	エスシタロプラム錠20mg「タカタ」 (高田)	エスシタロプラムシュウ酸塩	20mg 1錠	選択的セロトニン再取り込み阻害剤(SSRI)	677
	エスシタロプラム20 ニプロ	白　　○	エスシタロプラム錠20mg「ニプロ」 (ニプロ)	エスシタロプラムシュウ酸塩	20mg 1錠	選択的セロトニン再取り込み阻害剤(SSRI)	677
	エスシタロプラム OD20サワイ	白～帯黄白	エスシタロプラムOD錠20mg「サワイ」 (沢井)	エスシタロプラムシュウ酸塩	20mg 1錠	選択的セロトニン再取り込み阻害剤(SSRI)	677
	エソメ20ニプロ	濃青／極薄黄赤	エソメプラゾールカプセル20mg「ニプロ」(ニプロ)	エソメプラゾールマグネシウム水和物	20mg 1カプセル	プロトンポンプインヒビター	720
	エソメプラゾール20mg サワイ	濃青／極薄黄赤	エソメプラゾールカプセル20mg「サワイ」(沢井)	エソメプラゾールマグネシウム水和物	20mg 1カプセル	プロトンポンプインヒビター	720
	エソメプラゾール20 NS	極薄黄赤／濃青	エソメプラゾールカプセル20mg「日新」(日新)	エソメプラゾールマグネシウム水和物	20mg 1カプセル	プロトンポンプインヒビター	720
	エソメプラゾール20 YD／YD187	極薄黄赤／濃青	エソメプラゾールカプセル20mg「YD」(陽進堂)	エソメプラゾールマグネシウム水和物	20mg 1カプセル	プロトンポンプインヒビター	720
	エソメプラゾール20 杏林	濃青／極薄黄赤	エソメプラゾールカプセル20mg「杏林」(キョーリンリメディオ／杏林)	エソメプラゾールマグネシウム水和物	20mg 1カプセル	プロトンポンプインヒビター	720
	エソメプラゾール20 ケミファ	極薄黄赤／濃青	エソメプラゾールカプセル20mg「ケミファ」(日本ケミファ)	エソメプラゾールマグネシウム水和物	20mg 1カプセル	プロトンポンプインヒビター	720
	エヌケーエスワン NKS-1 20mg NKS-1 20mg	白	エヌケーエスワン配合カプセルT20 (日本化薬)	テガフール・ギメラシル・オテラシルカリウム	20mg 1カプセル (テガフール相当量)	抗悪性腫瘍剤	2201
	エヌケーエスワン T20	薄青緑	エヌケーエスワン配合OD錠T20(日本化薬)	テガフール・ギメラシル・オテラシルカリウム	20mg 1錠 (テガフール相当量)	抗悪性腫瘍剤	2201
	エフィエント OD20	微橙白	エフィエントOD錠20mg(第一三共)	プラスグレル塩酸塩	20mg 1錠	抗血小板剤	3251
	エベレンゾ20	淡黄赤	エベレンゾ錠20mg(アステラス)	ロキサデュスタット	20mg 1錠	HIF-PH阻害剤・腎性貧血治療薬	4469
	エレトリプタン20 DSEP	橙	エレトリプタン錠20mg「DSEP」(第一三共エスファ)	エレトリプタン臭化水素酸塩	20mg 1錠	5-HT$_{1B/1D}$受容体作動型片頭痛治療剤	896
	エレトリプタン20 TCK	橙	エレトリプタン錠20mg「TCK」(辰巳化学)	エレトリプタン臭化水素酸塩	20mg 1錠	5-HT$_{1B/1D}$受容体作動型片頭痛治療剤	896
	エレトリプタン20 日医工 ⑪144	橙	エレトリプタン錠20mg「日医工」(日医工)	エレトリプタン臭化水素酸塩	20mg 1錠	5-HT$_{1B/1D}$受容体作動型片頭痛治療剤	896
	エレトリプタン20 サンド	橙	エレトリプタン錠20mg「サンド」(サンド)	エレトリプタン臭化水素酸塩	20mg 1錠	5-HT$_{1B/1D}$受容体作動型片頭痛治療剤	896
	エレトリプタン20 トーワ	橙	エレトリプタン錠20mg「トーワ」(東和薬品)	エレトリプタン臭化水素酸塩	20mg 1錠	5-HT$_{1B/1D}$受容体作動型片頭痛治療剤	896
	エレトリプタン YD20	橙	エレトリプタン錠20mg「YD」(陽進堂)	エレトリプタン臭化水素酸塩	20mg 1錠	5-HT$_{1B/1D}$受容体作動型片頭痛治療剤	896
	オキシコドン錠／ 20	淡赤白	オキシコドン錠20mgNX「第一三共」 (第一三共プロ／第一三共)	オキシコドン塩酸塩水和物	20mg 1錠	疼痛治療剤	950
	オルメ20ODアメル ／オルメサルタン 20ODアメル	白～微黄白	オルメサルタンOD錠20mg「アメル」 (共和薬品)	オルメサルタン メドキソミル	20mg 1錠	高親和性AT$_1$レセプターブロッカー	1031
	オルメ20／ オルメサルタン 20ODトーワ	白　　○	オルメサルタンOD錠20mg「トーワ」 (東和薬品／共創未来)	オルメサルタン メドキソミル	20mg 1錠	高親和性AT$_1$レセプターブロッカー	1031
	オルメ20／ オルメサルタン20 日新	白　　○	オルメサルタン錠20mg「日新」(日新)	オルメサルタン メドキソミル	20mg 1錠	高親和性AT$_1$レセプターブロッカー	1031
	オルメEP OD20	白～微黄白	オルメサルタンOD錠20mg「DSEP」 (第一三共エスファ)	オルメサルタン メドキソミル	20mg 1錠	高親和性AT$_1$レセプターブロッカー	1031
	オルメJG20／ オルメサルタン20 JG	白	オルメサルタン錠20mg「JG」(日本ジェネリック)	オルメサルタン メドキソミル	20mg 1錠	高親和性AT$_1$レセプターブロッカー	1031
	オルメサルタン20 TCK	白　　○	オルメサルタン錠20mg「TCK」(辰巳化学)	オルメサルタン メドキソミル	20mg 1錠	高親和性AT$_1$レセプターブロッカー	1031
	オルメサルタン20 杏林	白　　○	オルメサルタン錠20mg「杏林」(キョーリンリメディオ／杏林)	オルメサルタン メドキソミル	20mg 1錠	高親和性AT$_1$レセプターブロッカー	1031
	オルメサルタン20 三和	白　　○	オルメサルタン錠20mg「三和」(日本薬品工業／三和化学)	オルメサルタン メドキソミル	20mg 1錠	高親和性AT$_1$レセプターブロッカー	1031
	オルメサルタン／ 20日医工 ⑪114	白　　○	オルメサルタン錠20mg「日医工」(日医工)	オルメサルタン メドキソミル	20mg 1錠	高親和性AT$_1$レセプターブロッカー	1031
	オルメサルタン20 オーハラ	白　　○	オルメサルタン錠20mg「オーハラ」 (大原薬品)	オルメサルタン メドキソミル	20mg 1錠	高親和性AT$_1$レセプターブロッカー	1031
	オルメサルタン20 ケミファ／ケミファ 20オルメサルタン	白　　○	オルメサルタン錠20mg「ケミファ」 (日本ケミファ／日本薬品工業)	オルメサルタン メドキソミル	20mg 1錠	高親和性AT$_1$レセプターブロッカー	1031
	オルメサルタン20 ニプロ	白　　○	オルメサルタン錠20mg「ニプロ」(ニプロ)	オルメサルタン メドキソミル	20mg 1錠	高親和性AT$_1$レセプターブロッカー	1031

番号	識別コード	色 (◐:割線有)	商品名(会社名)	一般名	規格単位	薬効	掲載ページ
20	オルメサルタンOD20JG	白　◐	オルメサルタンOD錠20mg「JG」(日本ジェネリック)	オルメサルタン　メドキソミル	20mg 1錠	高親和性AT₁レセプターブロッカー	1031
	オルメサルタンOD20VTRS	白～微黄白◐	オルメサルタンOD錠20mg「VTRS」(ヴィアトリス・ヘルスケア/ヴィアトリス)	オルメサルタン　メドキソミル	20mg 1錠	高親和性AT₁レセプターブロッカー	1031
	オルメサルタンOD20杏林	白　◐	オルメサルタンOD錠20mg「杏林」(キョーリンリメディオ/杏林)	オルメサルタン　メドキソミル	20mg 1錠	高親和性AT₁レセプターブロッカー	1031
	オルメサルタンOD20日医工 ㋱183	白～微黄白◐	オルメサルタンOD錠20mg「日医工」(日医工)	オルメサルタン　メドキソミル	20mg 1錠	高親和性AT₁レセプターブロッカー	1031
	オルメサルタンOD20オーハラ	白　◐	オルメサルタンOD錠20mg「オーハラ」(大原薬品)	オルメサルタン　メドキソミル	20mg 1錠	高親和性AT₁レセプターブロッカー	1031
	オルメサルタンOD20／オルメサルタンEE20	白　◐	オルメサルタンOD錠20mg「EE」(エルメッド/日医工)	オルメサルタン　メドキソミル	20mg 1錠	高親和性AT₁レセプターブロッカー	1031
	オルメサルタンOD20ニプロ	白～微黄白◐	オルメサルタンOD錠20mg「ニプロ」(ニプロ)	オルメサルタン　メドキソミル	20mg 1錠	高親和性AT₁レセプターブロッカー	1031
	オルメサルタンYD20 YD406	白　◐	オルメサルタン錠20mg「YD」(陽進堂)	オルメサルタン　メドキソミル	20mg 1錠	高親和性AT₁レセプターブロッカー	1031
	オルメテックOD20	白～微黄白◐	オルメテックOD錠20mg(第一三共)	オルメサルタン　メドキソミル	20mg 1錠	高親和性AT₁レセプターブロッカー	1031
	カルベジ20／カルベジロール20トーワ	白～微黄白◐	カルベジロール錠20mg「トーワ」(東和薬品)	カルベジロール	20mg 1錠	α, β-遮断剤	1160
	カルベジロール20サワイ	白～微黄白◐	カルベジロール錠20mg「サワイ」(沢井)	カルベジロール	20mg 1錠	α, β-遮断剤	1160
	ガスター20	白～微黄白	ガスター錠20mg(LTL)	ファモチジン	20mg 1錠	H₂-受容体拮抗剤	3079
	ガスターD20	白	ガスターD錠20mg(LTL)	ファモチジン	20mg 1錠	H₂-受容体拮抗剤	3079
	クラシエメマンチンOD20	白～微黄白◐	メマンチン塩酸塩OD錠20mg「クラシエ」(日本薬品工業/クラシエ薬品)	メマンチン塩酸塩	20mg 1錠	NMDA受容体拮抗アルツハイマー型認知症治療剤	3991
	サワイラベプラ20	淡黄	ラベプラゾールNa錠20mg「サワイ」(沢井)	ラベプラゾールナトリウム	20mg 1錠	プロトンポンプインヒビター	4112
	シルデナRE20JG	白	シルデナフィル錠20mgRE「JG」(日本ジェネリック)	シルデナフィルクエン酸塩	20mg 1錠	ホスホジエステラーゼ5阻害剤	1709
	シンバスタチン20オーハラ	白～帯黄白◐	シンバスタチン錠20mg「オーハラ」(大原薬品)	シンバスタチン	20mg 1錠	HMG-CoA還元酵素阻害剤	1728
	ジルムロHDトーワ／アジル20アムロジ5	微黄	ジルムロ配合錠HD「トーワ」(東和薬品/三和化学/共創未来)	アジルサルタン・アムロジピンベシル酸塩	1錠	持続性AT₁受容体遮断剤・持続性Ca拮抗薬配合剤	44
	ジルムロHDニプロ／20アジルサルタンアムロジピン5	微黄	ジルムロ配合錠HD「ニプロ」(ニプロ)	アジルサルタン・アムロジピンベシル酸塩	1錠	持続性AT₁受容体遮断剤・持続性Ca拮抗薬配合剤	44
	ジルムロLDトーワ／アジル20アムロジ2.5	微赤	ジルムロ配合錠LD「トーワ」(東和薬品/三和化学/共創未来)	アジルサルタン・アムロジピンベシル酸塩	1錠	持続性AT₁受容体遮断剤・持続性Ca拮抗薬配合剤	44
	ジルムロLDニプロ／20アジルサルタンアムロジピン2.5	微赤	ジルムロ配合錠LD「ニプロ」(ニプロ)	アジルサルタン・アムロジピンベシル酸塩	1錠	持続性AT₁受容体遮断剤・持続性Ca拮抗薬配合剤	44
	ジルムロOD HD日医工／アジルサルタン20OD5アムロジピン	微黄	ジルムロ配合OD錠HD「日医工」(日医工)	アジルサルタン・アムロジピンベシル酸塩	1錠	持続性AT₁受容体遮断剤・持続性Ca拮抗薬配合剤	44
	ジルムロOD LD日医工／アジルサルタン20OD2.5アムロジピン	微赤	ジルムロ配合OD錠LD「日医工」(日医工)	アジルサルタン・アムロジピンベシル酸塩	1錠	持続性AT₁受容体遮断剤・持続性Ca拮抗薬配合剤	44
	ジルムロODHDトーワ アジル20アムロジ5	帯黄白／帯褐黄／帯褐白	ジルムロ配合OD錠HD「トーワ」(東和薬品)	アジルサルタン・アムロジピンベシル酸塩	1錠	持続性AT₁受容体遮断剤・持続性Ca拮抗薬配合剤	44
	ジルムロODLDトーワアジル20アムロジ2.5	帯黄白／帯褐黄／帯褐黄白	ジルムロ配合OD錠LD「トーワ」(東和薬品)	アジルサルタン・アムロジピンベシル酸塩	1錠	持続性AT₁受容体遮断剤・持続性Ca拮抗薬配合剤	44
	セパミットR20JG	濃橙／橙	セパミット-Rカプセル20(日本ジェネリック)	ニフェジピン	20mg 1カプセル	ジヒドロピリジン系Ca拮抗剤	2652
	タケキャブ20	微赤	タケキャブ錠20mg(武田薬品)	ボノプラザンフマル酸塩	20mg 1錠	カリウムイオン競合型アシッドブロッカー・プロトンポンプインヒビター	3730
	タケキャブ20 △640 ○763	微赤 白 白　◐	ボノピオンパック(武田薬品)	ボノプラザンフマル酸塩・アモキシシリン水和物・メトロニダゾール	1シート	ヘリコバクター・ピロリ除菌用組み合わせ製剤	3737

番号	識別コード	色 (①：割線有)	商品名(会社名)	一般名	規格単位	薬効	掲載 ページ
20	タケキャブ20 △640 クラリス200	微赤 白 白 ①	ボノサップパック400（武田薬品）	ボノプラザンフマル酸塩・アモキシシリン水和物・クラリスロマイシン	1シート	ヘリコバクター・ピロリ除菌用組み合わせ製剤	3733
	タケキャブ20 △640 クラリス200	微赤 白 白 ①	ボノサップパック800（武田薬品）	ボノプラザンフマル酸塩・アモキシシリン水和物・クラリスロマイシン	1シート	ヘリコバクター・ピロリ除菌用組み合わせ製剤	3733
	タケキャブ／ OD20 タケキャブOD20	白～ほとんど白	タケキャブOD錠20mg（武田薬品）	ボノプラザンフマル酸塩	20mg 1錠	カリウムイオン競合型アシッドブロッカー・プロトンポンプインヒビター	3730
	タダラ20／ タダラフィルOD 20CIトーワ	くすんだ黄①	タダラフィルOD錠20mgCI「トーワ」（東和薬品）	タダラフィル	20mg 1錠	ホスホジエステラーゼ5阻害剤	2027
	タダラフィル20 ADサワイ	薄赤褐	タダラフィル錠20mgAD「サワイ」（沢井）	タダラフィル	20mg 1錠	ホスホジエステラーゼ5阻害剤	2027
	タダラフィルCI 20VTRS	黄	タダラフィル錠20mgCI「VTRS」（リョートー／ヴィアトリス）	タダラフィル	20mg 1錠	ホスホジエステラーゼ5阻害剤	2027
	ダサチニブ20	白～微黄白	ダサチニブ錠20mg「NK」（日本化薬）	ダサチニブ	20mg 1錠	抗悪性腫瘍剤・チロシンキナーゼ阻害剤	2014
	ダサチニブ20JG	白～微黄白	ダサチニブ錠20mg「JG」（日本ジェネリック）	ダサチニブ	20mg 1錠	抗悪性腫瘍剤・チロシンキナーゼ阻害剤	2014
	ダサチニブ20 サワイ	白～微黄白	ダサチニブ錠20mg「サワイ」（沢井）	ダサチニブ	20mg 1錠	抗悪性腫瘍剤・チロシンキナーゼ阻害剤	2014
	ツムラ/20	淡褐	ツムラ防已黄耆湯エキス顆粒(医療用)（ツムラ）	防已黄耆湯	1g	漢方製剤	4642
	テネリア20	薄赤	テネリア錠20mg（田辺三菱／第一三共）	テネリグリプチン臭化水素酸塩水和物	20mg 1錠	選択的DPP-4阻害剤・2型糖尿病治療剤	2285
	テネリアOD20	帯黄白	テネリアOD錠20mg（田辺三菱／第一三共）	テネリグリプチン臭化水素酸塩水和物	20mg 1錠	選択的DPP-4阻害剤・2型糖尿病治療剤	2285
	テモゾロミド20	淡紅白	テモゾロミド錠20mg「NK」（日本化薬）	テモゾロミド	20mg 1錠	抗悪性腫瘍剤	2325
	テルミ20DSEP	白～微黄	テルミサルタン錠20mg「DSEP」（第一三共エスファ）	テルミサルタン	20mg 1錠	持続性AT$_1$受容体遮断剤	2372
	テルミ20サルタン ODトーワ	淡黄	テルミサルタンOD錠20mg「トーワ」（東和薬品）	テルミサルタン	20mg 1錠	持続性AT$_1$受容体遮断剤	2372
	テルミ20サルタン トーワ	白	テルミサルタン錠20mg「トーワ」（東和薬品）	テルミサルタン	20mg 1錠	持続性AT$_1$受容体遮断剤	2372
	テルミサルタン20 FFP	白～微黄	テルミサルタン錠20mg「FFP」（共創未来）	テルミサルタン	20mg 1錠	持続性AT$_1$受容体遮断剤	2372
	テルミサルタン20 JG	白～微黄	テルミサルタン錠20mg「JG」（日本ジェネリック）	テルミサルタン	20mg 1錠	持続性AT$_1$受容体遮断剤	2372
	テルミサルタン20 NPI	白	テルミサルタン錠20mg「NPI」（日本薬品工業／日新）	テルミサルタン	20mg 1錠	持続性AT$_1$受容体遮断剤	2372
	テルミサルタン20 TCK	白	テルミサルタン錠20mg「TCK」（辰巳化学／フェルゼン）	テルミサルタン	20mg 1錠	持続性AT$_1$受容体遮断剤	2372
	テルミサルタン20 VTRS	白	テルミサルタン錠20mg「VTRS」（ダイト／ヴィアトリス）	テルミサルタン	20mg 1錠	持続性AT$_1$受容体遮断剤	2372
	テルミサルタン20 杏林	白～微黄	テルミサルタン錠20mg「杏林」（キョーリンリメディオ／杏林）	テルミサルタン	20mg 1錠	持続性AT$_1$受容体遮断剤	2372
	テルミサルタン20 三和	白～微黄	テルミサルタン錠20mg「三和」（三和化学）	テルミサルタン	20mg 1錠	持続性AT$_1$受容体遮断剤	2372
	テルミサルタン20 日医工 ⓝ017	白～微黄	テルミサルタン錠20mg「日医工」（日医工）	テルミサルタン	20mg 1錠	持続性AT$_1$受容体遮断剤	2372
	テルミサルタン20 明治	白	テルミサルタン錠20mg「明治」（Meiji Seika）	テルミサルタン	20mg 1錠	持続性AT$_1$受容体遮断剤	2372
	テルミサルタン20 オーハラ	白～微黄	テルミサルタン錠20mg「オーハラ」（大原薬品）	テルミサルタン	20mg 1錠	持続性AT$_1$受容体遮断剤	2372
	テルミサルタン20 ケミファ	白	テルミサルタン錠20mg「ケミファ」（日本ケミファ）	テルミサルタン	20mg 1錠	持続性AT$_1$受容体遮断剤	2372
	テルミサルタン20 サンド	白	テルミサルタン錠20mg「サンド」（サンド）	テルミサルタン	20mg 1錠	持続性AT$_1$受容体遮断剤	2372
	テルミサルタン20 ニプロ	白	テルミサルタン錠20mg「ニプロ」（ニプロ）	テルミサルタン	20mg 1錠	持続性AT$_1$受容体遮断剤	2372
	テルミサルタン20 フェルゼン	白	テルミサルタン錠20mg「フェルゼン」（フェルゼン）	テルミサルタン	20mg 1錠	持続性AT$_1$受容体遮断剤	2372
	テルミサルタン SW OD20	白～微黄	テルミサルタンOD錠20mg「サワイ」（沢井）	テルミサルタン	20mg 1錠	持続性AT$_1$受容体遮断剤	2372

番号	識別コード	色 (Ⓘ:割線有)	商品名(会社名)	一般名	規格単位	薬効	掲載ページ
20	デュロ20キセチントーワ	極薄黄〜極薄緑み(黄みの白／緑みを帯びた黄みの明るい灰の斑点)	デュロキセチン錠20mg「トーワ」(東和薬品)	デュロキセチン塩酸塩	20mg 1錠	セロトニン・ノルアドレナリン再取り込み阻害剤(SNRI)	2348
	デュロキセチン20mgJG	淡赤白／微黄白	デュロキセチンカプセル20mg「JG」(長生堂／日本ジェネリック)	デュロキセチン塩酸塩	20mg 1カプセル	セロトニン・ノルアドレナリン再取り込み阻害剤(SNRI)	2348
	デュロキセチン20mgKMP	淡赤白／微黄白	デュロキセチンカプセル20mg「KMP」(共創未来)	デュロキセチン塩酸塩	20mg 1カプセル	セロトニン・ノルアドレナリン再取り込み阻害剤(SNRI)	2348
	デュロキセチン20mgNS	淡赤白／微黄白	デュロキセチンカプセル20mg「日新」(日新)	デュロキセチン塩酸塩	20mg 1カプセル	セロトニン・ノルアドレナリン再取り込み阻害剤(SNRI)	2348
	デュロキセチン20mgYD YD181	淡赤白／微黄白	デュロキセチンカプセル20mg「YD」(陽進堂)	デュロキセチン塩酸塩	20mg 1カプセル	セロトニン・ノルアドレナリン再取り込み阻害剤(SNRI)	2348
	デュロキセチン20mg／⑰ デュロキセチン20mg／⑰	淡赤白／微黄白	デュロキセチンカプセル20mg「日医工G」(日医工岐阜／日医工／武田薬品)	デュロキセチン塩酸塩	20mg 1カプセル	セロトニン・ノルアドレナリン再取り込み阻害剤(SNRI)	2348
	デュロキセチン20mg杏林 デュロキセチン20mg杏林	淡赤白／微黄白	デュロキセチンカプセル20mg「杏林」(キョーリンリメディオ／杏林)	デュロキセチン塩酸塩	20mg 1カプセル	セロトニン・ノルアドレナリン再取り込み阻害剤(SNRI)	2348
	デュロキセチン20mg三笠 MZ-DXC20	淡赤白／微黄白	デュロキセチンカプセル20mg「三笠」(三笠)	デュロキセチン塩酸塩	20mg 1カプセル	セロトニン・ノルアドレナリン再取り込み阻害剤(SNRI)	2348
	デュロキセチン20mg明治	淡赤白／微黄白	デュロキセチンカプセル20mg「明治」(Meiji Seika)	デュロキセチン塩酸塩	20mg 1カプセル	セロトニン・ノルアドレナリン再取り込み阻害剤(SNRI)	2348
	デュロキセチン20mgアメル	淡赤白／微黄白	デュロキセチンカプセル20mg「アメル」(共和薬品)	デュロキセチン塩酸塩	20mg 1カプセル	セロトニン・ノルアドレナリン再取り込み阻害剤(SNRI)	2348
	デュロキセチン20mgサワイ	淡赤白／微黄白	デュロキセチンカプセル20mg「サワイ」(沢井)	デュロキセチン塩酸塩	20mg 1カプセル	セロトニン・ノルアドレナリン再取り込み阻害剤(SNRI)	2348
	デュロキセチン20mgタカタ	淡赤白／微黄白	デュロキセチンカプセル20mg「タカタ」(高田)	デュロキセチン塩酸塩	20mg 1カプセル	セロトニン・ノルアドレナリン再取り込み阻害剤(SNRI)	2348
	デュロキセチン20mgフェルゼン	淡赤白／微黄白	デュロキセチンカプセル20mg「フェルゼン」(ダイト／フェルゼン)	デュロキセチン塩酸塩	20mg 1カプセル	セロトニン・ノルアドレナリン再取り込み阻害剤(SNRI)	2348
	デュロキセチン20オーハラ	淡赤白／微黄白	デュロキセチンカプセル20mg「オーハラ」(大原薬品／エッセンシャル)	デュロキセチン塩酸塩	20mg 1カプセル	セロトニン・ノルアドレナリン再取り込み阻害剤(SNRI)	2348
	デュロキセチン20ケミファ	極薄黄〜極薄緑みの黄(黄みの白〜帯緑み黄みの明るい灰の斑点)	デュロキセチン錠20mg「ケミファ」(富士化学／日本ケミファ)	デュロキセチン塩酸塩	20mg 1錠	セロトニン・ノルアドレナリン再取り込み阻害剤(SNRI)	2348
	デュロキセチン20トーワ	淡赤白／微黄白	デュロキセチンカプセル20mg「トーワ」(東和薬品)	デュロキセチン塩酸塩	20mg 1カプセル	セロトニン・ノルアドレナリン再取り込み阻害剤(SNRI)	2348
	デュロキセチン20ニプロ	淡赤白／微黄白	デュロキセチンカプセル20mg「ニプロ」(ニプロ)	デュロキセチン塩酸塩	20mg 1カプセル	セロトニン・ノルアドレナリン再取り込み阻害剤(SNRI)	2348
	デュロキセチンOD20明治	白(微黄褐〜赤褐の斑点)	デュロキセチンOD錠20mg「明治」(Meiji Seika)	デュロキセチン塩酸塩	20mg 1錠	セロトニン・ノルアドレナリン再取り込み阻害剤(SNRI)	2348
	デュロキセチンOD20ニプロ	白(微黄褐〜赤褐の斑点)	デュロキセチンOD錠20mg「ニプロ」(ニプロ)	デュロキセチン塩酸塩	20mg 1錠	セロトニン・ノルアドレナリン再取り込み阻害剤(SNRI)	2348
	トーワエソメプラゾール20	青／薄赤	エソメプラゾールカプセル20mg「トーワ」(東和薬品)	エソメプラゾールマグネシウム水和物	20mg 1カプセル	プロトンポンプインヒビター	720
	バゼドキシフェン20サワイ	淡黄	バゼドキシフェン錠20mg「サワイ」(沢井)	バゼドキシフェン酢酸塩	20mg 1錠	選択的エストロゲン受容体調節剤	2786
	バルサルタン20DSEP	淡黄	Ⓘ	バルサルタン錠20mg「DSEP」(第一三共エスファ)	バルサルタン	20mg 1錠	選択的AT₁受容体遮断剤	2840
	バルサルタン20Me	白	Ⓘ	バルサルタン錠20mg「Me」(Meファルマ)	バルサルタン	20mg 1錠	選択的AT₁受容体遮断剤	2840
	バルサルタン20SW	淡黄	Ⓘ	バルサルタン錠20mg「サワイ」(沢井)	バルサルタン	20mg 1錠	選択的AT₁受容体遮断剤	2840
	バルサルタン20杏林	淡黄	Ⓘ	バルサルタン錠20mg「杏林」(キョーリンリメディオ／杏林)	バルサルタン	20mg 1錠	選択的AT₁受容体遮断剤	2840
	バルサルタン20日医工 ⓝ350	淡黄	Ⓘ	バルサルタン錠20mg「日医工」(日医工)	バルサルタン	20mg 1錠	選択的AT₁受容体遮断剤	2840
	バルサルタン20アメル	淡黄	Ⓘ	バルサルタン錠20mg「アメル」(共和薬品)	バルサルタン	20mg 1錠	選択的AT₁受容体遮断剤	2840
	バルサルタン20オーハラ	淡黄	Ⓘ	バルサルタン錠20mg「オーハラ」(大原薬品／エッセンシャル)	バルサルタン	20mg 1錠	選択的AT₁受容体遮断剤	2840
	バルサルタン20ケミファ	白	Ⓘ	バルサルタン錠20mg「ケミファ」(日本ケミファ／日本薬品工業)	バルサルタン	20mg 1錠	選択的AT₁受容体遮断剤	2840

番号	識別コード	色 (◎：割線有)	商品名(会社名)	一般名	規格単位	薬効	掲載ページ
20	バルサルタン BMD20 BMD53	淡黄　◎	バルサルタン錠20mg「BMD」(ビオメディクス)	バルサルタン	20mg 1錠	選択的AT$_1$受容体遮断剤	2840
	バルサルタン OD20トーワ	白　◎	バルサルタンOD錠20mg「トーワ」(東和薬品)	バルサルタン	20mg 1錠	選択的AT$_1$受容体遮断剤	2840
	バルデナ20／ バルデナフィル20 トーワ	薄黄　◎	バルデナフィル錠20mg「トーワ」(東和薬品)	バルデナフィル塩酸塩水和物	20mg 1錠	ホスホジエステラーゼ5阻害剤	2852
	バルデナフィル20 サワイ	淡黄赤	バルデナフィル錠20mg「サワイ」(沢井)	バルデナフィル塩酸塩水和物	20mg 1錠	ホスホジエステラーゼ5阻害剤	2852
	パロキセチン20 DSEP／ パロキセチン20 第一三共エスファ	帯紅白	パロキセチン錠20mg「DSEP」(第一三共エスファ)	パロキセチン塩酸塩水和物	20mg 1錠	選択的セロトニン再取り込み阻害剤(SSRI)	2878
	パロキセチン20 明治	帯紅白	パロキセチン錠20mg「明治」(Meiji Seika)	パロキセチン塩酸塩水和物	20mg 1錠	選択的セロトニン再取り込み阻害剤(SSRI)	2878
	パロキセチン20 アメル	帯紅白	パロキセチン錠20mg「アメル」(共和薬品)	パロキセチン塩酸塩水和物	20mg 1錠	選択的セロトニン再取り込み阻害剤(SSRI)	2878
	ファモチジン OD20オーハラ	白	ファモチジンOD錠20mg「オーハラ」(大原薬品)	ファモチジン	20mg 1錠	H$_2$-受容体拮抗剤	3079
	ファモチジン OD20トーワ	白	ファモチジンOD錠20mg「トーワ」(東和薬品)	ファモチジン	20mg 1錠	H$_2$-受容体拮抗剤	3079
	フェブキソ20 AFP	白～微黄　◎	フェブキソスタット錠20mg「AFP」(アルフレッサファーマ)	フェブキソスタット	20mg 1錠	非プリン型選択的キサンチンオキシダーゼ阻害剤・高尿酸血症治療剤	3148
	フェブキソ20NS	白～微黄　◎	フェブキソスタット錠20mg「日新」(日新)	フェブキソスタット	20mg 1錠	非プリン型選択的キサンチンオキシダーゼ阻害剤・高尿酸血症治療剤	3148
	フェブキソ20OD ケミファ／OD ケミファ20 フェブキソ	白～微黄　◎	フェブキソスタットOD錠20mg「ケミファ」(日本ケミファ／日本薬品工業)	フェブキソスタット	20mg 1錠	非プリン型選択的キサンチンオキシダーゼ阻害剤・高尿酸血症治療剤	3148
	フェブキソ20YD YD234	白～微黄　◎	フェブキソスタット錠20mg「YD」(陽進堂)	フェブキソスタット	20mg 1錠	非プリン型選択的キサンチンオキシダーゼ阻害剤・高尿酸血症治療剤	3148
	フェブキソ20 ケミファ／ケミファ 20フェブキソ	白～微黄　◎	フェブキソスタット錠20mg「ケミファ」(日本ケミファ／日本薬品工業)	フェブキソスタット	20mg 1錠	非プリン型選択的キサンチンオキシダーゼ阻害剤・高尿酸血症治療剤	3148
	フェブキソ20 サワイ	白～微黄　◎	フェブキソスタット錠20mg「サワイ」(沢井)	フェブキソスタット	20mg 1錠	非プリン型選択的キサンチンオキシダーゼ阻害剤・高尿酸血症治療剤	3148
	フェブキソJG20／ フェブキソスタット 20JG	白～微黄白　◎	フェブキソスタット錠20mg「JG」(日本ジェネリック)	フェブキソスタット	20mg 1錠	非プリン型選択的キサンチンオキシダーゼ阻害剤・高尿酸血症治療剤	3148
	フェブキソOD20 NPI／NPI20 フェブキソOD	白～微黄　◎	フェブキソスタットOD錠20mg「NPI」(日本薬品工業／フェルゼン)	フェブキソスタット	20mg 1錠	非プリン型選択的キサンチンオキシダーゼ阻害剤・高尿酸血症治療剤	3148
	フェブキソOD20 NS	白～微黄　◎	フェブキソスタットOD錠20mg「日新」(日新)	フェブキソスタット	20mg 1錠	非プリン型選択的キサンチンオキシダーゼ阻害剤・高尿酸血症治療剤	3148
	フェブキソOD20 サワイ／ フェブキソOD20	白　◎	フェブキソスタットOD錠20mg「サワイ」(沢井)	フェブキソスタット	20mg 1錠	非プリン型選択的キサンチンオキシダーゼ阻害剤・高尿酸血症治療剤	3148
	フェブキソ杏林 20	白～微黄　◎	フェブキソスタット錠20mg「杏林」(キョーリンリメディオ／杏林)	フェブキソスタット	20mg 1錠	非プリン型選択的キサンチンオキシダーゼ阻害剤・高尿酸血症治療剤	3148
	フェブキソ明治 20／20 フェブキソ	白～微黄　◎	フェブキソスタット錠20mg「明治」(Meiji Seika／Meファルマ)	フェブキソスタット	20mg 1錠	非プリン型選択的キサンチンオキシダーゼ阻害剤・高尿酸血症治療剤	3148
	フェブキソ明治 OD20／OD20 フェブキソ	白～微黄　◎	フェブキソスタットOD錠20mg「明治」(Meiji Seika／Meファルマ)	フェブキソスタット	20mg 1錠	非プリン型選択的キサンチンオキシダーゼ阻害剤・高尿酸血症治療剤	3148
	フェブキソスタット ／20TCK	白～微黄　◎	フェブキソスタット錠20mg「TCK」(辰巳化学)	フェブキソスタット	20mg 1錠	非プリン型選択的キサンチンオキシダーゼ阻害剤・高尿酸血症治療剤	3148
	フェブキソスタット 20ニプロ	白～微黄　◎	フェブキソスタット錠20mg「ニプロ」(ニプロ)	フェブキソスタット	20mg 1錠	非プリン型選択的キサンチンオキシダーゼ阻害剤・高尿酸血症治療剤	3148
	フェブキソスタット DSEP20	白～微黄　◎	フェブキソスタット錠20mg「DSEP」(第一三共エスファ)	フェブキソスタット	20mg 1錠	非プリン型選択的キサンチンオキシダーゼ阻害剤・高尿酸血症治療剤	3148
	フロセミド20JG	白　◎	フロセミド錠20mg「JG」(日本ジェネリック)	フロセミド	20mg 1錠	ループ利尿剤	3405
	フロセミド 20SK12 SK12	白　◎	フロセミド錠20mg「SN」(シオノ／江州)	フロセミド	20mg 1錠	ループ利尿剤	3405

番号	識別コード	色 (①:割線有)	商品名(会社名)	一般名	規格単位	薬効	掲載 ページ
20	フロセミドTV20	白　①	フロセミド錠20mg「NIG」(日医工岐阜／日医工／武田薬品)	フロセミド	20mg 1錠	ループ利尿剤	3405
	ベラプロスト20 オーハラ	白～淡黄白	ベラプロストNa錠20μg「オーハラ」(大原薬品)	ベラプロストナトリウム	20μg 1錠	プロスタサイクリン(PGI₂)誘導体	3597
	ペルジピン20	白	ペルジピン錠20mg (LTL)	ニカルジピン塩酸塩	20mg 1錠	ジヒドロピリジン系Ca拮抗剤	2628
	ペルジピンLA 20mgLT	白	ペルジピンLAカプセル20mg (LTL)	ニカルジピン塩酸塩	20mg 1カプセル	ジヒドロピリジン系Ca拮抗剤	2628
	メマリー20	白～帯黄白①	メマリー錠20mg (第一三共)	メマンチン塩酸塩	20mg 1錠	NMDA受容体拮抗アルツハイマー型認知症治療剤	3991
	メマリー-OD20	白～微黄白	メマリーOD錠20mg (第一三共)	メマンチン塩酸塩	20mg 1錠	NMDA受容体拮抗アルツハイマー型認知症治療剤	3991
	メマンチン20 DSEP	白～帯黄白①	メマンチン塩酸塩錠20mg「DSEP」(第一三共エスファ)	メマンチン塩酸塩	20mg 1錠	NMDA受容体拮抗アルツハイマー型認知症治療剤	3991
	メマンチン20 20メマンチンOD トーワ	白　①	メマンチン塩酸塩錠20mg「トーワ」(東和薬品／共創未来)	メマンチン塩酸塩	20mg 1錠	NMDA受容体拮抗アルツハイマー型認知症治療剤	3991
	メマンチン20アメル メマンチン20 20 アメル 20アメル メマンチン20	白～帯黄白①	メマンチン塩酸塩錠20mg「アメル」(共和薬品)	メマンチン塩酸塩	20mg 1錠	NMDA受容体拮抗アルツハイマー型認知症治療剤	3991
	メマンチン20 オーハラ	白　①	メマンチン塩酸塩錠20mg「オーハラ」(大原薬品)	メマンチン塩酸塩	20mg 1錠	NMDA受容体拮抗アルツハイマー型認知症治療剤	3991
	メマンチン20 サワイ	白～帯黄白①	メマンチン塩酸塩錠20mg「サワイ」(沢井)	メマンチン塩酸塩	20mg 1錠	NMDA受容体拮抗アルツハイマー型認知症治療剤	3991
	メマンチン20ニプロ ／メマンチン20	白～帯黄白①	メマンチン塩酸塩錠20mg「ニプロ」(ニプロ)	メマンチン塩酸塩	20mg 1錠	NMDA受容体拮抗アルツハイマー型認知症治療剤	3991
	メマンチンOD20 DSEP	白～帯黄白①	メマンチン塩酸塩OD錠20mg「DSEP」(第一三共エスファ)	メマンチン塩酸塩	20mg 1錠	NMDA受容体拮抗アルツハイマー型認知症治療剤	3991
	メマンチンOD20 NS	白～微黄白①	メマンチン塩酸塩OD錠20mg「日新」(日新)	メマンチン塩酸塩	20mg 1錠	NMDA受容体拮抗アルツハイマー型認知症治療剤	3991
	メマンチンOD20 TCK	白～微黄白①	メマンチン塩酸塩OD錠20mg「TCK」(辰巳化学)	メマンチン塩酸塩	20mg 1錠	NMDA受容体拮抗アルツハイマー型認知症治療剤	3991
	メマンチンOD20 ZE	白～淡黄白①	メマンチン塩酸塩OD錠20mg「ZE」(全星薬品工業／全星薬品)	メマンチン塩酸塩	20mg 1錠	NMDA受容体拮抗アルツハイマー型認知症治療剤	3991
	メマンチンOD20 杏林	白～微黄白①	メマンチン塩酸塩OD錠20mg「杏林」(キョーリンリメディオ／杏林)	メマンチン塩酸塩	20mg 1錠	NMDA受容体拮抗アルツハイマー型認知症治療剤	3991
	メマンチンOD20 日医工	白～微黄白①	メマンチン塩酸塩OD錠20mg「日医工」(エルメッド／日医工)	メマンチン塩酸塩	20mg 1錠	NMDA受容体拮抗アルツハイマー型認知症治療剤	3991
	メマンチンOD20 アメル メマンチンOD20	白　①	メマンチン塩酸塩OD錠20mg「アメル」(共和薬品)	メマンチン塩酸塩	20mg 1錠	NMDA受容体拮抗アルツハイマー型認知症治療剤	3991
	メマンチンOD20 オーハラ	白　①	メマンチン塩酸塩OD錠20mg「オーハラ」(大原薬品)	メマンチン塩酸塩	20mg 1錠	NMDA受容体拮抗アルツハイマー型認知症治療剤	3991
	メマンチンOD20 ケミファ／ケミファ 20メマンチンOD	白～微黄白①	メマンチン塩酸塩OD錠20mg「ケミファ」(日本ケミファ／日本薬品工業)	メマンチン塩酸塩	20mg 1錠	NMDA受容体拮抗アルツハイマー型認知症治療剤	3991
	メマンチンOD20 サワイ	白～微黄白①	メマンチン塩酸塩OD錠20mg「サワイ」(沢井)	メマンチン塩酸塩	20mg 1錠	NMDA受容体拮抗アルツハイマー型認知症治療剤	3991
	メマンチンOD20／ サンド20	白～微黄白①	メマンチン塩酸塩OD錠20mg「サンド」(サンド)	メマンチン塩酸塩	20mg 1錠	NMDA受容体拮抗アルツハイマー型認知症治療剤	3991
	メマンチンOD20 フェルゼン／ フェルゼン20 メマンチンOD	白～微黄白①	メマンチン塩酸塩OD錠20mg「フェルゼン」(ダイト／フェルゼン)	メマンチン塩酸塩	20mg 1錠	NMDA受容体拮抗アルツハイマー型認知症治療剤	3991
	メマンチンOD20 メマンチン OD JG メマンチンOD20 メマンチン OD JG	白～微黄白①	メマンチン塩酸塩OD錠20mg「JG」(日本ジェネリック)	メマンチン塩酸塩	20mg 1錠	NMDA受容体拮抗アルツハイマー型認知症治療剤	3991
	メマンチンOD20／ メマンチンOD20 明治	白～微黄白①	メマンチン塩酸塩OD錠20mg「明治」(Meiji Seika)	メマンチン塩酸塩	20mg 1錠	NMDA受容体拮抗アルツハイマー型認知症治療剤	3991
	メマンチンOD20／ メマンチンOD20 ニプロ	白～微黄白①	メマンチン塩酸塩OD錠20mg「ニプロ」(ニプロ)	メマンチン塩酸塩	20mg 1錠	NMDA受容体拮抗アルツハイマー型認知症治療剤	3991
	メマンチンOD20／ メマンチンOD タカタ20	白～微黄白①	メマンチン塩酸塩OD錠20mg「タカタ」(高田)	メマンチン塩酸塩	20mg 1錠	NMDA受容体拮抗アルツハイマー型認知症治療剤	3991
	メマンチン YD OD20 YD439	白～微黄白①	メマンチン塩酸塩OD錠20mg「YD」(陽進堂)	メマンチン塩酸塩	20mg 1錠	NMDA受容体拮抗アルツハイマー型認知症治療剤	3991
	メマンチン明治／ メマンチン20	白～帯黄白①	メマンチン塩酸塩錠20mg「明治」(Meiji Seika)	メマンチン塩酸塩	20mg 1錠	NMDA受容体拮抗アルツハイマー型認知症治療剤	3991

番号	識別コード	色 (①:割線有)	商品名(会社名)	一般名	規格単位	薬効	掲載ページ
20	ラツーダ20	白〜帯黄白①	ラツーダ錠20mg(住友ファーマ)	ルラシドン塩酸塩	20mg 1錠	抗精神病剤・双極性障害のうつ症状治療剤	4346
	ラベプラ20明治	淡黄	ラベプラゾールNa塩錠20mg「明治」(Meiji Seika/Meファルマ)	ラベプラゾールナトリウム	20mg 1錠	プロトンポンプインヒビター	4112
	ラベプラ20オーハラ	淡黄	ラベプラゾールNa錠20mg「オーハラ」(大原薬品/共創未来/第一三共エスファ/エッセンシャル)	ラベプラゾールナトリウム	20mg 1錠	プロトンポンプインヒビター	4112
	ラベプラ20ニプロ	淡黄	ラベプラゾールNa20mg「ニプロ」(ニプロES/ニプロ)	ラベプラゾールナトリウム	20mg 1錠	プロトンポンプインヒビター	4112
	ラベプラゾール20AFP	淡黄	ラベプラゾールNa錠20mg「AFP」(アルフレッサファーマ)	ラベプラゾールナトリウム	20mg 1錠	プロトンポンプインヒビター	4112
	ラベプラゾール20JG	淡黄	ラベプラゾールNa錠20mg「JG」(日本ジェネリック)	ラベプラゾールナトリウム	20mg 1錠	プロトンポンプインヒビター	4112
	ラベプラゾール20NIG	淡黄	ラベプラゾールNa錠20mg「NIG」(日医工岐阜/日医工/武田薬品)	ラベプラゾールナトリウム	20mg 1錠	プロトンポンプインヒビター	4112
	ラベプラゾール20NS	淡黄	ラベプラゾールNa錠20mg「日新」(日新)	ラベプラゾールナトリウム	20mg 1錠	プロトンポンプインヒビター	4112
	ラベプラゾール20TCK	淡黄	ラベプラゾールナトリウム錠20mg「TCK」(辰巳化学)	ラベプラゾールナトリウム	20mg 1錠	プロトンポンプインヒビター	4112
	ラベプラゾール20杏林	淡黄	ラベプラゾールNa錠20mg「杏林」(キョーリンリメディオ/杏林)	ラベプラゾールナトリウム	20mg 1錠	プロトンポンプインヒビター	4112
	ラベプラゾール20日医工 Ⓝ893	淡黄	ラベプラゾールナトリウム錠20mg「日医工」(日医工)	ラベプラゾールナトリウム	20mg 1錠	プロトンポンプインヒビター	4112
	ラベプラゾール20/科研 KC81	淡黄	ラベプラゾールナトリウム錠20mg「科研」(ダイト/科研)	ラベプラゾールナトリウム	20mg 1錠	プロトンポンプインヒビター	4112
	ラベプラゾール20ケミファ	淡黄	ラベプラゾールナトリウム錠20mg「ケミファ」(日本ケミファ/日本薬品工業)	ラベプラゾールナトリウム	20mg 1錠	プロトンポンプインヒビター	4112
	ラベプラゾール20サンド	淡黄	ラベプラゾールナトリウム錠20mg「サンド」(サンド)	ラベプラゾールナトリウム	20mg 1錠	プロトンポンプインヒビター	4112
	ラベプラゾール20トーワ	淡黄	ラベプラゾールNa錠20mg「トーワ」(東和薬品)	ラベプラゾールナトリウム	20mg 1錠	プロトンポンプインヒビター	4112
	ラベプラゾールYD20 YD643	淡黄	ラベプラゾールNa錠20mg「YD」(陽進堂)	ラベプラゾールナトリウム	20mg 1錠	プロトンポンプインヒビター	4112
	ロナセンテープ20	白半透明〜微黄半透明	ロナセンテープ20mg(住友ファーマ)	ブロナンセリン	20mg 1枚	抗精神病、ドパミンD₂受容体・5-HT₂受容体遮断剤	3422
	ロンゲス/20	淡黄 ①	ロンゲス錠20mg(共和薬品)	リシノプリル水和物	20mg 1錠	ACE阻害剤	4193
	ロンサーフ20	淡赤	ロンサーフ配合錠T20(大鵬薬品)	トリフルリジン・チピラシル塩酸塩	20mg 1錠(トリフルリジン相当量)	抗悪性腫瘍剤	2521
021	FEL021/10	白 ①	ロラタジン錠10mg「フェルゼン」(フェルゼン)	ロラタジン	10mg 1錠	持続性選択H₁-受容体拮抗・アレルギー治療剤	4545
	Hy5LT021 LT021	帯褐黄(白)	ヒポカ5mgカプセル(LTL)	バルニジピン塩酸塩	5mg 1カプセル	ジヒドロピリジン系Ca拮抗剤	2857
	KH021	淡黄赤	アレロック錠5(協和キリン)	オロパタジン塩酸塩	5mg 1錠	アレルギー性疾患治療剤	1037
	SW021	白 ①	ジアゼパム錠2「サワイ」(沢井)	ジアゼパム	2mg 1錠	マイナートランキライザー	1553
	TG021 2.5 TG021	白 ①	カルベジロール錠2.5mg「タナベ」(ニプロES)	カルベジロール	2.5mg 1錠	α, β-遮断剤	1160
	TG021 2.5 TG021	白 ①	カルベジロール錠2.5mg「ニプロ」(ニプロES)	カルベジロール	2.5mg 1錠	α, β-遮断剤	1160
	Tw021/2.5	白	イミダプリル塩酸塩錠2.5mg「トーワ」(東和薬品)	イミダプリル塩酸塩	2.5mg 1錠	ACE阻害剤	504
	Ψ021	白	クリアナール錠200mg(田辺三菱)	フドステイン	200mg 1錠	気道分泌細胞正常化剤	3226
21	21P	帯紅白	パロキセチン錠10mg「TSU」(鶴原)	パロキセチン塩酸塩水和物	10mg 1錠	選択的セロトニン再取り込み阻害剤(SSRI)	2878
	BMD21	淡黄	アルファカルシドールカプセル0.25μg「BMD」(ビオメディクス/フェルゼン/日本ジェネリック)	アルファカルシドール	0.25μg 1カプセル	活性型ビタミンD₃	317
	C-21A	白 ①	ジゴキシン錠0.25mg(太陽ファルマ)	ジゴキシン	0.25mg 1錠	ジギタリス強心配糖体	1594
	C-21F	白	シグマート錠2.5mg(中外)	ニコランジル	2.5mg 1錠	狭心症・急性心不全治療剤	2635
	C-21F5	白 ①	シグマート錠5mg(中外)	ニコランジル	5mg 1錠	狭心症・急性心不全治療剤	2635
	C21K C-21K	白 ①	ジゴシン錠0.125mg(太陽ファルマ)	ジゴキシン	0.125mg 1錠	ジギタリス強心配糖体	1594
	D21/5	白	ドネペジル塩酸塩錠5mg「TSU」(鶴原)	ドネペジル・塩酸塩	5mg 1錠	アルツハイマー型、レビー小体型認知症治療剤	2426
	E21	黄	ベニジピン塩酸塩錠2mg「ツルハラ」(鶴原)	ベニジピン塩酸塩	2mg 1錠	ジヒドロピリジン系Ca拮抗剤	3524
	EE21/1	白 ①	ドキサゾシン錠1mg「EMEC」(アルフレッサファーマ/エルメッド/日医工)	ドキサゾシンメシル酸塩	1mg 1錠	α₁-遮断剤	2391

番号	識別コード	色 (Ⓘ：割線有)	商品名(会社名)	一般名	規格単位	薬効	掲載 ページ
21	H21	淡黄褐	本草小半夏加茯苓湯エキス顆粒－M (本草)	小半夏加茯苓湯	1g	漢方製剤	4613
	JG E21	白	シルニジピン錠5mg「JG」(日本ジェネリック)	シルニジピン	5mg 1錠	ジヒドロピリジン系Ca拮抗剤	1716
	JG F21／OD100	白 Ⓘ	シロスタゾールOD錠100mg「JG」(ダイト／日本ジェネリック)	シロスタゾール	100mg 1錠	抗血小板剤	1718
	JG G21／5	淡黄赤	オロパタジン塩酸塩錠5mg「JG」(日本ジェネリック)	オロパタジン塩酸塩	5mg 1錠	アレルギー性疾患治療剤	1037
	KB-21 EK-21	淡黄褐〜淡褐	クラシエ小半夏加茯苓湯エキス細粒(クラシエ／クラシエ薬品)	小半夏加茯苓湯	1g	漢方製剤	4613
	KTB21	白	エペリゾン塩酸塩錠50mg「KO」(寿)	エペリゾン塩酸塩	50mg 1錠	γ-系筋緊張・循環改善剤	811
	MD21G	白	セロクラール錠10mg (日医工)	イフェンプロジル酒石酸塩	10mg 1錠	鎮うん剤	473
	MD21J	白	セロクラール錠20mg (日医工)	イフェンプロジル酒石酸塩	20mg 1錠	鎮うん剤	473
	N21	黄褐〜乳白	コタロー小半夏加茯苓湯エキス細粒(小太郎漢方)	小半夏加茯苓湯	1g	漢方製剤	4613
	OG／21 OG21	白 Ⓘ	メプチン錠50μg (大塚)	プロカテロール塩酸塩水和物	0.05mg 1錠	気管支拡張β₂-刺激剤	3387
	S-21	黄褐	三和六君子湯エキス細粒(三和生薬)	六君子湯	1g	漢方製剤	4652
	SG-21	淡灰茶褐〜淡灰褐	オースギ小半夏加茯苓湯エキスG (大杉)	小半夏加茯苓湯	1g	漢方製剤	4613
	SW L21／10	白 Ⓘ	ロラタジン錠10mg「サワイ」(沢井)	ロラタジン	10mg 1錠	持続性選択H₁-受容体拮抗・アレルギー治療剤	4545
	TC21／5	白	プロテカジン錠5 (大鵬薬品)	ラフチジン	5mg 1錠	H₂-受容体拮抗剤	4103
	Ɽy21	白	ブルフェン錠100 (科研)	イブプロフェン	100mg 1錠	フェニルプロピオン酸系解熱消炎鎮痛剤	477
	Ɔ21X	白	トラピジル錠50mg「日医工」(日医工ファーマ／日医工)	トラピジル	50mg 1錠	循環機能改善剤	2475
	Ɔ21Y	白	トラピジル錠100mg「日医工」(日医工ファーマ／日医工)	トラピジル	100mg 1錠	循環機能改善剤	2475
	ツムラ／21	淡灰白	ツムラ小半夏加茯苓湯エキス顆粒(医療用) (ツムラ)	小半夏加茯苓湯	1g	漢方製剤	4613
022	FEL022／OD10	白	ロラタジンOD錠10mg「フェルゼン」(フェルゼン)	ロラタジン	10mg 1錠	持続性選択H₁-受容体拮抗・アレルギー治療剤	4545
	KH022	極薄黄	アレロックOD錠2.5 (協和キリン)	オロパタジン塩酸塩	2.5mg 1錠	アレルギー性疾患治療剤	1037
	LT022	淡赤	セフゾンカプセル100mg (LTL)	セフジニル	100mg 1カプセル	セフェム系抗生物質	1850
	NP022 NP-022	淡紅	ミルナシプラン塩酸塩錠12.5mg「NP」(ニプロ)	ミルナシプラン塩酸塩	12.5mg 1錠	セロトニン・ノルアドレナリン再取り込み阻害剤(SNRI)	3891
	TG022	黄	カルベジロール錠10mg「タナベ」(ニプロES)	カルベジロール	10mg 1錠	α, β-遮断剤	1160
	TG022	黄	カルベジロール錠10mg「ニプロ」(ニプロES)	カルベジロール	10mg 1錠	α, β-遮断剤	1160
	Tw022／5	白	イミダプリル塩酸塩錠5mg「トーワ」(東和薬品)	イミダプリル塩酸塩	5mg 1錠	ACE阻害剤	504
	YD022	白	トラネキサム酸錠500mg「YD」(陽進堂)	トラネキサム酸	500mg 1錠	抗プラスミン剤	2474
22	2.5 MH22	薄桃	エナラプリルマレイン酸塩錠2.5mg「VTRS」(ヴィアトリス・ヘルスケア／ヴィアトリス)	エナラプリルマレイン酸塩	2.5mg 1錠	ACE阻害剤	767
	22P	帯紅白	パロキセチン錠20mg「TSU」(鶴原)	パロキセチン塩酸塩水和物	20mg 1錠	選択的セロトニン再取り込み阻害剤(SSRI)	2878
	BMD22	淡緑	アルファカルシドールカプセル0.5μg「BMD」(ビオメディクス／フェルゼン／日本ジェネリック)	アルファカルシドール	0.5μg 1カプセル	活性型ビタミンD₃	317
	C-22B20	白	レスプレン錠20mg (太陽ファルマ)	エプラジノン塩酸塩	20mg 1錠	鎮咳去痰剤	804
	C-22B30	白	レスプレン錠30mg (太陽ファルマ)	エプラジノン塩酸塩	30mg 1錠	鎮咳去痰剤	804
	C-22B5	白	レスプレン錠5mg (太陽ファルマ)	エプラジノン塩酸塩	5mg 1錠	鎮咳去痰剤	804
	D22／10	赤橙	ドネペジル塩酸塩錠10mg「TSU」(鶴原)	ドネペジル，-塩酸塩	10mg 1錠	アルツハイマー型，レビー小体型認知症治療剤	2426
	E22	黄 Ⓘ	ベニジピン塩酸塩錠4mg「ツルハラ」(鶴原)	ベニジピン塩酸塩	4mg 1錠	ジヒドロピリジン系Ca拮抗剤	3524
	EE22／2	淡橙 Ⓘ	ドキサゾシン錠2mg「EMEC」(アルフレッサファーマ／エルメッド／日医工)	ドキサゾシンメシル酸塩	2mg 1錠	α₁-遮断剤	2391
	F22	白〜微黄白	ファモチジンOD錠20mg「ケミファ」(シオノ／日本薬品工業／日本ケミファ)	ファモチジン	20mg 1錠	H₂-受容体拮抗剤	3079
	FJ22	白〜淡黄白Ⓘ	テルビナフィン錠125mg「F」(富士製薬)	テルビナフィン塩酸塩	125mg 1錠	アリルアミン系抗真菌剤	2367
	JG E22	白	シルニジピン錠10mg「JG」(日本ジェネリック)	シルニジピン	10mg 1錠	ジヒドロピリジン系Ca拮抗剤	1716

番号	識別コード	色（①：割線有）	商品名(会社名)	一般名	規格単位	薬効	掲載ページ
22	JG G22／30	薄橙	フェキソフェナジン塩酸塩錠30mg「JG」(日本ジェネリック)	フェキソフェナジン塩酸塩	30mg 1錠	アレルギー性疾患治療剤	3111
	MSD22／	薄赤	プロペシア錠0.2mg(オルガノン)	フィナステリド	0.2mg 1錠	5α-還元酵素Ⅱ型阻害薬	3090
	N22	黒褐～濃茶	コタロー消風散エキス細粒(小太郎漢方)	消風散	1g	漢方製剤	4613
	NS22	白	ニカルジピン塩酸塩錠20mg「日新」(日新)	ニカルジピン塩酸塩	20mg 1錠	ジヒドロピリジン系Ca拮抗剤	2628
	OG／22 OG22	白	メプチンミニ錠25μg(大塚)	プロカテロール塩酸塩水和物	0.025mg 1錠	気管支拡張β₂-刺激剤	3387
	SG-22	淡灰褐	オースギ消風散エキスG(大杉)	消風散	1g	漢方製剤	4613
	TC22／10	白	プロテカジン錠10(大鵬薬品)	ラフチジン	10mg 1錠	H₂-受容体拮抗剤	4103
	ZE22	白～微黄白	ピーエイ配合錠(全星薬品工業／ニプロ／沢井／ニプロES／全星薬品)	PL	1錠	総合感冒剤	2910
	₭22	白	ブルフェン錠200(科研)	イブプロフェン	200mg 1錠	フェニルプロピオン酸系解熱消炎鎮痛剤	477
	漢：S-22	褐	三和当帰芍薬散料エキス細粒(三和生薬)	当帰芍薬散	1g	漢方製剤	4631
	ツムラ／22	灰褐	ツムラ消風散エキス顆粒(医療用)(ツムラ)	消風散	1g	漢方製剤	4613
023	KH023	極薄黄	アレロックOD錠5(協和キリン)	オロパタジン塩酸塩	5mg 1錠	アレルギー性疾患治療剤	1037
	Kw023／50	白～微黄白	アロプリノール錠50mg「アメル」(共和薬品)	アロプリノール	50mg 1錠	キサンチンオキシダーゼ阻害剤・高尿酸血症治療剤	363
	NP023 NP-023	白	ミルナシプラン塩酸塩錠50mg「NP」(ニプロ)	ミルナシプラン塩酸塩	50mg 1錠	セロトニン・ノルアドレナリン再取り込み阻害剤(SNRI)	3891
	TG023	白～微黄白①	カルベジロール錠20mg「タナベ」(ニプロES)	カルベジロール	20mg 1錠	α, β-遮断剤	1160
	TG023	白～微黄白①	カルベジロール錠20mg「ニプロ」(ニプロES)	カルベジロール	20mg 1錠	α, β-遮断剤	1160
	TSU023	白 ①	アルジオキサ錠100mg「ツルハラ」(鶴原)	アルジオキサ	100mg 1錠	胃炎・消化性潰瘍治療剤	311
	Tw023／10	白	イミダプリル塩酸塩錠10mg「トーワ」(東和薬品)	イミダプリル塩酸塩	10mg 1錠	ACE阻害剤	504
23	5 MH23	薄桃 ①	エナラプリルマレイン酸塩錠5mg「VTRS」(ヴィアトリス・ヘルスケア／ヴィアトリス)	エナラプリルマレイン酸塩	5mg 1錠	ACE阻害剤	767
	BMD23	淡紅	アルファカルシドールカプセル1.0μg「BMD」(ビオメディクス／フェルゼン／日本ジェネリック)	アルファカルシドール	1μg 1カプセル	活性型ビタミンD₃	317
	E23	白	セチリジン塩酸塩錠10mg「ツルハラ」(鶴原)	セチリジン塩酸塩	10mg 1錠	持続性選択H₁-受容体拮抗剤	1806
	EE23／4	白 ①	ドキサゾシン錠4mg「EMEC」(アルフレッサファーマ／エルメッド／日医工)	ドキサゾシンメシル酸塩	4mg 1錠	α₁-遮断剤	2391
	FC23	褐	ジュンコウ当帰芍薬散料FCエキス細粒医療用(康和薬通／大杉)	当帰芍薬散	1g	漢方製剤	4631
	H23	淡褐	本草当帰芍薬散料エキス顆粒-M(本草)	当帰芍薬散	1g	漢方製剤	4631
	J-23	淡褐	JPS当帰芍薬散料エキス顆粒〔調剤用〕(ジェーピーエス)	当帰芍薬散	1g	漢方製剤	4631
	JG G23／60	薄橙	フェキソフェナジン塩酸塩錠60mg「JG」(日本ジェネリック)	フェキソフェナジン塩酸塩	60mg 1錠	アレルギー性疾患治療剤	3111
	KB-23 EK-23	淡褐～褐	クラシエ当帰芍薬散料エキス細粒(クラシエ／クラシエ薬品)	当帰芍薬散	1g	漢方製剤	4631
	N23	淡褐～黄褐	コタロー当帰芍薬散料エキス細粒(小太郎漢方)	当帰芍薬散	1g	漢方製剤	4631
	OG23	白～微黄白	ロレルコ250mg(大塚)	プロブコール	250mg 1錠	高脂質血症治療剤	3436
	S-23	黄褐	三和乙字湯エキス細粒(三和生薬)	乙字湯	1g	漢方製剤	4571
	SG-23	淡灰茶褐～淡灰黄褐	オースギ当帰芍薬散料エキスG(大杉)	当帰芍薬散	1g	漢方製剤	4631
	SG-23T	淡褐	オースギ当帰芍薬散料エキスT錠(大杉)	当帰芍薬散	1錠	漢方製剤	4631
	Tai TM-23	淡茶～灰褐	太虎堂の当帰芍薬散料エキス顆粒(太虎精堂)	当帰芍薬散	1g	漢方製剤	4631
	Tai TM-23P	淡茶～茶	太虎堂の当帰芍薬散料エキス散(太虎精堂)	当帰芍薬散	1g	漢方製剤	4631
	TC23／5	淡黄白	プロテカジンOD錠5(大鵬薬品)	ラフチジン	5mg 1錠	H₂-受容体拮抗剤	4103
	₭23	白	フロベン錠40(科研)	フルルビプロフェン	40mg 1錠	フェニルアルカン酸系消炎鎮痛剤	3345
	ツムラ/23	淡灰褐	ツムラ当帰芍薬散エキス顆粒(医療用)(ツムラ)	当帰芍薬散	1g	漢方製剤	4631
024	KH024	淡黄赤	アレロック顆粒0.5%(協和キリン)	オロパタジン塩酸塩	0.5% 1g	アレルギー性疾患治療剤	1037

番号	識別コード	色 (①:割線有)	商品名(会社名)	一般名	規格単位	薬効	掲載ページ
024	Tw024／25	白 ①	ナフトピジル錠25mg「トーワ」(東和薬品)	ナフトピジル	25mg 1錠	排尿障害治療剤	2614
	YO ML024 YO ML036 YO ML04 YO ML048 YO ML06 YO ML08 YO ML12	白	酸化マグネシウム細粒83％「ヨシダ」(吉田)	酸化マグネシウム	83％ 1g	制酸・緩下剤	3798
24	10 MH24	薄桃 ①	エナラプリルマレイン酸塩錠10mg「VTRS」(ヴィアトリス・ヘルスケア／ヴィアトリス)	エナラプリルマレイン酸塩	10mg 1錠	ACE阻害剤	767
	24	白	エビリファイOD錠24mg(大塚)	アリピプラゾール	24mg 1錠	抗精神病薬	289
	BMD24	淡橙	アルファカルシドールカプセル3μg「BMD」(ビオメディクス)	アルファカルシドール	3μg 1カプセル	活性型ビタミンD₃	317
	DC／E24 DC E24	白〜帯黄白	ナルサス錠24mg(第一三共プロ／第一三共)	ヒドロモルフォン塩酸塩	24mg 1錠	癌疼痛治療剤	2994
	E24	白	セチリジン塩酸塩錠5mg「ツルハラ」(鶴原)	セチリジン塩酸塩	5mg 1錠	持続性選択H₁-受容体拮抗剤	1806
	EE24／D10	白〜淡黄白①	ファモチジンD錠10mg「EMEC」(アルフレッサファーマ／エルメッド／日医工)	ファモチジン	10mg 1錠	H₂-受容体拮抗剤	3079
	FC24	灰褐	ジュンコウ加味逍遙散FCエキス細粒医療用(康和薬通／大杉)	加味逍遙散	1g	漢方製剤	4575
	FC24T	灰褐〜褐／黄褐	ジュンコウ加味逍遙散FCエキス錠医療用(康和薬通／大杉)	加味逍遙散	1錠	漢方製剤	4575
	H24	淡褐	本草加味逍遙散エキス顆粒－M(本草)	加味逍遙散	1g	漢方製剤	4575
	J-24	淡黄褐	JPS加味逍遙散料エキス顆粒〔調剤用〕(ジェーピーエス)	加味逍遙散	1g	漢方製剤	4575
	JG C24	白 ①	ブロチゾラムOD錠0.25mg「JG」(大興／日本ジェネリック)	ブロチゾラム	0.25mg 1錠	チエノトリアゾロジアゼピン系睡眠導入剤	3411
	JG24	白	ロラタジンOD錠10mg「JG」(日本ジェネリック)	ロラタジン	10mg 1錠	持続性選択H₁-受容体拮抗・アレルギー治療剤	4545
	KB-24 EK-24	淡黄褐〜褐	クラシエ加味逍遙散料エキス細粒(クラシエ／クラシエ薬品)	加味逍遙散	1g	漢方製剤	4575
	N24	褐〜黄褐	コタロー加味逍遙散エキス細粒(小太郎漢方)	加味逍遙散	1g	漢方製剤	4575
	S-24	褐	三和柴胡桂枝湯エキス細粒(三和生薬)	柴胡桂枝湯	1g	漢方製剤	4595
	SG-24	淡灰茶褐〜淡灰黄褐	オースギ加味逍遙散エキスG(大杉)	加味逍遙散	1g	漢方製剤	4575
	SW アリピプラゾール24	赤 ①	アリピプラゾール錠24mg「サワイ」(沢井)	アリピプラゾール	24mg 1錠	抗精神病薬	289
	Tai TM-24	灰〜灰褐	太虎堂の加味逍遙散エキス顆粒(太虎精堂)	加味逍遙散	1g	漢方製剤	4575
	Tai TM-24P	黄褐〜茶褐	太虎堂の加味逍遙散エキス散(太虎精堂)	加味逍遙散	1g	漢方製剤	4575
	TC24／10	白	プロテカジンOD錠10(大鵬薬品)	ラフチジン	10mg 1錠	H₂-受容体拮抗剤	4103
	ZE24／10	淡橙 ①	アムロジピンOD錠10mg「ZE」(全星薬品工業／全星薬品)	アムロジピンベシル酸塩	10mg 1錠	ジヒドロピリジン系Ca拮抗剤	264
	アリピ24／ アリピプラゾール24 ODトーワ	白 ①	アリピプラゾールOD錠24mg「トーワ」(東和薬品)	アリピプラゾール	24mg 1錠	抗精神病薬	289
	アリピ24／ アリピプラゾール24 トーワ	淡赤 ①	アリピプラゾール錠24mg「トーワ」(東和薬品)	アリピプラゾール	24mg 1錠	抗精神病薬	289
	アリピプラゾール24 OD明治	淡赤 ①	アリピプラゾールOD錠24mg「明治」(Meiji Seika)	アリピプラゾール	24mg 1錠	抗精神病薬	289
	アリピプラゾール24 OD／アリピ OD24アメル	白	アリピプラゾールOD錠24mg「アメル」(共和薬品)	アリピプラゾール	24mg 1錠	抗精神病薬	289
	アリピプラゾール24 明治	淡赤 ①	アリピプラゾール錠24mg「明治」(Meiji Seika)	アリピプラゾール	24mg 1錠	抗精神病薬	289
	アリピプラゾール24／ アメルアリピ24	白 ①	アリピプラゾール錠24mg「アメル」(共和薬品)	アリピプラゾール	24mg 1錠	抗精神病薬	289
	アリピプラゾール24 オーハラ	淡赤 ①	アリピプラゾール錠24mg「オーハラ」(大原薬品)	アリピプラゾール	24mg 1錠	抗精神病薬	289
	アリピプラゾール OD24JG	白	アリピプラゾールOD錠24mg「JG」(日本ジェネリック)	アリピプラゾール	24mg 1錠	抗精神病薬	289
	アリピプラゾール OD24杏林	白	アリピプラゾールOD錠24mg「杏林」(キョーリンリメディオ／杏林)	アリピプラゾール	24mg 1錠	抗精神病薬	289
	アリピプラゾール OD24日医工 ⓝ170	白	アリピプラゾールOD錠24mg「日医工」(日医工)	アリピプラゾール	24mg 1錠	抗精神病薬	289

番号	識別コード	色 (Ⓢ：割線有)	商品名(会社名)	一般名	規格単位	薬効	掲載ページ
24	アリピプラゾール OD24オーハラ	淡赤　Ⓢ	アリピプラゾールOD錠24mg「オーハラ」(大原薬品／共創未来)	アリピプラゾール	24mg 1錠	抗精神病薬	289
	アリピプラゾール OD24ニプロ	淡紅	アリピプラゾールOD錠24mg「ニプロ」(ニプロ)	アリピプラゾール	24mg 1錠	抗精神病薬	289
	アリピプラゾール ODタカタ24	白	アリピプラゾールOD錠24mg「タカタ」(高田)	アリピプラゾール	24mg 1錠	抗精神病薬	289
	アリピプラゾール YD24 YD403	白	アリピプラゾール錠24mg「YD」(陽進堂)	アリピプラゾール	24mg 1錠	抗精神病薬	289
	ツムラ/24	黄褐	ツムラ加味逍遙散エキス顆粒(医療用)(ツムラ)	加味逍遙散	1g	漢方製剤	4575
025	025	微赤	エチゾラム錠0.25mg「ツルハラ」(鶴原)	エチゾラム	0.25mg 1錠	チエノジアゼピン系精神安定剤	738
	025 TYK149	黄赤	アルファカルシドールカプセル0.25μg「NIG」(日医工岐阜／日医工／武田薬品)	アルファカルシドール	0.25μg 1カプセル	活性型ビタミンD₃	317
	DK025	白　Ⓢ	ブロモクリプチン錠2.5mg「フソー」(ダイト／扶桑薬品)	ブロモクリプチンメシル酸塩	2.5mg 1錠	持続性ドパミン作動麦角アルカロイド誘導体・抗パーキンソン剤	3458
	DZ/025 DZ025	微赤	エチゾラム錠0.25mg「NIG」(日医工岐阜／日医工／武田薬品)	エチゾラム	0.25mg 1錠	チエノジアゼピン系精神安定剤	738
	EE025	黄	フルボキサミンマレイン酸塩錠25mg「EMEC」(エルメッド／日医工)	フルボキサミンマレイン酸塩	25mg 1錠	選択的セロトニン再取り込み阻害剤(SSRI)	3337
	KW025	白〜微黄	塩酸エピナスチン錠10mg「アメル」(共和薬品)	エピナスチン塩酸塩	10mg 1錠	アレルギー性疾患治療剤	783
	SW025/0.8	白　Ⓢ	アルプラゾラム錠0.8mg「サワイ」(メディサ／沢井)	アルプラゾラム	0.8mg 1錠	マイナートランキライザー	322
	TU117/025	微赤	エチゾラム錠0.25mg「TCK」(辰巳化学)	エチゾラム	0.25mg 1錠	チエノジアゼピン系精神安定剤	738
	Tu-NS/025	淡青	トリアゾラム錠0.25mg「TCK」(辰巳化学)	トリアゾラム	0.25mg 1錠	ベンゾジアゼピン系睡眠導入剤	2507
	Tw025	白〜淡黄白Ⓢ	メサラジン徐放錠250mg「トーワ」(東和薬品)	メサラジン	250mg 1錠	潰瘍性大腸炎・クローン病治療剤	3911
	Y DP／025 Y-DP025	微赤	デパス錠0.25mg(田辺三菱)	エチゾラム	0.25mg 1錠	チエノジアゼピン系精神安定剤	738
25	25	白	ミニリンメルトOD錠25μg(フェリング／キッセイ)	デスモプレシン酢酸塩水和物	25μg 1錠	バソプレシン誘導体	2254
	25DSEP ピルシカイニド25	淡青／白	ピルシカイニド塩酸塩カプセル25mg「DSEP」(第一三共エスファ)	ピルシカイニド塩酸塩水和物	25mg 1カプセル	不整脈治療剤	3041
	25／GSI GSI・25	黄	ベムリディ錠25mg(ギリアド)	テノホビル・アラフェナミドフマル酸塩	25mg 1錠	抗ウイルス化学療法剤	2298
	25LLN	極薄紅	ローブレナ錠25mg(ファイザー)	ロルラチニブ	25mg 1錠	抗悪性腫瘍剤/チロシンキナーゼ阻害剤	4551
	25mg⊕	乳白	ヴァイトラックビカプセル25mg(バイエル薬品)	ラロトレクチニブ硫酸塩	25mg 1カプセル	抗悪性腫瘍剤・トロポミオシン受容体キナーゼ阻害剤	4158
	25NLP TTS-583	黄橙	ニューレプチル25mg(高田)	プロペリシアジン	25mg 1錠	フェノチアジン系精神安定剤	3444
	25PYT TTS-162	薄赤橙	ピレチア錠(25mg)(高田)	プロメタジン	25mg 1錠	フェノチアジン系抗ヒスタミン・抗パーキンソン剤	3454
	25QU／VLE 25QU VLE	薄黄みの赤	クエチアピン錠25mg「VTRS」(ヴィアトリス・ヘルスケア／ヴィアトリス)	クエチアピンフマル酸塩	25mg 1錠	抗精神病、D₂・5-HT₂拮抗剤	1225
	25 M140	白〜微灰白	エキセメスタン錠25mg「VTRS」(ヴィアトリス・ヘルスケア／ヴィアトリス)	エキセメスタン	25mg 1錠	アロマターゼ阻害・閉経後乳癌治療剤	667
	25ゾニサミド TRE ODアメル	白〜帯黄白	ゾニサミドOD錠25mgTRE「アメル」(共和薬品)	ゾニサミド〔抗パーキンソン病治療剤〕	25mg 1錠	レボドパ賦活型パーキンソン病治療剤	1935
	25ゾニサミド TRE ODトーワ	白〜帯黄白	ゾニサミドOD錠25mgTRE「トーワ」(東和薬品)	ゾニサミド〔抗パーキンソン病治療剤〕	25mg 1錠	レボドパ賦活型パーキンソン病治療剤	1935
	25タカタ セルトラリン	白	セルトラリン錠25mg「タカタ」(高田)	セルトラリン塩酸塩	25mg 1錠	選択的セロトニン再取り込み阻害剤(SSRI)	1894
	25プレガバリン ODトーワ	白	プレガバリンOD錠25mg「トーワ」(東和薬品)	プレガバリン	25mg 1錠	疼痛治療剤(神経障害性疼痛・線維筋痛症)	3355
	25ミグリ／ ミグリトール25 トーワ	淡黄　Ⓢ	ミグリトール錠25mg「トーワ」(東和薬品)	ミグリトール	25mg 1錠	糖尿病食後過血糖改善剤	3834
	25ラモトリギン アメル	白	ラモトリギン錠25mg「アメル」(共和薬品)	ラモトリギン	25mg 1錠	抗てんかん・双極性障害治療剤	4143
	B25 FJ B25	白　Ⓢ	ブロモクリプチン錠2.5mg「F」(富士製薬)	ブロモクリプチンメシル酸塩	2.5mg 1錠	持続性ドパミン作動麦角アルカロイド誘導体・抗パーキンソン剤	3458
	BZ25 BZ25[25mg]	白　Ⓢ	ベンズブロマロン錠25mg「NIG」(日医工岐阜／日医工／武田薬品)	ベンズブロマロン	25mg 1錠	高尿酸血症改善剤	3643

番号	識別コード	色 (①:割線有)	商品名(会社名)	一般名	規格単位	薬効	掲載ページ
25	CLN304 25 CLN304	薄橙(白)	ペプシドカプセル25mg（クリニジェン）	エトポシド	25mg 1カプセル	抗悪性腫瘍剤	762
	CLOZ25	黄 ①	クロザリル錠25mg（ノバルティス）	クロザピン	25mg 1錠	治療抵抗性統合失調症治療剤	1304
	DCT25 TTS-318	白	ジセタミン錠25（高田）	セトチアミン塩酸塩水和物	25mg 1錠	ビタミンB₁誘導体	1821
	EDS25	淡赤	シルデナフィル錠25mgVI「DK」（大興／本草）	シルデナフィルクエン酸塩	25mg 1錠	ホスホジエステラーゼ5阻害剤	1709
	EE25／D20	白～淡黄白①	ファモチジンD錠20mg「EMEC」（アルフレッサファーマ／エルメッド／日医工）	ファモチジン	20mg 1錠	H₂-受容体拮抗剤	3079
	FC25	褐	ジュンコウ桂枝茯苓丸料FCエキス細粒医療用（康和薬通／大杉）	桂枝茯苓丸	1g	漢方製剤	4586
	FCI25	青	シルデナフィル錠25mgVI「FCI」（富士化学）	シルデナフィルクエン酸塩	25mg 1錠	ホスホジエステラーゼ5阻害剤	1709
	FF180／25	白 ①	ロサルタンカリウム錠25mg「FFP」（共創未来）	ロサルタンカリウム	25mg 1錠	アンギオテンシンⅡ受容体拮抗剤	4481
	FF220／25	薄黄みの赤	クエチアピン錠25mg「FFP」（共創未来）	クエチアピンフマル酸塩	25mg 1錠	抗精神病，D₂・5-HT₂拮抗剤	1225
	FF275／25	白 ①	ナフトピジルOD錠25mg「FFP」（共創未来）	ナフトピジル	25mg 1錠	排尿障害治療剤	2614
	G25 tG25[25mg]	白～微帯黄白	チアプリド錠25mg「NIG」（日医工岐阜／日医工／武田薬品）	チアプリド塩酸塩	25mg 1錠	ベンザミド系精神・ジスキネジア改善剤	2133
	GS CL5／25	白	ラミクタール錠25mg（グラクソ・スミスクライン）	ラモトリギン	25mg 1錠	抗てんかん・双極性障害治療剤	4143
	GSK／25 GSK25	白～帯黄白／淡紅	パキシルCR錠25mg（グラクソ・スミスクライン）	パロキセチン塩酸塩水和物	25mg 1錠	選択的セロトニン再取り込み阻害剤	2878
	GSNX3 25	白	レボレード錠25mg（ノバルティス）	エルトロンボパグ オラミン	25mg 1錠	経口造血刺激薬・トロンボポエチン受容体作動薬	876
	H25	淡褐	本草桂枝茯苓丸料エキス顆粒－M（本草）	桂枝茯苓丸	1g	漢方製剤	4586
	J-25	淡褐	JPS桂枝茯苓丸料エキス顆粒〔調剤用〕（ジェーピーエス）	桂枝茯苓丸	1g	漢方製剤	4586
	JG C25	白 ①	チザニジン錠1mg「JG」（長生堂／日本ジェネリック）	チザニジン塩酸塩	1mg 1錠	筋緊張緩和剤	2164
	JG C41／25	薄黄みの赤	クエチアピン錠25mg「JG」（日本ジェネリック）	クエチアピンフマル酸塩	25mg 1錠	抗精神病，D₂・5-HT₂拮抗剤	1225
	JG C52／25	白	セルトラリン錠25mg「JG」（日本ジェネリック）	セルトラリン塩酸塩	25mg 1錠	選択的セロトニン再取り込み阻害剤(SSRI)	1894
	JG E25	淡黄	ベラパミル塩酸塩錠40mg「JG」（大興／日本ジェネリック）	ベラパミル塩酸塩	40mg 1錠	フェニルアルキルアミン系Ca拮抗剤	3594
	JG E47／25	白 ①	ロサルタンカリウム錠25mg「JG」（日本ジェネリック）	ロサルタンカリウム	25mg 1錠	アンギオテンシンⅡ受容体拮抗剤	4481
	JG E80／25	白	ナフトピジル錠25mg「JG」（長生堂／日本ジェネリック）	ナフトピジル	25mg 1錠	排尿障害治療剤	2614
	JG E83／25	白 ①	ナフトピジルOD錠25mg「JG」（日本ジェネリック）	ナフトピジル	25mg 1錠	排尿障害治療剤	2614
	JG F45 25	淡黄白	ホリナート錠25mg「JG」（日本ジェネリック）	ホリナートカルシウム	25mg 1錠	抗葉酸代謝拮抗剤	3771
	KB-25 EK-25	淡褐～褐	クラシエ桂枝茯苓丸料エキス細粒（クラシエ／クラシエ薬品）	桂枝茯苓丸	1g	漢方製剤	4586
	KJ25／VLE KJ25VLE	白	ゾルミトリプタンOD錠2.5mg「VTRS」（ヴィアトリス・ヘルスケア／ヴィアトリス）	ゾルミトリプタン	2.5mg 1錠	5-HT₁ʙ/₁ᴅ受容体作動型片頭痛治療剤	1978
	KRM139／25	白 ①	ロサルタンカリウム錠25mg「杏林」（キョーリンリメディオ／杏林）	ロサルタンカリウム	25mg 1錠	アンギオテンシンⅡ受容体拮抗剤	4481
	KRM176／25	白 ①	ナフトピジルOD錠25mg「杏林」（キョーリンリメディオ／杏林）	ナフトピジル	25mg 1錠	排尿障害治療剤	2614
	KW HN25	白	ヒルナミン錠（25mg）（共和薬品）	レボメプロマジン	25mg 1錠	フェノチアジン系精神安定剤	4443
	KW ST25	紅	スルモンチール錠25mg（共和薬品）	トリミプラミンマレイン酸塩	25mg 1錠	抗うつ剤	2529
	KW TPM／25	白	トピラマート錠25mg「アメル」（共和薬品）	トピラマート	25mg 1錠	抗てんかん剤	2434
	KW012／25	白～淡黄白	トラゾドン塩酸塩錠25mg「アメル」（共和薬品）	トラゾドン塩酸塩	25mg 1錠	トリアゾロピリジン系抗うつ剤	2470
	KWSTL／OD25	白	セルトラリンOD錠25mg「アメル」（共和薬品）	セルトラリン塩酸塩	25mg 1錠	選択的セロトニン再取り込み阻害剤(SSRI)	1894
	LO25	白	ロサルタンK錠25mg「VTRS」（ヴィアトリス・ヘルスケア／ヴィアトリス）	ロサルタンカリウム	25mg 1錠	アンギオテンシンⅡ受容体拮抗剤	4481
	LS25	白 ①	ロサルタンカリウム錠25mg「サンド」（サンド）	ロサルタンカリウム	25mg 1錠	アンギオテンシンⅡ受容体拮抗剤	4481

番号	識別コード	色 (Ⓛ:割線有)	商品名(会社名)	一般名	規格単位	薬効	掲載ページ
25	LV25	淡赤 Ⓛ	レボチロキシンNa錠25μg「サンド」(サンド／富士製薬)	レボチロキシンナトリウム水和物	25μg 1錠	甲状腺ホルモン	4411
	M25	白 Ⓛ	タモキシフェン錠10mg「MYL」(ヴィアトリス・ヘルスケア／ヴィアトリス)	タモキシフェンクエン酸塩	10mg 1錠	抗エストロゲン剤	2077
	MO25A	青	パルタンM錠0.125mg (持田)	メチルエルゴメトリンマレイン酸塩	0.125mg 1錠	子宮収縮止血剤	3924
	MO25G バルサルタン20 MO25G	淡黄 Ⓛ	バルサルタン錠20mg「モチダ」(持田製販／持田)	バルサルタン	20mg 1錠	選択的AT₁受容体遮断剤	2840
	MO25H バルサルタン40 MO25H	白 Ⓛ	バルサルタン錠40mg「モチダ」(持田製販／持田)	バルサルタン	40mg 1錠	選択的AT₁受容体遮断剤	2840
	MO25J バルサルタン80 MO25J	白 Ⓛ	バルサルタン錠80mg「モチダ」(持田製販／持田)	バルサルタン	80mg 1錠	選択的AT₁受容体遮断剤	2840
	MO25K	白 Ⓛ	バルサルタン錠160mg「モチダ」(持田製販／持田)	バルサルタン	160mg 1錠	選択的AT₁受容体遮断剤	2840
	MO25L	白	フリウェル配合錠LD「モチダ」(持田製販／持田)	ノルエチステロン・エチニルエストラジオール〔治療用〕	1錠	月経困難症治療剤	2734
	MO25R	白	フリウェル配合錠ULD「モチダ」(持田製販／持田)	ノルエチステロン・エチニルエストラジオール〔治療用〕	1錠	月経困難症治療剤	2734
	MRD25 MRD50	白〜淡黄	ベンズブロマロン細粒10%「KO」(寿)	ベンズブロマロン	10% 1g	高尿酸血症改善剤	3643
	MS034／25	白 Ⓛ	ロサルタンK錠25mg「明治」(Meiji Seika／Meファルマ)	ロサルタンカリウム	25mg 1錠	アンギオテンシンⅡ受容体拮抗剤	4481
	MS040／ クエチアピン25	薄黄み赤	クエチアピン錠25mg「明治」(Meiji Seika)	クエチアピンフマル酸塩	25mg 1錠	抗精神病、D₂・5-HT₂拮抗剤	1225
	MS25	黄	デプロメール錠25 (Meiji Seika)	フルボキサミンマレイン酸塩	25mg 1錠	選択的セロトニン再取り込み阻害剤(SSRI)	3337
	N25	茶褐〜黄褐	コタロー桂枝茯苓丸料エキス細粒(小太郎漢方)	桂枝茯苓丸	1g	漢方製剤	4586
	NC L25	白 Ⓛ	ロサルタンカリウム錠25mg「ケミファ」(日本ケミファ／日本薬品工業)	ロサルタンカリウム	25mg 1錠	アンギオテンシンⅡ受容体拮抗剤	4481
	NFP EP／ NFP25 NFP EP25	白 Ⓛ	ナフトピジルOD錠25mg「DSEP」(第一三共エスファ)	ナフトピジル	25mg 1錠	排尿障害治療剤	2614
	NK7014 25 NK7014	薄橙(白)	ラステットSカプセル25mg (日本化薬)	エトポシド	25mg 1カプセル	抗悪性腫瘍剤	762
	NP25 NP-25	黄	フルボキサミンマレイン酸塩錠25mg「NP」(ニプロ)	フルボキサミンマレイン酸塩	25mg 1錠	選択的セロトニン再取り込み阻害剤(SSRI)	3337
	NP371／25 NP-371	白 Ⓛ	ロサルタンカリウム錠25mg「NP」(ニプロ)	ロサルタンカリウム	25mg 1錠	アンギオテンシンⅡ受容体拮抗剤	4481
	NPI136／25	白 Ⓛ	ナフトピジルOD錠25mg「ケミファ」(日本薬品工業／日本ケミファ)	ナフトピジル	25mg 1錠	排尿障害治療剤	2614
	NS179／25	薄黄みの赤	クエチアピン錠25mg「日新」(日新共創未来)	クエチアピンフマル酸塩	25mg 1錠	抗精神病、D₂・5-HT₂拮抗剤	1225
	NS57／25	白〜帯白Ⓛ	ロサルタンK錠25mg「日新」(日新)	ロサルタンカリウム	25mg 1錠	アンギオテンシンⅡ受容体拮抗剤	4481
	NS581／25	白 Ⓛ	ナフトピジルOD錠25mg「日新」(日新)	ナフトピジル	25mg 1錠	排尿障害治療剤	2614
	NSR25／Pfizer Pfizer NSR25	黄	セララ錠25mg (ヴィアトリス)	エプレレノン	25mg 1錠	選択的ミネラルコルチコイド受容体拮抗薬	807
	NSゾニサミド TRE25	白〜帯黄白	ゾニサミドOD錠25mgTRE「日新」(日新)	ゾニサミド〔抗パーキンソン病治療剤〕	25mg 1錠	レボドパ賦活型パーキンソン病治療剤	1935
	NVR25mg	淡黄	ネオーラル25mgカプセル(ノバルティス)	シクロスポリン	25mg 1カプセル	免疫抑制剤	1570
	NVR25mg Csz25	淡黄	シクロスポリンカプセル25mg「サンド」(サンド)	シクロスポリン	25mg 1カプセル	免疫抑制剤	1570
	O.S-MC25	白〜微黄	ジクロフェナクナトリウム坐剤25mg「日医工」(日医工)	ジクロフェナクナトリウム	25mg 1個	フェニル酢酸系消炎鎮痛剤	1579
	OD25ゾニサミド TREニプロ	白〜帯黄白	ゾニサミドOD錠25mgTRE「ニプロ」(ニプロ)	ゾニサミド〔抗パーキンソン病治療剤〕	25mg 1錠	レボドパ賦活型パーキンソン病治療剤	1935
	OMJ25	白	タペンタ錠25mg (ヤンセン／ムンディ)	タペンタドール塩酸塩	25mg 1錠	持続性癌疼痛治療剤	2071
	OT43／25	白／薄橙	エスワンタイホウ配合OD錠T25 (岡山大鵬)	テガフール・ギメラシル・オテラシルカリウム	25mg 1錠(テガフール相当量)	抗悪性腫瘍剤	2201
	OT447／25	淡黄白	ホリナート錠25mg「タイホウ」(岡山大鵬)	ホリナートカルシウム	25mg 1錠	抗葉酸代謝拮抗剤	3771
	PGN25 Pfizer PGN25	白	リリカカプセル25mg (ヴィアトリス)	プレガバリン	25mg 1カプセル	疼痛治療剤〔神経障害性疼痛・線維筋痛症〕	3355
	PT A12／25	桃	アタラックス錠25mg (ファイザー)	ヒドロキシジン塩酸塩	25mg 1錠	抗アレルギー性精神安定剤	2975

番号	識別コード	色 (◖:割線有)	商品名(会社名)	一般名	規格単位	薬効	掲載 ページ
25	PT PR／25 PT PR25	白	プレガバリンOD錠25mg「ファイザー」 (ヴィアトリス・ヘルスケア／ヴィアトリス)	プレガバリン	25mg 1錠	疼痛治療剤(神経障害性疼痛・線維筋痛症)	3355
	Queアメル25	薄黄みの赤	クエチアピン錠25mg「アメル」(共和薬品)	クエチアピンフマル酸塩	25mg 1錠	抗精神病、D₂・5-HT₂拮抗剤	1225
	S25／△ △S25	淡黄	ジャディアンス錠25mg(日本ベーリンガー)	エンパグリフロジン	25mg 1錠	選択的SGLT2阻害剤、2型糖尿病・慢性心不全・慢性腎臓病治療剤	925
	S25 TTS-190	淡黄	ゾテピン錠25mg「タカタ」(高田)	ゾテピン	25mg 1錠	チエピン系統合失調症治療剤	1927
	Sc25	白	セイブルOD錠25mg(三和化学)	ミグリトール	25mg 1錠	糖尿病食後過血糖改善剤	3834
	Sc395／25	淡黄　◖	セイブル錠25mg(三和化学)	ミグリトール	25mg 1錠	糖尿病食後過血糖改善剤	3834
	SEL25	青	コセルゴカプセル25mg(アレクシオン)	セルメチニブ硫酸塩	25mg 1カプセル	神経線維腫症1型治療剤(MEK阻害剤)	1908
	SEROQUEL25	薄黄みの赤	セロクエル25mg錠(アステラス)	クエチアピンフマル酸塩	25mg 1錠	抗精神病、D₂・5-HT₂拮抗剤	1225
	SG-25	淡灰茶褐	オースギ桂枝茯苓丸料エキスG(大杉)	桂枝茯苓丸	1g	漢方製剤	4586
	SLD25	淡赤	シルデナフィル錠25mgVI「SN」(シオノ／アルフレッサファーマ)	シルデナフィルクエン酸塩	25mg 1錠	ホスホジエステラーゼ5阻害剤	1709
	SR25サンリズム 25	淡青／白	サンリズムカプセル25mg(第一三共)	ピルシカイニド塩酸塩水和物	25mg 1カプセル	不整脈治療剤	3041
	SW CG／.25 SW CG.25	白	カベルゴリン錠0.25mg「サワイ」(沢井)	カベルゴリン	0.25mg 1錠	抗パーキンソン剤	1098
	SW FL 25	淡黄白	ホリナート錠25mg「サワイ」(沢井)	ホリナートカルシウム	25mg 1錠	抗葉酸代謝拮抗剤	3771
	SW L／25 SW L25	白	ラモトリギン錠25mg「サワイ」(沢井)	ラモトリギン	25mg 1錠	抗てんかん・双極性障害治療剤	4143
	SW MG25 SW MG 25	白　　◖	ミグリトールOD錠25mg「サワイ」(沢井)	ミグリトール	25mg 1錠	糖尿病食後過血糖改善剤	3834
	SW ML25	白～微黄白	ミルナシプラン塩酸塩錠25mg「サワイ」(沢井)	ミルナシプラン塩酸塩	25mg 1錠	セロトニン・ノルアドレナリン再取り込み阻害剤(SNRI)	3891
	SW31／25	白　　◖	ロサルタンカリウム錠25mg「サワイ」(沢井)	ロサルタンカリウム	25mg 1錠	アンギオテンシンⅡ受容体拮抗剤	4481
	SW521／25	白	アテノロール錠25mg「サワイ」(沢井)	アテノロール	25mg 1錠	β₁-遮断剤	115
	SWエスエーワン T25	薄橙	エスエーワン配合OD錠T25(沢井／日本ジェネリック)	テガフール・ギメラシル・オテラシルカリウム	25mg 1錠 (テガフール相当量)	抗悪性腫瘍剤	2201
	SWナフト／25 SWナフト25	黄白～淡黄◖	ナフトピジルOD錠25mg「サワイ」(沢井)	ナフトピジル	25mg 1錠	排尿障害治療剤	2614
	SZ／25 SZ25	軟らかい黄みの赤	クエチアピン錠25mg「サンド」(サンド)	クエチアピンフマル酸塩	25mg 1錠	抗精神病、D₂・5-HT₂拮抗剤	1225
	t126 t126[25mg]	黄	ジクロフェナクNa錠25mg「NIG」(日医工岐阜／日医工／武田薬品)	ジクロフェナクナトリウム	25mg 1錠	フェニル酢酸系消炎鎮痛剤	1579
	T25	白～黄白	タルセバ錠25mg(中外)	エルロチニブ塩酸塩	25mg 1錠	抗悪性腫瘍・上皮成長因子受容体チロシンキナーゼ阻害剤	892
	t251[25mg] t251	白	アテノロール錠25mg「NIG」(日医工岐阜／日医工／武田薬品)	アテノロール	25mg 1錠	β₁-遮断剤	115
	t269 t269[25mg]	白～微黄	クロルマジノン酢酸エステル錠25mg「タイヨー」(日医工岐阜／日医工／武田薬品)	クロルマジノン酢酸エステル	25mg 1錠	黄体ホルモン剤	1386
	t27 t027[25mg]	白	ジフェニドール塩酸塩錠25mg「NIG」(日医工岐阜／日医工／武田薬品)	ジフェニドール塩酸塩	25mg 1錠	抗めまい剤	1649
	t502 25mg／ t502	淡青／白	ピルシカイニド塩酸塩カプセル25mg「NIG」(日医工岐阜／日医工／武田薬品)	ピルシカイニド塩酸塩水和物	25mg 1カプセル	不整脈治療剤	3041
	Tai TM-25	淡灰～灰褐	太虎堂の桂枝茯苓丸料エキス顆粒(太虎精堂)	桂枝茯苓丸	1g	漢方製剤	4586
	TC43／25	白／薄橙	ティーエスワン配合OD錠T25(大鵬薬品)	テガフール・ギメラシル・オテラシルカリウム	25mg 1錠 (テガフール相当量)	抗悪性腫瘍剤	2201
	TC447／25	淡黄白	ユーゼル錠25mg(大鵬薬品)	ホリナートカルシウム	25mg 1錠	抗葉酸代謝拮抗剤	3771
	tEX／25	白～微灰白	エキセメスタン錠25mg「NIG」(日医工岐阜／日医工／武田薬品)	エキセメスタン	25mg 1錠	アロマターゼ阻害・閉経後乳癌治療剤	667
	TF25 TTS-156	黄	フルボキサミンマレイン酸塩錠25mg「タカタ」(高田)	フルボキサミンマレイン酸塩	25mg 1錠	選択的セロトニン再取り込み阻害剤(SSRI)	3337
	TIGASON25 TYP TIGASON25／ TYP	淡赤褐	チガソンカプセル25(太陽ファルマ)	エトレチナート	25mg 1カプセル	角化症治療芳香族テトラエン誘導体	765
	TMC／25 TMC25	白～オフホワイト	エジュラント錠25mg(ヤンセン)	リルピビリン、-塩酸塩	25mg 1錠	抗ウイルス化学療法剤〔非ヌクレオシド系逆転写酵素阻害剤(NNRTI)〕	4300
	TO-082 25	白　　◖	ユリノーム錠25mg(トーアエイヨー)	ベンズブロマロン	25mg 1錠	高尿酸血症改善剤	3643

番号	識別コード	色 (◑：割線有)	商品名（会社名）	一般名	規格単位	薬効	掲載ページ
25	TREゾニサミド OD25サワイ	白〜帯黄白	ゾニサミドOD錠25mgTRE「サワイ」（沢井）	ゾニサミド〔抗パーキンソン病治療剤〕	25mg 1錠	レボドパ賦活型パーキンソン病治療剤	1935
	TSU25	白〜微黄白	クロピドグレル錠25mg「ツルハラ」（鶴原）	クロピドグレル硫酸塩	25mg 1錠	抗血小板剤	1317
	TSU315／25	白	セルトラリン錠25mg「ツルハラ」（鶴原）	セルトラリン塩酸塩	25mg 1錠	選択的セロトニン再取り込み阻害剤(SSRI)	1894
	TSU913／25	白	レボメプロマジン錠25mg「ツルハラ」（鶴原）	レボメプロマジン	25mg 1錠	フェノチアジン系精神安定剤	4443
	TTS252／25 TTS-252	薄黄みの赤	クエチアピン錠25mg「タカタ」（高田）	クエチアピンフマル酸塩	25mg 1錠	抗精神病、D$_2$・5-HT$_2$拮抗剤	1225
	TTS530／25 TTS-530	白	ロサルタンK錠25mg「タカタ」（高田）	ロサルタンカリウム	25mg 1錠	アンギオテンシンⅡ受容体拮抗剤	4481
	Tu TP・25	淡青／白	ピルシカイニド塩酸塩カプセル25mg「TCK」（辰巳化学）	ピルシカイニド塩酸塩水和物	25mg 1カプセル	不整脈治療剤	3041
	TU141／25	白 ◑	ナフトピジルOD錠25mg「TCK」（辰巳化学）	ナフトピジル	25mg 1錠	排尿障害治療剤	2614
	TU174／25	白	セルトラリン錠25mg「TCK」（辰巳化学／フェルゼン）	セルトラリン塩酸塩	25mg 1錠	選択的セロトニン再取り込み阻害剤(SSRI)	1894
	TU251／25	白 ◑	ロサルタンカリウム錠25mg「TCK」（辰巳化学）	ロサルタンカリウム	25mg 1錠	アンギオテンシンⅡ受容体拮抗剤	4481
	Tu-LM25	白〜淡黄白 ◑	スピロノラクトン錠25mg「TCK」（辰巳化学）	スピロノラクトン	25mg 1錠	抗アルドステロン性降圧利尿剤	1761
	TV FC1／25	淡黄白	ホリナート錠25mg「NIG」（日医工岐阜／日医工／武田薬品）	ホリナートカルシウム	25mg 1錠	抗葉酸代謝拮抗剤	3771
	TV S25	淡赤白	シルデナフィル錠25mgVI「NIG」（日医工岐阜／日医工／武田薬品）	シルデナフィルクエン酸塩	25mg 1錠	ホスホジエステラーゼ5阻害剤	1709
	TV NP1／25	白 ◑	ナフトピジルOD錠25mg「NIG」（日医工岐阜／日医工／武田薬品）	ナフトピジル	25mg 1錠	排尿障害治療剤	2614
	Tw024／25	白 ◑	ナフトピジル錠25mg「トーワ」（東和薬品）	ナフトピジル	25mg 1錠	排尿障害治療剤	2614
	Tw146／25	白〜淡黄白	ベンズブロマロン錠25mg「トーワ」（東和薬品）	ベンズブロマロン	25mg 1錠	高尿酸血症改善剤	3643
	Tw164／25	白	ヒドロクロロチアジド錠25mg「トーワ」（東和薬品）	ヒドロクロロチアジド	25mg 1錠	チアジド系降圧利尿剤	2982
	Tw370／25	淡黄白	ホリナート錠25mg「トーワ」（東和薬品）	ホリナートカルシウム	25mg 1錠	抗葉酸代謝拮抗剤	3771
	Tw375／25	白 ◑	ロサルタンK錠25mg「トーワ」（東和薬品）	ロサルタンカリウム	25mg 1錠	アンギオテンシンⅡ受容体拮抗剤	4481
	Tw705／25	薄黄みの赤	クエチアピン錠25mg「トーワ」（東和薬品）	クエチアピンフマル酸塩	25mg 1錠	抗精神病、D$_2$・5-HT$_2$拮抗剤	1225
	Tw／TM25 Tw.TM25	白	アテノロール錠25mg「トーワ」（東和薬品）	アテノロール	25mg 1錠	β_1-遮断剤	115
	TZ214／25	淡赤 ◑	チラーヂンS錠25μg（あすか／武田薬品）	レボチロキシンナトリウム水和物	25μg 1錠	甲状腺ホルモン	4411
	u25	灰	ブリィバクト錠25mg（ユーシービー）	ブリーバラセタム	25mg 1錠	抗てんかん剤	3278
	VIAGRA／ VGR25 VIAGRA VGR25	青	バイアグラ錠25mg（ヴィアトリス）	シルデナフィルクエン酸塩	25mg 1錠	ホスホジエステラーゼ5阻害剤	1709
	VT PR／25 VT PR25	白	プレガバリンOD錠25mg「VTRS」（ヴィアトリス・ヘルスケア／ヴィアトリス）	プレガバリン	25mg 1錠	疼痛治療剤(神経障害性疼痛・線維筋痛症)	3355
	VTLY25 VTLY／25	白	リリカOD錠25mg（ヴィアトリス）	プレガバリン	25mg 1錠	疼痛治療剤(神経障害性疼痛・線維筋痛症)	3355
	Y BA25 Y-BA25	白 ◑	バイカロン錠25mg（田辺三菱）	メフルシド	25mg 1錠	非チアジド系降圧利尿剤	3983
	Y CF25 Y-CF25	白	クロフェクトン錠25mg（田辺三菱）	クロカプラミン塩酸塩水和物	25mg 1錠	精神神経安定剤	1302
	Y CO25 Y-CO25	白	コントミン糖衣錠25mg（田辺三菱）	クロルプロマジン	25mg 1錠	フェノチアジン系精神安定剤	1379
	Y CR25 Y-CR25	淡青	クレミン錠25mg（田辺三菱）	モサプラミン塩酸塩	25mg 1錠	イミノジベンジル系精神神経安定剤	4012
	Y HB25 Y-HB25	橙	ヒベルナ糖衣錠25mg（田辺三菱）	プロメタジン	25mg 1錠	フェノチアジン系抗ヒスタミン・抗パーキンソン剤	3454
	Y IM25 Y-IM25	微黄赤	イミドール糖衣錠(25)（田辺三菱）	イミプラミン塩酸塩	25mg 1錠	抗うつ剤・遺尿症治療剤	506
	Y LV25／25 Y-LV25	白	レボトミン錠25mg（田辺三菱）	レボメプロマジン	25mg 1錠	フェノチアジン系精神安定剤	4443
	YD274／25mg	白	セルトラリン錠25mg「YD」（陽進堂）	セルトラリン塩酸塩	25mg 1錠	選択的セロトニン再取り込み阻害剤(SSRI)	1894
	YD847／25	白 ◑	ロサルタンカリウム錠25mg「YD」（陽進堂）	ロサルタンカリウム	25mg 1錠	アンギオテンシンⅡ受容体拮抗剤	4481

番号	識別コード	色 (⨀：割線有)	商品名(会社名)	一般名	規格単位	薬効	掲載ページ
25	Y-Q25 YQ25／25	薄黄みの赤	クエチアピン錠25mg「ヨシトミ」(ニプロES)	クエチアピンフマル酸塩	25mg 1錠	抗精神病，$D_2 \cdot 5$-HT_2拮抗剤	1225
	ZE25／2.5	淡橙	アムロジピンOD錠2.5mg「ZE」(全星薬品工業／全星薬品)	アムロジピンベシル酸塩	2.5mg 1錠	ジヒドロピリジン系Ca拮抗剤	264
	ZE73／25	白 ⨀	ロサルタンカリウム錠25mg「ZE」(全星薬品工業／全星薬品)	ロサルタンカリウム	25mg 1錠	アンギオテンシンⅡ受容体拮抗剤	4481
	ZNC214／25 ZNC214：25	白	テノーミン錠25 (太陽ファルマ)	アテノロール	25mg 1錠	β_1-遮断剤	115
	Ⓝ132 Ⓝ132／25	白 ⨀	トラマールOD錠25mg (日本新薬)	トラマドール塩酸塩	25mg 1錠	フェノールエーテル系鎮痛剤	2488
	℗171／25	白	アレビアチン錠25mg (住友ファーマ)	フェニトイン	25mg 1錠	ヒダントイン系抗てんかん剤	3120
	△229 25 △229	白 ⨀	25mcgチロナミン錠(武田薬品)	リオチロニンナトリウム	25μg 1錠	甲状腺ホルモン	4181
	𝑛243／25 𝑛243 25 𝑛243	薄黄みの赤	クエチアピン錠25mg「日医工」(日医工)	クエチアピンフマル酸塩	25mg 1錠	抗精神病，$D_2 \cdot 5$-HT_2拮抗剤	1225
	▲／25/5 ▲25/5	淡赤	トラディアンス配合錠BP (日本ベーリンガー)	エンパグリフロジン・リナグリプチン	1錠	選択的SGLT2阻害剤/胆汁排泄型選択的DPP-4阻害薬配合剤・2型糖尿病治療剤	931
	◐25E	白	リトドリン塩酸塩錠5mg「日医工」(日医工)	リトドリン塩酸塩	5mg 1錠	切迫流・早産治療β_2-刺激剤	4236
	ℓℓ25 LL25	淡黄白	ロイコボリン錠25mg (ファイザー)	ホリナートカルシウム	25mg 1錠	抗葉酸代謝拮抗剤	3771
	△317／25/500	微赤	イニシンク配合錠(帝人／武田薬品)	アログリプチン安息香酸塩・メトホルミン塩酸塩	1錠	選択的DPP-4阻害剤/ビグアナイド系薬配合剤・2型糖尿病治療剤	358
	℗322／25	白 ⨀	セタプリル錠25mg (住友ファーマ)	アラセプリル	25mg 1錠	ACE阻害剤	284
	*Lilly*3228 25mg *Lilly*3228	青／白	ストラテラカプセル25mg (日本イーライリリー)	アトモキセチン塩酸塩	25mg 1カプセル	注意欠陥/多動性障害治療剤・選択的ノルアドレナリン再取り込み阻害剤	124
	△382／15 25	微黄	リオベル配合錠LD (帝人／武田薬品)	アログリプチン安息香酸塩・ピオグリタゾン塩酸塩	1錠	選択的DPP-4阻害剤/チアゾリジン系薬配合剤・2型糖尿病治療剤	355
	△383／30 25	微黄赤	リオベル配合錠HD (帝人／武田薬品)	アログリプチン安息香酸塩・ピオグリタゾン塩酸塩	1錠	選択的DPP-4阻害剤/チアゾリジン系薬配合剤・2型糖尿病治療剤	355
	𝑛404／25 𝑛404 25 𝑛404	白	ラモトリギン錠25mg「日医工」(日医工)	ラモトリギン	25mg 1錠	抗てんかん・双極性障害治療剤	4143
	ch416／25 ch416	黄	フルボキサミンマレイン酸塩錠25mg「CH」(長生堂／日本ジェネリック)	フルボキサミンマレイン酸塩	25mg 1錠	選択的セロトニン再取り込み阻害剤(SSRI)	3337
	℗503 25／P503	橙	ノリトレン錠25mg (住友ファーマ)	ノルトリプチリン塩酸塩	25mg 1錠	三環系情動調整剤	2740
	◇H25	白	ヒダントール錠25mg (藤永／第一三共)	フェニトイン	25mg 1錠	ヒダントイン系抗てんかん剤	3120
	⊟L25	黄	ルボックス錠25 (アッヴィ)	フルボキサミンマレイン酸塩	25mg 1錠	選択的セロトニン再取り込み阻害剤(SSRI)	3337
	Pfizer／PBC25 Pfizer PBC25	淡緑	イブランス錠25mg (ファイザー)	パルボシクリブ	25mg 1錠	抗悪性腫瘍剤(CDK4/6阻害剤)	2865
	ch-RV25 ch-RV25	淡青／白	ピルシカイニド塩酸塩カプセル25mg「CH」(長生堂／日本ジェネリック)	ピルシカイニド塩酸塩水和物	25mg 1カプセル	不整脈治療剤	3041
	Ⓚ／SF25 ⓀSF25	青	シルデナフィル錠25mgVI「キッセイ」(キッセイ)	シルデナフィルクエン酸塩	25mg 1錠	ホスホジエステラーゼ5阻害剤	1709
	漢：EKT-25	淡褐	クラシエ桂枝茯苓丸料エキス錠(大峰堂／クラシエ薬品)	桂枝茯苓丸	1錠	漢方製剤	4586
	漢：S-25	褐	三和十味敗毒湯エキス細粒(三和生薬)	十味敗毒湯	1g	漢方製剤	4607
	酢酸亜鉛25サワイ	白	酢酸亜鉛錠25mg「サワイ」(沢井)	酢酸亜鉛水和物	25mg 1錠	ウィルソン病治療剤(銅吸収阻害剤)・低亜鉛血症治療剤	1501
	アトモ25キセチンJG	白	アトモキセチン錠25mg「JG」(日本ジェネリック)	アトモキセチン塩酸塩	25mg 1錠	注意欠陥/多動性障害治療剤・選択的ノルアドレナリン再取り込み阻害剤	124
	アトモ25キセチントーワ	白	アトモキセチン錠25mg「トーワ」(東和薬品)	アトモキセチン塩酸塩	25mg 1錠	注意欠陥/多動性障害治療剤・選択的ノルアドレナリン再取り込み阻害剤	124
	アトモ25キセチンニプロ	白	アトモキセチン錠25mg「ニプロ」(ニプロ)	アトモキセチン塩酸塩	25mg 1錠	注意欠陥/多動性障害治療剤・選択的ノルアドレナリン再取り込み阻害剤	124
	アトモキセチン25DSEP	白	アトモキセチン錠25mg「DSEP」(第一三共エスファ)	アトモキセチン塩酸塩	25mg 1錠	注意欠陥/多動性障害治療剤・選択的ノルアドレナリン再取り込み阻害剤	124
	アトモキセチン25mgVTRS	青／白	アトモキセチンカプセル25mg「VTRS」(ヴィアトリス・ヘルスケア／ヴィアトリス)	アトモキセチン塩酸塩	25mg 1カプセル	注意欠陥/多動性障害治療剤・選択的ノルアドレナリン再取り込み阻害剤	124
	アトモキセチン25mg日医工 𝑛139	青／白	アトモキセチンカプセル25mg「日医工」(日医工)	アトモキセチン塩酸塩	25mg 1カプセル	注意欠陥/多動性障害治療剤・選択的ノルアドレナリン再取り込み阻害剤	124

番号	識別コード	色 (○:割線有)	商品名(会社名)	一般名	規格単位	薬効	掲載 ページ
25	アトモキセチン25mg サワイ	青/白	アトモキセチンカプセル25mg「サワイ」(沢井)	アトモキセチン塩酸塩	25mg 1カプセル	注意欠陥/多動性障害治療剤・選択的ノルアドレナリン再取り込み阻害剤	124
	アトモキセチン25 タカタ	極薄赤	アトモキセチン錠25mg「タカタ」(高田)	アトモキセチン塩酸塩	25mg 1錠	注意欠陥/多動性障害治療剤・選択的ノルアドレナリン再取り込み阻害剤	124
	アトモキセチン アメル25mg	青/白	アトモキセチンカプセル25mg「アメル」(共和薬品)	アトモキセチン塩酸塩	25mg 1カプセル	注意欠陥/多動性障害治療剤・選択的ノルアドレナリン再取り込み阻害剤	124
	イグラチモド25 あゆみ	白	イグラチモド錠25mg「あゆみ」(あゆみ)	イグラチモド	25mg 1錠	抗リウマチ剤	410
	イグラチモド25 ケミファ	白	イグラチモド錠25mg「ケミファ」(日本ケミファ/日本薬品工業)	イグラチモド	25mg 1錠	抗リウマチ剤	410
	イグラチモド25 サワイ	白	イグラチモド錠25mg「サワイ」(沢井)	イグラチモド	25mg 1錠	抗リウマチ剤	410
	エスエーワン T25	橙/白	エスエーワン配合カプセルT25 (沢井)	テガフール・ギメラシル・オテラシルカリウム	25mg 1カプセル (テガフール相当量)	抗悪性腫瘍剤	2201
	エヌケーエスワン NKS-1 25mg NKS-1 25mg	橙/白	エヌケーエスワン配合カプセルT25 (日本化薬)	テガフール・ギメラシル・オテラシルカリウム	25mg 1カプセル (テガフール相当量)	抗悪性腫瘍剤	2201
	エヌケーエスワン T25	薄橙	エヌケーエスワン配合OD錠T25 (日本化薬)	テガフール・ギメラシル・オテラシルカリウム	25mg 1錠 (テガフール相当量)	抗悪性腫瘍剤	2201
	エプレレ25杏林	黄	エプレレノン錠25mg「杏林」(キョーリンリメディオ/杏林)	エプレレノン	25mg 1錠	選択的ミネラルコルチコイド受容体拮抗薬	807
	エルロチニブ25	白～黄白	エルロチニブ錠25mg「NK」(日本化薬)	エルロチニブ塩酸塩	25mg 1錠	抗悪性腫瘍・上皮成長因子受容体チロシンキナーゼ阻害剤	892
	オンジェンティス25	淡赤	オンジェンティス錠25mg (小野薬品)	オピカポン	25mg 1錠	末梢COMT阻害剤	989
	カルナクリン25	白	カルナクリン錠25 (三和化学)	カリジノゲナーゼ	25単位 1錠	循環系作用酵素	1124
	クエチアピン25 DSEP/ クエチアピン25 第一三共エスファ	薄黄みの赤	クエチアピン錠25mg「DSEP」(第一三共エスファ)	クエチアピンフマル酸塩	25mg 1錠	抗精神病，$D_2 \cdot 5$-HT_2拮抗剤	1225
	クエチアピン25 三和	薄黄みの赤	クエチアピン錠25mg「三和」(シオノ/三和化学)	クエチアピンフマル酸塩	25mg 1錠	抗精神病，$D_2 \cdot 5$-HT_2拮抗剤	1225
	クエチアピン25 ニプロ	薄黄みの赤	クエチアピン錠25mg「ニプロ」(ニプロES)	クエチアピンフマル酸塩	25mg 1錠	抗精神病，$D_2 \cdot 5$-HT_2拮抗剤	1225
	クロピドグレル/ 25	白～微黄白	クロピドグレル錠25mg「VTRS」(ヴィアトリス・ヘルスケア/ヴィアトリス)	クロピドグレル硫酸塩	25mg 1錠	抗血小板剤	1317
	クロピドグレル25 FFP	白～微黄白	クロピドグレル錠25mg「FFP」(共創未来)	クロピドグレル硫酸塩	25mg 1錠	抗血小板剤	1317
	クロピドグレル25 JG	白～微黄白	クロピドグレル錠25mg「JG」(日本ジェネリック)	クロピドグレル硫酸塩	25mg 1錠	抗血小板剤	1317
	クロピドグレル25 NP	白～微黄白	クロピドグレル錠25mg「NP」(ニプロES)	クロピドグレル硫酸塩	25mg 1錠	抗血小板剤	1317
	クロピドグレル25 NS	白～微黄白	クロピドグレル錠25mg「日新」(日新)	クロピドグレル硫酸塩	25mg 1錠	抗血小板剤	1317
	クロピドグレル25 SANIK	白～微黄白	クロピドグレル錠25mg「SANIK」(日医工)	クロピドグレル硫酸塩	25mg 1錠	抗血小板剤	1317
	クロピドグレル25 SW	白～微黄白	クロピドグレル錠25mg「サワイ」(沢井)	クロピドグレル硫酸塩	25mg 1錠	抗血小板剤	1317
	クロピドグレル25 TCK	白～微黄白	クロピドグレル錠25mg「TCK」(辰巳化学)	クロピドグレル硫酸塩	25mg 1錠	抗血小板剤	1317
	クロピドグレル25 杏林	白～微黄白	クロピドグレル錠25mg「杏林」(キョーリンリメディオ/杏林)	クロピドグレル硫酸塩	25mg 1錠	抗血小板剤	1317
	クロピドグレル25 三和	白～微黄白	クロピドグレル錠25mg「三和」(日本薬品工業/三和化学)	クロピドグレル硫酸塩	25mg 1錠	抗血小板剤	1317
	クロピドグレル25 明治	白～微黄白	クロピドグレル錠25mg「明治」(高田/Meファルマ)	クロピドグレル硫酸塩	25mg 1錠	抗血小板剤	1317
	クロピドグレル25/ 科研 DK531	白～微黄白	クロピドグレル錠25mg「科研」(ダイト/科研)	クロピドグレル硫酸塩	25mg 1錠	抗血小板剤	1317
	クロピドグレル25 TS25	白～微黄白	クロピドグレル錠25mg「タナベ」(ニプロES)	クロピドグレル硫酸塩	25mg 1錠	抗血小板剤	1317
	クロピドグレル25 アメル	白～微黄白	クロピドグレル錠25mg「アメル」(共和薬品)	クロピドグレル硫酸塩	25mg 1錠	抗血小板剤	1317
	クロピドグレル25 クニヒロ	白～微黄白	クロピドグレル錠25mg「クニヒロ」(皇漢堂)	クロピドグレル硫酸塩	25mg 1錠	抗血小板剤	1317
	クロピドグレル25 ケミファ	白～微黄白	クロピドグレル錠25mg「ケミファ」(日本ケミファ/日本薬品工業)	クロピドグレル硫酸塩	25mg 1錠	抗血小板剤	1317

O
-
99

番号	識別コード	色 (◐:割線有)	商品名(会社名)	一般名	規格単位	薬効	掲載 ページ
25	クロピドグレル25 サンド	白～微黄白	クロピドグレル錠25mg「サンド」(サンド)	クロピドグレル硫酸塩	25mg 1錠	抗血小板剤	1317
	クロピドグレル25 トーワ	白	クロピドグレル錠25mg「トーワ」(東和薬品／共創未来)	クロピドグレル硫酸塩	25mg 1錠	抗血小板剤	1317
	クロピドグレル25 フェルゼン	白～微黄白	クロピドグレル錠25mg「フェルゼン」(フェルゼン)	クロピドグレル硫酸塩	25mg 1錠	抗血小板剤	1317
	クロピドグレル YD25 YD216	白～微黄白	クロピドグレル錠25mg「YD」(陽進堂)	クロピドグレル硫酸塩	25mg 1錠	抗血小板剤	1317
	ケアラム25	白	ケアラム錠25mg(エーザイ)	イグラチモド	25mg 1錠	抗リウマチ剤	410
	サクサンアエン25 ノーベル	白	酢酸亜鉛錠25mg「ノーベル」(ダイト)	酢酸亜鉛水和物	25mg 1錠	ウィルソン病治療剤(銅吸収阻害剤)・低亜鉛血症治療剤	1501
	サリドマイド サレド25	緑／白	サレドカプセル25(藤本)	サリドマイド	25mg 1カプセル	多発性骨髄腫治療剤／らい性結節性紅斑治療剤／クロウ・深瀬(POEMS)症候群治療剤	1526
	ザファテック25	黄	ザファテック錠25mg(帝人／武田薬品)	トレラグリプチンコハク酸塩	25mg 1錠	持続性選択的DPP-4阻害剤・2型糖尿病治療剤	2583
	シクロスポリン25 トーワ	黄白	シクロスポリンカプセル25mg「トーワ」(東和薬品)	シクロスポリン	25mg 1カプセル	免疫抑制剤	1570
	シクロスポリン BMD25mg BMD32	黄白	シクロスポリンカプセル25mg「BMD」(ビオメディクス／フェルゼン／富士製薬／日本ジェネリック)	シクロスポリン	25mg 1カプセル	免疫抑制剤	1570
	ジェイゾロフト25	白	ジェイゾロフト錠25mg(ヴィアトリス)	セルトラリン塩酸塩	25mg 1錠	選択的セロトニン再取り込み阻害剤(SSRI)	1894
	ジェイゾロフト OD25	白	ジェイゾロフトOD錠25mg(ヴィアトリス)	セルトラリン塩酸塩	25mg 1錠	選択的セロトニン再取り込み阻害剤(SSRI)	1894
	スーグラ25	淡黄	スーグラ錠25mg(アステラス)	イプラグリフロジン・L-プロリン	25mg 1錠	選択的SGLT2阻害剤・糖尿病治療剤	481
	セルトラリン25 DSEP	白	セルトラリン錠25mg「DSEP」(第一三共エスファ)	セルトラリン塩酸塩	25mg 1錠	選択的セロトニン再取り込み阻害剤(SSRI)	1894
	セルトラリン25 NP	白	セルトラリン錠25mg「NP」(ニプロES)	セルトラリン塩酸塩	25mg 1錠	選択的セロトニン再取り込み阻害剤(SSRI)	1894
	セルトラリン25 SW	白	セルトラリン錠25mg「サワイ」(沢井)	セルトラリン塩酸塩	25mg 1錠	選択的セロトニン再取り込み阻害剤(SSRI)	1894
	セルトラリン25 杏林	白	セルトラリン錠25mg「杏林」(キョーリンリメディオ／杏林)	セルトラリン塩酸塩	25mg 1錠	選択的セロトニン再取り込み阻害剤(SSRI)	1894
	セルトラリン25 明治	白	セルトラリン錠25mg「明治」(Meiji Seika)	セルトラリン塩酸塩	25mg 1錠	選択的セロトニン再取り込み阻害剤(SSRI)	1894
	セルトラリン25／ 科研 DK538	白	セルトラリン錠25mg「科研」(ダイト／科研)	セルトラリン塩酸塩	25mg 1錠	選択的セロトニン再取り込み阻害剤(SSRI)	1894
	セルトラリン25 アメル	白～帯黄白	セルトラリン錠25mg「アメル」(共和薬品)	セルトラリン塩酸塩	25mg 1錠	選択的セロトニン再取り込み阻害剤(SSRI)	1894
	セルトラリン25 ケミファ	白	セルトラリン錠25mg「ケミファ」(日本ケミファ)	セルトラリン塩酸塩	25mg 1錠	選択的セロトニン再取り込み阻害剤(SSRI)	1894
	セルトラリン25／ サンド	白	セルトラリン錠25mg「サンド」(サンド)	セルトラリン塩酸塩	25mg 1錠	選択的セロトニン再取り込み阻害剤(SSRI)	1894
	セルトラリン25 トーワ	白	セルトラリン錠25mg「トーワ」(東和薬品)	セルトラリン塩酸塩	25mg 1錠	選択的セロトニン再取り込み阻害剤(SSRI)	1894
	セルトラリン OD25トーワ	白	セルトラリンOD錠25mg「トーワ」(東和薬品)	セルトラリン塩酸塩	25mg 1錠	選択的セロトニン再取り込み阻害剤(SSRI)	1894
	ゾニサミド OD ZE25TRE ゾニサミド OD ZE25 ゾニサミド OD TRE25	白～帯黄白	ゾニサミドOD錠25mgTRE「ZE」(全星薬品工業／全星薬品)	ゾニサミド〔抗パーキンソン病治療剤〕	25mg 1錠	レボドパ賦活型パーキンソン病治療剤	1935
	ゾニサミドOD25	白	ゾニサミドOD錠25mgTRE「KO」(寿)	ゾニサミド〔抗パーキンソン病治療剤〕	25mg 1錠	レボドパ賦活型パーキンソン病治療剤	1935
	ゾニサミドOD25 TRE杏林	白～帯黄白	ゾニサミドOD錠25mgTRE「杏林」(キョーリンリメディオ／杏林)	ゾニサミド〔抗パーキンソン病治療剤〕	25mg 1錠	レボドパ賦活型パーキンソン病治療剤	1935
	ゾニサミドOD25 日医工／ゾニサミド 25TRE	白～帯黄白	ゾニサミドOD錠25mgTRE「日医工」(日医工／武田薬品)	ゾニサミド〔抗パーキンソン病治療剤〕	25mg 1錠	レボドパ賦活型パーキンソン病治療剤	1935
	ゾニサミドOD25 ゾニサミドSMPP	白～帯黄白	ゾニサミドOD錠25mgTRE「SMPP」(住友プロモ／住友ファーマ)	ゾニサミド〔抗パーキンソン病治療剤〕	25mg 1錠	レボドパ賦活型パーキンソン病治療剤	1935
	ゾニサミドOD25 ケミファ	白～帯黄白	ゾニサミドOD錠25mgTRE「ケミファ」(日本ケミファ)	ゾニサミド〔抗パーキンソン病治療剤〕	25mg 1錠	レボドパ賦活型パーキンソン病治療剤	1935
	ゾニサミドOD25／ ゾニサミド25サンド	白～帯黄白	ゾニサミドOD錠25mgTRE「サンド」(サンド)	ゾニサミド〔抗パーキンソン病治療剤〕	25mg 1錠	レボドパ賦活型パーキンソン病治療剤	1935
	ゾニサミドOD25 ダイト	白～帯黄白	ゾニサミドOD錠25mgTRE「ダイト」(ダイト／共創未来)	ゾニサミド〔抗パーキンソン病治療剤〕	25mg 1錠	レボドパ賦活型パーキンソン病治療剤	1935

番号	識別コード	色 (①：割線有)	商品名(会社名)	一般名	規格単位	薬効	掲載ページ
25	ゾニサミドOD25 フェルゼン	白〜帯黄白	ゾニサミドOD錠25mgTRE「フェルゼン」(フェルゼン)	ゾニサミド〔抗パーキンソン病治療剤〕	25mg 1錠	レボドパ賦活型パーキンソン病治療剤	1935
	ゾニサミドTRE OD25EP	白〜帯黄白	ゾニサミドOD錠25mgTRE「DSEP」(第一三共エスファ)	ゾニサミド〔抗パーキンソン病治療剤〕	25mg 1錠	レボドパ賦活型パーキンソン病治療剤	1935
	ダントリウム25mg	橙/薄褐	ダントリウムカプセル25mg(オーファンパシフィック)	ダントロレンナトリウム水和物	25mg 1カプセル	末梢性筋弛緩・悪性症候群治療剤	2130
	チアプリド25JG	白〜微帯黄白	チアプリド錠25mg「JG」(長生堂/日本ジェネリック)	チアプリド塩酸塩	25mg 1錠	ベンザミド系精神・ジスキネジア改善剤	2133
	ツートラム25	白	ツートラム錠25mg(日本臓器)	トラマドール塩酸塩	25mg 1錠	フェノールエーテル系鎮痛剤	2488
	ツムラ/25	淡灰白	ツムラ桂枝茯苓丸エキス顆粒(医療用)(ツムラ)	桂枝茯苓丸	1g	漢方製剤	4586
	トラマドールOD25 KO90	白　①	トラマドール塩酸塩OD錠25mg「KO」(寿)	トラマドール塩酸塩	25mg 1錠	フェノールエーテル系鎮痛剤	2488
	トレリーフOD25	白〜帯黄白	トレリーフOD錠25mg(住友ファーマ)	ゾニサミド〔抗パーキンソン病治療剤〕	25mg 1錠	レボドパ賦活型パーキンソン病治療剤	1935
	ナフトピ25/ ナフトピジルOD25 トーワ	淡黄　①	ナフトピジルOD錠25mg「トーワ」(東和薬品)	ナフトピジル	25mg 1錠	排尿障害治療剤	2614
	ナフトピジル25 杏林	白　①	ナフトピジル錠25mg「杏林」(キョーリンリメディオ/杏林)	ナフトピジル	25mg 1錠	排尿障害治療剤	2614
	ナフトピジル25 日医工 ⑪240	白　①	ナフトピジル錠25mg「日医工」(日医工)	ナフトピジル	25mg 1錠	排尿障害治療剤	2614
	ナフトピジル25 タカタ	白　①	ナフトピジル錠25mg「タカタ」(高田)	ナフトピジル	25mg 1錠	排尿障害治療剤	2614
	ナフトピジルOD 25EE	白　①	ナフトピジルOD錠25mg「EE」(エルメッド/日医工)	ナフトピジル	25mg 1錠	排尿障害治療剤	2614
	ナフトピジル OD25日医工 ⑪410	白　①	ナフトピジルOD錠25mg「日医工」(日医工)	ナフトピジル	25mg 1錠	排尿障害治療剤	2614
	ナフトピジル OD25タカタ	白　①	ナフトピジルOD錠25mg「タカタ」(高田)	ナフトピジル	25mg 1錠	排尿障害治療剤	2614
	ナフトピジル OD25タナベ TS111	白　①	ナフトピジルOD錠25mg「タナベ」(ニプロES)	ナフトピジル	25mg 1錠	排尿障害治療剤	2614
	ナフトピジル OD25ニプロ	白　①	ナフトピジルOD錠25mg「ニプロ」(ニプロES)	ナフトピジル	25mg 1錠	排尿障害治療剤	2614
	ナフトピジルOD フソー25	白　①	ナフトピジルOD錠25mg「フソー」(シオノ/扶桑薬品)	ナフトピジル	25mg 1錠	排尿障害治療剤	2614
	ナフトピジル YD OD25 YD616	白　①	ナフトピジルOD錠25mg「YD」(陽進堂)	ナフトピジル	25mg 1錠	排尿障害治療剤	2614
	ナフトピジル YD25 YD542	白　①	ナフトピジル錠25mg「YD」(陽進堂)	ナフトピジル	25mg 1錠	排尿障害治療剤	2614
	ネシーナ25	黄　①	ネシーナ錠25mg(武田薬品)	アログリプチン安息香酸塩	25mg 1錠	選択的DPP-4阻害剤・2型糖尿病治療剤	352
	ノベルジン25 NPC97	白	ノベルジン錠25mg(ノーベルファーマ)	酢酸亜鉛水和物	25mg 1錠	ウィルソン病治療剤(銅吸収阻害剤)・低亜鉛血症治療剤	1501
	ビタメジン25	赤/淡黄赤	ビタメジン配合カプセルB25(アルフレッサファーマ)	複合ビタミンB剤	1カプセル	混合ビタミン	2956
	ピルシカイニド25mg SW-923 SW-923	淡青/白	ピルシカイニド塩酸塩カプセル25mg「サワイ」(沢井)	ピルシカイニド塩酸塩水和物	25mg 1カプセル	不整脈治療剤	3041
	プラビックス25	白〜微黄白	プラビックス錠25mg(サノフィ)	クロピドグレル硫酸塩	25mg 1錠	抗血小板剤	1317
	プレガバJG/ OD25	白	プレガバリンOD錠25mg「JG」(日本ジェネリック)	プレガバリン	25mg 1錠	疼痛治療剤(神経障害性疼痛・線維筋痛症)	3355
	プレガバリン25mg 日医工 ⑪631	白	プレガバリンカプセル25mg「日医工」(日医工)	プレガバリン	25mg 1カプセル	疼痛治療剤(神経障害性疼痛・線維筋痛症)	3355
	プレガバリン25mg サワイ	白	プレガバリンカプセル25mg「サワイ」(沢井)	プレガバリン	25mg 1カプセル	疼痛治療剤(神経障害性疼痛・線維筋痛症)	3355
	プレガバリン25/ OD日医工 プレガバリン25 OD日医工	白	プレガバリンOD錠25mg「日医工」(日医工)	プレガバリン	25mg 1錠	疼痛治療剤(神経障害性疼痛・線維筋痛症)	3355
	プレガバリン25 OD/プレガバリン 25明治	白	プレガバリンOD錠25mg「明治」(日新/Meファルマ)	プレガバリン	25mg 1錠	疼痛治療剤(神経障害性疼痛・線維筋痛症)	3355
	プレガバリン25 トーワ	白	プレガバリンカプセル25mg「トーワ」(東和薬品)	プレガバリン	25mg 1カプセル	疼痛治療剤(神経障害性疼痛・線維筋痛症)	3355
	プレガバリンOD 25DSEP	白	プレガバリンOD錠25mg「DSEP」(第一三共エスファ)	プレガバリン	25mg 1錠	疼痛治療剤(神経障害性疼痛・線維筋痛症)	3355

番号	識別コード	色 (◖:割線有)	商品名(会社名)	一般名	規格単位	薬効	掲載 ページ
25	プレガバリンOD 25KMP	白	プレガバリンOD錠25mg「KMP」(共 創未来/三和化学)	プレガバリン	25mg 1錠	疼痛治療剤(神経障害性疼 痛・線維筋痛症)	3355
	プレガバリンOD 25NPI	白	プレガバリンOD錠25mg「NPI」(日本 薬品工業)	プレガバリン	25mg 1錠	疼痛治療剤(神経障害性疼 痛・線維筋痛症)	3355
	プレガバリンOD 25TCK	白	プレガバリンOD錠25mg「TCK」(辰 巳化学)	プレガバリン	25mg 1錠	疼痛治療剤(神経障害性疼 痛・線維筋痛症)	3355
	プレガバリンOD 25ZE	白〜微黄白	プレガバリンOD錠25mg「ZE」(全星 薬品工業/全星薬品)	プレガバリン	25mg 1錠	疼痛治療剤(神経障害性疼 痛・線維筋痛症)	3355
	プレガバリンOD／ 25ⓣ	白	プレガバリンOD錠25mg「武田テバ」 (武田テバファーマ/武田薬品)	プレガバリン	25mg 1錠	疼痛治療剤(神経障害性疼 痛・線維筋痛症)	3355
	プレガバリンOD 25杏林	白	プレガバリンOD錠25mg「杏林」(キョ ーリンリメディオ/杏林)	プレガバリン	25mg 1錠	疼痛治療剤(神経障害性疼 痛・線維筋痛症)	3355
	プレガバリンOD 25科研	白	プレガバリンOD錠25mg「科研」(ダイ ト/科研)	プレガバリン	25mg 1錠	疼痛治療剤(神経障害性疼 痛・線維筋痛症)	3355
	プレガバリンOD 25アメル	白	プレガバリンOD錠25mg「アメル」(共 和薬品)	プレガバリン	25mg 1錠	疼痛治療剤(神経障害性疼 痛・線維筋痛症)	3355
	プレガバリンOD 25オーハラ	白	プレガバリンOD錠25mg「オーハラ」 (大原薬品/エッセンシャル)	プレガバリン	25mg 1錠	疼痛治療剤(神経障害性疼 痛・線維筋痛症)	3355
	プレガバリンOD／ 25ケミファ	白	プレガバリンOD錠25mg「ケミファ」 (日本ケミファ)	プレガバリン	25mg 1錠	疼痛治療剤(神経障害性疼 痛・線維筋痛症)	3355
	プレガバリンOD 25サワイ	白	プレガバリンOD錠25mg「サワイ」(沢 井)	プレガバリン	25mg 1錠	疼痛治療剤(神経障害性疼 痛・線維筋痛症)	3355
	プレガバリンOD 25サンド	白	プレガバリンOD錠25mg「サンド」(サ ンド)	プレガバリン	25mg 1錠	疼痛治療剤(神経障害性疼 痛・線維筋痛症)	3355
	プレガバリンOD 25ニプロ	白〜微黄白	プレガバリンOD錠25mg「ニプロ」(ニ プロ)	プレガバリン	25mg 1錠	疼痛治療剤(神経障害性疼 痛・線維筋痛症)	3355
	プレガバリンOD 25フェルゼン	白	プレガバリンOD錠25mg「フェルゼン」 (フェルゼン)	プレガバリン	25mg 1錠	疼痛治療剤(神経障害性疼 痛・線維筋痛症)	3355
	プレガバリンOD 三笠25	白	プレガバリンOD錠25mg「三笠」(三 笠)	プレガバリン	25mg 1錠	疼痛治療剤(神経障害性疼 痛・線維筋痛症)	3355
	プレガバリン YD OD25 YD636	白	プレガバリンOD錠25mg「YD」(陽進 堂)	プレガバリン	25mg 1錠	疼痛治療剤(神経障害性疼 痛・線維筋痛症)	3355
	ベタニス25	褐	ベタニス錠25mg(アステラス)	ミラベグロン	25mg 1錠	選択的β₃-アドレナリン受容 体作動性過活動膀胱治療剤	3880
	ホリナート 25DSEP	白	ホリナート錠25mg「DSEP」(第一三 共エスファ)	ホリナートカルシウム	25mg 1錠	抗葉酸代謝拮抗剤	3771
	ホリナート25NK	淡黄白	ホリナート錠25mg「NK」(高田/日 本化薬)	ホリナートカルシウム	25mg 1錠	抗葉酸代謝拮抗剤	3771
	ホリナート25 オーハラ	白	ホリナート錠25mg「オーハラ」(大原 薬品)	ホリナートカルシウム	25mg 1錠	抗葉酸代謝拮抗剤	3771
	ボセンタン62.5／ モチダ ボセンタン62.5 MO25M	白　◖	ボセンタン錠62.5mg「モチダ」(持田 製販/持田)	ボセンタン水和物	62.5mg 1錠	エンドセリン受容体拮抗薬	3704
	マスーレッド25	灰黄赤	マスーレッド錠25mg(バイエル薬品)	モリデュスタットナトリウ ム	25mg 1錠	HIF-PH阻害薬・腎性貧血治 療薬	4028
	ミグリ25／25 ミグリトールOD トーワ	微黄白　◖	ミグリトールOD錠25mg「トーワ」(東 和薬品)	ミグリトール	25mg 1錠	糖尿病食後過血糖改善剤	3834
	ミグリトール25 JG	淡黄　◖	ミグリトール錠25mg「JG」(日本ジェ ネリック)	ミグリトール	25mg 1錠	糖尿病食後過血糖改善剤	3834
	ラモトリ25／ ラモトリギン トーワ25	白　◖	ラモトリギン錠25mg「トーワ」(東和 薬品)	ラモトリギン	25mg 1錠	抗てんかん・双極性障害治療 剤	4143
	ラモトリギン25 JG	白　◖	ラモトリギン錠25mg「JG」(日本ジェ ネリック)	ラモトリギン	25mg 1錠	抗てんかん・双極性障害治療 剤	4143
	ロサルタン25 アメル	白〜帯黄白	ロサルタンカリウム錠25mg「アメル」 (共和薬品)	ロサルタンカリウム	25mg 1錠	アンギオテンシンⅡ受容体拮 抗剤	4481
	ロサルタン25 オーハラ	白　◖	ロサルタンK錠25mg「オーハラ」(大 原薬品/共創未来/エッセンシャル)	ロサルタンカリウム	25mg 1錠	アンギオテンシンⅡ受容体拮 抗剤	4481
	ロサルタンK25 DSEP	白　◖	ロサルタンK錠25mg「DSEP」(第一 三共エスファ)	ロサルタンカリウム	25mg 1錠	アンギオテンシンⅡ受容体拮 抗剤	4481
026	AA026／20	帯紅白	パロキセチン錠20mg「AA」(あすか/ 武田薬品)	パロキセチン塩酸塩水和物	20mg 1錠	選択的セロトニン再取り込み 阻害剤(SSRI)	2878
	DK026	薄紅　◖	ドパコール配合錠L100(ダイト/扶桑 薬品)	レボドパ・カルビドパ水和 物	1錠	パーキンソニズム治療剤	4415
	KW026	白〜微黄	塩酸エピナスチン錠20mg「アメル」 (共和薬品)	エピナスチン塩酸塩	20mg 1錠	アレルギー性疾患治療剤	783
	SW026	白　◖	アルプラゾラム錠0.4mg「サワイ」(メ ディサ/沢井)	アルプラゾラム	0.4mg 1錠	マイナートランキライザー	322
	Tw026	白〜淡黄白◖	メサラジン徐放錠500mg「トーワ」(東 和薬品)	メサラジン	500mg 1錠	潰瘍性大腸炎・クローン病治 療剤	3911

番号	識別コード	色 (①：割線有)	商品名(会社名)	一般名	規格単位	薬効	掲載ページ
026	TY-026	褐	〔東洋〕桂枝加黄耆湯エキス細粒(東洋薬行)	桂枝加黄耆湯	1g	漢方製剤	4581
26	JG C26／3	黄	ドネペジル塩酸塩錠3mg「JG」(日本ジェネリック)	ドネペジル, -塩酸塩	3mg 1錠	アルツハイマー型，レビー小体型認知症治療剤	2426
	JG F26／メトホルミンMT250JG	白　①	メトホルミン塩酸塩錠250mgMT「JG」(日本ジェネリック)	メトホルミン塩酸塩	250mg 1錠	ビグアナイド系血糖降下剤	3962
	KB-26 EK-26	淡黄褐〜淡褐	クラシエ桂枝加竜骨牡蛎湯エキス細粒(クラシエ／クラシエ薬品)	桂枝加竜骨牡蛎湯	1g	漢方製剤	4584
	M26	白	タモキシフェン錠20mg「MYL」(ヴィアトリス・ヘルスケア／ヴィアトリス)	タモキシフェンクエン酸塩	20mg 1錠	抗エストロゲン剤	2077
	N26	黄褐〜茶褐	コタロー桂枝加竜骨牡蛎湯エキス細粒(小太郎漢方)	桂枝加竜骨牡蛎湯	1g	漢方製剤	4584
	O26／2.5	淡黄赤	オロパタジン塩酸塩錠2.5mg「TSU」(鶴原)	オロパタジン塩酸塩	2.5mg 1錠	アレルギー性疾患治療剤	1037
	S-26	黄褐	三和防風通聖散料エキス細粒(三和生薬)	防風通聖散	1g	漢方製剤	4643
	SG-26	茶褐〜淡灰茶褐	オースギ桂枝加竜骨牡蛎湯エキスG(大杉)	桂枝加竜骨牡蛎湯	1g	漢方製剤	4584
	ZE26／5	淡橙　①	アムロジピンOD錠5mg「ZE」(全星薬品工業／全星薬品)	アムロジピンベシル酸塩	5mg 1錠	ジヒドロピリジン系Ca拮抗剤	264
	⊂h26	白	ドンペリドン錠5mg「JG」(長生堂／日本ジェネリック)	ドンペリドン	5mg 1錠	消化管運動改善剤	2599
	ツムラ／26	灰褐	ツムラ桂枝加竜骨牡蛎湯エキス顆粒(医療用)(ツムラ)	桂枝加竜骨牡蛎湯	1g	漢方製剤	4584
027	KW027	白	アンコチル錠500mg(共和薬品)	フルシトシン	500mg 1錠	フッ化ピリミジン系抗真菌剤	3303
	SW027	淡青	アミトリプチリン塩酸塩錠10mg「サワイ」(沢井)	アミトリプチリン塩酸塩	10mg 1錠	三環系抗うつ剤	232
	t27 t027[25mg]	白	ジフェニドール塩酸塩錠25mg「NIG」(日医工岐阜／日医工／武田薬品)	ジフェニドール塩酸塩	25mg 1錠	抗めまい剤	1649
	Tw027／500	白〜微黄白	バラシクロビル錠500mg「トーワ」(東和薬品)	バラシクロビル塩酸塩	500mg 1錠	抗ウイルス剤	2810
	TY-027	褐	〔東洋〕桂枝加葛根湯エキス細粒(東洋薬行)	桂枝加葛根湯	1g	漢方製剤	4582
	YD027	白　①	ジメチコン錠40mg「YD」(陽進堂)	ジメチコン	40mg 1錠	消化管内ガス排除剤	1679
27	alza27	灰	コンサータ錠27mg(ヤンセン)	メチルフェニデート塩酸塩	27mg 1錠	中枢神経興奮剤	3931
	E27	黄　①	ベニジピン塩酸塩錠8mg「ツルハラ」(鶴原)	ベニジピン塩酸塩	8mg 1錠	ジヒドロピリジン系Ca拮抗剤	3524
	F27	白　①	ドンペリドン錠10mg「ツルハラ」(鶴原)	ドンペリドン	10mg 1錠	消化管運動改善剤	2599
	FC27	褐	ジュンコウ麻黄湯FCエキス細粒医療用(康和薬通／大杉)	麻黄湯	1g	漢方製剤	4645
	H27	淡褐	本草麻黄湯エキス顆粒-S(本草)	麻黄湯	1g	漢方製剤	4645
	JG C27／5	白	ドネペジル塩酸塩錠5mg「JG」(日本ジェネリック)	ドネペジル, -塩酸塩	5mg 1錠	アルツハイマー型，レビー小体型認知症治療剤	2426
	KB-27 EK-27	淡褐	クラシエ麻黄湯エキス細粒(クラシエ／クラシエ薬品)	麻黄湯	1g	漢方製剤	4645
	MS M27	白	メイアクトMS錠100mg(Meiji Seika)	セフジトレン ピボキシル	100mg 1錠	セフェム系抗生物質	1847
	N27	淡褐	コタロー麻黄湯エキス細粒(小太郎漢方)	麻黄湯	1g	漢方製剤	4645
	NS27	白〜微黄白	レバミピドOD錠100mg「NS」(日新)	レバミピド	100mg 1錠	胃炎・胃潰瘍治療剤	4390
	O27／5	淡黄赤　①	オロパタジン塩酸塩錠5mg「TSU」(鶴原)	オロパタジン塩酸塩	5mg 1錠	アレルギー性疾患治療剤	1037
	S-27	褐	三和桂枝茯苓丸料エキス細粒(三和生薬)	桂枝茯苓丸	1g	漢方製剤	4586
	t27 t027[25mg]	白	ジフェニドール塩酸塩錠25mg「NIG」(日医工岐阜／日医工／武田薬品)	ジフェニドール塩酸塩	25mg 1錠	抗めまい剤	1649
	TG27／0.5	白	グリメピリド錠0.5mg「タナベ」(ニプロES)	グリメピリド	0.5mg 1錠	スルホニル尿素系血糖降下剤	1278
	TG27／0.5	白	グリメピリド錠0.5mg「ニプロ」(ニプロES)	グリメピリド	0.5mg 1錠	スルホニル尿素系血糖降下剤	1278
	ZE27／2.5	白〜帯黄白	リセドロン酸Na錠2.5mg「ZE」(全星薬品工業／全星薬品)	リセドロン酸ナトリウム水和物	2.5mg 1錠	ビスホスホネート系骨吸収抑制剤	4209
	⊂h27	白	ドンペリドン錠10mg「JG」(長生堂／日本ジェネリック)	ドンペリドン	10mg 1錠	消化管運動改善剤	2599
	ツムラ／27	淡黄褐	ツムラ麻黄湯エキス顆粒(医療用)(ツムラ)	麻黄湯	1g	漢方製剤	4645
27.5	アリドネパッチ27.5mg	白〜淡黄半透明	アリドネパッチ27.5mg(帝國／興和)	ドネペジル, -塩酸塩	27.5mg 1枚	アルツハイマー型，レビー小体型認知症治療剤	2426
028	HD028 HD-028	薄橙	アプリンジン塩酸塩カプセル10mg「NP」(ニプロ)	アプリンジン塩酸塩	10mg 1カプセル	不整脈治療剤	194

番号	識別コード	色 (Ⓘ：割線有)	商品名（会社名）	一般名	規格単位	薬効	掲載ページ
028	KW028	白	アロプリノール錠100mg「アメル」（共和薬品）	アロプリノール	100mg 1錠	キサンチンオキシダーゼ阻害剤・高尿酸血症治療剤	363
	SW028	黄緑	アミトリプチリン塩酸塩錠25mg「サワイ」（沢井）	アミトリプチリン塩酸塩	25mg 1錠	三環系抗うつ剤	232
	TY-028	褐	〔東洋〕桂枝加厚朴杏仁湯エキス細粒（東洋薬行）	桂枝加厚朴杏仁湯	1g	漢方製剤	4582
28	EE28／1	白　Ⓘ	エチゾラム錠1mg「EMEC」（アルフレッサファーマ／エルメッド／日医工）	エチゾラム	1mg 1錠	チエノジアゼピン系精神安定剤	738
	EM28	白〜灰白Ⓘ	レナデックス錠4mg（ブリストル）	デキサメタゾン	4mg 1錠	副腎皮質ホルモン	2208
	J-28	淡褐	JPS越婢加朮湯エキス顆粒〔調剤用〕（ジェーピーエス）	越婢加朮湯	1g	漢方製剤	4567
	JG C28／10	赤橙　Ⓘ	ドネペジル塩酸塩錠10mg「JG」（日本ジェネリック）	ドネペジル，-塩酸塩	10mg 1錠	アルツハイマー型，レビー小体型認知症治療剤	2426
	JG E28	淡黄	フルバスタチン錠10mg「JG」（大興／日本ジェネリック）	フルバスタチンナトリウム	10mg 1錠	HMG-CoA還元酵素阻害剤	3330
	JG J28	極薄橙	セファレキシン顆粒500mg「JG」（長生堂／日本ジェネリック）	セファレキシン	500mg 1g	セファロスポリン系抗生物質	1830
	MS M28	黄	リフレックス錠15mg（Meiji Seika）	ミルタザピン	15mg 1錠	ノルアドレナリン・セロトニン作動性抗うつ剤	3888
	N28	茶褐〜濃茶	コタロー越婢加朮湯エキス細粒（小太郎漢方）	越婢加朮湯	1g	漢方製剤	4567
	S-28	褐	三和木防已湯エキス細粒（三和生薬）	木防已湯	1g	漢方製剤	4649
	SG-28	淡褐	JPS越婢加朮湯エキス顆粒〔調剤用〕（ジェーピーエス／大杉）	越婢加朮湯	1g	漢方製剤	4567
	タクロリムス0.5 JGF28 JG F28	淡黄	タクロリムスカプセル0.5mg「JG」（日本ジェネリック）	タクロリムス水和物	0.5mg 1カプセル	免疫抑制剤	1999
	ツムラ／28	淡灰褐	ツムラ越婢加朮湯エキス顆粒（医療用）（ツムラ）	越婢加朮湯	1g	漢方製剤	4567
029	HD029 HD-029	橙	アプリンジン塩酸塩カプセル20mg「NP」（ニプロ）	アプリンジン塩酸塩	20mg 1カプセル	不整脈治療剤	194
29	EE29／5	白	ドンペリドン錠5mg「EMEC」（アルフレッサファーマ／エルメッド／日医工）	ドンペリドン	5mg 1錠	消化管運動改善剤	2599
	FC29	淡褐	ジュンコウ麦門冬湯FCエキス細粒医療用（康和薬通／大杉）	麦門冬湯	1g	漢方製剤	4636
	J-29	淡褐	JPS麦門冬湯エキス顆粒〔調剤用〕（ジェーピーエス）	麦門冬湯	1g	漢方製剤	4636
	JG E29	淡黄	フルバスタチン錠20mg「JG」（大興／日本ジェネリック）	フルバスタチンナトリウム	20mg 1錠	HMG-CoA還元酵素阻害剤	3330
	JG G29	白	モンテルカスト細粒4mg「JG」（日本ジェネリック）	モンテルカストナトリウム	4mg 1包	ロイコトリエン受容体拮抗剤	4043
	KC29	淡黄白	プロスタグランジンE₂錠0.5mg「科研」（科研／富士製薬）	ジノプロストン	0.5mg 1錠	プロスタグランジンE₂誘導体	1642
	MS M29	黄赤	リフレックス錠30mg（Meiji Seika）	ミルタザピン	30mg 1錠	ノルアドレナリン・セロトニン作動性抗うつ剤	3888
	N29	淡黄〜黄褐	コタロー麦門冬湯エキス細粒（小太郎漢方）	麦門冬湯	1g	漢方製剤	4636
	S-29	褐	三和当帰芍薬散加附子エキス細粒（三和生薬）	当帰芍薬加附子湯	1g	漢方製剤	4632
	SG-29	淡褐	JPS麦門冬湯エキス顆粒〔調剤用〕（ジェーピーエス／大杉）	麦門冬湯	1g	漢方製剤	4636
	ch29 ch29	白〜淡黄白	ベラプロストナトリウム錠20μg「JG」（長生堂／日本ジェネリック）	ベラプロストナトリウム	20μg 1錠	プロスタサイクリン(PGI₂)誘導体	3597
	タクロリムス1 JGF29 JG F29	白	タクロリムスカプセル1mg「JG」（日本ジェネリック）	タクロリムス水和物	1mg 1カプセル	免疫抑制剤	1999
	ツムラ／29	淡灰褐	ツムラ麦門冬湯エキス顆粒（医療用）（ツムラ）	麦門冬湯	1g	漢方製剤	4636
030	030	淡赤	ニフェジピンL錠20mg「ツルハラ」（鶴原）	ニフェジピン	20mg 1錠	ジヒドロピリジン系Ca拮抗剤	2652
	t30 t030	白〜淡黄白	メサラジン徐放錠500mg「日医工P」（日医工ファーマ／日医工）	メサラジン	500mg 1錠	潰瘍性大腸炎・クローン病治療剤	3911
	TTS030 TTS-030	淡黄　Ⓘ	バルサルタン錠20mg「タカタ」（高田）	バルサルタン	20mg 1錠	選択的AT₁受容体遮断剤	2840
	TY-030	褐	〔東洋〕桂枝加芍薬湯エキス細粒（東洋薬行）	桂枝加芍薬湯	1g	漢方製剤	4583
30	30 PG／VLE 30 PG VLE	白〜帯黄白Ⓘ	ピオグリタゾン錠30mg「VTRS」（ヴィアトリス・ヘルスケア／ヴィアトリス）	ピオグリタゾン塩酸塩	30mg 1錠	インスリン抵抗性改善血糖降下剤	2912
	30DSEP デュロキセチン	淡黄白／微黄白	デュロキセチンカプセル30mg「DSEP」（第一三共エスファ）	デュロキセチン塩酸塩	30mg 1カプセル	セロトニン・ノルアドレナリン再取り込み阻害剤(SNRI)	2348

番号	識別コード	色 (①:割線有)	商品名(会社名)	一般名	規格単位	薬効	掲載ページ
30	30EP／アゾセミ 30EPアゾセミ	白　①	アゾセミド錠30mg「DSEP」(第一三共エスファ)	アゾセミド	30mg 1錠	ループ利尿剤	93
	30mg JG E45 JG E45	白	ランソプラゾールカプセル30mg「JG」(大興／日本ジェネリック)	ランソプラゾール	30mg 1カプセル	プロトンポンプインヒビター	4168
	30PG／D VLE 30PG D VLE	白～帯黄白①	ピオグリタゾンOD錠30mg「VTRS」(ヴィアトリス・ヘルスケア／ヴィアトリス)	ピオグリタゾン塩酸塩	30mg 1錠	インスリン抵抗性改善血糖降下剤	2912
	30△851 △851	淡黄	パシーフカプセル30mg(武田薬品)	モルヒネ塩酸塩水和物	30mg 1カプセル	鎮痛・鎮咳・止瀉剤	4034
	629／30	薄橙	フェキソフェナジン塩酸塩錠30mg「ツルハラ」(鶴原)	フェキソフェナジン塩酸塩	30mg 1錠	アレルギー性疾患治療剤	3111
	AJ2／30 AJ2 30	白	ファスティック錠30(EA)	ナテグリニド	30mg 1錠	速効型インスリン分泌促進薬	2606
	APR／30	淡褐	オテズラ錠30mg(アムジェン)	アプレミラスト	30mg 1錠	PDE4阻害剤	199
	BMD51／30	薄橙	フェキソフェナジン塩酸塩錠30mg「BMD」(ビオメディクス)	フェキソフェナジン塩酸塩	30mg 1錠	アレルギー性疾患治療剤	3111
	C-22B30	白	レスプレン錠30mg(太陽ファルマ)	エプラジノン塩酸塩	30mg 1錠	鎮咳去痰剤	804
	C-31A30	白	ビドキサール錠30mg(太陽ファルマ)	ピリドキサールリン酸エステル水和物	30mg 1錠	補酵素型ビタミンB$_6$	3038
	EE30/2.5	淡桃	エナラプリルマレイン酸塩錠2.5mg「EMEC」(アルフレッサファーマ／エルメッド／日医工)	エナラプリルマレイン酸塩	2.5mg 1錠	ACE阻害剤	767
	EP402／30	白～帯白①	ピオグリタゾン錠30mg「DSEP」(第一三共エスファ)	ピオグリタゾン塩酸塩	30mg 1錠	インスリン抵抗性改善血糖降下剤	2912
	EP404／30	白～帯黄白①	ピオグリタゾンOD錠30mg「DSEP」(第一三共エスファ)	ピオグリタゾン塩酸塩	30mg 1錠	インスリン抵抗性改善血糖降下剤	2912
	FF102／30	白～帯黄白①	ピオグリタゾン錠30mg「FFP」(共創未来)	ピオグリタゾン塩酸塩	30mg 1錠	インスリン抵抗性改善血糖降下剤	2912
	FF125／30	白～帯黄白①	ピオグリタゾンOD錠30mg「FFP」(共創未来)	ピオグリタゾン塩酸塩	30mg 1錠	インスリン抵抗性改善血糖降下剤	2912
	FF133／30	薄橙	フェキソフェナジン塩酸塩錠30mg「FFP」(共創未来)	フェキソフェナジン塩酸塩	30mg 1錠	アレルギー性疾患治療剤	3111
	FLV30	淡黄	フルバスタチン錠30mg「三和」(シオノ／三和化学)	フルバスタチンナトリウム	30mg 1錠	HMG-CoA還元酵素阻害剤	3330
	J-30	淡褐	JPS真武湯エキス顆粒〔調剤用〕(ジェーピーエス)	真武湯	1g	漢方製剤	4616
	JG C30	白～類白①	ニトラゼパム錠5mg「JG」(日本ジェネリック)	ニトラゼパム	5mg 1錠	ベンゾジアゼピン系催眠剤	2641
	JG E30	淡黄	フルバスタチン錠30mg「JG」(大興／日本ジェネリック)	フルバスタチンナトリウム	30mg 1錠	HMG-CoA還元酵素阻害剤	3330
	JG F32／30	白～帯黄白①	ピオグリタゾン錠30mg「JG」(日本ジェネリック)	ピオグリタゾン塩酸塩	30mg 1錠	インスリン抵抗性改善血糖降下剤	2912
	JG G22／30	薄橙	フェキソフェナジン塩酸塩錠30mg「JG」(日本ジェネリック)	フェキソフェナジン塩酸塩	30mg 1錠	アレルギー性疾患治療剤	3111
	JG30	白	アロチノロール塩酸塩錠5mg「JG」(日本ジェネリック)	アロチノロール塩酸塩	5mg 1錠	α, β-遮断剤	362
	KRM128／30	白～帯黄白①	ピオグリタゾン錠30mg「杏林」(キョーリンリメディオ／杏林)	ピオグリタゾン塩酸塩	30mg 1錠	インスリン抵抗性改善血糖降下剤	2912
	KRM130／30	白～帯黄白①	ピオグリタゾンOD錠30mg「杏林」(キョーリンリメディオ／杏林)	ピオグリタゾン塩酸塩	30mg 1錠	インスリン抵抗性改善血糖降下剤	2912
	KRM161／30	薄橙	フェキソフェナジン塩酸塩錠30mg「杏林」(キョーリンリメディオ／杏林)	フェキソフェナジン塩酸塩	30mg 1錠	アレルギー性疾患治療剤	3111
	Kw FE／30 Kw FE30	薄橙	フェキソフェナジン塩酸塩錠30mg「アメル」(共和薬品)	フェキソフェナジン塩酸塩	30mg 1錠	アレルギー性疾患治療剤	3111
	Kw505／PI30	白～帯黄白①	ピオグリタゾン錠30mg「アメル」(共和薬品)	ピオグリタゾン塩酸塩	30mg 1錠	インスリン抵抗性改善血糖降下剤	2912
	LP30	白～帯黄白 (淡褐～暗褐の斑点)	ランソプラゾールOD錠30mg「DK」(大興／江州)	ランソプラゾール	30mg 1錠	プロトンポンプインヒビター	4168
	LZ30	白～帯黄白 (淡褐～暗褐の斑点)	ランソプラゾールOD錠30mg「ケミファ」(シオノ／日本薬品工業／日本ケミファ)	ランソプラゾール	30mg 1錠	プロトンポンプインヒビター	4168
	MO353／30	白～帯黄白①	ピオグリタゾン錠30mg「モチダ」(持田製販／持田)	ピオグリタゾン塩酸塩	30mg 1錠	インスリン抵抗性改善血糖降下剤	2912
	N30	淡褐～褐	コタロー真武湯エキス細粒(小太郎漢方)	真武湯	1g	漢方製剤	4616
	NC OL／30	白～帯黄白①	ピオグリタゾンOD錠30mg「ケミファ」(日本ケミファ)	ピオグリタゾン塩酸塩	30mg 1錠	インスリン抵抗性改善血糖降下剤	2912
	NC PL／30	白～帯黄白①	ピオグリタゾン錠30mg「ケミファ」(日本ケミファ／日本薬品工業)	ピオグリタゾン塩酸塩	30mg 1錠	インスリン抵抗性改善血糖降下剤	2912

番号	識別コード	色 (⦿：割線有)	商品名(会社名)	一般名	規格単位	薬効	掲載 ページ
30	NCP44／30	薄橙	フェキソフェナジン塩酸塩錠30mg「ケミファ」(日本ケミファ/日本薬品工業)	フェキソフェナジン塩酸塩	30mg 1錠	アレルギー性疾患治療剤	3111
	NK7421 30	白	ベスタチンカプセル30mg (日本化薬)	ウベニメクス	30mg 1カプセル	抗悪性腫瘍剤	653
	NP175／30 NP-175	薄橙	フェキソフェナジン塩酸塩錠30mg「NP」(ニプロ)	フェキソフェナジン塩酸塩	30mg 1錠	アレルギー性疾患治療剤	3111
	NP551／30 NP-551	白	フェキソフェナジン塩酸塩OD錠30mg「NP」(ニプロ)	フェキソフェナジン塩酸塩	30mg 1錠	アレルギー性疾患治療剤	3111
	NPI141／30	白~帯黄白	ピオグリタゾンOD錠30mg「NPI」(日本薬品工業)	ピオグリタゾン塩酸塩	30mg 1錠	インスリン抵抗性改善血糖降下剤	2912
	NS312／30	白~帯黄白	ピオグリタゾン錠30mg「NS」(日新/科研)	ピオグリタゾン塩酸塩	30mg 1錠	インスリン抵抗性改善血糖降下剤	2912
	NS351／30	白~帯黄白	ピオグリタゾンOD錠30mg「NS」(日新/科研)	ピオグリタゾン塩酸塩	30mg 1錠	インスリン抵抗性改善血糖降下剤	2912
	NS471／30	薄橙	フェキソフェナジン塩酸塩錠30mg「日新」(日新)	フェキソフェナジン塩酸塩	30mg 1錠	アレルギー性疾患治療剤	3111
	P521／30	白 ⦿	ナディック錠30mg (住友ファーマ)	ナドロール	30mg 1錠	β-遮断剤	2609
	PGT30	白 ⦿	ピオグリタゾン錠30mg「サンド」(サンド)	ピオグリタゾン塩酸塩	30mg 1錠	インスリン抵抗性改善血糖降下剤	2912
	PRD-30	橙	ピリドキサール錠30mg「イセイ」(コーアイセイ)	ピリドキサールリン酸エステル水和物	30mg 1錠	補酵素型ビタミンB₆	3038
	S-30	褐	三和大柴胡去大黄湯エキス細粒(三和生薬)	大柴胡湯去大黄	1g	漢方製剤	4623
	S489 30mg	橙/白	ビバンセカプセル30mg (武田薬品)	リスデキサンフェタミンメシル酸塩	30mg 1カプセル	中枢神経刺激剤	4199
	Sc448／30	薄橙	フェキソフェナジン塩酸塩錠30mg「三和」(日本薬品工業/三和化学)	フェキソフェナジン塩酸塩	30mg 1錠	アレルギー性疾患治療剤	3111
	SG-30	淡褐	JPS真武湯エキス顆粒[調剤用] (ジェーピーエス/大杉)	真武湯	1g	漢方製剤	4616
	SW F30／30	薄橙	フェキソフェナジン塩酸塩錠30mg「サワイ」(沢井)	フェキソフェナジン塩酸塩	30mg 1錠	アレルギー性疾患治療剤	3111
	SW FX30／30	白	フェキソフェナジン塩酸塩OD錠30mg「サワイ」(沢井)	フェキソフェナジン塩酸塩	30mg 1錠	アレルギー性疾患治療剤	3111
	SW P6／30	白~帯黄白⦿	ピオグリタゾン錠30mg「サワイ」(沢井)	ピオグリタゾン塩酸塩	30mg 1錠	インスリン抵抗性改善血糖降下剤	2912
	T30／⬟ ⬟T30	濃青	ジオトリフ錠30mg (日本ベーリンガー)	アファチニブマレイン酸塩	30mg 1錠	抗悪性腫瘍剤・チロシンキナーゼ阻害剤	183
	t30 t030	白~淡黄白	メサラジン徐放錠500mg「日医工P」(日医工ファーマ/日医工)	メサラジン	500mg 1錠	潰瘍性大腸炎・クローン病治療剤	3911
	TF-TL30	淡紅/無透明	MSツワイスロンカプセル30mg (帝國)	モルヒネ硫酸塩水和物	30mg 1カプセル	持続性癌疼痛治療剤	4040
	TG61／30	白~帯黄白⦿	ピオグリタゾン錠30mg「タナベ」(ニプロES)	ピオグリタゾン塩酸塩	30mg 1錠	インスリン抵抗性改善血糖降下剤	2912
	TG61／30	白~帯黄白⦿	ピオグリタゾン錠30mg「ニプロ」(ニプロES)	ピオグリタゾン塩酸塩	30mg 1錠	インスリン抵抗性改善血糖降下剤	2912
	TTS552／30 TTS-552	白~帯黄白⦿	ピオグリタゾン錠30mg「タカタ」(高田)	ピオグリタゾン塩酸塩	30mg 1錠	インスリン抵抗性改善血糖降下剤	2912
	TTS701／30 TTS-701	薄橙	フェキソフェナジン塩酸塩錠30mg「タカタ」(高田)	フェキソフェナジン塩酸塩	30mg 1錠	アレルギー性疾患治療剤	3111
	TTS752／30 TTS-752	白~帯黄白	ピオグリタゾンOD錠30mg「タカタ」(高田)	ピオグリタゾン塩酸塩	30mg 1錠	インスリン抵抗性改善血糖降下剤	2912
	TU322／30	白~帯黄白⦿	ピオグリタゾン錠30mg「TCK」(辰巳化学)	ピオグリタゾン塩酸塩	30mg 1錠	インスリン抵抗性改善血糖降下剤	2912
	TU531／30	薄橙	フェキソフェナジン塩酸塩錠30mg「TCK」(辰巳化学)	フェキソフェナジン塩酸塩	30mg 1錠	アレルギー性疾患治療剤	3111
	Tw343／30	薄橙	フェキソフェナジン塩酸塩錠30mg「トーワ」(東和薬品/共創未来)	フェキソフェナジン塩酸塩	30mg 1錠	アレルギー性疾患治療剤	3111
	Tw501／30	白~帯黄白⦿	ピオグリタゾン錠30mg「トーワ」(東和薬品)	ピオグリタゾン塩酸塩	30mg 1錠	インスリン抵抗性改善血糖降下剤	2912
	Tw503／30	淡黄白 ⦿	ピオグリタゾンOD錠30mg「トーワ」(東和薬品)	ピオグリタゾン塩酸塩	30mg 1錠	インスリン抵抗性改善血糖降下剤	2912
	YD548／30	薄橙	フェキソフェナジン塩酸塩錠30mg「YD」(陽進堂)	フェキソフェナジン塩酸塩	30mg 1錠	アレルギー性疾患治療剤	3111
	YP-DFT30	白半透明	ジクロフェナクナトリウムテープ30mg「ユートク」(祐徳薬品)	ジクロフェナクナトリウム	10cm×14cm 1枚	フェニル酢酸系消炎鎮痛剤	1579
	YP-MP30	白~淡黄白	モーラスパップ30mg (久光/祐徳薬品)	ケトプロフェン	10cm×14cm 1枚	プロピオン酸系消炎鎮痛剤	1410
	ZE30／0.5	白	グリメピリド錠0.5mg「ZE」(全星薬品工業/全星薬品)	グリメピリド	0.5mg 1錠	スルホニル尿素系血糖降下剤	1278

番号	識別コード	色（①：割線有）	商品名（会社名）	一般名	規格単位	薬効	掲載ページ
30	ZE42／30	白～帯黄白①	ピオグリタゾン錠30mg「ZE」（全星薬品工業／全星薬品）	ピオグリタゾン塩酸塩	30mg 1錠	インスリン抵抗性改善血糖降下剤	2912
	ZE76／30	薄橙	フェキソフェナジン塩酸塩錠30mg「ZE」（全星薬品工業／全星薬品）	フェキソフェナジン塩酸塩	30mg 1錠	アレルギー性疾患治療剤	3111
	n01／30 n01 30	薄橙	フェキソフェナジン塩酸塩錠30mg「SANIK」（日医工）	フェキソフェナジン塩酸塩	30mg 1錠	アレルギー性疾患治療剤	3111
	①032 30Lly ①032 30	淡黄白／微黄白	サインバルタカプセル30mg（塩野義／日本イーライリリー）	デュロキセチン塩酸塩	30mg 1カプセル	セロトニン・ノルアドレナリン再取り込み阻害剤(SNRI)	2348
	n124／30 n124 30 ⓝ124	白～帯黄白①	ピオグリタゾンOD錠30mg「日医工」（日医工）	ピオグリタゾン塩酸塩	30mg 1錠	インスリン抵抗性改善血糖降下剤	2912
	n133／30 n133 30 ⓝ133	白～帯黄白①	ピオグリタゾン錠30mg「日医工」（日医工）	ピオグリタゾン塩酸塩	30mg 1錠	インスリン抵抗性改善血糖降下剤	2912
	△213／30	白～帯黄白（赤橙～暗褐の斑点）	タケプロンOD錠30（武田テバ薬品／武田薬品）	ランソプラゾール	30mg 1錠	プロトンポンプインヒビター	4168
	△223／30	薄橙　①	アデカット30mg錠（武田テバ薬品／武田薬品）	デラプリル塩酸塩	30mg 1錠	ACE阻害剤	2355
	◯30	赤	リンヴォック錠30mg（アッヴィ）	ウパダシチニブ水和物	30mg 1錠	ヤヌスキナーゼ(JAK)阻害剤	642
	△322／30／500	帯黄白	メタクト配合錠HD（武田テバ薬品／武田薬品）	ピオグリタゾン塩酸塩・メトホルミン塩酸塩	1錠	チアゾリジン系薬・ビグアナイド系薬配合2型糖尿病治療剤	2919
	△324／30／3	白～帯黄白／帯黄白	ソニアス配合錠HD（武田テバ薬品／武田薬品）	ピオグリタゾン塩酸塩・グリメピリド	1錠	チアゾリジン系／スルホニル尿素系薬配合・2型糖尿病治療剤	2915
	△377／30	帯黄白　①	アクトスOD錠30（武田テバ薬品／武田薬品）	ピオグリタゾン塩酸塩	30mg 1錠	インスリン抵抗性改善血糖降下剤	2912
	△383／30 25	微黄赤	リオベル配合錠HD（帝人／武田薬品）	アログリプチン安息香酸塩・ピオグリタゾン塩酸塩	1錠	選択的DPP-4阻害剤／チアゾリジン系薬配合・2型糖尿病治療剤	355
	△391／30	白～帯黄白①	アクトス錠30（武田テバ薬品／武田薬品）	ピオグリタゾン塩酸塩	30mg 1錠	インスリン抵抗性改善血糖降下剤	2912
	①902／30 ①902：30	青紫～赤紫	MSコンチン錠30mg（シオノギファーマ／塩野義）	モルヒネ硫酸塩水和物	30mg 1錠	持続性癌疼痛治療剤	4040
	cH92 アゾセミド30JG	白　①	アゾセミド錠30mg「JG」（長生堂／日本ジェネリック）	アゾセミド	30mg 1錠	ループ利尿剤	93
	⑰PG2／30 PG2	白～帯黄白①	ピオグリタゾン錠30mg「武田テバ」（武田テバファーマ／武田薬品）	ピオグリタゾン塩酸塩	30mg 1錠	インスリン抵抗性改善血糖降下剤	2912
	⑰ランソ／30	白～帯黄白（赤橙～暗褐の斑点）	ランソプラゾールOD錠30mg「武田テバ」（武田テバファーマ／武田薬品）	ランソプラゾール	30mg 1錠	プロトンポンプインヒビター	4168
	漢：EK-30	褐	三和真武湯エキス細粒（三和生薬／クラシエ薬品）	真武湯	1g	漢方製剤	4616
	エボザック30	黄／白	エボザックカプセル30mg（アルフレッサファーマ）	セビメリン塩酸塩水和物	30mg 1カプセル	口腔乾燥症状改善薬	1824
	サムスカOD30	青　①	サムスカOD錠30mg（大塚）	トルバプタン	30mg 1錠	バソプレシンV₂-受容体拮抗剤	2563
	スターシス30	白	スターシス錠30mg（アステラス）	ナテグリニド	30mg 1錠	速効型インスリン分泌促進薬	2606
	タクロリムス5 JGF30 JG F30	灰赤	タクロリムスカプセル5mg「JG」（日本ジェネリック）	タクロリムス水和物	5mg 1カプセル	免疫抑制剤	1999
	ツムラ／30	淡灰白	ツムラ真武湯エキス顆粒（医療用）（ツムラ）	真武湯	1g	漢方製剤	4616
	デュロ30キセチントーワ	極薄黄～極薄緑み（黄みの白／緑みを帯びた黄みの明るい灰の斑点）	デュロキセチン錠30mg「トーワ」（東和薬品）	デュロキセチン塩酸塩	30mg 1錠	セロトニン・ノルアドレナリン再取り込み阻害剤(SNRI)	2348
	デュロキセチン30mg JG	淡黄白／微黄白	デュロキセチンカプセル30mg「JG」（長生堂／日本ジェネリック）	デュロキセチン塩酸塩	30mg 1カプセル	セロトニン・ノルアドレナリン再取り込み阻害剤(SNRI)	2348
	デュロキセチン30mg KMP	淡黄白／微黄白	デュロキセチンカプセル30mg「KMP」（共創未来）	デュロキセチン塩酸塩	30mg 1カプセル	セロトニン・ノルアドレナリン再取り込み阻害剤(SNRI)	2348
	デュロキセチン30mg NS	淡黄白／微黄白	デュロキセチンカプセル30mg「日新」（日新）	デュロキセチン塩酸塩	30mg 1カプセル	セロトニン・ノルアドレナリン再取り込み阻害剤(SNRI)	2348
	デュロキセチン30mg YD YD182	淡黄白／微黄白	デュロキセチンカプセル30mg「YD」（陽進堂）	デュロキセチン塩酸塩	30mg 1カプセル	セロトニン・ノルアドレナリン再取り込み阻害剤(SNRI)	2348
	デュロキセチン30mg／⑰ デュロキセチン30mg ⑰	淡黄白／微黄白	デュロキセチンカプセル30mg「日医工G」（日医工岐阜／日医工／武田薬品）	デュロキセチン塩酸塩	30mg 1カプセル	セロトニン・ノルアドレナリン再取り込み阻害剤(SNRI)	2348

番号	識別コード	色(①:割線有)	商品名(会社名)	一般名	規格単位	薬効	掲載ページ
30	デュロキセチン30mg／杏林 デュロキセチン30mg 杏林	淡黄白／微黄白	デュロキセチンカプセル30mg「杏林」(キョーリンリメディオ／杏林)	デュロキセチン塩酸塩	30mg 1カプセル	セロトニン・ノルアドレナリン再取り込み阻害剤(SNRI)	2348
	デュロキセチン30mg 三笠 MZ-DXC30	淡黄白／微黄白	デュロキセチンカプセル30mg「三笠」(三笠)	デュロキセチン塩酸塩	30mg 1カプセル	セロトニン・ノルアドレナリン再取り込み阻害剤(SNRI)	2348
	デュロキセチン30mg 明治	淡黄白／微黄白	デュロキセチンカプセル30mg「明治」(Meiji Seika)	デュロキセチン塩酸塩	30mg 1カプセル	セロトニン・ノルアドレナリン再取り込み阻害剤(SNRI)	2348
	デュロキセチン30mg アメル	淡黄白／微黄白	デュロキセチンカプセル30mg「アメル」(共和薬品)	デュロキセチン塩酸塩	30mg 1カプセル	セロトニン・ノルアドレナリン再取り込み阻害剤(SNRI)	2348
	デュロキセチン30mg サワイ	淡黄白／微黄白	デュロキセチンカプセル30mg「サワイ」(沢井)	デュロキセチン塩酸塩	30mg 1カプセル	セロトニン・ノルアドレナリン再取り込み阻害剤(SNRI)	2348
	デュロキセチン30mg タカタ	淡黄白／微黄白	デュロキセチンカプセル30mg「タカタ」(高田)	デュロキセチン塩酸塩	30mg 1カプセル	セロトニン・ノルアドレナリン再取り込み阻害剤(SNRI)	2348
	デュロキセチン30mg フェルゼン	淡黄白／微黄白	デュロキセチンカプセル30mg「フェルゼン」(ダイト／フェルゼン)	デュロキセチン塩酸塩	30mg 1カプセル	セロトニン・ノルアドレナリン再取り込み阻害剤(SNRI)	2348
	デュロキセチン30 オーハラ	淡黄白／微黄白	デュロキセチンカプセル30mg「オーハラ」(大原薬品／エッセンシャル)	デュロキセチン塩酸塩	30mg 1カプセル	セロトニン・ノルアドレナリン再取り込み阻害剤(SNRI)	2348
	デュロキセチン30 ケミファ	極薄黄〜極薄緑みの黄(黄みの白〜帯緑み黄みの明るい灰の斑点)	デュロキセチン錠30mg「ケミファ」(富士化学／日本ケミファ)	デュロキセチン塩酸塩	30mg 1錠	セロトニン・ノルアドレナリン再取り込み阻害剤(SNRI)	2348
	デュロキセチン30 トーワ	淡黄白／微黄白	デュロキセチンカプセル30mg「トーワ」(東和薬品)	デュロキセチン塩酸塩	30mg 1カプセル	セロトニン・ノルアドレナリン再取り込み阻害剤(SNRI)	2348
	デュロキセチン30 ニプロ	淡黄白／微黄白	デュロキセチンカプセル30mg「ニプロ」(ニプロ)	デュロキセチン塩酸塩	30mg 1カプセル	セロトニン・ノルアドレナリン再取り込み阻害剤(SNRI)	2348
	デュロキセチンOD30明治	白(微黄褐〜赤褐の斑点)	デュロキセチンOD錠30mg「明治」(Meiji Seika)	デュロキセチン塩酸塩	30mg 1錠	セロトニン・ノルアドレナリン再取り込み阻害剤(SNRI)	2348
	デュロキセチンOD30ニプロ	白(微黄褐〜赤褐の斑点)	デュロキセチンOD錠30mg「ニプロ」(ニプロ)	デュロキセチン塩酸塩	30mg 1錠	セロトニン・ノルアドレナリン再取り込み阻害剤(SNRI)	2348
	ナテグリニド30 日医工 ⓝ466	白	ナテグリニド錠30mg「日医工」(日医工)	ナテグリニド	30mg 1錠	速効型インスリン分泌促進薬	2606
	ナテグリニドⓣ 30	白	ナテグリニド錠30mg「テバ」(日医工岐阜／日医工／武田薬品)	ナテグリニド	30mg 1錠	速効型インスリン分泌促進薬	2606
	ビタメジン30	赤／淡黄赤	ビタメジン配合カプセルB50(アルフレッサファーマ)	複合ビタミンB剤	1カプセル	混合ビタミン	2956
	フェキソフェナジン30／フェキソフェナジン明治	極薄橙	フェキソフェナジン塩酸塩錠30mg「明治」(Meiji Seika／Meファルマ)	フェキソフェナジン塩酸塩	30mg 1錠	アレルギー性疾患治療剤	3111
	フェキソフェナジンOD30トーワ	白	フェキソフェナジン塩酸塩OD錠30mg「トーワ」(東和薬品)	フェキソフェナジン塩酸塩	30mg 1錠	アレルギー性疾患治療剤	3111
	ミルタザ30／ミルタザピン30OD トーワ	黄 ①	ミルタザピンOD錠30mg「トーワ」(東和薬品)	ミルタザピン	30mg 1錠	ノルアドレナリン・セロトニン作動性抗うつ剤	3888
	ミルタザOD30／ミルタザピンOD30 ニプロ	淡黄 ①	ミルタザピンOD錠30mg「ニプロ」(ニプロ)	ミルタザピン	30mg 1錠	ノルアドレナリン・セロトニン作動性抗うつ剤	3888
	ミルタザピン30 EE	黄赤	ミルタザピン錠30mg「EE」(エルメッド／日医工)	ミルタザピン	30mg 1錠	ノルアドレナリン・セロトニン作動性抗うつ剤	3888
	ミルタザピン30 JG	黄赤	ミルタザピン錠30mg「JG」(長生堂／日本ジェネリック)	ミルタザピン	30mg 1錠	ノルアドレナリン・セロトニン作動性抗うつ剤	3888
	ミルタザピン30 KMP	黄赤 ①	ミルタザピン錠30mg「共創未来」(共創未来)	ミルタザピン	30mg 1錠	ノルアドレナリン・セロトニン作動性抗うつ剤	3888
	ミルタザピン30 KMP	黄赤 ①	ミルタザピン錠30mg「KMP」(共創未来)	ミルタザピン	30mg 1錠	ノルアドレナリン・セロトニン作動性抗うつ剤	3888
	ミルタザピン30 ODアメル／OD アメル30 ミルタザピン	淡黄(斑点)	ミルタザピンOD錠30mg「アメル」(共和薬品／高田)	ミルタザピン	30mg 1錠	ノルアドレナリン・セロトニン作動性抗うつ剤	3888
	ミルタザピン30 TCK	黄赤	ミルタザピン錠30mg「TCK」(辰巳化学)	ミルタザピン	30mg 1錠	ノルアドレナリン・セロトニン作動性抗うつ剤	3888
	ミルタザピン30 VTRS	黄赤	ミルタザピン錠30mg「VTRS」(ダイト／ヴィアトリス)	ミルタザピン	30mg 1錠	ノルアドレナリン・セロトニン作動性抗うつ剤	3888
	ミルタザピン30 YD YD259	黄赤 ①	ミルタザピン錠30mg「YD」(陽進堂／アルフレッサファーマ)	ミルタザピン	30mg 1錠	ノルアドレナリン・セロトニン作動性抗うつ剤	3888
	ミルタザピン30 杏林	黄赤	ミルタザピン錠30mg「杏林」(キョーリンリメディオ／杏林)	ミルタザピン	30mg 1錠	ノルアドレナリン・セロトニン作動性抗うつ剤	3888

0-99

番号	識別コード	色 (Ⓛ：割線有)	商品名(会社名)	一般名	規格単位	薬効	掲載ページ
30	ミルタザピン30 日新	黄赤	ミルタザピン錠30mg「日新」(日新)	ミルタザピン	30mg 1錠	ノルアドレナリン・セロトニン作動性抗うつ剤	3888
	ミルタザピン30 アメル	黄赤 Ⓛ	ミルタザピン錠30mg「アメル」(共和薬品)	ミルタザピン	30mg 1錠	ノルアドレナリン・セロトニン作動性抗うつ剤	3888
	ミルタザピン30 ケミファ	黄赤	ミルタザピン錠30mg「ケミファ」(日本ケミファ/日本薬品工業)	ミルタザピン	30mg 1錠	ノルアドレナリン・セロトニン作動性抗うつ剤	3888
	ミルタザピン30 サワイ	黄赤	ミルタザピン錠30mg「サワイ」(沢井)	ミルタザピン	30mg 1錠	ノルアドレナリン・セロトニン作動性抗うつ剤	3888
	ミルタザピン30 トーワ	黄赤	ミルタザピン錠30mg「トーワ」(東和薬品)	ミルタザピン	30mg 1錠	ノルアドレナリン・セロトニン作動性抗うつ剤	3888
	ミルタザピン30 ニプロ	黄赤	ミルタザピン錠30mg「ニプロ」(ニプロ)	ミルタザピン	30mg 1錠	ノルアドレナリン・セロトニン作動性抗うつ剤	3888
	ミルタザピン30 フェルゼン	黄赤	ミルタザピン錠30mg「フェルゼン」(フェルゼン)	ミルタザピン	30mg 1錠	ノルアドレナリン・セロトニン作動性抗うつ剤	3888
	ミルタザピンOD 30DSEP	黄 Ⓛ	ミルタザピンOD錠30mg「DSEP」(ジェイドルフ/第一三共エスファ)	ミルタザピン	30mg 1錠	ノルアドレナリン・セロトニン作動性抗うつ剤	3888
	ミルタザピンOD 30サワイ	黄赤	ミルタザピンOD錠30mg「サワイ」(沢井)	ミルタザピン	30mg 1錠	ノルアドレナリン・セロトニン作動性抗うつ剤	3888
	ランソSW／30 ランソSW30	白～帯黄白 (赤橙～暗褐の斑点)	ランソプラゾールOD錠30mg「サワイ」(沢井)	ランソプラゾール	30mg 1錠	プロトンポンプインヒビター	4168
	ランソプラゾール30mg SW-183 SW-183	白	ランソプラゾールカプセル30mg「サワイ」(沢井)	ランソプラゾール	30mg 1カプセル	プロトンポンプインヒビター	4168
	ランソプラゾール OD30NIG	白～帯黄白 (淡褐～暗褐の斑点)	ランソプラゾールOD錠30mg「NIG」(日医工岐阜/日医工)	ランソプラゾール	30mg 1錠	プロトンポンプインヒビター	4168
	ランソプラゾール OD30トーワ	白～帯黄白 (赤橙～暗褐の斑点)	ランソプラゾールOD錠30mg「トーワ」(東和薬品/三和化学)	ランソプラゾール	30mg 1錠	プロトンポンプインヒビター	4168
	リクシアナOD30	微赤白	リクシアナOD錠30mg (第一三共)	エドキサバントシル酸塩水和物	30mg 1錠	経口活性化血液凝固第Ⅹ因子(FXa)阻害剤	754
	ロナセンテープ30	白半透明～微黄半透明	ロナセンテープ30mg (住友ファーマ)	ブロナンセリン	30mg 1枚	抗精神病，ドパミンD_2受容体・5-HT_2受容体遮断剤	3422
031	Kw031／ AZM250	白～帯黄白	アジスロマイシン錠250mg「アメル」(共和薬品)	アジスロマイシン水和物	250mg 1錠	15員環マクロライド系抗生物質	30
	t031 t31	黄	カルベジロール錠10mg「NIG」(日医工岐阜/日医工/武田薬品)	カルベジロール	10mg 1錠	α, β-遮断剤	1160
	TTS031 TTS-031	白 Ⓛ	バルサルタン錠40mg「タカタ」(高田)	バルサルタン	40mg 1錠	選択的AT_1受容体遮断剤	2840
	YD031	淡黄	クロルマジノン酢酸エステル錠25mg「YD」(陽進堂/共創未来)	クロルマジノン酢酸エステル	25mg 1錠	黄体ホルモン剤	1386
	Ⓛ031 20Lilly Ⓛ031 20	淡赤白/微黄白	サインバルタカプセル20mg (塩野義/日本イーライリリー)	デュロキセチン塩酸塩	20mg 1カプセル	セロトニン・ノルアドレナリン再取り込み阻害剤(SNRI)	2348
	Ⓛ031	白～帯灰白	アルドメット錠125 (ミノファーゲン)	メチルドパ水和物	125mg 1錠	中枢性α_2-刺激剤	3930
31	BMD10mg BMD31	淡黄白	シクロスポリンカプセル10mg「BMD」(ビオメディクス/フェルゼン/富士製薬/日本ジェネリック)	シクロスポリン	10mg 1カプセル	免疫抑制剤	1570
	C-31A10	白	ピドキサール錠10mg (太陽ファルマ)	ピリドキサールリン酸エステル水和物	10mg 1錠	補酵素型ビタミンB_6	3038
	C-31A20	白	ピドキサール錠20mg (太陽ファルマ)	ピリドキサールリン酸エステル水和物	20mg 1錠	補酵素型ビタミンB_6	3038
	C-31A30	白	ピドキサール錠30mg (太陽ファルマ)	ピリドキサールリン酸エステル水和物	30mg 1錠	補酵素型ビタミンB_6	3038
	EE31／10	淡桃 Ⓛ	エナラプリルマレイン酸塩錠10mg「EMEC」(アルフレッサファーマ/エルメッド/日医工)	エナラプリルマレイン酸塩	10mg 1錠	ACE阻害剤	767
	FC31	淡褐	ジュンコウ呉茱萸湯FCエキス細粒医療用(康和薬通/大杉)	呉茱萸湯	1g	漢方製剤	4592
	FJ31	白 Ⓛ	メドロキシプロゲステロン酢酸エステル錠2.5mg「F」(富士製薬)	メドロキシプロゲステロン酢酸エステル	2.5mg 1錠	黄体ホルモン	3968
	JG C31	淡黄 Ⓛ	ニトラゼパム錠10mg「JG」(日本ジェネリック)	ニトラゼパム	10mg 1錠	ベンゾジアゼピン系催眠剤	2641
	JG F31／15	白～帯黄白 Ⓛ	ピオグリタゾン錠15mg「JG」(日本ジェネリック)	ピオグリタゾン塩酸塩	15mg 1錠	インスリン抵抗性改善血糖降下剤	2912
	JG J31／0.5	白～微黄白	エンテカビル錠0.5mg「JG」(日本ジェネリック)	エンテカビル水和物	0.5mg 1錠	抗ウイルス化学療法剤	921
	JG31	淡橙	アロチノロール塩酸塩錠10mg「JG」(日本ジェネリック)	アロチノロール塩酸塩	10mg 1錠	α, β-遮断剤	362
	KC31	淡桃	プロチアデン25 (科研)	ドスレピン塩酸塩	25mg 1錠	三環系抗うつ剤	2418
	N31	茶褐～褐	コタロー呉茱萸湯エキス細粒(小太郎漢方)	呉茱萸湯	1g	漢方製剤	4592

番号	識別コード	色 (⓵：割線有)	商品名（会社名）	一般名	規格単位	薬効	掲載ページ
31	NPC31	白	ルナベル配合錠LD（ノーベルファーマ／富士製薬）	ノルエチステロン・エチニルエストラジオール〔治療用〕	1錠	月経困難症治療剤	2734
	OH31 100 OH-31	くすんだ黄赤〜濃黄赤	イマチニブ錠100mg「オーハラ」（大原薬品）	イマチニブメシル酸塩	100mg 1錠	抗悪性腫瘍剤・チロシンキナーゼ阻害剤	493
	OS31	無〜微黄透明	アンブロキソール塩酸塩内用液0.3%「日医工」（日医工）	アンブロキソール塩酸塩	0.3% 1mL	気道潤滑去痰剤	378
	S-31	黄褐	三和大柴胡湯エキス細粒（三和生薬）	大柴胡湯	1g	漢方製剤	4622
	Sc31／250	白〜帯黄白	メトホルミン塩酸塩錠250mgMT「三和」（三和化学）	メトホルミン塩酸塩	250mg 1錠	ビグアナイド系血糖降下剤	3962
	SW31／25	白 ⓵	ロサルタンカリウム錠25mg「サワイ」（沢井）	ロサルタンカリウム	25mg 1錠	アンギオテンシンⅡ受容体拮抗剤	4481
	t031 t31	黄	カルベジロール錠10mg「NIG」（日医工岐阜／日医工／武田薬品）	カルベジロール	10mg 1錠	α, β-遮断剤	1160
	Tai TM-31	淡灰〜灰褐	太虎堂の呉茱萸湯エキス顆粒（太虎精堂）	呉茱萸湯	1g	漢方製剤	4592
	ZE31	白 ⓵	アンブロキソール塩酸塩錠15mg「ZE」（全星薬品工業／全星薬品）	アンブロキソール塩酸塩	15mg 1錠	気道潤滑去痰剤	378
	㊥31	淡黄透明	イコサペント酸エチルカプセル300mg「杏林」（東洋カプセル／キョーリンリメディオ／杏林）	イコサペント酸エチル	300mg 1カプセル	EPA剤	412
	ツムラ／31	淡灰褐	ツムラ呉茱萸湯エキス顆粒（医療用）（ツムラ）	呉茱萸湯	1g	漢方製剤	4592
032	HD-032	微黄白〜淡黄	ポリスチレンスルホン酸Ca「NP」原末（ニプロ）	ポリスチレンスルホン酸カルシウム	1g	高カリウム血症改善イオン交換樹脂	3761
	MS032／5	淡橙 ⓵	ゾルピデム酒石酸塩錠5mg「明治」（Meiji Seika）	ゾルピデム酒石酸塩	5mg 1錠	入眠剤	1973
	t032 t32	白〜微黄白	カルベジロール錠20mg「NIG」（日医工岐阜／日医工／武田薬品）	カルベジロール	20mg 1錠	α, β-遮断剤	1160
	TTS032 TTS-032	白 ⓵	バルサルタン錠80mg「タカタ」（高田）	バルサルタン	80mg 1錠	選択的AT₁受容体遮断剤	2840
	YD032	白 ⓵	アンブロキソール塩酸塩錠15mg「YD」（陽進堂）	アンブロキソール塩酸塩	15mg 1錠	気道潤滑去痰剤	378
	⓵032 30Lly ⓵032 30	淡黄白／微黄白	サインバルタカプセル30mg（塩野義／日本イーライリリー）	デュロキセチン塩酸塩	30mg 1カプセル	セロトニン・ノルアドレナリン再取り込み阻害剤（SNRI）	2348
	⓵032	白〜帯灰白	アルドメット錠250（ミノファーゲン）	メチルドパ水和物	250mg 1錠	中枢性α₂-刺激剤	3930
32	32	白〜淡黄⓵	トラクリア小児用分散錠32mg（ヤンセン）	ボセンタン水和物	32mg 1錠	エンドセリン受容体拮抗薬	3704
	EM32	白〜灰白⓵	レナデックス錠2mg（ブリストル）	デキサメタゾン	2mg 1錠	副腎皮質ホルモン	2208
	FJ32	白 ⓵	メドロキシプロゲステロン酢酸エステル錠5mg「F」（富士製薬）	メドロキシプロゲステロン酢酸エステル	5mg 1錠	黄体ホルモン	3968
	HG32	淡褐	本草人参湯エキス細粒（本草）	人参湯	1g	漢方製剤	4634
	JG C32／1	帯青白	フルニトラゼパム錠1mg「JG」（日本ジェネリック）	フルニトラゼパム	1mg 1錠	不眠症治療剤・麻酔導入剤	3328
	JG F32／30	白〜帯黄白⓵	ピオグリタゾン錠30mg「JG」（日本ジェネリック）	ピオグリタゾン塩酸塩	30mg 1錠	インスリン抵抗性改善血糖降下剤	2912
	KB-32 EK-32	淡褐〜褐	クラシエ人参湯エキス細粒（大峰堂／クラシエ薬品）	人参湯	1g	漢方製剤	4634
	KC32	白〜淡黄白	プロサイリン錠20（科研）	ベラプロストナトリウム	20μg 1錠	プロスタサイクリン（PGI₂）誘導体	3597
	MSD／32 MSD32	白	ストロメクトール錠3mg（MSD／マルホ）	イベルメクチン	3mg 1錠	糞線虫駆虫剤	490
	N32	黄褐	コタロー人参湯エキス細粒（小太郎漢方）	人参湯	1g	漢方製剤	4634
	NPC32	白	ルナベル配合錠ULD（ノーベルファーマ／富士製薬）	ノルエチステロン・エチニルエストラジオール〔治療用〕	1錠	月経困難症治療剤	2734
	Sc32／500	微黄 ⓵	メトホルミン塩酸塩錠500mgMT「三和」（三和化学）	メトホルミン塩酸塩	500mg 1錠	ビグアナイド系血糖降下剤	3962
	SG-32	褐	オースギ人参湯エキスG（大杉）	人参湯	1g	漢方製剤	4634
	SW32／50	白 ⓵	ロサルタンカリウム錠50mg「サワイ」（沢井）	ロサルタンカリウム	50mg 1錠	アンギオテンシンⅡ受容体拮抗剤	4481
	t032 t32	白〜微黄白⓵	カルベジロール錠20mg「NIG」（日医工岐阜／日医工／武田薬品）	カルベジロール	20mg 1錠	α, β-遮断剤	1160
	Tai TM-32	淡茶〜灰褐	太虎堂の人参湯エキス顆粒（太虎精堂）	人参湯	1g	漢方製剤	4634
	ZE32	白 ⓵	オキサトミド錠30mg「ZE」（全星薬品工業／全星薬品）	オキサトミド	30mg 1錠	アレルギー性疾患治療剤	942
	ZP32	白〜微黄白	プロマックD錠75（ゼリア新薬）	ポラプレジンク	75mg 1錠	胃潰瘍治療亜鉛・L-カルノシン錯体	3751
	㊥32	白〜淡黄白	シクロスポリンカプセル10mg「TC」（東洋カプセル／沢井）	シクロスポリン	10mg 1カプセル	免疫抑制剤	1570

番号	識別コード	色 (⓪：割線有)	商品名(会社名)	一般名	規格単位	薬効	掲載 ページ
32	漢：S-32	褐	三和十全大補湯エキス細粒(三和生薬)	十全大補湯	1g	漢方製剤	4606
	シクロスポリン BMD25mg BMD32	黄白	シクロスポリンカプセル25mg「BMD」 (ビオメディクス/フェルゼン/富士製 薬/日本ジェネリック)	シクロスポリン	25mg 1カプ セル	免疫抑制剤	1570
	ツムラ32	淡灰褐	ツムラ人参湯エキス顆粒(医療用)(ツ ムラ)	人参湯	1g	漢方製剤	4634
033	033／10	淡赤	ニフェジピンL錠10mg「ツルハラ」 (鶴原)	ニフェジピン	10mg 1錠	ジヒドロピリジン系Ca拮抗剤	2652
	MI-MG033 MI-MG050 MI-MG067 MI-MG100	白	酸化マグネシウム原末「マルイシ」(丸 石)	酸化マグネシウム	10g	制酸・緩下剤	3798
	MS033／10	淡橙 ⓪	ゾルピデム酒石酸塩錠10mg「明治」 (Meiji Seika)	ゾルピデム酒石酸塩	10mg 1錠	入眠剤	1973
	t33 t033	白	プラバスタチンNa錠5mg「NIG」(日 医工岐阜/日医工/武田薬品)	プラバスタチンナトリウム	5mg 1錠	HMG-CoA還元酵素阻害剤	3256
	TTS033 TTS-033	白 ⓪	バルサルタン錠160mg「タカタ」(高 田)	バルサルタン	160mg 1錠	選択的AT₁受容体遮断剤	2840
33	33	極薄緑	ベルソムラ錠10mg (MSD)	スボレキサント	10mg 1錠	オレキシン受容体拮抗剤・不 眠症治療剤	1766
	F33	白	ドンペリドン錠5mg「ツルハラ」(鶴 原)	ドンペリドン	5mg 1錠	消化管運動改善剤	2599
	JG C33／2	帯青白	フルニトラゼパム錠2mg「JG」(日本 ジェネリック)	フルニトラゼパム	2mg 1錠	不眠症治療剤・麻酔導入剤	3328
	JG G33／2.5	極薄黄	オロパタジン塩酸塩OD錠2.5mg「JG」 (日本ジェネリック)	オロパタジン塩酸塩	2.5mg 1錠	アレルギー性疾患治療剤	1037
	JG33	薄桃	エナラプリルマレイン酸錠2.5mg 「JG」(日本ジェネリック)	エナラプリルマレイン酸塩	2.5mg 1錠	ACE阻害剤	767
	N33	黄褐〜褐	コタロー大黄牡丹皮湯エキス細粒(小太 郎漢方)	大黄牡丹皮湯	1g	漢方製剤	4621
	NCP33D	白	サルポグレラート塩酸塩錠50mg「ケミ ファ」(日本ケミファ/日本薬品工業)	サルポグレラート塩酸塩	50mg 1錠	5-HT₂ブロッカー	1538
	NCP33E／100	白 ⓪	サルポグレラート塩酸塩錠100mg「ケ ミファ」(日本ケミファ/日本薬品工 業)	サルポグレラート塩酸塩	100mg 1錠	5-HT₂ブロッカー	1538
	NPC／33 NPC33	白	ジェミーナ配合錠(ノーベルファーマ)	エチニルエストラジオー ル・レボノルゲストレル〔治 療用〕	1錠	月経困難症治療剤	746
	NS33	白	ニチファーゲン配合錠(日新)	グリチロン配合錠	1錠	肝臓疾患・アレルギー用剤	1274
	S-33	褐	三和五苓散料エキス細粒(三和生薬)	五苓散	1g	漢方製剤	4593
	SW33／100	白 ⓪	ロサルタンカリウム錠100mg「サワイ」 (沢井)	ロサルタンカリウム	100mg 1錠	アンギオテンシンⅡ受容体拮 抗剤	4481
	t33 t033	白	プラバスタチンNa錠5mg「NIG」(日 医工岐阜/日医工/武田薬品)	プラバスタチンナトリウム	5mg 1錠	HMG-CoA還元酵素阻害剤	3256
	ZE33	淡黄	アンブロキソール塩酸塩徐放カプセル 45mg「ZE」(全星薬品工業/全星薬 品)	アンブロキソール塩酸塩	45mg 1カプ セル	気道潤滑去痰剤	378
	㉣33	白〜淡黄白	シクロスポリンカプセル25mg「TC」 (東洋カプセル/沢井)	シクロスポリン	25mg 1カプ セル	免疫抑制剤	1570
	↻33A	橙黄	カルバゾクロムスルホン酸ナトリウム 錠10mg「日医工」(日医工)	カルバゾクロムスルホン酸 ナトリウム水和物	10mg 1錠	血管強化・止血剤	1149
	↻33B	橙黄	カルバゾクロムスルホン酸ナトリウム 錠30mg「日医工」(日医工)	カルバゾクロムスルホン酸 ナトリウム水和物	30mg 1錠	血管強化・止血剤	1149
	ch33 ch33	白 ⓪	カプトプリル錠12.5mg「JG」(長生堂 /日本ジェネリック)	カプトプリル	12.5mg 1錠	ACE阻害剤	1085
	シクロスポリン BMD50mg BMD33	淡黄白	シクロスポリンカプセル50mg「BMD」 (ビオメディクス/フェルゼン/富士製 薬/日本ジェネリック)	シクロスポリン	50mg 1カプ セル	免疫抑制剤	1570
	ツムラ/33	黄褐	ツムラ大黄牡丹皮湯エキス顆粒(医療 用)(ツムラ)	大黄牡丹皮湯	1g	漢方製剤	4621
034	034	白	アゼラスチン塩酸塩錠1mg「ツルハラ」 (鶴原)	アゼラスチン塩酸塩	1mg 1錠	アレルギー性疾患治療剤	90
	MS034／25	白 ⓪	ロサルタンK錠25mg「明治」(Meiji Seika/Meファルマ)	ロサルタンカリウム	25mg 1錠	アンギオテンシンⅡ受容体拮 抗剤	4481
	t34 t034	微紅 ⓪	プラバスタチンNa錠10mg「NIG」(日 医工岐阜/日医工/武田薬品)	プラバスタチンナトリウム	10mg 1錠	HMG-CoA還元酵素阻害剤	3256
	TY-034	褐	〔東洋〕桂枝茯苓丸料エキス細粒(東洋薬 行)	桂枝茯苓丸	1g	漢方製剤	4586
	◆034	淡黄	セディール錠5mg (住友ファーマ)	タンドスピロンクエン酸塩	5mg 1錠	非ベンゾジアゼピン系・セロ トニン作動性抗不安薬	2129
34	JG E34	薄桃 ⓪	エナラプリルマレイン酸塩錠5mg 「JG」(日本ジェネリック)	エナラプリルマレイン酸塩	5mg 1錠	ACE阻害剤	767

番号	識別コード	色 (①:割線有)	商品名(会社名)	一般名	規格単位	薬効	掲載ページ
34	JG G34／5	極薄黄 ①	オロパタジン塩酸塩OD錠5mg「JG」(日本ジェネリック)	オロパタジン塩酸塩	5mg 1錠	アレルギー性疾患治療剤	1037
	KB-34 EK-34	淡黄褐〜淡褐	クラシエ白虎加人参湯エキス細粒(クラシエ／クラシエ薬品)	白虎加人参湯	1g	漢方製剤	4640
	N34	灰土〜淡褐	コタロー白虎加人参湯エキス細粒(小太郎漢方)	白虎加人参湯	1g	漢方製剤	4640
	S-34	淡褐	三和猪苓湯エキス細粒(三和生薬)	猪苓湯	1g	漢方製剤	4627
	t34 t034	微紅 ①	プラバスタチンNa錠10mg「NIG」(日医工岐阜／日医工／武田薬品)	プラバスタチンナトリウム	10mg 1錠	HMG-CoA還元酵素阻害剤	3256
	ZE34／1	淡紅 ①	グリメピリド錠1mg「ZE」(全星薬品工業／全星薬品)	グリメピリド	1mg 1錠	スルホニル尿素系血糖降下剤	1278
	⊕34	白〜淡黄白	シクロスポリンカプセル50mg「TC」(東洋カプセル／沢井)	シクロスポリン	50mg 1カプセル	免疫抑制剤	1570
	ch34 ch34	白 ①	カプトプリル錠25mg「JG」(長生堂／日本ジェネリック)	カプトプリル	25mg 1錠	ACE阻害剤	1085
	漢：EKT-34	淡黄褐〜淡褐	クラシエ白虎加人参湯エキス錠(大峰堂／クラシエ薬品)	白虎加人参湯	1錠	漢方製剤	4640
	ツムラ／34	淡灰褐	ツムラ白虎加人参湯エキス顆粒(医療用)(ツムラ)	白虎加人参湯	1g	漢方製剤	4640
035	MS035／50	白 ①	ロサルタンK錠50mg「明治」(Meiji Seika／Meファルマ)	ロサルタンカリウム	50mg 1錠	アンギオテンシンⅡ受容体拮抗剤	4481
	t35 t035 5mg	微黄白〜帯黄白 ①	ペミロラストK錠5mg「NIG」(日医工岐阜／日医工／武田薬品)	ペミロラストカリウム	5mg 1錠	アレルギー性疾患治療剤	3564
	TY-035	褐	〔東洋〕啓脾湯エキス細粒(東洋薬行)	啓脾湯	1g	漢方製剤	4588
	n035 n035	微黄赤	クアゼパム錠15mg「日医工」(日医工)	クアゼパム	15mg 1錠	ベンゾジアゼピン系睡眠障害改善剤	1218
35	A35	白	アテノロール錠50mg「ツルハラ」(鶴原)	アテノロール	50mg 1錠	β₁-遮断剤	115
	FJ59／35	白	アレンドロン酸錠35mg「F」(富士製薬)	アレンドロン酸ナトリウム水和物	35mg 1錠	骨粗鬆症治療剤	349
	JG E35	薄桃	エナラプリルマレイン酸塩錠10mg「JG」(日本ジェネリック)	エナラプリルマレイン酸塩	10mg 1錠	ACE阻害剤	767
	JG G35／250	褐	ゲフィチニブ錠250mg「JG」(日本ジェネリック)	ゲフィチニブ	250mg 1錠	抗悪性腫瘍剤・上皮成長因子受容体チロシンキナーゼ阻害剤	1418
	JG35	白〜淡黄白 ①	メサラジン徐放錠250mg「JG」(日本ジェネリック)	メサラジン	250mg 1錠	潰瘍性大腸炎・クローン病治療剤	3911
	KW007／35	白	アレンドロン酸錠35mg「アメル」(共和薬品)	アレンドロン酸ナトリウム水和物	35mg 1錠	骨粗鬆症治療剤	349
	M／35 M127	白	アレンドロン酸錠35mg「VTRS」(ヴィアトリス・ヘルスケア／ヴィアトリス)	アレンドロン酸ナトリウム水和物	35mg 1錠	骨粗鬆症治療剤	349
	MW35	白	アレンドロン酸錠35mg「DK」(大興／日本薬品工業／日本ケミファ)	アレンドロン酸ナトリウム水和物	35mg 1錠	骨粗鬆症治療剤	349
	S-35	黄褐	三和黄芩湯エキス細粒(三和生薬)	黄芩湯	1g	漢方製剤	4569
	SW ALD／35 SW ALD35	白	アレンドロン酸錠35mg「サワイ」(沢井)	アレンドロン酸ナトリウム水和物	35mg 1錠	骨粗鬆症治療剤	349
	t35 t035 5mg	微黄白〜帯黄白 ①	ペミロラストK錠5mg「NIG」(日医工岐阜／日医工／武田薬品)	ペミロラストカリウム	5mg 1錠	アレルギー性疾患治療剤	3564
	tH1／35	白	アレンドロン酸錠35mg「NIG」(日医工岐阜／日医工)	アレンドロン酸ナトリウム水和物	35mg 1錠	骨粗鬆症治療剤	349
	TJN／35 TJN35	白	ボナロン錠35mg(帝人)	アレンドロン酸ナトリウム水和物	35mg 1錠	骨粗鬆症治療剤	349
	TU／35	白	アレンドロン酸錠35mg「TCK」(辰巳化学)	アレンドロン酸ナトリウム水和物	35mg 1錠	骨粗鬆症治療剤	349
	Tw162／35	白	アレンドロン酸錠35mg「トーワ」(東和薬品)	アレンドロン酸ナトリウム水和物	35mg 1錠	骨粗鬆症治療剤	349
	WM35	白	アレンドロン酸錠35mg「SN」(シオノ／科研)	アレンドロン酸ナトリウム水和物	35mg 1錠	骨粗鬆症治療剤	349
	YD02／35	白	アレンドロン酸錠35mg「YD」(陽進堂)	アレンドロン酸ナトリウム水和物	35mg 1錠	骨粗鬆症治療剤	349
	ZE35／3	微黄白	グリメピリド錠3mg「ZE」(全星薬品工業／全星薬品)	グリメピリド	3mg 1錠	スルホニル尿素系血糖降下剤	1278
	⊕35	橙	トコフェロールニコチン酸エステルカプセル200mg「TC」(東洋カプセル)	トコフェロールニコチン酸エステル	200mg 1カプセル	ビタミンE	2405
	ch35 ch35	白 ①	アラセプリル錠12.5mg「JG」(長生堂／日本ジェネリック)	アラセプリル	12.5mg 1錠	ACE阻害剤	284
	n819／35 n819 35 n819	白	アレンドロン酸錠35mg「日医工」(日医工)	アレンドロン酸ナトリウム水和物	35mg 1錠	骨粗鬆症治療剤	349
	ツムラ／35	淡灰褐	ツムラ四逆散エキス顆粒(医療用)(ツムラ)	四逆散	1g	漢方製剤	4602

番号	識別コード	色 (①：割線有)	商品名(会社名)	一般名	規格単位	薬効	掲載ページ
036	MS036／100	白	ロサルタンK錠100mg「明治」(Meiji Seika／Meファルマ)	ロサルタンカリウム	100mg 1錠	アンギオテンシンⅡ受容体拮抗剤	4481
	SW036／0.25	微赤	エチゾラム錠0.25mg「SW」(メディサ／沢井)	エチゾラム	0.25mg 1錠	チエノジアゼピン系精神安定剤	738
	t36 t036 10mg	帯黄白 ①	ペミロラストK錠10mg「NIG」(日医工岐阜／日医工／武田薬品)	ペミロラストカリウム	10mg 1錠	アレルギー性疾患治療剤	3564
	YO ML024 YO ML036 YO ML04 YO ML048 YO ML06 YO ML08 YO ML12	白	酸化マグネシウム細粒83％「ヨシダ」(吉田)	酸化マグネシウム	83% 1g	制酸・緩下剤	3798
	ファムシクロビル250 日医工 ⓝ036	白	ファムシクロビル錠250mg「日医工」(日医工)	ファムシクロビル	250mg 1錠	抗ヘルペスウイルス剤	3077
36	alza36	白	コンサータ錠36mg(ヤンセン)	メチルフェニデート塩酸塩	36mg 1錠	中枢神経興奮剤	3931
	EE36／0.25	白	エチゾラム錠0.25mg「EMEC」(アルフレッサファーマ／エルメッド／日医工)	エチゾラム	0.25mg 1錠	チエノジアゼピン系精神安定剤	738
	JG E36	白 ①	ミドドリン塩酸塩錠2mg「JG」(大興／日本ジェネリック)	ミドドリン塩酸塩	2mg 1錠	α_1-刺激剤	3870
	JG36	白〜淡黄白	メサラジン徐放錠500mg「JG」(日本ジェネリック)	メサラジン	500mg 1錠	潰瘍性大腸炎・クローン病治療剤	3911
	MY36L	無〜微黄透明	テルビナフィン塩酸塩外用液1％「MYK」(前田薬品／日医工)	テルビナフィン塩酸塩	1% 1g	アリルアミン系抗真菌剤	2367
	N36	灰褐〜褐	コタロー木防已湯エキス細粒(小太郎漢方)	木防已湯	1g	漢方製剤	4649
	NS36	白	エパルレスタット錠50mg「DSEP」(第一三共エスファ)	エパルレスタット	50mg 1錠	アルドース還元酵素阻害剤	779
	OS36	無〜微黄透明	ケトチフェンシロップ0.02％「日医工」(日医工／高田)	ケトチフェンフマル酸塩	0.02% 1mL	アレルギー性疾患治療剤	1408
	S-36	褐	三和麻杏薏甘湯エキス細粒(三和生薬)	麻杏薏甘湯	1g	漢方製剤	4648
	t36 t036 10mg	帯黄白 ①	ペミロラストK錠10mg「NIG」(日医工岐阜／日医工／武田薬品)	ペミロラストカリウム	10mg 1錠	アレルギー性疾患治療剤	3564
	ZE36／2.5	白	モサプリドクエン酸塩錠2.5mg「ZE」(全星薬品工業／全星薬品)	モサプリドクエン酸塩水和物	2.5mg 1錠	消化管運動促進剤	4014
	ch36 ch36	白 ①	アラセプリル錠25mg「JG」(長生堂／日本ジェネリック)	アラセプリル	25mg 1錠	ACE阻害剤	284
	ツムラ／36	淡灰白	ツムラ木防已湯エキス顆粒(医療用)(ツムラ)	木防已湯	1g	漢方製剤	4649
037	MS037／ANAST	白	アナストロゾール錠1mg「明治」(Meiji Seika)	アナストロゾール	1mg 1錠	アロマターゼ阻害・閉経後乳癌治療剤	147
	SW037	白	エチゾラム錠0.5mg「SW」(メディサ／沢井)	エチゾラム	0.5mg 1錠	チエノジアゼピン系精神安定剤	738
	TY-037	褐	〔東洋〕桂麻各半湯エキス細粒(東洋薬行)	桂麻各半湯	1g	漢方製剤	4588
	ⓝ037 ⓝ037	淡黄赤 ①	クアゼパム錠20mg「日医工」(日医工)	クアゼパム	20mg 1錠	ベンゾジアゼピン系睡眠障害改善剤	1218
37	37	白	ロスーゼット配合錠LD(オルガノン／バイエル薬品)	エゼチミブ・ロスバスタチンカルシウム	1錠	小腸コレステロールトランスポーター阻害剤・HMG-CoA還元酵素阻害剤配合剤	715
	J-37	褐	三和半夏白朮麻湯エキス細粒(三和生薬／ジェービーエス)	半夏白朮麻湯	1g	漢方製剤	4639
	JG C37／5	白 ①	タルチレリン錠5mg「JG」(日本ジェネリック)	タルチレリン水和物	5mg 1錠	経口脊髄小脳変性症治療剤	2094
	JG E37／2.5	白	モサプリドクエン酸塩錠2.5mg「JG」(日本ジェネリック)	モサプリドクエン酸塩水和物	2.5mg 1錠	消化管運動促進剤	4014
	KB-37 EK-37	淡黄	クラシエ半夏白朮麻湯エキス細粒(大峰堂／クラシエ薬品)	半夏白朮麻湯	1g	漢方製剤	4639
	N37	黄土〜黄褐	コタロー半夏白朮麻湯エキス細粒(小太郎漢方)	半夏白朮麻湯	1g	漢方製剤	4639
	S-37	褐	三和半夏白朮麻湯エキス細粒(三和生薬)	半夏白朮麻湯	1g	漢方製剤	4639
	ZE37／5	白 ①	モサプリドクエン酸塩錠5mg「ZE」(全星薬品工業／全星薬品)	モサプリドクエン酸塩水和物	5mg 1錠	消化管運動促進剤	4014
	ⓣⓒ37	微黄透明	イコサペント酸エチル粒状カプセル300mg「TC」(東洋カプセル／ニプロ)	イコサペント酸エチル	300mg 1包	EPA剤	412
	ch37	白 ①	アシクロビル錠200mg「CH」(長生堂／日本ジェネリック)	アシクロビル	200mg 1錠	抗ウイルス剤	25
	漢：SG-37	褐	三和半夏白朮麻湯エキス細粒(三和生薬／大杉)	半夏白朮麻湯	1g	漢方製剤	4639

番号	識別コード	色 (◫：割線有)	商品名(会社名)	一般名	規格単位	薬効	掲載 ページ
37	ツムラ/37	淡黄褐	ツムラ半夏白朮天麻湯エキス顆粒(医療用)(ツムラ)	半夏白朮天麻湯	1g	漢方製剤	4639
37.5	W37.5 W37.5	淡灰／淡紅	イフェクサーSRカプセル37.5mg(ヴィアトリス)	ベンラファキシン塩酸塩	37.5mg 1カプセル	セロトニン・ノルアドレナリン再取り込み阻害剤	3660
	アルタット 37.5TZ351 TZ351	白	アルタットカプセル37.5mg(あすか／武田薬品)	ロキサチジン酢酸エステル塩酸塩	37.5mg 1カプセル	H₂-受容体拮抗剤	4466
	トアラセット配合 トーワ／ トラマドール37.5 アセトアミノフェン 325	淡黄	トアラセット配合錠「トーワ」(東和薬品)	トラマドール塩酸塩・アセトアミノフェン	1錠	慢性疼痛・抜歯後疼痛治療剤	2496
	ロキサチジン37.5mg	白	ロキサチジン酢酸エステル塩酸塩徐放カプセル37.5mg「サワイ」(沢井)	ロキサチジン酢酸エステル塩酸塩	37.5mg 1カプセル	H₂-受容体拮抗剤	4466
038	MS038／2.5	白	モサプリドクエン酸塩錠2.5mg「明治」(Meiji Seika／Meファルマ)	モサプリドクエン酸塩水和物	2.5mg 1錠	消化管運動促進剤	4014
	SW038	白	エチゾラム錠1mg「SW」(メディサ／沢井)	エチゾラム	1mg 1錠	チエノジアゼピン系精神安定剤	738
38	BMD38／2.5	淡黄赤	オロパタジン塩酸塩錠2.5mg「BMD」(ビオメディクス)	オロパタジン塩酸塩	2.5mg 1錠	アレルギー性疾患治療剤	1037
	JG E38／5	白 ◫	モサプリドクエン酸塩錠5mg「JG」(日本ジェネリック)	モサプリドクエン酸塩水和物	5mg 1錠	消化管運動促進剤	4014
	KB-38 EK-38	淡褐〜褐	クラシエ当帰四逆加呉茱萸生姜湯エキス細粒(大峰堂／クラシエ薬品)	当帰四逆加呉茱萸生姜湯	1g	漢方製剤	4631
	N38	茶褐〜黄褐	コタロー当帰四逆加呉茱萸生姜湯エキス細粒(小太郎漢方)	当帰四逆加呉茱萸生姜湯	1g	漢方製剤	4631
	SG-38	淡灰赤褐〜 淡灰茶褐	オースギ当帰四逆加呉茱萸生姜湯エキスG(大杉)	当帰四逆加呉茱萸生姜湯	1g	漢方製剤	4631
	⑩38	微黄透明	イコサペント酸エチル粒状カプセル600mg「TC」(東洋カプセル／ニプロ)	イコサペント酸エチル	600mg 1包	EPA剤	412
	CH38	白 ◫	アシクロビル錠400mg「CH」(長生堂／日本ジェネリック)	アシクロビル	400mg 1錠	抗ウイルス剤	25
	ツムラ/38	淡褐	ツムラ当帰四逆加呉茱萸生姜湯エキス顆粒(医療用)(ツムラ)	当帰四逆加呉茱萸生姜湯	1g	漢方製剤	4631
039	HD039 HD-039	白	エペリゾン塩酸塩錠50mg「NP」(ニプロ)	エペリゾン塩酸塩	50mg 1錠	γ-系筋緊張・循環改善剤	811
	MS039	白 ◫	モサプリドクエン酸塩錠5mg「明治」(Meiji Seika／Meファルマ)	モサプリドクエン酸塩水和物	5mg 1錠	消化管運動促進剤	4014
	t039 t39	白	シンバスタチン錠5mg「武田テバ」(武田テバファーマ／武田薬品)	シンバスタチン	5mg 1錠	HMG-CoA還元酵素阻害剤	1728
	YD039	極薄紅	ロキソプロフェンNa錠60mg「YD」(陽進堂／共創未来)	ロキソプロフェンナトリウム水和物	60mg 1錠	プロピオン酸系消炎鎮痛剤	4473
39	BMD39／5	淡黄赤	オロパタジン塩酸塩錠5mg「BMD」(ビオメディクス)	オロパタジン塩酸塩	5mg 1錠	アレルギー性疾患治療剤	1037
	FC39	褐	ジュンコウ苓桂朮甘湯FCエキス細粒医療用(康和薬通／大杉)	苓桂朮甘湯	1g	漢方製剤	4655
	FC39T	褐	ジュンコウ苓桂朮甘湯FCエキス錠医療用(康和薬通／大杉)	苓桂朮甘湯	1錠	漢方製剤	4655
	H39	淡褐	本草苓桂朮甘湯エキス顆粒－M(本草)	苓桂朮甘湯	1g	漢方製剤	4655
	J-39	淡褐	JPS苓桂朮甘湯エキス顆粒〔調剤用〕(ジェーピーエス)	苓桂朮甘湯	1g	漢方製剤	4655
	KB-39 EK-39	淡黄褐〜黄褐	クラシエ苓桂朮甘湯エキス細粒(クラシエ／クラシエ薬品)	苓桂朮甘湯	1g	漢方製剤	4655
	N39	淡黄褐〜褐	コタロー苓桂朮甘湯エキス細粒(小太郎漢方)	苓桂朮甘湯	1g	漢方製剤	4655
	SG-39	灰褐	オースギ苓桂朮甘湯エキスTG(大杉)	苓桂朮甘湯	1g	漢方製剤	4655
	t039 t39	白 ◫	シンバスタチン錠5mg「武田テバ」(武田テバファーマ／武田薬品)	シンバスタチン	5mg 1錠	HMG-CoA還元酵素阻害剤	1728
	Tai TM-39	淡灰〜灰褐	太虎堂の苓桂朮甘湯エキス顆粒(太虎精堂)	苓桂朮甘湯	1g	漢方製剤	4655
	⑩39	微黄透明	イコサペント酸エチル粒状カプセル900mg「TC」(東洋カプセル／ニプロ)	イコサペント酸エチル	900mg 1包	EPA剤	412
	CH39 アゾセミド60JG	白 ◫	アゾセミド錠60mg「JG」(長生堂／日本ジェネリック)	アゾセミド	60mg 1錠	ループ利尿剤	93
	ツムラ/39	淡褐	ツムラ苓桂朮甘湯エキス顆粒(医療用)(ツムラ)	苓桂朮甘湯	1g	漢方製剤	4655
040	MS040／ クエチアピン25	薄黄み赤◫	クエチアピン錠25mg「明治」(Meiji Seika)	クエチアピンフマル酸塩	25mg 1錠	抗精神病, D₂・5-HT₂拮抗剤	1225
40	211 t211[40mg]	白	メトプロロール酒石酸塩錠40mg「NIG」(日医工岐阜／日医工／武田薬品)	メトプロロール酒石酸塩	40mg 1錠	β₁-遮断剤	3960

番号	識別コード	色（①：割線有）	商品名（会社名）	一般名	規格単位	薬効	掲載ページ
40	40／BAYER 40BAYER	淡赤	スチバーガ錠40mg（バイエル薬品）	レゴラフェニブ水和物	40mg 1錠	抗悪性腫瘍剤・キナーゼ阻害剤	4358
	40／P116	白	ジェセリ錠40mg（大鵬薬品）	ピミテスピブ	40mg 1錠	抗悪性腫瘍剤・HSP90阻害剤	3016
	40TF14 TF14	白／黄	オキシコドン徐放カプセル40mg「テルモ」（帝國／テルモ）	オキシコドン塩酸塩水和物	40mg 1カプセル	疼痛治療剤	950
	40アジル／40アジルサルタントーワ	黄 ①	アジルサルタン錠40mg「トーワ」（東和薬品／三和化学／共創未来）	アジルサルタン	40mg 1錠	持続性AT₁受容体遮断剤	42
	40バルサルタンFFP	白 ①	バルサルタン錠40mg「FFP」（共創未来）	バルサルタン	40mg 1錠	選択的AT₁受容体遮断剤	2840
	40フェブキソ／40フェブキソスタットトーワ	白 ①	フェブキソスタット錠40mg「トーワ」（東和薬品）	フェブキソスタット	40mg 1錠	非プリン型選択的キサンチンオキシダーゼ阻害剤・高尿酸血症治療剤	3148
	40フェブリク／フェブリク40	白～微黄	フェブリク錠40mg（帝人）	フェブキソスタット	40mg 1錠	非プリン型選択的キサンチンオキシダーゼ阻害剤・高尿酸血症治療剤	3148
	AO40／⊕	淡赤褐	アダラートCR錠40mg（バイエル薬品）	ニフェジピン	40mg 1錠	ジヒドロピリジン系Ca拮抗剤	2652
	AZ40	明るい灰みの黄赤	タグリッソ錠40mg（アストラゼネカ）	オシメルチニブメシル酸塩	40mg 1錠	抗悪性腫瘍剤・チロシンキナーゼ阻害剤	973
	CS40Є	暗赤／淡黄褐	コスパノンカプセル40mg（エーザイ）	フロプロピオン	40mg 1カプセル	COMT阻害・鎮痙剤	3443
	DLI／40	白	ラシックス錠40mg（サノフィ／日医工）	フロセミド	40mg 1錠	ループ利尿剤	3405
	DPK40	淡褐～褐半透明（淡褐～褐）	ケトプロフェンテープ40mg「パテル」（大石膏盛堂／キョーリンリメディオ／杏林）	ケトプロフェン	10cm×14cm 1枚	プロピオン酸系消炎鎮痛剤	1410
	EEテラムロAP／40テルミサルタンアムロジピン5	淡赤	テラムロ配合錠AP「EE」（ニプロファーマ／エルメッド／日医工）	テルミサルタン・アムロジピンベシル酸塩	1錠	胆汁排泄型持続性AT₁受容体ブロッカー・持続性Ca拮抗薬合剤	2375
	FJ40	白	クロラムフェニコール膣錠100mg「F」（富士製薬）	クロラムフェニコール	100mg 1錠	抗生物質	1373
	FY312／40	白～淡黄白①	トピロリック錠40mg（富士薬品）	トピロキソスタット	40mg 1錠	非プリン型選択的キサンチンオキシダーゼ阻害剤・高尿酸血症治療剤	2437
	H40	淡黄褐	本草猪苓湯エキス顆粒－M（本草）	猪苓湯	1g	漢方製剤	4627
	J-40	淡黄褐	JPS猪苓湯エキス顆粒〔調剤用〕（ジェーピーエス）	猪苓湯	1g	漢方製剤	4627
	JG40	白 ①	フロセミド錠40mg「JG」（日本ジェネリック）	フロセミド	40mg 1錠	ループ利尿剤	3405
	JG73／40	白 ①	バルサルタン錠40mg「JG」（日本ジェネリック）	バルサルタン	40mg 1錠	選択的AT₁受容体遮断剤	2840
	JGC40／0.25	微赤	エチゾラム錠0.25mg「JG」（長生堂／日本ジェネリック）	エチゾラム	0.25mg 1錠	チエノジアゼピン系精神安定剤	738
	KB-40 EK-40	淡黄褐～淡褐	クラシエ猪苓湯エキス細粒（クラシエ／クラシエ薬品）	猪苓湯	1g	漢方製剤	4627
	KC40／1	淡紅 ①	グリメピリド錠1mg「科研」（ダイト／科研）	グリメピリド	1mg 1錠	スルホニル尿素系血糖降下剤	1278
	MO25H バルサルタン40 MO25H	白 ①	バルサルタン錠40mg「モチダ」（持田製販／持田）	バルサルタン	40mg 1錠	選択的AT₁受容体遮断剤	2840
	MZ-ZEP40	白～淡黄	ゼポラスパップ40mg（三笠）	フルルビプロフェン	10cm×14cm 1枚	フェニルアルカン酸系消炎鎮痛剤	3345
	MZ-ZEPT40	微赤～黄	ゼポラステープ40mg（三笠）	フルルビプロフェン	10cm×14cm 1枚	フェニルアルカン酸系消炎鎮痛剤	3345
	N40	褐～黄褐	コタロー猪苓湯エキス細粒（小太郎漢方）	猪苓湯	1g	漢方製剤	4627
	NK7104／40	白	フェアストン錠40（日本化薬）	トレミフェンクエン酸塩	40mg 1錠	乳癌治療剤	2579
	NP152／40 NP-152	白 ①	グリクラジド錠40mg「NP」（ニプロ）	グリクラジド	40mg 1錠	スルホニル尿素系血糖降下剤	1257
	NP213／40 NP-213	白 ①	フロセミド錠40mg「NP」（ニプロ）	フロセミド	40mg 1錠	ループ利尿剤	3405
	NS231／40	白 ①	バルサルタン錠40mg「日新」（日新）	バルサルタン	40mg 1錠	選択的AT₁受容体遮断剤	2840
	Pd LA40LT545 LT545	白	ペルジピンLAカプセル40mg（LTL）	ニカルジピン塩酸塩	40mg 1カプセル	ジヒドロピリジン系Ca拮抗剤	2628
	Sc342／40	白～淡黄白①	ウリアデック錠40mg（三和化学）	トピロキソスタット	40mg 1錠	非プリン型選択的キサンチンオキシダーゼ阻害剤・高尿酸血症治療剤	2437
	Sc40NFCR	淡赤褐	ニフェジピンCR錠40mg「三和」（三和化学）	ニフェジピン	40mg 1錠	ジヒドロピリジン系Ca拮抗剤	2652
	SG-40	淡灰茶褐	オースギ猪苓湯エキスG（大杉）	猪苓湯	1g	漢方製剤	4627
	Sh-KPT40	淡褐	ケトプロフェンテープ40mg「SN」（シケトプロフェンオノ／日本薬品工業）	ケトプロフェン	10cm×14cm 1枚	プロピオン酸系消炎鎮痛剤	1410
	SW NF CR40	淡赤褐	ニフェジピンCR錠40mg「サワイ」（沢井）	ニフェジピン	40mg 1錠	ジヒドロピリジン系Ca拮抗剤	2652

番号	識別コード	色 (Ⓘ:割線有)		商品名(会社名)	一般名	規格単位	薬効	掲載ページ
40	SW TMF／40	白		トレミフェン錠40mg「サワイ」(メデ ィサ/沢井/日本ジェネリック)	トレミフェンクエン酸塩	40mg 1錠	乳癌治療剤	2579
	SWオルメサルタン OD40	白	Ⓘ	オルメサルタンOD錠40mg「サワイ」 (沢井)	オルメサルタン メドキソミル	40mg 1錠	高親和性AT₁レセプターブロッカー	1031
	T40／ ⚖T40	淡青		ジオトリフ錠40mg(日本ベーリンガ ー)	アファチニブマレイン酸塩	40mg 1錠	抗悪性腫瘍剤・チロシンキナーゼ阻害剤	183
	Tai TM-40	淡灰		太虎堂の猪苓湯エキス顆粒(太虎精堂)	猪苓湯	1g	漢方製剤	4627
	tBR[40μg] BR40	淡橙		ベラプロストNa錠40μg「NIG」(日医 工岐阜/日医工/武田薬品)	ベラプロストナトリウム	40μg 1錠	プロスタサイクリン(PGI₂)誘導体	3597
	TSU437／40	白	Ⓘ	テルミサルタン錠40mg「ツルハラ」 (鶴原)	テルミサルタン	40mg 1錠	持続性AT₁受容体遮断剤	2372
	TSU555／40	白	Ⓘ	バルサルタン錠40mg「ツルハラ」(鶴 原)	バルサルタン	40mg 1錠	選択的AT₁受容体遮断剤	2840
	TSU73／40	白	Ⓘ	オルメサルタン錠40mg「ツルハラ」 (鶴原)	オルメサルタン メドキソミル	40mg 1錠	高親和性AT₁レセプターブロッカー	1031
	TU152／40	白	Ⓘ	バルサルタン錠40mg「TCK」(辰巳化 学)	バルサルタン	40mg 1錠	選択的AT₁受容体遮断剤	2840
	Tw V13／40 Tw.V13	白	Ⓘ	バルサルタン錠40mg「トーワ」(東和 薬品)	バルサルタン	40mg 1錠	選択的AT₁受容体遮断剤	2840
	Tw255／40	淡赤褐		ニフェジピンCR錠40mg「トーワ」(東 和薬品)	ニフェジピン	40mg 1錠	ジヒドロピリジン系Ca拮抗剤	2652
	Tw／SP40 Tw.SP40	白		メトプロロール酒石酸塩錠40mg「トー ワ」(東和薬品)	メトプロロール酒石酸塩	40mg 1錠	β₁-遮断剤	3960
	VBZ40	白		ジスバルカプセル40mg(田辺三菱/ヤ ンセン)	バルベナジントシル酸塩	40mg 1カプセル	VMAT2阻害剤・遅発性ジスキネジア治療剤	2862
	VL／40 VL40	白	Ⓘ	バルサルタン錠40mg「サンド」(サン ド)	バルサルタン	40mg 1錠	選択的AT₁受容体遮断剤	2840
	YD155 テルミサルタン YD40	白〜微黄	Ⓘ	テルミサルタン錠40mg「YD」(陽進 堂)	テルミサルタン	40mg 1錠	持続性AT₁受容体遮断剤	2372
	YD663／40	白		ベラプロストNa錠40μg「YD」(陽進堂 /共創未来)	ベラプロストナトリウム	40μg 1錠	プロスタサイクリン(PGI₂)誘導体	3597
	YP-FQ40	微黄半透明 〜黄半透明		フルルビプロフェンテープ40mg「QQ」 (救急薬品/祐徳薬品)	フルルビプロフェン	10cm×14cm 1枚	フェニルアルカン酸系消炎鎮痛剤	3345
	Lilly 3229 40mg Lilly 3229	青		ストラテラカプセル40mg(日本イーラ イリリー)	アトモキセチン塩酸塩	40mg 1カプセル	注意欠陥/多動性障害治療剤・選択的ノルアドレナリン再取り込み阻害剤	124
	Lilly 3977 40mg Lilly 3977	灰		レットヴィモカプセル40mg(日本イー ライリリー)	セルペルカチニブ	40mg 1カプセル	抗悪性腫瘍剤 RET受容体型チロシンキナーゼ阻害剤	1904
	cH40	白		ヘプロニカート錠100mg「CH」(長生 堂/日本ジェネリック)	ヘプロニカート	100mg 1錠	血行改善剤	3554
	TC40 TC40	淡橙		ゾルピデム酒石酸塩錠5mg「NPI」(東 洋カプセル/日本薬品工業)	ゾルピデム酒石酸塩	5mg 1錠	入眠剤	1973
	り／40 り40	帯青紫白		セムブリックス錠40mg(ノバルティ ス)	アシミニブ塩酸塩	40mg 1錠	抗悪性腫瘍剤・チロシンキナーゼインヒビター(ABLミリストイルポケット結合型阻害剤)	40
	△450／40	黄〜橙黄		ブロニカ錠40(武田テバ薬品/武田薬品)	セラトロダスト	40mg 1錠	トロンボキサンA₂受容体拮抗剤	1889
	Ⓘ923；40 Ⓘ923／40	微黄白〜淡黄		オキシコンチンTR錠40mg(シオノギ ファーマ/塩野義)	オキシコドン塩酸塩水和物	40mg 1錠	疼痛治療剤	950
	Ⓚ／GS40 ⓀGS40	白		ガスコン錠40mg(キッセイ)	ジメチコン	40mg 1錠	消化管内ガス排除剤	1679
	徐放オキシコドン 40	微黄緑		オキシコドン徐放錠40mgNX「第一三 共」(第一三共プロ/第一三共)	オキシコドン塩酸塩水和物	40mg 1錠	疼痛治療剤	950
	硝酸イソソルビド テープ40mg 「EMEC」 EE301	無半透明〜 微黄半透明		硝酸イソソルビドテープ40mg 「EMEC」(救急薬品/エルメッド/日 医工)	硝酸イソソルビド	40mg 1枚	冠動脈拡張剤	1693
	アジル40／ NSアジルサルタン OD40	黄	Ⓘ	アジルサルタンOD錠40mg「日新」(日 新)	アジルサルタン	40mg 1錠	持続性AT₁受容体遮断剤	42
	アジル40／アジル OD40DSEP	黄	Ⓘ	アジルサルタンOD錠40mg「DSEP」 (第一三共エスファ)	アジルサルタン	40mg 1錠	持続性AT₁受容体遮断剤	42
	アジルOD40杏林 アジルサルタン OD40杏林	黄	Ⓘ	アジルサルタンOD錠40mg「杏林」(キ ョーリンリメディオ/杏林)	アジルサルタン	40mg 1錠	持続性AT₁受容体遮断剤	42
	アジル㋸40	黄	Ⓘ	アジルサルタン錠40mg「武田テバ」 (武田テバファーマ/武田薬品)	アジルサルタン	40mg 1錠	持続性AT₁受容体遮断剤	42
	アジル明治OD40／ アジル	黄	Ⓘ	アジルサルタンOD錠40mg「明治」 (Meiji Seika/Meファルマ)	アジルサルタン	40mg 1錠	持続性AT₁受容体遮断剤	42
	アジルサルタン40 JG	微黄	Ⓘ	アジルサルタン錠40mg「JG」(日本ジ ェネリック)	アジルサルタン	40mg 1錠	持続性AT₁受容体遮断剤	42

番号	識別コード	色 (①：割線有)		商品名(会社名)	一般名	規格単位	薬効	掲載ページ
40	アジルサルタン40／OD40ケミファ	黄	①	アジルサルタンOD錠40mg「ケミファ」 (日本ケミファ／日本薬品工業)	アジルサルタン	40mg 1錠	持続性AT₁受容体遮断剤	42
	アジルサルタン40TCK	黄	①	アジルサルタン錠40mg「TCK」(辰巳化学)	アジルサルタン	40mg 1錠	持続性AT₁受容体遮断剤	42
	アジルサルタン40サワイ	黄	①	アジルサルタン錠40mg「サワイ」(沢井)	アジルサルタン	40mg 1錠	持続性AT₁受容体遮断剤	42
	アジルサルタン40サンド	黄	①	アジルサルタン錠40mg「サンド」(サンド)	アジルサルタン	40mg 1錠	持続性AT₁受容体遮断剤	42
	アジルサルタン40ニプロ	黄	①	アジルサルタン錠40mg「ニプロ」(ニプロ)	アジルサルタン	40mg 1錠	持続性AT₁受容体遮断剤	42
	アジルサルタンOD40 40フェルゼン	黄	①	アジルサルタンOD錠40mg「フェルゼン」(ダイト／フェルゼン)	アジルサルタン	40mg 1錠	持続性AT₁受容体遮断剤	42
	アジルサルタンOD40サワイ	黄	①	アジルサルタンOD錠40mg「サワイ」(沢井)	アジルサルタン	40mg 1錠	持続性AT₁受容体遮断剤	42
	アジルバ40	黄	①	アジルバ錠40mg (武田薬品)	アジルサルタン	40mg 1錠	持続性AT₁受容体遮断剤	42
	アトモ40キセチンJG	白		アトモキセチン錠40mg「JG」(日本ジェネリック)	アトモキセチン塩酸塩	40mg 1錠	注意欠陥/多動性障害治療剤・選択的ノルアドレナリン再取り込み阻害剤	124
	アトモ40キセチントーワ	白		アトモキセチン錠40mg「トーワ」(東和薬品)	アトモキセチン塩酸塩	40mg 1錠	注意欠陥/多動性障害治療剤・選択的ノルアドレナリン再取り込み阻害剤	124
	アトモ40キセチンニプロ	白		アトモキセチン錠40mg「ニプロ」(ニプロ)	アトモキセチン塩酸塩	40mg 1錠	注意欠陥/多動性障害治療剤・選択的ノルアドレナリン再取り込み阻害剤	124
	アトモキセチン40DSEP	白		アトモキセチン錠40mg「DSEP」(第一三共エスファ)	アトモキセチン塩酸塩	40mg 1錠	注意欠陥/多動性障害治療剤・選択的ノルアドレナリン再取り込み阻害剤	124
	アトモキセチン40mg VTRS	青		アトモキセチンカプセル40mg「VTRS」(ヴィアトリス・ヘルスケア／ヴィアトリス)	アトモキセチン塩酸塩	40mg 1カプセル	注意欠陥/多動性障害治療剤・選択的ノルアドレナリン再取り込み阻害剤	124
	アトモキセチン40mg日医工 ⓝ140	青		アトモキセチンカプセル40mg「日医工」(日医工)	アトモキセチン塩酸塩	40mg 1カプセル	注意欠陥/多動性障害治療剤・選択的ノルアドレナリン再取り込み阻害剤	124
	アトモキセチン40mgサワイ	青		アトモキセチンカプセル40mg「サワイ」(沢井)	アトモキセチン塩酸塩	40mg 1カプセル	注意欠陥/多動性障害治療剤・選択的ノルアドレナリン再取り込み阻害剤	124
	アトモキセチン40タカタ	白		アトモキセチン錠40mg「タカタ」(高田)	アトモキセチン塩酸塩	40mg 1錠	注意欠陥/多動性障害治療剤・選択的ノルアドレナリン再取り込み阻害剤	124
	アトモキセチンアメル40mg	青		アトモキセチンカプセル40mg「アメル」(共和薬品)	アトモキセチン塩酸塩	40mg 1カプセル	注意欠陥/多動性障害治療剤・選択的ノルアドレナリン再取り込み阻害剤	124
	イクスタンジ40	黄		イクスタンジ錠40mg (アステラス)	エンザルタミド	40mg 1錠	前立腺癌治療剤	912
	オルメ40 40オルメ／オルメサルタン40アメル	白	①	オルメサルタン錠40mg「アメル」(共和薬品)	オルメサルタン メドキソミル	40mg 1錠	高親和性AT₁レセプターブロッカー	1031
	オルメ40／オルメサルタン40ODトーワ	白	①	オルメサルタンOD錠40mg「トーワ」(東和薬品／共創未来)	オルメサルタン メドキソミル	40mg 1錠	高親和性AT₁レセプターブロッカー	1031
	オルメ40／オルメサルタン40日新	白	①	オルメサルタン錠40mg「日新」(日新)	オルメサルタン メドキソミル	40mg 1錠	高親和性AT₁レセプターブロッカー	1031
	オルメEP OD40	白～微黄白	①	オルメサルタンOD錠40mg「DSEP」(第一三共エスファ)	オルメサルタン メドキソミル	40mg 1錠	高親和性AT₁レセプターブロッカー	1031
	オルメJG40／オルメサルタン40JG	白	①	オルメサルタン錠40mg「JG」(日本ジェネリック)	オルメサルタン メドキソミル	40mg 1錠	高親和性AT₁レセプターブロッカー	1031
	オルメサルタン40TCK	白	①	オルメサルタン錠40mg「TCK」(辰巳化学)	オルメサルタン メドキソミル	40mg 1錠	高親和性AT₁レセプターブロッカー	1031
	オルメサルタン40杏林	白	①	オルメサルタン錠40mg「杏林」(キョーリンリメディオ／杏林)	オルメサルタン メドキソミル	40mg 1錠	高親和性AT₁レセプターブロッカー	1031
	オルメサルタン40三和	白	①	オルメサルタン錠40mg「三和」(日本薬品工業／三和化学)	オルメサルタン メドキソミル	40mg 1錠	高親和性AT₁レセプターブロッカー	1031
	オルメサルタン／40日医工 ⓝ115	白	①	オルメサルタン錠40mg「日医工」(日医工)	オルメサルタン メドキソミル	40mg 1錠	高親和性AT₁レセプターブロッカー	1031
	オルメサルタン40オーハラ	白	①	オルメサルタン錠40mg「オーハラ」(大原薬品)	オルメサルタン メドキソミル	40mg 1錠	高親和性AT₁レセプターブロッカー	1031
	オルメサルタン40ケミファ／ケミファ40オルメサルタン	白	①	オルメサルタン錠40mg「ケミファ」(日本ケミファ／日本薬品工業)	オルメサルタン メドキソミル	40mg 1錠	高親和性AT₁レセプターブロッカー	1031
	オルメサルタン40ニプロ	白	①	オルメサルタン錠40mg「ニプロ」(ニプロ)	オルメサルタン メドキソミル	40mg 1錠	高親和性AT₁レセプターブロッカー	1031
	オルメサルタンOD40JG	白	①	オルメサルタンOD錠40mg「JG」(日本ジェネリック)	オルメサルタン メドキソミル	40mg 1錠	高親和性AT₁レセプターブロッカー	1031

番号	識別コード	色 (◖:割線有)	商品名(会社名)	一般名	規格単位	薬効	掲載 ページ
40	オルメサルタン OD40VTRS	白～微黄白◖	オルメサルタンOD錠40mg「VTRS」 (ヴィアトリス・ヘルスケア/ヴィアトリス)	オルメサルタン メドキソミル	40mg 1錠	高親和性AT₁レセプターブロッカー	1031
	オルメサルタン OD40杏林	白　◖	オルメサルタンOD錠40mg「杏林」(キョーリンリメディオ/杏林)	オルメサルタン メドキソミル	40mg 1錠	高親和性AT₁レセプターブロッカー	1031
	オルメサルタン OD40日医工 ⑪184	白～微黄白◖	オルメサルタンOD錠40mg「日医工」(日医工)	オルメサルタン メドキソミル	40mg 1錠	高親和性AT₁レセプターブロッカー	1031
	オルメサルタン OD40オーハラ	白　◖	オルメサルタンOD錠40mg「オーハラ」(大原薬品)	オルメサルタン メドキソミル	40mg 1錠	高親和性AT₁レセプターブロッカー	1031
	オルメサルタン OD40／ オルメサルタン EE40	白　◖	オルメサルタンOD錠40mg「EE」(エルメッド/日医工)	オルメサルタン メドキソミル	40mg 1錠	高親和性AT₁レセプターブロッカー	1031
	オルメサルタン OD40ニプロ	白～微黄白◖	オルメサルタンOD錠40mg「ニプロ」(ニプロ)	オルメサルタン メドキソミル	40mg 1錠	高親和性AT₁レセプターブロッカー	1031
	オルメサルタン YD40 YD407	白　◖	オルメサルタン錠40mg「YD」(陽進堂)	オルメサルタン メドキソミル	40mg 1錠	高親和性AT₁レセプターブロッカー	1031
	オルメテック OD40	白～微黄白◖	オルメテックOD錠40mg(第一三共)	オルメサルタン メドキソミル	40mg 1錠	高親和性AT₁レセプターブロッカー	1031
	ソタロール40TE	微青　◖	ソタロール塩酸塩錠40mg「TE」(トーアエイヨー)	ソタロール塩酸塩	40mg 1錠	β-遮断剤	1925
	ツムラ/40	淡灰白	ツムラ猪苓湯エキス顆粒(医療用)(ツムラ)	猪苓湯	1g	漢方製剤	4627
	テネリア40	やわらかい 黄みの赤	テネリア錠40mg(田辺三菱/第一三共)	テネリグリプチン臭化水素酸塩水和物	40mg 1錠	選択的DPP-4阻害剤・2型糖尿病治療剤	2285
	テネリアOD40	微黄	テネリアOD錠40mg(田辺三菱/第一三共)	テネリグリプチン臭化水素酸塩水和物	40mg 1錠	選択的DPP-4阻害剤・2型糖尿病治療剤	2285
	テラムロAPトーワ ／テルミ40 アムロジピン5	淡赤	テラムロ配合錠AP「トーワ」(東和薬品)	テルミサルタン・アムロジピンベシル酸塩	1錠	胆汁排泄型持続性AT₁受容体ブロッカー・持続性Ca拮抗薬合剤	2375
	テラムロAPニプロ ／40テルミサルタン アムロジピン5	淡赤	テラムロ配合錠AP「ニプロ」(ニプロ)	テルミサルタン・アムロジピンベシル酸塩	1錠	胆汁排泄型持続性AT₁受容体ブロッカー・持続性Ca拮抗薬合剤	2375
	テルチアAPトーワ ／テルミ40 ヒドロクロロ12.5	淡黄	テルチア配合錠AP「トーワ」(東和薬品/ニプロ)	テルミサルタン・ヒドロクロロチアジド	1錠	持続性AT₁受容体ブロッカー・利尿剤合剤	2384
	テルミ40DSEP	白～微黄◖	テルミサルタン錠40mg「DSEP」(第一三共エスファ)	テルミサルタン	40mg 1錠	持続性AT₁受容体遮断剤	2372
	テルミ40／ テルミ40サルタン ODトーワ	淡黄　◖	テルミサルタンOD錠40mg「トーワ」(東和薬品)	テルミサルタン	40mg 1錠	持続性AT₁受容体遮断剤	2372
	テルミ40／ テルミ40サルタン トーワ	白　◖	テルミサルタン錠40mg「トーワ」(東和薬品)	テルミサルタン	40mg 1錠	持続性AT₁受容体遮断剤	2372
	テルミJG40 テルミサルタン40 JG	白～微黄◖	テルミサルタン錠40mg「JG」(日本ジェネリック)	テルミサルタン	40mg 1錠	持続性AT₁受容体遮断剤	2372
	テルミサルタン40 FFP	白～微黄◖	テルミサルタン錠40mg「FFP」(共創未来)	テルミサルタン	40mg 1錠	持続性AT₁受容体遮断剤	2372
	テルミサルタン40 NPI	白　◖	テルミサルタン錠40mg「NPI」(日本薬品工業/日新)	テルミサルタン	40mg 1錠	持続性AT₁受容体遮断剤	2372
	テルミサルタン40 TCK	白　◖	テルミサルタン40mg「TCK」(辰巳化学/フェルゼン)	テルミサルタン	40mg 1錠	持続性AT₁受容体遮断剤	2372
	テルミサルタン40 杏林	白～微黄◖	テルミサルタン錠40mg「杏林」(キョーリンリメディオ/杏林)	テルミサルタン	40mg 1錠	持続性AT₁受容体遮断剤	2372
	テルミサルタン40 三和	白～微黄◖	テルミサルタン錠40mg「三和」(三和化学)	テルミサルタン	40mg 1錠	持続性AT₁受容体遮断剤	2372
	テルミサルタン40 日医工／ テルミサルタン40 ⑪018	白～微黄◖	テルミサルタン錠40mg「日医工」(日医工)	テルミサルタン	40mg 1錠	持続性AT₁受容体遮断剤	2372
	テルミサルタン40 SWテルミサルタン 40	白　◖	テルミサルタン錠40mg「サワイ」(沢井)	テルミサルタン	40mg 1錠	持続性AT₁受容体遮断剤	2372
	テルミサルタン40 テルミサルタン40 明治	白　◖	テルミサルタン錠40mg「明治」(Meiji Seika)	テルミサルタン	40mg 1錠	持続性AT₁受容体遮断剤	2372
	テルミサルタン40 オーハラ	白～微黄◖	テルミサルタン錠40mg「オーハラ」(大原薬品)	テルミサルタン	40mg 1錠	持続性AT₁受容体遮断剤	2372
	テルミサルタン40 ケミファ	白　◖	テルミサルタン錠40mg「ケミファ」(日本ケミファ)	テルミサルタン	40mg 1錠	持続性AT₁受容体遮断剤	2372
	テルミサルタン40 サンド	白　◖	テルミサルタン錠40mg「サンド」(サンド)	テルミサルタン	40mg 1錠	持続性AT₁受容体遮断剤	2372

番号	識別コード	色 (①:割線有)		商品名(会社名)	一般名	規格単位	薬効	掲載ページ
40	テルミサルタン40／テルミサルタン40VTRS	白	①	テルミサルタン錠40mg「VTRS」(ダイト／ヴィアトリス)	テルミサルタン	40mg 1錠	持続性AT₁受容体遮断剤	2372
	テルミサルタン40／テルミサルタン40ニプロ	白	①	テルミサルタン錠40mg「ニプロ」(ニプロ)	テルミサルタン	40mg 1錠	持続性AT₁受容体遮断剤	2372
	テルミサルタン40フェルゼン	白	①	テルミサルタン錠40mg「フェルゼン」(フェルゼン)	テルミサルタン	40mg 1錠	持続性AT₁受容体遮断剤	2372
	テルミサルタンSW OD40	白～微黄		テルミサルタンOD錠40mg「サワイ」(沢井)	テルミサルタン	40mg 1錠	持続性AT₁受容体遮断剤	2372
	バルサルタン40DSEP	白	①	バルサルタン錠40mg「DSEP」(第一三共エスファ)	バルサルタン	40mg 1錠	選択的AT₁受容体遮断剤	2840
	バルサルタン40Me	白	①	バルサルタン錠40mg「Me」(Meファルマ)	バルサルタン	40mg 1錠	選択的AT₁受容体遮断剤	2840
	バルサルタン40SW	白	①	バルサルタン錠40mg「サワイ」(沢井)	バルサルタン	40mg 1錠	選択的AT₁受容体遮断剤	2840
	バルサルタン40杏林	白	①	バルサルタン錠40mg「杏林」(キョーリンリメディオ／杏林)	バルサルタン	40mg 1錠	選択的AT₁受容体遮断剤	2840
	バルサルタン40日医工 ⓝ351	白	①	バルサルタン錠40mg「日医工」(日医工)	バルサルタン	40mg 1錠	選択的AT₁受容体遮断剤	2840
	バルサルタン40アメル	白～帯黄白	①	バルサルタン錠40mg「アメル」(共和薬品)	バルサルタン	40mg 1錠	選択的AT₁受容体遮断剤	2840
	バルサルタン40オーハラ	白	①	バルサルタン錠40mg「オーハラ」(大原薬品／エッセンシャル)	バルサルタン	40mg 1錠	選択的AT₁受容体遮断剤	2840
	バルサルタン40ケミファ	白	①	バルサルタン錠40mg「ケミファ」(日本ケミファ／日本薬品工業)	バルサルタン	40mg 1錠	選択的AT₁受容体遮断剤	2840
	バルサルタンBMD40 BMD54	白	①	バルサルタン錠40mg「BMD」(ビオメディクス)	バルサルタン	40mg 1錠	選択的AT₁受容体遮断剤	2840
	バルサルタンOD40トーワ	白	①	バルサルタンOD錠40mg「トーワ」(東和薬品)	バルサルタン	40mg 1錠	選択的AT₁受容体遮断剤	2840
	フェブキソ40AFP	白～微黄	①	フェブキソスタット錠40mg「AFP」(アルフレッサファーマ)	フェブキソスタット	40mg 1錠	非プリン型選択的キサンチンオキシダーゼ阻害剤・高尿酸血症治療剤	3148
	フェブキソ40NS	白～微黄	①	フェブキソスタット錠40mg「日新」(日新)	フェブキソスタット	40mg 1錠	非プリン型選択的キサンチンオキシダーゼ阻害剤・高尿酸血症治療剤	3148
	フェブキソ40ODケミファ／ODケミファ40フェブキソ	白～微黄	①	フェブキソスタットOD錠40mg「ケミファ」(日本ケミファ)	フェブキソスタット	40mg 1錠	非プリン型選択的キサンチンオキシダーゼ阻害剤・高尿酸血症治療剤	3148
	フェブキソ40YD YD235	白～微黄	①	フェブキソスタット錠40mg「YD」(陽進堂)	フェブキソスタット	40mg 1錠	非プリン型選択的キサンチンオキシダーゼ阻害剤・高尿酸血症治療剤	3148
	フェブキソ40ケミファ／ケミファ40フェブキソ	白～微黄	①	フェブキソスタット錠40mg「ケミファ」(日本ケミファ／日本薬品工業)	フェブキソスタット	40mg 1錠	非プリン型選択的キサンチンオキシダーゼ阻害剤・高尿酸血症治療剤	3148
	フェブキソ40サワイ	白～微黄	①	フェブキソスタット錠40mg「サワイ」(沢井)	フェブキソスタット	40mg 1錠	非プリン型選択的キサンチンオキシダーゼ阻害剤・高尿酸血症治療剤	3148
	フェブキソJG40／フェブキソスタット40JG	白～微黄白	①	フェブキソスタット錠40mg「JG」(日本ジェネリック)	フェブキソスタット	40mg 1錠	非プリン型選択的キサンチンオキシダーゼ阻害剤・高尿酸血症治療剤	3148
	フェブキソOD40NPI／NPI40フェブキソOD	白～微黄	①	フェブキソスタットOD錠40mg「NPI」(日本薬品工業／フェルゼン)	フェブキソスタット	40mg 1錠	非プリン型選択的キサンチンオキシダーゼ阻害剤・高尿酸血症治療剤	3148
	フェブキソOD40NS	白～微黄	①	フェブキソスタットOD錠40mg「日新」(日新)	フェブキソスタット	40mg 1錠	非プリン型選択的キサンチンオキシダーゼ阻害剤・高尿酸血症治療剤	3148
	フェブキソ杏林40	白～微黄	①	フェブキソスタット錠40mg「杏林」(キョーリンリメディオ／杏林)	フェブキソスタット	40mg 1錠	非プリン型選択的キサンチンオキシダーゼ阻害剤・高尿酸血症治療剤	3148
	フェブキソ明治40／40フェブキソ	白～微黄	①	フェブキソスタット錠40mg「明治」(Meiji Seika／Meファルマ)	フェブキソスタット	40mg 1錠	非プリン型選択的キサンチンオキシダーゼ阻害剤・高尿酸血症治療剤	3148
	フェブキソ明治OD40／OD40フェブキソ	白～微黄	①	フェブキソスタットOD錠40mg「明治」(Meiji Seika／Meファルマ)	フェブキソスタット	40mg 1錠	非プリン型選択的キサンチンオキシダーゼ阻害剤・高尿酸血症治療剤	3148
	フェブキソスタット40DSEP	白～微黄	①	フェブキソスタット錠40mg「DSEP」(第一三共エスファ)	フェブキソスタット	40mg 1錠	非プリン型選択的キサンチンオキシダーゼ阻害剤・高尿酸血症治療剤	3148
	フェブキソスタット／40TCK	白～微黄	①	フェブキソスタット錠40mg「TCK」(辰巳化学)	フェブキソスタット	40mg 1錠	非プリン型選択的キサンチンオキシダーゼ阻害剤・高尿酸血症治療剤	3148

番号	識別コード	色 (⊕:割線有)	商品名(会社名)	一般名	規格単位	薬効	掲載 ページ
40	フェブキソスタット 40ニプロ	白〜微黄⊕	フェブキソスタット錠40mg「ニプロ」 (ニプロ)	フェブキソスタット	40mg 1錠	非プリン型選択的キサンチン オキシダーゼ阻害剤・高尿酸 血症治療剤	3148
	フロセミド 40SK13 SK13	白　　⊕	フロセミド錠40mg「SN」(シオノ/江 州)	フロセミド	40mg 1錠	ループ利尿剤	3405
	フロセミドTV40	白　　⊕	フロセミド錠40mg「NIG」(日医工岐 阜/日医工/武田薬品)	フロセミド	40mg 1錠	ループ利尿剤	3405
	ラツーダ40	白〜帯黄白⊕	ラツーダ錠40mg (住友ファーマ)	ルラシドン塩酸塩	40mg 1錠	抗精神病剤・双極性障害のう つ症状治療剤	4346
	ロナセンテープ40	白半透明〜 微黄半透明	ロナセンテープ40mg (住友ファーマ)	ブロナンセリン	40mg 1枚	抗精神病，ドパミンD₂受容 体・5-HT₂受容体遮断剤	3422
041	MS041／ クエチアピン100	薄黄	クエチアピン錠100mg「明治」(Meiji Seika)	クエチアピンフマル酸塩	100mg 1錠	抗精神病，D₂・5-HT₂拮抗剤	1225
	t41 t041	白〜微黄白	ファモチジンOD錠10mg「テバ」(武田 テバファーマ/武田薬品)	ファモチジン	10mg 1錠	H₂-受容体拮抗剤	3079
	U041	白	デジレル錠25 (ファイザー)	トラゾドン塩酸塩	25mg 1錠	トリアゾロピリジン系抗うつ 剤	2470
41	FC41	黄褐	ジュンコウ補中益気湯FCエキス細粒医 療用(康和薬通/大杉)	補中益気湯	1g	漢方製剤	4644
	FC41T	黄褐	ジュンコウ補中益気湯FCエキス錠医療 用(康和薬通/大杉)	補中益気湯	1錠	漢方製剤	4644
	FJ41 50 FJ41	白	サルポグレラート塩酸塩錠50mg「F」 (富士製薬)	サルポグレラート塩酸塩	50mg 1錠	5-HT₂ブロッカー	1538
	H41	淡褐	本草補中益気湯エキス顆粒−M (本草)	補中益気湯	1g	漢方製剤	4644
	J-41	淡褐	JPS補中益気湯エキス顆粒〔調剤用〕 (ジェーピーエス)	補中益気湯	1g	漢方製剤	4644
	JG C41／25	薄黄みの赤	クエチアピン錠25mg「JG」(日本ジェ ネリック)	クエチアピンフマル酸塩	25mg 1錠	抗精神病，D₂・5-HT₂拮抗剤	1225
	JG E41	白	スマトリプタン錠50mg「JG」(日本ジ ェネリック)	スマトリプタン	50mg 1錠	5-HT₁ᵦ/₁ᴅ受容体作動型片頭 痛治療剤	1768
	KB-41 EK-41	淡黄褐〜褐	クラシエ補中益気湯エキス細粒(クラシ エ/クラシエ薬品)	補中益気湯	1g	漢方製剤	4644
	KC41／3	微黄白	グリメピリド錠3mg「科研」(ダイト/ 科研)	グリメピリド	3mg 1錠	スルホニル尿素系血糖降下剤	1278
	N41	淡黄褐〜黄褐	コタロー補中益気湯エキス細粒(小太郎 漢方)	補中益気湯	1g	漢方製剤	4644
	OT41／20	白/薄青緑	エスワンタイホウ配合OD錠T20 (岡山 大鵬)	テガフール・ギメラシル・ オテラシルカリウム	20mg 1錠 (テガフール 相当量)	抗悪性腫瘍剤	2201
	SG-41	淡灰茶褐〜 淡灰黄褐	オースギ補中益気湯エキスG (大杉)	補中益気湯	1g	漢方製剤	4644
	t41 t041	白〜微黄白	ファモチジンOD錠10mg「テバ」(武田 テバファーマ/武田薬品)	ファモチジン	10mg 1錠	H₂-受容体拮抗剤	3079
	Tai TM-41	淡灰〜灰褐	太虎堂の補中益気湯エキス顆粒(太虎精 堂)	補中益気湯	1g	漢方製剤	4644
	Tai TM-41P	茶〜淡茶	太虎堂の補中益気湯エキス散(太虎精 堂)	補中益気湯	1g	漢方製剤	4644
	TC41／20	白/薄青緑	ティーエスワン配合OD錠T20 (大鵬薬 品)	テガフール・ギメラシル・ オテラシルカリウム	20mg 1錠 (テガフール 相当量)	抗悪性腫瘍剤	2201
	ZE41／15	白〜帯黄白⊕	ピオグリタゾン錠15mg「ZE」(全星薬 品工業/全星薬品)	ピオグリタゾン塩酸塩	15mg 1錠	インスリン抵抗性改善血糖降 下剤	2912
	cH41 ch41	白	クラリスロマイシン錠50mg小児用 「CH」(長生堂/日本ジェネリック)	クラリスロマイシン	50mg 1錠	マクロライド系抗生物質	1250
	TC41 TC41	淡橙	ゾルピデム酒石酸塩錠10mg「NPI」 (東洋カプセル/日本薬品工業)	ゾルピデム酒石酸塩	10mg 1錠	入眠剤	1973
	ツムラ/41	淡褐	ツムラ補中益気湯エキス顆粒(医療用) (ツムラ)	補中益気湯	1g	漢方製剤	4644
042	MS042／ クエチアピン200	白	クエチアピン錠200mg「明治」(Meiji Seika)	クエチアピンフマル酸塩	200mg 1錠	抗精神病，D₂・5-HT₂拮抗剤	1225
	t42 t042	白〜微黄白	ファモチジンOD錠20mg「テバ」(武田 テバファーマ/武田薬品)	ファモチジン	20mg 1錠	H₂-受容体拮抗剤	3079
	TY-042	褐	〔東洋〕五淋散エキス細粒(東洋薬行)	五淋散	1g	漢方製剤	4592
	U042	白	デジレル錠50 (ファイザー)	トラゾドン塩酸塩	50mg 1錠	トリアゾロピリジン系抗うつ 剤	2470
42	FJ42 100 FJ42	白	サルポグレラート塩酸塩錠100mg「F」 (富士製薬)	サルポグレラート塩酸塩	100mg 1錠	5-HT₂ブロッカー	1538
	JG C42／100	薄黄	クエチアピン錠100mg「JG」(日本ジ ェネリック)	クエチアピンフマル酸塩	100mg 1錠	抗精神病，D₂・5-HT₂拮抗剤	1225
	t42 t042	白〜微黄白	ファモチジンOD錠20mg「テバ」(武田 テバファーマ/武田薬品)	ファモチジン	20mg 1錠	H₂-受容体拮抗剤	3079

番号	識別コード	色 (◐：割線有)	商品名(会社名)	一般名	規格単位	薬効	掲載ページ
42	ZE42／30	白～帯黄白◐	ピオグリタゾン錠30mg「ZE」(全星薬品工業／全星薬品)	ピオグリタゾン塩酸塩	30mg 1錠	インスリン抵抗性改善血糖降下剤	2912
043	MS043／2.5	淡黄赤	オロパタジン塩酸塩錠2.5mg「明治」(Meiji Seika／Meファルマ)	オロパタジン塩酸塩	2.5mg 1錠	アレルギー性疾患治療剤	1037
	t43 t043	白	ドキサゾシン錠0.5mg「テバ」(武田テバファーマ／武田薬品)	ドキサゾシンメシル酸塩	0.5mg 1錠	α_1-遮断剤	2391
	TY-043	褐	〔東洋〕五苓散料エキス細粒(東洋薬行)	五苓散	1g	漢方製剤	4593
43	FJ43	白	ファボワール錠21 (富士製薬)	エチニルエストラジオール・デソゲストレル	(21日分)1組	経口避妊剤	2267
	FJ43 FJ44	白 緑	ファボワール錠28 (富士製薬)	エチニルエストラジオール・デソゲストレル	(28日分)1組	経口避妊剤	2267
	H43	淡黄褐	本草六君子湯エキス顆粒−M (本草)	六君子湯	1g	漢方製剤	4652
	J-43	黄褐	三和六君子湯エキス細粒(三和生薬／ジェービーエス)	六君子湯	1g	漢方製剤	4652
	JG C43／200	白	クエチアピン錠200mg「JG」(日本ジェネリック)	クエチアピンフマル酸塩	200mg 1錠	抗精神病，D_2・$5-HT_2$拮抗剤	1225
	KB-43 EK-43	淡褐～褐	クラシエ六君子湯エキス細粒(クラシエ／クラシエ薬品)	六君子湯	1g	漢方製剤	4652
	N43	黄褐～褐	コタロー六君子湯エキス細粒(小太郎漢方)	六君子湯	1g	漢方製剤	4652
	OT43／25	白／薄橙	エスワンタイホウ配合OD錠T25 (岡山大鵬)	テガフール・ギメラシル・オテラシルカリウム	25mg 1錠 (テガフール相当量)	抗悪性腫瘍剤	2201
	SG-43	淡灰茶褐～淡灰黄褐	オースギ六君子湯エキスG (大杉)	六君子湯	1g	漢方製剤	4652
	t43 t043	白	ドキサゾシン錠0.5mg「テバ」(武田テバファーマ／武田薬品)	ドキサゾシンメシル酸塩	0.5mg 1錠	α_1-遮断剤	2391
	TC43／25	白／薄橙	ティーエスワン配合OD錠T25 (大鵬薬品)	テガフール・ギメラシル・オテラシルカリウム	25mg 1錠 (テガフール相当量)	抗悪性腫瘍剤	2201
	ZE43／3	黄	ドネペジル塩酸塩OD錠3mg「ZE」(全星薬品工業／全星薬品)	ドネペジル, -塩酸塩	3mg 1錠	アルツハイマー型，レビー小体型認知症治療剤	2426
	cʜ43	白	クラリスロマイシン錠200mg「CH」(長生堂／日本ジェネリック)	クラリスロマイシン	200mg 1錠	マクロライド系抗生物質	1250
	ツムラ／43	淡灰褐	ツムラ六君子湯エキス顆粒(医療用)(ツムラ)	六君子湯	1g	漢方製剤	4652
044	MS044／5	淡黄赤◐	オロパタジン塩酸塩錠5mg「明治」(Meiji Seika／Meファルマ)	オロパタジン塩酸塩	5mg 1錠	アレルギー性疾患治療剤	1037
	t44 t044	白 ◐	ドキサゾシン錠1mg「テバ」(武田テバファーマ／武田薬品)	ドキサゾシンメシル酸塩	1mg 1錠	α_1-遮断剤	2391
	◆044／10	白	セディール錠10mg (住友ファーマ)	タンドスピロンクエン酸塩	10mg 1錠	非ベンゾジアゼピン系・セロトニン作動性抗不安薬	2129
44	15mg JG E44 JG E44	白	ランソプラゾールカプセル15mg「JG」(大興／日本ジェネリック)	ランソプラゾール	15mg 1カプセル	プロトンポンプインヒビター	4168
	FJ43 FJ44	白 緑	ファボワール錠28 (富士製薬)	エチニルエストラジオール・デソゲストレル	(28日分)1組	経口避妊剤	2267
	JGC44／0.5	白	エチゾラム錠0.5mg「JG」(長生堂／日本ジェネリック)	エチゾラム	0.5mg 1錠	チエノジアゼピン系精神安定剤	738
	KTB44	淡紅 ◐	ロキソプロフェンNa錠60mg「KO」(寿)	ロキソプロフェンナトリウム水和物	60mg 1錠	プロピオン酸系消炎鎮痛剤	4473
	NCP44／30	薄橙	フェキソフェナジン塩酸塩錠30mg「ケミファ」(日本ケミファ／日本薬品工業)	フェキソフェナジン塩酸塩	30mg 1錠	アレルギー性疾患治療剤	3111
	t44 t044	白 ◐	ドキサゾシン錠1mg「テバ」(武田テバファーマ／武田薬品)	ドキサゾシンメシル酸塩	1mg 1錠	α_1-遮断剤	2391
	ZE44／5	白	ドネペジル塩酸塩OD錠5mg「ZE」(全星薬品工業／全星薬品)	ドネペジル, -塩酸塩	5mg 1錠	アルツハイマー型，レビー小体型認知症治療剤	2426
	トアラセットTC ℸℂ44	淡黄	トアラセット配合錠「TC」(東洋カプセル／中北薬品)	トラマドール塩酸塩・アセトアミノフェン	1錠	慢性疼痛・抜歯後疼痛治療剤	2496
045	MS045／2.5	極薄黄	オロパタジン塩酸塩OD錠2.5mg「明治」(Meiji Seika／Meファルマ)	オロパタジン塩酸塩	2.5mg 1錠	アレルギー性疾患治療剤	1037
	t45 t045	淡橙 ◐	ドキサゾシン錠2mg「テバ」(武田テバファーマ／武田薬品)	ドキサゾシンメシル酸塩	2mg 1錠	α_1-遮断剤	2391
	n045／5 n045 5 n045	淡黄	タンドスピロンクエン酸塩錠5mg「日医工」(日医工)	タンドスピロンクエン酸塩	5mg 1錠	非ベンゾジアゼピン系・セロトニン作動性抗不安薬	2129
45	30mg JG E45 JG E45	白	ランソプラゾールカプセル30mg「JG」(大興／日本ジェネリック)	ランソプラゾール	30mg 1カプセル	プロトンポンプインヒビター	4168
	DCB45／Pfizer Pfizer DCB45	青	ビジンプロ錠45mg (ファイザー)	ダコミチニブ水和物	45mg 1錠	抗悪性腫瘍剤・チロシンキナーゼ阻害剤	2012
	H45	淡灰褐～灰褐	本草桂枝湯エキス顆粒−S (本草)	桂枝湯	1g	漢方製剤	4581

0－99

番号	識別コード	色 (①：割線有)	商品名(会社名)	一般名	規格単位	薬効	掲載 ページ
45	J-45	淡褐	JPS桂枝湯エキス顆粒〔調剤用〕（ジェーピーエス）	桂枝湯	1g	漢方製剤	4581
	JG F45 25	淡黄白	ホリナート錠25mg「JG」（日本ジェネリック）	ホリナートカルシウム	25mg 1錠	抗葉酸代謝拮抗剤	3771
	JG N45／4	淡赤　①	ピタバスタチンCa錠4mg「JG」（日本ジェネリック）	ピタバスタチンカルシウム水和物	4mg 1錠	HMG-CoA還元酵素阻害剤	2948
	JGC45／1	白	エチゾラム錠1mg「JG」（長生堂／日本ジェネリック）	エチゾラム	1mg 1錠	チエノジアゼピン系精神安定剤	738
	N45	茶褐〜黄褐	コタロー桂枝湯エキス細粒（小太郎漢方）	桂枝湯	1g	漢方製剤	4581
	SG-45	淡灰茶褐	オースギ桂枝湯エキスG（大杉）	桂枝湯	1g	漢方製剤	4581
	SW AM45	白〜淡黄白（微黄白の斑点）	アンブロキソール塩酸塩徐放OD錠45mg「サワイ」（沢井）	アンブロキソール塩酸塩	45mg 1錠	気道潤滑去痰剤	378
	t45 t045	淡橙　①	ドキサゾシン錠2mg「テバ」（武田テバファーマ／武田薬品）	ドキサゾシンメシル酸塩	2mg 1錠	α_1-遮断剤	2391
	ZE45／10	淡赤	ドネペジル塩酸塩OD錠10mg「ZE」（全星薬品工業／全星薬品）	ドネペジル, -塩酸塩	10mg 1錠	アルツハイマー型，レビー小体型認知症治療剤	2426
	ZP45	白〜微黄白	アシノン錠75mg（ゼリア新薬）	ニザチジン	75mg 1錠	H_2受容体拮抗剤	2637
	◯45	黄	リンヴォック錠45mg（アッヴィ）	ウパダシチニブ水和物	45mg 1錠	ヤヌスキナーゼ(JAK)阻害剤	642
	アンブロキソール L45mg SW-475 SW-475	淡黄	アンブロキソール塩酸塩Lカプセル45mg「サワイ」（沢井）	アンブロキソール塩酸塩	45mg 1カプセル	気道潤滑去痰剤	378
	ツムラ/45	淡褐	ツムラ桂枝湯エキス顆粒(医療用)（ツムラ）	桂枝湯	1g	漢方製剤	4581
046	MS046／5	極薄黄	オロパタジン塩酸塩OD錠5mg「明治」（Meiji Seika／Meファルマ）	オロパタジン塩酸塩	5mg 1錠	アレルギー性疾患治療剤	1037
	t46 t046	白　①	ドキサゾシン錠4mg「テバ」（武田テバファーマ／武田薬品）	ドキサゾシンメシル酸塩	4mg 1錠	α_1-遮断剤	2391
	n046／10 n046 10 ⓝ046	白	タンドスピロンクエン酸塩錠10mg「日医工」（日医工）	タンドスピロンクエン酸塩	10mg 1錠	非ベンゾジアゼピン系・セロトニン作動性抗不安薬	2129
46	JG N46／10	黄	カルベジロール錠10mg「JG」（日本ジェネリック）	カルベジロール	10mg 1錠	α, β-遮断剤	1160
	M46／5	白　①	モサプリドクエン酸塩錠5mg「TSU」（鶴原）	モサプリドクエン酸塩水和物	5mg 1錠	消化管運動促進剤	4014
	SG-46	淡灰茶褐	オースギ七物降下湯エキスG（大杉）	七物降下湯	1g	漢方製剤	4603
	t46 t046	白　①	ドキサゾシン錠4mg「テバ」（武田テバファーマ／武田薬品）	ドキサゾシンメシル酸塩	4mg 1錠	α_1-遮断剤	2391
	ZE46	白	ピタバスタチンカルシウム錠1mg「ZE」（全星薬品工業／全星薬品）	ピタバスタチンカルシウム水和物	1mg 1錠	HMG-CoA還元酵素阻害剤	2948
	ZP46	白〜微黄白	アシノン錠150mg（ゼリア新薬）	ニザチジン	150mg 1錠	H_2受容体拮抗剤	2637
	ツムラ/46	灰褐	ツムラ七物降下湯エキス顆粒(医療用)（ツムラ）	七物降下湯	1g	漢方製剤	4603
	デュタステリド0.5 AV TC ⓣ46	淡黄	デュタステリドカプセル0.5mgAV「TC」（東洋カプセル／中北薬品）	デュタステリド	0.5mg 1カプセル	5α-還元酵素阻害薬	2332
047	DS047／20	白	セディール錠20mg（住友ファーマ）	タンドスピロンクエン酸塩	20mg 1錠	非ベンゾジアゼピン系・セロトニン作動性抗不安薬	2129
	n047／20 n047 20 ⓝ047	白〜帯黄白	タンドスピロンクエン酸塩錠20mg「日医工」（日医工）	タンドスピロンクエン酸塩	20mg 1錠	非ベンゾジアゼピン系・セロトニン作動性抗不安薬	2129
47	JG E47／25	白　①	ロサルタンカリウム錠25mg「JG」（日本ジェネリック）	ロサルタンカリウム	25mg 1錠	アンギオテンシンⅡ受容体拮抗剤	4481
	JG N47／20	白〜微黄白	カルベジロール錠20mg「JG」（日本ジェネリック）	カルベジロール	20mg 1錠	α, β-遮断剤	1160
	M47／2.5	白	モサプリドクエン酸塩錠2.5mg「TSU」（鶴原）	モサプリドクエン酸塩水和物	2.5mg 1錠	消化管運動促進剤	4014
	ZE47	極薄黄赤	ピタバスタチンカルシウム錠2mg「ZE」（全星薬品工業／全星薬品）	ピタバスタチンカルシウム水和物	2mg 1錠	HMG-CoA還元酵素阻害剤	2948
	ツムラ/47	淡灰褐	ツムラ釣藤散エキス顆粒(医療用)（ツムラ）	釣藤散	1g	漢方製剤	4626
048	KE MG83 04 KE MG83 048 KE MG83 06 KE MG83 08 KE MG83 12	白	酸化マグネシウム細粒83%「ケンエー」（健栄）	酸化マグネシウム	83% 1g	制酸・緩下剤	3798

番号	識別コード	色 (◍：割線有)	商品名(会社名)	一般名	規格単位	薬効	掲載ページ
048	YO ML024 YO ML036 YO ML04 **YO ML048** YO ML06 YO ML08 YO ML12	白	酸化マグネシウム細粒83％「ヨシダ」(吉田)	酸化マグネシウム	83％ 1g	制酸・緩下剤	3798
48	FC48	灰褐	ジュンコウ十全大補湯FCエキス細粒医療用(康和薬通／大杉)	十全大補湯	1g	漢方製剤	4606
	H48	淡茶褐〜茶褐	本草十全大補湯エキス顆粒−M(本草)	十全大補湯	1g	漢方製剤	4606
	J-48	褐	三和十全大補湯エキス細粒(三和生薬／ジェーピーエス)	十全大補湯	1g	漢方製剤	4606
	JG E48／50	白 ◍	ロサルタンカリウム錠50mg「JG」(日本ジェネリック)	ロサルタンカリウム	50mg 1錠	アンギオテンシンⅡ受容体拮抗剤	4481
	JG N48／1.25	黄 ◍	カルベジロール錠1.25mg「JG」(日本ジェネリック)	カルベジロール	1.25mg 1錠	α，β-遮断剤	1160
	KB-48 EK-48	淡褐〜褐	クラシエ十全大補湯エキス細粒(大峰堂／クラシエ薬品)	十全大補湯	1g	漢方製剤	4606
	N48	茶褐〜褐	コタロー十全大補湯エキス細粒(小太郎漢方)	十全大補湯	1g	漢方製剤	4606
	SG-48	灰褐	オースギ十全大補湯エキスG(大杉)	十全大補湯	1g	漢方製剤	4606
	ZE48	極薄黄赤	ピタバスタチンカルシウム錠4mg「ZE」(全星薬品工業／全星薬品)	ピタバスタチンカルシウム水和物	4mg 1錠	HMG-CoA還元酵素阻害剤	2948
	ツムラ／48	灰褐	ツムラ十全大補湯エキス顆粒(医療用)(ツムラ)	十全大補湯	1g	漢方製剤	4606
049	TSU049／0.1	白	イミダフェナシンOD錠0.1mg「ツルハラ」(鶴原)	イミダフェナシン	0.1mg 1錠	過活動膀胱治療剤	501
49	BMD49／8	淡黄白	アゼルニジピン錠8mg「BMD」(ビオメディクス)	アゼルニジピン	8mg 1錠	持続性Ca拮抗剤	90
	JG E49／100	白	ロサルタンカリウム錠100mg「JG」(日本ジェネリック)	ロサルタンカリウム	100mg 1錠	アンギオテンシンⅡ受容体拮抗剤	4481
	JG N49／2.5	白 ◍	カルベジロール錠2.5mg「JG」(日本ジェネリック)	カルベジロール	2.5mg 1錠	α，β-遮断剤	1160
	KB-49 EK-49	淡黄褐〜黄褐	クラシエ加味帰脾湯エキス細粒(クラシエ／クラシエ薬品)	加味帰脾湯	1g	漢方製剤	4574
	UPJOHN49	淡紅	メドロール錠2mg(ファイザー)	メチルプレドニゾロン	2mg 1錠	副腎皮質ホルモン	3936
	漢：EKT-49	淡褐〜褐	クラシエ加味帰脾湯エキス錠(大峰堂／クラシエ薬品)	加味帰脾湯	1錠	漢方製剤	4574
050	EE050	黄	フルボキサミンマレイン酸塩錠50mg「EMEC」(エルメッド／日医工)	フルボキサミンマレイン酸塩	50mg 1錠	選択的セロトニン再取り込み阻害剤(SSRI)	3337
	MI-MG033 MI-MG050 MI-MG067 MI-MG100	白	酸化マグネシウム原末「マルイシ」(丸石)	酸化マグネシウム	10g	制酸・緩下剤	3798
	Tu EO-050	白	エペリゾン塩酸塩錠50mg「TCK」(辰巳化学)	エペリゾン塩酸塩	50mg 1錠	γ-系筋緊張・循環改善剤	811
	Tu-MZ050	白〜微黄	エチゾラム錠0.5mg「TCK」(辰巳化学)	エチゾラム	0.5mg 1錠	チエノジアゼピン系精神安定剤	738
	n050 n050	白 ◍	ペリアクチン錠4mg(日医工)	シプロヘプタジン塩酸塩水和物	4mg 1錠	アレルギー性疾患治療剤	1666
50	50	灰赤〜赤褐	スタレボ配合錠L50(ノバルティス)	レボドパ・カルビドパ水和物・エンタカポン	1錠	抗パーキンソン剤	4419
	50	白	サルポグレラート塩酸塩錠50mg「TSU」(鶴原)	サルポグレラート塩酸塩	50mg 1錠	5-HT₂ブロッカー	1538
	50	白	ミニリンメルトOD錠50μg(フェリング／キッセイ)	デスモプレシン酢酸塩水和物	50μg 1錠	バソプレシン誘導体	2254
	50DSEP ピルシカイニド50	青／白	ピルシカイニド塩酸塩カプセル50mg「DSEP」(第一三共エスファ)	ピルシカイニド塩酸塩水和物	50mg 1カプセル	不整脈治療剤	3041
	50H／ ⚖50H	白〜微黄	ミカルディス錠20mg(日本ベーリンガー)	テルミサルタン	20mg 1錠	持続性AT₁受容体遮断剤	2372
	50mg JG J05 JG J05	白	フルコナゾールカプセル50mg「JG」(日本ジェネリック)	フルコナゾール	50mg 1カプセル	トリアゾール系抗真菌剤	3298
	50mg Pfizer695 Pfizer695	白	ピメノールカプセル50mg(ファイザー)	ピルメノール塩酸塩水和物	50mg 1カプセル	不整脈治療剤	3055
	50T650 T650	淡橙	メタルカプターゼカプセル50mg(大正)	ペニシラミン	50mg 1カプセル	リウマチ・ウイルソン病治療・金属解毒剤	3526
	50／V V50	淡褐	ベネクレクスタ錠50mg(アッヴィ)	ベネトクラクス	50mg 1錠	抗悪性腫瘍剤・BCL-2阻害剤	3529
	50／Lilly Lilly50	薄帯赤黄	ベージニオ錠50mg(日本イーライリリー)	アベマシクリブ	50mg 1錠	抗悪性腫瘍剤(CDK4/6阻害剤)	207
	50 PH163	白	アマンタジン塩酸塩錠50mg「杏林」(キョーリンリメディオ／杏林)	アマンタジン塩酸塩	50mg 1錠	精神活動改善剤・抗パーキンソン剤・抗A型インフルエンザウイルス剤	219

番号	識別コード	色 (□:割線有)		商品名(会社名)	一般名	規格単位	薬効	掲載 ページ
50	50イルベ／ イルベサルタン50 トーワ	白～帯黄白□		イルベサルタン錠50mg「トーワ」(東和薬品／三和化学)	イルベサルタン	50mg 1錠	長時間作用型アンギオテンシンⅡ受容体拮抗剤	522
	50セルトラリン／ 50セルトラリン タカタ	白	□	セルトラリン錠50mg「タカタ」(高田)	セルトラリン塩酸塩	50mg 1錠	選択的セロトニン再取り込み阻害剤(SSRI)	1894
	50ゾニサミド TRE ODアメル／ アメルTRE OD ゾニサミド50	微黄白～淡 黄白		ゾニサミドOD錠50mgTRE「アメル」(共和薬品)	ゾニサミド〔抗パーキンソン病治療剤〕	50mg 1錠	レボドパ賦活型パーキンソン病治療剤	1935
	50ゾニサミド TRE／50ゾニサミド TRE ODトーワ	微黄白～淡 黄白	□	ゾニサミドOD錠50mgTRE「トーワ」(東和薬品)	ゾニサミド〔抗パーキンソン病治療剤〕	50mg 1錠	レボドパ賦活型パーキンソン病治療剤	1935
	50ミグリ／ ミグリトール50 トーワ	白	□	ミグリトール錠50mg「トーワ」(東和薬品)	ミグリトール	50mg 1錠	糖尿病食後過血糖改善剤	3834
	ABR50／PFE PFE ABR50	淡紅		サイバインコ錠50mg(ファイザー)	アブロシチニブ	50mg 1錠	ヤヌスキナーゼ(JAK)阻害剤	202
	AK283／50	青	□	シルデナフィル錠50mgVI「あすか」(あすか／武田薬品)	シルデナフィルクエン酸塩	50mg 1錠	ホスホジエステラーゼ5阻害剤	1709
	AR50	白～微黄白		アロプリノール錠50mg「TCK」(辰巳化学)	アロプリノール	50mg 1錠	キサンチンオキシダーゼ阻害剤・高尿酸血症治療剤	363
	BMD50／16	淡黄白		アゼルニジピン錠16mg「BMD」(ビオメディクス)	アゼルニジピン	16mg 1錠	持続性Ca拮抗剤	90
	BZ BZ[50mg]	白～淡黄白□		ベンズブロマロン錠50mg「NIG」(日医工岐阜／日医工／武田薬品)	ベンズブロマロン	50mg 1錠	高尿酸血症改善剤	3643
	CLN305 50 CLN305	薄橙(白)		ベプシドカプセル50mg(クリニジェン)	エトポシド	50mg 1カプセル	抗悪性腫瘍剤	762
	CY50	白		テオフィリン徐放錠50mg「ツルハラ」(鶴原)	テオフィリン	50mg 1錠	キサンチン系気管支拡張剤	2195
	D50／PF D50PF	白		シロスタゾールOD錠50mg「VTRS」(ヴィアトリス・ヘルスケア／ヴィアトリス)	シロスタゾール	50mg 1錠	抗血小板剤	1718
	DCN50	白		ボイデヤ錠50mg(アレクシオン)	ダニコパン	50mg 1錠	補体D因子阻害剤	2039
	DK514／50	淡黄白～淡黄		リルゾール錠50mg「AA」(ダイト／あすか／武田薬品)	リルゾール	50mg 1錠	筋萎縮性側索硬化症用剤	4298
	DLM50	帯褐黄		デルティバ錠50mg(大塚)	デラマニド	50mg 1錠	結核化学療法剤	2356
	DS551 50 DS551	白～帯黄白□		イルベサルタン錠50mg「DSPB」(住友プロモ／住友ファーマ)	イルベサルタン	50mg 1錠	長時間作用型アンギオテンシンⅡ受容体拮抗剤	522
	DSC531 50 DSC531	白		エザルミア錠50mg(第一三共)	バレメトスタットトシル酸塩	50mg 1錠	抗悪性腫瘍剤・EZH1/2阻害剤	2871
	E50 TTS-275	白		エパルレスタット錠50mg「タカタ」(高田／三和化学)	エパルレスタット	50mg 1錠	アルドース還元酵素阻害剤	779
	EDS50	淡赤		シルデナフィル錠50mgVI「DK」(大興／本草)	シルデナフィルクエン酸塩	50mg 1錠	ホスホジエステラーゼ5阻害剤	1709
	EP50	白		エパルレスタット錠50mg「VTRS」(ヴィアトリス・ヘルスケア／ヴィアトリス)	エパルレスタット	50mg 1錠	アルドース還元酵素阻害剤	779
	EPN tEPN[50mg]	白		エペリゾン塩酸塩錠50mg「NIG」(日医工岐阜／日医工／武田薬品)	エペリゾン塩酸塩	50mg 1錠	γ-系筋緊張・循環改善剤	811
	FCI50	青		シルデナフィル錠50mgVI「FCI」(富士化学)	シルデナフィルクエン酸塩	50mg 1錠	ホスホジエステラーゼ5阻害剤	1709
	FF181／50	白	□	ロサルタンカリウム錠50mg「FFP」(共創未来)	ロサルタンカリウム	50mg 1錠	アンギオテンシンⅡ受容体拮抗剤	4481
	FF276／50	白	□	ナフトピジルOD錠50mg「FFP」(共創未来)	ナフトピジル	50mg 1錠	排尿障害治療剤	2614
	FJ11 50mg FJ11	白		フルコナゾールカプセル50mg「F」(富士製薬)	フルコナゾール	50mg 1カプセル	トリアゾール系抗真菌剤	3298
	FJ390／50	白		クロミッド錠50mg(富士製薬)	クロミフェンクエン酸塩	50mg 1錠	排卵誘発剤/抗エストロゲン剤	1366
	FJ41 50 FJ41	白		サルポグレラート塩酸塩錠50mg「F」(富士製薬)	サルポグレラート塩酸塩	50mg 1錠	5-HT₂ブロッカー	1538
	G50 tG50[50mg]	白～微帯黄白		チアプリド錠50mg「NIG」(日医工岐阜／日医工／武田薬品)	チアプリド塩酸塩	50mg 1錠	ベンザミド系精神・ジスキネジア改善剤	2133
	GLAXO T50	白		トランデート錠50mg(サンドファーマ／サンド)	ラベタロール塩酸塩	50mg 1錠	α_1, β-遮断剤	4110
	GS TEW50mg	暗赤		タフィンラーカプセル50mg(ノバルティス)	ダブラフェニブメシル酸塩	50mg 1カプセル	抗悪性腫瘍剤・BRAF阻害剤	2061
	HB.50∈	赤／橙		ハイコバールカプセル500μg(エーザイ)	コバマミド	0.5mg 1カプセル	補酵素型ビタミンB₁₂	1452
	JG C53／50	白	□	セルトラリン錠50mg「JG」(日本ジェネリック)	セルトラリン塩酸塩	50mg 1錠	選択的セロトニン再取り込み阻害剤(SSRI)	1894

番号	識別コード	色 (①:割線有)	商品名(会社名)	一般名	規格単位	薬効	掲載ページ
50	JG E48／50	白 ①	ロサルタンカリウム錠50mg「JG」(日本ジェネリック)	ロサルタンカリウム	50mg 1錠	アンギオテンシンⅡ受容体拮抗剤	4481
	JG E81／50	白 ①	ナフトピジル錠50mg「JG」(長生堂／日本ジェネリック)	ナフトピジル	50mg 1錠	排尿障害治療剤	2614
	JG E84／50	白 ①	ナフトピジルOD錠50mg「JG」(日本ジェネリック)	ナフトピジル	50mg 1錠	排尿障害治療剤	2614
	JG F02／50	白～微黄白	クエン酸第一鉄Na錠50mg「JG」(日本ジェネリック)	クエン酸第一鉄ナトリウム	鉄50mg 1錠	可溶性非イオン型鉄剤	1232
	JG F20／OD50	白	シロスタゾールOD錠50mg「JG」(ダイト／日本ジェネリック)	シロスタゾール	50mg 1錠	抗血小板剤	1718
	JG F50	白	エパルレスタット錠50mg「JG」(日本ジェネリック)	エパルレスタット	50mg 1錠	アルドース還元酵素阻害剤	779
	JG N61／イルベサルタン50JG	白～帯黄白 ①	イルベサルタン錠50mg「JG」(長生堂／日本ジェネリック)	イルベサルタン	50mg 1錠	長時間作用型アンギオテンシンⅡ受容体拮抗剤	522
	KRM106／50	白	サルポグレラート塩酸塩錠50mg「杏林」(キョーリンリメディオ／杏林)	サルポグレラート塩酸塩	50mg 1錠	5-HT₂ブロッカー	1538
	KRM140／50	白 ①	ロサルタンカリウム錠50mg「杏林」(キョーリンリメディオ／杏林)	ロサルタンカリウム	50mg 1錠	アンギオテンシンⅡ受容体拮抗剤	4481
	KRM177／50	白 ①	ナフトピジルOD錠50mg「杏林」(キョーリンリメディオ／杏林)	ナフトピジル	50mg 1錠	排尿障害治療剤	2614
	KW F50	黄	フルボキサミンマレイン酸塩錠50mg「アメル」(共和薬品)	フルボキサミンマレイン酸塩	50mg 1錠	選択的セロトニン再取り込み阻害剤(SSRI)	3337
	KW HN50	白	ヒルナミン錠(50mg)(共和薬品)	レボメプロマジン	50mg 1錠	フェノチアジン系精神安定剤	4443
	KW SA50	白	サルポグレラート塩酸塩錠50mg「アメル」(共和薬品)	サルポグレラート塩酸塩	50mg 1錠	5-HT₂ブロッカー	1538
	KW TPM／50	白	トピラマート錠50mg「アメル」(共和薬品)	トピラマート	50mg 1錠	抗てんかん剤	2434
	KW013／50	白～淡黄白	トラゾドン塩酸塩錠50mg「アメル」(共和薬品)	トラゾドン塩酸塩	50mg 1錠	トリアゾロピリジン系抗うつ剤	2470
	Kw023／50	白～微黄白	アロプリノール錠50mg「アメル」(共和薬品)	アロプリノール	50mg 1錠	キサンチンオキシダーゼ阻害剤・高尿酸血症治療剤	363
	Kw210／50	白	スルピリド錠50mg「アメル」(共和薬品)	スルピリド	50mg 1錠	ベンザミド系抗潰瘍・精神安定剤	1777
	KW251／SUM50	白～帯黄白	スマトリプタン錠50mg「アメル」(共和薬品)	スマトリプタン	50mg 1錠	5-HT₁ᵦ/₁ᴅ受容体作動型片頭痛治療剤	1768
	KW588 50	白	フルコナゾールカプセル50mg「アメル」(共和薬品)	フルコナゾール	50mg 1カプセル	トリアゾール系抗真菌剤	3298
	KW675／50	白～帯黄白	ミルナシプラン塩酸塩錠50mg「アメル」(共和薬品)	ミルナシプラン塩酸塩	50mg 1錠	セロトニン・ノルアドレナリン再取り込み阻害剤(SNRI)	3891
	KWSTL／OD50	白 ①	セルトラリンOD錠50mg「アメル」(共和薬品)	セルトラリン塩酸塩	50mg 1錠	選択的セロトニン再取り込み阻害剤(SSRI)	1894
	L-50／4312 L-50 4312	明るい灰	レイボー錠50mg(日本イーライリリー／第一三共)	ラスミジタンコハク酸塩	50mg 1錠	片頭痛治療剤 5-HT₁ᴳ受容体作動薬	4082
	LNF50	黄	ゾキンヴィカプセル50mg(アンジェス)	ロナファルニブ	50mg 1カプセル	早老症治療用剤・ファルネシルトランスフェラーゼ阻害剤	4498
	LO50	白	ロサルタンK錠50mg「VTRS」(ヴィアトリス・ヘルスケア／ヴィアトリス)	ロサルタンカリウム	50mg 1錠	アンギオテンシンⅡ受容体拮抗剤	4481
	LO-T50	無透明(淡褐)	ロキソプロフェンNaテープ50mg「久光」(久光)	ロキソプロフェンナトリウム水和物	7cm×10cm 1枚	プロピオン酸系消炎鎮痛剤	4473
	LS50	白	ロサルタンカリウム錠50mg「サンド」(サンド)	ロサルタンカリウム	50mg 1錠	アンギオテンシンⅡ受容体拮抗剤	4481
	LV50	白 ①	レボチロキシンNa錠50μg「サンド」(サンド／富士製薬)	レボチロキシンナトリウム水和物	50μg 1錠	甲状腺ホルモン	4411
	M S50 M313	白	スマトリプタン錠50mg「VTRS」(ヴィアトリス・ヘルスケア／ヴィアトリス)	スマトリプタン	50mg 1錠	5-HT₁ᵦ/₁ᴅ受容体作動型片頭痛治療剤	1768
	m50 TTS-635	白	クラリスロマイシン錠小児用50mg「タカタ」(高田)	クラリスロマイシン	50mg 1錠	マクロライド系抗生物質	1250
	MINO50	黄～暗黄	ミノサイクリン塩酸塩錠50mg「サワイ」(沢井)	ミノサイクリン塩酸塩	50mg 1錠	テトラサイクリン系抗生物質	3871
	MRD25 MRD50	白～淡黄	ベンズブロマロン細粒10%「KO」(寿)	ベンズブロマロン	10% 1g	高尿酸血症改善剤	3643
	MS035／50	白 ①	ロサルタンK錠50mg「明治」(Meiji Seika／Meファルマ)	ロサルタンカリウム	50mg 1錠	アンギオテンシンⅡ受容体拮抗剤	4481
	MS083／クエチアピン50	白 ①	クエチアピン錠50mg「明治」(Meiji Seika)	クエチアピンフマル酸塩	50mg 1錠	抗精神病，D₂・5-HT₂拮抗剤	1225
	MS50	黄	デプロメール錠50(Meiji Seika)	フルボキサミンマレイン酸塩	50mg 1錠	選択的セロトニン再取り込み阻害剤(SSRI)	3337
	MYLAN CYSTA50	白	ニシスタゴンカプセル50mg(ヴィアトリス)	システアミン酒石酸塩	50mg 1カプセル	腎性シスチン症治療剤	1600

番号	識別コード	色 (◫:割線有)		商品名(会社名)	一般名	規格単位	薬効	掲載ページ
50	NC A50	白～微黄白		アロプリノール錠50mg「ケミファ」(日本ケミファ)	アロプリノール	50mg 1錠	キサンチンオキシダーゼ阻害剤・高尿酸血症治療剤	363
	NC L50	白	◫	ロサルタンカリウム錠50mg「ケミファ」(日本ケミファ/日本薬品工業)	ロサルタンカリウム	50mg 1錠	アンギオテンシンⅡ受容体拮抗剤	4481
	NCL-T50	淡黄～淡褐半透明		ロキソプロフェンナトリウムテープ50mg「ケミファ」(日本ケミファ/日本薬品工業)	ロキソプロフェンナトリウム水和物	7cm×10cm 1枚	プロピオン酸系消炎鎮痛剤	4473
	NFP EP/NFP50 NFP EP50	白	◫	ナフトピジルOD錠50mg「DSEP」(第一三共エスファ)	ナフトピジル	50mg 1錠	排尿障害治療剤	2614
	NK7015 50 NK7015	薄橙(白)		ラステットSカプセル50mg(日本化薬)	エトポシド	50mg 1カプセル	抗悪性腫瘍剤	762
	NK7025 50 NK7025	白/赤紫		スタラシドカプセル50(日本化薬)	シタラビン オクホスファート水和物	50mg 1カプセル	代謝拮抗性悪性腫瘍剤・シタラビンプロドラッグ	1625
	NOM305/50	白		メキシレチン塩酸塩錠50mg「KCC」(ネオクリティケア)	メキシレチン塩酸塩	50mg 1錠	不整脈治療・糖尿病性神経障害治療剤	3902
	NP151/50 NP-151	白	◫	イトプリド塩酸塩錠50mg「NP」(ニプロ)	イトプリド塩酸塩	50mg 1錠	消化管運動賦活剤	447
	NP372/50 NP-372	白	◫	ロサルタンカリウム錠50mg「NP」(ニプロ)	ロサルタンカリウム	50mg 1錠	アンギオテンシンⅡ受容体拮抗剤	4481
	NP50 NP-50	黄		フルボキサミンマレイン酸塩錠50mg「NP」(ニプロ)	フルボキサミンマレイン酸塩	50mg 1錠	選択的セロトニン再取り込み阻害剤(SSRI)	3337
	NP525/50 NP-525	白		サルポグレラート塩酸塩錠50mg「NP」(ニプロ)	サルポグレラート塩酸塩	50mg 1錠	5-HT₂ブロッカー	1538
	NPI134/50	白		シロスタゾールOD錠50mg「ケミファ」(日本薬品工業/日本ケミファ)	シロスタゾール	50mg 1錠	抗血小板剤	1718
	NPI137/50	白	◫	ナフトピジルOD錠50mg「ケミファ」(日本薬品工業/日本ケミファ)	ナフトピジル	50mg 1錠	排尿障害治療剤	2614
	NS343/50	白～微黄白		アロプリノール錠50mg「NS」(日新/第一三共エスファ)	アロプリノール	50mg 1錠	キサンチンオキシダーゼ阻害剤・高尿酸血症治療剤	363
	NS58 50 NS58	白～帯黄白	◫	ロサルタンK錠50mg「日新」(日新)	ロサルタンカリウム	50mg 1錠	アンギオテンシンⅡ受容体拮抗剤	4481
	NS582/50	白	◫	ナフトピジルOD錠50mg「日新」(日新)	ナフトピジル	50mg 1錠	排尿障害治療剤	2614
	NSR50/Pfizer Pfizer NSR50	淡赤		セララ錠50mg(ヴィアトリス)	エプレレノン	50mg 1錠	選択的ミネラルコルチコイド受容体拮抗薬	807
	NVR50mg	帯黄白		ネオーラル50mgカプセル(ノバルティス)	シクロスポリン	50mg 1カプセル	免疫抑制剤	1570
	NVR50mg Csz50	帯黄白		シクロスポリンカプセル50mg「サンド」(サンド)	シクロスポリン	50mg 1カプセル	免疫抑制剤	1570
	O.S-MC50	白～微黄		ジクロフェナクナトリウム坐剤50mg「日医工」(日医工)	ジクロフェナクナトリウム	50mg 1個	フェニル酢酸系消炎鎮痛剤	1579
	OMJ50	白		タペンタ錠50mg(ヤンセン/ムンディ)	タペンタドール塩酸塩	50mg 1錠	持続性癌疼痛治療剤	2071
	Queアメル50	微黄		クエチアピン錠50mg「アメル」(共和薬品)	クエチアピンフマル酸塩	50mg 1錠	抗精神病、D₂・5-HT₂拮抗剤	1225
	S50 TTS-191	淡黄		ゾテピン錠50mg「タカタ」(高田)	ゾテピン	50mg 1錠	チエピン系統合失調症治療剤	1927
	Sc396/50	白		セイブル錠50mg(三和化学)	ミグリトール	50mg 1錠	糖尿病食後過血糖改善剤	3834
	Sc50	白		セイブルOD錠50mg(三和化学)	ミグリトール	50mg 1錠	糖尿病食後過血糖改善剤	3834
	SEARLE102/50	白		アルダクトンA錠50mg(ファイザー)	スピロノラクトン	50mg 1錠	抗アルドステロン性降圧利尿剤	1761
	SG50	白		サルポグレラート塩酸塩錠50mg「DK」(大興/アルフレッサファーマ)	サルポグレラート塩酸塩	50mg 1錠	5-HT₂ブロッカー	1538
	SG-50	淡灰茶褐～淡灰黄褐		オースギ荊芥連翹湯エキスG(大杉)	荊芥連翹湯	1g	漢方製剤	4580
	SH50	白		サルポグレラート塩酸塩錠50mg「三和」(シオノ/三和化学)	サルポグレラート塩酸塩	50mg 1錠	5-HT₂ブロッカー	1538
	SH50	白～微黄白		アロプリノール錠50mg「あゆみ」(あゆみ)	アロプリノール	50mg 1錠	キサンチンオキシダーゼ阻害剤・高尿酸血症治療剤	363
	SLD50	淡赤		シルデナフィル錠50mgVI「SN」(シオノ/アルフレッサファーマ)	シルデナフィルクエン酸塩	50mg 1錠	ホスホジエステラーゼ5阻害剤	1709
	Slo-bid50mg	白		テオフィリン徐放カプセル50mg「サンド」(サンド)	テオフィリン	50mg 1カプセル	キサンチン系気管支拡張剤	2195
	SP/50	ピンク		ビムパット錠50mg(ユーシービー/第一三共)	ラコサミド	50mg 1錠	抗てんかん剤	4067
	SR50サンリズム50	青/白		サンリズムカプセル50mg(第一三共)	ピルシカイニド塩酸塩水和物	50mg 1カプセル	不整脈治療剤	3041
	SSP50/50	白		サルポグレラート塩酸塩錠50mg「サンド」(サンド)	サルポグレラート塩酸塩	50mg 1錠	5-HT₂ブロッカー	1538
	SV572/50	黄		テビケイ錠50mg(ヴィーブ/グラクソ・スミスクライン)	ドルテグラビルナトリウム	50mg 1錠	HIVインテグラーゼ阻害剤	2536

番号	識別コード	色 (⬭:割線有)	商品名(会社名)	一般名	規格単位	薬効	掲載ページ
50	SW AB50／50	白～淡黄	アカルボース錠50mg「サワイ」(沢井)	アカルボース	50mg 1錠	α-グルコシダーゼ阻害剤	6
	SW CM50	白	クラリスロマイシン錠50mg小児用「サワイ」(沢井)	クラリスロマイシン	50mg 1錠	マクロライド系抗生物質	1250
	SW CZ50	白	シベンゾリンコハク酸塩錠50mg「サワイ」(沢井)	シベンゾリンコハク酸塩	50mg 1錠	不整脈治療剤	1672
	SW ITD50／50	白　⬭	イトプリド塩酸塩錠50mg「サワイ」(沢井)	イトプリド塩酸塩	50mg 1錠	消化管運動賦活剤	447
	SW MG50 50	白　⬭	ミグリトールOD錠50mg「サワイ」(沢井)	ミグリトール	50mg 1錠	糖尿病食後過血糖改善剤	3834
	SW ML50／50	淡紅	ミルナシプラン塩酸塩錠50mg「サワイ」(沢井)	ミルナシプラン塩酸塩	50mg 1錠	セロトニン・ノルアドレナリン再取り込み阻害剤(SNRI)	3891
	SW240／50	白～微黄白	アロプリノール錠50mg「サワイ」(沢井)	アロプリノール	50mg 1錠	キサンチンオキシダーゼ阻害剤・高尿酸血症治療剤	363
	SW32／50	白　⬭	ロサルタンカリウム錠50mg「サワイ」(沢井)	ロサルタンカリウム	50mg 1錠	アンギオテンシンⅡ受容体拮抗剤	4481
	SW サルポグレラート50	白	サルポグレラート塩酸塩錠50mg「サワイ」(沢井)	サルポグレラート塩酸塩	50mg 1錠	5-HT₂ブロッカー	1538
	SWシロスタ50	白	シロスタゾールOD錠50mg「サワイ」(沢井)	シロスタゾール	50mg 1錠	抗血小板剤	1718
	SW セルトラリン50	白　⬭	セルトラリン錠50mg「サワイ」(沢井)	セルトラリン塩酸塩	50mg 1錠	選択的セロトニン再取り込み阻害剤(SSRI)	1894
	SWナフト／50 SWナフト50	黄白～淡黄⬭	ナフトピジルOD錠50mg「サワイ」(沢井)	ナフトピジル	50mg 1錠	排尿障害治療剤	2614
	SWミノドロン50	極薄赤	ミノドロン酸錠50mg「サワイ」(沢井)	ミノドロン酸水和物	50mg 1錠	骨粗鬆症治療剤	3875
	SX50€	灰青緑／淡橙	セルベックスカプセル50mg(エーザイ／EA)	テプレノン	50mg 1カプセル	テルペン系胃炎・胃潰瘍治療剤	2315
	t209 t209[50U]	橙	カリジノゲナーゼ錠50単位「NIG」(日医工岐阜／日医工／武田薬品)	カリジノゲナーゼ	50単位 1錠	循環系作用酵素	1124
	t252[50mg] 252	白	アテノロール錠50mg「NIG」(日医工岐阜／日医工／武田薬品)	アテノロール	50mg 1錠	β₁-遮断剤	115
	t503 50mg／ t503	青／白	ピルシカイニド塩酸塩カプセル50mg「NIG」(日医工岐阜／日医工／武田薬品)	ピルシカイニド塩酸塩水和物	50mg 1カプセル	不整脈治療剤	3041
	Tai TM-50	淡茶～灰褐	太虎堂の荊芥連翹湯エキス顆粒(太虎精堂)	荊芥連翹湯	1g	漢方製剤	4580
	tAP50 AP50	白	アロプリノール錠50mg「NIG」(日医工岐阜／日医工／武田薬品)	アロプリノール	50mg 1錠	キサンチンオキシダーゼ阻害剤・高尿酸血症治療剤	363
	tCZ[50mg] CZ50	白～微黄白	シロスタゾール錠50mg「NIG」(日医工岐阜／日医工／武田薬品)	シロスタゾール	50mg 1錠	抗血小板剤	1718
	TEフレカイニド 50	白	フレカイニド酢酸塩錠50mg「TE」(トーアエイヨー／フェルゼン／日本ジェネリック)	フレカイニド酢酸塩	50mg 1錠	不整脈治療剤	3352
	TF50 TTS-157	黄	フルボキサミンマレイン酸塩錠50mg「タカタ」(高田)	フルボキサミンマレイン酸塩	50mg 1錠	選択的セロトニン再取り込み阻害剤(SSRI)	3337
	tFE[50mg] FE	白	クエン酸第一鉄Na錠50mg「NIG」(日医工岐阜／日医工／武田薬品)	クエン酸第一鉄ナトリウム	鉄50mg 1錠	可溶性非イオン型鉄剤	1232
	THEO-DUR50	白	テオドール錠50mg(田辺三菱)	テオフィリン	50mg 1錠	キサンチン系気管支拡張剤	2195
	TKS50	白～微黄白	アロプリノール錠50mg「VTRS」(シオノギファーマ／ヴィアトリス)	アロプリノール	50mg 1錠	キサンチンオキシダーゼ阻害剤・高尿酸血症治療剤	363
	TO-082 50	白～淡黄	ユリノーム錠50mg(トーアエイヨー)	ベンズブロマロン	50mg 1錠	高尿酸血症改善剤	3643
	TPR237 t237[50mg]	灰青緑／淡橙	テプレノンカプセル50mg「日医工P」(日医工ファーマ／日医工)	テプレノン	50mg 1カプセル	テルペン系胃炎・胃潰瘍治療剤	2315
	TREゾニサミド OD50サワイ	微黄白～淡黄白	ゾニサミドOD錠50mgTRE「サワイ」(沢井)	ゾニサミド〔抗パーキンソン病治療剤〕	50mg 1錠	レボドパ賦活型パーキンソン病治療剤	1935
	TS95／50	淡黄白～淡黄	リルゾール錠50mg「ニプロ」(ニプロES)	リルゾール	50mg 1錠	筋萎縮性側索硬化症用剤	4298
	TSU255／50	白	シロスタゾールOD錠50mg「ツルハラ」(鶴原)	シロスタゾール	50mg 1錠	抗血小板剤	1718
	TSU316／50	白　⬭	セルトラリン錠50mg「ツルハラ」(鶴原)	セルトラリン塩酸塩	50mg 1錠	選択的セロトニン再取り込み阻害剤(SSRI)	1894
	TSU923／ 50 12.5	白～微黄白	ロサルヒド配合錠LD「ツルハラ」(鶴原)	ロサルタンカリウム・ヒドロクロロチアジド	1錠	持続性アンギオテンシンⅡ受容体拮抗剤・利尿剤合剤	4483
	TTS253／50 TTS-253	白	クエチアピン錠50mg「タカタ」(高田)	クエチアピンフマル酸塩	50mg 1錠	抗精神病、D₂・5-HT₂拮抗剤	1225
	TTS257／50 TTS-257	白	スマトリプタン錠50mg「タカタ」(高田)	スマトリプタン	50mg 1錠	5-HT₁ᴮ/₁ᴅ受容体作動型片頭痛治療剤	1768
	TTS354 50mg TTS354	青／白	フルコナゾールカプセル50mg「タカタ」(高田)	フルコナゾール	50mg 1カプセル	トリアゾール系抗真菌剤	3298
	TTS502／50 TTS-502	白	サルポグレラート塩酸塩錠50mg「タカタ」(高田)	サルポグレラート塩酸塩	50mg 1錠	5-HT₂ブロッカー	1538

番号	識別コード	色 (◐：割線有)	商品名(会社名)	一般名	規格単位	薬効	掲載ページ
50	TTS531／50 TTS-531	白　◐	ロサルタンK錠50mg「タカタ」(高田)	ロサルタンカリウム	50mg 1錠	アンギオテンシンⅡ受容体拮抗剤	4481
	Tu TP・50	青／白	ピルシカイニド塩酸塩カプセル50mg「TCK」(辰巳化学)	ピルシカイニド塩酸塩水和物	50mg 1カプセル	不整脈治療剤	3041
	TU142／50	白　◐	ナフトピジルOD錠50mg「TCK」(辰巳化学)	ナフトピジル	50mg 1錠	排尿障害治療剤	2614
	TU175／50	白	セルトラリン錠50mg「TCK」(辰巳化学／フェルゼン)	セルトラリン塩酸塩	50mg 1錠	選択的セロトニン再取り込み阻害剤(SSRI)	1894
	TU252／50	白　◐	ロサルタンカリウム錠50mg「TCK」(辰巳化学)	ロサルタンカリウム	50mg 1錠	アンギオテンシンⅡ受容体拮抗剤	4481
	Tu-LA50	淡黄～黄	ソファルコン錠50mg「TCK」(辰巳化学)	ソファルコン	50mg 1錠	胃炎・消化性潰瘍治療剤	1939
	TV S50	淡赤白	シルデナフィル錠50mgVI「NIG」(日医工岐阜／日医工／武田薬品)	シルデナフィルクエン酸塩	50mg 1錠	ホスホジエステラーゼ5阻害剤	1709
	TV VZ1／50	白	ボリコナゾール錠50mg「NIG」(日医工岐阜／日医工／武田薬品)	ボリコナゾール	50mg 1錠	トリアゾール系抗真菌剤	3755
	TV NP2／50	白　◐	ナフトピジルOD錠50mg「NIG」(日医工岐阜／日医工／武田薬品)	ナフトピジル	50mg 1錠	排尿障害治療剤	2614
	Tw073／50	白　◐	ナフトピジル錠50mg「トーワ」(東和薬品)	ナフトピジル	50mg 1錠	排尿障害治療剤	2614
	Tw333／50	白～微黄白	アロプリノール錠50mg「トーワ」(東和薬品)	アロプリノール	50mg 1錠	キサンチンオキシダーゼ阻害剤・高尿酸血症治療剤	363
	Tw376／50	白　◐	ロサルタンK錠50mg「トーワ」(東和薬品)	ロサルタンカリウム	50mg 1錠	アンギオテンシンⅡ受容体拮抗剤	4481
	Tw741／50	白	サルポグレラート塩酸塩錠50mg「トーワ」(東和薬品)	サルポグレラート塩酸塩	50mg 1錠	5-HT$_2$ブロッカー	1538
	Tw／AS50 Tw.AS50	白	ラベタロール塩酸塩錠50mg「トーワ」(東和薬品)	ラベタロール塩酸塩	50mg 1錠	α_1, β-遮断剤	4110
	Tw／M50 TwM50	黄～暗黄	ミノサイクリン塩酸塩錠50mg「トーワ」(東和薬品)	ミノサイクリン塩酸塩	50mg 1錠	テトラサイクリン系抗生物質	3871
	Tw／TM50 Tw.TM50	白	アテノロール錠50mg「トーワ」(東和薬品)	アテノロール	50mg 1錠	β_1-遮断剤	115
	TwU01／50	白	ウルソデオキシコール酸錠50mg「トーワ」(東和薬品)	ウルソデオキシコール酸	50mg 1錠	肝・胆・消化機能改善剤	659
	TYP50	淡赤　◐	マドパー配合錠L50 (太陽ファルマ)	レボドパ・ベンセラジド塩酸塩	1錠	パーキンソニズム治療剤	4422
	TZ224／50	白　◐	チラーヂンS錠50μg (あすか／武田薬品)	レボチロキシンナトリウム水和物	50μg 1錠	甲状腺ホルモン	4411
	u50	黄	ブリィビアクト錠50mg (ユーシービー)	ブリーバラセタム	50mg 1錠	抗てんかん剤	3278
	US[50mg] US50	白	ウルソデオキシコール酸錠50mg「NIG」(日医工岐阜／日医工／武田薬品)	ウルソデオキシコール酸	50mg 1錠	肝・胆・消化機能改善剤	659
	VIAGRA／ VGR50 VIAGRA VGR50	青	バイアグラ錠50mg (ヴィアトリス)	シルデナフィルクエン酸塩	50mg 1錠	ホスホジエステラーゼ5阻害剤	1709
	XR50	薄黄みの赤	ビプレッソ徐放錠50mg (共和薬品)	クエチアピンフマル酸塩	50mg 1錠	抗精神病, D_2・5-HT$_2$拮抗剤	1225
	Y CF50 Y-CF50	白	クロフェクトン錠50mg (田辺三菱)	クロカプラミン塩酸塩水和物	50mg 1錠	精神神経安定剤	1302
	Y CO50 Y-CO50	淡黄	コントミン糖衣錠50mg (田辺三菱)	クロルプロマジン	50mg 1錠	フェノチアジン系精神安定剤	1379
	Y CR50 Y-CR50	青	クレミン錠50mg (田辺三菱)	モサプラミン塩酸塩	50mg 1錠	イミノジベンジル系精神神経安定剤	4012
	Y LV50／50 Y-LV50	白　◐	レボトミン錠50mg (田辺三菱)	レボメプロマジン	50mg 1錠	フェノチアジン系精神安定剤	4443
	YD211／50	青　◐	シルデナフィル錠50mgVI「YD」(陽進堂)	シルデナフィルクエン酸塩	50mg 1錠	ホスホジエステラーゼ5阻害剤	1709
	YD275／50	白	セルトラリン錠50mg「YD」(陽進堂)	セルトラリン塩酸塩	50mg 1錠	選択的セロトニン再取り込み阻害剤(SSRI)	1894
	YD848／50	白　◐	ロサルタンカリウム錠50mg「YD」(陽進堂)	ロサルタンカリウム	50mg 1錠	アンギオテンシンⅡ受容体拮抗剤	4481
	YP-LXT50	無透明(淡褐)	ロキソプロフェンNaテープ50mg「ユートク」(祐徳薬品)	ロキソプロフェンナトリウム水和物	7cm×10cm 1枚	プロピオン酸系消炎鎮痛剤	4473
	ZE74／50	白　◐	ロサルタンカリウム錠50mg「ZE」(全星薬品工業／全星薬品)	ロサルタンカリウム	50mg 1錠	アンギオテンシンⅡ受容体拮抗剤	4481
	ZNC215／50 ZNC215：50	白	テノーミン錠50 (太陽ファルマ)	アテノロール	50mg 1錠	β_1-遮断剤	115
	Ⓢ132 50	白～帯黄白◐	イルベタン錠50mg (シオノギファーマ／塩野義)	イルベサルタン	50mg 1錠	長時間作用型アンギオテンシンⅡ受容体拮抗剤	522
	Ⓝ133 Ⓝ133／50	白　◐	トラマールOD錠50mg (日本新薬)	トラマドール塩酸塩	50mg 1錠	フェノールエーテル系鎮痛剤	2488

番号	識別コード	色 (①：割線有)	商品名(会社名)	一般名	規格単位	薬効	掲載ページ
50	△308 50 △308	黄	50mgアリナミンF糖衣錠(武田テバ薬品/武田薬品)	フルスルチアミン	50mg 1錠	活性型ビタミンB$_1$	3304
	ch417/50 ch417	黄	フルボキサミンマレイン酸塩錠50mg「CH」(長生堂/日本ジェネリック)	フルボキサミンマレイン酸塩	50mg 1錠	選択的セロトニン再取り込み阻害剤(SSRI)	3337
	Lilly 50/6902 Lilly 6902	青	ジャイパーカ錠50mg(日本イーライリリー/日本新薬)	ピルトブルチニブ	50mg 1錠	抗悪性腫瘍剤 可逆的非共有結合型BTK阻害剤	3051
	℧GPL50	橙透明	シーブリ吸入用カプセル50μg(ノバルティス)	グリコピロニウム臭化物	50μg 1カプセル	長時間作用型吸入気管支拡張剤	1260
	△IGM150-50-160 △・IGM150-50-160	緑透明/無透明	エナジア吸入用カプセル高用量(ノバルティス)	インダカテロール酢酸塩・グリコピロニウム臭化物・モメタゾンフランカルボン酸エステル	1カプセル	3成分配合喘息治療剤	593
	△IGM150-50-80 △・IGM150-50-80	緑透明/無透明	エナジア吸入用カプセル中用量(ノバルティス)	インダカテロール酢酸塩・グリコピロニウム臭化物・モメタゾンフランカルボン酸エステル	1カプセル	3成分配合喘息治療剤	593
	ⓐL50	黄	ルボックス錠50(アッヴィ)	フルボキサミンマレイン酸塩	50mg 1錠	選択的セロトニン再取り込み阻害剤(SSRI)	3337
	⚘LGX50mg	赤褐/薄紫赤	ビラフトビカプセル50mg(小野薬品)	エンコラフェニブ	50mg 1カプセル	抗悪性腫瘍剤・BRAF阻害剤	907
	Pfizer RCB50 RCB50	淡青/淡黄	リットフーロカプセル50mg(ファイザー)	リトレシチニブトシル酸塩	50mg 1カプセル	JAK3/TECファミリーキナーゼ阻害剤	4243
	ch-RZ50 ch-RZ50	青/白	ピルシカイニド塩酸塩カプセル50mg「CH」(長生堂/日本ジェネリック)	ピルシカイニド塩酸塩水和物	50mg 1カプセル	不整脈治療剤	3041
	ch-SE50 ch-SE	白	スプラタストトシル酸塩カプセル50mg「JG」(長生堂/日本ジェネリック)	スプラタストトシル酸塩	50mg 1カプセル	アレルギー性疾患治療剤	1762
	Ⓚ/SF50 ⓀSF50	青	シルデナフィル錠50mgVI「キッセイ」(キッセイ)	シルデナフィルクエン酸塩	50mg 1錠	ホスホジエステラーゼ5阻害剤	1709
	n SU50 n 342	白	ジラゼプ塩酸塩錠50mg「日医工」(日医工)	ジラゼプ塩酸塩水和物	50mg 1錠	心・腎疾患治療剤	1700
	⊂TE/50 ⊂TE50	白	テオロング錠50mg(エーザイ)	テオフィリン	50mg 1錠	キサンチン系気管支拡張剤	2195
	Pfizer/VOR50 Pfizer VOR50	白	ブイフェンド錠50mg(ファイザー)	ボリコナゾール	50mg 1錠	トリアゾール系抗真菌剤	3755
	酢酸亜鉛50サワイ	白 ①	酢酸亜鉛錠50mg「サワイ」(沢井)	酢酸亜鉛水和物	50mg 1錠	ウィルソン病治療剤(銅吸収阻害剤)・低亜鉛血症治療剤	1501
	アイピーディ50 TC440	白	アイピーディカプセル50(大鵬薬品)	スプラタストトシル酸塩	50mg 1カプセル	アレルギー性疾患治療剤	1762
	アバプロ50	白~帯黄白①	アバプロ錠50mg(住友ファーマ)	イルベサルタン	50mg 1錠	長時間作用型アンギオテンシンⅡブロッカー	522
	アンプラーグ50	白	アンプラーグ錠50mg(田辺三菱)	サルポグレラート塩酸塩	50mg 1錠	5-HT$_2$ブロッカー	1538
	イトラコナゾール50mg SW	淡黄	イトラコナゾールカプセル50mg「SW」(沢井/日本ケミファ)	イトラコナゾール	50mg 1カプセル	トリアゾール系抗真菌剤	448
	イルベ50/ イルベ50サルタンODトーワ	白 ①	イルベサルタンOD錠50mg「トーワ」(東和薬品)	イルベサルタン	50mg 1錠	長時間作用型アンギオテンシンⅡ受容体拮抗剤	522
	イルベサルタン50 KMP	白~帯黄白①	イルベサルタン錠50mg「KMP」(共創未来)	イルベサルタン	50mg 1錠	長時間作用型アンギオテンシンⅡ受容体拮抗剤	522
	イルベサルタン50 SW	白~帯黄白①	イルベサルタン錠50mg「サワイ」(沢井)	イルベサルタン	50mg 1錠	長時間作用型アンギオテンシンⅡ受容体拮抗剤	522
	イルベサルタン50 日医工/ イルベサルタン n 128	白~帯黄白①	イルベサルタン錠50mg「日医工」(日医工)	イルベサルタン	50mg 1錠	長時間作用型アンギオテンシンⅡ受容体拮抗剤	522
	イルベサルタン50 オーハラ	白~帯黄白①	イルベサルタン錠50mg「オーハラ」(大原薬品)	イルベサルタン	50mg 1錠	長時間作用型アンギオテンシンⅡ受容体拮抗剤	522
	イルベサルタン50 ケミファ	白~帯黄白①	イルベサルタン錠50mg「ケミファ」(日本ケミファ)	イルベサルタン	50mg 1錠	長時間作用型アンギオテンシンⅡ受容体拮抗剤	522
	イルベサルタン50 ニプロ	白~帯黄白①	イルベサルタン錠50mg「ニプロ」(ニプロ)	イルベサルタン	50mg 1錠	長時間作用型アンギオテンシンⅡ受容体拮抗剤	522
	イルベサルタン OD50JG	白~帯黄白①	イルベサルタンOD錠50mg「JG」(日本ジェネリック)	イルベサルタン	50mg 1錠	長時間作用型アンギオテンシンⅡ受容体拮抗剤	522
	イルベサルタン OD50オーハラ	白~帯黄白①	イルベサルタンOD錠50mg「オーハラ」(大原薬品)	イルベサルタン	50mg 1錠	長時間作用型アンギオテンシンⅡ受容体拮抗剤	522
	エドルミズ50	薄黄	エドルミズ錠50mg(小野薬品)	アナモレリン塩酸塩	50mg 1錠	グレリン様作用薬	149
	エプレレ50杏林	淡赤	エプレレノン錠50mg「杏林」(キョーリンリメディオ/杏林)	エプレレノン	50mg 1錠	選択的ミネラルコルチコイド受容体拮抗薬	807
	エベレンゾ50	淡黄赤	エベレンゾ錠50mg(アステラス)	ロキサデュスタット	50mg 1錠	HIF-PH阻害剤・腎性貧血治療薬	4469
	エペリゾン50 日医工	白	エペリゾン塩酸塩錠50mg「日医工」(日医工)	エペリゾン塩酸塩	50mg 1錠	γ-系筋緊張・循環改善剤	811
	エペリゾン50 トーワ	白	エペリゾン塩酸塩錠50mg「トーワ」(東和薬品)	エペリゾン塩酸塩	50mg 1錠	γ-系筋緊張・循環改善剤	811
	カルナクリン50	橙	カルナクリン錠50(三和化学)	カリジノゲナーゼ	50単位 1錠	循環系作用酵素	1124

番号	識別コード	色 (Ⓢ:割線有)	商品名(会社名)	一般名	規格単位	薬効	掲載ページ
50	クラリシッド50	白	クラリシッド錠50mg小児用(日本ケミファ)	クラリスロマイシン	50mg 1錠	マクロライド系抗生物質	1250
	クロピドグレル50 NP	白～微黄白	クロピドグレル錠50mg「NP」(ニプロES)	クロピドグレル硫酸塩	50mg 1錠	抗血小板剤	1317
	クロピドグレル50 SW	白～微黄白	クロピドグレル錠50mg「サワイ」(沢井)	クロピドグレル硫酸塩	50mg 1錠	抗血小板剤	1317
	クロピドグレル50 TCK	白～微黄白	クロピドグレル錠50mg「TCK」(辰巳化学)	クロピドグレル硫酸塩	50mg 1錠	抗血小板剤	1317
	クロピドグレル50 明治	白～微黄白	クロピドグレル錠50mg「明治」(高田／Meファルマ)	クロピドグレル硫酸塩	50mg 1錠	抗血小板剤	1317
	クロピドグレル50 TS50	白～微黄白	クロピドグレル錠50mg「タナベ」(ニプロES)	クロピドグレル硫酸塩	50mg 1錠	抗血小板剤	1317
	サクサンアエンノーベル50／サクサンアエン50ノーベル	白 Ⓢ	酢酸亜鉛錠50mg「ノーベル」(ダイト)	酢酸亜鉛水和物	50mg 1錠	ウィルソン病治療剤(銅吸収阻害剤)・低亜鉛血症治療剤	1501
	サリドマイドサレド50	青／白	サレドカプセル50(藤本)	サリドマイド	50mg 1カプセル	多発性骨髄腫治療剤／らい性結節性紅斑治療剤／クロウ・深瀬(POEMS)症候群治療剤	1526
	サルポグレラート50 JG	白	サルポグレラート塩酸塩錠50mg「JG」(日本ジェネリック)	サルポグレラート塩酸塩	50mg 1錠	5-HT₂ブロッカー	1538
	サルポグレラート50 オーハラ	白	サルポグレラート塩酸塩錠50mg「オーハラ」(大原薬品／エッセンシャル)	サルポグレラート塩酸塩	50mg 1錠	5-HT₂ブロッカー	1538
	サワイセフジニル50	淡赤	セフジニル錠50mg「サワイ」(沢井)	セフジニル	50mg 1錠	セフェム系抗生物質	1850
	シクロスポリン50 トーワ	淡黄白	シクロスポリンカプセル50mg「トーワ」(東和薬品)	シクロスポリン	50mg 1カプセル	免疫抑制剤	1570
	シクロスポリンBMD50mg BMD33	淡黄白	シクロスポリンカプセル50mg「BMD」(ビオメディクス／フェルゼン／富士製薬／日本ジェネリック)	シクロスポリン	50mg 1カプセル	免疫抑制剤	1570
	シタフロ50SW	白～微黄白	シタフロキサシン錠50mg「サワイ」(沢井)	シタフロキサシン水和物	50mg 1錠	ニューキノロン系抗菌剤	1618
	シベノール50	白	シベノール錠50mg(トーアエイヨー)	シベンゾリンコハク酸塩	50mg 1錠	不整脈治療剤	1672
	シルデナ50／シルデナフィルOD50トーワ	白 Ⓢ	シルデナフィルOD錠50mgVI「トーワ」(東和薬品)	シルデナフィルクエン酸塩	50mg 1錠	ホスホジエステラーゼ5阻害剤	1709
	シロスタゾールOD50日医工 ⓝ985	白	シロスタゾールOD錠50mg「日医工」(日医工)	シロスタゾール	50mg 1錠	抗血小板剤	1718
	シロスタゾールOD50タカタ	白	シロスタゾールOD錠50mg「タカタ」(高田／三和化学)	シロスタゾール	50mg 1錠	抗血小板剤	1718
	シロスタゾールOD50トーワ	白	シロスタゾールOD錠50mg「トーワ」(東和薬品)	シロスタゾール	50mg 1錠	抗血小板剤	1718
	ジェイゾロフト50	白 Ⓢ	ジェイゾロフト錠50mg(ヴィアトリス)	セルトラリン塩酸塩	50mg 1錠	選択的セロトニン再取り込み阻害剤(SSRI)	1894
	ジェイゾロフトOD50	白 Ⓢ	ジェイゾロフトOD錠50mg(ヴィアトリス)	セルトラリン塩酸塩	50mg 1錠	選択的セロトニン再取り込み阻害剤(SSRI)	1894
	スーグラ50	淡紫	スーグラ錠50mg(アステラス)	イプラグリフロジン・L-プロリン	50mg 1錠	選択的SGLT2阻害剤・糖尿病治療剤	481
	スプラタスト50mg SW-148 SW-148	白	スプラタストトシル酸塩カプセル50mg「サワイ」(沢井)	スプラタストトシル酸塩	50mg 1カプセル	アレルギー性疾患治療剤	1762
	スマイラフ50	黄	スマイラフ錠50mg(アステラス)	ペフィシチニブ臭化水素酸塩	50mg 1錠	ヤヌスキナーゼ(JAK)阻害剤	3548
	スルピリド50ch	白	スルピリド錠50mg「CH」(長生堂／日本ジェネリック)	スルピリド	50mg 1錠	ベンザミド系抗潰瘍・精神安定剤	1777
	セフスパン50mg	淡橙	セフスパンカプセル50mg(長生堂／日本ジェネリック)	セフィキシム水和物	50mg 1カプセル	セフェム系抗生物質	1833
	セフゾン50mgLT	淡赤	セフゾンカプセル50mg(LTL)	セフジニル	50mg 1カプセル	セフェム系抗生物質	1850
	セルトラリン50 DSEP	白 Ⓢ	セルトラリン錠50mg「DSEP」(第一三共エスファ)	セルトラリン塩酸塩	50mg 1錠	選択的セロトニン再取り込み阻害剤(SSRI)	1894
	セルトラリン50 杏林	白	セルトラリン錠50mg「杏林」(キョーリンリメディオ／杏林)	セルトラリン塩酸塩	50mg 1錠	選択的セロトニン再取り込み阻害剤(SSRI)	1894
	セルトラリン50 明治	白 Ⓢ	セルトラリン錠50mg「明治」(Meiji Seika)	セルトラリン塩酸塩	50mg 1錠	選択的セロトニン再取り込み阻害剤(SSRI)	1894
	セルトラリン50 科研 DK539	白 Ⓢ	セルトラリン錠50mg「科研」(ダイト／科研)	セルトラリン塩酸塩	50mg 1錠	選択的セロトニン再取り込み阻害剤(SSRI)	1894
	セルトラリン50 NP セルトラリン50 NP	白 Ⓢ	セルトラリン錠50mg「NP」(ニプロES)	セルトラリン塩酸塩	50mg 1錠	選択的セロトニン再取り込み阻害剤(SSRI)	1894
	セルトラリン50 アメル／50アメルセルトラリン	白～帯黄白 Ⓢ	セルトラリン錠50mg「アメル」(共和薬品)	セルトラリン塩酸塩	50mg 1錠	選択的セロトニン再取り込み阻害剤(SSRI)	1894

番号	識別コード	色 (Ⓘ:割線有)	商品名(会社名)	一般名	規格単位	薬効	掲載ページ
50	セルトラリン50 ケミファ	白　Ⓘ	セルトラリン錠50mg「ケミファ」(日本ケミファ)	セルトラリン塩酸塩	50mg 1錠	選択的セロトニン再取り込み阻害剤(SSRI)	1894
	セルトラリン50 サンド	白　　Ⓘ	セルトラリン錠50mg「サンド」(サンド)	セルトラリン塩酸塩	50mg 1錠	選択的セロトニン再取り込み阻害剤(SSRI)	1894
	セルトラリン50 トーワ	白	セルトラリン錠50mg「トーワ」(東和薬品)	セルトラリン塩酸塩	50mg 1錠	選択的セロトニン再取り込み阻害剤(SSRI)	1894
	セルトラリン OD50トーワ	白	セルトラリンOD錠50mg「トーワ」(東和薬品)	セルトラリン塩酸塩	50mg 1錠	選択的セロトニン再取り込み阻害剤(SSRI)	1894
	ゾニサ50 NSゾニサミド TRE50	微黄白～淡黄白　Ⓘ	ゾニサミドOD錠50mgTRE「日新」(日新)	ゾニサミド〔抗パーキンソン病治療剤〕	50mg 1錠	レボドパ賦活型パーキンソン病治療剤	1935
	ゾニサミド 50TRE／ ゾニサミドOD日医工	白～帯黄白Ⓘ	ゾニサミドOD錠50mgTRE「日医工」(日医工／武田薬品)	ゾニサミド〔抗パーキンソン病治療剤〕	50mg 1錠	レボドパ賦活型パーキンソン病治療剤	1935
	ゾニサミド OD ZE50TRE ゾニサミド OD ZE50 ゾニサミド OD TRE50	微黄白～淡黄白　Ⓘ	ゾニサミドOD錠50mgTRE「ZE」(全星薬品工業／全星薬品)	ゾニサミド〔抗パーキンソン病治療剤〕	50mg 1錠	レボドパ賦活型パーキンソン病治療剤	1935
	ゾニサミドOD50	微黄白　Ⓘ	ゾニサミドOD錠50mgTRE「KO」(寿)	ゾニサミド〔抗パーキンソン病治療剤〕	50mg 1錠	レボドパ賦活型パーキンソン病治療剤	1935
	ゾニサミドOD50／ 50ゾニサミドサンド	微黄白～淡黄白　Ⓘ	ゾニサミドOD錠50mgTRE「サンド」(サンド)	ゾニサミド〔抗パーキンソン病治療剤〕	50mg 1錠	レボドパ賦活型パーキンソン病治療剤	1935
	ゾニサミドOD50 TRE杏林	微黄白～淡黄白　Ⓘ	ゾニサミドOD錠50mgTRE「杏林」(キョーリンリメディオ／杏林)	ゾニサミド〔抗パーキンソン病治療剤〕	50mg 1錠	レボドパ賦活型パーキンソン病治療剤	1935
	ゾニサミドOD50 TREニプロ	微黄白～淡黄白　Ⓘ	ゾニサミドOD錠50mgTRE「ニプロ」(ニプロ)	ゾニサミド〔抗パーキンソン病治療剤〕	50mg 1錠	レボドパ賦活型パーキンソン病治療剤	1935
	ゾニサミドOD50 ゾニサミドSMPP	微黄白～淡黄白　Ⓘ	ゾニサミドOD錠50mgTRE「SMPP」(住友プロモ／住友ファーマ)	ゾニサミド〔抗パーキンソン病治療剤〕	50mg 1錠	レボドパ賦活型パーキンソン病治療剤	1935
	ゾニサミドOD50 ケミファ	微黄白～淡黄白　Ⓘ	ゾニサミドOD錠50mgTRE「ケミファ」(日本ケミファ)	ゾニサミド〔抗パーキンソン病治療剤〕	50mg 1錠	レボドパ賦活型パーキンソン病治療剤	1935
	ゾニサミドOD50／ ゾニサミドOD50 ダイト	微黄白～淡黄白　Ⓘ	ゾニサミドOD錠50mgTRE「ダイト」(ダイト／共創未来)	ゾニサミド〔抗パーキンソン病治療剤〕	50mg 1錠	レボドパ賦活型パーキンソン病治療剤	1935
	ゾニサミドOD50／ ゾニサミドOD50 フェルゼン	微黄白～淡黄白　Ⓘ	ゾニサミドOD錠50mgTRE「フェルゼン」(フェルゼン)	ゾニサミド〔抗パーキンソン病治療剤〕	50mg 1錠	レボドパ賦活型パーキンソン病治療剤	1935
	ゾニサミドTRE OD50EP	微黄白～淡黄白　Ⓘ	ゾニサミドOD錠50mgTRE「DSEP」(第一三共エスファ)	ゾニサミド〔抗パーキンソン病治療剤〕	50mg 1錠	レボドパ賦活型パーキンソン病治療剤	1935
	ダサチニブ50	白～微黄白	ダサチニブ錠50mg「NK」(日本化薬)	ダサチニブ	50mg 1錠	抗悪性腫瘍剤・チロシンキナーゼ阻害剤	2014
	ダサチニブ50JG	白～微黄白	ダサチニブ錠50mg「JG」(日本ジェネリック)	ダサチニブ	50mg 1錠	抗悪性腫瘍剤・チロシンキナーゼ阻害剤	2014
	ダサチニブ50 サワイ	白～微黄白	ダサチニブ錠50mg「サワイ」(沢井)	ダサチニブ	50mg 1錠	抗悪性腫瘍剤・チロシンキナーゼ阻害剤	2014
	ダサチニブ50 トーワ	白	ダサチニブ錠50mg「トーワ」(東和薬品)	ダサチニブ	50mg 1錠	抗悪性腫瘍剤・チロシンキナーゼ阻害剤	2014
	チアプリド50JG	白～微帯黄白	チアプリド錠50mg「JG」(長生堂／日本ジェネリック)	チアプリド塩酸塩	50mg 1錠	ベンザミド系精神・ジスキネジア改善剤	2133
	ツートラム50	淡黄／白	ツートラム錠50mg(日本臓器)	トラマドール塩酸塩	50mg 1錠	フェノールエーテル系鎮痛剤	2488
	ツムラ/50	黄褐	ツムラ荊芥連翹湯エキス顆粒(医療用)(ツムラ)	荊芥連翹湯	1g	漢方製剤	4580
	テプレノン 50mg SW-505 SW-505	灰青緑／淡橙	テプレノンカプセル50mg「サワイ」(沢井)	テプレノン	50mg 1カプセル	テルペン系胃炎・胃潰瘍治療剤	2315
	トラマドール OD50 KO91	白　　Ⓘ	トラマドール塩酸塩OD錠50mg「KO」(寿)	トラマドール塩酸塩	50mg 1錠	フェノールエーテル系鎮痛剤	2488
	トレリーフOD50	微黄白～淡黄白	トレリーフOD錠50mg(住友ファーマ)	ゾニサミド〔抗パーキンソン病治療剤〕	50mg 1錠	レボドパ賦活型パーキンソン病治療剤	1935
	ドグマチール50	白～帯黄白	ドグマチール錠50mg(日医工)	スルピリド	50mg 1錠	ベンザミド系抗潰瘍・精神安定剤	1777
	ドグマチール50mg	白	ドグマチールカプセル50mg(日医工)	スルピリド	50mg 1カプセル	ベンザミド系抗潰瘍・精神安定剤	1777
	ナフトピ50／ ナフトピジルOD50 トーワ	淡黄　Ⓘ	ナフトピジルOD錠50mg「トーワ」(東和薬品)	ナフトピジル	50mg 1錠	排尿障害治療剤	2614
	ナフトピジル50 杏林	白　　Ⓘ	ナフトピジル錠50mg「杏林」(キョーリンリメディオ／杏林)	ナフトピジル	50mg 1錠	排尿障害治療剤	2614
	ナフトピジル50 日医工 ⓝ241	白　　Ⓘ	ナフトピジル錠50mg「日医工」(日医工)	ナフトピジル	50mg 1錠	排尿障害治療剤	2614
	ナフトピジル50 タカタ	白　　Ⓘ	ナフトピジル錠50mg「タカタ」(高田)	ナフトピジル	50mg 1錠	排尿障害治療剤	2614

番号	識別コード	色 (◐:割線有)		商品名(会社名)	一般名	規格単位	薬効	掲載 ページ
50	ナフトピジル OD50EE	白		ナフトピジルOD錠50mg「EE」(エルメッド/日医工)	ナフトピジル	50mg 1錠	排尿障害治療剤	2614
	ナフトピジル OD50日医工 ⓝ411	白	◐	ナフトピジルOD錠50mg「日医工」(日医工)	ナフトピジル	50mg 1錠	排尿障害治療剤	2614
	ナフトピジル OD50タカタ	白	◐	ナフトピジルOD錠50mg「タカタ」(高田)	ナフトピジル	50mg 1錠	排尿障害治療剤	2614
	ナフトピジル OD50タナベ TS112	白	◐	ナフトピジルOD錠50mg「タナベ」(ニプロES)	ナフトピジル	50mg 1錠	排尿障害治療剤	2614
	ナフトピジル OD50ニプロ	白	◐	ナフトピジルOD錠50mg「ニプロ」(ニプロES)	ナフトピジル	50mg 1錠	排尿障害治療剤	2614
	ナフトピジル ODフソー50	白	◐	ナフトピジルOD錠50mg「フソー」(シオノ/扶桑薬品)	ナフトピジル	50mg 1錠	排尿障害治療剤	2614
	ナフトピジル YD OD50 YD617	白		ナフトピジルOD錠50mg「YD」(陽進堂)	ナフトピジル	50mg 1錠	排尿障害治療剤	2614
	ナフトピジル YD50 YD543	白		ナフトピジル錠50mg「YD」(陽進堂)	ナフトピジル	50mg 1錠	排尿障害治療剤	2614
	ノベルジン50 NPC98	白	◐	ノベルジン錠50mg(ノーベルファーマ)	酢酸亜鉛水和物	50mg 1錠	ウィルソン病治療剤(銅吸収阻害剤)・低亜鉛血症治療剤	1501
	バルネチール50	白		バルネチール錠50(共和薬品)	スルトプリド塩酸塩	50mg 1錠	ベンザミド系抗精神病剤	1775
	ピルシカイニド50mg SW-924 SW-924	青/白		ピルシカイニド塩酸塩カプセル50mg「サワイ」(沢井)	ピルシカイニド塩酸塩水和物	50mg 1カプセル	不整脈治療剤	3041
	フルコナゾール50mg SW-884 SW-884	白		フルコナゾールカプセル50mg「サワイ」(沢井)	フルコナゾール	50mg 1カプセル	トリアゾール系抗真菌剤	3298
	フレカイニド50 VTRS	白		フレカイニド酢酸塩錠50mg「VTRS」(ヴィアトリス・ヘルスケア/ヴィアトリス)	フレカイニド酢酸塩	50mg 1錠	不整脈治療剤	3352
	プレガバリン50／ OD日医工 プレガバリン50 OD日医工	白	◐	プレガバリンOD錠50mg「日医工」(日医工)	プレガバリン	50mg 1錠	疼痛治療剤(神経障害性疼痛・線維筋痛症)	3355
	プレガバリンOD ⓣ50	白		プレガバリンOD錠50mg「武田テバ」(武田テバファーマ/武田薬品)	プレガバリン	50mg 1錠	疼痛治療剤(神経障害性疼痛・線維筋痛症)	3355
	プレガバリンOD 三笠50	白	◐	プレガバリンOD錠50mg「三笠」(三笠)	プレガバリン	50mg 1錠	疼痛治療剤(神経障害性疼痛・線維筋痛症)	3355
	プレガバリン YD OD50 YD637	白	◐	プレガバリンOD錠50mg「YD」(陽進堂)	プレガバリン	50mg 1錠	疼痛治療剤(神経障害性疼痛・線維筋痛症)	3355
	プレタール50	白		プレタールOD錠50mg(大塚)	シロスタゾール	50mg 1錠	抗血小板剤	1718
	プロカルバジン50mg	淡黄		塩酸プロカルバジンカプセル50mg「TYP」(太陽ファルマ)	プロカルバジン塩酸塩	50mg 1カプセル	抗悪性腫瘍剤	3391
	ベタニス50	黄		ベタニス錠50mg(アステラス)	ミラベグロン	50mg 1錠	選択的β₃-アドレナリン受容体作動性過活動膀胱治療剤	3880
	ベプリジル50TE	白	◐	ベプリジル塩酸塩錠50mg「TE」(トーアエイヨー)	ベプリジル塩酸塩水和物	50mg 1錠	不整脈・狭心症治療剤	3552
	ボノテオ50	極薄赤		ボノテオ錠50mg(アステラス)	ミノドロン酸水和物	50mg 1錠	骨粗鬆症治療剤	3875
	ボリコナ50／ ボリコナゾール50 トーワ	白	◐	ボリコナゾール錠50mg「トーワ」(東和薬品)	ボリコナゾール	50mg 1錠	トリアゾール系抗真菌剤	3755
	ボリコナゾール50 DSEP	白		ボリコナゾール錠50mg「DSEP」(第一三共エスファ)	ボリコナゾール	50mg 1錠	トリアゾール系抗真菌剤	3755
	ボリコナゾール50 JG	白		ボリコナゾール錠50mg「JG」(日本ジェネリック)	ボリコナゾール	50mg 1錠	トリアゾール系抗真菌剤	3755
	ボリコナゾール50 アメル	白		ボリコナゾール錠50mg「アメル」(共和薬品)	ボリコナゾール	50mg 1錠	トリアゾール系抗真菌剤	3755
	ボリコナゾール50 タカタ	白		ボリコナゾール錠50mg「タカタ」(高田)	ボリコナゾール	50mg 1錠	トリアゾール系抗真菌剤	3755
	ミグリ50／ 50ミグリトールOD トーワ	微黄白	◐	ミグリトールOD錠50mg「トーワ」(東和薬品)	ミグリトール	50mg 1錠	糖尿病食後過血糖改善剤	3834
	ミグリトール50 JG	白	◐	ミグリトール錠50mg「JG」(日本ジェネリック)	ミグリトール	50mg 1錠	糖尿病食後過血糖改善剤	3834
	ミノドロン50 JG	極薄赤		ミノドロン酸錠50mg「JG」(日本ジェネリック)	ミノドロン酸水和物	50mg 1錠	骨粗鬆症治療剤	3875
	ミノドロン50 NIG	極薄赤		ミノドロン酸錠50mg「NIG」(日医工岐阜/日医工)	ミノドロン酸水和物	50mg 1錠	骨粗鬆症治療剤	3875
	ミノドロン50 YD	極薄赤		ミノドロン酸錠50mg「YD」(陽進堂/日本薬品工業/日本ケミファ)	ミノドロン酸水和物	50mg 1錠	骨粗鬆症治療剤	3875
	ミノドロン50 あゆみ	極薄赤		ミノドロン酸錠50mg「あゆみ」(あゆみ)	ミノドロン酸水和物	50mg 1錠	骨粗鬆症治療剤	3875

番号	識別コード	色 (◍：割線有)	商品名(会社名)	一般名	規格単位	薬効	掲載ページ
50	ミノドロン50 日医工 ⋒398	極薄赤	ミノドロン酸錠50mg「日医工」(日医工)	ミノドロン酸水和物	50mg 1錠	骨粗鬆症治療剤	3875
	ミノドロン50 トーワ	極薄赤	ミノドロン酸錠50mg「トーワ」(東和薬品)	ミノドロン酸水和物	50mg 1錠	骨粗鬆症治療剤	3875
	ミノドロン50 ニプロ	極薄赤	ミノドロン酸錠50mg「ニプロ」(ニプロ)	ミノドロン酸水和物	50mg 1錠	骨粗鬆症治療剤	3875
	ミノドロン50 ミカサ	極薄赤	ミノドロン酸錠50mg「三笠」(三笠)	ミノドロン酸水和物	50mg 1錠	骨粗鬆症治療剤	3875
	メキシチール50	極薄黄褐／ 薄黄赤	メキシチールカプセル50mg(太陽ファルマ)	メキシレチン塩酸塩	50mg 1カプセル	不整脈治療・糖尿病性神経障害治療剤	3902
	メキシレチン50mg SW-928 SW-928	淡黄赤／淡黄褐	メキシレチン塩酸塩カプセル50mg「サワイ」(沢井)	メキシレチン塩酸塩	50mg 1カプセル	不整脈治療・糖尿病性神経障害治療剤	3902
	リカルボン50	極薄赤	リカルボン錠50mg(小野薬品)	ミノドロン酸水和物	50mg 1錠	骨粗鬆症治療剤	3875
	リマチル50	白	リマチル錠50mg(あゆみ)	ブシラミン	50mg 1錠	抗リウマチ剤	3198
	ロサルタン50 アメル	白〜帯白◍	ロサルタンカリウム錠50mg「アメル」(共和薬品)	ロサルタンカリウム	50mg 1錠	アンジオテンシンⅡ受容体拮抗剤	4481
	ロサルタン50 オーハラ	白　◍	ロサルタンK錠50mg「オーハラ」(大原薬品／共創未来／エッセンシャル)	ロサルタンカリウム	50mg 1錠	アンジオテンシンⅡ受容体拮抗剤	4481
	ロサルタンK50 DSEP	白　◍	ロサルタンK錠50mg「DSEP」(第一三共エスファ)	ロサルタンカリウム	50mg 1錠	アンジオテンシンⅡ受容体拮抗剤	4481
	ロサルヒド配合錠LD「ニプロ」／ ロサルタンカリウム50mgヒドロクロロチアジド12.5mg	白	ロサルヒド配合錠LD「ニプロ」(ニプロ)	ロサルタンカリウム・ヒドロクロロチアジド	1錠	持続性アンジオテンシンⅡ受容体拮抗剤・利尿剤合剤	4483
051	MS051	微黄半透明(淡黄)	フェンタニル3日用テープ2.1mg「明治」(祐徳薬品／Meiji Seika)	フェンタニル	2.1mg 1枚	経皮吸収型持続性疼痛治療剤	3156
	TTS051／1 TTS-051	白	ハロペリドール錠1mg「タカタ」(高田)	ハロペリドール	1mg 1錠	ブチロフェノン系精神安定剤	2887
	YD051	白	トラネキサム酸錠250mg「YD」(陽進堂)	トラネキサム酸	250mg 1錠	抗プラスミン剤	2474
	YD051 SYT014	白	トラネキサム酸錠250mg「三恵」(三恵薬品)	トラネキサム酸	250mg 1錠	抗プラスミン剤	2474
	⟨Kowa⟩051	白〜灰黄白	ラックビー錠(興和)	ビフィズス菌	1錠	乳酸菌	3006
51	51H／⚕ ⚕51H	白〜微黄◍	ミカルディス錠40mg(日本ベーリンガ)	テルミサルタン	40mg 1錠	持続性AT₁受容体遮断剤	2372
	BMD51／30	薄橙	フェキソフェナジン塩酸塩錠30mg「BMD」(ビオメディクス)	フェキソフェナジン塩酸塩	30mg 1錠	アレルギー性疾患治療剤	3111
	JG C51／OD5	白　◍	タルチレリンOD錠5mg「JG」(日本ジェネリック)	タルチレリン水和物	5mg 1錠	経口脊髄小脳変性症治療剤	2094
	JG E51	白	ウルソデオキシコール酸錠50mg「JG」(日本ジェネリック)	ウルソデオキシコール酸	50mg 1錠	肝・胆・消化機能改善剤	659
	JG F51／2	赤みの黄	メトトレキサート錠2mg「JG」(日本ジェネリック)	メトトレキサート〔抗リウマチ剤〕	2mg 1錠	抗リウマチ剤	3952
	KC51	白〜黄白	ベラサスLA錠60μg(科研)	ベラプロストナトリウム	60μg 1錠	プロスタサイクリン(PGI₂)誘導体	3597
	NS51	白〜微黄白	ファモチジン錠10mg「日新」(日新)	ファモチジン	10mg 1錠	H₂-受容体拮抗剤	3079
	Tai TM-51	淡黄灰〜灰褐	太虎堂の潤腸湯エキス顆粒(太虎精堂)	潤腸湯	1g	漢方製剤	4608
	TG51／1	淡紅　◍	グリメピリド錠1mg「タナベ」(ニプロES)	グリメピリド	1mg 1錠	スルホニル尿素系血糖降下剤	1278
	TG51／1	淡紅　◍	グリメピリド錠1mg「ニプロ」(ニプロES)	グリメピリド	1mg 1錠	スルホニル尿素系血糖降下剤	1278
	ツムラ／51	暗黄褐	ツムラ潤腸湯エキス顆粒(医療用)(ツムラ)	潤腸湯	1g	漢方製剤	4608
052	MS052	微黄半透明(淡黄)	フェンタニル3日用テープ4.2mg「明治」(祐徳薬品／Meiji Seika)	フェンタニル	4.2mg 1枚	経皮吸収型持続性疼痛治療剤	3156
	TTS052／2 TTS-052	白	ハロペリドール錠2mg「タカタ」(高田)	ハロペリドール	2mg 1錠	ブチロフェノン系精神安定剤	2887
52	52H／⚕ ⚕52H	白　◍	ミカルディス錠80mg(日本ベーリンガー)	テルミサルタン	80mg 1錠	持続性AT₁受容体遮断剤	2372
	BMD52／60	薄橙	フェキソフェナジン塩酸塩錠60mg「BMD」(ビオメディクス)	フェキソフェナジン塩酸塩	60mg 1錠	アレルギー性疾患治療剤	3111
	FC52	灰褐	ジュンコウ薏苡仁湯FCエキス細粒医療用(康和薬通／大杉)	薏苡仁湯	1g	漢方製剤	4649
	FJ52	白	アナストロゾール錠1mg「F」(富士製薬)	アナストロゾール	1mg 1錠	アロマターゼ阻害・閉経後乳癌治療剤	147
	H52	淡褐	本草薏苡仁湯エキス顆粒-M(本草)	薏苡仁湯	1g	漢方製剤	4649
	JG C52／25	白	セルトラリン錠25mg「JG」(日本ジェネリック)	セルトラリン塩酸塩	25mg 1錠	選択的セロトニン再取り込み阻害剤(SSRI)	1894

番号	識別コード	色 (⦾:割線有)	商品名(会社名)	一般名	規格単位	薬効	掲載ページ
52	JG E52	白　⦾	ウルソデオキシコール酸錠100mg「JG」(日本ジェネリック)	ウルソデオキシコール酸	100mg 1錠	肝・胆・消化機能改善剤	659
	JG N52／OD2.5	白	ゾルミトリプタンOD錠2.5mg「JG」(日本ジェネリック)	ゾルミトリプタン	2.5mg 1錠	5-HT$_{1B/1D}$受容体作動型片頭痛治療剤	1978
	KB-52 EK-52	淡褐〜褐	クラシエ薏苡仁湯エキス細粒(クラシエ／クラシエ薬品)	薏苡仁湯	1g	漢方製剤	4649
	KC52	白	セチリジン塩酸塩錠5mg「科研」(ダイト／科研)	セチリジン塩酸塩	5mg 1錠	持続性選択H$_1$-受容体拮抗剤	1806
	SG-52	淡褐	オースギ薏苡仁湯エキスTG(大杉)	薏苡仁湯	1g	漢方製剤	4649
	TG52／3	微黄白　⦾	グリメピリド錠3mg「タナベ」(ニプロES)	グリメピリド	3mg 1錠	スルホニル尿素系血糖降下剤	1278
	TG52／3	微黄白　⦾	グリメピリド錠3mg「ニプロ」(ニプロES)	グリメピリド	3mg 1錠	スルホニル尿素系血糖降下剤	1278
	漢：EKT-52	淡褐〜褐	クラシエ薏苡仁湯エキス錠(大峰堂／クラシエ薬品)	薏苡仁湯	1錠	漢方製剤	4649
	ツムラ／52	淡褐	ツムラ薏苡仁湯エキス顆粒(医療用)(ツムラ)	薏苡仁湯	1g	漢方製剤	4649
053	DS053	白〜淡褐	ドブスOD錠100mg(住友ファーマ)	ドロキシドパ	100mg 1錠	ノルアドレナリン作動性神経機能改善剤	2586
	MS053	微黄半透明(淡黄)	フェンタニル3日用テープ8.4mg「明治」(祐徳薬品／Meiji Seika)	フェンタニル	8.4mg 1枚	経皮吸収型持続性疼痛治療剤	3156
	SW053	白　⦾	ジラゼプ塩酸塩錠100mg「サワイ」(沢井)	ジラゼプ塩酸塩水和物	100mg 1錠	心・腎疾患治療剤	1700
53	EE53	白　⦾	オキサトミド錠30mg「EMEC」(アルフレッサファーマ／エルメッド／日医工)	オキサトミド	30mg 1錠	アレルギー性疾患治療剤	942
	JG C53／50	白　⦾	セルトラリン錠50mg「JG」(日本ジェネリック)	セルトラリン塩酸塩	50mg 1錠	選択的セロトニン再取り込み阻害剤(SSRI)	1894
	JG N53／2	淡桃　⦾	トリクロルメチアジド錠2mg「JG」(日本ジェネリック)	トリクロルメチアジド	2mg 1錠	チアジド系降圧利尿剤	2519
	KC53	白	セチリジン塩酸塩錠10mg「科研」(ダイト／科研)	セチリジン塩酸塩	10mg 1錠	持続性選択H$_1$-受容体拮抗剤	1806
	SG-53	灰褐	オースギ疎経活血湯エキスG(大杉)	疎経活血湯	1g	漢方製剤	4620
	Tai TM-53	淡茶〜灰褐	太虎堂の疎経活血湯エキス顆粒(太虎精堂)	疎経活血湯	1g	漢方製剤	4620
	ツムラ／53	淡灰褐	ツムラ疎経活血湯エキス顆粒(医療用)(ツムラ)	疎経活血湯	1g	漢方製剤	4620
	バルサルタン BMD20 BMD53	淡黄　⦾	バルサルタン錠20mg「BMD」(ビオメディクス)	バルサルタン	20mg 1錠	選択的AT$_1$受容体遮断剤	2840
53.3	フェノフィブラート⑦53.3	白〜微黄白	フェノフィブラート錠53.3mg「武田テバ」(武田テバファーマ／武田薬品)	フェノフィブラート	53.3mg 1錠	高脂血症治療剤	3144
054	DS054／200	白〜淡褐	ドブスOD錠200mg(住友ファーマ)	ドロキシドパ	200mg 1錠	ノルアドレナリン作動性神経機能改善剤	2586
	MS054	微黄半透明(淡黄)	フェンタニル3日用テープ12.6mg「明治」(祐徳薬品／Meiji Seika)	フェンタニル	12.6mg 1枚	経皮吸収型持続性疼痛治療剤	3156
	TY-054	褐	[東洋]四君子湯エキス細粒(東洋薬行)	四君子湯	1g	漢方製剤	4602
54	54 193 54 193	白	ビラミューン錠200(日本ベーリンガー)	ネビラピン	200mg 1錠	抗ウイルス・HIV逆転写酵素阻害剤	2712
	A54	白	アテノロール錠25mg「ツルハラ」(鶴原)	アテノロール	25mg 1錠	β$_1$-遮断剤	115
	EE54	極薄紅	ロキソプロフェン錠60mg「EMEC」(エルメッド／日医工)	ロキソプロフェンナトリウム水和物	60mg 1錠	プロピオン酸系消炎鎮痛剤	4473
	JG C54／0.25	白	ロピニロール錠0.25mg「JG」(長生堂／日本ジェネリック)	ロピニロール塩酸塩	0.25mg 1錠	ドパミンD$_2$受容体系作動薬	4511
	JG N54	白　⦾	シルニジピン錠20mg「JG」(日本ジェネリック)	シルニジピン	20mg 1錠	ジヒドロピリジン系Ca拮抗剤	1716
	NS54	薄桃	エナラプリルマレイン酸塩錠2.5mg「日新」(日新／第一三共エスファ)	エナラプリルマレイン酸塩	2.5mg 1錠	ACE阻害剤	767
	OH54 OH-54	白　⦾	ブロチゾラム錠0.25mg「オーハラ」(大原薬品)	ブロチゾラム	0.25mg 1錠	チエノトリアゾロジアゼピン系睡眠導入剤	3411
	SG-54	淡褐	オースギ抑肝散料エキスTG(大杉)	抑肝散	1g	漢方製剤	4650
	ZE54／5	淡橙　⦾	ゾルピデム酒石酸塩錠5mg「ZE」(全星薬品工業／全星薬品)	ゾルピデム酒石酸塩	5mg 1錠	入眠剤	1973
	⑦54 TYK54	白	ベタヒスチンメシル酸塩錠6mg「日医工P」(日医工ファーマ／日医工)	ベタヒスチンメシル酸塩	6mg 1錠	めまい・平衡障害治療剤	3496
	ツムラ／54	淡灰褐	ツムラ抑肝散エキス顆粒(医療用)(ツムラ)	抑肝散	1g	漢方製剤	4650
	バルサルタン BMD40 BMD54	白　⦾	バルサルタン錠40mg「BMD」(ビオメディクス)	バルサルタン	40mg 1錠	選択的AT$_1$受容体遮断剤	2840

番号	識別コード	色 (Ⓘ：割線有)	商品名(会社名)	一般名	規格単位	薬効	掲載ページ
055	MS055	微黄半透明 (淡黄)	フェンタニル3日用テープ16.8mg「明治」(祐徳薬品／Meiji Seika)	フェンタニル	16.8mg 1枚	経皮吸収型持続性疼痛治療剤	3156
	TW055／2.5	帯黄白	レトロゾール錠2.5mg「トーワ」(東和薬品)	レトロゾール	2.5mg 1錠	アロマターゼ阻害剤	4372
	U055	白　Ⓘ	ミグシス錠5mg (ファイザー)	塩酸ロメリジン	5mg 1錠	片頭痛治療剤	4538
55	EE55	白	クラリスロマイシン錠50mg小児用「EMEC」(メディサ／エルメッド／日医工)	クラリスロマイシン	50mg 1錠	マクロライド系抗生物質	1250
	FC55	淡褐	ジュンコウ麻杏甘石湯FCエキス細粒医療用(康和薬通／大杉)	麻杏甘石湯	1g	漢方製剤	4647
	H55	淡黄褐	本草麻杏甘石湯エキス顆粒−M (本草)	麻杏甘石湯	1g	漢方製剤	4647
	JG C55／1	淡黄緑	ロピニロール錠1mg「JG」(長生堂／日本ジェネリック)	ロピニロール塩酸塩	1mg 1錠	ドパミンD₂受容体系作動薬	4511
	JG N55	白	ジエノゲスト錠1mg「JG」(日本ジェネリック)	ジエノゲスト	1mg 1錠	子宮内膜症治療剤・子宮筋症に伴う疼痛改善治療剤・月経困難症治療剤	1564
	KC55	白～灰白	イトラコナゾール錠50mg「科研」(科研)	イトラコナゾール	50mg 1錠	トリアゾール系抗真菌剤	448
	N55	褐～淡褐	コタロー麻杏甘石湯エキス細粒(小太郎漢方)	麻杏甘石湯	1g	漢方製剤	4647
	SG-55	淡灰茶褐	オースギ麻杏甘石湯エキスG (大杉)	麻杏甘石湯	1g	漢方製剤	4647
	ZE55／10	淡橙　Ⓘ	ゾルピデム酒石酸塩錠10mg「ZE」(全星薬品工業／全星薬品)	ゾルピデム酒石酸塩	10mg 1錠	入眠剤	1973
	ZP55	白～微黄白	ビジクリア配合錠(ゼリア新薬)	リン酸二水素ナトリウム一水和物・無水リン酸水素二ナトリウム	1錠	経口腸管洗浄剤・経口リン酸製剤	4325
	Ⓣ55 TYK55	白　Ⓘ	ベタヒスチンメシル酸塩錠12mg「日医工P」(日医工ファーマ／日医工)	ベタヒスチンメシル酸塩	12mg 1錠	めまい・平衡障害治療剤	3496
	ⱳ55 W55	白～微淡黄褐	レベニン錠(わかもと)	耐性乳酸菌	1錠	生菌製剤	2677
	アリドネパッチ55mg	白～淡黄半透明	アリドネパッチ55mg (帝國／興和)	ドネペジル, -塩酸塩	55mg 1枚	アルツハイマー型，レビー小体型認知症治療剤	2426
	ツムラ／55	淡黄褐	ツムラ麻杏甘石湯エキス顆粒(医療用)(ツムラ)	麻杏甘石湯	1g	漢方製剤	4647
	バルサルタン BMD80 BMD55	白　Ⓘ	バルサルタン錠80mg「BMD」(ビオメディクス)	バルサルタン	80mg 1錠	選択的AT₁受容体遮断剤	2840
056	t056 t56	薄橙	フェロジピン錠2.5mg「NIG」(日医工岐阜／日医工／武田薬品)	フェロジピン	2.5mg 1錠	ジヒドロピリジン系Ca拮抗剤	3154
	TY-056	褐	〔東洋〕七物降下湯エキス細粒(東洋薬行)	七物降下湯	1g	漢方製剤	4603
56	EE56 200	白	クラリスロマイシン錠200mg「EMEC」(メディサ／エルメッド／日医工)	クラリスロマイシン	200mg 1錠	マクロライド系抗生物質	1250
	JG C56／2	淡紅白	ロピニロール錠2mg「JG」(長生堂／日本ジェネリック)	ロピニロール塩酸塩	2mg 1錠	ドパミンD₂受容体系作動薬	4511
	JG N56／.625	白　Ⓘ	ビソプロロールフマル酸塩錠0.625mg「JG」(日本ジェネリック)	ビソプロロールフマル酸塩	0.625mg 1錠	選択的β₁-アンタゴニスト	2944
	JG56	白～帯黄白 (淡褐～暗褐の斑点)	ランソプラゾールOD錠15mg「JG」(日本ジェネリック)	ランソプラゾール	15mg 1錠	プロトンポンプインヒビター	4168
	NS56	白～微黄白	ファモチジン錠20mg「日新」(日新)	ファモチジン	20mg 1錠	H₂-受容体拮抗剤	3079
	t056 t56	薄橙	フェロジピン錠2.5mg「NIG」(日医工岐阜／日医工／武田薬品)	フェロジピン	2.5mg 1錠	ジヒドロピリジン系Ca拮抗剤	3154
	UPJOHN56	白　Ⓘ	メドロール錠4mg (ファイザー)	メチルプレドニゾロン	4mg 1錠	副腎皮質ホルモン	3936
	ZE56／5	極薄紅	アトルバスタチン錠5mg「ZE」(全星薬品工業／全星薬品)	アトルバスタチンカルシウム水和物	5mg 1錠	HMG-CoA還元酵素阻害剤	128
	ツムラ／56	黄褐	ツムラ五淋散エキス顆粒(医療用)(ツムラ)	五淋散	1g	漢方製剤	4592
	バルサルタン BMD160 BMD56	白　Ⓘ	バルサルタン錠160mg「BMD」(ビオメディクス)	バルサルタン	160mg 1錠	選択的AT₁受容体遮断剤	2840
057	t057 t57	黄	フェロジピン錠5mg「NIG」(日医工岐阜／日医工／武田薬品)	フェロジピン	5mg 1錠	ジヒドロピリジン系Ca拮抗剤	3154
	◆057	白～帯黄白	ルーラン錠4mg (住友ファーマ)	ペロスピロン塩酸塩水和物	4mg 1錠	抗精神病剤	3635
	⋒057／80 ⋒057 80 Ⓝ057	白	ビカルタミド錠80mg「日医工」(日医工)	ビカルタミド	80mg 1錠	前立腺癌治療剤	2926
57	EE57／5	淡黄白	メロキシカム錠5mg「EMEC」(ダイト／エルメッド／日医工)	メロキシカム	5mg 1錠	非ステロイド性消炎鎮痛剤	4000
	FC57	黄褐	ジュンコウ温清飲FCエキス細粒医療用(康和薬通／大杉)	温清飲	1g	漢方製剤	4567
	FJ57／2.5	白～帯黄白	リセドロン酸Na錠2.5mg「F」(富士製薬)	リセドロン酸ナトリウム水和物	2.5mg 1錠	ビスホスホネート系骨吸収抑制剤	4209

0
-
99

番号	識別コード	色 (①:割線有)	商品名(会社名)	一般名	規格単位	薬効	掲載 ページ
57	H57	褐	本草温清飲エキス顆粒－M（本草）	温清飲	1g	漢方製剤	4567
	JG C57／OD2.5	黄	オランザピンOD錠2.5mg「JG」（日本ジェネリック）	オランザピン	2.5mg 1錠	抗精神病剤・双極性障害治療剤・制吐剤	1021
	JG N57／2.5	白　①	ビソプロロールフマル酸塩錠2.5mg「JG」（日本ジェネリック）	ビソプロロールフマル酸塩	2.5mg 1錠	選択的β₁-アンタゴニスト	2944
	JG57	白～帯黄白 （淡褐～暗褐の斑点）	ランソプラゾールOD錠30mg「JG」（日本ジェネリック）	ランソプラゾール	30mg 1錠	プロトンポンプインヒビター	4168
	KB-57 EK-57	黄褐～褐	クラシエ温清飲エキス細粒（大峰堂／クラシエ薬品）	温清飲	1g	漢方製剤	4567
	KO57	白～微黄白	ラマトロバン錠50mg「KO」（寿）	ラマトロバン	50mg 1錠	プロスタグランジンD₂・トロンボキサンA₂受容体拮抗剤	4124
	N57	黄褐～黄緑褐	コタロー温清飲エキス細粒（小太郎漢方）	温清飲	1g	漢方製剤	4567
	NS57／25	白～帯黄白①	ロサルタンK錠25mg「日新」（日新）	ロサルタンカリウム	25mg 1錠	アンジオテンシンⅡ受容体拮抗剤	4481
	OH57 5mg OH-57	帯紅白	パロキセチン錠5mg「オーハラ」（大原薬品）	パロキセチン塩酸塩水和物	5mg 1錠	選択的セロトニン再取り込み阻害剤(SSRI)	2878
	SG-57	淡灰黄褐～淡灰茶褐	オースギ温清飲エキスG（大杉）	温清飲	1g	漢方製剤	4567
	SW57	薄赤橙	ミルナシプラン塩酸塩錠12.5mg「サワイ」（沢井）	ミルナシプラン塩酸塩	12.5mg 1錠	セロトニン・ノルアドレナリン再取り込み阻害剤(SNRI)	3891
	t057 t57	黄	フェロジピン錠5mg「NIG」（日医工岐阜／日医工／武田薬品）	フェロジピン	5mg 1錠	ジヒドロピリジン系Ca拮抗剤	3154
	ZE57／10	白	アトルバスタチン錠10mg「ZE」（全星薬品工業／全星薬品）	アトルバスタチンカルシウム水和物	10mg 1錠	HMG-CoA還元酵素阻害剤	128
	ch57 ch57	白	セフジトレンピボキシル錠100mg「CH」（長生堂／日本ジェネリック）	セフジトレン ピボキシル	100mg 1錠	セフェム系抗生物質	1847
	ツムラ／57	黄褐	ツムラ温清飲エキス顆粒（医療用）（ツムラ）	温清飲	1g	漢方製剤	4567
	ナルフラフィン BMD BMD57	淡黄白	ナルフラフィン塩酸塩カプセル2.5μg「BMD」（ビオメディクス）	ナルフラフィン塩酸塩	2.5μg 1カプセル	経口瘙痒症改善剤	2622
058	◆058	淡黄　①	ルーラン錠8mg（住友ファーマ）	ペロスピロン塩酸塩水和物	8mg 1錠	抗精神病剤	3635
58	A58／5	極薄紅	アトルバスタチン錠5mg「TSU」（鶴原）	アトルバスタチンカルシウム水和物	5mg 1錠	HMG-CoA還元酵素阻害剤	128
	EE58／10	淡黄白　①	メロキシカム錠10mg「EMEC」（ダイト／エルメッド／日医工）	メロキシカム	10mg 1錠	非ステロイド性消炎鎮痛剤	4000
	FJ58／5	白	アレンドロン酸錠5mg「F」（富士製薬）	アレンドロン酸ナトリウム水和物	5mg 1錠	骨粗鬆症治療剤	349
	JG C58／OD5	黄	オランザピンOD錠5mg「JG」（日本ジェネリック）	オランザピン	5mg 1錠	抗精神病剤・双極性障害治療剤・制吐剤	1021
	JG E58／ アムロジピン10JG JG E58 アムロジピン10JG	白　①	アムロジピン錠10mg「JG」（日本ジェネリック）	アムロジピンベシル酸塩	10mg 1錠	ジヒドロピリジン系Ca拮抗剤	264
	JG N58／5	白　①	ビソプロロールフマル酸塩錠5mg「JG」（日本ジェネリック）	ビソプロロールフマル酸塩	5mg 1錠	選択的β₁-アンタゴニスト	2944
	KO58	白～微黄白	ラマトロバン錠75mg「KO」（寿）	ラマトロバン	75mg 1錠	プロスタグランジンD₂・トロンボキサンA₂受容体拮抗剤	4124
	NS58 50 NS58	白～帯黄白①	ロサルタンK錠50mg「日新」（日新）	ロサルタンカリウム	50mg 1錠	アンジオテンシンⅡ受容体拮抗剤	4481
	OH58 10mg OH-58	帯紅白	パロキセチン錠10mg「オーハラ」（大原薬品／エッセンシャル）	パロキセチン塩酸塩水和物	10mg 1錠	選択的セロトニン再取り込み阻害剤(SSRI)	2878
	SG-58	淡灰黄褐～淡灰茶褐	オースギ清上防風湯エキスG（大杉）	清上防風湯	1g	漢方製剤	4617
	ツムラ／58	黄褐	ツムラ清上防風湯エキス顆粒（医療用）（ツムラ）	清上防風湯	1g	漢方製剤	4617
	デュタステリド AV「BMD」 0.5mg BMD58	淡黄白	デュタステリドカプセル0.5mgAV「BMD」（ビオメディクス／フェルゼン）	デュタステリド	0.5mg 1カプセル	5α-還元酵素阻害薬	2332
059	DS059	白～帯黄白①	ルーラン錠16mg（住友ファーマ）	ペロスピロン塩酸塩水和物	16mg 1錠	抗精神病剤	3635
	TY-059	淡褐	〔東洋〕芍薬甘草湯エキス細粒（東洋薬行）	芍薬甘草湯	1g	漢方製剤	4605
59	A59／10	白	アトルバスタチン錠10mg「TSU」（鶴原）	アトルバスタチンカルシウム水和物	10mg 1錠	HMG-CoA還元酵素阻害剤	128
	BMD59	淡黄白	デュタステリドカプセル0.5mgZA「BMD」（ビオメディクス／SKI）	デュタステリド	0.5mg 1カプセル	5α-還元酵素阻害薬	2332
	FJ59／35	白	アレンドロン酸錠35mg「F」（富士製薬）	アレンドロン酸ナトリウム水和物	35mg 1錠	骨粗鬆症治療剤	349
	IC-59	白	レナルチン腸溶錠100mg（コーアイセイ）	肝臓加水分解物	100mg 1錠	肝疾患治療剤	1184

番号	識別コード	色 (Ⓘ：割線有)	商品名(会社名)	一般名	規格単位	薬効	掲載ページ
59	JG C59／OD10	黄	オランザピンOD錠10mg「JG」(日本ジェネリック)	オランザピン	10mg 1錠	抗精神病剤・双極性障害治療剤・制吐剤	1021
	JG E59	白	ロサルヒド配合錠LD「JG」(日本ジェネリック)	ロサルタンカリウム・ヒドロクロロチアジド	1錠	持続性アンギオテンシンⅡ受容体拮抗剤・利尿剤合剤	4483
	JG N59	淡赤	テラムロ配合錠AP「JG」(日本ジェネリック)	テルミサルタン・アムロジピンベシル酸塩	1錠	胆汁排泄型持続性AT₁受容体ブロッカー・持続性Ca拮抗薬合剤	2375
	NS59／100	白～帯黄白	ロサルタンK錠100mg「日新」(日新)	ロサルタンカリウム	100mg 1錠	アンギオテンシンⅡ受容体拮抗剤	4481
	OH59 20mg OH-59	帯紅白	パロキセチン錠20mg「オーハラ」(大原薬品／エッセンシャル)	パロキセチン塩酸塩水和物	20mg 1錠	選択的セロトニン再取り込み阻害剤(SSRI)	2878
	ツムラ／59	黄褐	ツムラ治頭瘡一方エキス顆粒(医療用)(ツムラ)	治頭瘡一方	1g	漢方製剤	4625
060	KW060	白～淡黄白	アムロジピン錠2.5mg「アメル」(共和薬品)	アムロジピンベシル酸塩	2.5mg 1錠	ジヒドロピリジン系Ca拮抗剤	264
	MS060／ イマチニブ100	くすんだ黄赤～濃黄赤 Ⓘ	イマチニブ錠100mg「明治」(Meiji Seika)	イマチニブメシル酸塩	100mg 1錠	抗悪性腫瘍剤・チロシンキナーゼ阻害剤	493
	TY-060	褐	〔東洋〕十全大補湯エキス細粒(東洋薬行)	十全大補湯	1g	漢方製剤	4606
60	60EP／アゾセミ 60EPアゾセミ	淡黄 Ⓘ	アゾセミド錠60mg「DSEP」(第一三共エスファ)	アゾセミド	60mg 1錠	ループ利尿剤	93
	60T	極薄黄赤	ブリリンタ錠60mg(アストラゼネカ)	チカグレロル	60mg 1錠	抗血小板剤	2153
	60／XL XL60	黄	カボメティクス錠60mg(武田薬品)	カボザンチニブリンゴ酸塩	60mg 1錠	抗悪性腫瘍剤・キナーゼ阻害剤	1101
	60△852 △852	淡黄	パシーフカプセル60mg(武田薬品)	モルヒネ塩酸塩水和物	60mg 1カプセル	鎮痛・鎮咳・止瀉剤	4034
	AR60	淡黄緑～灰緑	アーリーダ錠60mg(ヤンセン)	アパルタミド	60mg 1錠	前立腺癌治療剤	169
	BMD52／60	薄橙	フェキソフェナジン塩酸塩錠60mg「BMD」(ビオメディクス)	フェキソフェナジン塩酸塩	60mg 1錠	アレルギー性疾患治療剤	3111
	FC60	淡褐	ジュンコウ桂枝加芍薬湯FCエキス細粒医療用(康和薬通／大杉)	桂枝加芍薬湯	1g	漢方製剤	4583
	FF134／60	薄橙	フェキソフェナジン塩酸塩錠60mg「FFP」(共創未来)	フェキソフェナジン塩酸塩	60mg 1錠	アレルギー性疾患治療剤	3111
	FF147／60	白 Ⓘ	フェキソフェナジン塩酸塩OD錠60mg「FFP」(共創未来)	フェキソフェナジン塩酸塩	60mg 1錠	アレルギー性疾患治療剤	3111
	FY313／60	白～淡黄白Ⓘ	トピロリック錠60mg(富士薬品)	トピロキソスタット	60mg 1錠	非プリン型選択的キサンチンオキシダーゼ阻害剤・高尿酸血症治療剤	2437
	H60	褐	本草桂枝加芍薬湯エキス顆粒－M(本草)	桂枝加芍薬湯	1g	漢方製剤	4583
	JG E60／2	白～帯黄白	カンデサルタン錠2mg「JG」(日本ジェネリック)	カンデサルタン シレキセチル	2mg 1錠	アンギオテンシンⅡ受容体拮抗剤	1184
	JG G23／60	薄橙	フェキソフェナジン塩酸塩錠60mg「JG」(日本ジェネリック)	フェキソフェナジン塩酸塩	60mg 1錠	アレルギー性疾患治療剤	3111
	JG N60	淡赤	テラムロ配合錠BP「JG」(日本ジェネリック)	テルミサルタン・アムロジピンベシル酸塩	1錠	胆汁排泄型持続性AT₁受容体ブロッカー・持続性Ca拮抗薬合剤	2375
	KB-60 EK-60	淡褐～褐	クラシエ桂枝加芍薬湯エキス細粒(クラシエ／クラシエ薬品)	桂枝加芍薬湯	1g	漢方製剤	4583
	KRM162／60	薄橙	フェキソフェナジン塩酸塩錠60mg「杏林」(キョーリンリメディオ／杏林)	フェキソフェナジン塩酸塩	60mg 1錠	アレルギー性疾患治療剤	3111
	Kw FE／60 Kw FE60	薄橙	フェキソフェナジン塩酸塩錠60mg「アメル」(共和薬品)	フェキソフェナジン塩酸塩	60mg 1錠	アレルギー性疾患治療剤	3111
	N60	灰褐～褐	コタロー桂枝加芍薬湯エキス細粒(小太郎漢方)	桂枝加芍薬湯	1g	漢方製剤	4583
	NCP449／60	薄橙	フェキソフェナジン塩酸塩錠60mg「ケミファ」(日本ケミファ／日本薬品工業)	フェキソフェナジン塩酸塩	60mg 1錠	アレルギー性疾患治療剤	3111
	NK7106／60	白	フェアストン錠60(日本化薬)	トレミフェンクエン酸塩	60mg 1錠	乳癌治療剤	2579
	NP177／60 NP-177	薄橙	フェキソフェナジン塩酸塩錠60mg「NP」(ニプロ)	フェキソフェナジン塩酸塩	60mg 1錠	アレルギー性疾患治療剤	3111
	NP552／60 NP-552	白 Ⓘ	フェキソフェナジン塩酸塩OD錠60mg「NP」(ニプロ)	フェキソフェナジン塩酸塩	60mg 1錠	アレルギー性疾患治療剤	3111
	NS472／60	薄橙	フェキソフェナジン塩酸塩錠60mg「日新」(日新)	フェキソフェナジン塩酸塩	60mg 1錠	アレルギー性疾患治療剤	3111
	Sc343／60	白～淡黄白Ⓘ	ウリアデック錠60mg(三和化学)	トピロキソスタット	60mg 1錠	非プリン型選択的キサンチンオキシダーゼ阻害剤・高尿酸血症治療剤	2437
	Sc449／60	薄橙	フェキソフェナジン塩酸塩錠60mg「三和」(日本薬品工業／三和化学)	フェキソフェナジン塩酸塩	60mg 1錠	アレルギー性疾患治療剤	3111
	SG-60	淡灰茶褐～茶褐	オースギ桂枝加芍薬湯エキスG(大杉)	桂枝加芍薬湯	1g	漢方製剤	4583

番号	識別コード	色 (Ⓘ：割線有)	商品名(会社名)	一般名	規格単位	薬効	掲載 ページ
60	SW F60／60	薄橙 Ⓘ	フェキソフェナジン塩酸塩錠60mg「サワイ」(沢井)	フェキソフェナジン塩酸塩	60mg 1錠	アレルギー性疾患治療剤	3111
	SW FX60／60	白 Ⓘ	フェキソフェナジン塩酸塩OD錠60mg「サワイ」(沢井)	フェキソフェナジン塩酸塩	60mg 1錠	アレルギー性疾患治療剤	3111
	SW TM60／60	白	トレミフェン錠60mg「サワイ」(メディサ/沢井)	トレミフェンクエン酸塩	60mg 1錠	乳癌治療剤	2579
	TA125／60	白	ヘルベッサー錠60 (田辺三菱)	ジルチアゼム塩酸塩	60mg 1錠	ベンゾチアゼピン系Ca拮抗剤	1705
	TF-TL60	橙／無透明	MSツワイスロンカプセル60mg (帝國)	モルヒネ硫酸塩水和物	60mg 1カプセル	持続性癌疼痛治療剤	4040
	TG60／15	白／帯黄白Ⓘ	ピオグリタゾン錠15mg「タナベ」(ニプロES)	ピオグリタゾン塩酸塩	15mg 1錠	インスリン抵抗性改善血糖降下剤	2912
	TG60／15	白／帯黄白Ⓘ	ピオグリタゾン錠15mg「ニプロ」(ニプロES)	ピオグリタゾン塩酸塩	15mg 1錠	インスリン抵抗性改善血糖降下剤	2912
	TR60	白～黄白	ケアロードLA錠60μg (東レ／トーアエイヨー)	ベラプロストナトリウム	60μg 1錠	プロスタサイクリン(PGI₂)誘導体	3597
	TSU630／60	薄橙	フェキソフェナジン塩酸塩錠60mg「ツルハラ」(鶴原)	フェキソフェナジン塩酸塩	60mg 1錠	アレルギー性疾患治療剤	3111
	TTS702／60 TTS-702	薄橙	フェキソフェナジン塩酸塩錠60mg「タカタ」(高田)	フェキソフェナジン塩酸塩	60mg 1錠	アレルギー性疾患治療剤	3111
	TU532／60	薄橙	フェキソフェナジン塩酸塩錠60mg「TCK」(辰巳化学)	フェキソフェナジン塩酸塩	60mg 1錠	アレルギー性疾患治療剤	3111
	TU-RS60	極薄紅	ロキソプロフェンNa錠60mg「TCK」(辰巳化学)	ロキソプロフェンナトリウム水和物	60mg 1錠	プロピオン酸系消炎鎮痛剤	4473
	TV R60	白	ラロキシフェン塩酸塩錠60mg「テバ」(日医工岐阜／日医工／武田薬品)	ラロキシフェン塩酸塩	60mg 1錠	選択的エストロゲン受容体調節剤	4156
	Tw344／60	薄橙 Ⓘ	フェキソフェナジン塩酸塩錠60mg「トーワ」(東和薬品／共創未来)	フェキソフェナジン塩酸塩	60mg 1錠	アレルギー性疾患治療剤	3111
	YD610／60	白	フェキソフェナジン塩酸塩OD錠60mg「YD」(陽進堂)	フェキソフェナジン塩酸塩	60mg 1錠	アレルギー性疾患治療剤	3111
	YD647／60	薄橙	フェキソフェナジン塩酸塩錠60mg「YD」(陽進堂)	フェキソフェナジン塩酸塩	60mg 1錠	アレルギー性疾患治療剤	3111
	YP-MP60	白～淡黄白	モーラスパップ60mg (久光／祐徳薬品)	ケトプロフェン	20cm×14cm 1枚	プロピオン酸系消炎鎮痛剤	1410
	ZE60	白～帯黄白	ベザフィブラート徐放錠100mg「ZE」(全星薬品工業／全星薬品)	ベザフィブラート	100mg 1錠	高脂血症治療剤	3486
	ZE77／60	薄橙	フェキソフェナジン塩酸塩錠60mg「ZE」(全星薬品工業／全星薬品)	フェキソフェナジン塩酸塩	60mg 1錠	アレルギー性疾患治療剤	3111
	𝑛02／60 𝑛02 60	薄橙	フェキソフェナジン塩酸塩錠60mg「SANIK」(日医工)	フェキソフェナジン塩酸塩	60mg 1錠	アレルギー性疾患治療剤	3111
	ch39 アゾセミド60JG	白 Ⓘ	アゾセミド錠60mg「JG」(長生堂／日本ジェネリック)	アゾセミド	60mg 1錠	ループ利尿剤	93
	Ⓢ902／60 Ⓢ902：60	橙	MSコンチン錠60mg (シオノギファーマ／塩野義)	モルヒネ硫酸塩水和物	60mg 1錠	持続性癌疼痛治療剤	4040
	漢：EKT-60	淡褐～褐	クラシエ桂枝加芍薬湯エキス錠(大峰堂／クラシエ薬品)	桂枝加芍薬湯	1錠	漢方製剤	4583
	ツムラ／60	淡褐	ツムラ桂枝加芍薬湯エキス顆粒(医療用) (ツムラ)	桂枝加芍薬湯	1g	漢方製剤	4583
	フェキソ60／ フェキソフェナジン OD60トーワ	白 Ⓘ	フェキソフェナジン塩酸塩OD錠60mg「トーワ」(東和薬品)	フェキソフェナジン塩酸塩	60mg 1錠	アレルギー性疾患治療剤	3111
	フェキソフェナジン 60／ フェキソフェナジン 明治	薄橙	フェキソフェナジン塩酸塩錠60mg「明治」(Meiji Seika／Meファルマ)	フェキソフェナジン塩酸塩	60mg 1錠	アレルギー性疾患治療剤	3111
	プロプラノロール60mg SW-076 SW-076	青／白	プロプラノロール塩酸塩徐放カプセル60mg「サワイ」(沢井)	プロプラノロール塩酸塩	60mg 1カプセル	β-遮断剤	3437
	ラツーダ60	白～帯黄白	ラツーダ錠60mg (住友ファーマ)	ルラシドン塩酸塩	60mg 1錠	抗精神病薬・双極性障害のうつ症状治療剤	4346
	ラロキシフェン60 日医工 𝑛020	白	ラロキシフェン塩酸塩錠60mg「日医工」(日医工)	ラロキシフェン塩酸塩	60mg 1錠	選択的エストロゲン受容体調節剤	4156
	ラロキシフェン60 日新	白	ラロキシフェン塩酸塩錠60mg「日新」(日新／日本ジェネリック)	ラロキシフェン塩酸塩	60mg 1錠	選択的エストロゲン受容体調節剤	4156
	ラロキシフェン60 サワイ	白	ラロキシフェン塩酸塩錠60mg「サワイ」(沢井)	ラロキシフェン塩酸塩	60mg 1錠	選択的エストロゲン受容体調節剤	4156
	ラロキシフェン60 トーワ	白	ラロキシフェン塩酸塩錠60mg「トーワ」(東和薬品)	ラロキシフェン塩酸塩	60mg 1錠	選択的エストロゲン受容体調節剤	4156
	リクシアナOD60	微黄白 Ⓘ	リクシアナOD錠60mg (第一三共)	エドキサバントシル酸塩水和物	60mg 1錠	経口活性化血液凝固第X因子(FXa)阻害剤	754
	ロキソプロフェン60 ch	微紅 Ⓘ	ロキソプロフェンナトリウム錠60mg「CH」(長生堂／日本ジェネリック)	ロキソプロフェンナトリウム水和物	60mg 1錠	プロピオン酸系消炎鎮痛剤	4473

番号	識別コード	色（①：割線有）	商品名(会社名)	一般名	規格単位	薬効	掲載ページ
60	ロキソプロフェン/60OHA	極薄紅　①	ロキソプロフェンNa錠60mg「OHA」(大原薬品/旭化成)	ロキソプロフェンナトリウム水和物	60mg 1錠	プロピオン酸系消炎鎮痛剤	4473
	ロキソプロフェン60 ⑰	極薄紅　①	ロキソプロフェンNa錠60mg「武田テバ」(武田テバファーマ/武田薬品)	ロキソプロフェンナトリウム水和物	60mg 1錠	プロピオン酸系消炎鎮痛剤	4473
061	KW061	白〜淡黄白	アムロジピン錠5mg「アメル」(共和薬品)	アムロジピンベシル酸塩	5mg 1錠	ジヒドロピリジン系Ca拮抗剤	264
	MCI061/0.25	薄橙	バソメット錠0.25mg(田辺三菱)	テラゾシン塩酸塩水和物	0.25mg 1錠	α_1-遮断剤	2353
	MS061/イマチニブ200	くすんだ黄赤〜濃黄赤	イマチニブ錠200mg「明治」(Meiji Seika)	イマチニブメシル酸塩	200mg 1錠	抗悪性腫瘍剤・チロシンキナーゼ阻害剤	493
	t061 t61	白	クラリスロマイシン錠50mg小児用「NIG」(日医工岐阜/日医工/武田薬品)	クラリスロマイシン	50mg 1錠	マクロライド系抗生物質	1250
	TY-061	褐	〔東洋〕十味敗毒湯エキス細粒(東洋薬行)	十味敗毒湯	1g	漢方製剤	4607
61	AP61	淡黄白	小太郎漢方の炮附子末(小太郎漢方)	ブシ製剤	1g	強心・利尿・鎮痛剤	3197
	FC61	淡褐	ジュンコウ桃核承気湯FCエキス細粒医療用(康和薬通/大杉)	桃核承気湯	1g	漢方製剤	4629
	H61	淡褐	本草桃核承気湯エキス顆粒-M(本草)	桃核承気湯	1g	漢方製剤	4629
	JG C61/100	白	セルトラリン錠100mg「JG」(日本ジェネリック)	セルトラリン塩酸塩	100mg 1錠	選択的セロトニン再取り込み阻害剤(SSRI)	1894
	JG E61/4	白〜帯黄白	カンデサルタン錠4mg「JG」(日本ジェネリック)	カンデサルタン シレキセチル	4mg 1錠	アンギオテンシンⅡ受容体拮抗剤	1184
	JG N61/イルベサルタン50JG	白〜帯黄白①	イルベサルタン錠50mg「JG」(長生堂/日本ジェネリック)	イルベサルタン	50mg 1錠	長時間作用型アンギオテンシンⅡ受容体拮抗剤	522
	KB-61 EK-61	淡褐〜褐	クラシエ桃核承気湯エキス細粒(クラシエ/クラシエ薬品)	桃核承気湯	1g	漢方製剤	4629
	N61	黄土〜褐	コタロー桃核承気湯エキス細粒(小太郎漢方)	桃核承気湯	1g	漢方製剤	4629
	SG-61	淡灰黄褐	オースギ桃核承気湯エキスG(大杉)	桃核承気湯	1g	漢方製剤	4629
	t061 t61	白	クラリスロマイシン錠50mg小児用「NIG」(日医工岐阜/日医工/武田薬品)	クラリスロマイシン	50mg 1錠	マクロライド系抗生物質	1250
	TG61/30	白〜帯黄白①	ピオグリタゾン錠30mg「タナベ」(ニプロES)	ピオグリタゾン塩酸塩	30mg 1錠	インスリン抵抗性改善血糖降下剤	2912
	TG61/30	白〜帯黄白①	ピオグリタゾン錠30mg「ニプロ」(ニプロES)	ピオグリタゾン塩酸塩	30mg 1錠	インスリン抵抗性改善血糖降下剤	2912
	VYN61	赤褐	ビンマックカプセル61mg(ファイザー)	タファミジス,-メグルミン	61mg 1カプセル	TTR型アミロイドーシス治療剤	2053
	ZE61	白	ベザフィブラート徐放錠200mg「ZE」(全星薬品工業/全星薬品)	ベザフィブラート	200mg 1錠	高脂血症治療剤	3486
	◐61H	淡橙	ミノサイクリン塩酸塩カプセル100mg「日医工」(日医工ファーマ/日医工)	ミノサイクリン塩酸塩	100mg 1カプセル	テトラサイクリン系抗生物質	3871
	◐61L	黄〜暗黄	ミノサイクリン塩酸塩錠50mg「日医工」(日医工ファーマ/日医工)	ミノサイクリン塩酸塩	50mg 1錠	テトラサイクリン系抗生物質	3871
	漢：EKT-61	淡褐〜褐	クラシエ桃核承気湯エキス錠(大峰堂/クラシエ薬品)	桃核承気湯	1錠	漢方製剤	4629
	漢：J-61	淡黄褐	JPS桃核承気湯エキス顆粒〔調剤用〕(ジェーピーエス)	桃核承気湯	1g	漢方製剤	4629
	ツムラ/61	黄褐	ツムラ桃核承気湯エキス顆粒(医療用)(ツムラ)	桃核承気湯	1g	漢方製剤	4629
062	KW062	白〜淡黄白	アムロジピン錠10mg「アメル」(共和薬品)	アムロジピンベシル酸塩	10mg 1錠	ジヒドロピリジン系Ca拮抗剤	264
	MCI062/0.5	白　①	バソメット錠0.5mg(田辺三菱)	テラゾシン塩酸塩水和物	0.5mg 1錠	α_1-遮断剤	2353
	t062 t62	白	クラリスロマイシン錠200mg「NIG」(日医工岐阜/日医工/武田薬品)	クラリスロマイシン	200mg 1錠	マクロライド系抗生物質	1250
62	GSI/62L GSI・62L	淡褐	シュンレンカ錠300mg(ギリアド)	レナカパビルナトリウム	300mg 1錠	抗ウイルス化学療法剤(HIVカプシド阻害剤)	4375
	H62	淡黄褐	本草防風通聖散エキス顆粒-M(本草)	防風通聖散	1g	漢方製剤	4643
	JG E62/8	極薄橙　①	カンデサルタン錠8mg「JG」(日本ジェネリック)	カンデサルタン シレキセチル	8mg 1錠	アンギオテンシンⅡ受容体拮抗剤	1184
	JG N62/イルベサルタン100JG	白〜帯黄白①	イルベサルタン錠100mg「JG」(長生堂/日本ジェネリック)	イルベサルタン	100mg 1錠	長時間作用型アンギオテンシンⅡ受容体拮抗剤	522
	KB-62 EK-62	淡黄褐〜褐	クラシエ防風通聖散料エキス細粒(クラシエ/クラシエ薬品)	防風通聖散	1g	漢方製剤	4643
	N62	淡褐〜褐	コタロー防風通聖散エキス細粒(小太郎漢方)	防風通聖散	1g	漢方製剤	4643
	SG-62	淡灰茶褐〜淡灰黄褐	オースギ防風通聖散エキスG(大杉)	防風通聖散	1g	漢方製剤	4643
	t062 t62	白	クラリスロマイシン錠200mg「NIG」(日医工岐阜/日医工/武田薬品)	クラリスロマイシン	200mg 1錠	マクロライド系抗生物質	1250

番号	識別コード	色 (①:割線有)		商品名(会社名)	一般名	規格単位	薬効	掲載ページ
62	Tai TM-62	淡黄～灰褐		太虎堂の防風通聖散料エキス顆粒(太虎精堂)	防風通聖散	1g	漢方製剤	4643
	ZE62/.625	白	①	ビソプロロールフマル酸塩錠0.625mg「ZE」(全星薬品工業/全星薬品)	ビソプロロールフマル酸塩	0.625mg 1錠	選択的β₁-アンタゴニスト	2944
	⌒62E	帯黄白～黄白		イトラコナゾール錠50mg「日医工」(日医工)	イトラコナゾール	50mg 1錠	トリアゾール系抗真菌剤	448
	⌒62H ⋒538	帯黄白～黄白		イトラコナゾール錠100mg「日医工」(日医工)	イトラコナゾール	100mg 1錠	トリアゾール系抗真菌剤	448
	漢:EKT-62	黄褐～褐		クラシエ防風通聖散エキス錠(大峰堂/クラシエ薬品)	防風通聖散	1錠	漢方製剤	4643
	漢:J-62	黄褐		JPS防風通聖散料エキス顆粒〔調剤用〕(ジェーピーエス)	防風通聖散	1g	漢方製剤	4643
	ツムラ/62	黄褐		ツムラ防風通聖散エキス顆粒(医療用)(ツムラ)	防風通聖散	1g	漢方製剤	4643
62.5	62.5	橙白		トラクリア錠62.5mg(ヤンセン)	ボセンタン水和物	62.5mg 1錠	エンドセリン受容体拮抗薬	3704
	SWボセンタン62.5	橙白		ボセンタン錠62.5mg「サワイ」(沢井)	ボセンタン水和物	62.5mg 1錠	エンドセリン受容体拮抗薬	3704
	ボセンタン62.5DSEP	白	①	ボセンタン錠62.5mg「DSEP」(第一三共エスファ)	ボセンタン水和物	62.5mg 1錠	エンドセリン受容体拮抗薬	3704
	ボセンタン62.5VTRS	白～灰白		ボセンタン錠62.5mg「VTRS」(ヴィアトリス・ヘルスケア/ヴィアトリス)	ボセンタン水和物	62.5mg 1錠	エンドセリン受容体拮抗薬	3704
	ボセンタン62.5/モチダボセンタン62.5 MO25M	白	①	ボセンタン錠62.5mg「モチダ」(持田製販/持田)	ボセンタン水和物	62.5mg 1錠	エンドセリン受容体拮抗薬	3704
063	MCI063/1	白	①	バソメット錠1mg(田辺三菱)	テラゾシン塩酸塩水和物	1mg 1錠	α₁-遮断剤	2353
	t63 t063	白		セレギリン塩酸塩錠2.5mg「タイヨー」(武田テバファーマ)	セレギリン塩酸塩	2.5mg 1錠	抗パーキンソン剤(選択的MAO-B阻害剤)	1915
	YD063	黄		パンテチン錠100mg「YD」(陽進堂/日本ジェネリック)	パンテチン	100mg 1錠	代謝異常改善剤	2900
	YD063 ⋒860	黄		パンテチン錠100mg「YD」(陽進堂/日医工)	パンテチン	100mg 1錠	代謝異常改善剤	2900
	∠S063	白		アグリリンカプセル0.5mg(武田薬品)	アナグレリド塩酸塩水和物	0.5mg 1カプセル	本態性血小板血症治療剤	145
63	FJ63/17.5	淡紅		リセドロン酸Na錠17.5mg「F」(富士製薬)	リセドロン酸ナトリウム水和物	17.5mg 1錠	ビスホスホネート系骨吸収抑制剤	4209
	JG E63/12	薄橙	①	カンデサルタン錠12mg「JG」(日本ジェネリック)	カンデサルタン シレキセチル	12mg 1錠	アンジオテンシンⅡ受容体拮抗剤	1184
	JG N63/イルベサルタン200JG	白～帯黄白	①	イルベサルタン錠200mg「JG」(長生堂/日本ジェネリック)	イルベサルタン	200mg 1錠	長時間作用型アンジオテンシンⅡ受容体拮抗剤	522
	M63	白		トスキサシン錠75mg(ヴィアトリス)	トスフロキサシントシル酸塩水和物	75mg 1錠	ニューキノロン系抗菌剤	2414
	N63	灰褐～茶褐		コタロー五積散エキス細粒(小太郎漢方)	五積散	1g	漢方製剤	4590
	NF63	褐		EPLカプセル250mg(アルフレッサファーマ)	ポリエンホスファチジルコリン	250mg 1カプセル	大豆抽出,肝疾患・高脂血症改善剤	3752
	t63 t063	白		セレギリン塩酸塩錠2.5mg「タイヨー」(武田テバファーマ)	セレギリン塩酸塩	2.5mg 1錠	抗パーキンソン剤(選択的MAO-B阻害剤)	1915
	ch63 ch63	白～微黄白		エピナスチン塩酸塩錠10mg「JG」(長生堂/日本ジェネリック)	エピナスチン塩酸塩	10mg 1錠	アレルギー性疾患治療剤	783
	ツムラ/63	淡灰褐		ツムラ五積散エキス顆粒(医療用)(ツムラ)	五積散	1g	漢方製剤	4590
064	MCI064/2	薄青	①	バソメット錠2mg(田辺三菱)	テラゾシン塩酸塩水和物	2mg 1錠	α₁-遮断剤	2353
	t64 t064	黄		ベニジピン塩酸塩錠2mg「NIG」(日医工岐阜/日医工/武田薬品)	ベニジピン塩酸塩	2mg 1錠	ジヒドロピリジン系Ca拮抗剤	3524
	TY-064	褐		〔東洋〕小柴胡湯エキス細粒(東洋薬行)	小柴胡湯	1g	漢方製剤	4609
64	JG E64/5	白		ラフチジン錠5mg「JG」(日本ジェネリック)	ラフチジン	5mg 1錠	H₂-受容体拮抗剤	4103
	M64	白		トスキサシン錠150mg(ヴィアトリス)	トスフロキサシントシル酸塩水和物	150mg 1錠	ニューキノロン系抗菌剤	2414
	N64	灰褐～褐		コタロー炙甘草湯エキス細粒(小太郎漢方)	炙甘草湯	1g	漢方製剤	4604
	t64 t064	黄		ベニジピン塩酸塩錠2mg「NIG」(日医工岐阜/日医工/武田薬品)	ベニジピン塩酸塩	2mg 1錠	ジヒドロピリジン系Ca拮抗剤	3524
	ZE64/2.5	白		ビソプロロールフマル酸塩錠2.5mg「ZE」(全星薬品工業/全星薬品)	ビソプロロールフマル酸塩	2.5mg 1錠	選択的β₁-アンタゴニスト	2944
	ch64 ch64	白～微黄白		エピナスチン塩酸塩錠20mg「JG」(長生堂/日本ジェネリック)	エピナスチン塩酸塩	20mg 1錠	アレルギー性疾患治療剤	783
	ツムラ/64	灰褐		ツムラ炙甘草湯エキス顆粒(医療用)(ツムラ)	炙甘草湯	1g	漢方製剤	4604
065	t65 t065	黄	①	ベニジピン塩酸塩錠4mg「NIG」(日医工岐阜/日医工/武田薬品)	ベニジピン塩酸塩	4mg 1錠	ジヒドロピリジン系Ca拮抗剤	3524

番号	識別コード	色 (Ⓘ:割線有)	商品名(会社名)	一般名	規格単位	薬効	掲載ページ
65	BMD65	淡黄透明	イコサペント酸エチルカプセル300mg「BMD」(ビオメディクス)	イコサペント酸エチル	300mg 1カプセル	EPA剤	412
	FC65	褐	ジュンコウ帰脾湯FCエキス細粒医療用(康和薬通/大杉)	帰脾湯	1g	漢方製剤	4578
	FJ65／2.5	帯赤黄	レトロゾール錠2.5mg「F」(富士製薬)	レトロゾール	2.5mg 1錠	アロマターゼ阻害剤	4372
	JG E65／10	白	ラフチジン錠10mg「JG」(日本ジェネリック)	ラフチジン	10mg 1錠	H₂-受容体拮抗剤	4103
	JG N65	白～微帯黄白	炭酸ランタン顆粒分包250mg「JG」(日本ジェネリック)	炭酸ランタン水和物	250mg 1包	高リン血症治療剤	4174
	T65	白 Ⓘ	メトリジン錠2mg (大正)	ミドドリン塩酸塩	2mg 1錠	α₁-刺激剤	3870
	t65 t065	黄 Ⓘ	ベニジピン塩酸塩錠4mg「NIG」(日医工岐阜/日医工/武田薬品)	ベニジピン塩酸塩	4mg 1錠	ジヒドロピリジン系Ca拮抗剤	3524
	ZE65	白 Ⓘ	ビソプロロールフマル酸塩錠5mg「ZE」(全星薬品工業/全星薬品)	ビソプロロールフマル酸塩	5mg 1錠	選択的β₁-アンタゴニスト	2944
	ZP65	帯赤褐～褐	アサコール錠400mg (ゼリア新薬)	メサラジン	400mg 1錠	潰瘍性大腸炎・クローン病治療剤	3911
	ツムラ/65	淡灰褐	ツムラ帰脾湯エキス顆粒(医療用) (ツムラ)	帰脾湯	1g	漢方製剤	4578
066	t66 t066	黄 Ⓘ	ベニジピン塩酸塩錠8mg「NIG」(日医工岐阜/日医工/武田薬品)	ベニジピン塩酸塩	8mg 1錠	ジヒドロピリジン系Ca拮抗剤	3524
66	FJ66／250mg	黄 Ⓘ	レボフロキサシン錠250mg「F」(富士製薬)	レボフロキサシン水和物	250mg 1錠(レボフロキサシンとして)	ニューキノロン系抗菌剤	4432
	JG N66	白～微帯黄白	炭酸ランタン顆粒分包500mg「JG」(日本ジェネリック)	炭酸ランタン水和物	500mg 1包	高リン血症治療剤	4174
	t66 t066	黄 Ⓘ	ベニジピン塩酸塩錠8mg「NIG」(日医工岐阜/日医工/武田薬品)	ベニジピン塩酸塩	8mg 1錠	ジヒドロピリジン系Ca拮抗剤	3524
	Tai TM-66	淡茶～灰褐	太虎堂の参蘇飲エキス顆粒(太虎精堂)	参蘇飲	1g	漢方製剤	4615
	ch66 ch66	黄	ベニジピン塩酸塩錠2mg「CH」(長生堂/日本ジェネリック)	ベニジピン塩酸塩	2mg 1錠	ジヒドロピリジン系Ca拮抗剤	3524
	ツムラ/66	淡褐	ツムラ参蘇飲エキス顆粒(医療用) (ツムラ)	参蘇飲	1g	漢方製剤	4615
067	MI-MG033 MI-MG050 MI-MG067 MI-MG100	白	酸化マグネシウム原末「マルイシ」(丸石)	酸化マグネシウム	10g	制酸・緩下剤	3798
	TO067 TO-067	白 Ⓘ	ウブレチド錠5mg (鳥居薬品)	ジスチグミン臭化物	5mg 1錠	コリンエステラーゼ阻害剤	1597
67	FJ67／500mg	薄橙 Ⓘ	レボフロキサシン錠500mg「F」(富士製薬)	レボフロキサシン水和物	500mg 1錠(レボフロキサシンとして)	ニューキノロン系抗菌剤	4432
	JG N67	黄褐	フェロベリン配合錠(日本ジェネリック)	ベルベリン塩化物水和物・ゲンノショウコエキス	1錠	止瀉剤	3630
	T67	白 Ⓘ	メトリジンD錠2mg (大正)	ミドドリン塩酸塩	2mg 1錠	α₁-刺激剤	3870
	ch67 ch67	黄 Ⓘ	ベニジピン塩酸塩錠4mg「CH」(長生堂/日本ジェネリック)	ベニジピン塩酸塩	4mg 1錠	ジヒドロピリジン系Ca拮抗剤	3524
	ツムラ/67	黄褐	ツムラ女神散エキス顆粒(医療用) (ツムラ)	女神散	1g	漢方製剤	4634
068	t068 t68	白 Ⓘ	d-クロルフェニラミンマレイン酸塩錠2mg「NIG」(日医工岐阜/日医工/武田薬品)	クロルフェニラミンマレイン酸塩	2mg 1錠	抗ヒスタミン剤	1377
68	FC68	褐	ジュンコウ芍薬甘草湯FCエキス細粒医療用(康和薬通/大杉)	芍薬甘草湯	1g	漢方製剤	4605
	FJ68	白	ジエノゲスト錠1mg「F」(富士製薬)	ジエノゲスト	1mg 1錠	子宮内膜症治療剤・子宮腺筋症に伴う疼痛改善治療剤・月経困難症治療剤	1564
	H68	淡黄褐	本草芍薬甘草湯エキス顆粒-M (本草)	芍薬甘草湯	1g	漢方製剤	4605
	KB-68 EK-68	淡褐	クラシエ芍薬甘草湯エキス細粒(クラシエ/クラシエ薬品)	芍薬甘草湯	1g	漢方製剤	4605
	N68	茶褐～黄褐	コタロー芍薬甘草湯エキス細粒(小太郎漢方)	芍薬甘草湯	1g	漢方製剤	4605
	t068 t68	白 Ⓘ	d-クロルフェニラミンマレイン酸塩錠2mg「NIG」(日医工岐阜/日医工/武田薬品)	クロルフェニラミンマレイン酸塩	2mg 1錠	抗ヒスタミン剤	1377
	ch68 ch68	黄 Ⓘ	ベニジピン塩酸塩錠8mg「CH」(長生堂/日本ジェネリック)	ベニジピン塩酸塩	8mg 1錠	ジヒドロピリジン系Ca拮抗剤	3524
	ツムラ/68	淡灰褐	ツムラ芍薬甘草湯エキス顆粒(医療用) (ツムラ)	芍薬甘草湯	1g	漢方製剤	4605
069	TY-069	褐	〔東洋〕神秘湯エキス細粒(東洋薬行)	神秘湯	1g	漢方製剤	4615
69	FJ69	淡黄	ウトロゲスタン腟用カプセル200mg(富士製薬)	プロゲステロン	200mg 1カプセル	黄体ホルモン	3397

番号	識別コード	色 (❶：割線有)	商品名(会社名)	一般名	規格単位	薬効	掲載ページ
69	JG E69	白〜帯黄白	ベザフィブラート徐放錠100mg「JG」(長生堂／日本ジェネリック)	ベザフィブラート	100mg 1錠	高脂血症治療剤	3486
	N69	黄褐〜褐	コタロー茯苓飲エキス細粒(小太郎漢方)	茯苓飲	1g	漢方製剤	4640
	ツムラ／69	淡灰褐	ツムラ茯苓飲エキス顆粒(医療用)(ツムラ)	茯苓飲	1g	漢方製剤	4640
070	Tw070／0.5	白	グリメピリドOD錠0.5mg「トーワ」(東和薬品)	グリメピリド	0.5mg 1錠	スルホニル尿素系血糖降下剤	1278
70	70／5	淡黄白	オルメサルタン錠5mg「ツルハラ」(鶴原)	オルメサルタン メドキソミル	5mg 1錠	高親和性AT₁レセプターブロッカー	1031
	ACP70	白〜淡黄	アコニップパップ70mg(テイカ)	インドメタシン	10cm×14cm 1枚	インドール酢酸系解熱消炎鎮痛剤・未熟児動脈管開存症治療剤	619
	FJ70	淡黄	エフメノカプセル100mg(富士製薬)	プロゲステロン	100mg 1カプセル	黄体ホルモン	3397
	JG E70	白	ベザフィブラート徐放錠200mg「JG」(長生堂／日本ジェネリック)	ベザフィブラート	200mg 1錠	高脂血症治療剤	3486
	JG N70／250	白〜灰白	炭酸ランタンOD錠250mg「JG」(日本ジェネリック)	炭酸ランタン水和物	250mg 1錠	高リン血症治療剤	4174
	LOP70	白〜淡黄	ラクティオンパップ70mg(テイカ)	インドメタシン	10cm×14cm 1枚	インドール酢酸系解熱消炎鎮痛剤・未熟児動脈管開存症治療剤	619
	MZ-LOP70	白〜淡黄	ラクティオンパップ70mg(テイカ／三笠)	インドメタシン	10cm×14cm 1枚	インドール酢酸系解熱消炎鎮痛剤・未熟児動脈管開存症治療剤	619
	N70	褐〜淡褐	コタロー香蘇散エキス細粒(小太郎漢方)	香蘇散	1g	漢方製剤	4589
	OG70	黄	エビリファイ錠12mg(大塚)	アリピプラゾール	12mg 1錠	抗精神病薬	289
	YP-DCF70	白〜淡黄	フェルビナクパップ70mg「ユートク」(大石膏盛堂／祐徳薬品)	フェルビナク	10cm×14cm 1枚	鎮痛消炎フェンブフェン活性体	3153
	ツムラ／70	灰褐	ツムラ香蘇散エキス顆粒(医療用)(ツムラ)	香蘇散	1g	漢方製剤	4589
071	t71 t071	白 ❶	ブロチゾラムOD錠0.25mg「テバ」(武田テバファーマ／武田薬品)	ブロチゾラム	0.25mg 1錠	チエノトリアゾロジアゼピン系睡眠導入剤	3411
	Tw071／1	淡紅 ❶	グリメピリドOD錠1mg「トーワ」(東和薬品)	グリメピリド	1mg 1錠	スルホニル尿素系血糖降下剤	1278
71	FC71	灰褐	ジュンコウ四物湯FCエキス細粒医療用(康和薬通／大杉)	四物湯	1g	漢方製剤	4604
	H71	灰褐	本草四物湯エキス顆粒－M(本草)	四物湯	1g	漢方製剤	4604
	JG E71／8	淡黄白 ❶	アゼルニジピン錠8mg「JG」(日本ジェネリック／共創未来)	アゼルニジピン	8mg 1錠	持続性Ca拮抗剤	90
	JG F71	白	ミチグリニドCa・OD錠5mg「JG」(日本ジェネリック)	ミチグリニドカルシウム水和物	5mg 1錠	速効型インスリン分泌促進剤	3859
	KB-71 EK-71	淡褐〜褐	クラシエ四物湯エキス細粒(クラシエ／クラシエ薬品)	四物湯	1g	漢方製剤	4604
	KC71	白	アムロジピン錠2.5mg「科研」(ダイト／科研)	アムロジピンベシル酸塩	2.5mg 1錠	ジヒドロピリジン系Ca拮抗剤	264
	N71	灰褐〜褐	コタロー四物湯エキス細粒(小太郎漢方)	四物湯	1g	漢方製剤	4604
	OG71	白	エビリファイ錠6mg(大塚)	アリピプラゾール	6mg 1錠	抗精神病薬	289
	T71	白	アルボ錠100mg(大正)	オキサプロジン	100mg 1錠	プロピオン酸系消炎鎮痛剤	943
	t71 t071	白 ❶	ブロチゾラムOD錠0.25mg「テバ」(武田テバファーマ／武田薬品)	ブロチゾラム	0.25mg 1錠	チエノトリアゾロジアゼピン系睡眠導入剤	3411
	Tai TM-71	淡茶〜灰褐	太虎堂の四物湯エキス顆粒(太虎精堂)	四物湯	1g	漢方製剤	4604
	TSU71／10	白 ❶	オルメサルタン錠10mg「ツルハラ」(鶴原)	オルメサルタン メドキソミル	10mg 1錠	高親和性AT₁レセプターブロッカー	1031
	Z71／1	淡紅	メトトレキサート錠1mg「日本臓器」(日本臓器)	メトトレキサート	1mg 1錠	抗リウマチ剤	3952
	漢：EKT-71	淡黄〜褐	クラシエ四物湯エキス錠(大峰堂／クラシエ薬品)	四物湯	1錠	漢方製剤	4604
	ツムラ／71	灰褐	ツムラ四物湯エキス顆粒(医療用)(ツムラ)	四物湯	1g	漢方製剤	4604
072	Tw072／3	微黄白 ❶	グリメピリドOD錠3mg「トーワ」(東和薬品)	グリメピリド	3mg 1錠	スルホニル尿素系血糖降下剤	1278
	TY-072	褐	〔東洋〕清心蓮子飲エキス細粒(東洋薬行)	清心蓮子飲	1g	漢方製剤	4618
72	EE72／10	白	ロラタジンOD錠10mg「EE」(エルメッド／日医工)	ロラタジン	10mg 1錠	持続性選択H₁-受容体拮抗・アレルギー治療剤	4545
	JG E72／16	淡黄白 ❶	アゼルニジピン錠16mg「JG」(日本ジェネリック／共創未来)	アゼルニジピン	16mg 1錠	持続性Ca拮抗剤	90
	JG F72	白	ミチグリニドCa・OD錠10mg「JG」(日本ジェネリック)	ミチグリニドカルシウム水和物	10mg 1錠	速効型インスリン分泌促進剤	3859

番号	識別コード	色 (①:割線有)	商品名(会社名)	一般名	規格単位	薬効	掲載ページ
72	JG72／20	淡黄 ①	バルサルタン錠20mg「JG」(日本ジェネリック)	バルサルタン	20mg 1錠	選択的AT₁受容体遮断剤	2840
	KC72	白 ①	アムロジピン錠5mg「科研」(ダイト／科研)	アムロジピンベシル酸塩	5mg 1錠	ジヒドロピリジン系Ca拮抗剤	264
	KO72	白 ①	トラセミド錠4mg「KO」(寿)	トラセミド	4mg 1錠	ループ利尿剤	2468
	MYLAN72	白	メンドンカプセル7.5mg(ヴィアトリス)	クロラゼプ酸二カリウム	7.5mg 1カプセル	抗不安剤	1372
	N72	褐～淡褐	コタロー甘麦大棗湯エキス細粒(小太郎漢方)	甘麦大棗湯	1g	漢方製剤	4577
	OG72	青	エビリファイ錠3mg(大塚)	アリピプラゾール	3mg 1錠	抗精神病薬	289
	P72	灰白～淡灰褐	ヨクイニンエキス散「コタロー」(小太郎漢方)	ヨクイニンエキス	1g	いぼ内服薬	4056
	SG-72	灰褐	オースギ甘麦大棗湯エキスTG(大杉)	甘麦大棗湯	1g	漢方製剤	4577
	T72	灰白～淡褐	ヨクイニンエキス錠「コタロー」(小太郎漢方)	ヨクイニンエキス	1錠	いぼ内服薬	4056
	T72	白	アルボ錠200mg(大正)	オキサプロジン	200mg 1錠	プロピオン酸系消炎鎮痛剤	943
	TSU72／20	白 ①	オルメサルタン錠20mg「ツルハラ」(鶴原)	オルメサルタン メドキソミル	20mg 1錠	高親和性AT₁レセプターブロッカー	1031
	UPJOHN72	白	ソラナックス0.4mg錠(ヴィアトリス)	アルプラゾラム	0.4mg 1錠	マイナートランキライザー	322
	Z72／2	淡黄	メトトレキサート錠2mg「日本臓器」(日本臓器)	メトトレキサート〔抗リウマチ剤〕	2mg 1錠	抗リウマチ剤	3952
	ch72	白～微黄白	オフロキサシン錠100mg「JG」(長生堂／日本ジェネリック)	オフロキサシン	100mg 1錠	ニューキノロン系抗菌剤	996
	ツムラ／72	淡褐	ツムラ甘麦大棗湯エキス顆粒(医療用)(ツムラ)	甘麦大棗湯	1g	漢方製剤	4577
073	Tw073／50	白 ①	ナフトピジル錠50mg「トーワ」(東和薬品)	ナフトピジル	50mg 1錠	排尿障害治療剤	2614
	YD073	白 ①	シロスタゾール錠100mg「YD」(陽進堂)	シロスタゾール	100mg 1錠	抗血小板剤	1718
	n073 ⓝ073	白	クラリスロマイシン錠200mg「日医工」(日医工)	クラリスロマイシン	200mg 1錠	マクロライド系抗生物質	1250
73	FJ73／OD1	白	ジエノゲストOD錠1mg「F」(富士製薬)	ジエノゲスト	1mg 1錠	子宮内膜症治療剤・子宮腺筋症に伴う疼痛改善治療剤・月経困難症治療剤	1564
	JG C73／3	青	アリピプラゾール錠3mg「JG」(日本ジェネリック)	アリピプラゾール	3mg 1錠	抗精神病薬	289
	JG N73 20	赤褐	タダラフィル錠20mgAD「JG」(日本ジェネリック)	タダラフィル	20mg 1錠	ホスホジエステラーゼ5阻害剤	2027
	JG73／40	白 ①	バルサルタン錠40mg「JG」(日本ジェネリック)	バルサルタン	40mg 1錠	選択的AT₁受容体遮断剤	2840
	KC73	白 ①	アムロジピン錠10mg「科研」(ダイト／科研)	アムロジピンベシル酸塩	10mg 1錠	ジヒドロピリジン系Ca拮抗剤	264
	KO73	白 ①	トラセミド錠8mg「KO」(寿)	トラセミド	8mg 1錠	ループ利尿剤	2468
	N73	茶褐～黄褐	コタロー柴陥湯エキス細粒(小太郎漢方)	柴陥湯	1g	漢方製剤	4594
	OG73	白	ユービット錠100mg(大塚)	尿素(¹³C)	100mg 1錠	ヘリコバクター・ピロリ感染診断用剤	2679
	SW73	白	リスペリドンOD錠0.5mg「サワイ」(沢井)	リスペリドン	0.5mg 1錠	抗精神病、D₂・5-HT₂拮抗剤	4201
	Tai TM-73	淡茶	太虎堂の柴陥湯エキス顆粒(太虎精堂)	柴陥湯	1g	漢方製剤	4594
	TSU73／40	白 ①	オルメサルタン錠40mg「ツルハラ」(鶴原)	オルメサルタン メドキソミル	40mg 1錠	高親和性AT₁レセプターブロッカー	1031
	ZE73／25	白	ロサルタンカリウム錠25mg「ZE」(全星薬品工業／全星薬品)	ロサルタンカリウム	25mg 1錠	アンギオテンシンⅡ受容体拮抗剤	4481
	ch73／10	白	プロピベリン塩酸塩錠10mg「JG」(長生堂／日本ジェネリック)	プロピベリン塩酸塩	10mg 1錠	排尿抑制ベンジル酸誘導体	3433
	ツムラ／73	黄褐	ツムラ柴陥湯エキス顆粒(医療用)(ツムラ)	柴陥湯	1g	漢方製剤	4594
074	MS074／レトロゾール	帯赤黄	レトロゾール錠2.5mg「明治」(Meiji Seika)	レトロゾール	2.5mg 1錠	アロマターゼ阻害剤	4372
	Tw074／75	黄白～淡黄①	ナフトピジル錠75mg「トーワ」(東和薬品)	ナフトピジル	75mg 1錠	排尿障害治療剤	2614
	n074 ⓝ074	白	クラリスロマイシン錠50mg小児用「日医工」(日医工)	クラリスロマイシン	50mg 1錠	マクロライド系抗生物質	1250
74	FJ74	白	レボノルゲストレル錠1.5mg「F」(富士製薬)	レボノルゲストレル	1.5mg 1錠	黄体ホルモン	4424
	JG C74／6	白	アリピプラゾール錠6mg「JG」(日本ジェネリック)	アリピプラゾール	6mg 1錠	抗精神病薬	289
	JG74／80	白 ①	バルサルタン錠80mg「JG」(日本ジェネリック)	バルサルタン	80mg 1錠	選択的AT₁受容体遮断剤	2840

0
-
99

番号	識別コード	色 (①:割線有)	商品名(会社名)	一般名	規格単位	薬効	掲載ページ
74	KO74 ロルノキシカム2	白〜微黄白	ロルノキシカム錠2mg「KO」(寿)	ロルノキシカム	2mg 1錠	オキシカム系消炎鎮痛剤	4548
	OG74	微赤白	エビリファイ錠1mg(大塚)	アリピプラゾール	1mg 1錠	抗精神病薬	289
	OH74/5 OH-74	白 ①	リシノプリル錠5mg「オーハラ」(大原薬品)	リシノプリル水和物	5mg 1錠	ACE阻害剤	4193
	ZE74/50	白	ロサルタンカリウム錠50mg「ZE」(全星薬品工業/全星薬品)	ロサルタンカリウム	50mg 1錠	アンギオテンシンII受容体拮抗剤	4481
	ch74 ch74	白	ロキシスロマイシン錠150mg「JG」(長生堂/日本ジェネリック)	ロキシスロマイシン	150mg 1錠	酸安定性マクロライド系抗生物質	4472
	ツムラ/74	淡黄褐	ツムラ調胃承気湯エキス顆粒(医療用)(ツムラ)	調胃承気湯	1g	漢方製剤	4626
075	EE075	黄	フルボキサミンマレイン酸塩錠75mg「EMEC」(エルメッド/日医工)	フルボキサミンマレイン酸塩	75mg 1錠	選択的セロトニン再取り込み阻害剤(SSRI)	3337
	SW075	白〜微黄白	プロブコール錠250mg「サワイ」(沢井)	プロブコール	250mg 1錠	高脂質血症治療剤	3436
	t075 t75	白	シルニジピン錠5mg「NIG」(日医工岐阜/日医工/武田薬品)	シルニジピン	5mg 1錠	ジヒドロピリジン系Ca拮抗剤	1716
75	75①654 ①654 75	白	フロモックス錠75mg(塩野義)	セフカペン ピボキシル塩酸塩水和物	75mg 1錠	セフェム系抗生物質	1845
	75プレガバリンODトーワ	白	プレガバリンOD錠75mg「トーワ」(東和薬品)	プレガバリン	75mg 1錠	疼痛治療剤(神経障害性疼痛・線維筋痛症)	3355
	FF277/75	白 ①	ナフトピジルOD錠75mg「FFP」(共創未来)	ナフトピジル	75mg 1錠	排尿障害治療剤	2614
	FJ75/0.5	明るい灰黄	エストラジオール錠0.5mg「F」(富士製薬)	エストラジオール	0.5mg 1錠	エストラジオール製剤	685
	GS LHF75mg	暗紅白	タフィンラーカプセル75mg(ノバルティス)	ダブラフェニブメシル酸塩	75mg 1カプセル	抗悪性腫瘍剤・BRAF阻害剤	2061
	JG C75/12	黄	アリピプラゾール錠12mg「JG」(日本ジェネリック)	アリピプラゾール	12mg 1錠	抗精神病薬	289
	JG E03/75	白〜微黄白	ポラプレジンクOD錠75mg「JG」(長生堂/日本ジェネリック)	ポラプレジンク	75mg 1錠	胃潰瘍治療亜鉛・L-カルノシン錯体	3751
	JG E82/75	黄白〜淡黄①	ナフトピジル錠75mg「JG」(長生堂/日本ジェネリック)	ナフトピジル	75mg 1錠	排尿障害治療剤	2614
	JG E85/75	白 ①	ナフトピジルOD錠75mg「JG」(日本ジェネリック)	ナフトピジル	75mg 1錠	排尿障害治療剤	2614
	JG75/160	白 ①	バルサルタン錠160mg「JG」(日本ジェネリック)	バルサルタン	160mg 1錠	選択的AT₁受容体遮断剤	2840
	KC75	白	エバスチン錠5mg「科研」(ダイト/科研)	エバスチン	5mg 1錠	持続性選択H₁-受容体拮抗剤	778
	KO75 ロルノキシカム4	白〜微黄白	ロルノキシカム錠4mg「KO」(寿)	ロルノキシカム	4mg 1錠	オキシカム系消炎鎮痛剤	4548
	KRM178/75	白 ①	ナフトピジルOD錠75mg「杏林」(キョーリンリメディオ/杏林)	ナフトピジル	75mg 1錠	排尿障害治療剤	2614
	KW F75	黄	フルボキサミンマレイン酸塩錠75mg「アメル」(共和薬品)	フルボキサミンマレイン酸塩	75mg 1錠	選択的セロトニン再取り込み阻害剤(SSRI)	3337
	LNF75	黄赤	ゾキンヴィカプセル75mg(アンジェス)	ロナファルニブ	75mg 1カプセル	早老症治療用剤・ファルネシルトランスフェラーゼ阻害剤	4498
	MS75	黄	デプロメール錠75(Meiji Seika)	フルボキサミンマレイン酸塩	75mg 1錠	選択的セロトニン再取り込み阻害剤(SSRI)	3337
	MSD75	明るい灰黄	シングレア錠5mg(オルガノン)	モンテルカストナトリウム	5mg 1錠	ロイコトリエン受容体拮抗剤	4043
	NFP EP/ NFP75 NFP EP75	白 ①	ナフトピジルOD錠75mg「DSEP」(第一三共エスファ)	ナフトピジル	75mg 1錠	排尿障害治療剤	2614
	NP75 NP-75	黄	フルボキサミンマレイン酸塩錠75mg「NP」(ニプロ)	フルボキサミンマレイン酸塩	75mg 1錠	選択的セロトニン再取り込み阻害剤(SSRI)	3337
	NPI138/75	白 ①	ナフトピジルOD錠75mg「ケミファ」(日本薬品工業/日本ケミファ)	ナフトピジル	75mg 1錠	排尿障害治療剤	2614
	NS583/75	白 ①	ナフトピジルOD錠75mg「日新」(日新)	ナフトピジル	75mg 1錠	排尿障害治療剤	2614
	PGN75 Pfizer PGN75	濃赤褐/白	リリカカプセル75mg(ヴィアトリス)	プレガバリン	75mg 1カプセル	疼痛治療剤(神経障害性疼痛・線維筋痛症)	3355
	PT PR/75 PT PR75	白	プレガバリンOD錠75mg「ファイザー」(ヴィアトリス・ヘルスケア/ヴィアトリス)	プレガバリン	75mg 1錠	疼痛治療剤(神経障害性疼痛・線維筋痛症)	3355
	Sc397/75	白 ①	セイブル錠75mg(三和化学)	ミグリトール	75mg 1錠	糖尿病食後過血糖改善剤	3834
	Sc75	白	セイブルOD錠75mg(三和化学)	ミグリトール	75mg 1錠	糖尿病食後過血糖改善剤	3834
	SG-75T	淡褐	オースギ四君子湯エキス錠(大杉)	四君子湯	1錠	漢方製剤	4602
	SW MG75 75	白 ①	ミグリトールOD錠75mg「サワイ」(沢井)	ミグリトール	75mg 1錠	糖尿病食後過血糖改善剤	3834
	SW PLZ/75	白〜微黄白	ポラプレジンクOD錠75mg「サワイ」(沢井)	ポラプレジンク	75mg 1錠	胃潰瘍治療亜鉛・L-カルノシン錯体	3751

番号	識別コード	色 (◐：割線有)	商品名(会社名)	一般名	規格単位	薬効	掲載ページ
75	SW TFX75	白	トスフロキサシントシル酸塩錠75mg「サワイ」(沢井)	トスフロキサシントシル酸塩水和物	75mg 1錠	ニューキノロン系抗菌剤	2414
	SWナフト／75 SWナフト75	黄白～淡黄◐	ナフトピジルOD錠75mg「サワイ」(沢井)	ナフトピジル	75mg 1錠	排尿障害治療剤	2614
	t075 t75	白	シルニジピン錠5mg「NIG」(日医工岐阜／日医工／武田薬品)	シルニジピン	5mg 1錠	ジヒドロピリジン系Ca拮抗剤	1716
	TF75 TTS-158	黄	フルボキサミンマレイン酸塩錠75mg「タカタ」(高田)	フルボキサミンマレイン酸塩	75mg 1錠	選択的セロトニン再取り込み阻害剤(SSRI)	3337
	TSU75	白～微黄白	クロピドグレル錠75mg「ツルハラ」(鶴原)	クロピドグレル硫酸塩	75mg 1錠	抗血小板剤	1317
	TU143／75	白　◐	ナフトピジルOD錠75mg「TCK」(辰巳化学)	ナフトピジル	75mg 1錠	排尿障害治療剤	2614
	TV NP3／75	白　◐	ナフトピジルOD錠75mg「NIG」(日医工岐阜／日医工／武田薬品)	ナフトピジル	75mg 1錠	排尿障害治療剤	2614
	Tw074／75	黄白～淡黄◐	ナフトピジル錠75mg「トーワ」(東和薬品)	ナフトピジル	75mg 1錠	排尿障害治療剤	2614
	Tw743／75	白	セフカペンピボキシル塩酸塩錠75mg「トーワ」(シー・エイチ・オー／東和薬品)	セフカペン ピボキシル塩酸塩水和物	75mg 1錠	セフェム系抗生物質	1845
	TWセフカペン75	白	セフカペンピボキシル塩酸塩錠75mg「TW」(東和薬品)	セフカペン ピボキシル塩酸塩水和物	75mg 1錠	セフェム系抗生物質	1845
	TZ254／75	淡黄	チラーヂンS錠75μg(あすか／武田薬品)	レボチロキシンナトリウム水和物	75μg 1錠	甲状腺ホルモン	4411
	VT PR／75 VT PR75	白	プレガバリンOD錠75mg「VTRS」(ヴィアトリス・ヘルスケア／ヴィアトリス)	プレガバリン	75mg 1錠	疼痛治療剤(神経障害性疼痛・線維筋痛症)	3355
	VTLY75 VTLY／75	白	リリカOD錠75mg(ヴィアトリス)	プレガバリン	75mg 1錠	疼痛治療剤(神経障害性疼痛・線維筋痛症)	3355
	ZE75／100	白	ロサルタンカリウム錠100mg「ZE」(全星薬品工業／全星薬品)	ロサルタンカリウム	100mg 1錠	アンギオテンシンⅡ受容体拮抗剤	4481
	△312／75	微黄	ベネット錠75mg(武田薬品)	リセドロン酸ナトリウム水和物	75mg 1錠	ビスホスホネート系骨吸収抑制剤	4209
	ch418／75 ch418	黄	フルボキサミンマレイン酸塩錠75mg「CH」(長生堂／日本ジェネリック)	フルボキサミンマレイン酸塩	75mg 1錠	選択的セロトニン再取り込み阻害剤(SSRI)	3337
	◯7.5 ◯75	緑	リンヴォック錠7.5mg(アッヴィ)	ウパダシチニブ水和物	7.5mg 1錠	ヤヌスキナーゼ(JAK)阻害剤	642
	ch75 ch75	白　◐	ドキサゾシン錠1mg「JG」(長生堂／日本ジェネリック)	ドキサゾシンメシル酸塩	1mg 1錠	α₁-遮断剤	2391
	Ｗ75 W75	淡紅	イフェクサーSRカプセル75mg(ヴィアトリス)	ベンラファキシン塩酸塩	75mg 1カプセル	セロトニン・ノルアドレナリン再取り込み阻害剤	3660
	L75	黄	ルボックス錠75(アッヴィ)	フルボキサミンマレイン酸塩	75mg 1錠	選択的セロトニン再取り込み阻害剤(SSRI)	3337
	LGX75mg	薄黄赤／白	ビラフトビカプセル75mg(小野薬品)	エンコラフェニブ	75mg 1カプセル	抗悪性腫瘍剤・BRAF阻害剤	907
	R75	白	プラザキサカプセル75mg(日本ベーリンガー)	ダビガトランエテキシラートメタンスルホン酸塩	75mg 1カプセル	直接トロンビン阻害剤	2049
	アクトネル75	微黄	アクトネル錠75mg(EA／エーザイ)	リセドロン酸ナトリウム水和物	75mg 1錠	ビスホスホネート系骨吸収抑制剤	4209
	アルタット75TZ321 TZ321	白	アルタットカプセル75mg(あすか／武田薬品)	ロキサチジン酢酸エステル塩酸塩	75mg 1カプセル	H₂-受容体拮抗剤	4466
	オセルタミビル75mg／SW	淡黄／明るい灰	オセルタミビルカプセル75mg「サワイ」(沢井)	オセルタミビルリン酸塩	75mg 1カプセル	抗インフルエンザウイルス剤	981
	オセルタミビル75トーワ	白	オセルタミビル錠75mg「トーワ」(東和薬品)	オセルタミビルリン酸塩	75mg 1錠	抗インフルエンザウイルス剤	981
	クロピドグレル／75	白～微黄白	クロピドグレル錠75mg「VTRS」(ヴィアトリス・ヘルスケア／ヴィアトリス)	クロピドグレル硫酸塩	75mg 1錠	抗血小板剤	1317
	クロピドグレル75FFP	白～微黄白	クロピドグレル錠75mg「FFP」(共創未来)	クロピドグレル硫酸塩	75mg 1錠	抗血小板剤	1317
	クロピドグレル75JG	白～微黄白	クロピドグレル錠75mg「JG」(日本ジェネリック)	クロピドグレル硫酸塩	75mg 1錠	抗血小板剤	1317
	クロピドグレル75NP	白～微黄白	クロピドグレル錠75mg「NP」(ニプロES)	クロピドグレル硫酸塩	75mg 1錠	抗血小板剤	1317
	クロピドグレル75NS	白～微黄白	クロピドグレル錠75mg「日新」(日新)	クロピドグレル硫酸塩	75mg 1錠	抗血小板剤	1317
	クロピドグレル75SANIK	白～微黄白	クロピドグレル錠75mg「SANIK」(日医工)	クロピドグレル硫酸塩	75mg 1錠	抗血小板剤	1317
	クロピドグレル75SW	白～微黄白	クロピドグレル錠75mg「サワイ」(沢井)	クロピドグレル硫酸塩	75mg 1錠	抗血小板剤	1317
	クロピドグレル75TCK	白～微黄白	クロピドグレル錠75mg「TCK」(辰巳化学)	クロピドグレル硫酸塩	75mg 1錠	抗血小板剤	1317

番号	識別コード	色 (◖:割線有)	商品名(会社名)	一般名	規格単位	薬効	掲載 ページ
75	クロピドグレル75 杏林	白～微黄白	クロピドグレル錠75mg「杏林」(キョーリンリメディオ/杏林)	クロピドグレル硫酸塩	75mg 1錠	抗血小板剤	1317
	クロピドグレル75 三和	白～微黄白	クロピドグレル錠75mg「三和」(日本薬品工業/三和化学)	クロピドグレル硫酸塩	75mg 1錠	抗血小板剤	1317
	クロピドグレル75 明治	白～微黄白	クロピドグレル錠75mg「明治」(高田/Meファルマ)	クロピドグレル硫酸塩	75mg 1錠	抗血小板剤	1317
	クロピドグレル75／ 科研 DK532	白～微黄白	クロピドグレル錠75mg「科研」(ダイト/科研)	クロピドグレル硫酸塩	75mg 1錠	抗血小板剤	1317
	クロピドグレル75 TS75	白～微黄白	クロピドグレル錠75mg「タナベ」(ニプロES)	クロピドグレル硫酸塩	75mg 1錠	抗血小板剤	1317
	クロピドグレル75 アメル	白～微黄白	クロピドグレル錠75mg「アメル」(共和薬品)	クロピドグレル硫酸塩	75mg 1錠	抗血小板剤	1317
	クロピドグレル75 クニヒロ	白～微黄白	クロピドグレル錠75mg「クニヒロ」(皇漢堂)	クロピドグレル硫酸塩	75mg 1錠	抗血小板剤	1317
	クロピドグレル75 ケミファ	白～微黄白	クロピドグレル錠75mg「ケミファ」(日本ケミファ/日本薬品工業)	クロピドグレル硫酸塩	75mg 1錠	抗血小板剤	1317
	クロピドグレル75 サンド	白～微黄白	クロピドグレル錠75mg「サンド」(サンド)	クロピドグレル硫酸塩	75mg 1錠	抗血小板剤	1317
	クロピドグレル75 トーワ	白	クロピドグレル錠75mg「トーワ」(東和薬品/共創未来)	クロピドグレル硫酸塩	75mg 1錠	抗血小板剤	1317
	クロピドグレル75 フェルゼン	白～微黄白	クロピドグレル錠75mg「フェルゼン」(フェルゼン)	クロピドグレル硫酸塩	75mg 1錠	抗血小板剤	1317
	クロピドグレル YD75 YD217	白～微黄白	クロピドグレル錠75mg「YD」(陽進堂)	クロピドグレル硫酸塩	75mg 1錠	抗血小板剤	1317
	セフカペン75CH	白	セフカペンピボキシル塩酸塩錠75mg「CH」(長生堂/日本ジェネリック)	セフカペン ピボキシル塩酸塩水和物	75mg 1錠	セフェム系抗生物質	1845
	セフカペンSW75	白	セフカペンピボキシル塩酸塩錠75mg「SW」(沢井)	セフカペン ピボキシル塩酸塩水和物	75mg 1錠	セフェム系抗生物質	1845
	タミフル75	淡黄／明るい灰	タミフルカプセル75 (中外)	オセルタミビルリン酸塩	75mg 1カプセル	抗インフルエンザウイルス剤	981
	ツムラ/75	淡灰褐	ツムラ四君子湯エキス顆粒(医療用)(ツムラ)	四君子湯	1g	漢方製剤	4602
	トーワ プレガバリン75	濃赤褐／白	プレガバリンカプセル75mg「トーワ」(東和薬品)	プレガバリン	75mg 1カプセル	疼痛治療剤(神経障害性疼痛・線維筋痛症)	3355
	ナフトピ75／ ナフトピジルOD75 トーワ	淡黄 ◖	ナフトピジルOD錠75mg「トーワ」(東和薬品)	ナフトピジル	75mg 1錠	排尿障害治療剤	2614
	ナフトピジル75 杏林	黄白 ◖	ナフトピジル錠75mg「杏林」(キョーリンリメディオ/杏林)	ナフトピジル	75mg 1錠	排尿障害治療剤	2614
	ナフトピジル75 日医工 Ⓝ242	黄白～淡黄◖	ナフトピジル錠75mg「日医工」(日医工)	ナフトピジル	75mg 1錠	排尿障害治療剤	2614
	ナフトピジル75 タカタ	白～淡黄 ◖	ナフトピジル錠75mg「タカタ」(高田)	ナフトピジル	75mg 1錠	排尿障害治療剤	2614
	ナフトピジル OD75EE	白 ◖	ナフトピジルOD錠75mg「EE」(エルメッド/日医工)	ナフトピジル	75mg 1錠	排尿障害治療剤	2614
	ナフトピジル OD75日医工 Ⓝ412	白 ◖	ナフトピジルOD錠75mg「日医工」(日医工)	ナフトピジル	75mg 1錠	排尿障害治療剤	2614
	ナフトピジル OD75タカタ	白 ◖	ナフトピジルOD錠75mg「タカタ」(高田)	ナフトピジル	75mg 1錠	排尿障害治療剤	2614
	ナフトピジル OD75タナベ TS113	白 ◖	ナフトピジルOD錠75mg「タナベ」(ニプロES)	ナフトピジル	75mg 1錠	排尿障害治療剤	2614
	ナフトピジル OD75ニプロ	白 ◖	ナフトピジルOD錠75mg「ニプロ」(ニプロES)	ナフトピジル	75mg 1錠	排尿障害治療剤	2614
	ナフトピジル ODフソー75	白 ◖	ナフトピジルOD錠75mg「フソー」(シオノ/扶桑薬品)	ナフトピジル	75mg 1錠	排尿障害治療剤	2614
	ナフトピジル YD OD75 YD618	白	ナフトピジルOD錠75mg「YD」(陽進堂)	ナフトピジル	75mg 1錠	排尿障害治療剤	2614
	ナフトピジル YD75 YD544	黄白 ◖	ナフトピジル錠75mg「YD」(陽進堂)	ナフトピジル	75mg 1錠	排尿障害治療剤	2614
	プラビックス75	白～微黄白	プラビックス錠75mg(サノフィ)	クロピドグレル硫酸塩	75mg 1錠	抗血小板剤	1317
	プレガバJG／ OD75	白	プレガバリンOD錠75mg「JG」(日本ジェネリック)	プレガバリン	75mg 1錠	疼痛治療剤(神経障害性疼痛・線維筋痛症)	3355
	プレガバリン75mg 日医工 Ⓝ632	濃赤褐／白	プレガバリンカプセル75mg「日医工」(日医工)	プレガバリン	75mg 1カプセル	疼痛治療剤(神経障害性疼痛・線維筋痛症)	3355
	プレガバリン75mg サワイ	濃赤褐／白	プレガバリンカプセル75mg「サワイ」(沢井)	プレガバリン	75mg 1カプセル	疼痛治療剤(神経障害性疼痛・線維筋痛症)	3355

0
|
99

番号	識別コード	色 (①:割線有)	商品名(会社名)	一般名	規格単位	薬効	掲載ページ
75	プレガバリン75 OD／プレガバリン75明治	白	プレガバリンOD錠75mg「明治」(日新／Meファルマ)	プレガバリン	75mg 1錠	疼痛治療剤(神経障害性疼痛・線維筋痛症)	3355
	プレガバリンOD75DSEP	白	プレガバリンOD錠75mg「DSEP」(第一三共エスファ)	プレガバリン	75mg 1錠	疼痛治療剤(神経障害性疼痛・線維筋痛症)	3355
	プレガバリンOD75KMP	白	プレガバリンOD錠75mg「KMP」(共創未来／三和化学)	プレガバリン	75mg 1錠	疼痛治療剤(神経障害性疼痛・線維筋痛症)	3355
	プレガバリンOD75NPI	白	プレガバリンOD錠75mg「NPI」(日本薬品工業)	プレガバリン	75mg 1錠	疼痛治療剤(神経障害性疼痛・線維筋痛症)	3355
	プレガバリンOD75TCK	白	プレガバリンOD錠75mg「TCK」(辰巳化学)	プレガバリン	75mg 1錠	疼痛治療剤(神経障害性疼痛・線維筋痛症)	3355
	プレガバリンOD75ZE	白〜微黄白	プレガバリンOD錠75mg「ZE」(全星薬品工業／全星薬品)	プレガバリン	75mg 1錠	疼痛治療剤(神経障害性疼痛・線維筋痛症)	3355
	プレガバリンOD75杏林	白	プレガバリンOD錠75mg「杏林」(キョーリンリメディオ／杏林)	プレガバリン	75mg 1錠	疼痛治療剤(神経障害性疼痛・線維筋痛症)	3355
	プレガバリンOD75日医工	白	プレガバリンOD錠75mg「日医工」(日医工)	プレガバリン	75mg 1錠	疼痛治療剤(神経障害性疼痛・線維筋痛症)	3355
	プレガバリンOD75科研	白	プレガバリンOD錠75mg「科研」(ダイト／科研)	プレガバリン	75mg 1錠	疼痛治療剤(神経障害性疼痛・線維筋痛症)	3355
	プレガバリンOD75アメル	白	プレガバリンOD錠75mg「アメル」(共和薬品)	プレガバリン	75mg 1錠	疼痛治療剤(神経障害性疼痛・線維筋痛症)	3355
	プレガバリンOD75オーハラ	白	プレガバリンOD錠75mg「オーハラ」(大原薬品／エッセンシャル)	プレガバリン	75mg 1錠	疼痛治療剤(神経障害性疼痛・線維筋痛症)	3355
	プレガバリンOD75ケミファ	白	プレガバリンOD錠75mg「ケミファ」(日本ケミファ)	プレガバリン	75mg 1錠	疼痛治療剤(神経障害性疼痛・線維筋痛症)	3355
	プレガバリンOD75サワイ	白	プレガバリンOD錠75mg「サワイ」(沢井)	プレガバリン	75mg 1錠	疼痛治療剤(神経障害性疼痛・線維筋痛症)	3355
	プレガバリンOD75サンド	白	プレガバリンOD錠75mg「サンド」(サンド)	プレガバリン	75mg 1錠	疼痛治療剤(神経障害性疼痛・線維筋痛症)	3355
	プレガバリンOD75ニプロ	白〜微黄白	プレガバリンOD錠75mg「ニプロ」(ニプロ)	プレガバリン	75mg 1錠	疼痛治療剤(神経障害性疼痛・線維筋痛症)	3355
	プレガバリンOD75フェルゼン		プレガバリンOD錠75mg「フェルゼン」(フェルゼン)	プレガバリン	75mg 1錠	疼痛治療剤(神経障害性疼痛・線維筋痛症)	3355
	プレガバリンOD🄬75	白	プレガバリンOD錠75mg「武田テバ」(武田テバファーマ／武田薬品)	プレガバリン	75mg 1錠	疼痛治療剤(神経障害性疼痛・線維筋痛症)	3355
	プレガバリンOD三笠75	白	プレガバリンOD錠75mg「三笠」(三笠)	プレガバリン	75mg 1錠	疼痛治療剤(神経障害性疼痛・線維筋痛症)	3355
	プレガバリンYD OD75 YD638	白	プレガバリンOD錠75mg「YD」(陽進堂)	プレガバリン	75mg 1錠	疼痛治療剤(神経障害性疼痛・線維筋痛症)	3355
	マスーレッド75	白	マスーレッド錠75mg(バイエル薬品)	モリデュスタットナトリウム	75mg 1錠	HIF-PH阻害薬・腎性貧血治療薬	4028
	ミグリ75／75ミグリトールODトーワ	微黄白	ミグリトールOD錠75mg「トーワ」(東和薬品)	ミグリトール	75mg 1錠	糖尿病食後過血糖改善剤	3834
	ミグリ75／ミグリトール75トーワ	白 ①	ミグリトール錠75mg「トーワ」(東和薬品)	ミグリトール	75mg 1錠	糖尿病食後過血糖改善剤	3834
	ミグリトール75 JG	白 ①	ミグリトール錠75mg「JG」(日本ジェネリック)	ミグリトール	75mg 1錠	糖尿病食後過血糖改善剤	3834
	リセドロン75日医工 ⓝ424	微黄	リセドロン酸Na錠75mg「日医工」(日医工)	リセドロン酸ナトリウム水和物	75mg 1錠	ビスホスホネート系骨吸収抑制剤	4209
	リセドロンNa75トーワ	微黄	リセドロン酸Na錠75mg「トーワ」(東和薬品)	リセドロン酸ナトリウム水和物	75mg 1錠	ビスホスホネート系骨吸収抑制剤	4209
	ロキサチジン75mg	白	ロキサチジン酢酸エステル塩酸塩徐放カプセル75mg「サワイ」(沢井)	ロキサチジン酢酸エステル塩酸塩	75mg 1カプセル	H_2-受容体拮抗剤	4466
076	YD076	白 ①	シンバスタチン錠5mg「YD」(陽進堂)	シンバスタチン	5mg 1錠	HMG-CoA還元酵素阻害剤	1728
	プロプラノロール60mg SW-076 SW-076	青／白	プロプラノロール塩酸塩徐放カプセル60mg「サワイ」(沢井)	プロプラノロール塩酸塩	60mg 1カプセル	β-遮断剤	3437
76	EE76	淡黄白	ドネペジル塩酸塩ODフィルム3mg「EE」(救急薬品／エルメッド／日医工)	ドネペジル,-塩酸塩	3mg 1錠	アルツハイマー型、レビー小体型認知症治療剤	2426
	FC76	黄褐	ジュンコウ龍胆瀉肝湯FCエキス細粒医療用(康和薬通／大杉)	竜胆瀉肝湯	1g	漢方製剤	4653
	JG F76	白	グリメピリド錠0.5mg「JG」(日本ジェネリック)	グリメピリド	0.5mg 1錠	スルホニル尿素系血糖降下剤	1278
	KC76	白 ①	エバスチン錠10mg「科研」(ダイト／科研)	エバスチン	10mg 1錠	持続性選択H_1-受容体拮抗剤	778
	KO76	白	フレカイニド酢酸塩錠50mg「KO」(寿)	フレカイニド酢酸塩	50mg 1錠	不整脈治療剤	3352

0
|
99

番号	識別コード	色 (◨：割線有)	商品名（会社名）	一般名	規格単位	薬効	掲載ページ
76	N76	黄褐〜褐	コタロー竜胆瀉肝湯エキス細粒（小太郎漢方）	竜胆瀉肝湯	1g	漢方製剤	4653
	Tai TM-76	薄茶〜灰	太虎堂の竜胆瀉肝湯エキス顆粒（太虎精堂）	竜胆瀉肝湯	1g	漢方製剤	4653
	Tai TM-76G	薄茶〜茶	太虎堂の竜胆瀉肝湯エキス細粒（太虎精堂）	竜胆瀉肝湯	1g	漢方製剤	4653
	Tai TM-76P	薄茶〜茶	太虎堂の竜胆瀉肝湯エキス散（太虎精堂）	竜胆瀉肝湯	1g	漢方製剤	4653
	ZE76／30	薄橙	フェキソフェナジン塩酸塩錠30mg「ZE」（全星薬品工業／全星薬品）	フェキソフェナジン塩酸塩	30mg 1錠	アレルギー性疾患治療剤	3111
	cH76 ch76	淡橙 ◨	ドキサゾシン錠2mg「JG」（長生堂／日本ジェネリック）	ドキサゾシンメシル酸塩	2mg 1錠	α_1-遮断剤	2391
	ツムラ／76	灰褐	ツムラ竜胆瀉肝湯エキス顆粒（医療用）（ツムラ）	竜胆瀉肝湯	1g	漢方製剤	4653
077	KP077 KP-077	白	ベハイド錠4mg（杏林）	ベンチルヒドロクロロチアジド	4mg 1錠	チアジド系降圧利尿剤	3655
	NP-077	黄	デュタステリドカプセル0.5mgAV「ニプロ」（ニプロ）	デュタステリド	0.5mg 1カプセル	5α-還元酵素阻害薬	2332
	TY-077	褐	〔東洋〕大柴胡湯エキス細粒（東洋薬行）	大柴胡湯	1g	漢方製剤	4622
	YD077	白	プラバスタチンナトリウム錠5mg「YD」（陽進堂）	プラバスタチンナトリウム	5mg 1錠	HMG-CoA還元酵素阻害剤	3256
	n077 $\textcircled{n}$077	帯赤灰	ニフェジピンCR錠10mg「日医工」（日医工）	ニフェジピン	10mg 1錠	ジヒドロピリジン系Ca拮抗剤	2652
77	77／◨	白	フォサマック錠35mg（オルガノン）	アレンドロン酸ナトリウム水和物	35mg 1錠	骨粗鬆症治療剤	349
	EE77	白	ドネペジル塩酸塩ODフィルム5mg「EE」（救急薬品／エルメッド／日医工）	ドネペジル，-塩酸塩	5mg 1錠	アルツハイマー型，レビー小体型認知症治療剤	2426
	FC77	灰褐	ジュンコウ芎帰膠艾湯FCエキス細粒医療用（康和薬通／大杉）	芎帰膠艾湯	1g	漢方製剤	4578
	FJ77 2.5mg	白／緑	レナリドミドカプセル2.5mg「F」（富士製薬）	レナリドミド水和物	2.5mg 1カプセル	免疫調節薬（IMiDs）	4378
	HC77	白	ホクナリンドライシロップ0.1%小児用（ヴィアトリス）	ツロブテロール	0.1% 1g	気管支拡張β_2-刺激剤	2190
	JG E77	橙白	ボセンタン錠62.5mg「JG」（長生堂／日本ジェネリック）	ボセンタン水和物	62.5mg 1錠	エンドセリン受容体拮抗薬	3704
	JG F77	淡紅 ◨	グリメピリド錠1mg「JG」（日本ジェネリック）	グリメピリド	1mg 1錠	スルホニル尿素系血糖降下剤	1278
	KC77	薄紅	エバスチンOD錠5mg「科研」（ダイト／科研）	エバスチン	5mg 1錠	持続性選択H$_1$-受容体拮抗剤	778
	KO77	白	フレカイニド酢酸塩錠100mg「KO」（寿）	フレカイニド酢酸塩	100mg 1錠	不整脈治療剤	3352
	N77	灰黒褐〜褐	コタロー芎帰膠艾湯エキス細粒（小太郎漢方）	芎帰膠艾湯	1g	漢方製剤	4578
	OH77／10 OH-77	白 ◨	リシノプリル錠10mg「オーハラ」（大原薬品）	リシノプリル水和物	10mg 1錠	ACE阻害剤	4193
	ZE77／60	薄橙	フェキソフェナジン塩酸塩錠60mg「ZE」（全星薬品工業／全星薬品）	フェキソフェナジン塩酸塩	60mg 1錠	アレルギー性疾患治療剤	3111
	ツムラ／77	灰褐	ツムラ芎帰膠艾湯エキス顆粒（医療用）（ツムラ）	芎帰膠艾湯	1g	漢方製剤	4578
078	KW078	白	エナラプリルマレイン酸塩錠2.5mg「アメル」（共和薬品）	エナラプリルマレイン酸塩	2.5mg 1錠	ACE阻害剤	767
	t078 t78	淡黄 ◨	メチルジゴキシン錠0.05mg「NIG」（日医工岐阜／日医工／武田薬品）	メチルジゴキシン	0.05mg 1錠	ジギタリス強心配糖体	3925
	YD078	微紅 ◨	プラバスタチンナトリウム錠10mg「YD」（陽進堂）	プラバスタチンナトリウム	10mg 1錠	HMG-CoA還元酵素阻害剤	3256
	n078 $\textcircled{n}$078	淡赤	ニフェジピンCR錠20mg「日医工」（日医工）	ニフェジピン	20mg 1錠	ジヒドロピリジン系Ca拮抗剤	2652
78	EE78	淡赤	ドネペジル塩酸塩ODフィルム10mg「EE」（救急薬品／エルメッド／日医工）	ドネペジル，-塩酸塩	10mg 1錠	アルツハイマー型，レビー小体型認知症治療剤	2426
	FJ78 5mg	白	レナリドミドカプセル5mg「F」（富士製薬）	レナリドミド水和物	5mg 1カプセル	免疫調節薬（IMiDs）	4378
	HC78／1	白 ◨	ホクナリン錠1mg（ヴィアトリス）	ツロブテロール	1mg 1錠	気管支拡張β_2-刺激剤	2190
	J-78	淡褐	JPS麻杏薏甘湯エキス顆粒〔調剤用〕（ジェーピーエス）	麻杏薏甘湯	1g	漢方製剤	4648
	JG F78	微黄白	グリメピリド錠3mg「JG」（日本ジェネリック）	グリメピリド	3mg 1錠	スルホニル尿素系血糖降下剤	1278
	KB-78 EK-78	淡褐	クラシエ麻杏薏甘湯エキス細粒（大峰堂／クラシエ薬品）	麻杏薏甘湯	1g	漢方製剤	4648

番号	識別コード	色(◫:割線有)	商品名(会社名)	一般名	規格単位	薬効	掲載ページ
78	KC78	白 ◫	エバスチンOD錠10mg「科研」(ダイト/科研)	エバスチン	10mg 1錠	持続性選択H₁-受容体拮抗剤	778
	KO78	白	ゾニサミド錠100mgEX「KO」(寿)	ゾニサミド〔抗てんかん剤〕	100mg 1錠	ベンズイソキサゾール系抗てんかん剤	1933
	N78	淡褐〜褐	コタロー麻杏薏甘湯エキス細粒(小太郎漢方)	麻杏薏甘湯	1g	漢方製剤	4648
	OH78／20 OH-78	白 ◫	リシノプリル錠20mg「オーハラ」(大原薬品)	リシノプリル水和物	20mg 1錠	ACE阻害剤	4193
	SG-78	淡灰黄褐〜淡灰茶褐	オースギ麻杏薏甘湯エキスG (大杉)	麻杏薏甘湯	1g	漢方製剤	4648
	t078 t78	淡黄 ◫	メチルジゴキシン錠0.05mg「NIG」(日医工岐阜／日医工／武田薬品)	メチルジゴキシン	0.05mg 1錠	ジギタリス強心配糖体	3925
	ツムラ／78	淡灰褐	ツムラ麻杏薏甘湯エキス顆粒(医療用)(ツムラ)	麻杏薏甘湯	1g	漢方製剤	4648
079	n079 ⓝ079	淡赤褐	ニフェジピンCR錠40mg「日医工」(日医工)	ニフェジピン	40mg 1錠	ジヒドロピリジン系Ca拮抗剤	2652
79	H79	淡褐	本草平胃散料エキス顆粒-M (本草)	平胃散	1g	漢方製剤	4642
	N79	茶褐〜褐	コタロー平胃散エキス細粒(小太郎漢方)	平胃散	1g	漢方製剤	4642
	SG-79	淡灰褐〜淡灰茶褐	オースギ平胃散料エキスG (大杉)	平胃散	1g	漢方製剤	4642
	ツムラ／79	淡褐	ツムラ平胃散エキス顆粒(医療用)(ツムラ)	平胃散	1g	漢方製剤	4642
080	KW080	淡黄赤 ◫	エナラプリルマレイン酸塩錠5mg「アメル」(共和薬品)	エナラプリルマレイン酸塩	5mg 1錠	ACE阻害剤	767
	t080 t80	白	シルニジピン錠10mg「NIG」(日医工岐阜／日医工／武田薬品)	シルニジピン	10mg 1錠	ジヒドロピリジン系Ca拮抗剤	1716
	TY-080	褐	〔東洋〕猪苓湯エキス細粒(東洋薬行)	猪苓湯	1g	漢方製剤	4627
	YD080／5	白	アレンドロン酸錠5mg「YD」(陽進堂)	アレンドロン酸ナトリウム水和物	5mg 1錠	骨粗鬆症治療剤	349
80	80バルサルタンFFP	白 ◫	バルサルタン錠80mg「FFP」(共創未来)	バルサルタン	80mg 1錠	選択的AT₁受容体遮断剤	2840
	AZ303／OD80 AZ303：OD80	白〜微黄白	カソデックスOD錠80mg (アストラゼネカ)	ビカルタミド	80mg 1錠	前立腺癌治療剤	2926
	AZ80	明るい灰みの黄赤	タグリッソ錠80mg (アストラゼネカ)	オシメルチニブメシル酸塩	80mg 1錠	抗悪性腫瘍剤・チロシンキナーゼ阻害薬	973
	BC80／VLE BC80VLE	白	ビカルタミド錠80mg「VTRS」(ヴィアトリス・ヘルスケア／ヴィアトリス)	ビカルタミド	80mg 1錠	前立腺癌治療剤	2926
	d80EPB	白〜微黄白	ビカルタミドOD錠80mg「DSEP」(第一三共エスファ)	ビカルタミド	80mg 1錠	前立腺癌治療剤	2926
	EEテラムロBP／80テルミサルタンアムロジピン5	淡赤	テラムロ配合錠BP「EE」(ニプロファーマ／エルメッド／日医工)	テルミサルタン・アムロジピンベシル酸塩	1錠	胆汁排泄型持続性AT₁受容体ブロッカー・持続性Ca拮抗薬合剤	2375
	EPB80	白	ビカルタミド錠80mg「DSEP」(第一三共エスファ)	ビカルタミド	80mg 1錠	前立腺癌治療剤	2926
	FJ80／0.5	淡紅	デュタステリド錠0.5mgZA「F」(富士製薬)	デュタステリド	0.5mg 1錠	5α-還元酵素阻害薬	2332
	JG E80／25	白 ◫	ナフトピジル錠25mg「JG」(長生堂／日本ジェネリック)	ナフトピジル	25mg 1錠	排尿障害治療剤	2614
	JG74／80	白 ◫	バルサルタン錠80mg「JG」(日本ジェネリック)	バルサルタン	80mg 1錠	選択的AT₁受容体遮断剤	2840
	MO25J バルサルタン80 MO25J	白 ◫	バルサルタン錠80mg「モチダ」(持田製販／持田)	バルサルタン	80mg 1錠	選択的AT₁受容体遮断剤	2840
	MS002／80	白	ビカルタミド錠80mg「明治」(Meiji Seika)	ビカルタミド	80mg 1錠	前立腺癌治療剤	2926
	N80	黄褐〜暗黄赤	コタロー柴胡清肝湯エキス細粒(小太郎漢方)	柴胡清肝湯	1g	漢方製剤	4597
	NP515／80 NP-515	白	ビカルタミド錠80mg「NP」(ニプロ)	ビカルタミド	80mg 1錠	前立腺癌治療剤	2926
	NP731／80 NP-731	白〜微黄白	ビカルタミドOD錠80mg「ニプロ」(ニプロ)	ビカルタミド	80mg 1錠	前立腺癌治療剤	2926
	NS232／80	白 ◫	バルサルタン錠80mg「日新」(日新)	バルサルタン	80mg 1錠	選択的AT₁受容体遮断剤	2840
	SW BLT80	白	ビカルタミド錠80mg「サワイ」(沢井)	ビカルタミド	80mg 1錠	前立腺癌治療剤	2926
	SZ094／80	白	ビカルタミド錠80mg「サンド」(サンド)	ビカルタミド	80mg 1錠	前立腺癌治療剤	2926
	t080 t80	白	シルニジピン錠10mg「NIG」(日医工岐阜／日医工／武田薬品)	シルニジピン	10mg 1錠	ジヒドロピリジン系Ca拮抗剤	1716
	TSU438／80	白 ◫	テルミサルタン錠80mg「ツルハラ」(鶴原)	テルミサルタン	80mg 1錠	持続性AT₁受容体遮断剤	2372
	TSU552／80 12.5	極薄赤	バルヒディオ配合錠EX「ツルハラ」(鶴原)	バルサルタン・ヒドロクロロチアジド	1錠	選択的AT₁受容体ブロッカー・利尿剤合剤	2848

番号	識別コード	色 (Ⓘ：割線有)		商品名(会社名)	一般名	規格単位	薬効	掲載 ページ
80	TSU553／ 80 6.25	薄赤		バルヒディオ配合錠MD「ツルハラ」 (鶴原)	バルサルタン・ヒドロクロ ロチアジド	1錠	選択的AT$_1$受容体ブロッカ ー・利尿剤合剤	2848
	TSU556／80	白	Ⓘ	バルサルタン錠80mg「ツルハラ」(鶴 原)	バルサルタン	80mg 1錠	選択的AT$_1$受容体遮断剤	2840
	TU153／80	白	Ⓘ	バルサルタン錠80mg「TCK」(辰巳化 学)	バルサルタン	80mg 1錠	選択的AT$_1$受容体遮断剤	2840
	Tw V15／80 Tw.V15	白	Ⓘ	バルサルタン錠80mg「トーワ」(東和 薬品)	バルサルタン	80mg 1錠	選択的AT$_1$受容体遮断剤	2840
	Tw745／80	白		ビカルタミド錠80mg「トーワ」(東和 薬品)	ビカルタミド	80mg 1錠	前立腺癌治療剤	2926
	VL／80 VL80	白	Ⓘ	バルサルタン錠80mg「サンド」(サン ド)	バルサルタン	80mg 1錠	選択的AT$_1$受容体遮断剤	2840
	YD156 テルミサルタン YD80	白～微黄	Ⓘ	テルミサルタン錠80mg「YD」(陽進 堂)	テルミサルタン	80mg 1錠	持続性AT$_1$受容体遮断剤	2372
	ZNC302／80 ZNC302：80	白		カソデックス錠80mg (アストラゼネ カ)	ビカルタミド	80mg 1錠	前立腺癌治療剤	2926
	𝑛057／80 𝑛057 80 Ⓝ057	白		ビカルタミド錠80mg「日医工」(日医 工)	ビカルタミド	80mg 1錠	前立腺癌治療剤	2926
	𝐿𝑖𝑙𝑙𝑦2980 80mg 𝐿𝑖𝑙𝑙𝑦2980	青		レットヴィモカプセル80mg (日本イー ライリリー)	セルペルカチニブ	80mg 1カプ セル	抗悪性腫瘍剤 RET受容体型 チロシンキナーゼ阻害剤	1904
	000401 80 000401	黄		ベレキシブル錠80mg (小野薬品)	チラブルチニブ塩酸塩	80mg 1錠	抗悪性腫瘍剤・ブルトン型チ ロシンキナーゼ阻害剤	2174
	△451／80	黄～橙黄	Ⓘ	ブロニカ錠80 (武田テバ薬品／武田薬 品)	セラトロダスト	80mg 1錠	トロンボキサンA$_2$受容体拮抗 剤	1889
	𝑛712／OD80 𝑛712OD80 Ⓝ712	白～微黄白		ビカルタミドOD錠80mg「日医工」(日 医工)	ビカルタミド	80mg 1錠	前立腺癌治療剤	2926
	cH80 ch80	白	Ⓘ	アンブロキソール塩酸塩錠15mg「JG」 (長生堂／日本ジェネリック)	アンブロキソール塩酸塩	15mg 1錠	気道潤滑去痰剤	378
	Ⓚ／GS80 ⓀGS80	白		ガスコン錠80mg (キッセイ)	ジメチコン	80mg 1錠	消化管内ガス排除剤	1679
	△IGM150-50-80 △・IGM150-50- 80	緑透明／無 透明		エナジア吸入用カプセル中用量(ノバル ティス)	インダカテロール酢酸塩・ グリコピロニウム臭化物・ モメタゾンフランカルボン 酸エステル	1カプセル	3成分配合喘息治療剤	593
	◇IM150-80 ◇・IM150-80	無透明		アテキュラ吸入用カプセル低用量(ノバ ルティス)	インダカテロール酢酸塩・ モメタゾンフランカルボン 酸エステル	1カプセル	喘息治療配合剤	596
	アプレピタント80mg NK	白		アプレピタントカプセル80mg「NK」 (日本化薬)	アプレピタント	80mg 1カプ セル	選択的NK$_1$受容体拮抗型制吐 剤	196
	アプレピタント80mg NK アプレピタント125mg NK	白／淡赤		アプレピタントカプセルセット「NK」 (日本化薬)	アプレピタント	1セット	選択的NK$_1$受容体拮抗型制吐 剤	196
	アプレピタント カプセル125mg サワイ アプレピタント カプセル80mg サワイ	淡赤／白		アプレピタントカプセルセット「サワ イ」(沢井)	アプレピタント	1セット	選択的NK$_1$受容体拮抗型制吐 剤	196
	アプレピタント カプセル80mg サワイ	白		アプレピタントカプセル80mg「サワ イ」(沢井)	アプレピタント	80mg 1カプ セル	選択的NK$_1$受容体拮抗型制吐 剤	196
	アムバロOD配合 トーワ／ 80バルサアムロジ5	淡黄		アムバロ配合OD錠「トーワ」(東和薬 品)	バルサルタン・アムロジピ ンベシル酸塩	1錠	選択的AT$_1$受容体ブロッカ ー・持続性Ca拮抗薬合剤	2842
	アムバロ配合錠 オーハラ／ バルサルタン80mg アムロジピン5mg アムバロ配合錠 オーハラ バルサルタン80mg アムロジピン5mg	帯黄白		アムバロ配合錠「オーハラ」(大原薬品 ／エッセンシャル)	バルサルタン・アムロジピ ンベシル酸塩	1錠	選択的AT$_1$受容体ブロッカ ー・持続性Ca拮抗薬合剤	2842
	アムバロ配合トーワ ／80バルサ アムロジ5	帯黄白		アムバロ配合錠「トーワ」(東和薬品)	バルサルタン・アムロジピ ンベシル酸塩	1錠	選択的AT$_1$受容体ブロッカ ー・持続性Ca拮抗薬合剤	2842
	イクスタンジ80	黄		イクスタンジ錠80mg (アステラス)	エンザルタミド	80mg 1錠	前立腺癌治療剤	912
	ザルトプロフェン YD80	白		ザルトプロフェン錠80mg「YD」(陽進 堂)	ザルトプロフェン	80mg 1錠	プロピオン酸系消炎鎮痛剤	1533
	ザルトプロフェン YD80 YD662	白		ザルトプロフェン錠80mg「YD」(陽進 堂／共創未来)	ザルトプロフェン	80mg 1錠	プロピオン酸系消炎鎮痛剤	1533
	ソタロール80TE	微青	Ⓘ	ソタロール塩酸塩錠80mg「TE」(トー アエイヨー)	ソタロール塩酸塩	80mg 1錠	β-遮断剤	1925

番号	識別コード	色 (Ⓘ：割線有)	商品名(会社名)	一般名	規格単位	薬効	掲載ページ
80	ツムラ/80	黄褐	ツムラ柴胡清肝湯エキス顆粒(医療用)(ツムラ)	柴胡清肝湯	1g	漢方製剤	4597
	テラムロBPトーワ/テルミ80アムロジピン5	淡赤	テラムロ配合錠BP「トーワ」(東和薬品)	テルミサルタン・アムロジピンベシル酸塩	1錠	胆汁排泄型持続性AT₁受容体ブロッカー・持続性Ca拮抗薬合剤	2375
	テラムロBPニプロ/80テルミサルタンアムロジピン5	淡赤	テラムロ配合錠BP「ニプロ」(ニプロ)	テルミサルタン・アムロジピンベシル酸塩	1錠	胆汁排泄型持続性AT₁受容体ブロッカー・持続性Ca拮抗薬合剤	2375
	テルチアBPトーワ/テルミ80ヒドロクロロ12.5	淡黄	テルチア配合錠BP「トーワ」(東和薬品/ニプロ)	テルミサルタン・ヒドロクロロチアジド	1錠	持続性AT₁受容体ブロッカー・利尿剤合剤	2384
	テルミ80DSEP	白 Ⓘ	テルミサルタン錠80mg「DSEP」(第一三共エスファ)	テルミサルタン	80mg 1錠	持続性AT₁受容体遮断剤	2372
	テルミ80/テルミ80サルタントーワ	白 Ⓘ	テルミサルタン錠80mg「トーワ」(東和薬品)	テルミサルタン	80mg 1錠	持続性AT₁受容体遮断剤	2372
	テルミサルタン80FFP	白	テルミサルタン錠80mg「FFP」(共創未来)	テルミサルタン	80mg 1錠	持続性AT₁受容体遮断剤	2372
	テルミサルタン80JG	白	テルミサルタン錠80mg「JG」(日本ジェネリック)	テルミサルタン	80mg 1錠	持続性AT₁受容体遮断剤	2372
	テルミサルタン80NPI	白 Ⓘ	テルミサルタン錠80mg「NPI」(日本薬品工業/日新)	テルミサルタン	80mg 1錠	持続性AT₁受容体遮断剤	2372
	テルミサルタン80TCK	白 Ⓘ	テルミサルタン錠80mg「TCK」(辰巳化学/フェルゼン)	テルミサルタン	80mg 1錠	持続性AT₁受容体遮断剤	2372
	テルミサルタン80杏林	白 Ⓘ	テルミサルタン錠80mg「杏林」(キョーリンリメディオ/杏林)	テルミサルタン	80mg 1錠	持続性AT₁受容体遮断剤	2372
	テルミサルタン80三和	白 Ⓘ	テルミサルタン錠80mg「三和」(三和化学)	テルミサルタン	80mg 1錠	持続性AT₁受容体遮断剤	2372
	テルミサルタン80日医工/テルミサルタン80Ⓝ019	白〜微黄 Ⓘ	テルミサルタン錠80mg「日医工」(日医工)	テルミサルタン	80mg 1錠	持続性AT₁受容体遮断剤	2372
	テルミサルタン80SWテルミサルタン80	白 Ⓘ	テルミサルタン錠80mg「サワイ」(沢井)	テルミサルタン	80mg 1錠	持続性AT₁受容体遮断剤	2372
	テルミサルタン80オーハラ	白	テルミサルタン錠80mg「オーハラ」(大原薬品)	テルミサルタン	80mg 1錠	持続性AT₁受容体遮断剤	2372
	テルミサルタン80ケミファ	白 Ⓘ	テルミサルタン錠80mg「ケミファ」(日本ケミファ)	テルミサルタン	80mg 1錠	持続性AT₁受容体遮断剤	2372
	テルミサルタン80サンド	白 Ⓘ	テルミサルタン錠80mg「サンド」(サンド)	テルミサルタン	80mg 1錠	持続性AT₁受容体遮断剤	2372
	テルミサルタン80/テルミサルタン80VTRS	白 Ⓘ	テルミサルタン錠80mg「VTRS」(ダイト/ヴィアトリス)	テルミサルタン	80mg 1錠	持続性AT₁受容体遮断剤	2372
	テルミサルタン80/テルミサルタン80明治	白 Ⓘ	テルミサルタン錠80mg「明治」(Meiji Seika)	テルミサルタン	80mg 1錠	持続性AT₁受容体遮断剤	2372
	テルミサルタン80/テルミサルタン80ニプロ	白 Ⓘ	テルミサルタン錠80mg「ニプロ」(ニプロ)	テルミサルタン	80mg 1錠	持続性AT₁受容体遮断剤	2372
	テルミサルタン80フェルゼン	白 Ⓘ	テルミサルタン錠80mg「フェルゼン」(フェルゼン)	テルミサルタン	80mg 1錠	持続性AT₁受容体遮断剤	2372
	バルサルタン80DSEP	白 Ⓘ	バルサルタン錠80mg「DSEP」(第一三共エスファ)	バルサルタン	80mg 1錠	選択的AT₁受容体遮断剤	2840
	バルサルタン80Me	白 Ⓘ	バルサルタン錠80mg「Me」(Meファルマ)	バルサルタン	80mg 1錠	選択的AT₁受容体遮断剤	2840
	バルサルタン80SW	白 Ⓘ	バルサルタン錠80mg「サワイ」(沢井)	バルサルタン	80mg 1錠	選択的AT₁受容体遮断剤	2840
	バルサルタン80杏林	白 Ⓘ	バルサルタン錠80mg「杏林」(キョーリンリメディオ/杏林)	バルサルタン	80mg 1錠	選択的AT₁受容体遮断剤	2840
	バルサルタン80日医工Ⓝ352	白 Ⓘ	バルサルタン錠80mg「日医工」(日医工)	バルサルタン	80mg 1錠	選択的AT₁受容体遮断剤	2840
	バルサルタン80アメル	白〜帯黄白 Ⓘ	バルサルタン錠80mg「アメル」(共和薬品)	バルサルタン	80mg 1錠	選択的AT₁受容体遮断剤	2840
	バルサルタン80オーハラ	白 Ⓘ	バルサルタン錠80mg「オーハラ」(大原薬品/エッセンシャル)	バルサルタン	80mg 1錠	選択的AT₁受容体遮断剤	2840
	バルサルタン80ケミファ	白 Ⓘ	バルサルタン錠80mg「ケミファ」(日本ケミファ/日本薬品工業)	バルサルタン	80mg 1錠	選択的AT₁受容体遮断剤	2840
	バルサルタンBMD80BMD55	白 Ⓘ	バルサルタン錠80mg「BMD」(ビオメディクス)	バルサルタン	80mg 1錠	選択的AT₁受容体遮断剤	2840
	バルサルタンOD80トーワ	白 Ⓘ	バルサルタンOD錠80mg「トーワ」(東和薬品)	バルサルタン	80mg 1錠	選択的AT₁受容体遮断剤	2840

番号	識別コード	色 (①:割線有)	商品名(会社名)	一般名	規格単位	薬効	掲載 ページ
80	バルヒディオEX トーワ／ 80バルサルタン ヒドロクロロ12.5	極薄赤	バルヒディオ配合錠EX「トーワ」(東和薬品)	バルサルタン・ヒドロクロロチアジド	1錠	選択的AT₁受容体ブロッカー・利尿剤合剤	2848
	バルヒディオMD トーワ／ 80バルサルタン ヒドロクロロ6.25	薄赤	バルヒディオ配合錠MD「トーワ」(東和薬品)	バルサルタン・ヒドロクロロチアジド	1錠	選択的AT₁受容体ブロッカー・利尿剤合剤	2848
	ビカルタミド80 JG	白	ビカルタミド錠80mg「JG」(日本ジェネリック)	ビカルタミド	80mg 1錠	前立腺癌治療剤	2926
	ビカルタミド80 NK	白	ビカルタミド錠80mg「NK」(日本化薬)	ビカルタミド	80mg 1錠	前立腺癌治療剤	2926
	ビカルタミド80 オーハラ	白	ビカルタミド錠80mg「オーハラ」(大原薬品／エッセンシャル)	ビカルタミド	80mg 1錠	前立腺癌治療剤	2926
	ビカルタミドNK／ 80	白～微黄白	ビカルタミドOD錠80mg「NK」(日本化薬)	ビカルタミド	80mg 1錠	前立腺癌治療剤	2926
	ビカルタミドSW／ 80	白～微黄白	ビカルタミドOD錠80mg「サワイ」(沢井)	ビカルタミド	80mg 1錠	前立腺癌治療剤	2926
	フェノフィブラート ⑰80	白～微黄白	フェノフィブラート錠80mg「武田テバ」(武田テバファーマ／武田薬品)	フェノフィブラート	80mg 1錠	高脂血症治療剤	3144
	ラツーダ80	白～帯黄白①	ラツーダ錠80mg (住友ファーマ)	ルラシドン塩酸塩	80mg 1錠	抗精神病剤・双極性障害のうつ症状治療剤	4346
	ラベプラゾール10／ 科研 KC80	淡黄	ラベプラゾールナトリウム錠10mg「科研」(ダイト／科研)	ラベプラゾールナトリウム	10mg 1錠	プロトンポンプインヒビター	4112
81	JG E81／50	白 ①	ナフトピジル錠50mg「JG」(長生堂／日本ジェネリック)	ナフトピジル	50mg 1錠	排尿障害治療剤	2614
	⊕ t345[81mg]	淡橙	バッサミン配合錠A81 (日医工岐阜／日医工／武田薬品)	アスピリン・ダイアルミネート	81mg 1錠	抗血小板剤	56
	ツムラ／81	淡灰褐	ツムラ二陳湯エキス顆粒(医療用) (ツムラ)	二陳湯	1g	漢方製剤	4633
	ラベプラゾール20／ 科研 KC81	淡黄	ラベプラゾールナトリウム錠20mg「科研」(ダイト／科研)	ラベプラゾールナトリウム	20mg 1錠	プロトンポンプインヒビター	4112
082	KW082	薄桃 ①	エナラプリルマレイン酸塩錠10mg「アメル」(共和薬品)	エナラプリルマレイン酸塩	10mg 1錠	ACE阻害剤	767
	MS082／ クエチアピン12.5	白	クエチアピン錠12.5mg「明治」(Meiji Seika)	クエチアピンフマル酸塩	12.5mg 1錠	抗精神病、D₂・5-HT₂拮抗剤	1225
	SW082	白	ジラゼプ塩酸塩錠50mg「サワイ」(沢井)	ジラゼプ塩酸塩水和物	50mg 1錠	心・腎疾患治療剤	1700
	TO-082 25	白 ①	ユリノーム錠25mg (トーアエイヨー)	ベンズブロマロン	25mg 1錠	高尿酸血症改善剤	3643
	TO-082 50	白～淡黄①	ユリノーム錠50mg (トーアエイヨー)	ベンズブロマロン	50mg 1錠	高尿酸血症改善剤	3643
	テラムロAP日医工 ⓝ082	淡赤	テラムロ配合錠AP「日医工」(日医工)	テルミサルタン・アムロジピンベシル酸塩	1錠	胆汁排泄型持続性AT₁受容体ブロッカー・持続性Ca拮抗薬合剤	2375
82	JG E82／75	黄白～淡黄①	ナフトピジル錠75mg「JG」(長生堂／日本ジェネリック)	ナフトピジル	75mg 1錠	排尿障害治療剤	2614
	KB-82 EK-82	淡褐～黄褐	クラシエ桂枝人参湯エキス細粒(クラシエ／クラシエ薬品)	桂枝人参湯	1g	漢方製剤	4586
	✪82	赤茶	ラゲブリオカプセル200mg (MSD)	モルヌピラビル	200mg 1カプセル	抗ウイルス剤	4032
	ツムラ／82	淡褐	ツムラ桂枝人参湯エキス顆粒(医療用) (ツムラ)	桂枝人参湯	1g	漢方製剤	4586
083	MS083／ クエチアピン50	白 ①	クエチアピン錠50mg「明治」(Meiji Seika)	クエチアピンフマル酸塩	50mg 1錠	抗精神病、D₂・5-HT₂拮抗剤	1225
	SW083	淡赤	ニフェジピンL錠10mg「サワイ」(沢井／日本ジェネリック)	ニフェジピン	10mg 1錠	ジヒドロピリジン系Ca拮抗剤	2652
	テラムロBP日医工 ⓝ083	淡赤	テラムロ配合錠BP「日医工」(日医工)	テルミサルタン・アムロジピンベシル酸塩	1錠	胆汁排泄型持続性AT₁受容体ブロッカー・持続性Ca拮抗薬合剤	2375
83	JG E83／25	白 ①	ナフトピジルOD錠25mg「JG」(日本ジェネリック)	ナフトピジル	25mg 1錠	排尿障害治療剤	2614
	KB-83 EK-83	淡褐～褐	クラシエ抑肝散加陳皮半夏エキス細粒(大峰堂／クラシエ薬品)	抑肝散加陳皮半夏	1g	漢方製剤	4651
	KE MG83 04 KE MG83 048 KE MG83 06 KE MG83 08 KE MG83 12	白	酸化マグネシウム細粒83％「ケンエー」(健栄)	酸化マグネシウム	83％ 1g	制酸・緩下剤	3798
	KO83	緑	ナラトリプタン錠2.5mg「KO」(寿)	ナラトリプタン塩酸塩	2.5mg 1錠	5-HT₁B/₁D受容体作動型片頭痛治療剤	2618
	N83	黄褐～褐	コタロー抑肝散加陳皮半夏エキス細粒(小太郎漢方)	抑肝散加陳皮半夏	1g	漢方製剤	4651

番号	識別コード	色 (①:割線有)	商品名(会社名)	一般名	規格単位	薬効	掲載ページ
83	ツムラ/83	淡灰褐	ツムラ抑肝散加陳皮半夏エキス顆粒(医療用)(ツムラ)	抑肝散加陳皮半夏	1g	漢方製剤	4651
084	SW084	淡赤	ニフェジピンL錠20mg「サワイ」(沢井/日本ジェネリック)	ニフェジピン	20mg 1錠	ジヒドロピリジン系Ca拮抗剤	2652
84	JG E84/50	白　①	ナフトピジルOD錠50mg「JG」(日本ジェネリック)	ナフトピジル	50mg 1錠	排尿障害治療剤	2614
	SG-84	淡灰褐〜淡灰茶褐	オースギ大黄甘草湯エキスG (大杉)	大黄甘草湯	1g	漢方製剤	4620
	SG-84T	淡褐	オースギ大黄甘草湯エキスT錠(大杉)	大黄甘草湯	1錠	漢方製剤	4620
	ツムラ/84	黄褐	ツムラ大黄甘草湯エキス顆粒(医療用)(ツムラ)	大黄甘草湯	1g	漢方製剤	4620
085	TY-085	褐	〔東洋〕当帰芍薬散料エキス細粒(東洋薬行)	当帰芍薬散	1g	漢方製剤	4631
	モンテルカスト5チュアブル日医工 ⓝ085	薄赤	モンテルカストチュアブル錠5mg「日医工」(日医工)	モンテルカストナトリウム	5mg 1錠	ロイコトリエン受容体拮抗剤	4043
85	H85	褐	本草神秘湯エキス顆粒-M (本草)	神秘湯	1g	漢方製剤	4615
	JG E85/75	白　①	ナフトピジルOD錠75mg「JG」(日本ジェネリック)	ナフトピジル	75mg 1錠	排尿障害治療剤	2614
	KB-85 EK-85	淡褐〜褐	クラシエ神秘湯エキス細粒(大峰堂/クラシエ薬品)	神秘湯	1g	漢方製剤	4615
	N85	茶褐〜黄褐	コタロー神秘湯エキス細粒(小太郎漢方)	神秘湯	1g	漢方製剤	4615
	SG-85	淡灰茶褐	オースギ神秘湯エキスG (大杉)	神秘湯	1g	漢方製剤	4615
	VA/85 VA85	帯黄白	アムバロ配合錠「サンド」(サンド)	バルサルタン・アムロジピンベシル酸塩	1錠	選択的AT₁受容体ブロッカー・持続性Ca拮抗薬合剤	2842
	ZP85	白〜微黄白	ホスリボン配合顆粒(ゼリア新薬)	リン酸二水素ナトリウム一水和物・無水リン酸水素二ナトリウム	100mg 1包(リンとして)	経口腸管洗浄剤・経ロリン酸製剤	4325
	ツムラ/85	淡褐	ツムラ神秘湯エキス顆粒(医療用)(ツムラ)	神秘湯	1g	漢方製剤	4615
086	モンテルカスト5日医工 ⓝ086	明るい灰黄	モンテルカスト錠5mg「日医工」(日医工)	モンテルカストナトリウム	5mg 1錠	ロイコトリエン受容体拮抗剤	4043
86	ツムラ/86	灰褐	ツムラ当帰飲子エキス顆粒(医療用)(ツムラ)	当帰飲子	1g	漢方製剤	4630
087	KW087/1	白　①	エスタゾラム錠1mg「アメル」(共和薬品)	エスタゾラム	1mg 1錠	睡眠剤	684
	t87 t087	白　①	カルボシステイン錠500mg「NIG」(日医工岐阜/日医工/武田薬品)	L-カルボシステイン	500mg 1錠	気道粘液調整・粘膜正常化剤	1166
	TY-087	褐	〔東洋〕二陳湯エキス細粒(東洋薬行)	二陳湯	1g	漢方製剤	4633
	モンテルカスト10日医工 ⓝ087	明るい灰黄	モンテルカスト錠10mg「日医工」(日医工)	モンテルカストナトリウム	10mg 1錠	ロイコトリエン受容体拮抗剤	4043
87	FC87	褐	ジュンコウ六味地黄丸料FCエキス細粒医療用(康和薬通/大杉)	六味丸	1g	漢方製剤	4656
	JG C87	白〜淡黄	ジクロフェナクナトリウム坐剤12.5mg「JG」(日本ジェネリック)	ジクロフェナクナトリウム	12.5mg 1個	フェニル酢酸系消炎鎮痛剤	1579
	KB-87 EK-87	褐〜暗褐	クラシエ六味丸料エキス細粒(クラシエ/クラシエ薬品)	六味丸	1g	漢方製剤	4656
	t87 t087	白　①	カルボシステイン錠500mg「NIG」(日医工岐阜/日医工/武田薬品)	L-カルボシステイン	500mg 1錠	気道粘液調整・粘膜正常化剤	1166
	TYK87	白	パンテチン散20%「NIG」(日医工岐阜/日医工/武田薬品)	パンテチン	20% 1g	代謝異常改善剤	2900
	ツムラ/87	灰褐	ツムラ六味丸エキス顆粒(医療用)(ツムラ)	六味丸	1g	漢方製剤	4656
088	KW088/2	白　①	エスタゾラム錠2mg「アメル」(共和薬品)	エスタゾラム	2mg 1錠	睡眠剤	684
	TY-088	褐	〔東洋〕人参湯エキス細粒(東洋薬行)	人参湯	1g	漢方製剤	4634
	ブロナンセリンYD2 YD088	白	ブロナンセリン錠2mg「YD」(陽進堂/アルフレッサファーマ)	ブロナンセリン	2mg 1錠	抗精神病,ドパミンD₂受容体・5-HT₂受容体遮断剤	3422
88	JG C88	白〜淡黄	ジクロフェナクナトリウム坐剤25mg「JG」(日本ジェネリック)	ジクロフェナクナトリウム	25mg 1個	フェニル酢酸系消炎鎮痛剤	1579
	JG E88	無〜淡黄透明	ジクロフェナクナトリウムテープ15mg「JG」(日本ジェネリック)	ジクロフェナクナトリウム	7cm×10cm 1枚	フェニル酢酸系消炎鎮痛剤	1579
	ツムラ/88	淡黄褐	ツムラ二朮湯エキス顆粒(医療用)(ツムラ)	二朮湯	1g	漢方製剤	4633
089	SW089	白	ジルチアゼム塩酸塩錠30mg「サワイ」(沢井)	ジルチアゼム塩酸塩	30mg 1錠	ベンゾチアゼピン系Ca拮抗剤	1705
	テルチアAP日医工 ⓝ089	極薄黄	テルチア配合錠AP「日医工」(日医工)	テルミサルタン・ヒドロクロロチアジド	1錠	持続性AT₁受容体ブロッカー・利尿剤合剤	2384

番号	識別コード	色 (①：割線有)	商品名(会社名)	一般名	規格単位	薬効	掲載ページ
089	ブロナンセリン YD4 YD089	白　①	ブロナンセリン錠4mg「YD」(陽進堂 /アルフレッサファーマ)	ブロナンセリン	4mg 1錠	抗精神病，ドパミンD_2受容体・5-HT_2受容体遮断剤	3422
89	JG C89	白〜淡黄	ジクロフェナクナトリウム坐剤50mg「JG」(日本ジェネリック)	ジクロフェナクナトリウム	50mg 1個	フェニル酢酸系消炎鎮痛剤	1579
	JG E89	無〜淡黄透明	ジクロフェナクナトリウムテープ30mg「JG」(日本ジェネリック)	ジクロフェナクナトリウム	10cm×14cm 1枚	フェニル酢酸系消炎鎮痛剤	1579
	ツムラ/89	灰褐	ツムラ治打撲一方エキス顆粒(医療用)(ツムラ)	治打撲一方	1g	漢方製剤	4625
090	KW090	白	エパルレスタット錠50mg「アメル」(共和薬品)	エパルレスタット	50mg 1錠	アルドース還元酵素阻害剤	779
	テルチアBP日医工 ⒩090	極薄黄	テルチア配合錠BP「日医工」(日医工)	テルミサルタン・ヒドロクロロチアジド	1錠	持続性AT_1受容体ブロッカー・利尿剤合剤	2384
	ブロナンセリン YD8 YD090	白　①	ブロナンセリン錠8mg「YD」(陽進堂 /アルフレッサファーマ)	ブロナンセリン	8mg 1錠	抗精神病，ドパミンD_2受容体・5-HT_2受容体遮断剤	3422
90	90T	薄黄	ブリリンタ錠90mg(アストラゼネカ)	チカグレロル	90mg 1錠	抗血小板剤	2153
	AJ2 90	淡赤	ファスティック錠90(EA)	ナテグリニド	90mg 1錠	速効型インスリン分泌促進薬	2606
	JG C90	白〜淡黄	アセトアミノフェン坐剤小児用50mg「JG」(長生堂/日本ジェネリック)	アセトアミノフェン	50mg 1個	アミノフェノール系解熱鎮痛剤	77
	JG E90	白〜帯黄白	ドンペリドン坐剤10mg「JG」(長生堂/日本ジェネリック)	ドンペリドン	10mg 1個	消化管運動改善剤	2599
	スターシス90	淡赤	スターシス錠90mg(アステラス)	ナテグリニド	90mg 1錠	速効型インスリン分泌促進薬	2606
	ツムラ/90	黄褐	ツムラ清肺湯エキス顆粒(医療用)(ツムラ)	清肺湯	1g	漢方製剤	4618
	トラマドール OD25 KO90	白　①	トラマドール塩酸塩OD錠25mg「KO」(寿)	トラマドール塩酸塩	25mg 1錠	フェノールエーテル系鎮痛剤	2488
	ナテグリニド90 日医工 ⒩467	淡赤	ナテグリニド錠90mg「日医工」(日医工)	ナテグリニド	90mg 1錠	速効型インスリン分泌促進薬	2606
	ナテグリニド⑰ 90	淡赤	ナテグリニド錠90mg「テバ」(日医工 岐阜/日医工/武田薬品)	ナテグリニド	90mg 1錠	速効型インスリン分泌促進薬	2606
091	MJT091	無〜淡黄褐 透明	オメガ-3脂肪酸エチル粒状カプセル2g「MJT」(森下仁丹/三和化学/共創未来)	オメガ-3脂肪酸エチル	2g 1包	EPA・DHA製剤	1009
	MKC091/5	白　①	ケルロング錠5mg(クリニジェン)	ベタキソロール塩酸塩	5mg 1錠	β_1-遮断剤	3490
91	JG C91	乳白	アセトアミノフェン坐剤小児用100mg「JG」(長生堂/日本ジェネリック)	アセトアミノフェン	100mg 1個	アミノフェノール系解熱鎮痛剤	77
	JG E91	白〜帯黄白	ドンペリドン坐剤30mg「JG」(長生堂/日本ジェネリック)	ドンペリドン	30mg 1個	消化管運動改善剤	2599
	UPJOHN91	白　①	ソラナックス0.8mg錠(ヴィアトリス)	アルプラゾラム	0.8mg 1錠	マイナートランキライザー	322
	ツムラ/91	黄褐	ツムラ竹茹温胆湯エキス顆粒(医療用)(ツムラ)	竹茹温胆湯	1g	漢方製剤	4624
	トラマドール OD50 KO91	白　①	トラマドール塩酸塩OD錠50mg「KO」(寿)	トラマドール塩酸塩	50mg 1錠	フェノールエーテル系鎮痛剤	2488
092	MKC092/10	白　①	ケルロング錠10mg(クリニジェン)	ベタキソロール塩酸塩	10mg 1錠	β_1-遮断剤	3490
	⒩092 ⒩092	白　①	アメジニウムメチル硫酸塩錠10mg「日医工」(日医工)	アメジニウムメチル硫酸塩	10mg 1錠	低血圧治療剤	271
92	JG C92	乳白	アセトアミノフェン坐剤小児用200mg「JG」(長生堂/日本ジェネリック)	アセトアミノフェン	200mg 1個	アミノフェノール系解熱鎮痛剤	77
	cH92 アゾセミド30JG	白　①	アゾセミド錠30mg「JG」(長生堂/日本ジェネリック)	アゾセミド	30mg 1錠	ループ利尿剤	93
	ツムラ/92	淡褐	ツムラ滋陰至宝湯エキス顆粒(医療用)(ツムラ)	滋陰至宝湯	1g	漢方製剤	4601
093	SW093	白	ジルチアゼム塩酸塩錠60mg「サワイ」(沢井)	ジルチアゼム塩酸塩	60mg 1錠	ベンゾチアゼピン系Ca拮抗剤	1705
	TO-093	黄褐	ケイキサレート散(鳥居薬品)	ポリスチレンスルホン酸ナトリウム	1g	高カリウム血症改善イオン交換樹脂	3762
	TO-093DS	淡黄褐〜黄褐	ケイキサレートドライシロップ76%(鳥居薬品)	ポリスチレンスルホン酸ナトリウム	76% 1g	高カリウム血症改善イオン交換樹脂	3762
	TY-093	褐	〔東洋〕半夏厚朴湯エキス細粒(東洋薬行)	半夏厚朴湯	1g	漢方製剤	4638
	⒩093 ⒩093	白　①	アラセプリル錠25mg「日医工」(日医工)	アラセプリル	25mg 1錠	ACE阻害剤	284
93	JG C93	白〜淡黄	インドメタシン坐剤12.5mg「JG」(長生堂/日本ジェネリック)	インドメタシン	12.5mg 1個	インドール酢酸系解熱消炎鎮痛剤・未熟児動脈管開存症治療剤	619
	ツムラ/93	灰褐	ツムラ滋陰降火湯エキス顆粒(医療用)(ツムラ)	滋陰降火湯	1g	漢方製剤	4601
094	SZ094/80	白	ビカルタミド錠80mg「サンド」(サンド)	ビカルタミド	80mg 1錠	前立腺癌治療剤	2926

番号	識別コード	色 （◔：割線有）	商品名（会社名）	一般名	規格単位	薬効	掲載 ページ
094	TY-094	褐	〔東洋〕半夏瀉心湯エキス細粒（東洋薬行）	半夏瀉心湯	1g	漢方製剤	4638
	n094 n094	白　◔	アラセプリル錠12.5mg「日医工」（日医工）	アラセプリル	12.5mg 1錠	ACE阻害剤	284
94	JG C94	白〜淡黄	インドメタシン坐剤25mg「JG」（長生堂／日本ジェネリック）	インドメタシン	25mg 1個	インドール酢酸系解熱消炎鎮痛剤・未熟児動脈管開存症治療剤	619
	NPC94	白	ジンタス錠25mg（ノーベルファーマ）	ヒスチジン亜鉛水和物	25mg 1錠	低亜鉛血症治療剤	2942
	ZE94／2.5	淡黄赤	オロパタジン塩酸塩錠2.5mg「ZE」（全星薬品工業／全星薬品／ニプロ）	オロパタジン塩酸塩	2.5mg 1錠	アレルギー性疾患治療剤	1037
095	KW095	白	ゾニサミド錠100mg「アメル」（共和薬品）	ゾニサミド〔抗てんかん剤〕	100mg 1錠	ベンズイソキサゾール系抗てんかん剤	1933
	n095 n095	白　◔	アラセプリル錠50mg「日医工」（日医工）	アラセプリル	50mg 1錠	ACE阻害剤	284
95	JG C95	白〜淡黄	インドメタシン坐剤50mg「JG」（長生堂／日本ジェネリック）	インドメタシン	50mg 1個	インドール酢酸系解熱消炎鎮痛剤・未熟児動脈管開存症治療剤	619
	KB-95 EK-95	淡褐〜褐	クラシエ五虎湯エキス細粒（クラシエ／クラシエ薬品）	五虎湯	1g	漢方製剤	4590
	NPC95	白	ジンタス錠50mg（ノーベルファーマ）	ヒスチジン亜鉛水和物	50mg 1錠	低亜鉛血症治療剤	2942
	SG-95T	淡褐	オースギ五虎湯エキス錠（大杉）	五虎湯	1錠	漢方製剤	4590
	TS95／50	淡黄白〜淡黄	リルゾール錠50mg「ニプロ」（ニプロES）	リルゾール	50mg 1錠	筋萎縮性側索硬化症用剤	4298
	ZE95／5	淡黄赤	オロパタジン塩酸塩錠5mg「ZE」（全星薬品工業／全星薬品／ニプロ）	オロパタジン塩酸塩	5mg 1錠	アレルギー性疾患治療剤	1037
	ツムラ／95	淡灰褐	ツムラ五虎湯エキス顆粒（医療用）（ツムラ）	五虎湯	1g	漢方製剤	4590
096	PT096	白	ビブラマイシン錠50mg（ファイザー）	ドキシサイクリン塩酸塩水和物	50mg 1錠	テトラサイクリン系抗生物質	2395
96	JG C96	白〜淡黄白	ケトプロフェン坐剤50mg「JG」（長生堂／日本ジェネリック）	ケトプロフェン	50mg 1個	プロピオン酸系消炎鎮痛剤	1410
	JG E96	白	ビサコジル坐剤10mg「JG」（長生堂／日本ジェネリック）	ビサコジル	10mg 1個	排便機能促進剤	2937
	KB-96 EK-96	淡褐〜褐	クラシエ柴朴湯エキス細粒（大峰堂／クラシエ薬品）	柴朴湯	1g	漢方製剤	4598
	ツムラ／96	淡褐	ツムラ柴朴湯エキス顆粒（医療用）（ツムラ）	柴朴湯	1g	漢方製剤	4598
097	KW097	白　◔	ビペリデン塩酸塩錠1mg「アメル」（共和薬品）	ビペリデン	1mg 1錠	抗パーキンソン剤	3010
	PT097	白	ビブラマイシン錠100mg（ファイザー）	ドキシサイクリン塩酸塩水和物	100mg 1錠	テトラサイクリン系抗生物質	2395
	エゼチミブ10YD／エゼチミブYD10 YD097	白　◔	エゼチミブ錠10mg「YD」（陽進堂／アルフレッサファーマ）	エゼチミブ	10mg 1錠	小腸コレステロールトランスポーター阻害剤	708
97	JG C97	白〜淡黄白	ケトプロフェン坐剤75mg「JG」（長生堂／日本ジェネリック）	ケトプロフェン	75mg 1個	プロピオン酸系消炎鎮痛剤	1410
	JG E97	白	ビサコジル坐剤乳幼児用2mg「JG」（長生堂／日本ジェネリック）	ビサコジル	2mg 1個	排便機能促進剤	2937
	Ⓦ P97	薄赤	プリマキン錠15mg「サノフィ」（サノフィ）	プリマキンリン酸塩	15mg 1錠	抗マラリア剤	3280
	漢：SG-97	褐	三和大防風湯エキス細粒（三和生薬／大杉）	大防風湯	1g	漢方製剤	4624
	ツムラ／97	暗灰	ツムラ大防風湯エキス顆粒（医療用）（ツムラ）	大防風湯	1g	漢方製剤	4624
	ノベルジン25 NPC97	白	ノベルジン錠25mg（ノーベルファーマ）	酢酸亜鉛水和物	25mg 1錠	ウィルソン病治療剤（銅吸収阻害剤）・低亜鉛血症治療剤	1501
098	イミダフェナシンYD OD0.1 YD098	白	イミダフェナシンOD錠0.1mg「YD」（陽進堂／共創未来）	イミダフェナシン	0.1mg 1錠	過活動膀胱治療剤	501
98	ツムラ／98	淡灰白	ツムラ黄耆建中湯エキス顆粒（医療用）（ツムラ）	黄耆建中湯	1g	漢方製剤	4568
	ノベルジン50 NPC98	白　◔	ノベルジン錠50mg（ノーベルファーマ）	酢酸亜鉛水和物	50mg 1錠	ウィルソン病治療剤（銅吸収阻害剤）・低亜鉛血症治療剤	1501
0099	n0099	白	アモキシシリンカプセル125mg「日医工」（日医工ファーマ／日医工）	アモキシシリン水和物	125mg 1カプセル	合成ペニシリン	275
099	YD099 シロドシン YD OD2	淡黄赤	シロドシンOD錠2mg「YD」（陽進堂）	シロドシン	2mg 1錠	選択的α_{1A}-遮断剤・前立腺肥大症に伴う排尿障害改善薬	1720
99	N99	淡褐〜褐	コタロー小建中湯エキス細粒（小太郎漢方）	小建中湯	1g	漢方製剤	4609
	SG-99	淡灰茶褐	オースギ小建中湯エキスG（大杉）	小建中湯	1g	漢方製剤	4609

100
|
199

番号	識別コード	色 (◐：割線有)	商品名(会社名)	一般名	規格単位	薬効	掲載 ページ
99	ツムラ/99	淡灰白	ツムラ小建中湯エキス顆粒(医療用) (ツムラ)	小建中湯	1g	漢方製剤	4609
0100	ⓝ0100	茶/白	アモキシシリンカプセル250mg「日医工」(日医工ファーマ/日医工)	アモキシシリン水和物	250mg 1カプセル	合成ペニシリン	275
100	100	灰赤〜赤褐	スタレボ配合錠L100（ノバルティス）	レボドパ・カルビドパ水和物・エンタカポン	1錠	抗パーキンソン剤	4419
	100	白	サルポグレラート塩酸塩錠100mg「TSU」(鶴原)	サルポグレラート塩酸塩	100mg 1錠	5-HT₂ブロッカー	1538
	100	黄	ノクサフィル錠100mg (MSD)	ポサコナゾール	100mg 1錠	深在性真菌症治療剤	3671
	100mg JG J06 JG J06	橙	フルコナゾールカプセル100mg「JG」(日本ジェネリック)	フルコナゾール	100mg 1カプセル	トリアゾール系抗真菌剤	3298
	100mg⊕	乳白	ヴァイトラックビカプセル100mg (バイエル薬品)	ラロトレクチニブ硫酸塩	100mg 1カプセル	抗悪性腫瘍剤・トロポミオシン受容体キナーゼ阻害剤	4158
	100mg Pfizer696 Pfizer696	白	ピメノールカプセル100mg (ファイザー)	ピルメノール塩酸塩水和物	100mg 1カプセル	不整脈治療剤	3055
	100QU／VLE 100QU VLE	薄黄	クエチアピン錠100mg「VTRS」(ヴィアトリス・ヘルスケア／ヴィアトリス)	クエチアピンフマル酸塩	100mg 1錠	抗精神病、D₂・5-HT₂拮抗剤	1225
	100T651 T651	赤/淡黄	メタルカプターゼカプセル100mg (大正)	ペニシラミン	100mg 1カプセル	リウマチ・ウイルソン病治療・金属解毒剤	3526
	100／V V100	淡黄	ベネクレクスタ錠100mg (アッヴィ)	ベネトクラクス	100mg 1錠	抗悪性腫瘍剤・BCL-2阻害剤	3529
	100◉654 ◉654 100	薄赤	フロモックス錠100mg (塩野義)	セフカペン ピボキシル塩酸塩水和物	100mg 1錠	セフェム系抗生物質	1845
	100／Pfizer 100Pfizer	黄	ボシュリフ錠100mg (ファイザー)	ボスチニブ水和物	100mg 1錠	抗悪性腫瘍剤・チロシンキナーゼインヒビター	3685
	100／Lilly Lilly100	白	ベージニオ錠100mg (日本イーライリリー)	アベマシクリブ	100mg 1錠	抗悪性腫瘍剤(CDK4/6阻害剤)	207
	100 PH164	白	アマンタジン塩酸塩錠100mg「杏林」(キョーリンリメディオ／杏林)	アマンタジン塩酸塩	100mg 1錠	精神活動改善剤・抗パーキンソン剤・抗A型インフルエンザウイルス剤	219
	100イマチニブ NK／NK イマチニブ100 100イマチニブ NK：NK イマチニブ100	明るい黄赤 〜暗い黄赤◐	イマチニブ錠100mg「NK」(日本化薬)	イマチニブメシル酸塩	100mg 1錠	抗悪性腫瘍剤・チロシンキナーゼ阻害剤	493
	100イルベ／ イルベサルタン100 トーワ	白〜帯黄白◐	イルベサルタン錠100mg「トーワ」(東和薬品／三和化学)	イルベサルタン	100mg 1錠	長時間作用型アンジオテンシンⅡ受容体拮抗剤	522
	100サンド／ セレコキシブ100	白　　◐	セレコキシブ錠100mg「サンド」(サンド)	セレコキシブ	100mg 1錠	非ステロイド性消炎・鎮痛剤（シクロオキシゲナーゼ-2選択的阻害剤）	1918
	100シロスタゾール ／シロスタゾール OD100トーワ	白　　◐	シロスタゾールOD錠100mg「トーワ」(東和薬品)	シロスタゾール	100mg 1錠	抗血小板剤	1718
	100セルトラリン タカタ	白〜帯黄白◐	セルトラリン錠100mg「タカタ」(高田)	セルトラリン塩酸塩	100mg 1錠	選択的セロトニン再取り込み阻害剤(SSRI)	1894
	100セレコキ／ 100セレコキシブ トーワ	白　　◐	セレコキシブ錠100mg「トーワ」(東和薬品)	セレコキシブ	100mg 1錠	非ステロイド性消炎・鎮痛剤（シクロオキシゲナーゼ-2選択的阻害剤）	1918
	100セレコキシブ／ セレコキシブ100 アメル	白　　◐	セレコキシブ錠100mg「アメル」(ダイト／共和薬品)	セレコキシブ	100mg 1錠	非ステロイド性消炎・鎮痛剤（シクロオキシゲナーゼ-2選択的阻害剤）	1918
	100ラモトリギン アメル	白	ラモトリギン錠100mg「アメル」(共和薬品)	ラモトリギン	100mg 1錠	抗てんかん・双極性障害治療剤	4143
	100レボカルニチン FFアメル	白	レボカルニチンFF錠100mg「アメル」(共和薬品)	レボカルニチン	100mg 1錠	ミトコンドリア機能賦活剤	4405
	261 t261[100mg]	白	イブプロフェン錠100mg「NIG」(日医工岐阜／日医工／武田薬品)	イブプロフェン	100mg 1錠	フェニルプロピオン酸系解熱消炎鎮痛剤	477
	268⊕100 ⊕268	白	オキナゾール膣錠100mg (田辺三菱)	オキシコナゾール硝酸塩	100mg 1錠	イミダゾール系抗真菌剤	956
	568 100mg	白	ゾリンザカプセル100mg (MSD/大鵬薬品)	ボリノスタット	100mg 1カプセル	抗悪性腫瘍・ヒストン脱アセチル化酵素(HDAC)阻害剤	3775
	ABR100／PFE PFE ABR100	淡紅	サイバインコ錠100mg (ファイザー)	アブロシチニブ	100mg 1錠	ヤヌスキナーゼ(JAK)阻害剤	202
	ACA100mg	青/黄	カルケンスカプセル100mg (アストラゼネカ)	アカラブルチニブ	100mg 1カプセル	抗悪性腫瘍剤・ブルトン型チロシンキナーゼ阻害剤	1
	AMD100	白〜微黄◐	アミオダロン塩酸塩錠100mg「サンド」(サンド／ニプロ)	アミオダロン塩酸塩	100mg 1錠	不整脈治療剤	221
	BA100	白	バイアスピリン錠100mg (バイエル薬品)	アスピリン	100mg 1錠	サリチル酸系解熱鎮痛・抗血小板剤	51
	C100	白/濃黄赤	クレセンバカプセル100mg (旭化成)	イサブコナゾニウム硫酸塩	100mg 1カプセル	深在性真菌症治療剤	417
	CLOZARIL100	黄	クロザリル錠100mg (ノバルティス)	クロザピン	100mg 1錠	治療抵抗性統合失調症治療剤	1304

番号	識別コード	色 （①：割線有）	商品名(会社名)	一般名	規格単位	薬効	掲載 ページ
100	D100／PF D100PF	白　　①	シロスタゾールOD錠100mg「VTRS」 （ヴィアトリス・ヘルスケア／ヴィアトリス）	シロスタゾール	100mg 1錠	抗血小板剤	1718
	DS552 100 DS552	白～帯黄白	イルベサルタン錠100mg「DSPB」(住友プロモ／住友ファーマ)	イルベサルタン	100mg 1錠	長時間作用型アンギオテンシンⅡ受容体拮抗剤	522
	DSC532 100 DSC532	赤白	エザルミア錠100mg（第一三共）	バレメトスタットトシル酸塩	100mg 1錠	抗悪性腫瘍剤・EZH1/2阻害剤	2871
	EEイルアミクス HD／100 イルベサルタン アムロジピン10	薄橙	イルアミクス配合錠HD「EE」(エルメッド／日医工)	イルベサルタン・アムロジピンベシル酸塩	1錠	長時間作用型アンギオテンシンⅡ受容体拮抗剤・持続性Ca拮抗剤配合剤	523
	EEイルアミクス LD／ 100イルベサルタン アムロジピン5	白～帯黄白	イルアミクス配合錠LD「EE」(エルメッド／日医工)	イルベサルタン・アムロジピンベシル酸塩	1錠	長時間作用型アンギオテンシンⅡ受容体拮抗剤・持続性Ca拮抗剤配合剤	523
	EISAI NE100	白　　①	ネオフィリン錠100mg（アルフレッサファーマ／エーザイ）	アミノフィリン水和物	100mg 1錠	キサンチン系強心・利尿剤	248
	EN100€	紅／白	ユベラNカプセル100mg（エーザイ）	トコフェロールニコチン酸エステル	100mg 1カプセル	ビタミンE	2405
	ENP100Sz COM	薄黄赤～く すんだ黄赤	エンタカポン錠100mg「サンド」(サンド)	エンタカポン	100mg 1錠	末梢COMT阻害剤	919
	ENT100	薄黄	ロズリートレクカプセル100mg（中外）	エヌトレクチニブ	100mg 1カプセル	抗悪性腫瘍剤・チロシンキナーゼ阻害剤	771
	EP100	白	バルプロ酸Na錠100mg「フジナガ」(藤永／第一三共)	バルプロ酸ナトリウム	100mg 1錠	抗てんかん，躁病・躁状態，片頭痛治療剤	2858
	FF182／100	白	ロサルタンカリウム錠100mg「FFP」(共創未来)	ロサルタンカリウム	100mg 1錠	アンギオテンシンⅡ受容体拮抗剤	4481
	FF221／100	薄黄	クエチアピン錠100mg「FFP」(共創未来)	クエチアピンフマル酸塩	100mg 1錠	抗精神病，D₂・5-HT₂拮抗剤	1225
	FJ003 100	白	オキシコナゾール硝酸塩膣錠100mg「F」(富士製薬)	オキシコナゾール硝酸塩	100mg 1錠	イミダゾール系抗真菌剤	956
	FJ12 100mg FJ12	橙	フルコナゾールカプセル100mg「F」(富士製薬)	フルコナゾール	100mg 1カプセル	トリアゾール系抗真菌剤	3298
	FJ42 100 FJ42	白	サルポグレラート塩酸塩錠100mg「F」(富士製薬)	サルポグレラート塩酸塩	100mg 1錠	5-HT₂ブロッカー	1538
	FPI／100	白	ルティナス膣錠100mg（フェリング）	プロゲステロン	100mg 1錠	黄体ホルモン	3397
	GLAXO T100	白	トランデート錠100mg（サンドファーマ／サンド）	ラベタロール塩酸塩	100mg 1錠	α_1，β-遮断剤	4110
	GS CL7／100	白	ラミクタール錠100mg（グラクソ・スミスクライン）	ラモトリギン	100mg 1錠	抗てんかん・双極性障害治療剤	4143
	GSI／100 GSI100	淡褐	ジセレカ錠100mg（ギリアド／エーザイ）	フィルゴチニブマレイン酸塩	100mg 1錠	ヤヌスキナーゼ(JAK)阻害剤	3101
	IN100 FJ IN100	白	イソコナゾール硝酸塩膣錠100mg「F」(富士製薬)	イソコナゾール硝酸塩	100mg 1個	抗真菌剤	429
	JG C42／100	薄黄	クエチアピン錠100mg「JG」(日本ジェネリック)	クエチアピンフマル酸塩	100mg 1錠	抗精神病，D₂・5-HT₂拮抗剤	1225
	JG C61／100	白	セルトラリン錠100mg「JG」(日本ジェネリック)	セルトラリン塩酸塩	100mg 1錠	選択的セロトニン再取り込み阻害剤(SSRI)	1894
	JG E49／100	白	ロサルタンカリウム錠100mg「JG」(日本ジェネリック)	ロサルタンカリウム	100mg 1錠	アンギオテンシンⅡ受容体拮抗剤	4481
	JG F21／OD100	白　　①	シロスタゾールOD錠100mg「JG」(ダイト／日本ジェネリック)	シロスタゾール	100mg 1錠	抗血小板剤	1718
	JG N62／イルベ サルタン100JG	白～帯黄白①	イルベサルタン錠100mg「JG」(長生堂／日本ジェネリック)	イルベサルタン	100mg 1錠	長時間作用型アンギオテンシンⅡ受容体拮抗剤	522
	KRM107／100	白　　①	サルポグレラート塩酸塩錠100mg「杏林」(キョーリンリメディオ／杏林)	サルポグレラート塩酸塩	100mg 1錠	5-HT₂ブロッカー	1538
	KRM141／100	白	ロサルタンカリウム錠100mg「杏林」(キョーリンリメディオ／杏林)	ロサルタンカリウム	100mg 1錠	アンギオテンシンⅡ受容体拮抗剤	4481
	KRM214／100	白	セルトラリン錠100mg「杏林」(キョーリンリメディオ／杏林)	セルトラリン塩酸塩	100mg 1錠	選択的セロトニン再取り込み阻害剤(SSRI)	1894
	KW SA100	白	サルポグレラート塩酸塩錠100mg「アメル」(共和薬品)	サルポグレラート塩酸塩	100mg 1錠	5-HT₂ブロッカー	1538
	KW TPM／100	白	トピラマート錠100mg「アメル」(共和薬品)	トピラマート	100mg 1錠	抗てんかん剤	2434
	KW161／ CBZ100	白～微黄白①	カルバマゼピン錠100mg「アメル」(共和薬品)	カルバマゼピン	100mg 1錠	向精神作用性てんかん・躁状態治療剤	1150
	Kw212／100	白	スルピリド錠100mg「アメル」(共和薬品)	スルピリド	100mg 1錠	ベンザミド系抗潰瘍・精神安定剤	1777
	KW370／100	白	炭酸リチウム錠100mg「アメル」(共和薬品)	炭酸リチウム	100mg 1錠	躁病・躁状態治療剤	4212
	Kw502／100	黄	バルプロ酸ナトリウム錠100mg「アメル」(共和薬品)	バルプロ酸ナトリウム	100mg 1錠	抗てんかん，躁病・躁状態，片頭痛治療剤	2858

番号	識別コード	色 (①:割線有)	商品名(会社名)	一般名	規格単位	薬効	掲載 ページ
100	KW589 100	橙	フルコナゾールカプセル100mg「アメル」(共和薬品)	フルコナゾール	100mg 1カプセル	トリアゾール系抗真菌剤	3298
	KW ドロキシドパ100	橙/白	ドロキシドパカプセル100mg「アメル」(共和薬品)	ドロキシドパ	100mg 1カプセル	ノルアドレナリン作動性神経機能改善剤	2586
	L-100／4491 L-100 4491	薄紫	レイボー錠100mg(日本イーライリリー/第一三共)	ラスミジタンコハク酸塩	100mg 1錠	片頭痛治療剤 5-HT$_{1F}$受容体作動薬	4082
	LLN100 prime	暗い淡紅	ローブレナ錠100mg(ファイザー)	ロルラチニブ	100mg 1錠	抗悪性腫瘍剤/チロシンキナーゼ阻害剤	4551
	LO100	白	ロサルタンK錠100mg「VTRS」(ヴィアトリス・ヘルスケア/ヴィアトリス)	ロサルタンカリウム	100mg 1錠	アンギオテンシンⅡ受容体拮抗剤	4481
	LO-T100	無透明(淡褐)	ロキソプロフェンNaテープ100mg「久光」(久光)	ロキソプロフェンナトリウム水和物	10cm×14cm 1枚	プロピオン酸系消炎鎮痛剤	4473
	LS100	白　①	ロサルタンカリウム錠100mg「サンド」(サンド)	ロサルタンカリウム	100mg 1錠	アンギオテンシンⅡ受容体拮抗剤	4481
	M100 M／100	褐	オムジャラ錠100mg(グラクソ・スミスクライン)	モメロチニブ塩酸塩水和物	100mg 1錠	ヤヌスキナーゼ(JAK)/アクチビンA受容体1型(ACVR1)阻害剤	4026
	Me100／ JANSSEN	淡橙	メベンダゾール錠100(ヤンセン)	メベンダゾール	100mg 1錠	鞭虫駆虫剤	3988
	MeP09／100	白	レバミピド錠100mg「Me」(Meファルマ)	レバミピド	100mg 1錠	胃炎・胃潰瘍治療剤	4390
	MI-MG033 MI-MG050 MI-MG067 MI-MG100	白	酸化マグネシウム原末「マルイシ」(丸石)	酸化マグネシウム	10g	制酸・緩下剤	3798
	MINO100	黄〜暗黄	ミノサイクリン塩酸塩錠100mg「サワイ」(沢井)	ミノサイクリン塩酸塩	100mg 1錠	テトラサイクリン系抗生物質	3871
	MS036／100	白	ロサルタンK錠100mg「明治」(Meiji Seika/Meファルマ)	ロサルタンカリウム	100mg 1錠	アンギオテンシンⅡ受容体拮抗剤	4481
	MS041／ クエチアピン100	薄黄	クエチアピン錠100mg「明治」(Meiji Seika)	クエチアピンフマル酸塩	100mg 1錠	抗精神病、D$_2$・5-HT$_2$拮抗剤	1225
	MS060／ イマチニブ100	くすんだ黄赤〜濃黄赤　①	イマチニブ錠100mg「明治」(Meiji Seika)	イマチニブメシル酸塩	100mg 1錠	抗悪性腫瘍剤・チロシンキナーゼ阻害剤	493
	N100	淡褐〜乳白	コタロー大建中湯エキス細粒(小太郎漢方)	大建中湯	1g	漢方製剤	4621
	NC L100／100	白	ロサルタンカリウム錠100mg「ケミファ」(日本ケミファ/日本薬品工業)	ロサルタンカリウム	100mg 1錠	アンギオテンシンⅡ受容体拮抗剤	4481
	NCL-P100	白〜淡黄	ロキソプロフェンナトリウムパップ100mg「ケミファ」(日本ケミファ)	ロキソプロフェンナトリウム水和物	10cm×14cm 1枚	プロピオン酸系消炎鎮痛剤	4473
	NCL-T100	淡黄〜淡褐半透明	ロキソプロフェンナトリウムテープ100mg「ケミファ」(日本ケミファ/日本薬品工業)	ロキソプロフェンナトリウム水和物	10cm×14cm 1枚	プロピオン酸系消炎鎮痛剤	4473
	NCP33E／100	白　①	サルポグレラート塩酸塩錠100mg「ケミファ」(日本ケミファ/日本薬品工業)	サルポグレラート塩酸塩	100mg 1錠	5-HT$_2$ブロッカー	1538
	NIGイルアミクスHD／ イルベサルタン100 /10アムロジピン	薄橙	イルアミクス配合錠HD「NIG」(日医工岐阜/日医工/武田薬品)	イルベサルタン・アムロジピンベシル酸塩	1錠	長時間作用型アンギオテンシンⅡ受容体拮抗剤・持続性Ca拮抗剤配合剤	523
	NIGイルアミクスLD／ イルベサルタン100 /5アムロジピン	白〜帯黄白	イルアミクス配合錠LD「NIG」(日医工岐阜/日医工/武田薬品)	イルベサルタン・アムロジピンベシル酸塩	1錠	長時間作用型アンギオテンシンⅡ受容体拮抗剤・持続性Ca拮抗剤配合剤	523
	NK7021 100 NK7021	白/赤紫	スタラシドカプセル100(日本化薬)	シタラビン オクホスファート水和物	100mg 1カプセル	代謝拮抗性悪性腫瘍剤・シタラビンプロドラッグ	1625
	NOM306／100	白	メキシレチン塩酸塩錠100mg「KCC」(ネオクリティケア)	メキシレチン塩酸塩	100mg 1錠	不整脈治療・糖尿病性神経障害治療剤	3902
	NP222／ イマチニブ100 NP-222	くすんだ黄赤〜濃黄赤　①	イマチニブ錠100mg「ニプロ」(ニプロ)	イマチニブメシル酸塩	100mg 1錠	抗悪性腫瘍剤・チロシンキナーゼ阻害剤	493
	NP373／100 NP-373	白	ロサルタンカリウム錠100mg「NP」(ニプロ)	ロサルタンカリウム	100mg 1錠	アンギオテンシンⅡ受容体拮抗剤	4481
	NP527／100 NP-527	白	サルポグレラート塩酸塩錠100mg「NP」(ニプロ)	サルポグレラート塩酸塩	100mg 1錠	5-HT$_2$ブロッカー	1538
	NPI135／100	白　①	シロスタゾールOD錠100mg「ケミファ」(日本薬品工業)	シロスタゾール	100mg 1錠	抗血小板剤	1718
	NS100／5	帯紅白	パロキセチン錠5mg「日新」(日新)	パロキセチン塩酸塩水和物	5mg 1錠	選択的セロトニン再取り込み阻害剤(SSRI)	2878
	NS175／100	薄黄	クエチアピン錠100mg「日新」(日新/共創未来)	クエチアピンフマル酸塩	100mg 1錠	抗精神病、D$_2$・5-HT$_2$拮抗剤	1225
	NS59／100	白〜帯黄白	ロサルタンK錠100mg「日新」(日新)	ロサルタンカリウム	100mg 1錠	アンギオテンシンⅡ受容体拮抗剤	4481

番号	識別コード	色 (①：割線有)		商品名(会社名)	一般名	規格単位	薬効	掲載ページ
100	NSR100／Pfizer Pfizer NSR100	赤		セララ錠100mg（ヴィアトリス）	エプレレノン	100mg 1錠	選択的ミネラルコルチコイド受容体拮抗薬	807
	OG18／プレタール100	白	①	プレタールOD錠100mg（大塚）	シロスタゾール	100mg 1錠	抗血小板剤	1718
	OGT918 100	白		ブレーザベスカプセル100mg（ヤンセン）	ミグルスタット	100mg 1カプセル	グルコシルセラミド合成酵素阻害剤	3837
	OH31 100 OH-31	くすんだ黄赤～濃黄赤		イマチニブ錠100mg「オーハラ」（大原薬品）	イマチニブメシル酸塩	100mg 1錠	抗悪性腫瘍薬・チロシンキナーゼ阻害剤	493
	OHARA100	薄紅	①	ネオドパストン配合錠L100（大原薬品）	レボドパ・カルビドパ水和物	1錠	パーキンソニズム治療剤	4415
	OMJ100	薄青		タペンタ錠100mg（ヤンセン／ムンディ）	タペンタドール塩酸塩	100mg 1錠	持続性癌疼痛治療剤	2071
	OP100	黄～暗黄		リムパーザ錠100mg（アストラゼネカ）	オラパリブ	100mg 1錠	抗悪性腫瘍剤・ポリアデノシン5'二リン酸リボースポリメラーゼ(PARP)阻害剤	1016
	PF／U100 PF U100	白		ユニフィルLA錠100mg（大塚）	テオフィリン	100mg 1錠	キサンチン系気管支拡張剤	2195
	PF／U100 ⓝ837	白		ユニコン錠100（日医工）	テオフィリン	100mg 1錠	キサンチン系気管支拡張剤	2195
	Queアメル100	薄黄		クエチアピン錠100mg「アメル」（共和薬品）	クエチアピンフマル酸塩	100mg 1錠	抗精神病，D_2・5-HT_2拮抗剤	1225
	R／100 R100	薄黄赤		タバリス錠100mg（キッセイ）	ホスタマチニブナトリウム水和物	100mg 1錠	経口血小板破壊抑制薬／脾臓チロシンキナーゼ阻害薬	3682
	RB100／VLE RB100VLE	白		レバミピド錠100mg「VTRS」（ヴィアトリス・ヘルスケア／ヴィアトリス）	レバミピド	100mg 1錠	胃炎・胃潰瘍治療剤	4390
	S AC／100 S AC：100	白～褐白（褐の斑点）		アシテアダニ舌下錠100単位(IR)（塩野義）	アシテア	100IR1錠	減感作療法薬(アレルゲン免疫療法)	38
	S100 TTS-192	淡黄		ゾテピン錠100mg「タカタ」（高田）	ゾテピン	100mg 1錠	チエピン系統合失調症治療剤	1927
	SEROQUEL100	薄黄		セロクエル100mg錠（アステラス）	クエチアピンフマル酸塩	100mg 1錠	抗精神病，D_2・5-HT_2拮抗剤	1225
	SG100	白		サルポグレラート塩酸塩錠100mg「DK」（大興／アルフレッサファーマ）	サルポグレラート塩酸塩	100mg 1錠	5-HT_2ブロッカー	1538
	SH100	白		サルポグレラート塩酸塩錠100mg「三和」（シオノ／三和化学）	サルポグレラート塩酸塩	100mg 1錠	5-HT_2ブロッカー	1538
	Slo-bid100mg	白		テオフィリン徐放カプセル100mg「サンド」（サンド）	テオフィリン	100mg 1カプセル	キサンチン系気管支拡張剤	2195
	SP／100	濃黄		ビムパット錠100mg（ユーシービー／第一三共）	ラコサミド	100mg 1錠	抗てんかん剤	4067
	SSP100／100	白		サルポグレラート塩酸塩錠100mg「サンド」（サンド）	サルポグレラート塩酸塩	100mg 1錠	5-HT_2ブロッカー	1538
	SW AB100／100	白～淡黄	①	アカルボース錠100mg「サワイ」（沢井）	アカルボース	100mg 1錠	α-グルコシダーゼ阻害剤	6
	SW CZ100	白		シベンゾリンコハク酸塩錠100mg「サワイ」（沢井）	シベンゾリンコハク酸塩	100mg 1錠	不整脈治療剤	1672
	SW IT100	くすんだ黄赤～濃黄赤①		イマチニブ錠100mg「サワイ」（沢井）	イマチニブメシル酸塩	100mg 1錠	抗悪性腫瘍剤・チロシンキナーゼ阻害剤	493
	SW L／100 SW L100	白		ラモトリギン錠100mg「サワイ」（沢井）	ラモトリギン	100mg 1錠	抗てんかん・双極性障害治療剤	4143
	SW33／100	白	①	ロサルタンカリウム錠100mg「サワイ」（沢井）	ロサルタンカリウム	100mg 1錠	アンギオテンシンⅡ受容体拮抗剤	4481
	SWサルポグレラート100	白	①	サルポグレラート塩酸塩錠100mg「サワイ」（沢井）	サルポグレラート塩酸塩	100mg 1錠	5-HT_2ブロッカー	1538
	SWシロスタ100	白	①	シロスタゾールOD錠100mg「サワイ」（沢井）	シロスタゾール	100mg 1錠	抗血小板剤	1718
	SWセフポドキシム100	白～微黄白		セフポドキシムプロキセチル錠100mg「SW」（沢井）	セフポドキシム プロキセチル	100mg 1錠	セフェム系抗生物質	1858
	SZ100	黄		クエチアピン錠100mg「サンド」（サンド）	クエチアピンフマル酸塩	100mg 1錠	抗精神病，D_2・5-HT_2拮抗剤	1225
	T100	白～黄白		タルセバ錠100mg（中外）	エルロチニブ塩酸塩	100mg 1錠	抗悪性腫瘍・上皮成長因子受容体チロシンキナーゼ阻害剤	892
	T207／100	白		サチュロ錠100mg（ヤンセン）	ベダキリンフマル酸塩	100mg 1錠	結核化学療法剤	3492
	tCL[100mg] CL100	類白		セリプロロール塩酸塩錠100mg「NIG」（日医工岐阜／日医工／武田薬品）	セリプロロール塩酸塩	100mg 1錠	β-遮断剤	1893
	tCZ[100mg] CZ100	白～微黄白		シロスタゾール錠100mg「NIG」（日医工岐阜／日医工／武田薬品）	シロスタゾール	100mg 1錠	抗血小板剤	1718
	TEMODAL 100mg φ100mg	白		テモダールカプセル100mg（MSD／大原薬品）	テモゾロミド	100mg 1カプセル	抗悪性腫瘍剤	2325
	TEフレカイニド100	白		フレカイニド酢酸塩錠100mg「TE」（トーアエイヨー／フェルゼン／日本ジェネリック）	フレカイニド酢酸塩	100mg 1錠	不整脈治療剤	3352

番号	識別コード	色 (◫:割線有)		商品名(会社名)	一般名	規格単位	薬効	掲載ページ
100	THEO-DUR100	白	◫	テオドール錠100mg(田辺三菱)	テオフィリン	100mg 1錠	キサンチン系気管支拡張剤	2195
	TKS100	白		アロプリノール錠100mg「VTRS」(シオノギファーマ/ヴィアトリス)	アロプリノール	100mg 1錠	キサンチンオキシダーゼ阻害剤・高尿酸血症治療剤	363
	TSU256／100	白	◫	シロスタゾールOD錠100mg「ツルハラ」(鶴原)	シロスタゾール	100mg 1錠	抗血小板剤	1718
	TSU317／100	白	◫	セルトラリン錠100mg「ツルハラ」(鶴原)	セルトラリン塩酸塩	100mg 1錠	選択的セロトニン再取り込み阻害剤(SSRI)	1894
	TSU924／100 12.5	白～微黄白		ロサルヒド配合錠HD「ツルハラ」(鶴原)	ロサルタンカリウム・ヒドロクロロチアジド	1錠	持続性アンギオテンシンⅡ受容体拮抗剤・利尿剤合剤	4483
	TTS254／100 TTS-254	薄黄		クエチアピン錠100mg「タカタ」(高田)	クエチアピンフマル酸塩	100mg 1錠	抗精神病，D₂・5-HT₂拮抗剤	1225
	TTS355 100mg TTS355	緑／白		フルコナゾールカプセル100mg「タカタ」(高田)	フルコナゾール	100mg 1カプセル	トリアゾール系抗真菌剤	3298
	TTS503／100 TTS-503	白		サルポグレラート塩酸塩錠100mg「タカタ」(高田)	サルポグレラート塩酸塩	100mg 1錠	5-HT₂ブロッカー	1538
	TTS532／100 TTS-532	白	◫	ロサルタンK錠100mg「タカタ」(高田)	ロサルタンカリウム	100mg 1錠	アンギオテンシンⅡ受容体拮抗剤	4481
	TU177／100	白		セルトラリン錠100mg「TCK」(辰巳化学)	セルトラリン塩酸塩	100mg 1錠	選択的セロトニン再取り込み阻害剤(SSRI)	1894
	TU253／100	白		ロサルタンカリウム錠100mg「TCK」(辰巳化学)	ロサルタンカリウム	100mg 1錠	アンギオテンシンⅡ受容体拮抗剤	4481
	Tu-AR100	白～類白		アロプリノール錠100mg「TCK」(辰巳化学)	アロプリノール	100mg 1錠	キサンチンオキシダーゼ阻害剤・高尿酸血症治療剤	363
	TULA・100	白		ソファルコンカプセル100mg「TCK」(辰巳化学)	ソファルコン	100mg 1カプセル	胃炎・消化性潰瘍治療剤	1939
	Tu-LP100	薄紅		レプリントン配合錠L100(辰巳化学)	レボドパ・カルビドパ水和物	1錠	パーキンソニズム治療剤	4415
	Tu-MZ100	白		エチゾラム錠1mg「TCK」(辰巳化学)	エチゾラム	1mg 1錠	チエノジアゼピン系精神安定剤	738
	Tw377／100	白	◫	ロサルタンK錠100mg「トーワ」(東和薬品)	ロサルタンカリウム	100mg 1錠	アンギオテンシンⅡ受容体拮抗剤	4481
	Tw524／100	白～微黄		アミオダロン塩酸塩錠100mg「トーワ」(東和薬品)	アミオダロン塩酸塩	100mg 1錠	不整脈治療剤	221
	Tw543／100	くすんだ黄赤～濃黄赤	◫	イマチニブ錠100mg「トーワ」(東和薬品)	イマチニブメシル酸塩	100mg 1錠	抗悪性腫瘍剤・チロシンキナーゼ阻害剤	493
	Tw706／100	薄黄		クエチアピン錠100mg「トーワ」(東和薬品)	クエチアピンフマル酸塩	100mg 1錠	抗精神病，D₂・5-HT₂拮抗剤	1225
	Tw742／100	白	◫	サルポグレラート塩酸塩錠100mg「トーワ」(東和薬品)	サルポグレラート塩酸塩	100mg 1錠	5-HT₂ブロッカー	1538
	Tw744／100	薄赤		セフカペンピボキシル塩酸塩錠100mg「トーワ」(シー・エイチ・オー／東和薬品)	セフカペン ピボキシル塩酸塩水和物	100mg 1錠	セフェム系抗生物質	1845
	Tw／AS100 Tw.AS100	白		ラベタロール塩酸塩錠100mg「トーワ」(東和薬品)	ラベタロール塩酸塩	100mg 1錠	α₁，β-遮断剤	4110
	Tw／M100 TwM100	黄～暗黄		ミノサイクリン塩酸塩錠100mg「トーワ」(東和薬品)	ミノサイクリン塩酸塩	100mg 1錠	テトラサイクリン系抗生物質	3871
	TWセフカペン100	薄赤		セフカペンピボキシル塩酸塩錠100mg「TW」(東和薬品)	セフカペン ピボキシル塩酸塩水和物	100mg 1錠	セフェム系抗生物質	1845
	TY-100	褐		〔東洋〕防風通聖散料エキス細粒(東洋薬行)	防風通聖散	1g	漢方製剤	4643
	TZ234／100	黄		チラーヂンS錠100μg(あすか／武田薬品)	レボチロキシンナトリウム水和物	100μg 1錠	甲状腺ホルモン	4411
	US[100mg] US100	白	◫	ウルソデオキシコール酸錠100mg「NIG」(日医工岐阜／日医工／武田薬品)	ウルソデオキシコール酸	100mg 1錠	肝・胆・消化機能改善剤	659
	Y CO100 Y-CO100	黄		コントミン糖衣錠100mg(田辺三菱)	クロルプロマジン	100mg 1錠	フェノチアジン系精神安定剤	1379
	YA821／イマチニブ100	くすんだ黄赤～濃黄赤	◫	イマチニブ錠100mg「ヤクルト」(高田)	イマチニブメシル酸塩	100mg 1錠	抗悪性腫瘍剤・チロシンキナーゼ阻害剤	493
	YD100 シロドシンOD4／シロドシン YD OD4	淡黄赤		シロドシンOD錠4mg「YD」(陽進堂)	シロドシン	4mg 1錠	選択的α₁A-遮断剤・前立腺肥大症に伴う排尿障害改善薬	1720
	YD276／100	白		セルトラリン錠100mg「YD」(陽進堂)	セルトラリン塩酸塩	100mg 1錠	選択的セロトニン再取り込み阻害剤(SSRI)	1894
	YD849／100	白		ロサルタンカリウム錠100mg「YD」(陽進堂)	ロサルタンカリウム	100mg 1錠	アンギオテンシンⅡ受容体拮抗剤	4481
	Y／LI100 Y-LI100	白		炭酸リチウム錠100「ヨシトミ」(全星薬品工業／田辺三菱)	炭酸リチウム	100mg 1錠	躁病・躁状態治療剤	4212
	YP-LXT100	無透明(淡褐)		ロキソプロフェンNaテープ100mg「ユートク」(祐徳薬品)	ロキソプロフェンナトリウム水和物	10cm×14cm 1枚	プロピオン酸系消炎鎮痛剤	4473

番号	識別コード	色 (①：割線有)	商品名(会社名)	一般名	規格単位	薬効	掲載ページ
100	Y-Q100 YQ100／100	薄黄	クエチアピン錠100mg「ヨシトミ」(ニプロES)	クエチアピンフマル酸塩	100mg 1錠	抗精神病，D_2・5-HT₂拮抗剤	1225
	Z100	白	カプレルサ錠100mg（サノフィ）	バンデタニブ	100mg 1錠	抗悪性腫瘍剤・チロシンキナーゼ阻害剤	2898
	ZE100	白	アスピリン腸溶錠100mg「ZE」(全星薬品工業／沢井／全星薬品)	アスピリン	100mg 1錠	サリチル酸系解熱鎮痛・抗血小板剤	51
	ZE75／100	白	ロサルタンカリウム錠100mg「ZE」(全星薬品工業／全星薬品)	ロサルタンカリウム	100mg 1錠	アンギオテンシンⅡ受容体拮抗剤	4481
	Zejula100 Zejula／100	灰	ゼジューラ錠100mg（武田薬品）	ニラパリブトシル酸塩水和物	100mg 1錠	抗悪性腫瘍剤・ポリアデノシン5′二リン酸リボースポリメラーゼ(PARP)阻害剤	2680
	ハ100	白～微黄	アンカロン錠100（サノフィ）	アミオダロン塩酸塩	100mg 1錠	不整脈治療剤	221
	④100	薄橙	オフェブカプセル100mg（日本ベーリンガー）	ニンテダニブエタンスルホン酸塩	100mg 1カプセル	チロシンキナーゼ阻害剤・抗線維化剤	2696
	Lilly100／7026 Lilly7026	青	ジャイパーカ錠100mg（日本イーライリリー／日本新薬）	ピルトブルチニブ	100mg 1錠	抗悪性腫瘍剤 可逆的非共有結合型BTK阻害剤	3051
	ⓢ133 100	白～帯黄白①	イルベタン錠100mg（シオノギファーマ／塩野義）	イルベサルタン	100mg 1錠	長時間作用型アンギオテンシンⅡ受容体拮抗剤	522
	ⓢ141／100/1 ⓢ141：100/1	淡赤	イルトラ配合錠LD（シオノギファーマ／塩野義）	イルベサルタン・トリクロルメチアジド	1錠	長時間作用型ARB・利尿薬合剤	526
	n244／100 n244 100 n244	薄黄	クエチアピン錠100mg「日医工」(日医工)	クエチアピンフマル酸塩	100mg 1錠	抗精神病，D_2・5-HT₂拮抗剤	1225
	ⓝ275R100 ⓝ275 ⓝ275/R100	白	ジルチアゼム塩酸塩徐放カプセル100mg「日医工」(日医工)	ジルチアゼム塩酸塩	100mg 1カプセル	ベンゾチアゼピン系Ca拮抗剤	1705
	n405／100 n405 100 ⓝ405	白	ラモトリギン錠100mg「日医工」(日医工)	ラモトリギン	100mg 1錠	抗てんかん・双極性障害治療剤	4143
	ⓢ779／100 20 ⓢ779：100 20	白	バクタミニ配合錠(シオノギファーマ／塩野義)	スルファメトキサゾール・トリメトプリム	1錠	合成抗菌剤	1781
	Ⓚ／BT100 ⓀBT100	白	ベザトールSR錠100mg（キッセイ）	ベザフィブラート	100mg 1錠	高脂血症治療剤	3486
	⊕／CIP100	白～淡黄	シプロキサン錠100mg（バイエル薬品）	シプロフロキサシン	100mg 1錠	ニューキノロン系抗菌剤	1659
	Ⓚ／DM100 ⓀDM100	白	ドメナン錠100mg（キッセイ）	オザグレル塩酸塩水和物	100mg 1錠	トロンボキサン合成酵素阻害剤	971
	◇H100	白	ヒダントール錠100mg（藤永／第一三共）	フェニトイン	100mg 1錠	ヒダントイン系抗てんかん剤	3120
	◇L100	白	カルバマゼピン錠100mg「フジナガ」(藤永／第一三共)	カルバマゼピン	100mg 1錠	向精神作用性てんかん・躁状態治療剤	1150
	ch-SH100 ch-SH	白	スプラタストトシル酸塩カプセル100mg「JG」(長生堂／日本ジェネリック)	スプラタストトシル酸塩	100mg 1カプセル	アレルギー性疾患治療剤	1762
	€TE／100 €TE100	白	テオロング錠100mg（エーザイ）	テオフィリン	100mg 1錠	キサンチン系気管支拡張剤	2195
	PfizerZTM100	橙／淡黄白	ジスロマックカプセル小児用100mg（ファイザー）	アジスロマイシン水和物	100mg 1カプセル	15員環マクロライド系抗生物質	30
	アイピーディ100 TC441	白	アイピーディカプセル100（大鵬薬品）	スプラタストトシル酸塩	100mg 1カプセル	アレルギー性疾患治療剤	1762
	アイミクスHD／100 10	薄橙	アイミクス配合錠HD（住友ファーマ）	イルベサルタン・アムロジピンベシル酸塩	1錠	長時間作用型アンギオテンシンⅡ受容体拮抗剤・持続性Ca拮抗剤配合剤	523
	アイミクスLD／100 5	白～帯黄白	アイミクス配合錠LD（住友ファーマ）	イルベサルタン・アムロジピンベシル酸塩	1錠	長時間作用型アンギオテンシンⅡ受容体拮抗剤・持続性Ca拮抗剤配合剤	523
	アコファイド100	白	アコファイド錠100mg（ゼリア新薬）	アコチアミド塩酸塩水和物	100mg 1錠	機能性ディスペプシア(FD)治療剤	17
	アスピリン腸溶 100JG アスピリン腸溶 100JG	白	アスピリン腸溶錠100mg「JG」(日本ジェネリック)	アスピリン	100mg 1錠	サリチル酸系解熱鎮痛・抗血小板剤	51
	アバプロ100	白～帯黄白①	アバプロ錠100mg（住友ファーマ）	イルベサルタン	100mg 1錠	長時間作用型アンギオテンシンⅡ受容体拮抗剤	522
	アプレース100 KP-296	白	アプレース錠100mg（杏林）	トロキシピド	100mg 1錠	胃炎・消化性潰瘍治療剤	2588
	アンプラーグ100	白	アンプラーグ錠100mg（田辺三菱）	サルポグレラート塩酸塩	100mg 1錠	5-HT₂ブロッカー	1538
	イマチニブ100JG	くすんだ黄赤～濃黄赤①	イマチニブ錠100mg「JG」(日本ジェネリック)	イマチニブメシル酸塩	100mg 1錠	抗悪性腫瘍剤・チロシンキナーゼ阻害剤	493
	イルアミクスHD 三和／イルアミクスHD100/10	薄橙	イルアミクス配合錠HD「三和」(ダイト／三和化学)	イルベサルタン・アムロジピンベシル酸塩	1錠	長時間作用型アンギオテンシンⅡ受容体拮抗剤・持続性Ca拮抗剤配合剤	523

番号	識別コード	色 (◑:割線有)	商品名(会社名)	一般名	規格単位	薬効	掲載ページ
100	イルアミクスHD配合錠オーハラ／イルベサルタン100mgアムロジピン10mg	薄橙	イルアミクス配合錠HD「オーハラ」(大原薬品／共創未来)	イルベサルタン・アムロジピンベシル酸塩	1錠	長時間作用型アンギオテンシンⅡ受容体拮抗剤・持続性Ca拮抗剤配合剤	523
	イルアミクスHDケミファ／イルベサルタン100アムロジピン10	薄橙	イルアミクス配合錠HD「ケミファ」(日本ケミファ／日本薬品工業)	イルベサルタン・アムロジピンベシル酸塩	1錠	長時間作用型アンギオテンシンⅡ受容体拮抗剤・持続性Ca拮抗剤配合剤	523
	イルアミクスHDサンド／100/10	薄橙	イルアミクス配合錠HD「サンド」(サンド)	イルベサルタン・アムロジピンベシル酸塩	1錠	長時間作用型アンギオテンシンⅡ受容体拮抗剤・持続性Ca拮抗剤配合剤	523
	イルアミクスHDダイト／イルアミクスHD100/10	薄橙	イルアミクス配合錠HD「ダイト」(ダイト／フェルゼン)	イルベサルタン・アムロジピンベシル酸塩	1錠	長時間作用型アンギオテンシンⅡ受容体拮抗剤・持続性Ca拮抗剤配合剤	523
	イルアミクスHDトーワ／100イルベアムロジ10	薄橙	イルアミクス配合錠HD「トーワ」(東和薬品)	イルベサルタン・アムロジピンベシル酸塩	1錠	長時間作用型アンギオテンシンⅡ受容体拮抗剤・持続性Ca拮抗剤配合剤	523
	イルアミクスLD三和／イルアミクスLD100/5	白～帯黄白	イルアミクス配合錠LD「三和」(ダイト／三和化学)	イルベサルタン・アムロジピンベシル酸塩	1錠	長時間作用型アンギオテンシンⅡ受容体拮抗剤・持続性Ca拮抗剤配合剤	523
	イルアミクスLD配合錠オーハラ／イルベサルタン100mgアムロジピン5mg	白～帯黄白	イルアミクス配合錠LD「オーハラ」(大原薬品／共創未来)	イルベサルタン・アムロジピンベシル酸塩	1錠	長時間作用型アンギオテンシンⅡ受容体拮抗剤・持続性Ca拮抗剤配合剤	523
	イルアミクスLDケミファ／イルベサルタン100アムロジピン5	白～帯黄白	イルアミクス配合錠LD「ケミファ」(日本ケミファ／日本薬品工業)	イルベサルタン・アムロジピンベシル酸塩	1錠	長時間作用型アンギオテンシンⅡ受容体拮抗剤・持続性Ca拮抗剤配合剤	523
	イルアミクスLDサンド／100/5	白～帯黄白	イルアミクス配合錠LD「サンド」(サンド)	イルベサルタン・アムロジピンベシル酸塩	1錠	長時間作用型アンギオテンシンⅡ受容体拮抗剤・持続性Ca拮抗剤配合剤	523
	イルアミクスLDダイト／イルアミクスLD100/5	白～帯黄白	イルアミクス配合錠LD「ダイト」(ダイト／フェルゼン)	イルベサルタン・アムロジピンベシル酸塩	1錠	長時間作用型アンギオテンシンⅡ受容体拮抗剤・持続性Ca拮抗剤配合剤	523
	イルアミクスLDトーワ／100イルベアムロジ5	白～帯黄白	イルアミクス配合錠LD「トーワ」(東和薬品)	イルベサルタン・アムロジピンベシル酸塩	1錠	長時間作用型アンギオテンシンⅡ受容体拮抗剤・持続性Ca拮抗剤配合剤	523
	イルベ100／イルベ100サルタンODトーワ	白 ◑	イルベサルタンOD錠100mg「トーワ」(東和薬品)	イルベサルタン	100mg 1錠	長時間作用型アンギオテンシンⅡ受容体拮抗剤	522
	イルベサルタン100KMP	白～帯黄白◑	イルベサルタン錠100mg「KMP」(共創未来)	イルベサルタン	100mg 1錠	長時間作用型アンギオテンシンⅡ受容体拮抗剤	522
	イルベサルタン100SW	白～帯黄白◑	イルベサルタン錠100mg「サワイ」(沢井)	イルベサルタン	100mg 1錠	長時間作用型アンギオテンシンⅡ受容体拮抗剤	522
	イルベサルタン100日医工㋑129	白～帯黄白◑	イルベサルタン錠100mg「日医工」(日医工)	イルベサルタン	100mg 1錠	長時間作用型アンギオテンシンⅡ受容体拮抗剤	522
	イルベサルタン100オーハラ	白～帯黄白◑	イルベサルタン錠100mg「オーハラ」(大原薬品)	イルベサルタン	100mg 1錠	長時間作用型アンギオテンシンⅡ受容体拮抗剤	522
	イルベサルタン100ケミファ	白～帯黄白◑	イルベサルタン錠100mg「ケミファ」(日本ケミファ)	イルベサルタン	100mg 1錠	長時間作用型アンギオテンシンⅡ受容体拮抗剤	522
	イルベサルタン100ニプロ	白～帯黄白◑	イルベサルタン錠100mg「ニプロ」(ニプロ)	イルベサルタン	100mg 1錠	長時間作用型アンギオテンシンⅡ受容体拮抗剤	522
	イルベサルタンOD100JG	白～帯黄白◑	イルベサルタンOD錠100mg「JG」(日本ジェネリック)	イルベサルタン	100mg 1錠	長時間作用型アンギオテンシンⅡ受容体拮抗剤	522
	イルベサルタンOD100オーハラ	白～帯黄白◑	イルベサルタンOD錠100mg「オーハラ」(大原薬品)	イルベサルタン	100mg 1錠	長時間作用型アンギオテンシンⅡ受容体拮抗剤	522
	エプレレ100杏林	赤	エプレレノン錠100mg「杏林」(キョーリンリメディオ／杏林)	エプレレノン	100mg 1錠	選択的ミネラルコルチコイド受容体拮抗薬	807
	エベレンゾ100	淡黄赤	エベレンゾ錠100mg(アステラス)	ロキサデュスタット	100mg 1錠	HIF-PH阻害剤・腎性貧血治療薬	4469
	エルカルチンFF100	白	エルカルチンFF錠100mg(大塚)	レボカルニチン塩化物	100mg 1錠	ミトコンドリア機能賦活剤	4405
	エルロチニブ100	白～黄白	エルロチニブ錠100mg「NK」(日本化薬)	エルロチニブ塩酸塩	100mg 1錠	抗悪性腫瘍・上皮成長因子受容体チロシンキナーゼ阻害剤	892
	エンタカポン100JG	薄黄赤～くすんだ黄赤	エンタカポン錠100mg「JG」(日本ジェネリック)	エンタカポン	100mg 1錠	末梢COMT阻害剤	919
	エンタカポン100「アメル」	薄黄赤～くすんだ黄赤	エンタカポン錠100mg「アメル」(共和薬品)	エンタカポン	100mg 1錠	末梢COMT阻害剤	919
	エンタカポン100トーワ	薄黄赤～くすんだ黄赤	エンタカポン錠100mg「トーワ」(東和)	エンタカポン	100mg 1錠	末梢COMT阻害剤	919
	カナグル100	薄黄	カナグル錠100mg(田辺三菱)	カナグリフロジン水和物	100mg 1錠	SGLT2阻害剤	1062
	カモスタット100NP	白～微黄白	カモスタットメシル酸塩錠100mg「NP」(ニプロ)	カモスタットメシル酸塩	100mg 1錠	蛋白分解酵素阻害剤	1110

番号	識別コード	色 (①:割線有)	商品名(会社名)	一般名	規格単位	薬効	掲載ページ
100	クエチアピン100 DSEP／ クエチアピン100 第一三共エスファ	薄黄	クエチアピン錠100mg「DSEP」(第一三共エスファ)	クエチアピンフマル酸塩	100mg 1錠	抗精神病, D_2・$5-HT_2$拮抗剤	1225
	クエチアピン100 三和	薄黄	クエチアピン錠100mg「三和」(シオノ／三和化学)	クエチアピンフマル酸塩	100mg 1錠	抗精神病, D_2・$5-HT_2$拮抗剤	1225
	クエチアピン100 ニプロ	薄黄	クエチアピン錠100mg「ニプロ」(ニプロES)	クエチアピンフマル酸塩	100mg 1錠	抗精神病, D_2・$5-HT_2$拮抗剤	1225
	サリドマイドサレド 100	橙／白	サレドカプセル100 (藤本)	サリドマイド	100mg 1カプセル	多発性骨髄腫治療剤／らい性結節性紅斑治療剤／クロウ・深瀬(POEMS)症候群治療剤	1526
	サルポグレラート100 JG	白 ①	サルポグレラート塩酸塩錠100mg「JG」(日本ジェネリック)	サルポグレラート塩酸塩	100mg 1錠	$5-HT_2$ブロッカー	1538
	サルポグレラート100 オーハラ	白 ①	サルポグレラート塩酸塩錠100mg「オーハラ」(大原薬品／エッセンシャル)	サルポグレラート塩酸塩	100mg 1錠	$5-HT_2$ブロッカー	1538
	サワイセフジニル100	淡赤	セフジニル錠100mg「サワイ」(沢井)	セフジニル	100mg 1錠	セフェム系抗生物質	1850
	シベノール100	白	シベノール錠100mg「トーアエイヨー」	シベンゾリンコハク酸塩	100mg 1錠	不整脈治療剤	1672
	シロスタゾール OD100日医工 ⓝ986	白 ①	シロスタゾールOD錠100mg「日医工」(日医工)	シロスタゾール	100mg 1錠	抗血小板剤	1718
	シロスタゾール OD100タカタ	白 ①	シロスタゾールOD錠100mg「タカタ」(高田／三和化学)	シロスタゾール	100mg 1錠	抗血小板剤	1718
	ジェイゾロフト100	白 ①	ジェイゾロフト錠100mg (ヴィアトリス)	セルトラリン塩酸塩	100mg 1錠	選択的セロトニン再取り込み阻害剤(SSRI)	1894
	ジェイゾロフト OD100	白 ①	ジェイゾロフトOD錠100mg (ヴィアトリス)	セルトラリン塩酸塩	100mg 1錠	選択的セロトニン再取り込み阻害剤(SSRI)	1894
	ジルチアゼムR 100mg SW-725 SW-725	白	ジルチアゼム塩酸塩Rカプセル100mg「サワイ」(沢井)	ジルチアゼム塩酸塩	100mg 1カプセル	ベンゾチアゼピン系Ca拮抗剤	1705
	ジルチアゼム 徐放100トーワ	白	ジルチアゼム塩酸塩徐放カプセル100mg「トーワ」(佐藤薬品／東和薬品)	ジルチアゼム塩酸塩	100mg 1カプセル	ベンゾチアゼピン系Ca拮抗剤	1705
	スオード100	淡黄	スオード錠100 (Meiji Seika)	プルリフロキサシン	100mg 1錠(活性本体として)	ニューキノロン系抗菌剤	3343
	スプラタスト100mg SW-149 SW-149	白	スプラタストトシル酸塩カプセル100mg「サワイ」(沢井)	スプラタストトシル酸塩	100mg 1カプセル	アレルギー性疾患治療剤	1762
	スマイラフ100	淡赤	スマイラフ錠100mg (アステラス)	ペフィシチニブ臭化水素酸塩	100mg 1錠	ヤヌスキナーゼ(JAK)阻害剤	3548
	セフカペン 100CH	薄赤	セフカペンピボキシル塩酸塩錠100mg「CH」(長生堂／日本ジェネリック)	セフカペン ピボキシル塩酸塩水和物	100mg 1錠	セフェム系抗生物質	1845
	セフカペン SW100	薄赤	セフカペンピボキシル塩酸塩錠100mg「SW」(沢井)	セフカペン ピボキシル塩酸塩水和物	100mg 1錠	セフェム系抗生物質	1845
	セフスパン 100mg	淡橙	セフスパンカプセル100mg (長生堂／日本ジェネリック)	セフィキシム水和物	100mg 1カプセル	セフェム系抗生物質	1833
	セルトラリン100 DSEP	白 ①	セルトラリン錠100mg「DSEP」(第一三共エスファ)	セルトラリン塩酸塩	100mg 1錠	選択的セロトニン再取り込み阻害剤(SSRI)	1894
	セルトラリン100 NP	白 ①	セルトラリン錠100mg「NP」(ニプロES)	セルトラリン塩酸塩	100mg 1錠	選択的セロトニン再取り込み阻害剤(SSRI)	1894
	セルトラリン100 SW	白 ①	セルトラリン錠100mg「サワイ」(沢井)	セルトラリン塩酸塩	100mg 1錠	選択的セロトニン再取り込み阻害剤(SSRI)	1894
	セルトラリン100 明治	白 ①	セルトラリン錠100mg「明治」(Meiji Seika)	セルトラリン塩酸塩	100mg 1錠	選択的セロトニン再取り込み阻害剤(SSRI)	1894
	セルトラリン100 科研 DK540	白 ①	セルトラリン錠100mg「科研」(ダイト／科研)	セルトラリン塩酸塩	100mg 1錠	選択的セロトニン再取り込み阻害剤(SSRI)	1894
	セルトラリン100 アメル／100アメル セルトラリン	白〜帯黄白	セルトラリン錠100mg「アメル」(共和薬品)	セルトラリン塩酸塩	100mg 1錠	選択的セロトニン再取り込み阻害剤(SSRI)	1894
	セルトラリン100 ケミファ	白 ①	セルトラリン錠100mg「ケミファ」(日本ケミファ)	セルトラリン塩酸塩	100mg 1錠	選択的セロトニン再取り込み阻害剤(SSRI)	1894
	セルトラリン100 サンド	白 ①	セルトラリン錠100mg「サンド」(サンド)	セルトラリン塩酸塩	100mg 1錠	選択的セロトニン再取り込み阻害剤(SSRI)	1894
	セルトラリン100 トーワ	白	セルトラリン錠100mg「トーワ」(東和薬品)	セルトラリン塩酸塩	100mg 1錠	選択的セロトニン再取り込み阻害剤(SSRI)	1894
	セルトラリン OD100トーワ	白	セルトラリンOD錠100mg「トーワ」(東和薬品)	セルトラリン塩酸塩	100mg 1錠	選択的セロトニン再取り込み阻害剤(SSRI)	1894
	セレコ100／ セレコキシブ100 NS	白	セレコキシブ錠100mg「日新」(日新)	セレコキシブ	100mg 1錠	非ステロイド性消炎・鎮痛剤(シクロオキシゲナーゼ-2選択的阻害剤)	1918
	セレコキシブ100 杏林	白 ①	セレコキシブ錠100mg「杏林」(キョーリンリメディオ／辰巳化学／杏林)	セレコキシブ	100mg 1錠	非ステロイド性消炎・鎮痛剤(シクロオキシゲナーゼ-2選択的阻害剤)	1918

番号	識別コード	色 (⓪：割線有)		商品名(会社名)	一般名	規格単位	薬効	掲載ページ
100	セレコキシブ100 三笠	白		セレコキシブ錠100mg「三笠」(三笠)	セレコキシブ	100mg 1錠	非ステロイド性消炎・鎮痛剤(シクロオキシゲナーゼ-2選択的阻害剤)	1918
	セレコキシブ100 日医工	白	⓪	セレコキシブ錠100mg「日医工」(日医工)	セレコキシブ	100mg 1錠	非ステロイド性消炎・鎮痛剤(シクロオキシゲナーゼ-2選択的阻害剤)	1918
	セレコキシブ100 セレコキシブ100 DSEP	白	⓪	セレコキシブ錠100mg「DSEP」(第一三共エスファ)	セレコキシブ	100mg 1錠	非ステロイド性消炎・鎮痛剤(シクロオキシゲナーゼ-2選択的阻害剤)	1918
	セレコキシブ100 セレコキシブJG	白	⓪	セレコキシブ錠100mg「JG」(日本ジェネリック)	セレコキシブ	100mg 1錠	非ステロイド性消炎・鎮痛剤(シクロオキシゲナーゼ-2選択的阻害剤)	1918
	セレコキシブ100 オーハラ	白	⓪	セレコキシブ錠100mg「オーハラ」(大原薬品/アルフレッサファーマ)	セレコキシブ	100mg 1錠	非ステロイド性消炎・鎮痛剤(シクロオキシゲナーゼ-2選択的阻害剤)	1918
	セレコキシブ100 ケミファ	白	⓪	セレコキシブ錠100mg「ケミファ」(日本ケミファ/日本薬品工業)	セレコキシブ	100mg 1錠	非ステロイド性消炎・鎮痛剤(シクロオキシゲナーゼ-2選択的阻害剤)	1918
	セレコキシブ100 サワイ	白	⓪	セレコキシブ錠100mg「サワイ」(沢井)	セレコキシブ	100mg 1錠	非ステロイド性消炎・鎮痛剤(シクロオキシゲナーゼ-2選択的阻害剤)	1918
	セレコキシブ100／ セレコキシブ100 明治	白	⓪	セレコキシブ錠100mg「明治」(Meファルマ)	セレコキシブ	100mg 1錠	非ステロイド性消炎・鎮痛剤(シクロオキシゲナーゼ-2選択的阻害剤)	1918
	セレコキシブ100／ セレコキシブ⑰ 100	白	⓪	セレコキシブ錠100mg「武田テバ」(武田テバファーマ/武田薬品)	セレコキシブ	100mg 1錠	非ステロイド性消炎・鎮痛剤(シクロオキシゲナーゼ-2選択的阻害剤)	1918
	セレコキシブ100 ダイト／ダイト 100セレコキシブ	白	⓪	セレコキシブ錠100mg「ダイト」(ダイト/共創未来)	セレコキシブ	100mg 1錠	非ステロイド性消炎・鎮痛剤(シクロオキシゲナーゼ-2選択的阻害剤)	1918
	セレコキシブ100 ニプロ	白	⓪	セレコキシブ錠100mg「ニプロ」(ニプロ)	セレコキシブ	100mg 1錠	非ステロイド性消炎・鎮痛剤(シクロオキシゲナーゼ-2選択的阻害剤)	1918
	セレコキシブ100 フェルゼン／ フェルゼン100 セレコキシブ	白	⓪	セレコキシブ錠100mg「フェルゼン」(フェルゼン)	セレコキシブ	100mg 1錠	非ステロイド性消炎・鎮痛剤(シクロオキシゲナーゼ-2選択的阻害剤)	1918
	セレコキシブ YD100 YD600	白	⓪	セレコキシブ錠100mg「YD」(陽進堂)	セレコキシブ	100mg 1錠	非ステロイド性消炎・鎮痛剤(シクロオキシゲナーゼ-2選択的阻害剤)	1918
	タケルダ／ 100/15	白～帯黄白 (赤橙～暗褐の斑点)		タケルダ配合錠(武田テバ薬品/武田薬品)	アスピリン・ランソプラゾール	1錠	アスピリン・ランソプラゾール配合剤	63
	チオラ100 MH165	白		チオラ錠100(ヴィアトリス)	チオプロニン	100mg 1錠	代謝改善解毒剤・シスチン尿症治療剤	2149
	ツートラム100	淡紅/白		ツートラム錠100mg(日本臓器)	トラマドール塩酸塩	100mg 1錠	フェノールエーテル系鎮痛剤	2488
	ツムラ/100	淡灰白		ツムラ大建中湯エキス顆粒(医療用)(ツムラ)	大建中湯	1g	漢方製剤	4621
	テモゾミド100	淡紅白		テモゾロミド錠100mg「NK」(日本化薬)	テモゾロミド	100mg 1錠	抗悪性腫瘍剤	2325
	トミロン100	淡橙		トミロン錠100(富士フイルム富山化学/ジーシー昭和)	セフテラム ピボキシル	100mg 1錠	セフェム系抗生物質	1854
	トロキシ100	白		トロキシピド錠100mg「オーハラ」(大原薬品/ニプロ)	トロキシピド	100mg 1錠	胃炎・消化性潰瘍治療剤	2588
	ドグマチール100	白～帯黄白		ドグマチール錠100mg(日医工)	スルピリド	100mg 1錠	ベンザミド系抗潰瘍・精神安定剤	1777
	バルネチール100	白		バルネチール錠100(共和薬品)	スルトプリド塩酸塩	100mg 1錠	ベンザミド系抗精神病剤	1775
	バルプロA100 トーワ	白		バルプロ酸ナトリウム徐放錠A100mg「トーワ」(東和薬品)	バルプロ酸ナトリウム	100mg 1錠	抗てんかん、躁病・躁状態、片頭痛治療剤	2858
	フルコナゾール100mg SW-885 SW-885	橙		フルコナゾールカプセル100mg「サワイ」(沢井)	フルコナゾール	100mg 1カプセル	トリアゾール系抗真菌剤	3298
	フレカイニド100 VTRS	白		フレカイニド酢酸塩錠100mg「VTRS」(ヴィアトリス・ヘルスケア/ヴィアトリス)	フレカイニド酢酸塩	100mg 1錠	不整脈治療剤	3352
	ベザフィブラート100／ 100NIG	白		ベザフィブラート徐放錠100mg「NIG」(日医工岐阜/日医工/武田薬品)	ベザフィブラート	100mg 1錠	高脂血症治療剤	3486
	ベプリジル 100TE	白	⓪	ベプリジル塩酸塩錠100mg「TE」(トーアエイヨー)	ベプリジル塩酸塩水和物	100mg 1錠	不整脈・狭心症治療剤	3552
	ボリコナゾール100 JG	白	⓪	ボリコナゾール錠100mg「JG」(日本ジェネリック)	ボリコナゾール	100mg 1錠	トリアゾール系抗真菌剤	3755
	ボリコナゾール100 アメル	白	⓪	ボリコナゾール錠100mg「アメル」(共和薬品)	ボリコナゾール	100mg 1錠	トリアゾール系抗真菌剤	3755
	ボンビバ100mg	白		ボンビバ錠100mg(大正)	イバンドロン酸ナトリウム水和物	100mg 1錠	骨粗鬆症治療剤	465

番号	識別コード	色 (◖：割線有)	商品名(会社名)	一般名	規格単位	薬効	掲載 ページ
100	メキシチール100	白／薄黄赤	メキシチールカプセル100mg（太陽フ ァルマ）	メキシレチン塩酸塩	100mg 1カプ セル	不整脈治療・糖尿病性神経障 害治療剤	3902
	メキシレチン100mg SW-929 SW-929	淡黄赤／白	メキシレチン塩酸塩カプセル100mg 「サワイ」（沢井）	メキシレチン塩酸塩	100mg 1カプ セル	不整脈治療・糖尿病性神経障 害治療剤	3902
	ラモトリ100／ ラモトリギン トーワ100	白　◖	ラモトリギン錠100mg「トーワ」（東和 薬品）	ラモトリギン	100mg 1錠	抗てんかん・双極性障害治療 剤	4143
	ラモトリギン100 JG	白	ラモトリギン錠100mg「JG」（日本ジ エネリック）	ラモトリギン	100mg 1錠	抗てんかん・双極性障害治療 剤	4143
	リマチル100	白	リマチル錠100mg（あゆみ）	ブシラミン	100mg 1錠	抗リウマチ剤	3198
	レバミピド100 MED	白	レバミピド錠100mg「MED」（メディ サ／旭化成）	レバミピド	100mg 1錠	胃炎・胃潰瘍治療剤	4390
	レバミピド100 TCK	白	レバミピド錠100mg「TCK」（辰巳化 学／フェルゼン）	レバミピド	100mg 1錠	胃炎・胃潰瘍治療剤	4390
	レバミピド100 「DK」	白	レバミピド錠100mg「DK」（大興／ア ルフレッサファーマ）	レバミピド	100mg 1錠	胃炎・胃潰瘍治療剤	4390
	レバミピド100 アメル	白	レバミピド錠100mg「アメル」（共和薬 品）	レバミピド	100mg 1錠	胃炎・胃潰瘍治療剤	4390
	レバミピド100 タナベ	白	レバミピド錠100mg「タナベ」（ニプロ ES）	レバミピド	100mg 1錠	胃炎・胃潰瘍治療剤	4390
	レバミピド100 トーワ	白	レバミピド錠100mg「トーワ」（東和薬 品）	レバミピド	100mg 1錠	胃炎・胃潰瘍治療剤	4390
	レバミピド100 ニプロ	白	レバミピド錠100mg「ニプロ」（ニプロ ES）	レバミピド	100mg 1錠	胃炎・胃潰瘍治療剤	4390
	レバミピド NP100	白	レバミピド錠100mg「NP」（ニプロ）	レバミピド	100mg 1錠	胃炎・胃潰瘍治療剤	4390
	レバミピド SW100	白	レバミピド錠100mg「サワイ」（沢井）	レバミピド	100mg 1錠	胃炎・胃潰瘍治療剤	4390
	レバミピド ZE100	白	レバミピド錠100mg「ZE」（全星薬品 工業／三和化学／全星薬品）	レバミピド	100mg 1錠	胃炎・胃潰瘍治療剤	4390
	レボカルニチン FF100トーワ	白	レボカルニチンFF錠100mg「トーワ」 （東和薬品／共創未来／三和化学）	レボカルニチン	100mg 1錠	ミトコンドリア機能賦活剤	4405
	ロサルタン100 アメル	白〜帯黄白	ロサルタンカリウム錠100mg「アメル」 （共和薬品）	ロサルタンカリウム	100mg 1錠	アンギオテンシンⅡ受容体拮 抗剤	4481
	ロサルタン100 オーハラ	白	ロサルタンK錠100mg「オーハラ」（大 原薬品／共創未来／エッセンシャル）	ロサルタンカリウム	100mg 1錠	アンギオテンシンⅡ受容体拮 抗剤	4481
	ロサルタンK100 DSEP	白	ロサルタンK錠100mg「DSEP」（第一 三共エスファ）	ロサルタンカリウム	100mg 1錠	アンギオテンシンⅡ受容体拮 抗剤	4481
	ロサルヒド配合錠 HDニプロ／ ロサルタンK100mg ヒドロクロロチアジド 12.5mg	白	ロサルヒド配合錠HD「ニプロ」（ニプ ロ）	ロサルタンカリウム・ヒド ロクロロチアジド	1錠	持続性アンギオテンシンⅡ受 容体拮抗剤・利尿剤合剤	4483
101	101／KPh KPh101	黄〜黄褐◖	サラゾピリン錠500mg（ファイザー）	サラゾスルファピリジン	500mg 1錠	潰瘍性大腸炎治療・抗リウマ チ剤	1522
	101／KSK KSK101	白〜微黄白	シメチジン錠200mg「クニヒロ」（皇漢 堂）	シメチジン	200mg 1錠	H₂-受容体拮抗剤	1680
	FF101／15	白〜帯黄白◖	ピオグリタゾン錠15mg「FFP」（共創 未来）	ピオグリタゾン塩酸塩	15mg 1錠	インスリン抵抗性改善血糖降 下剤	2912
	JK101	白	リスパダール錠1mg（ヤンセン）	リスペリドン	1mg 1錠	抗精神病，D₂・5-HT₂拮抗剤	4201
	KYO101	白〜微黄	ジクロフェナクナトリウム坐剤12.5mg 「ゼリア」（京都薬品／ゼリア新薬）	ジクロフェナクナトリウム	12.5mg 1個	フェニル酢酸系消炎鎮痛剤	1579
	MKC101	白	モーバー錠100mg（田辺三菱）	アクタリット	100mg 1錠	疾患修飾性抗リウマチ薬 （DMARD）	13
	ND101	白半透明	ペンレステープ18mg（日東電工／マル ホ）	リドカイン	(18mg) 30.5mm× 50.0mm 1枚	アニリド系局所麻酔・不整脈 治療剤	4223
	SEARLE101	白	アルダクトンA錠25mg（ファイザー）	スピロノラクトン	25mg 1錠	抗アルドステロン性降圧利尿 剤	1761
	TA101	淡黄　◖	アザニン錠50mg（田辺三菱）	アザチオプリン	50mg 1錠	免疫抑制剤	21
	TI101／TNL	白　◖	クレンブテロール錠10μg「ハラサワ」 （原沢／日本ジェネリック）	クレンブテロール塩酸塩	10μg 1錠	気管支拡張β₂-刺激・腹圧性 尿失禁治療剤	1300
	Tu101	白　◖	アセトアミノフェン錠200mg「TCK」 （辰巳化学）	アセトアミノフェン	200mg 1錠	アミノフェノール系解熱鎮痛 剤	77
	Tw101	白〜淡黄◖	ベンズブロマロン錠50mg「トーワ」 （東和薬品）	ベンズブロマロン	50mg 1錠	高尿酸血症改善剤	3643
	TY-101	褐	〔東洋〕補中益気湯エキス細粒（東洋薬 行）	補中益気湯	1g	漢方製剤	4644
	ZE101	帯赤灰	ニフェジピンCR錠10mg「ZE」（全星 薬品工業／全星薬品）	ニフェジピン	10mg 1錠	ジヒドロピリジン系Ca拮抗剤	2652
	ch101 ch101	白　◖	リスペリドン錠1mg「CH」（長生堂／ 日本ジェネリック）	リスペリドン	1mg 1錠	抗精神病，D₂・5-HT₂拮抗剤	4201

番号	識別コード	色 (①:割線有)	商品名(会社名)	一般名	規格単位	薬効	掲載ページ
101	ツムラ/101	淡灰褐	ツムラ升麻葛根湯エキス顆粒(医療用)(ツムラ)	升麻葛根湯	1g	漢方製剤	4614
	ペオン②101	白	ペオン錠80(ゼリア新薬)	ザルトプロフェン	80mg 1錠	プロピオン酸系消炎鎮痛剤	1533
102	102/KSK KSK102	白　①	アンブロキソール塩酸塩錠15mg「クニヒロ」(皇漢堂)	アンブロキソール塩酸塩	15mg 1錠	気道潤滑去痰剤	378
	BMD102	微黄半透明〜黄半透明(淡黄赤褐〜黄赤褐)	ケトプロフェンテープ20mg「BMD」(ビオメディクス/持田)	ケトプロフェン	7cm×10cm 1枚	プロピオン酸系消炎鎮痛剤	1410
	FF102/30	白〜帯黄白①	ピオグリタゾン錠30mg「FFP」(共創未来)	ピオグリタゾン塩酸塩	30mg 1錠	インスリン抵抗性改善血糖降下剤	2912
	FY102	淡紫	トリアゾラム錠0.125mg「FY」(富士薬品/共和薬品)	トリアゾラム	0.125mg 1錠	ベンゾジアゼピン系睡眠導入剤	2507
	JK102	白	リスパダール錠2mg(ヤンセン)	リスペリドン	2mg 1錠	抗精神病，D_2・5-HT_2拮抗剤	4201
	KH102	黄	デパケン錠100mg(協和キリン)	バルプロ酸ナトリウム	100mg 1錠	抗てんかん，躁病・躁状態，片頭痛治療剤	2858
	KPh/102 KPh102	黄〜黄褐	アザルフィジンEN錠500mg(あゆみ)	サラゾスルファピリジン	500mg 1錠	潰瘍性大腸炎治療・抗リウマチ剤	1522
	KRH102	白	クレメジンカプセル200mg(クレハ/田辺三菱)	球形吸着炭	200mg 1カプセル	慢性腎不全用吸着剤	2125
	KYO102	白〜微黄	ジクロフェナクナトリウム坐剤25mg「ゼリア」(京都薬品/ゼリア新薬)	ジクロフェナクナトリウム	25mg 1個	フェニル酢酸系消炎鎮痛剤	1579
	MS102	微黄半透明(白)	フェンタニル1日用テープ0.84mg「明治」(祐徳薬品/Meiji Seika)	フェンタニル	0.84mg 1枚	経皮吸収型持続性疼痛治療剤	3156
	NPI102	白	セチリジン塩酸塩錠5mg「NPI」(日本薬品工業/日本ケミファ)	セチリジン塩酸塩	5mg 1錠	持続性選択H_1-受容体拮抗剤	1806
	REL Sc102	白〜帯黄白	レリフェン錠400mg(三和化学)	ナブメトン	400mg 1錠	フェニル酢酸系消炎鎮痛剤	2615
	SEARLE102/50	白　①	アルダクトンA錠50mg(ファイザー)	スピロノラクトン	50mg 1錠	抗アルドステロン性降圧利尿剤	1761
	SJ102	白	アプレゾリン錠10mg(サンファーマ)	ヒドララジン塩酸塩	10mg 1錠	血管拡張降圧剤	2969
	TA102	白	アスパラカリウム錠300mg(ニプロES)	L-アスパラギン酸カリウム	300mg 1錠	カリウム補給剤	1115
	TO-102K	白	ロコイドクリーム0.1%(鳥居薬品)	ヒドロコルチゾン酪酸エステル	0.1% 1g	副腎皮質ホルモン	2991
	TO-102V	白〜微黄	ロコイド軟膏0.1%(鳥居薬品)	ヒドロコルチゾン酪酸エステル	0.1% 1g	副腎皮質ホルモン	2991
	Tw102	白　①	グリベンクラミド錠2.5mg「トーワ」(東和薬品)	グリベンクラミド	2.5mg 1錠	スルホニル尿素系血糖降下剤	1276
	ZE102	淡赤	ニフェジピンCR錠20mg「ZE」(全星薬品工業/全星薬品)	ニフェジピン	20mg 1錠	ジヒドロピリジン系Ca拮抗剤	2652
	ch102 ch102	白	リスペリドン錠2mg「CH」(長生堂/日本ジェネリック)	リスペリドン	2mg 1錠	抗精神病，D_2・5-HT_2拮抗剤	4201
	ツムラ/102	淡褐	ツムラ当帰湯エキス顆粒(医療用)(ツムラ)	当帰湯	1g	漢方製剤	4629
103	103/KSK KSK103	極薄紅	① ロキソプロフェンナトリウム錠60mg「クニヒロ」(皇漢堂)	ロキソプロフェンナトリウム水和物	60mg 1錠	プロピオン酸系消炎鎮痛剤	4473
	BMD103	微黄半透明〜黄半透明(淡黄赤褐〜黄赤褐)	ケトプロフェンテープ40mg「BMD」(ビオメディクス/持田)	ケトプロフェン	10cm×14cm 1枚	プロピオン酸系消炎鎮痛剤	1410
	FY103	淡青	トリアゾラム錠0.25mg「FY」(富士薬品/共和薬品)	トリアゾラム	0.25mg 1錠	ベンゾジアゼピン系睡眠導入剤	2507
	JK103	白	リスパダール錠3mg(ヤンセン)	リスペリドン	3mg 1錠	抗精神病，D_2・5-HT_2拮抗剤	4201
	KH103	黄	デパケン錠200mg(協和キリン)	バルプロ酸ナトリウム	200mg 1錠	抗てんかん，躁病・躁状態，片頭痛治療剤	2858
	KRH103	黒	クレメジン速崩錠500mg(クレハ/田辺三菱)	球形吸着炭	500mg 1錠	慢性腎不全用吸着剤	2125
	KYO103	白〜微黄	ジクロフェナクナトリウム坐剤50mg「ゼリア」(京都薬品/ゼリア新薬)	ジクロフェナクナトリウム	50mg 1個	フェニル酢酸系消炎鎮痛剤	1579
	MS103	微黄半透明(白)	フェンタニル1日用テープ1.7mg「明治」(祐徳薬品/Meiji Seika)	フェンタニル	1.7mg 1枚	経皮吸収型持続性疼痛治療剤	3156
	NPI103	白	セチリジン塩酸塩錠10mg「NPI」(日本薬品工業/日本ケミファ)	セチリジン塩酸塩	10mg 1錠	持続性選択H_1-受容体拮抗剤	1806
	Sc103	白　①	ベタナミン錠10mg(三和化学)	ペモリン	10mg 1錠	精神賦活剤	3591
	SG-103	淡灰褐	オースギ酸棗仁湯エキスG(大杉)	酸棗仁湯	1g	漢方製剤	4600
	SJ103	白	アプレゾリン錠25mg(サンファーマ)	ヒドララジン塩酸塩	25mg 1錠	血管拡張降圧剤	2969
	SW103	白　①	イルソグラジンマレイン酸塩錠4mg「サワイ」(沢井)	イルソグラジンマレイン酸塩	4mg 1錠	粘膜防御性胃炎・胃潰瘍治療剤	521
	TA103	白	アスパラ-CA錠200(ニプロES)	L-アスパラギン酸カルシウム水和物	200mg 1錠	カルシウム剤	1129

100 | 199

番号	識別コード	色 (①：割線有)	商品名(会社名)	一般名	規格単位	薬効	掲載ページ
103	TU103	淡橙　①	ゾルピデム酒石酸塩錠5mg「TCK」(辰巳化学)	ゾルピデム酒石酸塩	5mg 1錠	入眠剤	1973
	Tw103	白	アルプラゾラム錠0.4mg「トーワ」(東和薬品)	アルプラゾラム	0.4mg 1錠	マイナートランキライザー	322
	ZE103	淡赤褐	ニフェジピンCR錠40mg「ZE」(全星薬品工業/全星薬品)	ニフェジピン	40mg 1錠	ジヒドロピリジン系Ca拮抗剤	2652
	ZY103	白	ゼフナートクリーム2%(全薬工業/鳥居薬品)	リラナフタート	2% 1g	抗白癬菌剤	4297
	∂103	白	アンプリット錠10mg(第一三共)	ロフェプラミン塩酸塩	10mg 1錠	うつ病・うつ状態治療剤	4519
	ch103 ch103	白〜微黄白	セフポドキシムプロキセチル錠100mg「JG」(長生堂/日本ジェネリック)	セフポドキシム プロキセチル	100mg 1錠	セフェム系抗生物質	1858
	ツムラ/103	淡灰褐	ツムラ酸棗仁湯エキス顆粒(医療用)(ツムラ)	酸棗仁湯	1g	漢方製剤	4600
104	104/KSK KSK104	白	ブロムヘキシン塩酸塩錠4mg「クニヒロ」(皇漢堂)	ブロムヘキシン塩酸塩	4mg 1錠	気道粘液溶解剤	3452
	JP104 JP105 JP106 JP109	無透明	リスパダール内用液1mg／mL(ヤンセン)	リスペリドン	0.1% 1mL	抗精神病，D$_2$・5-HT$_2$拮抗剤	4201
	KB-104 EK-104	淡褐〜褐	クラシエ辛夷清肺湯エキス細粒(大峰堂/クラシエ薬品)	辛夷清肺湯	1g	漢方製剤	4614
	KRM104/2.5	白〜帯黄白	アムロジピンOD錠2.5mg「杏林」(キョーリンリメディオ/共創未来/杏林)	アムロジピンベシル酸塩	2.5mg 1錠	ジヒドロピリジン系Ca拮抗剤	264
	MS104	微黄半透明(白)	フェンタニル1日用テープ3.4mg「明治」(祐徳薬品/Meiji Seika)	フェンタニル	3.4mg 1枚	経皮吸収型持続性疼痛治療剤	3156
	N104	黄土〜褐	コタロー辛夷清肺湯エキス細粒(小太郎漢方)	辛夷清肺湯	1g	漢方製剤	4614
	NS104/10	帯紅白	パロキセチン錠10mg「日新」(日新)	パロキセチン塩酸塩水和物	10mg 1錠	選択的セロトニン再取り込み阻害剤(SSRI)	2878
	Sc104	白　①	ベタナミン錠25mg(三和化学)	ペモリン	25mg 1錠	精神賦活剤	3591
	SG-104	淡灰黄褐〜淡灰茶褐	オースギ辛夷清肺湯エキスG(大杉)	辛夷清肺湯	1g	漢方製剤	4614
	SS104	白	ハイチオール錠40(久光)	L-システイン	40mg 1錠	SH酵素賦活剤	1602
	TA104	薄橙	アスベリン錠10(ニプロES)	チペピジンヒベンズ酸塩	10mg 1錠	中枢性鎮咳剤	2167
	ZY104	無透明	ゼフナート外用液2%(全薬工業/鳥居薬品)	リラナフタート	2% 1mL	抗白癬菌剤	4297
	∂104	白	アンプリット錠25mg(第一三共)	ロフェプラミン塩酸塩	25mg 1錠	うつ病・うつ状態治療剤	4519
	ツムラ/104	黄褐	ツムラ辛夷清肺湯エキス顆粒(医療用)(ツムラ)	辛夷清肺湯	1g	漢方製剤	4614
105	105/KSK KSK105	白　①	オキサトミド錠30mg「クニヒロ」(皇漢堂)	オキサトミド	30mg 1錠	アレルギー性疾患治療剤	942
	JP104 JP105 JP106 JP109	無透明	リスパダール内用液1mg／mL(ヤンセン)	リスペリドン	0.1% 1mL	抗精神病，D$_2$・5-HT$_2$拮抗剤	4201
	KP105 KP-105	白	デアメリンS錠250mg(杏林)	グリクロピラミド	250mg 1錠	スルホニル尿素系血糖降下剤	1259
	KRM105/5	白〜帯黄白①	アムロジピンOD錠5mg「杏林」(キョーリンリメディオ/共創未来/杏林)	アムロジピンベシル酸塩	5mg 1錠	ジヒドロピリジン系Ca拮抗剤	264
	M105	橙	アリチア配合錠(ヴィアトリス・ヘルスケア/ヴィアトリス)	複合ビタミンB剤	1錠	混合ビタミン	2956
	MS105	微黄半透明(白)	フェンタニル1日用テープ5mg「明治」(祐徳薬品/Meiji Seika)	フェンタニル	5mg 1枚	経皮吸収型持続性疼痛治療剤	3156
	N105	茶褐〜褐	コタロー通導散エキス細粒(小太郎漢方)	通導散	1g	漢方製剤	4628
	NPI105	白	レバミピド錠100mg「NPI」(日本薬品工業)	レバミピド	100mg 1錠	胃炎・胃潰瘍治療剤	4390
	NS105/20	帯紅白	パロキセチン錠20mg「日新」(日新)	パロキセチン塩酸塩水和物	20mg 1錠	選択的セロトニン再取り込み阻害剤(SSRI)	2878
	Sc105	白　①	ベタナミン錠50mg(三和化学)	ペモリン	50mg 1錠	精神賦活剤	3591
	TA105	薄橙	アスベリン錠20(ニプロES)	チペピジンヒベンズ酸塩	20mg 1錠	中枢性鎮咳剤	2167
	Tai TM-105	淡茶〜灰褐	太虎堂の通導散エキス顆粒(太虎精堂)	通導散	1g	漢方製剤	4628
	TG105	白	トスフロキサシントシル酸塩錠75mg「ニプロ」(ニプロES)	トスフロキサシントシル酸塩水和物	75mg 1錠	ニューキノロン系抗菌剤	2414
	TTS105/2 TTS-105	白	トリヘキシフェニジル塩酸塩錠2mg「タカタ」(高田)	トリヘキシフェニジル塩酸塩	2mg 1錠	抗パーキンソン剤	2523
	TU105	淡橙　①	ゾルピデム酒石酸塩錠10mg「TCK」(辰巳化学)	ゾルピデム酒石酸塩	10mg 1錠	入眠剤	1973
	TY-105	褐	〔東洋〕薏苡仁湯エキス細粒(東洋薬行)	薏苡仁湯	1g	漢方製剤	4649
	ch105 ch105	白〜淡黄白①	テルビナフィン錠125mg「CH」(長生堂/日本ジェネリック)	テルビナフィン塩酸塩	125mg 1錠	アリルアミン系抗真菌剤	2367

番号	識別コード	色 (⌽：割線有)	商品名(会社名)	一般名	規格単位	薬効	掲載ページ
105	ツムラ/105	黄褐	**ツムラ通導散エキス顆粒(医療用)**（ツムラ）	通導散	1g	漢方製剤	4628
106	JP104 JP105 JP106 JP109	無透明	**リスパダール内用液1mg／mL**（ヤンセン）	リスペリドン	0.1% 1mL	抗精神病，D_2・5-HT_2拮抗剤	4201
	KRM106／50	白	**サルポグレラート塩酸塩錠50mg「杏林」**（キョーリンリメディオ／杏林）	サルポグレラート塩酸塩	50mg 1錠	5-HT_2ブロッカー	1538
	MS106	微黄半透明(白)	**フェンタニル1日用テープ6.7mg「明治」**（祐徳薬品／Meiji Seika）	フェンタニル	6.7mg 1枚	経皮吸収型持続性疼痛治療剤	3156
	N106	淡黄褐～褐	**コタロー温経湯エキス細粒**（小太郎漢方）	温経湯	1g	漢方製剤	4566
	NF106	白	**セレナール錠5**（アルフレッサファーマ）	オキサゾラム	5mg 1錠	ベンゾジアゼピン系マイナートランキライザー	941
	NPI106	白　⌽	**クエンメット配合錠**（日本薬品工業）	クエン酸カリウム・クエン酸ナトリウム水和物	1錠	アシドーシス・酸性尿改善剤	1231
	TA106	橙黄	**アドナ錠10mg**（ニプロES）	カルバゾクロムスルホン酸ナトリウム水和物	10mg 1錠	血管強化・止血剤	1149
	TG106	白	**トスフロキサシントシル酸塩錠150mg「ニプロ」**（ニプロES）	トスフロキサシントシル酸塩水和物	150mg 1錠	ニューキノロン系抗菌剤	2414
	Ɗ106	白	**ダイピン錠1mg**（アルフレッサファーマ）	N-メチルスコポラミンメチル硫酸塩	1mg 1錠	消化器系鎮痙・鎮痛剤	3928
	ⓢ106	乳白	**アセトアミノフェン坐剤小児用100mg「シオエ」**（シオエ／日本新薬）	アセトアミノフェン	100mg 1個	アミノフェノール系解熱鎮痛剤	77
	ツムラ/106	淡灰褐	**ツムラ温経湯エキス顆粒(医療用)**（ツムラ）	温経湯	1g	漢方製剤	4566
107	JP107	白	**リスパダールOD錠1mg**（ヤンセン）	リスペリドン	1mg 1錠	抗精神病，D_2・5-HT_2拮抗剤	4201
	KP-107	白	**キョーリンAP2配合顆粒**（杏林）	シメトリド・無水カフェイン	1g	鎮痛剤	1684
	KRM107／100	白　⌽	**サルポグレラート塩酸塩錠100mg「杏林」**（キョーリンリメディオ／杏林）	サルポグレラート塩酸塩	100mg 1錠	5-HT_2ブロッカー	1538
	NF107	白	**セレナール錠10**（アルフレッサファーマ）	オキサゾラム	10mg 1錠	ベンゾジアゼピン系マイナートランキライザー	941
	NPI107	淡黄	**メロキシカム錠5mg「NPI」**（日本薬品工業）	メロキシカム	5mg 1錠	非ステロイド性消炎鎮痛剤	4000
	RPR107	白～微黄白	**スピラマイシン錠150万単位「サノフィ」**（サノフィ）	スピラマイシン	150万国際単位 1錠	抗トキソプラズマ原虫剤	1759
	Sc107	極薄紅　⌽	**ロキソプロフェンNa錠60mg「三和」**（三和化学）	ロキソプロフェンナトリウム水和物	60mg 1錠	プロピオン酸系消炎鎮痛剤	4473
	St107	白	**硝酸イソソルビド徐放カプセル20mg「St」**（佐藤薬品／日医工）	硝酸イソソルビド	20mg 1カプセル	冠動脈拡張剤	1693
	SW107	白	**イルソグラジンマレイン酸塩錠2mg「サワイ」**（沢井）	イルソグラジンマレイン酸塩	2mg 1錠	粘膜防御性胃炎・胃潰瘍治療剤	521
	TA107	橙黄～橙黄褐	**アドナ錠30mg**（ニプロES）	カルバゾクロムスルホン酸ナトリウム水和物	30mg 1錠	血管強化・止血剤	1149
	TG107	白～微黄白	**アロプリノール錠50mg「ニプロ」**（ニプロES）	アロプリノール	50mg 1錠	キサンチンオキシダーゼ阻害剤・高尿酸血症治療剤	363
	TP107 TP-107	白　⌽	**アンブロキソール塩酸塩錠15mg「NP」**（ニプロ）	アンブロキソール塩酸塩	15mg 1錠	気道潤滑去痰剤	378
	Tw107／2	白　⌽	**オキシブチニン塩酸塩錠2mg「トーワ」**（東和薬品）	オキシブチニン塩酸塩	2mg 1錠	排尿障害治療剤・原発性手掌多汗症治療剤	960
	TY-107	褐	**〔東洋〕六君子湯エキス細粒**（東洋薬行）	六君子湯	1g	漢方製剤	4652
	ⓢ107	乳白	**アセトアミノフェン坐剤小児用200mg「シオエ」**（シオエ／日本新薬）	アセトアミノフェン	200mg 1個	アミノフェノール系解熱鎮痛剤	77
	△107／5	白～帯黄白	**5mgコントール錠**（武田テバ薬品／武田薬品）	クロルジアゼポキシド	5mg 1錠	マイナートランキライザー	1376
	ツムラ/107	灰褐	**ツムラ牛車腎気丸エキス顆粒(医療用)**（ツムラ）	牛車腎気丸	1g	漢方製剤	4591
108	JP108	白	**リスパダールOD錠2mg**（ヤンセン）	リスペリドン	2mg 1錠	抗精神病，D_2・5-HT_2拮抗剤	4201
	KB-108 EK-108	淡褐～褐	**クラシエ人参養栄湯エキス細粒**（クラシエ／クラシエ薬品）	人参養栄湯	1g	漢方製剤	4635
	KH108	淡赤	**イーシー・ドパール配合錠**（協和キリン）	レボドパ・ベンセラジド塩酸塩	1錠	パーキンソニズム治療剤	4422
	KRM108／10	白	**シンバスタチン錠10mg「杏林」**（キョーリンリメディオ／杏林）	シンバスタチン	10mg 1錠	HMG-CoA還元酵素阻害剤	1728
	N108	茶褐～黄褐	**コタロー人参養栄湯エキス細粒**（小太郎漢方）	人参養栄湯	1g	漢方製剤	4635
	NPI108	淡黄　⌽	**メロキシカム錠10mg「NPI」**（日本薬品工業）	メロキシカム	10mg 1錠	非ステロイド性消炎鎮痛剤	4000
	PH108	白　⌽	**トリヘキシフェニジル塩酸塩錠2mg「杏林」**（キョーリンリメディオ／杏林）	トリヘキシフェニジル塩酸塩	2mg 1錠	抗パーキンソン剤	2523

番号	識別コード	色（◨:割線有）	商品名（会社名）	一般名	規格単位	薬効	掲載ページ
108	SG-108	淡灰茶褐〜灰褐	オースギ人参養栄湯エキスG（大杉）	人参養栄湯	1g	漢方製剤	4635
	SS108	白	ハイチオール錠80（久光）	L-システイン	80mg 1錠	SH酵素賦活剤	1602
	St108	白	塩化カリウム徐放錠600mg「St」（佐藤薬品／アルフレッサファーマ）	塩化カリウム	600mg 1錠	カリウム補給剤	1118
	TG108	白 ◨	アロプリノール錠100mg「ニプロ」（ニプロES）	アロプリノール	100mg 1錠	キサンチンオキシダーゼ阻害剤・高尿酸血症治療剤	363
	TU108	白〜類白	イブプロフェン錠100mg「TCK」（辰巳化学）	イブプロフェン	100mg 1錠	フェニルプロピオン酸系解熱消炎鎮痛剤	477
	Tw108／3	白 ◨	オキシブチニン塩酸塩錠3mg「トーワ」（東和薬品）	オキシブチニン塩酸塩	3mg 1錠	排尿障害治療剤・原発性手掌多汗症治療剤	960
	TY-108	褐	〔東洋〕龍胆瀉肝湯エキス細粒（東洋薬行）	竜胆瀉肝湯	1g	漢方製剤	4653
	Ⓝ108	淡黄	セファドール錠25mg（日本新薬）	ジフェニドール塩酸塩	25mg 1錠	抗めまい剤	1649
	Ⓢ108	白〜淡黄	アセトアミノフェン坐剤小児用50mg「シオエ」（シオエ／日本新薬）	アセトアミノフェン	50mg 1個	アミノフェノール系解熱鎮痛剤	77
	△108／10	白〜帯黄白	10mgコントール錠（武田テバ薬品／武田薬品）	クロルジアゼポキシド	10mg 1錠	マイナートランキライザー	1376
	ツムラ／108	灰褐	ツムラ人参養栄湯エキス顆粒（医療用）（ツムラ）	人参養栄湯	1g	漢方製剤	4635
109	JP104 JP105 JP106 JP109	無透明	リスパダール内用液1mg／mL（ヤンセン）	リスペリドン	0.1% 1mL	抗精神病，D₂・5-HT₂拮抗剤	4201
	NPI109	白	アムロジピン錠2.5mg「ケミファ」（日本薬品工業／日本ケミファ）	アムロジピンベシル酸塩	2.5mg 1錠	ジヒドロピリジン系Ca拮抗剤	264
	PH109	白〜帯黄白◨	チザニジン錠1mg「杏林」（キョーリンリメディオ／杏林）	チザニジン塩酸塩	1mg 1錠	筋緊張緩和剤	2164
	TU109	白	イブプロフェン錠200mg「TCK」（辰巳化学）	イブプロフェン	200mg 1錠	フェニルプロピオン酸系解熱消炎鎮痛剤	477
	Tw109	極薄紅	ロキソプロフェンNa錠60mg「トーワ」（東和薬品／共創未来）	ロキソプロフェンナトリウム水和物	60mg 1錠	プロピオン酸系消炎鎮痛剤	4473
	Ⓝ109	白〜淡黄白	シクロスポリンカプセル10mg「日医工」（日医工）	シクロスポリン	10mg 1カプセル	免疫抑制剤	1570
	ツムラ／109	淡黄褐	ツムラ小柴胡湯加桔梗石膏エキス顆粒（医療用）（ツムラ）	小柴胡湯加桔梗石膏	1g	漢方製剤	4611
110	110／HD HD-110	白	ニセルゴリン錠5mg「NP」（ニプロ／日本ジェネリック／三和化学）	ニセルゴリン	5mg 1錠	脳循環代謝改善剤	2639
	EP110／5	淡橙 ◨	ゾルピデム酒石酸塩錠5mg「DSEP」（第一三共エスファ）	ゾルピデム酒石酸塩	5mg 1錠	入眠剤	1973
	JP110	微黄	レミニールOD錠4mg（太陽ファルマ）	ガランタミン臭化水素酸塩	4mg 1錠	アルツハイマー型認知症治療剤	1112
	KH110	赤透明	デパケンシロップ5%（協和キリン）	バルプロ酸ナトリウム	5% 1mL	抗てんかん，躁病・躁状態，片頭痛治療剤	2858
	KRM110	白	レバミピド錠100mg「杏林」（キョーリンリメディオ／杏林）	レバミピド	100mg 1錠	胃炎・胃潰瘍治療剤	4390
	KSK110	白	セチリジン塩酸塩錠5mg「クニヒロ」（皇漢堂）	セチリジン塩酸塩	5mg 1錠	持続性選択H₁-受容体拮抗剤	1806
	MO110	微黄白	グランダキシン錠50（持田）	トフィソパム	50mg 1錠	ベンゾジアゼピン系自律神経調整剤	2446
	NPI110／5	白 ◨	アムロジピン錠5mg「ケミファ」（日本薬品工業／日本ケミファ）	アムロジピンベシル酸塩	5mg 1錠	ジヒドロピリジン系Ca拮抗剤	264
	SEARLE／110 SEARLE110	白	サイトテック錠100（ファイザー）	ミソプロストール	100μg 1錠	プロスタグランジンE₁誘導体	3848
	SW110	極薄紅 ◨	ロキソプロフェンNa錠60mg「サワイ」（メディサ／沢井）	ロキソプロフェンナトリウム水和物	60mg 1錠	プロピオン酸系消炎鎮痛剤	4473
	TTS110 TTS-110	白 ◨	クレマスチン錠1mg「タカタ」（高田）	クレマスチンフマル酸塩	1mg 1錠	ベンツヒドリルエーテル系抗ヒスタミン剤	1299
	TY-110	褐	〔東洋〕苓桂朮甘湯エキス細粒（東洋薬行）	苓桂朮甘湯	1g	漢方製剤	4655
	△110／2	白〜黄みの白◨	2mgセルシン錠（武田テバ薬品／武田薬品）	ジアゼパム	2mg 1錠	マイナートランキライザー	1553
	ⓇR110	淡青	プラザキサカプセル110mg（日本ベーリンガー）	ダビガトランエテキシラートメタンスルホン酸塩	110mg 1カプセル	直接トロンビン阻害剤	2049
	ツムラ／110	淡灰褐	ツムラ立効散エキス顆粒（医療用）（ツムラ）	立効散	1g	漢方製剤	4653
110.50	⌁IGP110.50	黄透明／無透明	ウルティブロ吸入用カプセル（ノバルティス）	グリコピロニウム臭化物・インダカテロールマレイン酸塩	1カプセル	長時間作用性吸入気管支拡張配合剤	1262
111	EP111／10	淡橙 ◨	ゾルピデム酒石酸塩錠10mg「DSEP」（第一三共エスファ）	ゾルピデム酒石酸塩	10mg 1錠	入眠剤	1973

番号	識別コード	色 (①:割線有)	商品名(会社名)	一般名	規格単位	薬効	掲載ページ
111	FC111	灰褐	ジュンコウ清心蓮子飲FCエキス細粒医療用(康和薬通/大杉)	清心蓮子飲	1g	漢方製剤	4618
	JP111	微赤	レミニールOD錠8mg(太陽ファルマ)	ガランタミン臭化水素酸塩	8mg 1錠	アルツハイマー型認知症治療剤	1112
	KH111	白	デパケン細粒40%(協和キリン)	バルプロ酸ナトリウム	40% 1g	抗てんかん,躁病・躁状態,片頭痛治療剤	2858
	KP111 KP-111	白〜微黄	小児用バクシダール錠50mg(杏林)	ノルフロキサシン	50mg 1錠	ニューキノロン系抗菌剤	2742
	KSK111	白	セチリジン塩酸塩錠10mg「クニヒロ」(皇漢堂)	セチリジン塩酸塩	10mg 1錠	持続性選択H₁-受容体拮抗剤	1806
	KW/111	橙	ラバミコム配合錠「アメル」(共和薬品)	ラミブジン・アバカビル硫酸塩	1錠	抗ウイルス化学療法剤	4130
	MED111/0.2	帯黄白 ①	ボグリボースOD錠0.2mg「MED」(メディサ/日本ジェネリック)	ボグリボース	0.2mg 1錠	α-グルコシダーゼ阻害・食後過血糖改善剤	3668
	MS111/ ビカルタミドOD	白〜微黄白	ビカルタミドOD錠80mg「明治」(Meiji Seika)	ビカルタミド	80mg 1錠	前立腺癌治療剤	2926
	NF111/5	白 ①	ネルボン錠5mg(アルフレッサファーマ)	ニトラゼパム	5mg 1錠	ベンゾジアゼピン系催眠剤	2641
	SEARLE111	白 ①	サイトテック錠200(ファイザー)	ミソプロストール	200μg 1錠	プロスタグランジンE₁誘導体	3848
	SZ111/2	白〜帯黄白	カンデサルタン錠2mg「サンド」(サンド)	カンデサルタン シレキセチル	2mg 1錠	アンギオテンシンⅡ受容体拮抗剤	1184
	TG111	白	セチリジン塩酸塩錠5mg「ニプロ」(ニプロES)	セチリジン塩酸塩	5mg 1錠	持続性選択H₁-受容体拮抗剤	1806
	TY-111	褐	〔東洋〕六味地黄丸料エキス細粒(東洋薬行)	六味丸	1g	漢方製剤	4656
	Z111	薄橙	ノイロトロピン錠4単位(日本臓器)	ワクシニアウイルス接種家兎炎症皮膚抽出液	4単位 1錠	神経-免疫調整,鎮痛・鎮静・抗アレルギー剤	4555
	ⓠ111	淡黄	トレドミン錠15mg(旭化成)	ミルナシプラン塩酸塩	15mg 1錠	セロトニン・ノルアドレナリン再取り込み阻害剤(SNRI)	3891
	ⓚ111	白〜帯黄白(淡黄〜濃黄の斑点)	リバロOD錠1mg(興和)	ピタバスタチンカルシウム水和物	1mg 1錠	HMG-CoA還元酵素阻害剤	2948
	Ⓝ111	白	オークル錠100mg(日本新薬)	アクタリット	100mg 1錠	疾患修飾性抗リウマチ薬(DMARD)	13
	△111/5	淡黄〜淡橙黄 ①	5mgセルシン錠(武田テバ薬品/武田薬品)	ジアゼパム	5mg 1錠	マイナートランキライザー	1553
	ⓝ111 ⓝ111	白	ピコスルファートナトリウム錠2.5mg「日医工」(日医工)	ピコスルファートナトリウム水和物	2.5mg 1錠	緩下剤	2934
	ツムラ/111	淡褐	ツムラ清心蓮子飲エキス顆粒(医療用)(ツムラ)	清心蓮子飲	1g	漢方製剤	4618
	ナフトピジルOD25タナベTS111	白 ①	ナフトピジルOD錠25mg「タナベ」(ニプロES)	ナフトピジル	25mg 1錠	排尿障害治療剤	2614
112	ch112/ アセトアミノフェン200JG	白 ①	アセトアミノフェン錠200mg「JG」(長生堂/日本ジェネリック)	アセトアミノフェン	200mg 1錠	アミノフェノール系解熱鎮痛剤	77
	JP112	白	レミニールOD錠12mg(太陽ファルマ)	ガランタミン臭化水素酸塩	12mg 1錠	アルツハイマー型認知症治療剤	1112
	KRM112/10	薄桃 ①	エナラプリルマレイン酸塩錠10mg「杏林」(キョーリンリメディオ/杏林)	エナラプリルマレイン酸塩	10mg 1錠	ACE阻害剤	767
	KSK112/5	淡黄	メロキシカム錠5mg「クニヒロ」(皇漢堂)	メロキシカム	5mg 1錠	非ステロイド性消炎鎮痛剤	4000
	MED112/0.3	微黄	ボグリボースOD錠0.3mg「MED」(メディサ/日本ジェネリック)	ボグリボース	0.3mg 1錠	α-グルコシダーゼ阻害・食後過血糖改善剤	3668
	MS112	黄	ミルタザピン錠15mg「明治」(大蔵/Meiji Seika)	ミルタザピン	15mg 1錠	ノルアドレナリン・セロトニン作動性抗うつ剤	3888
	MSD112	極薄赤黄	ジャヌビア錠50mg(MSD)	シタグリプチンリン酸塩水和物	50mg 1錠	選択的DPP-4阻害剤・糖尿病用剤	1611
	NF112/10	白 ①	ネルボン錠10mg(アルフレッサファーマ)	ニトラゼパム	10mg 1錠	ベンゾジアゼピン系催眠剤	2641
	NS112	白 ①	トリアゾラム錠0.25mg「日新」(日新)	トリアゾラム	0.25mg 1錠	ベンゾジアゼピン系睡眠導入剤	2507
	SD112	白 ①	カロナール錠200(あゆみ)	アセトアミノフェン	200mg 1錠	アミノフェノール系解熱鎮痛剤	77
	SS112	白	ナボールSRカプセル37.5(久光)	ジクロフェナクナトリウム	37.5mg 1カプセル	フェニル酢酸系消炎鎮痛剤	1579
	SYT112	極薄紅	ロキソプロフェンNa錠60mg「三恵」(三恵薬品)	ロキソプロフェンナトリウム水和物	60mg 1錠	プロピオン酸系消炎鎮痛剤	4473
	SZ112/4	白〜帯黄白①	カンデサルタン錠4mg「サンド」(サンド)	カンデサルタン シレキセチル	4mg 1錠	アンギオテンシンⅡ受容体拮抗剤	1184
	TA112	白	スパトニン錠50mg(田辺三菱)	ジエチルカルバマジンクエン酸塩	50mg 1錠	抗原虫剤	1563

番号	識別コード	色 (◐：割線有)	商品名(会社名)	一般名	規格単位	薬効	掲載ページ
112	TG112	白	セチリジン塩酸塩錠10mg「ニプロ」(ニプロES)	セチリジン塩酸塩	10mg 1錠	持続性選択H₁-受容体拮抗剤	1806
	TU112／1	帯青白 ◐	フルニトラゼパム錠1mg「TCK」(辰巳化学)	フルニトラゼパム	1mg 1錠	不眠症治療剤・麻酔導入剤	3328
	Tw112	橙 ◐	メドロキシプロゲステロン酢酸エステル錠2.5mg「トーワ」(東和薬品)	メドロキシプロゲステロン酢酸エステル	2.5mg 1錠	黄体ホルモン	3968
	E112	黄	プロピタン錠50mg(アルフレッサファーマ／エーザイ)	ピパンペロン塩酸塩	50mg 1錠	ブチロフェノン系精神安定剤	3004
	Kowa112	白～帯黄白(淡黄～濃黄の斑点) ◐	リバロOD錠2mg(興和)	ピタバスタチンカルシウム水和物	2mg 1錠	HMG-CoA還元酵素阻害剤	2948
	△112／10	白～黄みの白	10mgセルシン錠(武田テバ薬品／武田薬品)	ジアゼパム	10mg 1錠	マイナートランキライザー	1553
	オルメサルタン／5日医工 ⒩112	淡黄白	オルメサルタン錠5mg「日医工」(日医工)	オルメサルタン メドキソミル	5mg 1錠	高親和性AT₁レセプターブロッカー	1031
	ツムラ／112	灰褐	ツムラ猪苓湯合四物湯エキス顆粒(医療用)(ツムラ)	猪苓湯合四物湯	1g	漢方製剤	4628
	ナフトピジルOD50タナベTS112	白 ◐	ナフトピジルOD錠50mg「タナベ」(ニプロES)	ナフトピジル	50mg 1錠	排尿障害治療剤	2614
112.5	t701 t701 112.5mg	白～帯黄白	プランルカストカプセル112.5mg「NIG」(日医工岐阜／日医工／武田薬品)	プランルカスト水和物	112.5mg 1カプセル	ロイコトリエン受容体拮抗剤	3268
	⒩568 プランルカスト112.5mg プランルカスト112.5mg ⒩568	白～帯黄白	プランルカストカプセル112.5mg「日医工」(日医工)	プランルカスト水和物	112.5mg 1カプセル	ロイコトリエン受容体拮抗剤	3268
	プランルカスト112.5mg SW-481 SW-481	白～帯黄白	プランルカストカプセル112.5mg「サワイ」(沢井)	プランルカスト水和物	112.5mg 1カプセル	ロイコトリエン受容体拮抗剤	3268
113	J-113	淡黄褐	JPS三黄瀉心湯エキス顆粒〔調剤用〕(ジェーピーエス)	三黄瀉心湯	1g	漢方製剤	4599
	JP113	白	リスパダールOD錠0.5mg(ヤンセン)	リスペリドン	0.5mg 1錠	抗精神病、D₂・5-HT₂拮抗剤	4201
	KH113	白	デパケンR錠100mg(協和キリン)	バルプロ酸ナトリウム	100mg 1錠	抗てんかん、躁病・躁状態、片頭痛治療剤	2858
	KSK113／10	淡黄 ◐	メロキシカム錠10mg「クニヒロ」(皇漢堂)	メロキシカム	10mg 1錠	非ステロイド性消炎鎮痛剤	4000
	MED113	白	グリベンクラミド錠2.5mg「サワイ」(沢井)	グリベンクラミド	2.5mg 1錠	スルホニル尿素系血糖降下剤	1276
	MN113	淡橙 ◐	クアゼパム錠15mg「MNP」(日新／Meiji Seika)	クアゼパム	15mg 1錠	ベンゾジアゼピン系睡眠障害改善剤	1218
	MS113	黄赤	ミルタザピン錠30mg「明治」(大蔵／Meiji Seika)	ミルタザピン	30mg 1錠	ノルアドレナリン・セロトニン作動性抗うつ剤	3888
	N113	淡黄～黄褐	コタロー三黄瀉心湯エキス細粒(小太郎漢方)	三黄瀉心湯	1g	漢方製剤	4599
	NF113	薄橙	ホーリット錠40mg(アルフレッサファーマ)	オキシペルチン	40mg 1錠	統合失調症治療剤	964
	NN113	白 ◐	ジベトス錠50mg(日医工)	ブホルミン塩酸塩	50mg 1錠	ビグアナイド系血糖降下剤	3240
	PH113	白	アロプリノール錠100mg「杏林」(キョーリンリメディオ／共創未来)	アロプリノール	100mg 1錠	キサンチンオキシダーゼ阻害剤・高尿酸血症治療剤	363
	Sc113	白 ◐	アセトアミノフェン錠200mg「三和」(三和化学)	アセトアミノフェン	200mg 1錠	アミノフェノール系解熱鎮痛剤	77
	SD113	白	カロナール錠300(あゆみ)	アセトアミノフェン	300mg 1錠	アミノフェノール系解熱鎮痛剤	77
	SG-113	淡灰茶褐	オースギ三黄瀉心湯エキスG(大杉)	三黄瀉心湯	1g	漢方製剤	4599
	SW113	白	ベナゼプリル塩酸塩錠2.5mg「サワイ」(沢井)	ベナゼプリル塩酸塩	2.5mg 1錠	ACE阻害剤	3522
	SZ113／8	極薄橙 ◐	カンデサルタン錠8mg「サンド」(サンド)	カンデサルタン シレキセチル	8mg 1錠	アンギオテンシンⅡ受容体拮抗剤	1184
	Tai TM-113	黄～黄褐	太虎堂の三黄瀉心湯エキス顆粒(太虎精堂)	三黄瀉心湯	1g	漢方製剤	4599
	TU113／2	帯青白 ◐	フルニトラゼパム錠2mg「TCK」(辰巳化学)	フルニトラゼパム	2mg 1錠	不眠症治療剤・麻酔導入剤	3328
	⬕113	白	トレドミン錠25mg(旭化成)	ミルナシプラン塩酸塩	25mg 1錠	セロトニン・ノルアドレナリン再取り込み阻害剤(SNRI)	3891
	Kowa113	白～帯黄白(淡黄～濃黄の斑点)	リバロOD錠4mg(興和)	ピタバスタチンカルシウム水和物	4mg 1錠	HMG-CoA還元酵素阻害剤	2948
	◇FS113 FS113	赤橙／ベージュ	コタロー三黄瀉心湯エキスカプセル(小太郎漢方／扶桑薬品)	三黄瀉心湯	1カプセル	漢方製剤	4599

番号	識別コード	色 (①：割線有)		商品名(会社名)	一般名	規格単位	薬効	掲載 ページ
113	◇NC113 NC113	赤橙／ベージュ		コタロー三黄瀉心湯エキスカプセル(小太郎漢方)	三黄瀉心湯	1カプセル	漢方製剤	4599
	オルメサルタン／ 10日医工 ⓝ113	白	①	オルメサルタン錠10mg「日医工」(日医工)	オルメサルタン メドキソミル	10mg 1錠	高親和性AT₁レセプターブロッカー	1031
	ツムラ／113	黄褐		ツムラ三黄瀉心湯エキス顆粒(医療用)(ツムラ)	三黄瀉心湯	1g	漢方製剤	4599
	ナフトピジル OD75タナベ TS113	白	①	ナフトピジルOD錠75mg「タナベ」(ニプロES)	ナフトピジル	75mg 1錠	排尿障害治療剤	2614
114	KB-114 EK-114	淡褐～褐		クラシエ柴苓湯エキス細粒(大峰堂／クラシエ薬品)	柴苓湯	1g	漢方製剤	4598
	KH114	白		デパケンR錠200mg(協和キリン)	バルプロ酸ナトリウム	200mg 1錠	抗てんかん，躁病・躁状態，片頭痛治療剤	2858
	MN114	淡橙	①	クアゼパム錠20mg「MNP」(日新／Meiji Seika)	クアゼパム	20mg 1錠	ベンゾジアゼピン系睡眠障害改善剤	1218
	NCP114N	白		ソレトン錠80(日本ケミファ)	ザルトプロフェン	80mg 1錠	プロピオン酸系消炎鎮痛剤	1533
	NF114	白		ホーリット錠20mg(アルフレッサファーマ)	オキシペルチン	20mg 1錠	統合失調症治療剤	964
	NPI114B	薄紅	①	ロキソプロフェンNa錠60mg「NPI」(日本薬品工業)	ロキソプロフェンナトリウム水和物	60mg 1錠	プロピオン酸系消炎鎮痛剤	4473
	SZ114／12	薄橙	①	カンデサルタン錠12mg「サンド」(サンド)	カンデサルタン シレキセチル	12mg 1錠	アンギオテンシンⅡ受容体拮抗剤	1184
	△114／10	微黄	①	トリンテリックス錠10mg(武田薬品)	ボルチオキセチン臭化水素酸塩	10mg 1錠	セロトニン再取り込み阻害・セロトニン受容体調節剤	3777
	オルメサルタン／ 20日医工 ⓝ114	白	①	オルメサルタン錠20mg「日医工」(日医工)	オルメサルタン メドキソミル	20mg 1錠	高親和性AT₁レセプターブロッカー	1031
	ツムラ／114	黄褐		ツムラ柴苓湯エキス顆粒(医療用)(ツムラ)	柴苓湯	1g	漢方製剤	4598
115	KH115	白		トピナ錠25mg(協和キリン)	トピラマート	25mg 1錠	抗てんかん剤	2434
	KSK115	白～微黄白		レバミピド錠100mg「クニヒロ」(皇漢堂)	レバミピド	100mg 1錠	胃炎・胃潰瘍治療剤	4390
	MED115	白	①	グリベンクラミド錠1.25mg「サワイ」(沢井)	グリベンクラミド	1.25mg 1錠	スルホニル尿素系血糖降下剤	1276
	MSD115／⚘	薄赤		プロペシア錠1mg(オルガノン)	フィナステリド	1mg 1錠	5α-還元酵素Ⅱ型阻害薬	3090
	NF115	橙	①	ギャバロン錠10mg(アルフレッサファーマ)	バクロフェン	10mg 1錠	抗痙縮GABA誘導体	2773
	SD115	白	①	カロナール錠500(あゆみ)	アセトアミノフェン	500mg 1錠	アミノフェノール系解熱鎮痛剤	77
	SW115	白		ベナゼプリル塩酸塩錠10mg「サワイ」(沢井)	ベナゼプリル塩酸塩	10mg 1錠	ACE阻害剤	3522
	Tw115	白	①	ミドドリン塩酸塩錠2mg「トーワ」(東和薬品)	ミドドリン塩酸塩	2mg 1錠	α₁-刺激剤	3870
	TYP115 TYP116 TYP117	無透明		レミニール内用液4mg／mL(太陽ファルマ)	ガランタミン臭化水素酸塩	0.4% 1mL	アルツハイマー型認知症治療剤	1112
	⚬115	白		トレドミン錠50mg(旭化成)	ミルナシプラン塩酸塩	50mg 1錠	セロトニン・ノルアドレナリン再取り込み阻害剤(SNRI)	3891
	△115／20	微黄赤		トリンテリックス錠20mg(武田薬品)	ボルチオキセチン臭化水素酸塩	20mg 1錠	セロトニン再取り込み阻害・セロトニン受容体調節剤	3777
	cн115／20	白		プロピベリン塩酸塩錠20mg「JG」(長生堂／日本ジェネリック)	プロピベリン塩酸塩	20mg 1錠	排尿抑制ベンジル酸誘導体	3433
	オルメサルタン／ 40日医工 ⓝ115	白	①	オルメサルタン錠40mg「日医工」(日医工)	オルメサルタン メドキソミル	40mg 1錠	高親和性AT₁レセプターブロッカー	1031
	ツムラ／115	淡褐		ツムラ胃苓湯エキス顆粒(医療用)(ツムラ)	胃苓湯	1g	漢方製剤	4565
116	40／P116	白		ジェセリ錠40mg(大鵬薬品)	ピミテスピブ	40mg 1錠	抗悪性腫瘍剤・HSP90阻害剤	3016
	KH116	白		トピナ錠50mg(協和キリン)	トピラマート	50mg 1錠	抗てんかん剤	2434
	NF116	白	①	ギャバロン錠5mg(アルフレッサファーマ)	バクロフェン	5mg 1錠	抗痙縮GABA誘導体	2773
	NS116	白	①	ブロチゾラム錠0.25mg「日新」(日新／第一三共エスファ)	ブロチゾラム	0.25mg 1錠	チエノトリアゾロジアゼピン系睡眠導入剤	3411
	SD116 SD117	淡橙		カロナール細粒20%(あゆみ)	アセトアミノフェン	20% 1g	アミノフェノール系解熱鎮痛剤	77
	SJ116	白		ロプレソール錠20mg(サンファーマ)	メトプロロール酒石酸塩	20mg 1錠	β₁-遮断剤	3960
	Tw116	白		ロフラゼプ酸エチル錠1mg「トーワ」(東和薬品)	ロフラゼプ酸エチル	1mg 1錠	ベンゾジアゼピン系持続性心身安定剤	4520
	TYP115 TYP116 TYP117	無透明		レミニール内用液4mg／mL(太陽ファルマ)	ガランタミン臭化水素酸塩	0.4% 1mL	アルツハイマー型認知症治療剤	1112
	ⓝ116	淡黄		ハイペン錠100mg(日本新薬)	エトドラク	100mg 1錠	ピラノ酢酸系消炎鎮痛剤	760

番号	識別コード	色 (①:割線有)	商品名(会社名)	一般名	規格単位	薬効	掲載ページ
116	Ch116	白〜微黄白	ファモチジン錠10mg「JG」(長生堂/日本ジェネリック)	ファモチジン	10mg 1錠	H₂-受容体拮抗剤	3079
	n116 ⓝ116	白〜微黄白	スピロノラクトン錠25mg「日医工」(日医工)	スピロノラクトン	25mg 1錠	抗アルドステロン性降圧利尿剤	1761
	ツムラ/116	灰褐	ツムラ茯苓飲合半夏厚朴湯エキス顆粒(医療用)(ツムラ)	茯苓飲合半夏厚朴湯	1g	漢方製剤	4641
117	117/Tw Tw117	白　①	ニコランジル錠5mg「トーワ」(東和薬品/ニプロES)	ニコランジル	5mg 1錠	狭心症・急性心不全治療剤	2635
	KH117	白	トピナ錠100mg(協和キリン)	トピラマート	100mg 1錠	抗てんかん剤	2434
	KRM117	白〜微黄	エピナスチン塩酸塩錠10mg「杏林」(キョーリンリメディオ/杏林)	エピナスチン塩酸塩	10mg 1錠	アレルギー性疾患治療剤	783
	KSK117	白〜微黄白	シメチジン錠400mg「クニヒロ」(皇漢堂)	シメチジン	400mg 1錠	H₂-受容体拮抗剤	1680
	M117/5	白	アレンドロン酸錠5mg「VTRS」(ヴィアトリス・ヘルスケア/ヴィアトリス)	アレンドロン酸ナトリウム水和物	5mg 1錠	骨粗鬆症治療剤	349
	NPI117	黄　①	ベニジピン塩酸塩錠8mg「NPI」(日本薬品工業/日本ケミファ)	ベニジピン塩酸塩	8mg 1錠	ジヒドロピリジン系Ca拮抗剤	3524
	NS117	極薄紅　①	ロキソプロフェンNa錠60mg「日新」(日新)	ロキソプロフェンナトリウム水和物	60mg 1錠	プロピオン酸系消炎鎮痛剤	4473
	SD116 SD117	淡橙	カロナール細粒20%(あゆみ)	アセトアミノフェン	20% 1g	アミノフェノール系解熱鎮痛剤	77
	SJ117	白	ロプレソール錠40mg(サンファーマ)	メトプロロール酒石酸塩	40mg 1錠	β₁-遮断剤	3960
	SW117	白　①	ベナゼプリル塩酸塩錠5mg「サワイ」(沢井)	ベナゼプリル塩酸塩	5mg 1錠	ACE阻害剤	3522
	TTS117 TTS-117	白　①	アンブロキソール塩酸塩錠15mg「タカタ」(高田)	アンブロキソール塩酸塩	15mg 1錠	気道潤滑去痰剤	378
	TU117/025	微赤	エチゾラム錠0.25mg「TCK」(辰巳化学)	エチゾラム	0.25mg 1錠	チエノジアゼピン系精神安定剤	738
	Tw/117 Tw117	白　①	ニコランジル錠5mg「トーワ」(東和薬品)	ニコランジル	5mg 1錠	狭心症・急性心不全治療剤	2635
	TYP115 TYP116 TYP117	無透明	レミニール内用液4mg/mL(太陽ファルマ)	ガランタミン臭化水素酸塩	0.4% 1mL	アルツハイマー型認知症治療剤	1112
	❑117	淡紅	トレドミン錠12.5mg(旭化成)	ミルナシプラン塩酸塩	12.5mg 1錠	セロトニン・ノルアドレナリン再取り込み阻害剤(SNRI)	3891
	€117	淡黄赤	スピロピタン錠0.25mg(アルフレッサファーマ/エーザイ)	スピペロン	0.25mg 1錠	ブチロフェノン系精神安定剤	1758
	Ⓝ117	淡黄	ハイペン錠200mg(日本新薬)	エトドラク	200mg 1錠	ピラノ酢酸系消炎鎮痛剤	760
	Ch117	白〜微黄白	ファモチジン錠20mg「JG」(長生堂/日本ジェネリック)	ファモチジン	20mg 1錠	H₂-受容体拮抗剤	3079
	n117 ⓝ117	白	サルブタモール錠2mg「日医工」(日医工)	サルブタモール硫酸塩	2mg 1錠	気管支拡張β₂-刺激剤	1534
	ツムラ/117	淡褐	ツムラ茵蔯五苓散エキス顆粒(医療用)(ツムラ)	茵蔯五苓散	1g	漢方製剤	4566
118	H118	淡褐	本草苓姜朮甘湯エキス顆粒-M(本草)	苓姜朮甘湯	1g	漢方製剤	4654
	N118	黄褐〜褐	コタロー苓姜朮甘湯エキス細粒(小太郎漢方)	苓姜朮甘湯	1g	漢方製剤	4654
	TSU118	白(淡灰〜淡黄の斑点)	硝酸イソソルビド徐放錠20mg「ツルハラ」(鶴原)	硝酸イソソルビド	20mg 1錠	冠動脈拡張剤	1693
	Tw118	白　①	ブロチゾラム錠0.25mg「トーワ」(東和薬品)	ブロチゾラム	0.25mg 1錠	チエノトリアゾロジアゼピン系睡眠導入剤	3411
	€118	橙黄	スピロピタン錠1mg(アルフレッサファーマ/エーザイ)	スピペロン	1mg 1錠	ブチロフェノン系精神安定剤	1758
	Ch118 ch118	白	ジフェニドール塩酸塩錠25mg「CH」(長生堂/日本ジェネリック)	ジフェニドール塩酸塩	25mg 1錠	抗めまい剤	1649
	ツムラ/118	淡灰褐	ツムラ苓姜朮甘湯エキス顆粒(医療用)(ツムラ)	苓姜朮甘湯	1g	漢方製剤	4654
	ロスバスタチンOD/2.5日医工 ロスバスタチンOD2.5日医工 ⓝ118	薄黄	ロスバスタチンOD錠2.5mg「日医工」(日医工)	ロスバスタチンカルシウム	2.5mg 1錠	HMG-CoA還元酵素阻害剤	4487
119	N119	茶褐〜黄褐	コタロー苓甘姜味辛夏仁湯エキス細粒(小太郎漢方)	苓甘姜味辛夏仁湯	1g	漢方製剤	4654
	NC D119/10	赤橙	ドネペジル塩酸塩錠10mg「ケミファ」(日本ケミファ)	ドネペジル塩酸塩	10mg 1錠	アルツハイマー型、レビー小体型認知症治療剤	2426
	NF119	淡赤　①	ネオドパゾール配合錠(アルフレッサファーマ)	レボドパ・ベンセラジド塩酸塩	1錠	パーキンソニズム治療剤	4422
	Tw119	淡黄　①	チザニジン錠1mg「トーワ」(東和薬品)	チザニジン塩酸塩	1mg 1錠	筋緊張緩和剤	2164
	€119	白	コスパノン錠40mg(エーザイ)	フロプロピオン	40mg 1錠	COMT阻害・鎮痙剤	3443

番号	識別コード	色 (①：割線有)	商品名(会社名)	一般名	規格単位	薬効	掲載ページ
119	ツムラ/119	淡褐	ツムラ苓甘姜味辛夏仁湯エキス顆粒(医療用)（ツムラ）	苓甘姜味辛夏仁湯	1g	漢方製剤	4654
	ロスバスタチンOD／5日医工 ロスバスタチンOD5日医工 ⑰119	薄黄	ロスバスタチンOD錠5mg「日医工」（日医工）	ロスバスタチンカルシウム	5mg 1錠	HMG-CoA還元酵素阻害剤	4487
120	120△853 △853	淡黄	パシーフカプセル120mg（武田薬品）	モルヒネ塩酸塩水和物	120mg 1カプセル	鎮痛・鎮咳・止瀉剤	4034
	AK120	白〜微黄白	リピディル錠53.3mg（あすか／科研／武田薬品）	フェノフィブラート	53.3mg 1錠	高脂血症治療剤	3144
	AMG／120	黄	ルマケラス錠120mg（アムジェン）	ソトラシブ	120mg 1錠	抗悪性腫瘍剤・KRAS G12C阻害剤	1929
	BG-12 120mg	淡緑／白	テクフィデラカプセル120mg（バイオジェン）	フマル酸ジメチル	120mg 1カプセル	多発性硬化症治療剤	3242
	JD-120	褐	セチロ配合錠（ジェイドルフ）	セチロ	1錠	緩下剤	1809
	KH120	薄黄	ペルマックス錠50μg（協和キリン）	ペルゴリドメシル酸塩	50μg 1錠	抗パーキンソン剤	3614
	N120	黄褐〜黄	コタロー黄連湯エキス細粒（小太郎漢方）	黄連湯	1g	漢方製剤	4569
	NPI120	白〜微黄	エピナスチン塩酸塩錠10mg「ケミファ」（日本薬品工業／日本ケミファ）	エピナスチン塩酸塩	10mg 1錠	アレルギー性疾患治療剤	783
	SW120	白	ブロムヘキシン塩酸塩錠4mg「サワイ」（沢井）	ブロムヘキシン塩酸塩	4mg 1錠	気道粘液溶解剤	3452
	TA120	白	ヘルベッサー錠30（田辺三菱）	ジルチアゼム塩酸塩	30mg 1錠	ベンゾチアゼピン系Ca拮抗剤	1705
	Tai TM-120	淡黄〜黄	太虎堂の黄連湯エキス顆粒（太虎精堂）	黄連湯	1g	漢方製剤	4569
	YP-MPX120	白〜淡黄	モーラスパップXR120mg（久光／祐徳薬品）	ケトプロフェン	10cm×14cm 1枚	プロピオン酸系消炎鎮痛剤	1410
	€120	白	コスパノン錠80mg（エーザイ）	フロプロピオン	80mg 1錠	COMT阻害・鎮痙剤	3443
	Kowa120	白	アデホスコーワ腸溶錠20（興和／日医工）	アデノシン三リン酸二ナトリウム水和物	20mg 1錠	代謝賦活・抗めまい剤	114
	CH120 ch120	白	セチリジン塩酸塩錠10mg「CH」（長生堂／日本ジェネリック）	セチリジン塩酸塩	10mg 1錠	持続性選択H₁-受容体拮抗剤	1806
	⑰120 ⑰120	白〜微黄白	ピレンゼピン塩酸塩錠25mg「日医工」（日医工）	ピレンゼピン塩酸塩水和物	25mg 1錠	胃炎・消化性潰瘍治療剤	3057
	ツムラ/120	黄褐	ツムラ黄連湯エキス顆粒(医療用)（ツムラ）	黄連湯	1g	漢方製剤	4569
121	KC-121	無透明	メンタックス外用液1%（科研）	ブテナフィン塩酸塩	1% 1mL	ベンジルアミン系抗真菌剤	3224
	KH121	薄緑	ペルマックス錠250μg（協和キリン）	ペルゴリドメシル酸塩	250μg 1錠	抗パーキンソン剤	3614
	KP121 KP-121	白	ウリトスOD錠0.1mg（杏林）	イミダフェナシン	0.1mg 1錠	過活動膀胱治療剤	501
	KSK121／05 KS121	白	リスペリドン錠0.5mg「クニヒロ」（皇漢堂）	リスペリドン	0.5mg 1錠	抗精神病，D₂・5-HT₂拮抗剤	4201
	NF121	白	①	ニポラジン錠3mg（アルフレッサファーマ）	メキタジン	3mg 1錠	フェノチアジン系抗ヒスタミン剤	3905
	NP121／20 NP-121	淡黄	①	グリクラジド錠20mg「NP」（ニプロ）	グリクラジド	20mg 1錠	スルホニル尿素系血糖降下剤	1257
	NPI121	淡紅	①	グリメピリド錠1mg「ケミファ」（日本薬品工業／日本ケミファ）	グリメピリド	1mg 1錠	スルホニル尿素系血糖降下剤	1278
	SD121 SD122	淡橙	カロナール細粒50%（あゆみ）	アセトアミノフェン	50% 1g	アミノフェノール系解熱鎮痛剤	77
	SJ121	淡黄	①	ロプレソールSR錠120mg（サンファーマ）	メトプロロール酒石酸塩	120mg 1錠	β₁-遮断剤	3960
	SW121	白	テオフィリン徐放錠50mg「サワイ」（沢井）	テオフィリン	50mg 1錠	キサンチン系気管支拡張剤	2195
	Tw121	白	①	アメジニウムメチル硫酸塩錠10mg「トーワ」（東和薬品）	アメジニウムメチル硫酸塩	10mg 1錠	低血圧治療剤	271
	六121	白	アイトロール錠10mg（トーアエイヨー）	一硝酸イソソルビド	10mg 1錠	冠動脈拡張剤	1698
	△121	白	セロケン錠20mg（太陽ファルマ）	メトプロロール酒石酸塩	20mg 1錠	β₁-遮断剤	3960
	CH121 ch121	白	セチリジン塩酸塩錠5mg「CH」（長生堂／日本ジェネリック）	セチリジン塩酸塩	5mg 1錠	持続性選択H₁-受容体拮抗剤	1806
	ツムラ/121	灰褐	ツムラ三物黄芩湯エキス顆粒(医療用)（ツムラ）	三物黄芩湯	1g	漢方製剤	4600
122	KC-122	白	メンタックスクリーム1%（科研）	ブテナフィン塩酸塩	1% 1g	ベンジルアミン系抗真菌剤	3224
	KRM122	淡紅	①	グリメピリド錠1mg「杏林」（キョーリンリメディオ／杏林）	グリメピリド	1mg 1錠	スルホニル尿素系血糖降下剤	1278
	KSK122／1 KS122	白	リスペリドン錠1mg「クニヒロ」（皇漢堂）	リスペリドン	1mg 1錠	抗精神病，D₂・5-HT₂拮抗剤	4201
	MH122	白	シロスタゾール錠50mg「VTRS」（ヴィアトリス・ヘルスケア／ヴィアトリス）	シロスタゾール	50mg 1錠	抗血小板剤	1718

番号	識別コード	色 (①：割線有)	商品名(会社名)	一般名	規格単位	薬効	掲載ページ
122	MS122／.625	白　①	ビソプロロールフマル酸塩錠0.625mg「明治」(Meファルマ)	ビソプロロールフマル酸塩	0.625mg 1錠	選択的β₁-アンタゴニスト	2944
	N122	茶褐〜黄褐	コタロー排膿散及湯エキス細粒(小太郎漢方)	排膿散及湯	1g	漢方製剤	4635
	NF122	白　①	ワイテンス錠2mg(アルフレッサファーマ)	グアナベンズ酢酸塩	2mg 1錠	中枢性α₂-刺激剤	1220
	NP122／1 NP-122	白	トリクロルメチアジド錠1mg「NP」(ニプロ)	トリクロルメチアジド	1mg 1錠	チアジド系降圧利尿剤	2519
	NPI122	微黄白	グリメピリド錠3mg「ケミファ」(日本薬品工業／日本ケミファ)	グリメピリド	3mg 1錠	スルホニル尿素系血糖降下剤	1278
	SD121 SD122	淡橙	カロナール細粒50%(あゆみ)	アセトアミノフェン	50% 1g	アミノフェノール系解熱鎮痛剤	77
	SJ122	白	チバセン錠2.5mg(サンファーマ)	ベナゼプリル塩酸塩	2.5mg 1錠	ACE阻害剤	3522
	TG122	白〜淡黄白	アムロジピン錠2.5mg「タナベ」(ニプロES)	アムロジピンベシル酸塩	2.5mg 1錠	ジヒドロピリジン系Ca拮抗剤	264
	TG122	白〜淡黄白	アムロジピン錠2.5mg「ニプロ」(ニプロES)	アムロジピンベシル酸塩	2.5mg 1錠	ジヒドロピリジン系Ca拮抗剤	264
	Tw122	白　①	テオフィリン徐放U錠200mg「トーワ」(東和薬品)	テオフィリン	200mg 1錠	キサンチン系気管支拡張剤	2195
	YL122	くすんだ黄赤〜濃黄赤	イマチニブ錠100mg「KMP」(共創未来)	イマチニブメシル酸塩	100mg 1錠	抗悪性腫瘍剤・チロシンキナーゼ阻害剤	493
	Kowa122	薄黄　①	デベルザ錠20mg(興和)	トホグリフロジン水和物	20mg 1錠	選択的SGLT2阻害剤・2型糖尿病治療剤	2452
	八122	白　①	アイトロール錠20mg(トーアエイヨー)	一硝酸イソソルビド	20mg 1錠	冠動脈拡張剤	1698
	cH122 ch122	白	スピロノラクトン錠25mg「CH」(長生堂／日本ジェネリック)	スピロノラクトン	25mg 1錠	抗アルドステロン性降圧利尿剤	1761
	n122 (n)122	白	ドンペリドン錠5mg「日医工」(日医工)	ドンペリドン	5mg 1錠	消化管運動改善剤	2599
	ツムラ／122	淡灰褐	ツムラ排膿散及湯エキス顆粒(医療用)(ツムラ)	排膿散及湯	1g	漢方製剤	4635
123	KRM123	微黄白　①	グリメピリド錠3mg「杏林」(キョーリンリメディオ／杏林)	グリメピリド	3mg 1錠	スルホニル尿素系血糖降下剤	1278
	KSK123／2 KS123	白	リスペリドン錠2mg「クニヒロ」(皇漢堂)	リスペリドン	2mg 1錠	抗精神病、D₂・5-HT₂拮抗剤	4201
	MH123	白	シロスタゾール錠100mg「VTRS」(ヴィアトリス・ヘルスケア／ヴィアトリス)	シロスタゾール	100mg 1錠	抗血小板剤	1718
	MS123／2.5	白　①	ビソプロロールフマル酸塩錠2.5mg「明治」(Meファルマ)	ビソプロロールフマル酸塩	2.5mg 1錠	選択的β₁-アンタゴニスト	2944
	NP123 NP-123	白　①	アセトアミノフェン錠200mg「NP」(ニプロ)	アセトアミノフェン	200mg 1錠	アミノフェノール系解熱鎮痛剤	77
	SJ123	白　①	チバセン錠5mg(サンファーマ)	ベナゼプリル塩酸塩	5mg 1錠	ACE阻害剤	3522
	SW123	白　①	カルボシステイン錠500mg「サワイ」(沢井)	L-カルボシステイン	500mg 1錠	気道粘液調整・粘膜正常化剤	1166
	TA123	白	ラボナ錠50mg(田辺三菱)	ペントバルビタール塩	50mg 1錠	催眠・鎮静剤	3658
	TG123	白〜淡黄白①	アムロジピン錠5mg「タナベ」(ニプロES)	アムロジピンベシル酸塩	5mg 1錠	ジヒドロピリジン系Ca拮抗剤	264
	TG123	白〜淡黄白①	アムロジピン錠5mg「ニプロ」(ニプロES)	アムロジピンベシル酸塩	5mg 1錠	ジヒドロピリジン系Ca拮抗剤	264
	Tw123	白　①	テオフィリン徐放U錠400mg「トーワ」(東和薬品)	テオフィリン	400mg 1錠	キサンチン系気管支拡張剤	2195
	▲123	白〜微帯黄白	セロケンL錠120mg(太陽ファルマ)	メトプロロール酒石酸塩	120mg 1錠	β₁-遮断剤	3960
	n123／15 n123 15 (n)123	白〜帯白①	ピオグリタゾンOD錠15mg「日医工」(日医工)	ピオグリタゾン塩酸塩	15mg 1錠	インスリン抵抗性改善血糖降下剤	2912
	cH123 ch123	黄	スピロノラクトン錠50mg「CH」(長生堂／日本ジェネリック)	スピロノラクトン	50mg 1錠	抗アルドステロン性降圧利尿剤	1761
	ツムラ／123	淡灰褐	ツムラ当帰建中湯エキス顆粒(医療用)(ツムラ)	当帰建中湯	1g	漢方製剤	4630
124	FF124／15	白〜帯黄白①	ピオグリタゾンOD錠15mg「FFP」(共創未来)	ピオグリタゾン塩酸塩	15mg 1錠	インスリン抵抗性改善血糖降下剤	2912
	MS124／5	白　①	ビソプロロールフマル酸塩錠5mg「明治」(Meファルマ)	ビソプロロールフマル酸塩	5mg 1錠	選択的β₁-アンタゴニスト	2944
	SG-124	灰褐	オースギ川芎茶調散料エキスTG(大川芎茶調散杉)	川芎茶調散	1g	漢方製剤	4619
	SJ124	白	チバセン錠10mg(サンファーマ)	ベナゼプリル塩酸塩	10mg 1錠	ACE阻害剤	3522
	TA124	白	ナイキサン錠100mg(ニプロES)	ナプロキセン	100mg 1錠	プロピオン酸系消炎鎮痛剤	2617
	TG124／10	白〜淡黄白①	アムロジピン錠10mg「タナベ」(ニプロES)	アムロジピンベシル酸塩	10mg 1錠	ジヒドロピリジン系Ca拮抗剤	264

番号	識別コード	色 (①:割線有)	商品名(会社名)	一般名	規格単位	薬効	掲載 ページ
124	TG124／10	白～淡黄白①	アムロジピン錠10mg「ニプロ」(ニプロES)	アムロジピンベシル酸塩	10mg 1錠	ジヒドロピリジン系Ca拮抗剤	264
	TU124	黄	ドネペジル塩酸塩OD錠3mg「TCK」(辰巳化学)	ドネペジル，-塩酸塩	3mg 1錠	アルツハイマー型，レビー小体型認知症治療剤	2426
	Tw124	薄桃　①	エナラプリルマレイン酸塩錠5mg「トーワ」(東和薬品)	エナラプリルマレイン酸塩	5mg 1錠	ACE阻害剤	767
	n124／30 n124 30 n124	白～帯黄白①	ピオグリタゾンOD錠30mg「日医工」(日医工)	ピオグリタゾン塩酸塩	30mg 1錠	インスリン抵抗性改善血糖降下剤	2912
	ツムラ／124	淡褐	ツムラ川芎茶調散エキス顆粒(医療用)(ツムラ)	川芎茶調散	1g	漢方製剤	4619
0125	NS173／0125	淡紫	トリアゾラム錠0.125mg「日新」(日新)	トリアゾラム	0.125mg 1錠	ベンゾジアゼピン系睡眠導入剤	2507
	Tu-NS／0125	淡紫	トリアゾラム錠0.125mg「TCK」(辰巳化学)	トリアゾラム	0.125mg 1錠	ベンゾジアゼピン系睡眠導入剤	2507
	cH421／0125	淡紫	トリアゾラム錠0.125mg「CH」(長生堂／日本ジェネリック)	トリアゾラム	0.125mg 1錠	ベンゾジアゼピン系睡眠導入剤	2507
125	AZ125／2.5	薄橙	スプレンジール錠2.5mg(アストラゼネカ)	フェロジピン	2.5mg 1錠	ジヒドロピリジン系Ca拮抗剤	3154
	E125	黄	エサンブトール錠125mg(サンド)	エタンブトール塩酸塩	125mg 1錠	抗酸菌症治療剤	736
	FF125／30	白～帯黄白①	ピオグリタゾンOD錠30mg「FFP」(共創未来)	ピオグリタゾン塩酸塩	30mg 1錠	インスリン抵抗性改善血糖降下剤	2912
	KC-125	白	イソメニールカプセル7.5mg(科研)	イソプレナリン塩酸塩	7.5mg 1カプセル	β-刺激剤	435
	KSK125／3 KS125	白	リスペリドン錠3mg「クニヒロ」(皇漢堂)	リスペリドン	3mg 1錠	抗精神病，D_2・$5-HT_2$拮抗剤	4201
	MS125／0.5	淡黄	デュタステリド錠0.5mgAV「明治」(Meiji Seika／Meファルマ)	デュタステリド	0.5mg 1錠	5α-還元酵素阻害薬	2332
	NF125／1	白　①	セパゾン錠1(アルフレッサファーマ)	クロキサゾラム	1mg 1錠	マイナートランキライザー	1303
	NP125 NP-125	白　①	トリヘキシフェニジル塩酸塩錠2mg「ニプロ」(ニプロ)	トリヘキシフェニジル塩酸塩	2mg 1錠	抗パーキンソン剤	2523
	NPI125／0.1	白	タムスロシン塩酸塩OD錠0.1mg「ケミファ」(日本薬品工業／日本ケミファ)	タムスロシン塩酸塩	0.1mg 1錠	α_1-遮断剤	2075
	Sc125／LD	淡黄	メトアナ配合錠LD(三和化学)	アナグリプチン・メトホルミン塩酸塩	1錠	選択的DPP-4阻害剤／ビグアナイド系薬剤配合剤・2型糖尿病治療剤	141
	TA125／60	白	ヘルベッサー錠60(田辺三菱)	ジルチアゼム塩酸塩	60mg 1錠	ベンゾチアゼピン系Ca拮抗剤	1705
	TB125／VT TB125VT	白～淡黄白①	テルビナフィン錠125mg「VTRS」(ヴィアトリス・ヘルスケア／ヴィアトリス)	テルビナフィン塩酸塩	125mg 1錠	アリルアミン系抗真菌剤	2367
	TER125	白～淡黄白①	テルビナフィン錠125mg「サンド」(サンド／第一三共エスファ)	テルビナフィン塩酸塩	125mg 1錠	アリルアミン系抗真菌剤	2367
	Tu AM・125	淡赤／白	アモキシシリンカプセル125mg「TCK」(辰巳化学)	アモキシシリン水和物	125mg 1カプセル	合成ペニシリン	275
	TU125	白	ドネペジル塩酸塩OD錠5mg「TCK」(辰巳化学)	ドネペジル，-塩酸塩	5mg 1錠	アルツハイマー型，レビー小体型認知症治療剤	2426
	Tw125	白	シロスタゾール錠50mg「トーワ」(東和薬品)	シロスタゾール	50mg 1錠	抗血小板剤	1718
	Z125／5	明るい灰黄	モンテルカストナトリウム錠5mg「日本臓器」(日本臓器)	モンテルカストナトリウム	5mg 1錠	ロイコトリエン受容体拮抗剤	4043
	n125	黄～黄褐	サラゾスルファピリジン錠500mg「日医工」(日医工ファーマ／日医工)	サラゾスルファピリジン	500mg 1錠	潰瘍性大腸炎治療・抗リウマチ剤	1522
	①711／125 ①711：125	白～淡黄白	ゾコーバ錠125mg(塩野義)	エンシトレルビル・フマル酸	125mg 1錠	抗SARS-CoV-2剤	915
	Pfizer／PBC125 Pfizer PBC125	淡紫	イブランス錠125mg(ファイザー)	パルボシクリブ	125mg 1錠	抗悪性腫瘍剤(CDK4/6阻害剤)	2865
	アプレピタント125mg NK	淡赤／白	アプレピタントカプセル125mg「NK」(日本化薬)	アプレピタント	125mg 1カプセル	選択的NK_1受容体拮抗型制吐剤	196
	アプレピタント125mg サワイ	淡赤／白	アプレピタントカプセル125mg「サワイ」(沢井)	アプレピタント	125mg 1カプセル	選択的NK_1受容体拮抗型制吐剤	196
	アプレピタント80mg NK アプレピタント125mg NK	白／淡赤	アプレピタントカプセルセット「NK」(日本化薬)	アプレピタント	1セット	選択的NK_1受容体拮抗型制吐剤	196
	アプレピタント カプセル125mg サワイ アプレピタント カプセル80mg サワイ	淡赤／白	アプレピタントカプセルセット「サワイ」(沢井)	アプレピタント	1セット	選択的NK_1受容体拮抗型制吐剤	196
	アモキシシリン125mg トーワ	白	アモキシシリンカプセル125mg「トーワ」(東和薬品)	アモキシシリン水和物	125mg 1カプセル	合成ペニシリン	275

番号	識別コード	色 (①：割線有)	商品名（会社名）	一般名	規格単位	薬効	掲載ページ
125	サワシリン 125LT	褐／白	サワシリンカプセル125（LTL）	アモキシシリン水和物	125mg 1カプセル	合成ペニシリン	275
	ツムラ／125	淡灰白	ツムラ桂枝茯苓丸加薏苡仁エキス顆粒（医療用）（ツムラ）	桂枝茯苓丸加薏苡仁	1g	漢方製剤	4587
126	AZ126／5	黄	スプレンジール錠5mg（アストラゼネカ）	フェロジピン	5mg 1錠	ジヒドロピリジン系Ca拮抗剤	3154
	KC-126	無透明	メンタックススプレー1%（科研）	ブテナフィン塩酸塩	1% 1mL	ベンジルアミン系抗真菌剤	3224
	KRM126	白〜微黄白	アロプリノール錠50mg「杏林」（キョーリンリメディオ／杏林）	アロプリノール	50mg 1錠	キサンチンオキシダーゼ阻害剤・高尿酸血症治療剤	363
	N126	茶褐〜茶	コタロー麻子仁丸料エキス細粒（小太郎漢方）	麻子仁丸	1g	漢方製剤	4649
	NF126／2	白	①	セパゾン錠2（アルフレッサファーマ）	クロキサゾラム	2mg 1錠	マイナートランキライザー	1303
	NPI126／0.2	白	タムスロシン塩酸塩OD錠0.2mg「ケミファ」（日本薬品工業／日本ケミファ）	タムスロシン塩酸塩	0.2mg 1錠	α_1-遮断剤	2075
	SG-126	淡灰茶褐	オースギ麻子仁丸料エキスG（大杉）	麻子仁丸	1g	漢方製剤	4649
	t126 t126[25mg]	黄	ジクロフェナクNa錠25mg「NIG」（日医工岐阜／日医工・武田薬品）	ジクロフェナクナトリウム	25mg 1錠	フェニル酢酸系消炎鎮痛剤	1579
	TU126	淡赤	ドネペジル塩酸塩OD錠10mg「TCK」（辰巳化学）	ドネペジル，-塩酸塩	10mg 1錠	アルツハイマー型，レビー小体型認知症治療剤	2426
	Tw126	白	シロスタゾール錠100mg「トーワ」（東和薬品）	シロスタゾール	100mg 1錠	抗血小板剤	1718
	Z126／10	明るい灰黄	モンテルカストナトリウム錠10mg「日本臓器」（日本臓器）	モンテルカストナトリウム	10mg 1錠	ロイコトリエン受容体拮抗剤	4043
	ch126／0.5 ch126	白	ドキサゾシン錠0.5mg「JG」（長生堂／日本ジェネリック）	ドキサゾシンメシル酸塩	0.5mg 1錠	α_1-遮断剤	2391
	ツムラ／126	黄褐	ツムラ麻子仁丸エキス顆粒（医療用）（ツムラ）	麻子仁丸	1g	漢方製剤	4649
127	KRM127／15	白〜帯黄白①	ピオグリタゾン錠15mg「杏林」（キョーリンリメディオ／杏林）	ピオグリタゾン塩酸塩	15mg 1錠	インスリン抵抗性改善血糖降下剤	2912
	KW127	白	アルプラゾラム錠0.4mg「アメル」（共和薬品／日本ジェネリック）	アルプラゾラム	0.4mg 1錠	マイナートランキライザー	322
	M／35 M127	白	アレンドロン酸錠35mg「VTRS」（ヴィアトリス・ヘルスケア／ヴィアトリス）	アレンドロン酸ナトリウム水和物	35mg 1錠	骨粗鬆症治療剤	349
	MS127／0.5	淡紅	デュタステリド錠0.5mgZA「明治」（Meiji Seika／Meファルマ）	デュタステリド	0.5mg 1錠	5α-還元酵素阻害薬	2332
	NPI127	白	エナラプリルマレイン酸塩錠2.5mg「ケミファ」（日本薬品工業／日本ケミファ）	エナラプリルマレイン酸塩	2.5mg 1錠	ACE阻害剤	767
	Tw127	白	①	リシノプリル錠10mg「トーワ」（東和薬品）	リシノプリル水和物	10mg 1錠	ACE阻害剤	4193
	€127	白	ミオナール錠50mg（エーザイ）	エペリゾン塩酸塩	50mg 1錠	γ-系筋緊張・循環改善剤	811
	✈127	薄黄みの赤	イリボーOD錠2.5µg（アステラス）	ラモセトロン塩酸塩〔下痢型過敏性腸症候群治療剤〕	2.5µg 1錠	下痢型過敏性腸症候群治療剤	4140
	ch127／4 ch127	白	①	ドキサゾシン錠4mg「JG」（長生堂／日本ジェネリック）	ドキサゾシンメシル酸塩	4mg 1錠	α_1-遮断剤	2391
	◇FS127 FS127	橙／ベージュ	コタロー麻黄附子細辛湯エキスカプセル（小太郎漢方／扶桑薬品）	麻黄附子細辛湯	1カプセル	漢方製剤	4646
	◇NC127 NC127	橙／ベージュ	コタロー麻黄附子細辛湯エキスカプセル（小太郎漢方）	麻黄附子細辛湯	1カプセル	漢方製剤	4646
	漢：EK-127	褐	三和麻黄附子細辛湯エキス細粒（三和生薬／クラシエ薬品）	麻黄附子細辛湯	1g	漢方製剤	4646
	漢：SG-127	褐	三和麻黄附子細辛湯エキス細粒（三和生薬／大杉）	麻黄附子細辛湯	1g	漢方製剤	4646
	ツムラ／127	暗灰	ツムラ麻黄附子細辛湯エキス顆粒（医療用）（ツムラ）	麻黄附子細辛湯	1g	漢方製剤	4646
128	KRM128／30	白〜帯黄白①	ピオグリタゾン錠30mg「杏林」（キョーリンリメディオ／杏林）	ピオグリタゾン塩酸塩	30mg 1錠	インスリン抵抗性改善血糖降下剤	2912
	NF128／5	白	①	ソメリン錠5mg（アルフレッサファーマ）	ハロキサゾラム	5mg 1錠	ベンゾジアゼピン系睡眠導入剤	2874
	NPI128	薄桃	①	エナラプリルマレイン酸塩錠10mg「ケミファ」（日本薬品工業／日本ケミファ）	エナラプリルマレイン酸塩	10mg 1錠	ACE阻害剤	767
	SW128	白	①	テオフィリン徐放錠100mg「サワイ」（沢井）	テオフィリン	100mg 1錠	キサンチン系気管支拡張剤	2195
	Tw128／2.5	白	①	ビソプロロールフマル酸塩錠2.5mg「トーワ」（東和薬品）	ビソプロロールフマル酸塩	2.5mg 1錠	選択的β_1-アンタゴニスト	2944
	ch128 ch128	淡黄	アムロジピンOD錠2.5mg「CH」（長生堂／日本ジェネリック）	アムロジピンベシル酸塩	2.5mg 1錠	ジヒドロピリジン系Ca拮抗剤	264
	㊙128 TYK128	白	スルピリド錠50mg「NIG」（日医工岐阜／日医工・武田薬品）	スルピリド	50mg 1錠	ベンザミド系抗潰瘍・精神安定剤	1777

番号	識別コード	色 (①：割線有)	商品名(会社名)	一般名	規格単位	薬効	掲載ページ
128	イルベサルタン50 日医工／ イルベサルタン Ⓝ128	白～帯黄白①	イルベサルタン錠50mg「日医工」(日医工)	イルベサルタン	50mg 1錠	長時間作用型アンジオテンシンⅡ受容体拮抗剤	522
	ツムラ/128	淡褐	ツムラ啓脾湯エキス顆粒(医療用)(ツムラ)	啓脾湯	1g	漢方製剤	4588
129	KRM129/15	白～帯黄白	ピオグリタゾンOD錠15mg「杏林」(キョーリンリメディオ／杏林)	ピオグリタゾン塩酸塩	15mg 1錠	インスリン抵抗性改善血糖降下剤	2912
	NF129/10	白 ①	ソメリン錠10mg(アルフレッサファーマ)	ハロキサゾラム	10mg 1錠	ベンゾジアゼピン系睡眠導入剤	2874
	TA129	白	サアミオン錠5mg(田辺三菱)	ニセルゴリン	5mg 1錠	脳循環代謝改善剤	2639
	Tw129	白 ①	ビソプロロールフマル酸塩錠5mg「トーワ」(東和薬品)	ビソプロロールフマル酸塩	5mg 1錠	選択的β₁-アンタゴニスト	2944
	Ⓝ129	淡赤紫透明/無透明	エリザスカプセル外用400μg(日本新薬)	デキサメタゾンシペシル酸エステル	400μg 1カプセル	アレルギー性鼻炎治療剤	2216
	CH129/5 ch129	淡黄	アムロジピンOD錠5mg「CH」(長生堂／日本ジェネリック)	アムロジピンベシル酸塩	5mg 1錠	ジヒドロピリジン系Ca拮抗剤	264
	Ⓣ129 TYK129	白	スルピリド錠100mg「NIG」(日医工岐阜／日医工／武田薬品)	スルピリド	100mg 1錠	ベンザミド系抗潰瘍・精神安定剤	1777
	イルベサルタン100 日医工 Ⓝ129	白～帯黄白①	イルベサルタン錠100mg「日医工」(日医工)	イルベサルタン	100mg 1錠	長時間作用型アンジオテンシンⅡ受容体拮抗剤	522
130	AK130	白～微黄白	リピディル錠80mg(あすか／科研／武田薬品)	フェノフィブラート	80mg 1錠	高脂血症治療剤	3144
	KRM130/30	白～帯黄白①	ピオグリタゾンOD錠30mg「杏林」(キョーリンリメディオ／杏林)	ピオグリタゾン塩酸塩	30mg 1錠	インスリン抵抗性改善血糖降下剤	2912
	MED130	白	エパルレスタット錠50mg「ケミファ」(メディサ／日本薬品工業)	エパルレスタット	50mg 1錠	アルドース還元酵素阻害剤	779
	MO130	白	テシプール錠1mg(持田)	セチプチリンマレイン酸塩	1mg 1錠	四環系うつ剤	1805
	NPI130/2.5	白～帯黄白	リセドロン酸ナトリウム錠2.5mg「ケミファ」(日本薬品工業／日本ケミファ)	リセドロン酸ナトリウム水和物	2.5mg 1錠	ビスホスホネート系骨吸収抑制剤	4209
	T130	白	オクソラレン錠10mg(大正)	メトキサレン	10mg 1錠	尋常性白斑治療剤	3949
	TA130/5	白	カルグート5(田辺三菱)	デノパミン	5mg 1錠	心機能改善剤	2297
	Tw130	白	一硝酸イソソルビド錠20mg「トーワ」(東和薬品)	一硝酸イソソルビド	20mg 1錠	冠動脈拡張剤	1698
	Ⓣ130	白	レグテクト錠333mg(日本新薬)	アカンプロサートカルシウム	333mg 1錠	アルコール依存症 断酒補助剤	8
	CH130/10 ch130	淡黄 ①	アムロジピンOD錠10mg「CH」(長生堂／日本ジェネリック)	アムロジピンベシル酸塩	10mg 1錠	ジヒドロピリジン系Ca拮抗剤	264
	Ⓣ130 TYK130	白	スルピリド錠200mg「NIG」(日医工岐阜／日医工／武田薬品)	スルピリド	200mg 1錠	ベンザミド系抗潰瘍・精神安定剤	1777
	イルベサルタン200 日医工 Ⓝ130	白～帯黄白①	イルベサルタン錠200mg「日医工」(日医工)	イルベサルタン	200mg 1錠	長時間作用型アンジオテンシンⅡ受容体拮抗剤	522
131	10/KSK131	白～微黄白	ファモチジン錠10mg「クニヒロ」(皇漢堂)	ファモチジン	10mg 1錠	H₂-受容体拮抗剤	3079
	CEO131	白～淡黄	プランルカスト錠112.5mg「CEO」(セオリア／武田薬品)	プランルカスト水和物	112.5mg 1錠	ロイコトリエン受容体拮抗剤	3268
	FF131/2.5	白～帯黄白	リセドロン酸Na錠2.5mg「FFP」(共創未来)	リセドロン酸ナトリウム水和物	2.5mg 1錠	ビスホスホネート系骨吸収抑制剤	4209
	KH131	黄褐	ノウリアスト錠20mg(協和キリン)	イストラデフィリン	20mg 1錠	アデノシンA₂ₐ受容体拮抗薬	425
	KRM131/3	黄	ドネペジル塩酸塩錠3mg「杏林」(キョーリンリメディオ／杏林)	ドネペジル塩酸塩	3mg 1錠	アルツハイマー型、レビー小体型認知症治療剤	2426
	NF131	白 ①	ブロチゾラム錠0.25mg「AFP」(アルフレッサファーマ)	ブロチゾラム	0.25mg 1錠	チエノトリアゾロジアゼピン系睡眠導入剤	3411
	NPI131/17.5	淡紅	リセドロン酸ナトリウム錠17.5mg「ケミファ」(日本薬品工業／日本ケミファ)	リセドロン酸ナトリウム水和物	17.5mg 1錠	ビスホスホネート系骨吸収抑制剤	4209
	PH131	白	アムロジピン錠2.5mg「杏林」(キョーリンリメディオ／共創未来／杏林)	アムロジピンベシル酸塩	2.5mg 1錠	ジヒドロピリジン系Ca拮抗剤	264
	SW131	白	テオフィリン徐放錠200mg「サワイ」(沢井)	テオフィリン	200mg 1錠	キサンチン系気管支拡張剤	2195
	TA131	白	カルグート錠10(田辺三菱)	デノパミン	10mg 1錠	心機能改善剤	2297
	TAISHO131	白	オクソラレン軟膏0.3%(大正)	メトキサレン	0.3% 1g	尋常性白斑治療剤	3949
	TU131/5	白 ①	パロキセチン錠5mg「TCK」(辰巳化学)	パロキセチン塩酸塩水和物	5mg 1錠	選択的セロトニン再取り込み阻害剤(SSRI)	2878
	バラシクロビル500 Z131	白～微黄白	バラシクロビル錠500mg「日本臓器」(東洋カプセル／日本臓器)	バラシクロビル塩酸塩	500mg 1錠	抗ウイルス剤	2810
132	20/KSK132	白～微黄白	ファモチジン錠20mg「クニヒロ」(皇漢堂)	ファモチジン	20mg 1錠	H₂-受容体拮抗剤	3079

番号	識別コード	色 (①：割線有)	商品名(会社名)	一般名	規格単位	薬効	掲載ページ
132	AFP132／1	白　①	メレックス錠1mg（アルフレッサファーマ）	メキサゾラム	1mg 1錠	オキサゾロベンゾジアゼピン系抗不安剤	3901
	CEO132	白〜淡黄①	プランルカスト錠225mg「CEO」（セオリア／武田薬品）	プランルカスト水和物	225mg 1錠	ロイコトリエン受容体拮抗剤	3268
	FF132／17.5	淡紅	リセドロン酸Na錠17.5mg「FFP」（共創未来）	リセドロン酸ナトリウム水和物	17.5mg 1錠	ビスホスホネート系骨吸収抑制剤	4209
	KRM132／5	白	ドネペジル塩酸塩錠5mg「杏林」（キョーリンリメディオ／杏林）	ドネペジル，-塩酸塩	5mg 1錠	アルツハイマー型，レビー小体型認知症治療剤	2426
	MO132	黄	ドネペジル塩酸塩OD錠3mg「モチダ」（ダイト／持田）	ドネペジル，-塩酸塩	3mg 1錠	アルツハイマー型，レビー小体型認知症治療剤	2426
	NPI132	白　①	アムロジピン錠10mg「ケミファ」（日本薬品工業／日本ケミファ）	アムロジピンベシル酸塩	10mg 1錠	ジヒドロピリジン系Ca拮抗剤	264
	NV／132 NV132	淡黄	ディオバン錠20mg（ノバルティス）	バルサルタン	20mg 1錠	選択的AT₁受容体遮断剤	2840
	PH132／5	白　①	アムロジピン5mg「杏林」（キョーリンリメディオ／共創未来／杏林）	アムロジピンベシル酸塩	5mg 1錠	ジヒドロピリジン系Ca拮抗剤	264
	SW132	白〜微黄	エピナスチン塩酸塩錠20mg「サワイ」（沢井）	エピナスチン塩酸塩	20mg 1錠	アレルギー性疾患治療剤	783
	TU132／10	白	パロキセチン錠10mg「TCK」（辰巳化学）	パロキセチン塩酸塩水和物	10mg 1錠	選択的セロトニン再取り込み阻害剤(SSRI)	2878
	Tw132	微紅　①	プラバスタチンNa錠10mg「トーワ」（東和薬品）	プラバスタチンナトリウム	10mg 1錠	HMG-CoA還元酵素阻害剤	3256
	Z132	薄赤	モンテルカストチュアブル錠5mg「日本臓器」（日本臓器）	モンテルカストナトリウム	5mg 1錠	ロイコトリエン受容体拮抗剤	4043
	⊗132 50	白〜帯黄白①	イルベタン錠50mg（シオノギファーマ／塩野義）	イルベサルタン	50mg 1錠	長時間作用型アンジオテンシンⅡ受容体拮抗剤	522
	℗132	白	エクセグラン錠100mg（住友ファーマ）	ゾニサミド〔抗てんかん剤〕	100mg 1錠	ベンズイソキサゾール系抗てんかん剤	1933
	π132／15 π132 15 ⑪132	白〜帯黄白①	ピオグリタゾン錠15mg「日医工」（日医工）	ピオグリタゾン塩酸塩	15mg 1錠	インスリン抵抗性改善血糖降下剤	2912
	⑧132 ⑮132／25	白　①	トラマールOD錠25mg（日本新薬）	トラマドール塩酸塩	25mg 1錠	フェノールエーテル系鎮痛剤	2488
133	AFP133／0.5	白	メレックス錠0.5mg（アルフレッサファーマ）	メキサゾラム	0.5mg 1錠	オキサゾロベンゾジアゼピン系抗不安剤	3901
	FF133／30	薄橙	フェキソフェナジン塩酸塩錠30mg「FFP」（共創未来）	フェキソフェナジン塩酸塩	30mg 1錠	アレルギー性疾患治療剤	3111
	KRM133／10	赤橙	ドネペジル塩酸塩錠10mg「杏林」（キョーリンリメディオ／杏林）	ドネペジル，-塩酸塩	10mg 1錠	アルツハイマー型，レビー小体型認知症治療剤	2426
	MO133	白	ドネペジル塩酸塩OD錠5mg「モチダ」（ダイト／持田）	ドネペジル，-塩酸塩	5mg 1錠	アルツハイマー型，レビー小体型認知症治療剤	2426
	N133	茶褐〜褐	コタロー大承気湯エキス細粒(小太郎漢方)	大承気湯	1g	漢方製剤	4623
	NF／0.25 NF133	白　①	ジゴキシン錠0.25mg「AFP」（アルフレッサファーマ）	ジゴキシン	0.25mg 1錠	ジギタリス強心配糖体	1594
	NP133／10 NP-133	淡橙	アムロジピンOD錠10mg「NP」（ニプロ）	アムロジピンベシル酸塩	10mg 1錠	ジヒドロピリジン系Ca拮抗剤	264
	NV／133 NV133	白　①	ディオバン錠40mg（ノバルティス）	バルサルタン	40mg 1錠	選択的AT₁受容体遮断剤	2840
	TG133	白〜淡黄白①	テルビナフィン錠125mg「タナベ」（ニプロES）	テルビナフィン塩酸塩	125mg 1錠	アリルアミン系抗真菌剤	2367
	TG133	白〜淡黄白①	テルビナフィン錠125mg「ニプロ」（ニプロES）	テルビナフィン塩酸塩	125mg 1錠	アリルアミン系抗真菌剤	2367
	TU133／20	白	パロキセチン錠20mg「TCK」（辰巳化学）	パロキセチン塩酸塩水和物	20mg 1錠	選択的セロトニン再取り込み阻害剤(SSRI)	2878
	Tw133	白　①	シンバスタチン錠5mg「トーワ」（東和薬品）	シンバスタチン	5mg 1錠	HMG-CoA還元酵素阻害剤	1728
	Z133／250	白	ファムシクロビル錠250mg「日本臓器」（小財家／日本臓器）	ファムシクロビル	250mg 1錠	抗ヘルペスウイルス剤	3077
	⊗133 100	白〜帯黄白①	イルベタン錠100mg（シオノギファーマ／塩野義）	イルベサルタン	100mg 1錠	長時間作用型アンジオテンシンⅡ受容体拮抗剤	522
	π133／30 π133 30 ⑪133	白〜帯黄白①	ピオグリタゾン錠30mg「日医工」（日医工）	ピオグリタゾン塩酸塩	30mg 1錠	インスリン抵抗性改善血糖降下剤	2912
	⑧133 ⑮133／50	白　①	トラマールOD錠50mg（日本新薬）	トラマドール塩酸塩	50mg 1錠	フェノールエーテル系鎮痛剤	2488
	ツムラ／133	黄褐	ツムラ大承気湯エキス顆粒(医療用)（ツムラ）	大承気湯	1g	漢方製剤	4623
134	FF134／60	薄橙	フェキソフェナジン塩酸塩錠60mg「FFP」（共創未来）	フェキソフェナジン塩酸塩	60mg 1錠	アレルギー性疾患治療剤	3111
	KRM134	黄	ドネペジル塩酸塩OD錠3mg「杏林」（キョーリンリメディオ／杏林）	ドネペジル，-塩酸塩	3mg 1錠	アルツハイマー型，レビー小体型認知症治療剤	2426

100
|
199

番号	識別コード	色 (①：割線有)	商品名(会社名)	一般名	規格単位	薬効	掲載ページ
134	MO134	淡赤	ドネペジル塩酸塩OD錠10mg「モチダ」 (ダイト／持田)	ドネペジル，-塩酸塩	10mg 1錠	アルツハイマー型，レビー小体型認知症治療剤	2426
	NPI134／50	白	シロスタゾールOD錠50mg「ケミファ」 (日本薬品工業／日本ケミファ)	シロスタゾール	50mg 1錠	抗血小板剤	1718
	NV／134 NV134	白 ①	ディオバン錠80mg (ノバルティス)	バルサルタン	80mg 1錠	選択的AT₁受容体遮断剤	2840
	TA134／2.5	白	タナトリル錠2.5 (田辺三菱)	イミダプリル塩酸塩	2.5mg 1錠	ACE阻害剤	504
	Z134／500	白	ファムシクロビル錠500mg「日本臓器」 (小財家／日本臓器)	ファムシクロビル	500mg 1錠	抗ヘルペスウイルス剤	3077
	①134 200	白～帯黄白	イルベタン錠200mg (シオノギファーマ／塩野義)	イルベサルタン	200mg 1錠	長時間作用型アンジオテンシンⅡ受容体拮抗剤	522
	Ⓝ134 Ⓝ134	白～灰白	ワントラム錠100mg (日本新薬)	トラマドール塩酸塩	100mg 1錠	フェノールエーテル系鎮痛剤	2488
	ツムラ／134	黄褐	ツムラ桂枝加芍薬大黄湯エキス顆粒(医療用) (ツムラ)	桂枝加芍薬大黄湯	1g	漢方製剤	4583
	トアラセット 日医工 Ⓝ134	淡黄	トアラセット配合錠「日医工」(日医工)	トラマドール塩酸塩・アセトアミノフェン	1錠	慢性疼痛・抜歯後疼痛治療剤	2496
135	KRM135	白	ドネペジル塩酸塩OD錠5mg「杏林」 (キョーリンリメディオ／杏林)	ドネペジル，-塩酸塩	5mg 1錠	アルツハイマー型，レビー小体型認知症治療剤	2426
	N135	黄褐～黄茶褐	コタロー茵蔯蒿湯エキス細粒(小太郎漢方)	茵蔯蒿湯	1g	漢方製剤	4565
	NF135	白 ①	カルビスケン錠5mg (アルフレッサファーマ)	ピンドロール	5mg 1錠	β-遮断剤	3069
	NP135／2 NP-135	微赤 ①	トリクロルメチアジド錠2mg「NP」 (ニプロ)	トリクロルメチアジド	2mg 1錠	チアジド系降圧利尿剤	2519
	NPI135／100	白 ①	シロスタゾールOD錠100mg「ケミファ」 (日本薬品工業／日本ケミファ)	シロスタゾール	100mg 1錠	抗血小板剤	1718
	NV135	白	ディオバン錠160mg (ノバルティス)	バルサルタン	160mg 1錠	選択的AT₁受容体遮断剤	2840
	SG-135	淡灰茶褐	オースギ茵蔯蒿湯エキスG (大杉)	茵蔯蒿湯	1g	漢方製剤	4565
	T135	白	オパイリン錠125mg (大正)	フルフェナム酸アルミニウム	125mg 1錠	解熱消炎鎮痛剤	3334
	TA135／5	白	タナトリル錠5 (田辺三菱)	イミダプリル塩酸塩	5mg 1錠	ACE阻害剤	504
	TP135 TP-135	白 ①	デキストロメトルファン臭化水素酸塩錠15mg「NP」(ニプロ)	デキストロメトルファン臭化水素酸塩水和物	15mg 1錠	中枢性鎮咳剤	2228
	Z135 5 Z135	白	レボセチリジン塩酸塩錠5mg「日本臓器」(小財家／日本臓器)	レボセチリジン塩酸塩	5mg 1錠	持続性選択H₁-受容体拮抗剤	4407
	Ⓝ135	淡黄透明	イコサペント酸エチルカプセル300mg「日医工」(日医工)	イコサペント酸エチル	300mg 1カプセル	EPA剤	412
	P135	白 ①	アキネトン錠1mg (住友ファーマ)	ビペリデン	1mg 1錠	抗パーキンソン剤	3010
	◇NC135 NC135	濃緑／ベージュ	コタロー茵蔯蒿湯エキスカプセル(小太郎漢方)	茵蔯蒿湯	1カプセル	漢方製剤	4565
	ツムラ／135	淡褐	ツムラ茵蔯蒿湯エキス顆粒(医療用)(ツムラ)	茵蔯蒿湯	1g	漢方製剤	4565
136	KRM136	淡赤	ドネペジル塩酸塩OD錠10mg「杏林」 (キョーリンリメディオ／杏林)	ドネペジル，-塩酸塩	10mg 1錠	アルツハイマー型，レビー小体型認知症治療剤	2426
	NPI136／25	白 ①	ナフトピジルOD錠25mg「ケミファ」 (日本薬品工業／日本ケミファ)	ナフトピジル	25mg 1錠	排尿障害治療剤	2614
	NV／136 NV136	薄赤	コディオ配合錠MD (ノバルティス)	バルサルタン・ヒドロクロロチアジド	1錠	選択的AT₁受容体ブロッカー・利尿剤合剤	2848
	TA136／10	白	タナトリル錠10 (田辺三菱)	イミダプリル塩酸塩	10mg 1錠	ACE阻害剤	504
	TSU136	白～微黄白	オフロキサシン錠100mg「ツルハラ」 (鶴原)	オフロキサシン	100mg 1錠	ニューキノロン系抗菌剤	996
	Z136 2.5 Z136	白	レボセチリジン塩酸塩錠2.5mg「日本臓器」(小財家／日本臓器)	レボセチリジン塩酸塩	2.5mg 1錠	持続性選択H₁-受容体拮抗剤	4407
	ツムラ／136	淡黄褐	ツムラ清暑益気湯エキス顆粒(医療用)(ツムラ)	清暑益気湯	1g	漢方製剤	4617
137	KRM137	淡橙	ゾルピデム酒石酸塩錠5mg「杏林」(キョーリンリメディオ／杏林)	ゾルピデム酒石酸塩	5mg 1錠	入眠剤	1973
	NF／137 NF137	白 ①	レダコート錠4mg (アルフレッサファーマ)	トリアムシノロン	4mg 1錠	副腎皮質ホルモン	2509
	NPI137／50	白 ①	ナフトピジルOD錠50mg「ケミファ」 (日本薬品工業／日本ケミファ)	ナフトピジル	50mg 1錠	排尿障害治療剤	2614
	NV／137 NV137	極薄赤	コディオ配合錠EX (ノバルティス)	バルサルタン・ヒドロクロロチアジド	1錠	選択的AT₁受容体ブロッカー・利尿剤合剤	2848
	SG-137	淡灰黄褐～淡灰茶褐	オースギ加味帰脾湯エキスG (大杉)	加味帰脾湯	1g	漢方製剤	4574
	SV137	白	ドウベイト配合錠(ヴィーブ／グラクソ・スミスクライン)	ドルテグラビルナトリウム・ラミブジン	1錠	抗ウイルス化学療法剤	2548
	SW137／10	白～微黄	エピナスチン塩酸塩錠10mg「サワイ」(沢井)	エピナスチン塩酸塩	10mg 1錠	アレルギー性疾患治療剤	783
	SYT137	白～微黄褐	ビオラクト原末(三恵薬品)	ラクトミン	1g	乳酸菌製剤	4067

番号	識別コード	色 (◫:割線有)		商品名(会社名)	一般名	規格単位	薬効	掲載ページ
137	T137	白		オパイリン錠250mg(大正)	フルフェナム酸アルミニウム	250mg 1錠	解熱消炎鎮痛剤	3334
	TA137	白	◫	セレジスト錠5mg(田辺三菱)	タルチレリン水和物	5mg 1錠	経口脊髄小脳変性症治療剤	2094
	Tai TM-137	淡灰～灰褐		太虎堂の加味帰脾湯エキス顆粒(太虎精堂)	加味帰脾湯	1g	漢方製剤	4574
	ch137 ch137	白	◫	アラセプリル錠50mg「JG」(長生堂/日本ジェネリック)	アラセプリル	50mg 1錠	ACE阻害剤	284
	アトモキセチン5mg 日医工 Ⓝ137	橙		アトモキセチンカプセル5mg「日医工」(日医工)	アトモキセチン塩酸塩	5mg 1カプセル	注意欠陥/多動性障害治療剤・選択的ノルアドレナリン再取り込み阻害剤	124
	ツムラ/137	淡黄褐		ツムラ加味帰脾湯エキス顆粒(医療用)(ツムラ)	加味帰脾湯	1g	漢方製剤	4574
	トアラセット／Z137	淡黄		トアラセット配合錠「日本臓器」(日本臓器)	トラマドール塩酸塩・アセトアミノフェン	1錠	慢性疼痛・抜歯後疼痛治療剤	2496
138	KRM138	淡橙	◫	ゾルピデム酒石酸塩錠10mg「杏林」(キョーリンリメディオ/杏林)	ゾルピデム酒石酸塩	10mg 1錠	入眠剤	1973
	NPI138／75	白	◫	ナフトピジルOD錠75mg「ケミファ」(日本薬品工業/日本ケミファ)	ナフトピジル	75mg 1錠	排尿障害治療剤	2614
	Tw138	白		テオフィリン徐放U錠100mg「トーワ」(東和薬品)	テオフィリン	100mg 1錠	キサンチン系気管支拡張薬	2195
	アトモキセチン10mg 日医工 Ⓝ138	白		アトモキセチンカプセル10mg「日医工」(日医工)	アトモキセチン塩酸塩	10mg 1カプセル	注意欠陥/多動性障害治療剤・選択的ノルアドレナリン再取り込み阻害剤	124
	ツムラ/138	淡灰褐		ツムラ桔梗湯エキス顆粒(医療用)(ツムラ)	桔梗湯	1g	漢方製剤	4577
139	KRM139／25	白	◫	ロサルタンカリウム錠25mg「杏林」(キョーリンリメディオ/杏林)	ロサルタンカリウム	25mg 1錠	アンギオテンシンⅡ受容体拮抗剤	4481
	Tw139	白	◫	アシクロビル錠200mg「トーワ」(東和薬品)	アシクロビル	200mg 1錠	抗ウイルス剤	25
	アトモキセチン25mg 日医工 Ⓝ139	青/白		アトモキセチンカプセル25mg「日医工」(日医工)	アトモキセチン塩酸塩	25mg 1カプセル	注意欠陥/多動性障害治療剤・選択的ノルアドレナリン再取り込み阻害剤	124
140	25 M140	白～微灰白		エキセメスタン錠25mg「VTRS」(ヴィアトリス・ヘルスケア/ヴィアトリス)	エキセメスタン	25mg 1錠	アロマターゼ阻害剤・閉経後乳癌治療剤	667
	ibr140mg	白		イムブルビカカプセル140mg(ヤンセン)	イブルチニブ	140mg 1カプセル	抗悪性腫瘍剤・ブルトン型チロシンキナーゼ阻害剤	486
	KRM140／50	白	◫	ロサルタンカリウム錠50mg「杏林」(キョーリンリメディオ/杏林)	ロサルタンカリウム	50mg 1錠	アンギオテンシンⅡ受容体拮抗剤	4481
	NPI140／15	白～帯黄白		ピオグリタゾンOD錠15mg「NPI」(日本薬品工業)	ピオグリタゾン塩酸塩	15mg 1錠	インスリン抵抗性改善血糖降下剤	2912
	NS140／0.25	微赤		エチゾラム錠0.25mg「日新」(日新)	エチゾラム	0.25mg 1錠	チエノジアゼピン系精神安定剤	738
	NV／140 NV140	帯黄白		エックスフォージ配合錠(ノバルティス)	バルサルタン・アムロジピンベシル酸塩	1錠	選択的AT₁受容体ブロッカー・持続性Ca拮抗薬合剤	2842
	OH140 OH-140	白		プロパフェノン塩酸塩錠100mg「オーハラ」(大原薬品)	プロパフェノン塩酸塩	100mg 1錠	不整脈治療剤	3430
	SD141 SD140	白		クレマスチンドライシロップ0.1%「あゆみ」(あゆみ)	クレマスチンフマル酸塩	0.1% 1g	ベンツヒドリルエーテル系抗ヒスタミン剤	1299
	SG-140	暗褐～灰褐		オースギ四苓湯細粒(調剤用)(大杉)	四苓湯	1g	漢方製剤	4614
	TC140	白～淡黄		ミリダシン錠90mg(大鵬薬品)	プログルメタシンマレイン酸塩	90mg 1錠	インドール酢酸系消炎鎮痛剤	3393
	Tw140	白	◫	アシクロビル錠400mg「トーワ」(東和薬品)	アシクロビル	400mg 1錠	抗ウイルス剤	25
	アトモキセチン40mg 日医工 Ⓝ140	青		アトモキセチンカプセル40mg「日医工」(日医工)	アトモキセチン塩酸塩	40mg 1カプセル	注意欠陥/多動性障害治療剤・選択的ノルアドレナリン再取り込み阻害剤	124
141	141	白		ディオバンOD錠20mg(ノバルティス)	バルサルタン	20mg 1錠	選択的AT₁受容体遮断剤	2840
	FF141／3	黄		ドネペジル塩酸塩錠3mg「FFP」(共創未来)	ドネペジル塩酸塩	3mg 1錠	アルツハイマー型、レビー小体型認知症治療剤	2426
	KRM141／100	白		ロサルタンカリウム錠100mg「杏林」(キョーリンリメディオ/杏林)	ロサルタンカリウム	100mg 1錠	アンギオテンシンⅡ受容体拮抗剤	4481
	MKC141	白		コレバイン錠500mg(田辺三菱)	コレスチミド	500mg 1錠	高コレステロール血症治療剤	1468
	NPI141／30	白～帯黄白		ピオグリタゾンOD錠30mg「NPI」(日本薬品工業)	ピオグリタゾン塩酸塩	30mg 1錠	インスリン抵抗性改善血糖降下剤	2912
	OH141 OH-141	白		プロパフェノン塩酸塩錠150mg「オーハラ」(大原薬品)	プロパフェノン塩酸塩	150mg 1錠	不整脈治療剤	3430
	SD141 SD140	白		クレマスチンドライシロップ0.1%「あゆみ」(あゆみ)	クレマスチンフマル酸塩	0.1% 1g	ベンツヒドリルエーテル系抗ヒスタミン剤	1299
	TA141	淡黄	◫	メトトレキサート錠2mg「タナベ」(田辺三菱)	メトトレキサート〔抗リウマチ剤〕	2mg 1錠	抗リウマチ剤	3952

番号	識別コード	色 (◖:割線有)	商品名(会社名)	一般名	規格単位	薬効	掲載ページ
141	TOYO141	白	ゼスラン錠3mg(旭化成)	メキタジン	3mg 1錠	フェノチアジン系抗ヒスタミン剤	3905
	TSU141	橙	カルバゾクロムスルホン酸Na錠30mg「ツルハラ」(鶴原)	カルバゾクロムスルホン酸ナトリウム水和物	30mg 1錠	血管強化・止血剤	1149
	TU141／25	白 ◖	ナフトピジルOD錠25mg「TCK」(辰巳化学)	ナフトピジル	25mg 1錠	排尿障害治療剤	2614
	Tw141／1	白	ドキサゾシン錠1mg「トーワ」(東和薬品)	ドキサゾシンメシル酸塩	1mg 1錠	α1-遮断剤	2391
	△141／1	白 ◖	ユーロジン1mg錠(武田テバ薬品/武田薬品)	エスタゾラム	1mg 1錠	睡眠剤	684
	◎141／100／1 ◎141：100／1	淡赤	イルトラ配合錠LD(シオノギファーマ/塩野義)	イルベサルタン・トリクロルメチアジド	1錠	長時間作用型ARB・利尿薬合剤	526
	漢：SG-141	褐	三和葛根加朮附湯エキス細粒(三和生薬/大杉)	葛根加朮附湯	1g	漢方製剤	4571
	ケトチフェン1mg／SW-141	白	ケトチフェンカプセル1mg「サワイ」(沢井)	ケトチフェンフマル酸塩	1mg 1カプセル	アレルギー性疾患治療剤	1408
142	FF142／5	白	ドネペジル塩酸塩錠5mg「FFP」(共創未来)	ドネペジル，-塩酸塩	5mg 1錠	アルツハイマー型，レビー小体型認知症治療剤	2426
	KRM142	白	グリメピリド錠0.5mg「杏林」(キョーリンリメディオ/杏林)	グリメピリド	0.5mg 1錠	スルホニル尿素系血糖降下剤	1278
	NV142	白	ディオバンOD錠40mg(ノバルティス)	バルサルタン	40mg 1錠	選択的AT1受容体遮断剤	2840
	PC142	白 ◖	グリベンクラミド錠1.25mg「NIG」(日医工岐阜/日医工/武田薬品)	グリベンクラミド	1.25mg 1錠	スルホニル尿素系血糖降下剤	1276
	TA142	白 ◖	セレジストOD錠5mg(田辺三菱)	タルチレリン水和物	5mg 1錠	経口脊髄小脳変性症治療剤	2094
	TU142／50	白 ◖	ナフトピジルOD錠50mg「TCK」(辰巳化学)	ナフトピジル	50mg 1錠	排尿障害治療剤	2614
	Tw142／2	淡橙	ドキサゾシン錠2mg「トーワ」(東和薬品)	ドキサゾシンメシル酸塩	2mg 1錠	α1-遮断剤	2391
	△142／2	白 ◖	ユーロジン2mg錠(武田テバ薬品/武田薬品)	エスタゾラム	2mg 1錠	睡眠剤	684
	◎142／200／1 ◎142：200／1	淡赤	イルトラ配合錠HD(シオノギファーマ/塩野義)	イルベサルタン・トリクロルメチアジド	1錠	長時間作用型ARB・利尿薬合剤	526
	n142 ⓝ142	白	イルソグラジンマレイン酸塩錠2mg「日医工」(日医工)	イルソグラジンマレイン酸塩	2mg 1錠	粘膜防御性胃炎・胃潰瘍治療剤	521
143	FF143／10	赤橙	ドネペジル塩酸塩錠10mg「FFP」(共創未来)	ドネペジル，-塩酸塩	10mg 1錠	アルツハイマー型，レビー小体型認知症治療剤	2426
	KRM143／10	白 ◖	アムロジピン錠10mg「杏林」(キョーリンリメディオ/杏林)	アムロジピンベシル酸塩	10mg 1錠	ジヒドロピリジン系Ca拮抗剤	264
	NP143 NP-143	白(微黄白〜淡黄白の斑点)	アンブロキソール塩酸塩徐放OD錠45mg「ニプロ」(ニプロ)	アンブロキソール塩酸塩	45mg 1錠	気道潤滑去痰剤	378
	NV143	白	ディオバンOD錠80mg(ノバルティス)	バルサルタン	80mg 1錠	選択的AT1受容体遮断剤	2840
	PC143	白 ◖	グリベンクラミド錠2.5mg「NIG」(日医工岐阜/日医工/武田薬品)	グリベンクラミド	2.5mg 1錠	スルホニル尿素系血糖降下剤	1276
	TU143／75	白 ◖	ナフトピジルOD錠75mg「TCK」(辰巳化学)	ナフトピジル	75mg 1錠	排尿障害治療剤	2614
	Tw143	白	シンバスタチン錠10mg「トーワ」(東和薬品)	シンバスタチン	10mg 1錠	HMG-CoA還元酵素阻害剤	1728
	n143 ⓝ143	白	イルソグラジンマレイン酸塩錠4mg「日医工」(日医工)	イルソグラジンマレイン酸塩	4mg 1錠	粘膜防御性胃炎・胃潰瘍治療剤	521
	漢：SG-143	褐	三和当帰芍薬散加附子エキス細粒(三和生薬/大杉)	当帰芍薬加附子湯	1g	漢方製剤	4632
144	KRM144／2.5	白〜帯黄白	リセドロン酸Na錠2.5mg「杏林」(キョーリンリメディオ/杏林)	リセドロン酸ナトリウム水和物	2.5mg 1錠	ビスホスホネート系骨吸収抑制剤	4209
	NV144	白	ディオバンOD錠160mg(ノバルティス)	バルサルタン	160mg 1錠	選択的AT1受容体遮断剤	2840
	OH-144	無半透明	ツロブテロールテープ0.5「オーハラ」(大原薬品)	ツロブテロール	0.5mg 1枚	気管支拡張β2-刺激剤	2190
	Tw144	薄桃 ◖	エナラプリルマレイン酸塩錠10mg「トーワ」(東和薬品)	エナラプリルマレイン酸塩	10mg 1錠	ACE阻害剤	767
	エレトリプタン20 日医工 ⓝ144	橙	エレトリプタン錠20mg「日医工」(日医工)	エレトリプタン臭化水素酸塩	20mg 1錠	5-HT1B/1D受容体作動型片頭痛治療剤	896
145	CEO145／5	明るい灰黄	モンテルカスト錠5mg「CEO」(セオリア/武田薬品)	モンテルカストナトリウム	5mg 1錠	ロイコトリエン受容体拮抗剤	4043
	KRM／145 KRM145	淡紅	リセドロン酸Na錠17.5mg「杏林」(キョーリンリメディオ/杏林)	リセドロン酸ナトリウム水和物	17.5mg 1錠	ビスホスホネート系骨吸収抑制剤	4209
	NS145／0.125	白	プラミペキソール塩酸塩錠0.125mg「日新」(日新)	プラミペキソール塩酸塩水和物	0.125mg 1錠	ドパミン作動性抗パーキンソン剤，レストレスレッグス症候群治療剤	3258
	NV145	白	エックスフォージ配合OD錠(ノバルティス)	バルサルタン・アムロジピンベシル酸塩	1錠	選択的AT1受容体ブロッカー・持続性Ca拮抗薬合剤	2842

番号	識別コード	色 (①：割線有)	商品名(会社名)	一般名	規格単位	薬効	掲載ページ
145	OH-145	無半透明	ツロブテロールテープ1「オーハラ」(大原薬品)	ツロブテロール	1mg 1枚	気管支拡張β₂-刺激剤	2190
	ᴸᴸ145	淡赤褐	アモキサンカプセル10mg（ファイザー）	アモキサピン	10mg 1カプセル	三環系抗うつ剤	274
146	CEO146／10	明るい灰黄	モンテルカスト錠10mg「CEO」(セオリア／武田薬品)	モンテルカストナトリウム	10mg 1錠	ロイコトリエン受容体拮抗剤	4043
	KRM146	淡黄赤	オロパタジン塩酸塩錠2.5mg「杏林」(キョーリンリメディオ／杏林)	オロパタジン塩酸塩	2.5mg 1錠	アレルギー性疾患治療剤	1037
	NS146／0.5	白　①	プラミペキソール塩酸塩錠0.5mg「日新」(日新)	プラミペキソール塩酸塩水和物	0.5mg 1錠	ドパミン作動性抗パーキンソン剤，レストレスレッグス症候群治療剤	3258
	OH-146	無半透明	ツロブテロールテープ2「オーハラ」(大原薬品)	ツロブテロール	2mg 1枚	気管支拡張β₂-刺激剤	2190
	Tw146／25	白～淡黄	ベンズブロマロン錠25mg「トーワ」(東和薬品)	ベンズブロマロン	25mg 1錠	高尿酸血症改善剤	3643
	ᴸᴸ146	淡赤褐／白	アモキサンカプセル25mg（ファイザー）	アモキサピン	25mg 1カプセル	三環系抗うつ剤	274
	漢：SG-146	褐	三和芍薬甘草附子湯エキス細粒(三和生薬／大杉)	芍薬甘草附子湯	1g	漢方製剤	4606
	オルメサルタンOD／5日医工　ⓝ146 オルメサルタンOD5日医工	白～微黄白	オルメサルタンOD錠5mg「日医工」(日医工)	オルメサルタン メドキソミル	5mg 1錠	高親和性AT₁レセプターブロッカー	1031
147	FF147／60	白　①	フェキソフェナジン塩酸塩OD錠60mg「FFP」(共創未来)	フェキソフェナジン塩酸塩	60mg 1錠	アレルギー性疾患治療剤	3111
	KRM147／5	淡黄赤	オロパタジン塩酸塩錠5mg「杏林」(キョーリンリメディオ／杏林)	オロパタジン塩酸塩	5mg 1錠	アレルギー性疾患治療剤	1037
	Tw147	淡橙　①	クアゼパム錠15mg「トーワ」(東和薬品)	クアゼパム	15mg 1錠	ベンゾジアゼピン系睡眠障害改善剤	1218
	△147／0.4	白	コンスタン0.4mg錠(武田テバ薬品／武田薬品)	アルプラゾラム	0.4mg 1錠	マイナートランキライザー	322
	ᴸᴸ147	白	アモキサンカプセル50mg（ファイザー）	アモキサピン	50mg 1カプセル	三環系抗うつ剤	274
	ⓝ147 ⓝ147	白	スマトリプタン錠50mg「日医工」(日医工)	スマトリプタン	50mg 1錠	5-HT₁ᴮ/₁ᴰ受容体作動型片頭痛治療剤	1768
148	KRM148／10	微黄白～淡黄白　①	アムロジピンOD錠10mg「杏林」(キョーリンリメディオ／杏林)	アムロジピンベシル酸塩	10mg 1錠	ジヒドロピリジン系Ca拮抗剤	264
	Tw148	薄橙	ロフラゼプ酸エチル錠2mg「トーワ」(東和薬品)	ロフラゼプ酸エチル	2mg 1錠	ベンゾジアゼピン系持続性心身安定剤	4520
	△148／0.8	白	コンスタン0.8mg錠(武田テバ薬品／武田薬品)	アルプラゾラム	0.8mg 1錠	マイナートランキライザー	322
	漢：SG-148	褐	三和大柴胡去大黄湯エキス細粒(三和生薬／大杉)	大柴胡湯去大黄	1g	漢方製剤	4623
	スプラタスト50mg SW-148 SW-148	白	スプラタストトシル酸塩カプセル50mg「サワイ」(沢井)	スプラタストトシル酸塩	50mg 1カプセル	アレルギー性疾患治療剤	1762
149	025 TYK149	黄赤	アルファカルシドールカプセル0.25μg「NIG」(日医工岐阜／日医工／武田薬品)	アルファカルシドール	0.25μg 1カプセル	活性型ビタミンD₃	317
	Tw149／0.8	白　①	アルプラゾラム錠0.8mg「トーワ」(東和薬品)	アルプラゾラム	0.8mg 1錠	マイナートランキライザー	322
	スプラタスト100mg SW-149 SW-149	白	スプラタストトシル酸塩カプセル100mg「サワイ」(沢井)	スプラタストトシル酸塩	100mg 1カプセル	アレルギー性疾患治療剤	1762
150	0.5 TYK150	黄赤	アルファカルシドールカプセル0.5μg「NIG」(日医工岐阜／日医工／武田薬品)	アルファカルシドール	0.5μg 1カプセル	活性型ビタミンD₃	317
	150／Lilly Lilly150	黄	ベージニオ錠150mg(日本イーライリリー)	アベマシクリブ	150mg 1錠	抗悪性腫瘍剤(CDK4/6阻害剤)	207
	ALE150mg ALE／150mg	白～黄みの白	アレセンサカプセル150mg(中外)	アレクチニブ塩酸塩	150mg 1カプセル	抗悪性腫瘍剤・ALK阻害剤	333
	BCX150	青／白	オラデオカプセル150mg(オーファンパシフィック)	ベロトラルスタット塩酸塩	150mg 1カプセル	遺伝性血管性浮腫発作抑制用血漿カリクレイン阻害剤	3637
	M150 M／150	褐	オムジャラ錠150mg(グラクソ・スミスクライン)	モメロチニブ塩酸塩水和物	150mg 1錠	ヤヌスキナーゼ(JAK)／アクチビン受容体1型(ACVR1)阻害剤	4026
	MVC150	青	シーエルセントリ錠150mg(ヴィーブ／グラクソ・スミスクライン)	マラビロク	150mg 1錠	抗ウイルス化学療法剤(CCR5阻害剤)	3815
	MYLAN CYSTAGON150	白	ニシスタゴンカプセル150mg(ヴィアトリス)	システアミン酒石酸塩	150mg 1カプセル	腎性シスチン症治療剤	1600

番号	識別コード	色 (◍：割線有)	商品名(会社名)	一般名	規格単位	薬効	掲載 ページ
150	OP150	緑～灰緑	リムパーザ錠150mg（アストラゼネカ）	オラパリブ	150mg 1錠	抗悪性腫瘍剤・ポリアデノシン5'二リン酸リボースポリメラーゼ(PARP)阻害剤	1016
	PGN150 Pfizer PGN150	白	リリカカプセル150mg（ヴィアトリス）	プレガバリン	150mg 1カプセル	疼痛治療剤（神経障害性疼痛・線維筋痛症）	3355
	PT PR／150 PT PR150	白	プレガバリンOD錠150mg「ファイザー」（ヴィアトリス・ヘルスケア／ヴィアトリス）	プレガバリン	150mg 1錠	疼痛治療剤（神経障害性疼痛・線維筋痛症）	3355
	R／150 R150	薄黄赤	タバリス錠150mg（キッセイ）	ホスタマチニブナトリウム水和物	150mg 1錠	経口血小板破壊抑制薬／脾臓チロシンキナーゼ阻害薬	3682
	Sc150／HD	淡黄	メトアナ配合錠HD（三和化学）	アナグリプチン・メトホルミン塩酸塩	1錠	選択的DPP-4阻害剤/ビグアナイド系薬剤配合剤・2型糖尿病治療剤	141
	SW TFX150	白	トスフロキサシントシル酸塩錠150mg「サワイ」（沢井）	トスフロキサシントシル酸塩水和物	150mg 1錠	ニューキノロン系抗菌剤	2414
	SW150	白　◍	メキタジン錠3mg「サワイ」（沢井）	メキタジン	3mg 1錠	フェノチアジン系抗ヒスタミン剤	3905
	T150	白～黄白	タルセバ錠150mg（中外）	エルロチニブ塩酸塩	150mg 1錠	抗悪性腫瘍・上皮成長因子受容体チロシンキナーゼ阻害剤	892
	VDT／150	白	バフセオ錠150mg（田辺三菱）	バダデュスタット	150mg 1錠	HIF-PH阻害剤・腎性貧血治療剤	2792
	VT PR／150 VT PR150	白	プレガバリンOD錠150mg「VTRS」（ヴィアトリス・ヘルスケア／ヴィアトリス）	プレガバリン	150mg 1錠	疼痛治療剤（神経障害性疼痛・線維筋痛症）	3355
	VTLY150 VTLY／150	白	リリカOD錠150mg（ヴィアトリス）	プレガバリン	150mg 1錠	疼痛治療剤（神経障害性疼痛・線維筋痛症）	3355
	XR150	白	ビプレッソ徐放錠150mg（共和薬品）	クエチアピンフマル酸塩	150mg 1錠	抗精神病、D₂・5-HT₂拮抗剤	1225
	Є150	白	メリスロン錠6mg（エーザイ）	ベタヒスチンメシル酸塩	6mg 1錠	めまい・平衡障害治療剤	3496
	◍150	褐	オフェブカプセル150mg（日本ベーリンガー）	ニンテダニブエタンスルホン酸塩	150mg 1カプセル	チロシンキナーゼ阻害剤・抗線維化剤	2696
	◍150／15 ◍150：15	白	メジコン錠15mg（シオノギファーマ／塩野義）	デキストロメトルファン臭化水素酸塩水和物	15mg 1錠	中枢性鎮咳剤	2228
	ひIDL150	帯黄透明	オンブレス吸入用カプセル150μg（ノバルティス）	インダカテロールマレイン酸塩	150μg 1カプセル	長時間作用性気管支拡張β₂-刺激剤	598
	△IGM150-50-160 △・IGM150-50-160	緑透明／無透明	エナジア吸入用カプセル高用量(ノバルティス)	インダカテロール酢酸塩・グリコピロニウム臭化物・モメタゾンフランカルボン酸エステル	1カプセル	3成分配合喘息治療剤	593
	△IGM150-50-80 △・IGM150-50-80	緑透明／無透明	エナジア吸入用カプセル中用量(ノバルティス)	インダカテロール酢酸塩・グリコピロニウム臭化物・モメタゾンフランカルボン酸エステル	1カプセル	3成分配合喘息治療剤	593
	◇IM150-160 ◇・IM150-160	無透明	アテキュラ吸入用カプセル中用量(ノバルティス)	インダカテロール酢酸塩・モメタゾンフランカルボン酸エステル	1カプセル	喘息治療配合剤	596
	◇IM150-320 ◇・IM150-320	無透明	アテキュラ吸入用カプセル高用量(ノバルティス)	インダカテロール酢酸塩・モメタゾンフランカルボン酸エステル	1カプセル	喘息治療配合剤	596
	◇IM150-80 ◇・IM150-80	無透明	アテキュラ吸入用カプセル低用量(ノバルティス)	インダカテロール酢酸塩・モメタゾンフランカルボン酸エステル	1カプセル	喘息治療配合剤	596
	エルロチニブ150	白～黄白	エルロチニブ錠150mg「NK」（日本化薬）	エルロチニブ塩酸塩	150mg 1錠	抗悪性腫瘍・上皮成長因子受容体チロシンキナーゼ阻害剤	892
	オゼックス150	白	オゼックス錠150（富士フイルム富山化学）	トスフロキサシントシル酸塩水和物	150mg 1錠	ニューキノロン系抗菌剤	2414
	カンデサルタンYD12 YD150	薄橙　◍	カンデサルタン錠12mg「YD」（陽進堂）	カンデサルタン シレキセチル	12mg 1錠	アンギオテンシンⅡ受容体拮抗剤	1184
	ツートラム150	淡橙／白	ツートラム錠150mg（日本臓器）	トラマドール塩酸塩	150mg 1錠	フェノールエーテル系鎮痛剤	2488
	プレガバJG／OD150	白	プレガバリンOD錠150mg「JG」（日本ジェネリック）	プレガバリン	150mg 1錠	疼痛治療剤（神経障害性疼痛・線維筋痛症）	3355
	プレガバリン150mg 日医工 ㋬633	白	プレガバリンカプセル150mg「日医工」（日医工）	プレガバリン	150mg 1カプセル	疼痛治療剤（神経障害性疼痛・線維筋痛症）	3355
	プレガバリン150mg サワイ	白	プレガバリンカプセル150mg「サワイ」（沢井）	プレガバリン	150mg 1カプセル	疼痛治療剤（神経障害性疼痛・線維筋痛症）	3355
	プレガバリン150OD／プレガバリン150明治	白	プレガバリンOD錠150mg「明治」（日新／Meファルマ）	プレガバリン	150mg 1錠	疼痛治療剤（神経障害性疼痛・線維筋痛症）	3355
	プレガバリン150トーワ	白	プレガバリンカプセル150mg「トーワ」（東和薬品）	プレガバリン	150mg 1カプセル	疼痛治療剤（神経障害性疼痛・線維筋痛症）	3355
	プレガバリンOD150DSEP	白	プレガバリンOD錠150mg「DSEP」（第一三共エスファ）	プレガバリン	150mg 1錠	疼痛治療剤（神経障害性疼痛・線維筋痛症）	3355
	プレガバリンOD150KMP	白	プレガバリンOD錠150mg「KMP」（共創未来／三和化学）	プレガバリン	150mg 1錠	疼痛治療剤（神経障害性疼痛・線維筋痛症）	3355

番号	識別コード	色 (◐:割線有)		商品名(会社名)	一般名	規格単位	薬効	掲載ページ
150	プレガバリン OD150NPI	白		プレガバリンOD錠150mg「NPI」(日本薬品工業)	プレガバリン	150mg 1錠	疼痛治療剤(神経障害性疼痛・線維筋痛症)	3355
	プレガバリン OD150TCK	白	◐	プレガバリンOD錠150mg「TCK」(辰巳化学)	プレガバリン	150mg 1錠	疼痛治療剤(神経障害性疼痛・線維筋痛症)	3355
	プレガバリン OD150ZE	白〜微黄白		プレガバリンOD錠150mg「ZE」(全星薬品工業/全星薬品)	プレガバリン	150mg 1錠	疼痛治療剤(神経障害性疼痛・線維筋痛症)	3355
	プレガバリン OD150杏林	白		プレガバリンOD錠150mg「杏林」(キョーリンリメディオ/杏林)	プレガバリン	150mg 1錠	疼痛治療剤(神経障害性疼痛・線維筋痛症)	3355
	プレガバリン OD150日医工	白	◐	プレガバリンOD錠150mg「日医工」(日医工)	プレガバリン	150mg 1錠	疼痛治療剤(神経障害性疼痛・線維筋痛症)	3355
	プレガバリン OD150科研	白		プレガバリンOD錠150mg「科研」(ダイト/科研)	プレガバリン	150mg 1錠	疼痛治療剤(神経障害性疼痛・線維筋痛症)	3355
	プレガバリン OD150アメル	白		プレガバリンOD錠150mg「アメル」(共和薬品)	プレガバリン	150mg 1錠	疼痛治療剤(神経障害性疼痛・線維筋痛症)	3355
	プレガバリン OD150オーハラ	白		プレガバリンOD錠150mg「オーハラ」(大原薬品/エッセンシャル)	プレガバリン	150mg 1錠	疼痛治療剤(神経障害性疼痛・線維筋痛症)	3355
	プレガバリン OD150ケミファ	白		プレガバリンOD錠150mg「ケミファ」(日本ケミファ)	プレガバリン	150mg 1錠	疼痛治療剤(神経障害性疼痛・線維筋痛症)	3355
	プレガバリン OD150サワイ	白		プレガバリンOD錠150mg「サワイ」(沢井)	プレガバリン	150mg 1錠	疼痛治療剤(神経障害性疼痛・線維筋痛症)	3355
	プレガバリン OD150サンド	白		プレガバリンOD錠150mg「サンド」(サンド)	プレガバリン	150mg 1錠	疼痛治療剤(神経障害性疼痛・線維筋痛症)	3355
	プレガバリン OD150トーワ	白		プレガバリンOD錠150mg「トーワ」(東和薬品)	プレガバリン	150mg 1錠	疼痛治療剤(神経障害性疼痛・線維筋痛症)	3355
	プレガバリン OD150ニプロ	白〜微黄白		プレガバリンOD錠150mg「ニプロ」(ニプロ)	プレガバリン	150mg 1錠	疼痛治療剤(神経障害性疼痛・線維筋痛症)	3355
	プレガバリン OD150フェルゼン	白		プレガバリンOD錠150mg「フェルゼン」(フェルゼン)	プレガバリン	150mg 1錠	疼痛治療剤(神経障害性疼痛・線維筋痛症)	3355
	プレガバリン OD🄶150	白		プレガバリンOD錠150mg「武田テバ」(武田テバファーマ/武田薬品)	プレガバリン	150mg 1錠	疼痛治療剤(神経障害性疼痛・線維筋痛症)	3355
	プレガバリン OD三笠150	白	◐	プレガバリンOD錠150mg「三笠」(三笠)	プレガバリン	150mg 1錠	疼痛治療剤(神経障害性疼痛・線維筋痛症)	3355
	プレガバリン YD OD150 YD639	白	◐	プレガバリンOD錠150mg「YD」(陽進堂)	プレガバリン	150mg 1錠	疼痛治療剤(神経障害性疼痛・線維筋痛症)	3355
	リファジン150	青/赤		リファジンカプセル150mg(第一三共)	リファンピシン	150mg 1カプセル	抗結核・抗ハンセン病抗生物質	4278
	ロキシスロ SW150	白		ロキシスロマイシン錠150mg「サワイ」(沢井)	ロキシスロマイシン	150mg 1錠	酸安定性マクロライド系抗生物質	4472
151	1.0 TYK151	黄赤		アルファカルシドールカプセル1μg「NIG」(日医工岐阜/日医工/武田薬品)	アルファカルシドール	1μg 1カプセル	活性型ビタミンD₃	317
	NF/0.125 NF151	薄橙	◐	ジゴキシン錠0.125mg「AFP」(アルフレッサファーマ)	ジゴキシン	0.125mg 1錠	ジギタリス強心配糖体	1594
	NP151/50 NP-151	白	◐	イトプリド塩酸塩錠50mg「NP」(ニプロ)	イトプリド塩酸塩	50mg 1錠	消化管運動賦活剤	447
	t151/3	黄		ドネペジル塩酸塩錠3mg「テバ」(武田テバファーマ)	ドネペジル, -塩酸塩	3mg 1錠	アルツハイマー型, レビー小体型認知症治療剤	2426
	TG151	白		プラバスタチンNa塩錠5mg「タナベ」(ニプロES)	プラバスタチンナトリウム	5mg 1錠	HMG-CoA還元酵素阻害剤	3256
	TG151	白		プラバスタチンNa塩錠5mg「ニプロ」(ニプロES)	プラバスタチンナトリウム	5mg 1錠	HMG-CoA還元酵素阻害剤	3256
	TU151/20	白	◐	バルサルタン錠20mg「TCK」(辰巳化学)	バルサルタン	20mg 1錠	選択的AT₁受容体遮断剤	2840
	Tw151	白	◐	アセトアミノフェン錠200mg「トーワ」(東和薬品)	アセトアミノフェン	200mg 1錠	アミノフェノール系解熱鎮痛剤	77
	Z151	淡紅		ビーマス配合錠(日本臓器)	ジオクチルソジウムスルホサクシネート・カサンスラノール	1錠	便秘治療剤	1567
	€151	白		メリスロン錠12mg(エーザイ)	ベタヒスチンメシル酸塩	12mg 1錠	めまい・平衡障害治療剤	3496
	カンデサルタン YD8 YD151	極薄橙		カンデサルタン錠8mg「YD」(陽進堂)	カンデサルタン シレキセチル	8mg 1錠	アンジオテンシンⅡ受容体拮抗剤	1184
152	NF152	白	◐	モディオダール錠100mg(アルフレッサファーマ/田辺三菱)	モダフィニル	100mg 1錠	精神神経用剤	4015
	NP152/40 NP-152	白		グリクラジド錠40mg「NP」(ニプロ)	グリクラジド	40mg 1錠	スルホニル尿素系血糖降下剤	1257
	SW152	白		ドンペリドン錠5mg「サワイ」(沢井)	ドンペリドン	5mg 1錠	消化管運動改善剤	2599
	t152/5	白		ドネペジル塩酸塩錠5mg「テバ」(武田テバファーマ)	ドネペジル, -塩酸塩	5mg 1錠	アルツハイマー型, レビー小体型認知症治療剤	2426
	TG152	微紅	◐	プラバスタチンNa塩錠10mg「タナベ」(ニプロES)	プラバスタチンナトリウム	10mg 1錠	HMG-CoA還元酵素阻害剤	3256

番号	識別コード	色 (①：割線有)	商品名(会社名)	一般名	規格単位	薬効	掲載ページ
152	TG152	微紅　①	プラバスタチンNa塩錠10mg「ニプロ」 (ニプロES)	プラバスタチンナトリウム	10mg 1錠	HMG-CoA還元酵素阻害剤	3256
	TU152／40	白　①	バルサルタン錠40mg「TCK」(辰巳化学)	バルサルタン	40mg 1錠	選択的AT₁受容体遮断剤	2840
	Tw152／0.2	白〜帯黄白	ボグリボース錠0.2mg「トーワ」(東和薬品)	ボグリボース	0.2mg 1錠	α-グルコシダーゼ阻害・食後過血糖改善剤	3668
	カンデサルタンYD4 YD152	白〜帯黄白	カンデサルタン錠4mg「YD」(陽進堂)	カンデサルタン シレキセチル	4mg 1錠	アンギオテンシンⅡ受容体拮抗剤	1184
153	AZ153	淡黄	クレストールOD錠2.5mg (アストラゼネカ)	ロスバスタチンカルシウム	2.5mg 1錠	HMG-CoA還元酵素阻害剤	4487
	NS153／5	淡橙　①	ゾルピデム酒石酸塩錠5mg「日新」(日新／科研)	ゾルピデム酒石酸塩	5mg 1錠	入眠剤	1973
	t153／10	桃	ドネペジル塩酸塩錠10mg「テバ」(武田テバファーマ)	ドネペジル, -塩酸塩	10mg 1錠	アルツハイマー型, レビー小体型認知症治療剤	2426
	TU153／80	白　①	バルサルタン錠80mg「TCK」(辰巳化学)	バルサルタン	80mg 1錠	選択的AT₁受容体遮断剤	2840
	Tw153／0.3	白〜帯黄白	ボグリボース錠0.3mg「トーワ」(東和薬品)	ボグリボース	0.3mg 1錠	α-グルコシダーゼ阻害・食後過血糖改善剤	3668
	TZ153	白	セキソビット錠100mg(あすか／武田薬品)	シクロフェニル	100mg 1錠	排卵誘発剤	1589
	Ｇ153	白〜黄白	パラミヂンカプセル300mg(あすか／武田薬品)	ブコローム	300mg 1カプセル	抗炎症・痛風治療剤	3196
	カンデサルタンYD2 YD153	白〜帯黄白	カンデサルタン錠2mg「YD」(陽進堂)	カンデサルタン シレキセチル	2mg 1錠	アンギオテンシンⅡ受容体拮抗剤	1184
154	AZ154	淡黄	クレストールOD錠5mg (アストラゼネカ)	ロスバスタチンカルシウム	5mg 1錠	HMG-CoA還元酵素阻害剤	4487
	KC154	白	エブランチルカプセル30mg(科研／三和化学)	ウラピジル	30mg 1カプセル	排尿障害改善・降圧剤	657
	NS154／10	淡橙　①	ゾルピデム酒石酸塩錠10mg「日新」(日新／科研)	ゾルピデム酒石酸塩	10mg 1錠	入眠剤	1973
	t154／3	黄	ドネペジル塩酸塩OD錠3mg「テバ」(武田テバファーマ)	ドネペジル, -塩酸塩	3mg 1錠	アルツハイマー型, レビー小体型認知症治療剤	2426
	TU154	白　①	バルサルタン錠160mg「TCK」(辰巳化学)	バルサルタン	160mg 1錠	選択的AT₁受容体遮断剤	2840
	Tw／154 Tw154	薄桃	エナラプリルマレイン酸塩錠2.5mg「トーワ」(東和薬品)	エナラプリルマレイン酸塩	2.5mg 1錠	ACE阻害剤	767
	YD154 テルミサルタンYD20	白〜微黄	テルミサルタン錠20mg「YD」(陽進堂)	テルミサルタン	20mg 1錠	持続性AT₁受容体遮断剤	2372
	η154 ⑪154	白	メフルシド錠25mg「日医工」(日医工)	メフルシド	25mg 1錠	非チアジド系降圧利尿剤	3983
155	KC155	白	エブランチルカプセル15mg(科研／三和化学)	ウラピジル	15mg 1カプセル	排尿障害改善・降圧剤	657
	NF155	微黄白〜帯黄白　①	ペミラストン錠5mg(アルフレッサ ファーマ)	ペミロラストカリウム	5mg 1錠	アレルギー性疾患治療剤	3564
	NP155／3 NP-155	白	リスペリドン錠3mg「NP」(ニプロ)	リスペリドン	3mg 1錠	抗精神病, D₂・5-HT₂拮抗剤	4201
	t155／5	白	ドネペジル塩酸塩OD錠5mg「テバ」(武田テバファーマ)	ドネペジル, -塩酸塩	5mg 1錠	アルツハイマー型, レビー小体型認知症治療剤	2426
	TSU155／2	白	カンデサルタン錠2mg「ツルハラ」(鶴原)	カンデサルタン シレキセチル	2mg 1錠	アンギオテンシンⅡ受容体拮抗剤	1184
	YD155 テルミサルタンYD40	白〜微黄①	テルミサルタン錠40mg「YD」(陽進堂)	テルミサルタン	40mg 1錠	持続性AT₁受容体遮断剤	2372
	Ｇ155	白	エペリゾン塩酸塩錠50mg「あすか」(あすか／武田薬品)	エペリゾン塩酸塩	50mg 1錠	γ-系筋緊張・循環改善剤	811
156	KW156	白	アルプラゾラム錠0.8mg「アメル」(共和薬品)	アルプラゾラム	0.8mg 1錠	マイナートランキライザー	322
	NS156／3	黄	ドネペジル塩酸塩OD錠3mg「日新」(日新)	ドネペジル, -塩酸塩	3mg 1錠	アルツハイマー型, レビー小体型認知症治療剤	2426
	t156／10	淡赤	ドネペジル塩酸塩OD錠10mg「テバ」(武田テバファーマ)	ドネペジル, -塩酸塩	10mg 1錠	アルツハイマー型, レビー小体型認知症治療剤	2426
	TF25 TTS-156	黄	フルボキサミンマレイン酸塩錠25mg「タカタ」(高田)	フルボキサミンマレイン酸塩	25mg 1錠	選択的セロトニン再取り込み阻害剤(SSRI)	3337
	TSU156／4	白　①	カンデサルタン錠4mg「ツルハラ」(鶴原)	カンデサルタン シレキセチル	4mg 1錠	アンギオテンシンⅡ受容体拮抗剤	1184
	Tw156	白〜帯黄白	オキシブチニン塩酸塩錠1mg「トーワ」(東和薬品)	オキシブチニン塩酸塩	1mg 1錠	排尿障害治療剤・原発性手掌多汗症治療剤	960
	YD156 テルミサルタンYD80	白〜微黄①	テルミサルタン錠80mg「YD」(陽進堂)	テルミサルタン	80mg 1錠	持続性AT₁受容体遮断剤	2372

番号	識別コード	色 (①:割線有)	商品名(会社名)	一般名	規格単位	薬効	掲載 ページ
156	⑮156	薄紅　①	ロキソプロフェンNa錠60mg「あすか」(あすか/武田薬品)	ロキソプロフェンナトリウム水和物	60mg 1錠	プロピオン酸系消炎鎮痛剤	4473
157	NF157	帯黄白　①	ペミラストン錠10mg(アルフレッサファーマ)	ペミロラストカリウム	10mg 1錠	アレルギー性疾患治療剤	3564
	NPI157	淡黄赤	オロパタジン塩酸塩錠2.5mg「NPI」(日本薬品工業)	オロパタジン塩酸塩	2.5mg 1錠	アレルギー性疾患治療剤	1037
	NS157／5	白	ドネペジル塩酸塩OD錠5mg「日新」(日新)	ドネペジル, -塩酸塩	5mg 1錠	アルツハイマー型, レビー小体型認知症治療剤	2426
	SANKYO157	極薄紅　①	ロキソニン錠60mg(第一三共)	ロキソプロフェンナトリウム水和物	60mg 1錠	プロピオン酸系消炎鎮痛剤	4473
	SW157	桃	センノシド錠12mg「サワイ」(沢井)	センノシド	12mg 1錠	緩下剤	1923
	TF50 TTS-157	黄	フルボキサミンマレイン酸塩錠50mg「タカタ」(高田)	フルボキサミンマレイン酸塩	50mg 1錠	選択的セロトニン再取り込み阻害剤(SSRI)	3337
	TSU157／8	極薄橙　①	カンデサルタン錠8mg「ツルハラ」(鶴原)	カンデサルタン シレキセチル	8mg 1錠	アンギオテンシンⅡ受容体拮抗剤	1184
	TU157	黄	ジクロフェナクNa錠25mg「TCK」(辰巳化学/日本ジェネリック)	ジクロフェナクナトリウム	25mg 1錠	フェニル酢酸系消炎鎮痛剤	1579
	TZ157	白	メチルエルゴメトリン錠0.125mg「あすか」(あすか/武田薬品)	メチルエルゴメトリンマレイン酸塩	0.125mg 1錠	子宮収縮止血剤	3924
	YD157／5	薄赤	モンテルカストチュアブル錠5mg「YD」(陽進堂)	モンテルカストナトリウム	5mg 1錠	ロイコトリエン受容体拮抗剤	4043
	△157	薄橙みの黄	ロゼレム錠8mg(武田薬品)	ラメルテオン	8mg 1錠	メラトニン受容体アゴニスト	4138
	↗157	薄黄みの赤	イリボーOD錠5μg(アステラス)	ラモセトロン塩酸塩〔下痢型過敏性腸症候群治療剤〕	5μg 1錠	下痢型過敏性腸症候群治療剤	4140
158	NPI158／5	淡黄赤　①	オロパタジン塩酸塩錠5mg「NPI」(日本薬品工業)	オロパタジン塩酸塩	5mg 1錠	アレルギー性疾患治療剤	1037
	NS158／10	淡赤	ドネペジル塩酸塩OD錠10mg「日新」(日新)	ドネペジル, -塩酸塩	10mg 1錠	アルツハイマー型, レビー小体型認知症治療剤	2426
	TF75 TTS-158	黄	フルボキサミンマレイン酸塩錠75mg「タカタ」(高田)	フルボキサミンマレイン酸塩	75mg 1錠	選択的セロトニン再取り込み阻害剤(SSRI)	3337
	TSU158／12	薄橙　①	カンデサルタン錠12mg「ツルハラ」(鶴原)	カンデサルタン シレキセチル	12mg 1錠	アンギオテンシンⅡ受容体拮抗剤	1184
	Tw158／2.5	白	ニコランジル錠2.5mg「トーワ」(東和薬品)	ニコランジル	2.5mg 1錠	狭心症・急性心不全治療剤	2635
	n158／10 n158 10 n158	白	イフェンプロジル酒石酸塩錠10mg「日医工」(日医工ファーマ/日医工)	イフェンプロジル酒石酸塩	10mg 1錠	鎮うん剤	473
159	SW159	橙	チメピジウム臭化物錠30mg「サワイ」(沢井)	チメピジウム臭化物水和物	30mg 1錠	鎮痙四級アンモニウム塩	2170
	TP159 TP-159	白	メコバラミン錠500μg「NP」(ニプロ)	メコバラミン	0.5mg 1錠	補酵素型ビタミンB12	3907
	TZ／159 TZ159	白	リトドリン塩酸塩錠5mg「あすか」(あすか/武田薬品)	リトドリン塩酸塩	5mg 1錠	切迫流・早産治療β2-刺激剤	4236
160	1KL160／1 SN-1	白　①	ブロマゼパム錠1mg「サンド」(サンド)	ブロマゼパム	1mg 1錠	ベンゾジアゼピン系精神神経用剤	3449
	2KL160／2 SN-2	白　①	ブロマゼパム錠2mg「サンド」(サンド/日本ジェネリック)	ブロマゼパム	2mg 1錠	ベンゾジアゼピン系精神神経用剤	3449
	3KL160 SN-3	白	ブロマゼパム錠3mg「サンド」(サンド)	ブロマゼパム	3mg 1錠	ベンゾジアゼピン系精神神経用剤	3449
	5KL160／5 SN-5	白　①	ブロマゼパム錠5mg「サンド」(サンド/日本ジェネリック)	ブロマゼパム	5mg 1錠	ベンゾジアゼピン系精神神経用剤	3449
	CAV160	明るい灰み黄赤	トルカプ錠160mg(アストラゼネカ)	カピバセルチブ	160mg 1錠	抗悪性腫瘍剤(AKT阻害剤)	1078
	JG75／160	白　①	バルサルタン錠160mg「JG」(日本ジェネリック)	バルサルタン	160mg 1錠	選択的AT₁受容体遮断剤	2840
	KP160 KP-160	白	コレキサミン錠200mg(杏林)	ニコモール	200mg 1錠	脂質代謝・末梢血行改善剤	2634
	MeP08／160	白　①	バルサルタン錠160mg「Me」(Meファルマ)	バルサルタン	160mg 1錠	選択的AT₁受容体遮断剤	2840
	NP160 1 NP-160	白	ピタバスタチンCa錠1mg「NP」(ニプロ)	ピタバスタチンカルシウム水和物	1mg 1錠	HMG-CoA還元酵素阻害剤	2948
	NS233／160	白　①	バルサルタン錠160mg「日新」(日新)	バルサルタン	160mg 1錠	選択的AT₁受容体遮断剤	2840
	SW V160／160	白　①	バルサルタン錠160mg「サワイ」(沢井)	バルサルタン	160mg 1錠	選択的AT₁受容体遮断剤	2840
	TSU557／160	白　①	バルサルタン錠160mg「ツルハラ」(鶴原)	バルサルタン	160mg 1錠	選択的AT₁受容体遮断剤	2840
	Tw V17／160 Tw.V17	白　①	バルサルタン錠160mg「トーワ」(東和薬品)	バルサルタン	160mg 1錠	選択的AT₁受容体遮断剤	2840
	Tw160／5	白	アレンドロン酸錠5mg「トーワ」(東和薬品)	アレンドロン酸ナトリウム水和物	5mg 1錠	骨粗鬆症治療剤	349
	VL160	白　①	バルサルタン錠160mg「サンド」(サンド)	バルサルタン	160mg 1錠	選択的AT₁受容体遮断剤	2840

番号	識別コード	色 (Ⓘ：割線有)	商品名(会社名)	一般名	規格単位	薬効	掲載 ページ
160	Ⓩ160	微黄赤	ラリキシンドライシロップ小児用10％ (富士フイルム富山化学)	セファレキシン	100mg 1g	セファロスポリン系抗生物質	1830
	ⓀⓞⓌⓞ160	白	アデホスコーワ腸溶錠60 (興和)	アデノシン三リン酸ニナトリウム水和物	60mg 1錠	代謝賦活・抗めまい剤	114
	𝑛353／160 𝑛353 160 ⓝ353	白 Ⓘ	バルサルタン錠160mg「日医工」(日医工)	バルサルタン	160mg 1錠	選択的AT₁受容体遮断剤	2840
	△IGM150-50-160 △・IGM150-50-160	緑透明／無透明	エナジア吸入用カプセル高用量(ノバルティス)	インダカテロール酢酸塩・グリコピロニウム臭化物・モメタゾンフランカルボン酸エステル	1カプセル	3成分配合喘息治療剤	593
	◇IM150-160 ◇・IM150-160	無透明	アテキュラ吸入用カプセル中用量(ノバルティス)	インダカテロール酢酸塩・モメタゾンフランカルボン酸エステル	1カプセル	喘息治療配合剤	596
	バルサル「アメル」 160	白～帯黄白 Ⓘ	バルサルタン錠160mg「アメル」(共和薬品)	バルサルタン	160mg 1錠	選択的AT₁受容体遮断剤	2840
	バルサルタン160 DSEP	白 Ⓘ	バルサルタン錠160mg「DSEP」(第一三共エスファ)	バルサルタン	160mg 1錠	選択的AT₁受容体遮断剤	2840
	バルサルタン160 FFP	白 Ⓘ	バルサルタン錠160mg「FFP」(共創未来)	バルサルタン	160mg 1錠	選択的AT₁受容体遮断剤	2840
	バルサルタン160 杏林	白 Ⓘ	バルサルタン錠160mg「杏林」(キョーリンリメディオ／杏林)	バルサルタン	160mg 1錠	選択的AT₁受容体遮断剤	2840
	バルサルタン160 オーハラ	白 Ⓘ	バルサルタン錠160mg「オーハラ」(大原薬品／エッセンシャル)	バルサルタン	160mg 1錠	選択的AT₁受容体遮断剤	2840
	バルサルタン160 ケミファ	白 Ⓘ	バルサルタン錠160mg「ケミファ」(日本ケミファ／日本薬品工業)	バルサルタン	160mg 1錠	選択的AT₁受容体遮断剤	2840
	バルサルタン BMD160 BMD56	白 Ⓘ	バルサルタン錠160mg「BMD」(ビオメディクス)	バルサルタン	160mg 1錠	選択的AT₁受容体遮断剤	2840
	バルサルタン OD160トーワ	白 Ⓘ	バルサルタンOD錠160mg「トーワ」(東和薬品)	バルサルタン	160mg 1錠	選択的AT₁受容体遮断剤	2840
161	5PYT TTS-161	極薄赤橙	ピレチア錠(5mg)(高田)	プロメタジン	5mg 1錠	フェノチアジン系抗ヒスタミン・抗パーキンソン剤	3454
	FF161／0.125	白	プラミペキソール塩酸塩錠0.125mg「FFP」(共創未来)	プラミペキソール塩酸塩水和物	0.125mg 1錠	ドパミン作動性抗パーキンソン剤，レストレスレッグス症候群治療剤	3258
	KRM161／30	薄橙	フェキソフェナジン塩酸塩錠30mg「杏林」(キョーリンリメディオ／杏林)	フェキソフェナジン塩酸塩	30mg 1錠	アレルギー性疾患治療剤	3111
	KW161／ CBZ100	白～微黄白	カルバマゼピン錠100mg「アメル」(共和薬品)	カルバマゼピン	100mg 1錠	向精神作用性てんかん・躁状態治療剤	1150
	NP161／2 NP-161	極薄黄赤 Ⓘ	ピタバスタチンCa錠2mg「NP」(ニプロ)	ピタバスタチンカルシウム水和物	2mg 1錠	HMG-CoA還元酵素阻害剤	2948
	NS161／3	黄	ドネペジル塩酸塩錠3mg「日新」(日新)	ドネペジル，-塩酸塩	3mg 1錠	アルツハイマー型，レビー小体型認知症治療剤	2426
	SW161	白	アフロクアロン錠20mg「サワイ」(沢井)	アフロクアロン	20mg 1錠	筋緊張性疾患治療剤	202
	Tw161／5	白 Ⓘ	リシノプリル錠5mg「トーワ」(東和薬品)	リシノプリル水和物	5mg 1錠	ACE阻害剤	4193
	YD161	白	イフェンプロジル酒石酸塩錠10mg「YD」(陽進堂／日本ジェネリック)	イフェンプロジル酒石酸塩	10mg 1錠	鎮うん剤	473
	Ⓩ161	淡橙	ラリキシンドライシロップ小児用20％(富士フイルム富山化学)	セファレキシン	200mg 1g	セファロスポリン系抗生物質	1830
	𝑛161／20 𝑛161 20 ⓝ161	白	イフェンプロジル酒石酸塩錠20mg「日医工」(日医工ファーマ／日医工)	イフェンプロジル酒石酸塩	20mg 1錠	鎮うん剤	473
162	25PYT TTS-162	薄赤橙	ピレチア錠(25mg)(高田)	プロメタジン	25mg 1錠	フェノチアジン系抗ヒスタミン・抗パーキンソン剤	3454
	FF162／0.5	白 Ⓘ	プラミペキソール塩酸塩錠0.5mg「FFP」(共創未来)	プラミペキソール塩酸塩水和物	0.5mg 1錠	ドパミン作動性抗パーキンソン剤，レストレスレッグス症候群治療剤	3258
	KRM162／60	薄橙	フェキソフェナジン塩酸塩錠60mg「杏林」(キョーリンリメディオ／杏林)	フェキソフェナジン塩酸塩	60mg 1錠	アレルギー性疾患治療剤	3111
	KW162／ CBZ200	白～微黄白	カルバマゼピン錠200mg「アメル」(共和薬品)	カルバマゼピン	200mg 1錠	向精神作用性てんかん・躁状態治療剤	1150
	NP162／4 NP-162	極薄黄赤	ピタバスタチンCa錠4mg「NP」(ニプロ)	ピタバスタチンカルシウム水和物	4mg 1錠	HMG-CoA還元酵素阻害剤	2948
	NS162／5	白	ドネペジル塩酸塩錠5mg「日新」(日新)	ドネペジル，-塩酸塩	5mg 1錠	アルツハイマー型，レビー小体型認知症治療剤	2426
	Tw162／35	白	アレンドロン酸錠35mg「トーワ」(東和薬品)	アレンドロン酸ナトリウム水和物	35mg 1錠	骨粗鬆症治療剤	349
	t t162[5mg]	白	ニトラゼパム錠5mg「NIG」(日医工岐阜／日医工／武田薬品)	ニトラゼパム	5mg 1錠	ベンゾジアゼピン系催眠剤	2641
	Ⓩ162	淡黄赤	ラリキシン錠250mg(富士フイルム富山化学)	セファレキシン	250mg 1錠	セファロスポリン系抗生物質	1830

番号	識別コード	色 (①:割線有)	商品名(会社名)	一般名	規格単位	薬効	掲載ページ
163	50 PH163	白	アマンタジン塩酸塩錠50mg「杏林」 (キョーリンリメディオ／杏林)	アマンタジン塩酸塩	50mg 1錠	精神活動改善剤・抗パーキンソン剤・抗A型インフルエンザウイルス剤	219
	NS163／10	赤橙	ドネペジル塩酸塩錠10mg「日新」(日新)	ドネペジル, -塩酸塩	10mg 1錠	アルツハイマー型, レビー小体型認知症治療剤	2426
	Tw163／12.5	白	ヒドロクロロチアジド錠12.5mg「トーワ」(東和薬品)	ヒドロクロロチアジド	12.5mg 1錠	チアジド系降圧利尿剤	2982
	アリピプラゾール／3日医工 アリピプラゾール3日医工 ⓝ163	青	アリピプラゾール錠3mg「日医工」(日医工)	アリピプラゾール	3mg 1錠	抗精神病薬	289
164	100 PH164	白	アマンタジン塩酸塩錠100mg「杏林」 (キョーリンリメディオ／杏林)	アマンタジン塩酸塩	100mg 1錠	精神活動改善剤・抗パーキンソン剤・抗A型インフルエンザウイルス剤	219
	FF164／3	黄	ドネペジル塩酸塩OD錠3mg「FFP」(共創未来)	ドネペジル, -塩酸塩	3mg 1錠	アルツハイマー型, レビー小体型認知症治療剤	2426
	RU／164D RU164D	白	ルリッド錠150 (サノフィ)	ロキシスロマイシン	150mg 1錠	酸安定性マクロライド系抗生物質	4472
	Tw164／25	白	ヒドロクロロチアジド錠25mg「トーワ」(東和薬品)	ヒドロクロロチアジド	25mg 1錠	チアジド系降圧利尿剤	2982
	アリピプラゾール／6日医工 アリピプラゾール6日医工 ⓝ164	白 ①	アリピプラゾール錠6mg「日医工」(日医工)	アリピプラゾール	6mg 1錠	抗精神病薬	289
165	FF165／5	白	ドネペジル塩酸塩OD錠5mg「FFP」(共創未来)	ドネペジル, -塩酸塩	5mg 1錠	アルツハイマー型, レビー小体型認知症治療剤	2426
	KRM165／2	白〜帯黄白	カンデサルタン錠2mg「杏林」(キョーリンリメディオ／杏林)	カンデサルタン シレキセチル	2mg 1錠	アンギオテンシンⅡ受容体拮抗剤	1184
	NP165／2.5 NP-165	帯赤黄	レトロゾール錠2.5mg「ニプロ」(ニプロ)	レトロゾール	2.5mg 1錠	アロマターゼ阻害剤	4372
	NS165	白〜微帯黄白	チアプリド錠50mg「日新」(日新)	チアプリド塩酸塩	50mg 1錠	ベンザミド系精神・ジスキネジア改善剤	2133
	Tw165／1	白	トリクロルメチアジド錠1mg「トーワ」(東和薬品)	トリクロルメチアジド	1mg 1錠	チアジド系降圧利尿剤	2519
	アリピプラゾール／12日医工 アリピプラゾール12日医工 ⓝ165	黄 ①	アリピプラゾール錠12mg「日医工」(日医工)	アリピプラゾール	12mg 1錠	抗精神病薬	289
	チオラ100 MH165	白	チオラ錠100 (ヴィアトリス)	チオプロニン	100mg 1錠	代謝改善解毒剤・システィン尿症治療剤	2149
166	FF166／10	淡赤	ドネペジル塩酸塩OD錠10mg「FFP」(共創未来)	ドネペジル, -塩酸塩	10mg 1錠	アルツハイマー型, レビー小体型認知症治療剤	2426
	KRM166／4	白〜帯黄白①	カンデサルタン錠4mg「杏林」(キョーリンリメディオ／杏林)	カンデサルタン シレキセチル	4mg 1錠	アンギオテンシンⅡ受容体拮抗剤	1184
167	KRM167／8	極薄橙	カンデサルタン錠8mg「杏林」(キョーリンリメディオ／杏林)	カンデサルタン シレキセチル	8mg 1錠	アンギオテンシンⅡ受容体拮抗剤	1184
	アリピプラゾールOD／3日医工 アリピプラゾールOD3日医工 ⓝ167	白	アリピプラゾールOD錠3mg「日医工」(日医工)	アリピプラゾール	3mg 1錠	抗精神病薬	289
168	CCX168	白〜淡黄	タブネオスカプセル10mg (キッセイ)	アバコパン	10mg 1カプセル	選択的C5a受容体拮抗薬	157
	KRM168／12	薄橙 ①	カンデサルタン錠12mg「杏林」(キョーリンリメディオ／杏林)	カンデサルタン シレキセチル	12mg 1錠	アンギオテンシンⅡ受容体拮抗剤	1184
	KW168	微黄赤	クアゼパム錠15mg「アメル」(共和薬品)	クアゼパム	15mg 1錠	ベンゾジアゼピン系睡眠障害改善剤	1218
	YD168	白	チクロピジン塩酸塩錠100mg「YD」(陽進堂／共創未来)	チクロピジン塩酸塩	100mg 1錠	抗血小板剤	2159
	アリピプラゾールOD／6日医工 アリピプラゾールOD6日医工 ⓝ168	白	アリピプラゾールOD錠6mg「日医工」(日医工)	アリピプラゾール	6mg 1錠	抗精神病薬	289
169	KW169	淡黄赤	クアゼパム錠20mg「アメル」(共和薬品)	クアゼパム	20mg 1錠	ベンゾジアゼピン系睡眠障害改善剤	1218
	TO-169K	白〜微黄	スタデルムクリーム5% (鳥居薬品)	イブプロフェンピコノール	5% 1g	フェニルプロピオン酸系鎮痛・消炎剤	479
	TO-169N	白半透明	スタデルム軟膏5% (鳥居薬品)	イブプロフェンピコノール	5% 1g	フェニルプロピオン酸系鎮痛・消炎剤	479
	TZ169	白 ①	シンバスタチン錠5mg「あすか」(あすか／武田薬品)	シンバスタチン	5mg 1錠	HMG-CoA還元酵素阻害剤	1728

番号	識別コード	色 (Ⓘ:割線有)	商品名(会社名)	一般名	規格単位	薬効	掲載 ページ
169	アリピプラゾール OD12日医工 ⓝ169	白	アリピプラゾールOD錠12mg「日医工」 (日医工)	アリピプラゾール	12mg 1錠	抗精神病薬	289
170	SW170	白 Ⓘ	ウルソデオキシコール酸錠100mg「サワイ」(沢井)	ウルソデオキシコール酸	100mg 1錠	肝・胆・消化機能改善剤	659
	Tw170	淡橙 Ⓘ	クアゼパム錠20mg「トーワ」(東和薬品)	クアゼパム	20mg 1錠	ベンゾジアゼピン系睡眠障害改善剤	1218
	アリピプラゾール OD24日医工 ⓝ170	白	アリピプラゾールOD錠24mg「日医工」 (日医工)	アリピプラゾール	24mg 1錠	抗精神病薬	289
171	FF171	白 Ⓘ	ロラタジン錠10mg「FFP」(共創未来)	ロラタジン	10mg 1錠	持続性選択H1-受容体拮抗・アレルギー治療剤	4545
	KRM171/2.5	白	モサプリドクエン酸塩錠2.5mg「杏林」(キョーリンリメディオ/杏林)	モサプリドクエン酸塩水和物	2.5mg 1錠	消化管運動促進剤	4014
	KW171/0.25	白	アルファカルシドール錠0.25μg「アメル」(共和薬品)	アルファカルシドール	0.25μg 1錠	活性型ビタミンD3	317
	NF171	白〜淡黄	プランルカスト錠112.5mg「AFP」(アルフレッサファーマ)	プランルカスト水和物	112.5mg 1錠	ロイコトリエン受容体拮抗剤	3268
	PH171/2.5	白	イミダプリル塩酸塩錠2.5mg「PH」(キョーリンリメディオ/杏林)	イミダプリル塩酸塩	2.5mg 1錠	ACE阻害剤	504
	Tu171	白	ピタバスタチンCa錠1mg「TCK」(辰巳化学)	ピタバスタチンカルシウム水和物	1mg 1錠	HMG-CoA還元酵素阻害剤	2948
	Ｐ171/25	白 Ⓘ	アレビアチン錠25mg(住友ファーマ)	フェニトイン	25mg 1錠	ヒダントイン系抗てんかん剤	3120
172	FF172	白	ロラタジンOD錠10mg「FFP」(共創未来)	ロラタジン	10mg 1錠	持続性選択H1-受容体拮抗・アレルギー治療剤	4545
	KRM172/5	白 Ⓘ	モサプリドクエン酸塩錠5mg「杏林」(キョーリンリメディオ/杏林)	モサプリドクエン酸塩水和物	5mg 1錠	消化管運動促進剤	4014
	KW172/0.5	白	アルファカルシドール錠0.5μg「アメル」(共和薬品)	アルファカルシドール	0.5μg 1錠	活性型ビタミンD3	317
	NF172	白〜淡黄	プランルカスト錠225mg「AFP」(アルフレッサファーマ)	プランルカスト水和物	225mg 1錠	ロイコトリエン受容体拮抗剤	3268
	PH172/5	白 Ⓘ	イミダプリル塩酸塩錠5mg「PH」(キョーリンリメディオ/杏林)	イミダプリル塩酸塩	5mg 1錠	ACE阻害剤	504
	TG172/10	白	プロピベリン塩酸塩錠10mg「タナベ」(ニプロES)	プロピベリン塩酸塩	10mg 1錠	排尿抑制ベンジル酸誘導体	3433
	TG172/10	白	プロピベリン塩酸塩錠10mg「ニプロ」(ニプロES)	プロピベリン塩酸塩	10mg 1錠	排尿抑制ベンジル酸誘導体	3433
	TTS172 TTS-172	淡黄白	メロキシカム錠5mg「タカタ」(高田)	メロキシカム	5mg 1錠	非ステロイド性消炎鎮痛剤	4000
	TU172/2	極薄黄赤 Ⓘ	ピタバスタチンCa錠2mg「TCK」(辰巳化学)	ピタバスタチンカルシウム水和物	2mg 1錠	HMG-CoA還元酵素阻害剤	2948
	Tw172/0.2	帯黄白	ボグリボースOD錠0.2mg「トーワ」(東和薬品/共創未来)	ボグリボース	0.2mg 1錠	α-グルコシダーゼ阻害・食後過血糖改善剤	3668
	Ｐ172	白 Ⓘ	アレビアチン錠100mg(住友ファーマ)	フェニトイン	100mg 1錠	ヒダントイン系抗てんかん剤	3120
173	KW173/1.0	白	アルファカルシドール錠1.0μg「アメル」(共和薬品)	アルファカルシドール	1μg 1錠	活性型ビタミンD3	317
	NS173/0125	淡紫	トリアゾラム錠0.125mg「日新」(日新)	トリアゾラム	0.125mg 1錠	ベンゾジアゼピン系睡眠導入剤	2507
	PH173/10	白 Ⓘ	イミダプリル塩酸塩錠10mg「PH」(キョーリンリメディオ/杏林)	イミダプリル塩酸塩	10mg 1錠	ACE阻害剤	504
	TG173/20	白	プロピベリン塩酸塩錠20mg「タナベ」(ニプロES)	プロピベリン塩酸塩	20mg 1錠	排尿抑制ベンジル酸誘導体	3433
	TG173/20	白	プロピベリン塩酸塩錠20mg「ニプロ」(ニプロES)	プロピベリン塩酸塩	20mg 1錠	排尿抑制ベンジル酸誘導体	3433
	TTS173 TTS-173	淡黄白 Ⓘ	メロキシカム錠10mg「タカタ」(高田)	メロキシカム	10mg 1錠	非ステロイド性消炎鎮痛剤	4000
	TU173/4	淡赤	ピタバスタチンCa錠4mg「TCK」(辰巳化学)	ピタバスタチンカルシウム水和物	4mg 1錠	HMG-CoA還元酵素阻害剤	2948
	Tw173/0.3	微黄	ボグリボースOD錠0.3mg「トーワ」(東和薬品/共創未来)	ボグリボース	0.3mg 1錠	α-グルコシダーゼ阻害・食後過血糖改善剤	3668
174	SW174	白	クロルフェネシンカルバミン酸エステル錠125mg「サワイ」(沢井)	クロルフェネシンカルバミン酸エステル	125mg 1錠	筋緊張性疼痛疾患治療剤	1379
	TU174/25	白	セルトラリン錠25mg「TCK」(辰巳化学/フェルゼン)	セルトラリン塩酸塩	25mg 1錠	選択的セロトニン再取り込み阻害剤(SSRI)	1894
	Tw174	白	L-アスパラギン酸Ca錠200mg「トーワ」(東和薬品)	L-アスパラギン酸カルシウム水和物	200mg 1錠	カルシウム剤	1129
	YD174/8	淡黄白	アゼルニジピン錠8mg「YD」(陽進堂)	アゼルニジピン	8mg 1錠	持続性Ca拮抗剤	90
	Ｐ174/5	白	エバステル錠5mg(住友ファーマ)	エバスチン	5mg 1錠	持続性選択H1-受容体拮抗剤	778
	ⓝ174 ⓝ174	淡橙 Ⓘ	ゾルピデム酒石酸塩錠5mg「日医工」(日医工)	ゾルピデム酒石酸塩	5mg 1錠	入眠剤	1973
175	KRM175/4	淡赤 Ⓘ	ピタバスタチンCa錠4mg「杏林」(キョーリンリメディオ/杏林)	ピタバスタチンカルシウム水和物	4mg 1錠	HMG-CoA還元酵素阻害剤	2948

番号	識別コード	色 (Ⓘ:割線有)	商品名(会社名)	一般名	規格単位	薬効	掲載 ページ
175	MH175	帯黄白	シクロスポリンカプセル10mg「VTRS」(ヴィアトリス・ヘルスケア/ヴィアトリス)	シクロスポリン	10mg 1カプセル	免疫抑制剤	1570
	NP175／30 NP-175	薄橙	フェキソフェナジン塩酸塩錠30mg「NP」(ニプロ)	フェキソフェナジン塩酸塩	30mg 1錠	アレルギー性疾患治療剤	3111
	NS175／100	薄黄	クエチアピン錠100mg「日新」(日新/共創未来)	クエチアピンフマル酸塩	100mg 1錠	抗精神病, D_2・5-HT_2拮抗剤	1225
	SJ175	淡黄	ローコール錠10mg(サンファーマ)	フルバスタチンナトリウム	10mg 1錠	HMG-CoA還元酵素阻害剤	3330
	SW175	白	クロルフェネシンカルバミン酸エステル錠250mg「サワイ」(沢井)	クロルフェネシンカルバミン酸エステル	250mg 1錠	筋緊張性疼痛疾患治療剤	1379
	TU175／50	白	セルトラリン錠50mg「TCK」(辰巳化学/フェルゼン)	セルトラリン塩酸塩	50mg 1錠	選択的セロトニン再取り込み阻害剤(SSRI)	1894
	YD175／16	淡黄白 Ⓘ	アゼルニジピン錠16mg「YD」(陽進堂)	アゼルニジピン	16mg 1錠	持続性Ca拮抗剤	90
	P175／10	白 Ⓘ	エバステル錠10mg(住友ファーマ/Meiji Seika)	エバスチン	10mg 1錠	持続性選択H_1-受容体拮抗剤	778
	n175 Ⓝ175	淡橙 Ⓘ	ゾルピデム酒石酸塩錠10mg「日医工」(日医工)	ゾルピデム酒石酸塩	10mg 1錠	入眠剤	1973
176	KRM176／25	白	ナフトピジルOD錠25mg「杏林」(キョーリンリメディオ/杏林)	ナフトピジル	25mg 1錠	排尿障害治療剤	2614
	NS176／200	白	クエチアピン錠200mg「日新」(日新/共創未来)	クエチアピンフマル酸塩	200mg 1錠	抗精神病, D_2・5-HT_2拮抗剤	1225
	SJ176	淡黄	ローコール20mg(サンファーマ)	フルバスタチンナトリウム	20mg 1錠	HMG-CoA還元酵素阻害剤	3330
	TTS176／1 TTS-176	白 Ⓘ	リスペリドン錠1mg「タカタ」(高田)	リスペリドン	1mg 1錠	抗精神病, D_2・5-HT_2拮抗剤	4201
	YD176／0.125	白	プラミペキソール塩酸塩錠0.125mg「YD」(陽進堂)	プラミペキソール塩酸塩水和物	0.125mg 1錠	ドパミン作動性パーキンソン剤, レストレスレッグス症候群治療剤	3258
	n176／10 n176 10 Ⓝ176	白 Ⓘ	ロラタジン錠10mg「日医工」(日医工)	ロラタジン	10mg 1錠	持続性選択H_1-受容体拮抗・アレルギー治療剤	4545
177	KRM177／50	白 Ⓘ	ナフトピジルOD錠50mg「杏林」(キョーリンリメディオ/杏林)	ナフトピジル	50mg 1錠	排尿障害治療剤	2614
	KW177	薄紅 Ⓘ	カルコーパ配合錠L100(共和薬品)	レボドパ・カルビドパ水和物	1錠	パーキンソニズム治療剤	4415
	MH177	淡黄	シクロスポリンカプセル25mg「VTRS」(ヴィアトリス・ヘルスケア/サンファーマ/ヴィアトリス)	シクロスポリン	25mg 1カプセル	免疫抑制剤	1570
	NP177／60 NP-177	薄橙	フェキソフェナジン塩酸塩錠60mg「NP」(ニプロ)	フェキソフェナジン塩酸塩	60mg 1錠	アレルギー性疾患治療剤	3111
	SJ177	淡黄	ローコール錠30mg(サンファーマ)	フルバスタチンナトリウム	30mg 1錠	HMG-CoA還元酵素阻害剤	3330
	SW177	白〜帯黄白	ドンペリドン錠10mg「サワイ」(沢井)	ドンペリドン	10mg 1錠	消化管運動改善剤	2599
	TTS177／2 TTS-177	白	リスペリドン錠2mg「タカタ」(高田)	リスペリドン	2mg 1錠	抗精神病, D_2・5-HT_2拮抗剤	4201
	TU177／100	白	セルトラリン錠100mg「TCK」(辰巳化学)	セルトラリン塩酸塩	100mg 1錠	選択的セロトニン再取り込み阻害剤(SSRI)	1894
	Tw177	白〜淡黄白 Ⓘ	テルビナフィン錠125mg「トーワ」(東和薬品)	テルビナフィン塩酸塩	125mg 1錠	アリルアミン系抗真菌剤	2367
	YD177／0.5	白 Ⓘ	プラミペキソール塩酸塩錠0.5mg「YD」(陽進堂)	プラミペキソール塩酸塩水和物	0.5mg 1錠	ドパミン作動性パーキンソン剤, レストレスレッグス症候群治療剤	3258
	n177／10 n177 10 Ⓝ177	白	ロラタジンOD錠10mg「日医工」(日医工)	ロラタジン	10mg 1錠	持続性選択H_1-受容体拮抗・アレルギー治療剤	4545
	P177／5	薄紅	エバステルOD錠5mg(住友ファーマ/Meiji Seika)	エバスチン	5mg 1錠	持続性選択H_1-受容体拮抗剤	778
178	KRM178／75	白 Ⓘ	ナフトピジルOD錠75mg「杏林」(キョーリンリメディオ/杏林)	ナフトピジル	75mg 1錠	排尿障害治療剤	2614
	MH178	帯黄白	シクロスポリンカプセル50mg「VTRS」(ヴィアトリス・ヘルスケア/サンファーマ/ヴィアトリス)	シクロスポリン	50mg 1カプセル	免疫抑制剤	1570
	TTS178／3 TTS-178	白	リスペリドン錠3mg「タカタ」(高田)	リスペリドン	3mg 1錠	抗精神病, D_2・5-HT_2拮抗剤	4201
	P178／10	白 Ⓘ	エバステルOD錠10mg(住友ファーマ/Meiji Seika)	エバスチン	10mg 1錠	持続性選択H_1-受容体拮抗剤	778
179	NS179／25	薄黄みの赤	クエチアピン錠25mg「日新」(日新/共創未来)	クエチアピンフマル酸塩	25mg 1錠	抗精神病, D_2・5-HT_2拮抗剤	1225
180	FF180／25	白 Ⓘ	ロサルタンカリウム錠25mg「FFP」(共創未来)	ロサルタンカリウム	25mg 1錠	アンギオテンシンⅡ受容体拮抗剤	4481
	KW180	薄紅 Ⓘ	カルコーパ配合錠L250(共和薬品)	レボドパ・カルビドパ水和物	1錠	パーキンソニズム治療剤	4415
	SW180	白	オメプラゾール錠20「SW」(メディサ/沢井)	オメプラゾール	20mg 1錠	プロトンポンプインヒビター	1010

100
-
199

番号	識別コード	色 (①:割線有)	商品名(会社名)	一般名	規格単位	薬効	掲載 ページ
180	Tw180／10	白	一硝酸イソソルビド錠10mg「トーワ」(東和薬品)	一硝酸イソソルビド	10mg 1錠	冠動脈拡張剤	1698
	YDナルフラフィン 2.5 YD180	淡黄白	ナルフラフィン塩酸塩カプセル2.5μg「YD」(陽進堂)	ナルフラフィン塩酸塩	2.5μg 1カプセル	経口瘙痒症改善剤	2622
	n180／5 n180	淡橙 ①	ゾルピデム酒石酸塩OD錠5mg「日医工」(日医工)	ゾルピデム酒石酸塩	5mg 1錠	入眠剤	1973
	漢：EK-180	褐	三和桂芍知母湯エキス細粒(三和生薬／クラシエ薬品)	桂芍知母湯	1g	漢方製剤	4587
181	FF181／50	白 ①	ロサルタンカリウム錠50mg「FFP」(共創未来)	ロサルタンカリウム	50mg 1錠	アンギオテンシンⅡ受容体拮抗剤	4481
	SW181	白	オメプラゾール錠10「SW」(メディサ／沢井)	オメプラゾール	10mg 1錠	プロトンポンプインヒビター	1010
	n181／10 n181	淡橙 ①	ゾルピデム酒石酸塩OD錠10mg「日医工」(日医工)	ゾルピデム酒石酸塩	10mg 1錠	入眠剤	1973
	デュロキセチン20mg YD YD181	淡赤白／微黄白	デュロキセチンカプセル20mg「YD」(陽進堂)	デュロキセチン塩酸塩	20mg 1カプセル	セロトニン・ノルアドレナリン再取り込み阻害剤(SNRI)	2348
182	FF182／100	白	ロサルタンカリウム錠100mg「FFP」(共創未来)	ロサルタンカリウム	100mg 1錠	アンギオテンシンⅡ受容体拮抗剤	4481
	TSU182	淡赤	トリクロルメチアジド錠2mg「ツルハラ」(鶴原)	トリクロルメチアジド	2mg 1錠	チアジド系降圧利尿剤	2519
	オルメサルタン OD／10日医工 n182 オルメサルタン OD10日医工	白～微黄白①	オルメサルタンOD錠10mg「日医工」(日医工)	オルメサルタン メドキソミル	10mg 1錠	高親和性AT$_1$レセプターブロッカー	1031
	デュロキセチン30mg YD YD182	淡黄白／微黄白	デュロキセチンカプセル30mg「YD」(陽進堂)	デュロキセチン塩酸塩	30mg 1カプセル	セロトニン・ノルアドレナリン再取り込み阻害剤(SNRI)	2348
	ランソプラゾール15mg SW-182 SW-182	白	ランソプラゾールカプセル15mg「サワイ」(沢井)	ランソプラゾール	15mg 1カプセル	プロトンポンプインヒビター	4168
183	MO183	白 ①	レクサプロ錠10mg(持田)	エスシタロプラムシュウ酸塩	10mg 1錠	選択的セロトニン再取り込み阻害剤(SSRI)	677
	CH183／5	白	エバスチン錠5mg「CH」(長生堂／日本ジェネリック)	エバスチン	5mg 1錠	持続性選択H$_1$-受容体拮抗剤	778
	オルメサルタン OD20日医工 n183	白～微黄白①	オルメサルタンOD錠20mg「日医工」(日医工)	オルメサルタン メドキソミル	20mg 1錠	高親和性AT$_1$レセプターブロッカー	1031
	ランソプラゾール30mg SW-183 SW-183	白	ランソプラゾールカプセル30mg「サワイ」(沢井)	ランソプラゾール	30mg 1カプセル	プロトンポンプインヒビター	4168
184	MH184	白～微黄	シクロスポリン細粒17%「VTRS」(ヴィアトリス・ヘルスケア／ヴィアトリス)	シクロスポリン	17% 1g	免疫抑制剤	1570
	MO184	白 ①	レクサプロ錠20mg(持田)	エスシタロプラムシュウ酸塩	20mg 1錠	選択的セロトニン再取り込み阻害剤(SSRI)	677
	CH184／10	白 ①	エバスチン錠10mg「CH」(長生堂／日本ジェネリック)	エバスチン	10mg 1錠	持続性選択H$_1$-受容体拮抗剤	778
	オルメサルタン OD40日医工 n184	白～微黄白①	オルメサルタンOD錠40mg「日医工」(日医工)	オルメサルタン メドキソミル	40mg 1錠	高親和性AT$_1$レセプターブロッカー	1031
	デュタステリド0.5 ZA YD YD184	淡紅	デュタステリドカプセル0.5mgZA「YD」(陽進堂)	デュタステリド	0.5mg 1カプセル	5α-還元酵素阻害薬	2332
185	YD185	無～淡黄褐 透明	オメガ-3脂肪酸エチル粒状カプセル2g「YD」(陽進堂)	オメガ-3脂肪酸エチル	2g 1包	EPA・DHA製剤	1009
186	TO-186C	白	アンテベートクリーム0.05%(鳥居薬品)	ベタメタゾン酪酸エステルプロピオン酸エステル	0.05% 1g	副腎皮質ホルモン	3507
	TO-186L	白	アンテベートローション0.05%(鳥居薬品)	ベタメタゾン酪酸エステルプロピオン酸エステル	0.05% 1g	副腎皮質ホルモン	3507
	TO-186O	白	アンテベート軟膏0.05%(鳥居薬品)	ベタメタゾン酪酸エステルプロピオン酸エステル	0.05% 1g	副腎皮質ホルモン	3507
	TZ186	白 ①	ホーリンV腟用錠1mg(あすか／武田薬品)	エストリオール	1mg 1錠	卵胞ホルモン	700
	エソメプラゾール10 YD／YD186	薄黄／灰紫	エソメプラゾールカプセル10mg「YD」(陽進堂)	エソメプラゾールマグネシウム水和物	10mg 1カプセル	プロトンポンプインヒビター	720
187	P187	白～微黄	アンペック坐剤10mg(住友ファーマ)	モルヒネ塩酸塩水和物	10mg 1個	鎮痛・鎮咳・止瀉剤	4034
	エソメプラゾール20 YD／YD187	極薄黄赤／濃青	エソメプラゾールカプセル20mg「YD」(陽進堂)	エソメプラゾールマグネシウム水和物	20mg 1カプセル	プロトンポンプインヒビター	720
	ブロナンセリン2 日医工 n187	白	ブロナンセリン錠2mg「日医工」(日医工)	ブロナンセリン	2mg 1錠	抗精神病，ドパミンD$_2$受容体・5-HT$_2$受容体遮断剤	3422
188	P188	白～微黄	アンペック坐剤20mg(住友ファーマ)	モルヒネ塩酸塩水和物	20mg 1個	鎮痛・鎮咳・止瀉剤	4034

番号	識別コード	色 (◫:割線有)	商品名(会社名)	一般名	規格単位	薬効	掲載ページ
188	ブロナンセリン4 日医工 Ⓝ188	白　◫	ブロナンセリン錠4mg「日医工」(日医工)	ブロナンセリン	4mg 1錠	抗精神病，ドパミンD2受容体・5-HT2受容体遮断剤	3422
189	P189	白〜微黄	アンペック坐剤30mg（住友ファーマ）	モルヒネ塩酸塩水和物	30mg 1個	鎮痛・鎮咳・止瀉剤	4034
	ch189／3 ch189	白	リスペリドン錠3mg「CH」(長生堂／日本ジェネリック)	リスペリドン	3mg 1錠	抗精神病，D2・5-HT2拮抗剤	4201
	ブロナンセリン8 日医工 Ⓝ189	白　◫	ブロナンセリン錠8mg「日医工」(日医工)	ブロナンセリン	8mg 1錠	抗精神病，ドパミンD2受容体・5-HT2受容体遮断剤	3422
190	FF190	淡黄半透明	ロキソプロフェンNaテープ50mg「FFP」（共創未来）	ロキソプロフェンナトリウム水和物	7cm×10cm 1枚	プロピオン酸系消炎鎮痛剤	4473
	S25 TTS-190	淡黄	ゾテピン錠25mg「タカタ」（高田）	ゾテピン	25mg 1錠	チエピン系統合失調症治療剤	1927
191	FF191	淡黄半透明	ロキソプロフェンNaテープ100mg「FFP」（共創未来）	ロキソプロフェンナトリウム水和物	10cm×14cm 1枚	プロピオン酸系消炎鎮痛剤	4473
	S50 TTS-191	淡黄	ゾテピン錠50mg「タカタ」（高田）	ゾテピン	50mg 1錠	チエピン系統合失調症治療剤	1927
	Tw191／2	淡黄	メトトレキサート錠2mg「トーワ」(東和薬品)	メトトレキサート〔抗リウマチ剤〕	2mg 1錠	抗リウマチ剤	3952
	YD191	白〜微帯黄白	炭酸ランタン顆粒分包250mg「YD」（陽進堂）	炭酸ランタン水和物	250mg 1包	高リン血症治療剤	4174
192	MH-192	褐	ネグミンシュガー軟膏（ヴィアトリス・ヘルスケア／ニプロ／ヴィアトリス）	精製白糖・ポビドンヨード	1g	褥瘡・皮膚潰瘍治療剤	2763
	S100 TTS-192	淡黄	ゾテピン錠100mg「タカタ」（高田）	ゾテピン	100mg 1錠	チエピン系統合失調症治療剤	1927
	YD192	白〜微帯黄白	炭酸ランタン顆粒分包500mg「YD」（陽進堂）	炭酸ランタン水和物	500mg 1包	高リン血症治療剤	4174
193	54 193／⚕ ⚕54 193	白　◫	ビラミューン錠200（日本ベーリンガー）	ネビラピン	200mg 1錠	抗ウイルス・HIV逆転写酵素阻害剤	2712
	YD193	白	モンテルカスト細粒4mg「YD」（陽進堂）	モンテルカストナトリウム	4mg 1包	ロイコトリエン受容体拮抗剤	4043
194	NS194／1	白	エチゾラム錠1mg「日新」(日新)	エチゾラム	1mg 1錠	チエノジアゼピン系精神安定剤	738
195	Ⅱ195	淡黄透明	バキソ軟膏0.5%（富士フイルム富山化学）	ピロキシカム	0.5% 1g	オキシカム系消炎鎮痛剤	3061
	アマルエット1番 日医工 Ⓝ195	白	アマルエット配合錠1番「日医工」(日医工)	アムロジピンベシル酸塩・アトルバスタチンカルシウム水和物	1錠	持続性Ca拮抗剤・HMG-CoA還元酵素阻害剤	266
196	アマルエット2番 日医工 Ⓝ196	淡紅	アマルエット配合錠2番「日医工」(日医工)	アムロジピンベシル酸塩・アトルバスタチンカルシウム水和物	1錠	持続性Ca拮抗剤・HMG-CoA還元酵素阻害剤	266
197	HC197／200	白　◫	バレオン200mg（ヴィアトリス）	ロメフロキサシン塩酸塩	200mg 1錠	ニューキノロン系抗菌剤	4534
	アマルエット3番 日医工 Ⓝ197	微黄	アマルエット配合錠3番「日医工」(日医工)	アムロジピンベシル酸塩・アトルバスタチンカルシウム水和物	1錠	持続性Ca拮抗剤・HMG-CoA還元酵素阻害剤	266
	ウリトス0.1 KP-197	淡赤〜淡赤褐又は淡赤紫	ウリトス錠0.1mg（杏林）	イミダフェナシン	0.1mg 1錠	過活動膀胱治療剤	501
198	HC198	白	バレオンカプセル100mg（ヴィアトリス）	ロメフロキサシン塩酸塩	100mg 1カプセル	ニューキノロン系抗菌剤	4534
	アマルエット4番 日医工 Ⓝ198	白	アマルエット配合錠4番「日医工」(日医工)	アムロジピンベシル酸塩・アトルバスタチンカルシウム水和物	1錠	持続性Ca拮抗剤・HMG-CoA還元酵素阻害剤	266
199	TZ199／10	白	シンバスタチン錠10mg「あすか」(あすか／武田薬品)	シンバスタチン	10mg 1錠	HMG-CoA還元酵素阻害剤	1728
200	200QU／VLE 200QU VLE	白	クエチアピン錠200mg「VTRS」(ヴィアトリス・ヘルスケア／ヴィアトリス)	クエチアピンフマル酸塩	200mg 1錠	抗精神病，D2・5-HT2拮抗剤	1225
	200／⊕	赤	ネクサバール錠200mg（バイエル薬品）	ソラフェニブトシル酸塩	200mg 1錠	抗悪性腫瘍剤・キナーゼ阻害剤	1964
	200イルベ／ イルベサルタン200 トーワ	白〜帯黄白◫	イルベサルタン錠200mg「トーワ」(東和薬品／三和化学)	イルベサルタン	200mg 1錠	長時間作用型アンギオテンシンⅡ受容体拮抗剤	522
	200セレコキ／ セレコキシブ200 トーワ	白　◫	セレコキシブ錠200mg「トーワ」(東和薬品)	セレコキシブ	200mg 1錠	非ステロイド性消炎・鎮痛剤（シクロオキシゲナーゼ-2選択的阻害剤）	1918
	200ボリコナ／ ボリコナゾール200 トーワ	白　◫	ボリコナゾール錠200mg「トーワ」(東和薬品)	ボリコナゾール	200mg 1錠	トリアゾール系抗真菌剤	3755
	ABR200／PFE PFE ABR200	淡紅	サイバインコ錠200mg（ファイザー）	アブロシチニブ	200mg 1錠	ヤヌスキナーゼ(JAK)阻害剤	202
	CAV200	明るい灰み黄赤	トルカプ錠200mg（アストラゼネカ）	カピバセルチブ	200mg 1錠	抗悪性腫瘍剤（AKT阻害剤）	1078
	ch112／ アセトアミノフェン200JG	白　◫	アセトアミノフェン錠200mg「JG」(長生堂／日本ジェネリック)	アセトアミノフェン	200mg 1錠	アミノフェノール系解熱鎮痛剤	77

200
|
299

番号	識別コード	色 (①：割線有)	商品名(会社名)	一般名	規格単位	薬効	掲載ページ
200	CY200	白　①	テオフィリン徐放錠200mg「ツルハラ」(鶴原)	テオフィリン	200mg 1錠	キサンチン系気管支拡張剤	2195
	DS054／200	白～淡褐①	ドプスOD錠200mg（住友ファーマ）	ドロキシドパ	200mg 1錠	ノルアドレナリン作動性神経機能改善剤	2586
	DS553 200 DS553	白～帯黄白①	イルベサルタン錠200mg「DSPB」(住友プロモ／住友ファーマ)	イルベサルタン	200mg 1錠	長時間作用型アンギオテンシンⅡ受容体拮抗剤	522
	EE56 200	白	クラリスロマイシン錠200mg「EMEC」（メディサ／エルメッド／日医工）	クラリスロマイシン	200mg 1錠	マクロライド系抗生物質	1250
	ENT200	明るい黄赤	ロズリートレクカプセル200mg（中外）	エヌトレクチニブ	200mg 1カプセル	抗悪性腫瘍剤・チロシンキナーゼ阻害剤	771
	EP200	白	バルプロ酸Na錠200mg「フジナガ」（藤永／第一三共）	バルプロ酸ナトリウム	200mg 1錠	抗てんかん，躁病・躁状態，片頭痛治療剤	2858
	EZM200	赤	タズベリク錠200mg（エーザイ）	タゼメトスタット臭化水素酸塩	200mg 1錠	抗悪性腫瘍剤(EZH2阻害剤)	2018
	FF222／200	白	クエチアピン錠200mg「FFP」（共創未来）	クエチアピンフマル酸塩	200mg 1錠	抗精神病，D_2・$5\text{-}HT_2$拮抗剤	1225
	GPN200	白	ガバペン錠200mg（富士製薬）	ガバペンチン	200mg 1錠	抗てんかん剤	1072
	GSI／200 GSI200	淡褐	ジセレカ200mg（ギリアド／エーザイ）	フィルゴチニブマレイン酸塩	200mg 1錠	ヤヌスキナーゼ(JAK)阻害剤	3101
	HC197／200	白　①	バレオン錠200mg（ヴィアトリス）	ロメフロキサシン塩酸塩	200mg 1錠	ニューキノロン系抗菌剤	4534
	JG C43／200	白	クエチアピン錠200mg「JG」（日本ジェネリック）	クエチアピンフマル酸塩	200mg 1錠	抗精神病，D_2・$5\text{-}HT_2$拮抗剤	1225
	JG N63／イルベサルタン200JG	白～帯黄白①	イルベサルタン錠200mg「JG」（長生堂／日本ジェネリック）	イルベサルタン	200mg 1錠	長時間作用型アンギオテンシンⅡ受容体拮抗剤	522
	KDM／200	微黄～黄	レズロック200mg（Meiji Seika）	ベルモスジルメシル酸塩	200mg 1錠	選択的ROCK2阻害剤	3631
	KW162／CBZ200	白～微黄白①	カルバマゼピン錠200mg「アメル」（共和薬品）	カルバマゼピン	200mg 1錠	向精神神経性てんかん・躁状態治療剤	1150
	Kw221／200	橙黄	バルプロ酸ナトリウム錠200mg「アメル」（共和薬品）	バルプロ酸ナトリウム	200mg 1錠	抗てんかん，躁病・躁状態，片頭痛治療剤	2858
	Kw222／200	白	スルピリド錠200mg「アメル」（共和薬品）	スルピリド	200mg 1錠	ベンザミド系抗潰瘍・精神安定剤	1777
	KW371／200	白	炭酸リチウム錠200mg「アメル」（共和薬品）	炭酸リチウム	200mg 1錠	躁病・躁状態治療剤	4212
	KWドロキシドパ200	白	ドロキシドパカプセル200mg「アメル」（共和薬品）	ドロキシドパ	200mg 1カプセル	ノルアドレナリン作動性神経機能改善剤	2586
	M200 FJM200	白　①	メドロキシプロゲステロン酢酸エステル錠200mg「F」（富士製薬）	メドロキシプロゲステロン酢酸エステル	200mg 1錠	黄体ホルモン	3968
	M200 M／200	褐	オムジャラ錠200mg（グラクソ・スミスクライン）	モメロチニブ塩酸塩水和物	200mg 1錠	ヤヌスキナーゼ(JAK)／アクチビンA受容体1型(ACVR1)阻害剤	4026
	MF 200 ML	白～微黄 白	メフィーゴパック(ライン)	ミソプロストール・ミフェプリストン	1シート	人工妊娠中絶用製剤	3877
	MS042／クエチアピン200	白	クエチアピン錠200mg「明治」（Meiji Seika）	クエチアピンフマル酸塩	200mg 1錠	抗精神病，D_2・$5\text{-}HT_2$拮抗剤	1225
	MS061／イマチニブ200	くすんだ黄赤～濃黄赤①	イマチニブ錠200mg「明治」（Meiji Seika）	イマチニブメシル酸塩	200mg 1錠	抗悪性腫瘍剤・チロシンキナーゼ阻害剤	493
	NF200／W	白　①	マイテラーゼ錠10mg（アルフレッサファーマ）	アンベノニウム塩化物	10mg 1錠	抗コリンエステラーゼ剤	380
	NP224／イマチニブ200 NP-224	くすんだ黄赤～濃黄赤①	イマチニブ錠200mg「ニプロ」（ニプロ）	イマチニブメシル酸塩	200mg 1錠	抗悪性腫瘍剤・チロシンキナーゼ阻害剤	493
	NS176／200	白	クエチアピン錠200mg「日新」（日新／共創未来）	クエチアピンフマル酸塩	200mg 1錠	抗精神病，D_2・$5\text{-}HT_2$拮抗剤	1225
	NVR LNP200	微黄	ファビハルタカプセル200mg（ノバルティス）	イプタコパン塩酸塩水和物	200mg 1カプセル	補体B因子阻害剤	475
	Pfizer CRZ200	淡赤／白	ザーコリカプセル200mg（ファイザー）	クリゾチニブ	200mg 1カプセル	抗悪性腫瘍剤・チロシンキナーゼ阻害剤	1271
	PF／U200 PF U200	白　①	ユニフィルLA錠200mg（大塚）	テオフィリン	200mg 1錠	キサンチン系気管支拡張剤	2195
	PF／U200 ⓝ830	白	ユニコン錠200（日医工）	テオフィリン	200mg 1錠	キサンチン系気管支拡張剤	2195
	Queアメル200	白～帯黄白	クエチアピン錠200mg「アメル」（共和薬品）	クエチアピンフマル酸塩	200mg 1錠	抗精神病，D_2・$5\text{-}HT_2$拮抗剤	1225
	SEROQUEL200	白	セロクエル200mg錠(アステラス)	クエチアピンフマル酸塩	200mg 1錠	抗精神病，D_2・$5\text{-}HT_2$拮抗剤	1225
	SG-200	淡黄褐～赤褐	高砂コウジンM（高砂薬業／大杉）	コウジン	1g	漢方調剤等	4656
	Slo-bid200mg	白	テオフィリン徐放カプセル200mg「サンド」（サンド／日本ジェネリック）	テオフィリン	200mg 1カプセル	キサンチン系気管支拡張剤	2195
	SW CM200	白	クラリスロマイシン錠200mg「サワイ」（沢井）	クラリスロマイシン	200mg 1錠	マクロライド系抗生物質	1250

番号	識別コード	色 (①:割線有)	商品名(会社名)	一般名	規格単位	薬効	掲載ページ
200	SW IT／200 SW IT200	くすんだ黄赤～濃黄赤①	イマチニブ錠200mg「サワイ」(沢井)	イマチニブメシル酸塩	200mg 1錠	抗悪性腫瘍剤・チロシンキナーゼ阻害剤	493
	SW200	淡黄白	ニトレンジピン錠5mg「サワイ」(沢井)	ニトレンジピン	5mg 1錠	ジヒドロピリジン系Ca拮抗剤	2642
	SZ200	白	クエチアピン錠200mg「サンド」(サンド)	クエチアピンフマル酸塩	200mg 1錠	抗精神病，D₂・5-HT₂拮抗剤	1225
	t262 t262[200mg]	白	イブプロフェン錠200mg「NIG」(日医工岐阜／日医工／武田薬品)	イブプロフェン	200mg 1錠	フェニルプロピオン酸系解熱消炎鎮痛剤	477
	t309[200mg] t309	白　①	アセトアミノフェン錠200mg「NIG」(日医工岐阜／日医工／武田薬品)	アセトアミノフェン	200mg 1錠	アミノフェノール系解熱鎮痛剤	77
	t309 t309[200mg]	白　①	アセトアミノフェン錠200mg「武田テバ」(日医工岐阜／日医工／武田薬品)	アセトアミノフェン	200mg 1錠	アミノフェノール系解熱鎮痛剤	77
	T652 200T652	淡褐／淡黄	メタルカプターゼカプセル200mg (大正)	ペニシラミン	200mg 1カプセル	リウマチ・ウイルソン病治療・金属解毒剤	3526
	tCL[200mg] CL200	類白	セリプロロール塩酸塩錠200mg「NIG」(日医工岐阜／日医工／武田薬品)	セリプロロール塩酸塩	200mg 1錠	β-遮断剤	1893
	TG200／3	黄	ドネペジル塩酸塩錠3mg「タナベ」(ニプロES)	ドネペジル，-塩酸塩	3mg 1錠	アルツハイマー型，レビー小体型認知症治療剤	2426
	TG200／3	黄	ドネペジル塩酸塩錠3mg「ニプロ」(ニプロES)	ドネペジル，-塩酸塩	3mg 1錠	アルツハイマー型，レビー小体型認知症治療剤	2426
	THEO-DUR200	白　①	テオドール錠200mg (田辺三菱)	テオフィリン	200mg 1錠	キサンチン系気管支拡張剤	2195
	TTS200／5 TTS-200	白	メトクロプラミド錠5mg「タカタ」(高田)	メトクロプラミド	5mg 1錠	ベンザミド系消化器機能異常治療剤	3951
	TTS255／200 TTS-255	白	クエチアピン錠200mg「タカタ」(高田)	クエチアピンフマル酸塩	200mg 1錠	抗精神病，D₂・5-HT₂拮抗剤	1225
	TV VZ2／200	白	ボリコナゾール錠200mg「NIG」(日医工岐阜／日医工／武田薬品)	ボリコナゾール	200mg 1錠	トリアゾール系抗真菌剤	3755
	Tw200／1	白	アナストロゾール錠1mg「トーワ」(東和薬品)	アナストロゾール	1mg 1錠	アロマターゼ阻害・閉経後乳癌治療剤	147
	Tw545／200	くすんだ黄赤～濃黄赤①	イマチニブ錠200mg「トーワ」(東和薬品)	イマチニブメシル酸塩	200mg 1錠	抗悪性腫瘍剤・チロシンキナーゼ阻害剤	493
	Tw707／200	白	クエチアピン錠200mg「トーワ」(東和薬品)	クエチアピンフマル酸塩	200mg 1錠	抗精神病，D₂・5-HT₂拮抗剤	1225
	TZD／200	黄	シベクトロ錠200mg (MSD)	テジゾリドリン酸エステル	200mg 1錠	オキサゾリジノン系合成抗菌剤	2247
	YA822／ イマチニブ200	くすんだ黄赤～濃黄赤①	イマチニブ錠200mg「ヤクルト」(高田)	イマチニブメシル酸塩	200mg 1錠	抗悪性腫瘍剤・チロシンキナーゼ阻害剤	493
	Y／LI200 Y-LI200	白	炭酸リチウム錠200「ヨシトミ」(全星薬品工業／田辺三菱)	炭酸リチウム	200mg 1錠	躁病・躁状態治療剤	4212
	YO MG3／200	白	酸化マグネシウム錠200mg「ヨシダ」(吉田)	酸化マグネシウム	200mg 1錠	制酸・緩下剤	3798
	Y-Q200 YQ200／200	白	クエチアピン錠200mg「ヨシトミ」(ニプロES)	クエチアピンフマル酸塩	200mg 1錠	抗精神病，D₂・5-HT₂拮抗剤	1225
	①134 200	白×帯黄白①	イルベタン錠200mg (シオノギファーマ／塩野義)	イルベサルタン	200mg 1錠	長時間作用型アンジオテンシンⅡ受容体拮抗剤	522
	①142／200／1 ①142：200／1	淡赤	イルトラ配合錠HD (シオノギファーマ／塩野義)	イルベサルタン・トリクロルメチアジド	1錠	長時間作用型ARB・利尿薬合剤	526
	φ200mg φ921	白	レベトールカプセル200mg (MSD)	リバビリン	200mg 1カプセル	抗ウイルス剤	4259
	n245／200 n245 200 n245	白	クエチアピン錠200mg「日医工」(日医工)	クエチアピンフマル酸塩	200mg 1錠	抗精神病，D₂・5-HT₂拮抗剤	1225
	n276R200 n276 n276/R200	赤／白	ジルチアゼム塩酸塩徐放カプセル200mg「日医工」(日医工)	ジルチアゼム塩酸塩	200mg 1カプセル	ベンゾチアゼピン系Ca拮抗剤	1705
	①521／200 ①521：200	淡赤～淡黄褐	ピレスパ錠200mg (塩野義)	ピルフェニドン	200mg 1錠	抗線維化剤	3054
	ⓚ／BT200 ⓚBT200	白	ベザトールSR錠200mg (キッセイ)	ベザフィブラート	200mg 1錠	高脂血症治療剤	3486
	⊕／CIP200	白～淡黄	シプロキサン錠200mg (バイエル薬品)	シプロフロキサシン	200mg 1錠	ニューキノロン系抗菌剤	1659
	ⓚ／DM200 ⓚDM200	白	ドメナン200mg (キッセイ)	オザグレル塩酸塩水和物	200mg 1錠	トロンボキサン合成酵素阻害剤	971
	◇L200	白	カルバマゼピン錠200mg「フジナガ」(藤永／第一三共)	カルバマゼピン	200mg 1錠	向精神作用性てんかん・躁状態治療剤	1150
	πNE200	橙	トコフェロールニコチン酸エステルカプセル200mg「TC」(東洋カプセル／キョーリンリメディオ／杏林)	トコフェロールニコチン酸エステル	200mg 1カプセル	ビタミンE	2405
	⊂TE／200 ⊂TE200	白	テオロング錠200mg (エーザイ)	テオフィリン	200mg 1錠	キサンチン系気管支拡張剤	2195

200 - 299

番号	識別コード	色 (①:割線有)		商品名(会社名)	一般名	規格単位	薬効	掲載 ページ
200	_Pfizer_／VOR200 Pfizer VOR200	白		ブイフェンド錠200mg（ファイザー）	ボリコナゾール	200mg 1錠	トリアゾール系抗真菌剤	3755
	Ｅパリエット10 250SAW クラリス200	淡黄 薄橙 白		ラベキュアパック400（エーザイ／EA）	ラベプラゾールナトリウム・アモキシシリン水和物・クラリスロマイシン	1シート	ヘリコバクター・ピロリ除菌用組み合わせ製剤	4116
	Ｅパリエット10 250SAW クラリス200	淡黄 薄橙 白		ラベキュアパック800（エーザイ／EA）	ラベプラゾールナトリウム・アモキシシリン水和物・クラリスロマイシン	1シート	ヘリコバクター・ピロリ除菌用組み合わせ製剤	4116
	アセト200 アミノフェン／ アセトアミノフェン 200マルイシ	白	①	アセトアミノフェン錠200mg「マルイシ」（丸石）	アセトアミノフェン	200mg 1錠	アミノフェノール系解熱鎮痛剤	77
	アバプロ200	白～帯黄白①		アバプロ錠200mg（住友ファーマ）	イルベサルタン	200mg 1錠	長時間作用型アンギオテンシンII受容体拮抗剤	522
	アビガン200	淡黄		アビガン錠200mg（富士フイルム富山化学）	ファビピラビル	200mg 1錠	抗ウイルス剤	3073
	イルベ200／ イルベ200サルタン ODトーワ	白	①	イルベサルタンOD錠200mg「トーワ」（東和薬品）	イルベサルタン	200mg 1錠	長時間作用型アンギオテンシンII受容体拮抗剤	522
	イルベサルタン200 KMP	白～帯黄白①		イルベサルタン錠200mg「KMP」（共創未来）	イルベサルタン	200mg 1錠	長時間作用型アンギオテンシンII受容体拮抗剤	522
	イルベサルタン200 SW	白～帯黄白①		イルベサルタン錠200mg「サワイ」（沢井）	イルベサルタン	200mg 1錠	長時間作用型アンギオテンシンII受容体拮抗剤	522
	イルベサルタン200 日医工 Ⓝ130	白～帯黄白①		イルベサルタン錠200mg「日医工」（日医工）	イルベサルタン	200mg 1錠	長時間作用型アンギオテンシンII受容体拮抗剤	522
	イルベサルタン200 オーハラ	白～帯黄白①		イルベサルタン錠200mg「オーハラ」（大原薬品）	イルベサルタン	200mg 1錠	長時間作用型アンギオテンシンII受容体拮抗剤	522
	イルベサルタン200 ケミファ	白～帯黄白①		イルベサルタン錠200mg「ケミファ」（日本ケミファ）	イルベサルタン	200mg 1錠	長時間作用型アンギオテンシンII受容体拮抗剤	522
	イルベサルタン200 ニプロ	白～帯黄白①		イルベサルタン錠200mg「ニプロ」（ニプロ）	イルベサルタン	200mg 1錠	長時間作用型アンギオテンシンII受容体拮抗剤	522
	イルベサルタン OD200JG	白～帯黄白①		イルベサルタンOD錠200mg「JG」（日本ジェネリック）	イルベサルタン	200mg 1錠	長時間作用型アンギオテンシンII受容体拮抗剤	522
	イルベサルタン OD200オーハラ	白～帯黄白①		イルベサルタンOD錠200mg「オーハラ」（大原薬品）	イルベサルタン	200mg 1錠	長時間作用型アンギオテンシンII受容体拮抗剤	522
	インフリー200	淡橙		インフリーSカプセル200mg（エーザイ）	インドメタシン ファルネシル	200mg 1カプセル	インドール酢酸系消炎鎮痛剤	623
	エリスロマイシン200 SW-325	橙		エリスロマイシン錠200mg「サワイ」（沢井）	エリスロマイシン	200mg 1錠	マクロライド系抗生物質	862
	クエチアピン200 DSEP／ クエチアピン200 第一三共エスファ	白		クエチアピン錠200mg「DSEP」（第一三共エスファ）	クエチアピンフマル酸塩	200mg 1錠	抗精神病，D_2・$5-HT_2$拮抗剤	1225
	クエチアピン200 三和	白～帯黄白		クエチアピン錠200mg「三和」（シオノ／三和化学）	クエチアピンフマル酸塩	200mg 1錠	抗精神病，D_2・$5-HT_2$拮抗剤	1225
	クエチアピン200 ニプロ	白		クエチアピン錠200mg「ニプロ」（ニプロES）	クエチアピンフマル酸塩	200mg 1錠	抗精神病，D_2・$5-HT_2$拮抗剤	1225
	クラリシッド200	白		クラリシッド錠200mg（日本ケミファ）	クラリスロマイシン	200mg 1錠	マクロライド系抗生物質	1250
	クラリス200	白		クラリス錠200（大正）	クラリスロマイシン	200mg 1錠	マクロライド系抗生物質	1250
	クラリスロマイシン 200タカタ	白		クラリスロマイシン錠200mg「タカタ」（高田）	クラリスロマイシン	200mg 1錠	マクロライド系抗生物質	1250
	ジェニナック200	淡橙		ジェニナック錠200mg（富士フイルム富山化学／大正）	メシル酸ガレノキサシン水和物	200mg 1錠	キノロン系抗菌剤	1173
	ジルチアゼムR 200mg SW-726 SW-726	赤／白		ジルチアゼム塩酸塩Rカプセル200mg「サワイ」（沢井）	ジルチアゼム塩酸塩	200mg 1カプセル	ベンゾチアゼピン系Ca拮抗剤	1705
	ジルチアゼム 徐放200トーワ	白		ジルチアゼム塩酸塩徐放カプセル200mg「トーワ」（佐藤薬品／東和薬品）	ジルチアゼム塩酸塩	200mg 1カプセル	ベンゾチアゼピン系Ca拮抗剤	1705
	セレコキシブ200 DSEP	白	①	セレコキシブ錠200mg「DSEP」（第一三共エスファ）	セレコキシブ	200mg 1錠	非ステロイド性消炎・鎮痛剤（シクロオキシゲナーゼ-2選択的阻害剤）	1918
	セレコキシブ200 JG	白	①	セレコキシブ錠200mg「JG」（日本ジェネリック）	セレコキシブ	200mg 1錠	非ステロイド性消炎・鎮痛剤（シクロオキシゲナーゼ-2選択的阻害剤）	1918
	セレコキシブ200 NS	白	①	セレコキシブ錠200mg「日新」（日新）	セレコキシブ	200mg 1錠	非ステロイド性消炎・鎮痛剤（シクロオキシゲナーゼ-2選択的阻害剤）	1918
	セレコキシブ200 YD YD601	白	①	セレコキシブ錠200mg「YD」（陽進堂）	セレコキシブ	200mg 1錠	非ステロイド性消炎・鎮痛剤（シクロオキシゲナーゼ-2選択的阻害剤）	1918
	セレコキシブ200 ⓣ	白	①	セレコキシブ錠200mg「武田テバ」（武田テバファーマ／武田薬品）	セレコキシブ	200mg 1錠	非ステロイド性消炎・鎮痛剤（シクロオキシゲナーゼ-2選択的阻害剤）	1918

番号	識別コード	色 (◖：割線有)	商品名(会社名)	一般名	規格単位	薬効	掲載ページ
200	セレコキシブ200 杏林	白　◖	セレコキシブ錠200mg「杏林」(キョーリンリメディオ/辰巳化学/杏林)	セレコキシブ	200mg 1錠	非ステロイド性消炎・鎮痛剤(シクロオキシゲナーゼ-2選択的阻害剤)	1918
	セレコキシブ200 三笠	白　◖	セレコキシブ錠200mg「三笠」(三笠)	セレコキシブ	200mg 1錠	非ステロイド性消炎・鎮痛剤(シクロオキシゲナーゼ-2選択的阻害剤)	1918
	セレコキシブ200 日医工	白　◖	セレコキシブ錠200mg「日医工」(日医工)	セレコキシブ	200mg 1錠	非ステロイド性消炎・鎮痛剤(シクロオキシゲナーゼ-2選択的阻害剤)	1918
	セレコキシブ200 明治	白　◖	セレコキシブ錠200mg「明治」(Meファルマ)	セレコキシブ	200mg 1錠	非ステロイド性消炎・鎮痛剤(シクロオキシゲナーゼ-2選択的阻害剤)	1918
	セレコキシブ200 オーハラ	白　◖	セレコキシブ錠200mg「オーハラ」(大原薬品/アルフレッサファーマ)	セレコキシブ	200mg 1錠	非ステロイド性消炎・鎮痛剤(シクロオキシゲナーゼ-2選択的阻害剤)	1918
	セレコキシブ200 ケミファ	白　◖	セレコキシブ錠200mg「ケミファ」(日本ケミファ/日本薬品工業)	セレコキシブ	200mg 1錠	非ステロイド性消炎・鎮痛剤(シクロオキシゲナーゼ-2選択的阻害剤)	1918
	セレコキシブ200 サワイ	白　◖	セレコキシブ錠200mg「サワイ」(沢井)	セレコキシブ	200mg 1錠	非ステロイド性消炎・鎮痛剤(シクロオキシゲナーゼ-2選択的阻害剤)	1918
	セレコキシブ200 サンド	白　◖	セレコキシブ錠200mg「サンド」(サンド)	セレコキシブ	200mg 1錠	非ステロイド性消炎・鎮痛剤(シクロオキシゲナーゼ-2選択的阻害剤)	1918
	セレコキシブ200／セレコキシブ200 アメル	白　◖	セレコキシブ錠200mg「アメル」(ダイト/共和薬品)	セレコキシブ	200mg 1錠	非ステロイド性消炎・鎮痛剤(シクロオキシゲナーゼ-2選択的阻害剤)	1918
	セレコキシブ200 ダイト	白　◖	セレコキシブ錠200mg「ダイト」(ダイト/共創未来)	セレコキシブ	200mg 1錠	非ステロイド性消炎・鎮痛剤(シクロオキシゲナーゼ-2選択的阻害剤)	1918
	セレコキシブ200 ニプロ／セレコキシブ200	白　◖	セレコキシブ錠200mg「ニプロ」(ニプロ)	セレコキシブ	200mg 1錠	非ステロイド性消炎・鎮痛剤(シクロオキシゲナーゼ-2選択的阻害剤)	1918
	セレコキシブ200 フェルゼン	白　◖	セレコキシブ錠200mg「フェルゼン」(フェルゼン)	セレコキシブ	200mg 1錠	非ステロイド性消炎・鎮痛剤(シクロオキシゲナーゼ-2選択的阻害剤)	1918
	タケキャブ20 △640 クラリス200	微赤 白 白 ◖	ボノサップパック400(武田薬品)	ボノプラザンフマル酸塩・アモキシシリン水和物・クラリスロマイシン	1シート	ヘリコバクター・ピロリ除菌用組み合わせ製剤	3733
	タケキャブ20 △640 クラリス200	微赤 白 白	ボノサップパック800(武田薬品)	ボノプラザンフマル酸塩・アモキシシリン水和物・クラリスロマイシン	1シート	ヘリコバクター・ピロリ除菌用組み合わせ製剤	3733
	ドグマチール200	白〜帯黄白	ドグマチール錠200mg(日医工)	スルピリド	200mg 1錠	ベンザミド系抗潰瘍・精神安定剤	1777
	バルネチール200	白	バルネチール錠200(共和薬品)	スルトプリド塩酸塩	200mg 1錠	ベンザミド系精神病剤	1775
	バルプロA200 トーワ	白	バルプロ酸ナトリウム徐放錠A200mg「トーワ」(東和薬品)	バルプロ酸ナトリウム	200mg 1錠	抗てんかん，躁病・躁状態，片頭痛治療剤	2858
	ピルフェニドン200 日医工	淡黄〜淡黄褐	ピルフェニドン錠200mg「日医工」(日医工)	ピルフェニドン	200mg 1錠	抗線維化剤	3054
	フルツロン200 フルツロン／200	淡赤白／白	フルツロンカプセル200(太陽ファルマ)	ドキシフルリジン	200mg 1カプセル	抗悪性腫瘍フルオロウラシルプロドラッグ	2396
	ベザフィブラート200／200NIG	白	ベザフィブラート徐放錠200mg「NIG」(日医工岐阜/日医工/武田薬品)	ベザフィブラート	200mg 1錠	高脂血症治療剤	3486
	ボリコナゾール200 DSEP	白	ボリコナゾール錠200mg「DSEP」(第一三共エスファ)	ボリコナゾール	200mg 1錠	トリアゾール系抗真菌剤	3755
	ボリコナゾール200 JG	白　◖	ボリコナゾール錠200mg「JG」(日本ジェネリック)	ボリコナゾール	200mg 1錠	トリアゾール系抗真菌剤	3755
	ボリコナゾール200 アメル	白　◖	ボリコナゾール錠200mg「アメル」(共和薬品)	ボリコナゾール	200mg 1錠	トリアゾール系抗真菌剤	3755
	ボリコナゾール200 タカタ	白	ボリコナゾール錠200mg「タカタ」(高田)	ボリコナゾール	200mg 1錠	トリアゾール系抗真菌剤	3755
	マグミット200	白	マグミット錠200mg(マグミット製薬/シオエ/日本新薬)	酸化マグネシウム	200mg 1錠	制酸・緩下剤	3798
	ユベラN200	橙	ユベラNソフトカプセル200mg(エーザイ)	トコフェロールニコチン酸エステル	200mg 1カプセル	ビタミンE	2405
	ロスバスタチン YD OD2.5 YD200	薄黄	ロスバスタチンOD錠2.5mg「YD」(陽進堂)	ロスバスタチンカルシウム	2.5mg 1錠	HMG-CoA還元酵素阻害剤	4487
201	HP201G	無〜微黄透明	ナボールゲル1%(久光)	ジクロフェナクナトリウム	1% 1g	フェニル酢酸系消炎鎮痛剤	1579
	IC201／250 IC-201	白〜灰白	炭酸ランタンOD錠250mg「イセイ」(コーアイセイ)	炭酸ランタン水和物	250mg 1錠	高リン血症治療剤	4174
	SG-201	淡黄褐〜赤褐	高砂コウジン末M(高砂薬業/大杉)	コウジン	1g	漢方調剤等	4656
	SW201	淡黄	ニトレンジピン錠10mg「サワイ」(沢井)	ニトレンジピン	10mg 1錠	ジヒドロピリジン系Ca拮抗剤	2642

番号	識別コード	色 (①:割線有)	商品名(会社名)	一般名	規格単位	薬効	掲載ページ
201	TA201	白	メインテート錠2.5mg(田辺三菱)	ビソプロロールフマル酸塩	2.5mg 1錠	選択的β1-アンタゴニスト	2944
	TG201／5	白	ドネペジル塩酸塩錠5mg「タナベ」(ニプロES)	ドネペジル, -塩酸塩	5mg 1錠	アルツハイマー型, レビー小体型認知症治療剤	2426
	TG201／5	白	ドネペジル塩酸塩錠5mg「ニプロ」(ニプロES)	ドネペジル, -塩酸塩	5mg 1錠	アルツハイマー型, レビー小体型認知症治療剤	2426
	Tu201／10	白	プロピベリン塩酸塩錠10mg「TCK」(辰巳化学)	プロピベリン塩酸塩	10mg 1錠	排尿抑制ベンジル酸誘導体	3433
	Kowa 201	白	リバロ錠1mg(興和)	ピタバスタチンカルシウム水和物	1mg 1錠	HMG-CoA還元酵素阻害剤	2948
	ono201	白	オパルモン錠5μg(小野薬品)	リマプロスト アルファデクス	5μg 1錠	プロスタグランジンE1誘導体	4284
	€201／1	淡青 ①	サイレース錠1mg(エーザイ)	フルニトラゼパム	1mg 1錠	不眠症治療剤・麻酔導入剤	3328
	n201 n̄201	橙	カリジノゲナーゼ錠50単位「日医工」(日医工)	カリジノゲナーゼ	50単位 1錠	循環系作用酵素	1124
	ロスバスタチンYD OD5 YD201	薄黄	ロスバスタチンOD錠5mg「YD」(陽進堂)	ロスバスタチンカルシウム	5mg 1錠	HMG-CoA還元酵素阻害剤	4487
202	202 t202	白	エルサメット配合錠(日医工岐阜／日医工／武田薬品)	エビプロスタット配合錠SG	1錠	前立腺肥大症治療剤	786
	AK202	白	グリメピリド錠0.5mg「AA」(あすか製薬／武田薬品)	グリメピリド	0.5mg 1錠	スルホニル尿素系血糖降下剤	1278
	CG202	白	リタリン錠10mg(ノバルティス)	メチルフェニデート塩酸塩	10mg 1錠	中枢神経興奮剤	3931
	IC202／500 IC-202	白〜灰白	炭酸ランタンOD錠500mg「イセイ」(コーアイセイ)	炭酸ランタン水和物	500mg 1錠	高リン血症治療剤	4174
	KYO202	白	バスタレルF錠3mg(京都薬品／日本セルヴィエ／住友ファーマ)	トリメタジジン塩酸塩	3mg 1錠	虚血性心疾患治療剤	2531
	MO202	白	エストリール錠100γ(持田)	エストリオール	0.1mg 1錠	卵胞ホルモン	700
	PH202	白	クロフェドリンS配合錠(キョーリンリメディオ／杏林)	フスコデ	1錠	鎮咳剤	3199
	RPR202	白	リルテック錠50(サノフィ)	リルゾール	50mg 1錠	筋萎縮性側索硬化症用剤	4298
	SG-202	暗黄赤〜赤褐	高砂サフランM(高砂薬業／大杉)	サフラン	1g	漢方調剤等	4656
	SW202	白 ①	アラセプリル錠25mg「サワイ」(沢井)	アラセプリル	25mg 1錠	ACE阻害剤	284
	TA202	白	メインテート錠5mg(田辺三菱)	ビソプロロールフマル酸塩	5mg 1錠	選択的β1-アンタゴニスト	2944
	TG202／10	赤橙	ドネペジル塩酸塩錠10mg「タナベ」(ニプロES)	ドネペジル, -塩酸塩	10mg 1錠	アルツハイマー型, レビー小体型認知症治療剤	2426
	TG202／10	赤橙	ドネペジル塩酸塩錠10mg「ニプロ」(ニプロES)	ドネペジル, -塩酸塩	10mg 1錠	アルツハイマー型, レビー小体型認知症治療剤	2426
	ToYK202	白〜微黄褐	ビオスリー配合散(東亜薬品工業／東亜新薬／鳥居薬品)	酪酸菌	1g	活性生菌製剤	4064
	Tu202／20	白	プロピベリン塩酸塩錠20mg「TCK」(辰巳化学)	プロピベリン塩酸塩	20mg 1錠	排尿抑制ベンジル酸誘導体	3433
	⬛202	白	アダパレンゲル0.1%「東光」(東光薬品／ラクール)	アダパレン	0.1% 1g	尋常性痤瘡治療剤	95
	◆202	白 ①	ダイドロネル錠200(住友ファーマ)	エチドロン酸二ナトリウム	200mg 1錠	ビスホスホネート系骨代謝改善剤	739
	ⅨS202	淡橙	トミロン錠50(富士フイルム富山化学)	セフテラム ピボキシル	50mg 1錠	セフェム系抗生物質	1854
	Kowa 202	極薄黄赤	リバロ錠2mg(興和)	ピタバスタチンカルシウム水和物	2mg 1錠	HMG-CoA還元酵素阻害剤	2948
	€202／2	淡青	サイレース錠2mg(エーザイ)	フルニトラゼパム	2mg 1錠	不眠症治療剤・麻酔導入剤	3328
	n202 n̄202	白	リマプロストアルファデクス錠5μg「日医工」(日医工)	リマプロスト アルファデクス	5μg 1錠	プロスタグランジンE1誘導体	4284
203	MO203／E	白	エストリール錠1mg(持田)	エストリオール	1mg 1錠	卵胞ホルモン	700
	OH203 OH-203	白 ①	トランドラプリル錠0.5mg「オーハラ」(大原薬品)	トランドラプリル	0.5mg 1錠	ACE阻害剤	2505
	SJ／203 SJ203	白	ルジオミール錠10mg(サンファーマ)	マプロチリン塩酸塩	10mg 1錠	四環系抗うつ剤	3812
	SW203	白 ①	カプトプリル錠12.5「SW」(沢井)	カプトプリル	12.5mg 1錠	ACE阻害剤	1085
	TG203／3	黄	ドネペジル塩酸塩OD錠3mg「タナベ」(ニプロES)	ドネペジル, -塩酸塩	3mg 1錠	アルツハイマー型, レビー小体型認知症治療剤	2426
	TG203／3	黄	ドネペジル塩酸塩OD錠3mg「ニプロ」(ニプロES)	ドネペジル, -塩酸塩	3mg 1錠	アルツハイマー型, レビー小体型認知症治療剤	2426
	TU203	黄	ベニジピン塩酸塩錠2mg「TCK」(辰巳化学)	ベニジピン塩酸塩	2mg 1錠	ジヒドロピリジン系Ca拮抗剤	3524
	Kowa 203	淡黄 ①	リバロ錠4mg(興和)	ピタバスタチンカルシウム水和物	4mg 1錠	HMG-CoA還元酵素阻害剤	2948
204	HR HR204	白	ジメチコン錠40mg「ホリイ」(堀井薬品)	ジメチコン	40mg 1錠	消化管内ガス排除剤	1679
	MO204	白	エストリール腟錠0.5mg(持田)	エストリオール	0.5mg 1錠	卵胞ホルモン	700
	OH204 OH-204	白 ①	トランドラプリル錠1mg「オーハラ」(大原薬品)	トランドラプリル	1mg 1錠	ACE阻害剤	2505
	SG-204	淡黄〜淡黄褐	高砂テンマ末M(高砂薬業／大杉)	テンマ	1g	漢方調剤等	4656

番号	識別コード	色 (Ⓘ：割線有)	商品名(会社名)	一般名	規格単位	薬効	掲載ページ
204	SJ／204 SJ204	淡黄	ルジオミール錠25mg（サンファーマ）	マプロチリン塩酸塩	25mg 1錠	四環系抗うつ剤	3812
	TG204／5	白	ドネペジル塩酸塩OD錠5mg「タナベ」（ニプロES）	ドネペジル，-塩酸塩	5mg 1錠	アルツハイマー型，レビー小体型認知症治療剤	2426
	TG204／5	白	ドネペジル塩酸塩OD錠5mg「ニプロ」（ニプロES）	ドネペジル，-塩酸塩	5mg 1錠	アルツハイマー型，レビー小体型認知症治療剤	2426
	Tw204	白～微黄白	ジピリダモール錠100mg「トーワ」（東和薬品）	ジピリダモール	100mg 1錠	冠循環増強・抗血小板剤	1646
205	BM／205 BM205	白　Ⓘ	ラニラピッド錠0.05mg（中外）	メチルジゴキシン	0.05mg 1錠	ジギタリス強心配糖体	3925
	SG–205	淡褐	オースギ加エブシ末（高砂薬業／大杉）	ブシ製剤	1g	強心・利尿・鎮痛剤	3197
	TG205／10	淡赤	ドネペジル塩酸塩OD錠10mg「タナベ」（ニプロES）	ドネペジル，-塩酸塩	10mg 1錠	アルツハイマー型，レビー小体型認知症治療剤	2426
	TG205／10	淡赤	ドネペジル塩酸塩OD錠10mg「ニプロ」（ニプロES）	ドネペジル，-塩酸塩	10mg 1錠	アルツハイマー型，レビー小体型認知症治療剤	2426
	TU205	黄　Ⓘ	ベニジピン塩酸塩錠4mg「TCK」（辰巳化学）	ベニジピン塩酸塩	4mg 1錠	ジヒドロピリジン系Ca拮抗剤	3524
	Tw205／1	白　Ⓘ	ピタバスタチンCa錠1mg「トーワ」（東和薬品）	ピタバスタチンカルシウム水和物	1mg 1錠	HMG-CoA還元酵素阻害剤	2948
	P205	白　Ⓘ	クランポール錠200mg（住友ファーマ）	アセチルフェネトライド	200mg 1錠	フェニル尿素系抗てんかん剤	76
206	MO206	白	エストリール錠0.5mg（持田）	エストリオール	0.5mg 1錠	卵胞ホルモン	700
	TU206	黄　Ⓘ	ベニジピン塩酸塩錠8mg「TCK」（辰巳化学）	ベニジピン塩酸塩	8mg 1錠	ジヒドロピリジン系Ca拮抗剤	3524
	Tw206	白	アスピリン腸溶錠100mg「トーワ」（東和薬品）	アスピリン	100mg 1錠	サリチル酸系解熱鎮痛・抗血小板剤	51
	イルアミクスYD LD YD206	白～帯黄白	イルアミクス配合錠LD「YD」（陽進堂）	イルベサルタン・アムロジピンベシル酸塩	1錠	長時間作用型アンギオテンシンⅡ受容体拮抗剤・持続性Ca拮抗剤配合剤	523
207	HP207C	白～微黄	ベシカムクリーム5%（久光）	イブプロフェンピコノール	5% 1g	フェニルプロピオン酸系鎮痛・消炎剤	479
	M207	白	カフコデN配合錠（ヴィアトリス・ヘルスケア／ヴィアトリス）	カフコデN配合錠	1錠	鎮咳・鎮痛・解熱剤	1083
	MO207	淡黄透明	エパデールカプセル300（持田）	イコサペント酸エチル	300mg 1カプセル	EPA剤	412
	SW207	白　Ⓘ	アメジニウムメチル硫酸塩錠10mg「サワイ」（沢井）	アメジニウムメチル硫酸塩	10mg 1錠	低血圧治療剤	271
	T207／100	白	サチュロ錠100mg（ヤンセン）	ベダキリンフマル酸塩	100mg 1錠	結核化学療法剤	3492
	Tw207／2	極薄黄赤	ピタバスタチンCa錠2mg「トーワ」（東和薬品）	ピタバスタチンカルシウム水和物	2mg 1錠	HMG-CoA還元酵素阻害剤	2948
	𝑛207 𝑛207	白	カモスタットメシル酸塩錠100mg「日医工」（日医工）	カモスタットメシル酸塩	100mg 1錠	蛋白分解酵素阻害剤	1110
	イルアミクスYD HD YD207	薄橙	イルアミクス配合錠HD「YD」（陽進堂）	イルベサルタン・アムロジピンベシル酸塩	1錠	長時間作用型アンギオテンシンⅡ受容体拮抗剤・持続性Ca拮抗剤配合剤	523
208	HP208O	白半透明	ベシカム軟膏5%（久光）	イブプロフェンピコノール	5% 1g	フェニルプロピオン酸系鎮痛・消炎剤	479
	HR208	白	ジメチコン錠80mg「ホリイ」（堀井薬品）	ジメチコン	80mg 1錠	消化管内ガス排除剤	1679
	KH208	黄	コニール錠2（協和キリン）	ベニジピン塩酸塩	2mg 1錠	ジヒドロピリジン系Ca拮抗剤	3524
	▨208	白	ヘパリン類似物質クリーム0.3%「ラクール」（東光薬品／ラクール）	ヘパリン類似物質	1g	抗炎症血行促進・皮膚保湿剤	3545
	𝑛208	茶白	エルデカルシトールカプセル0.5μg「日医工」（日医工）	エルデカルシトール	0.5μg 1カプセル	活性型ビタミンD₃	874
	ミノドロンYD1 YD208	白	ミノドロン酸錠1mg「YD」（陽進堂）	ミノドロン酸水和物	1mg 1錠	骨粗鬆症治療剤	3875
209	HR209	暗赤褐	センノシド錠12mg「ホリイ」（堀井薬品）	センノシド	12mg 1錠	緩下剤	1923
	KH209	黄	コニール錠4（協和キリン）	ベニジピン塩酸塩	4mg 1錠	ジヒドロピリジン系Ca拮抗剤	3524
	MO209	微黄透明	エパデールS300（持田）	イコサペント酸エチル	300mg 1包	EPA剤	412
	PH209	白　Ⓘ	プレドニゾロン錠5mg「ミタ」（キョーリンリメディオ／コーアイセイ／杏林）	プレドニゾロン	5mg 1錠	副腎皮質ホルモン	3366
	t209 t209[50U]	橙	カリジノゲナーゼ錠50単位「NIG」（日医工岐阜／日医工／武田薬品）	カリジノゲナーゼ	50単位 1錠	循環系作用酵素	1124
	Tw209／4	極薄黄赤	ピタバスタチンCa錠4mg「トーワ」（東和薬品）	ピタバスタチンカルシウム水和物	4mg 1錠	HMG-CoA還元酵素阻害剤	2948
	TZ209／20	白	シンバスタチン錠20mg「あすか」（あすか／武田薬品）	シンバスタチン	20mg 1錠	HMG-CoA還元酵素阻害剤	1728
	𝑛209	茶褐透明	エルデカルシトールカプセル0.75μg「日医工」（日医工）	エルデカルシトール	0.75μg 1カプセル	活性型ビタミンD₃	874
	▨209	白　Ⓘ	フリバス錠25mg（旭化成）	ナフトピジル	25mg 1錠	排尿障害治療剤	2614
	CLA NN210 NN210	淡黄	クリアミン配合錠A1.0（日医工）	クリアミン配合錠A	1錠	頭痛治療剤	1256

番号	識別コード	色 (◯:割線有)		商品名(会社名)	一般名	規格単位	薬効	掲載 ページ
210	GSI／210 GSI−210	灰		デシコビ配合錠LT（ギリアド）	エムトリシタビン・テノホビル・アラフェナミドフマル酸塩	1錠	抗ウイルス化学療法剤	845
	HR210	橙		トコフェロールニコチン酸エステルカプセル200mg「ホリイ」（堀井薬品）	トコフェロールニコチン酸エステル	200mg 1カプセル	ビタミンE	2405
	KH210	黄		コニール錠8（協和キリン）	ベニジピン塩酸塩	8mg 1錠	ジヒドロピリジン系Ca拮抗剤	3524
	Kw210／50	白		スルピリド錠50mg「アメル」（共和薬品）	スルピリド	50mg 1錠	ベンザミド系抗潰瘍・精神安定剤	1777
	MI210	白		ソセゴン錠25mg（丸石）	ペンタゾシン	25mg 1錠	ベンズアゾシン系鎮痛剤	3646
	NS210	灰白		M・M配合散（日新）	健胃消化剤	1g	消化剤	1429
	Sc210	橙／白		カルナクリンカプセル25（三和化学）	カリジノゲナーゼ	25単位 1カプセル	循環系作用酵素	1124
	SW210	白		ミゾリビン錠25mg「サワイ」（沢井）	ミゾリビン	25mg 1錠	核酸合成阻害イミダゾール系免疫抑制剤	3849
	◩210	白		アシクロビル軟膏5%「ラクール」（東光薬品／ラクール）	アシクロビル	5% 1g	抗ウイルス剤	25
	◪210	白	◯	フリバス錠50mg（旭化成）	ナフトピジル	50mg 1錠	排尿障害治療剤	2614
	◪210	白		アルジオキサ錠100mg「あすか」（あすか／武田薬品）	アルジオキサ	100mg 1錠	胃炎・消化性潰瘍治療剤	311
	ℙ210／20	薄橙		グリミクロンHA錠20mg（住友ファーマ）	グリクラジド	20mg 1錠	スルホニル尿素系血糖降下剤	1257
211	211 t211[40mg]	白		メトプロロール酒石酸塩錠40mg「NIG」（日医工岐阜／日医工／武田薬品）	メトプロロール酒石酸塩	40mg 1錠	β_1-遮断剤	3960
	AK211	白		レバミピド錠100mg「あすか」（あすか／武田薬品）	レバミピド	100mg 1錠	胃炎・胃潰瘍治療剤	4390
	HP211G	無〜微黄透明		セクターゲル3%（久光）	ケトプロフェン	3% 1g	プロピオン酸系消炎鎮痛剤	1410
	KS211／Q	微赤		エチゾラム錠0.25mg「クニヒロ」（皇漢堂）	エチゾラム	0.25mg 1錠	チエノジアゼピン系精神安定剤	738
	MA211	淡黄		アメナリーフ錠200mg（マルホ）	アメナメビル	200mg 1錠	抗ヘルペスウイルス剤	271
	MKK211	黄／淡黄		ムンデシンカプセル100mg（ムンディ）	フォロデシン塩酸塩	100mg 1カプセル	抗悪性腫瘍剤・PNP（Purine Nucleoside Phosphorylase）阻害剤	3181
	MSD／211 MSD211	明るい灰		ジャヌビア錠12.5mg（MSD）	シタグリプチンリン酸塩水和物	12.5mg 1錠	選択的DPP-4阻害剤・糖尿病用剤	1611
	NS211／.625	白	◯	ビソプロロールフマル酸塩錠0.625mg「日新」（日新）	ビソプロロールフマル酸塩	0.625mg 1錠	選択的β_1-アンタゴニスト	2944
	SJ211	白		シンメトレル錠50mg（サンファーマ）	アマンタジン塩酸塩	50mg 1錠	精神活動改善剤・抗パーキンソン剤・抗A型インフルエンザウイルス剤	219
	SW211	白		ミゾリビン錠50mg「サワイ」（沢井）	ミゾリビン	50mg 1錠	核酸合成阻害イミダゾール系免疫抑制剤	3849
	TG211／5	白	◯	パロキセチン錠5mg「タナベ」（ニプロES）	パロキセチン塩酸塩水和物	5mg 1錠	選択的セロトニン再取り込み阻害剤(SSRI)	2878
	TG211／5	白	◯	パロキセチン錠5mg「ニプロ」（ニプロES）	パロキセチン塩酸塩水和物	5mg 1錠	選択的セロトニン再取り込み阻害剤(SSRI)	2878
	TU211／2.5	白		アムロジピン錠2.5mg「TCK」（辰巳化学／フェルゼン）	アムロジピンベシル酸塩	2.5mg 1錠	ジヒドロピリジン系Ca拮抗剤	264
	YD211／50	青	◯	シルデナフィル錠50mgVI「YD」（陽進堂）	シルデナフィルクエン酸塩	50mg 1錠	ホスホジエステラーゼ5阻害剤	1709
	◩211	白		アシクロビルクリーム5%「ラクール」（東光薬品／ラクール）	アシクロビル	5% 1g	抗ウイルス剤	25
	ℙ211	白	◯	グリミクロン錠40mg（住友ファーマ）	グリクラジド	40mg 1錠	スルホニル尿素系血糖降下剤	1257
	◭211	白	◯	ブリカニール錠2mg（アストラゼネカ）	テルブタリン硫酸塩	2mg 1錠	β_2-刺激剤	2371
	⊛HP211C	白		セクタークリーム3%（久光）	ケトプロフェン	3% 1g	プロピオン酸系消炎鎮痛剤	1410
	⊛HP211L	無〜微黄透明		セクターローション3%（久光）	ケトプロフェン	3% 1mL	プロピオン酸系消炎鎮痛剤	1410
	ゲフィチニブ250 日医工 ⓝ211	褐		ゲフィチニブ錠250mg「日医工」（日医工）	ゲフィチニブ	250mg 1錠	抗悪性腫瘍剤・上皮成長因子受容体チロシンキナーゼ阻害剤	1418
212	KS212／H	白		エチゾラム錠0.5mg「クニヒロ」（皇漢堂）	エチゾラム	0.5mg 1錠	チエノジアゼピン系精神安定剤	738
	Kw212／100	白		スルピリド錠100mg「アメル」（共和薬品）	スルピリド	100mg 1錠	ベンザミド系抗潰瘍・精神安定剤	1777
	NP212／20 NP−212	微黄	◯	フロセミド錠20mg「NP」（ニプロ）	フロセミド	20mg 1錠	ループ利尿剤	3405
	Sc212	淡赤		ニフェジピンL錠10mg「三和」（三和化学）	ニフェジピン	10mg 1錠	ジヒドロピリジン系Ca拮抗剤	2652
	SJ212	白		シンメトレル錠100mg（サンファーマ）	アマンタジン塩酸塩	100mg 1錠	精神活動改善剤・抗パーキンソン剤・抗A型インフルエンザウイルス剤	219
	SW212	白		ロフラゼプ酸エチル錠1mg「サワイ」（沢井）	ロフラゼプ酸エチル	1mg 1錠	ベンゾジアゼピン系持続性心身安定剤	4520

番号	識別コード	色 （❶：割線有）	商品名（会社名）	一般名	規格単位	薬効	掲載ページ
212	TG212／10	白	パロキセチン錠10mg「タナベ」（ニプロES）	パロキセチン塩酸塩水和物	10mg 1錠	選択的セロトニン再取り込み阻害剤（SSRI）	2878
	TG212／10	白	パロキセチン錠10mg「ニプロ」（ニプロES）	パロキセチン塩酸塩水和物	10mg 1錠	選択的セロトニン再取り込み阻害剤（SSRI）	2878
	TR212	白～淡黄白	ドルナー錠20μg（東レ／トーアエイヨー）	ベラプロストナトリウム	20μg 1錠	プロスタサイクリン（PGI₂）誘導体	3597
	TTS212／エンテカビル0.5 TTS-212	白～微黄白	エンテカビル錠0.5mg「タカタ」（高田）	エンテカビル水和物	0.5mg 1錠	抗ウイルス化学療法剤	921
	TU212／5	白 ❶	アムロジピン錠5mg「TCK」（辰巳化学／フェルゼン）	アムロジピンベシル酸塩	5mg 1錠	ジヒドロピリジン系Ca拮抗剤	264
	YD212	白～微黄白❶	バラシクロビル錠500mg「YD」（陽進堂）	バラシクロビル塩酸塩	500mg 1錠	抗ウイルス剤	2810
	◆212／0.15	白	フルスタン錠0.15（住友ファーマ／キッセイ）	ファレカルシトリオール	0.15μg 1錠	活性型ビタミンD₃製剤	3084
	▥212	白	ケトコナゾールクリーム2%「NR」（東光薬品／ラクール）	ケトコナゾール	2% 1g	イミダゾール系抗真菌剤	1407
	△212／15	白～帯黄白（赤橙～暗褐の斑点）	タケプロンOD錠15（武田テバ薬品／武田薬品）	ランソプラゾール	15mg 1錠	プロトンポンプインヒビター	4168
213	KS213／1	白	エチゾラム錠1mg「クニヒロ」（皇漢堂）	エチゾラム	1mg 1錠	チエノジアゼピン系精神安定剤	738
	NP213／40 NP-213	白 ❶	フロセミド錠40mg「NP」（ニプロ）	フロセミド	40mg 1錠	ループ利尿剤	3405
	NS213	白	アラセプリル錠50mg「日新」（日新）	アラセプリル	50mg 1錠	ACE阻害剤	284
	Sc213	淡赤	ニフェジピンL錠20mg「三和」（三和化学）	ニフェジピン	20mg 1錠	ジヒドロピリジン系Ca拮抗剤	2652
	SJ213	白 ❶	テグレトール錠100mg（サンファーマ）	カルバマゼピン	100mg 1錠	向精神作用性てんかん・躁状態治療剤	1150
	SW213	薄黄赤	ロフラゼプ酸エチル錠2mg「サワイ」（沢井）	ロフラゼプ酸エチル	2mg 1錠	ベンゾジアゼピン系持続性心身安定剤	4520
	TG213／20	白	パロキセチン錠20mg「タナベ」（ニプロES）	パロキセチン塩酸塩水和物	20mg 1錠	選択的セロトニン再取り込み阻害剤（SSRI）	2878
	TG213／20	白	パロキセチン錠20mg「ニプロ」（ニプロES）	パロキセチン塩酸塩水和物	20mg 1錠	選択的セロトニン再取り込み阻害剤（SSRI）	2878
	TU213	白 ❶	イトプリド塩酸塩錠50mg「TCK」（辰巳化学）	イトプリド塩酸塩	50mg 1錠	消化管運動賦活剤	447
	▥213	白～微黄	デキサメタゾンプロピオン酸エステル軟膏0.1%「ラクール」（東光薬品／ラクール）	デキサメタゾンプロピオン酸エステル	0.1% 1g	副腎皮質ホルモン	2220
	◆213	白 ❶	フルスタン錠0.3（住友ファーマ／キッセイ）	ファレカルシトリオール	0.3μg 1錠	活性型ビタミンD₃製剤	3084
	∈213	黄緑	ワソラン錠40mg（エーザイ／ヴィアトリス）	ベラパミル塩酸塩	40mg 1錠	フェニルアルキルアミン系Ca拮抗剤	3594
	△213／30	白～帯黄白（赤橙～暗褐の斑点）	タケプロンOD錠30（武田テバ薬品／武田薬品）	ランソプラゾール	30mg 1錠	プロトンポンプインヒビター	4168
	ピタバスタチンYD1 YD213	白	ピタバスタチンCa錠1mg「YD」（陽進堂／共創未来）	ピタバスタチンカルシウム水和物	1mg 1錠	HMG-CoA還元酵素阻害剤	2948
214	KRM214／100	白	セルトラリン錠100mg「杏林」（キョーリンリメディオ／杏林）	セルトラリン塩酸塩	100mg 1錠	選択的セロトニン再取り込み阻害剤（SSRI）	1894
	NS214	白	アラセプリル錠25mg「日新」（日新）	アラセプリル	25mg 1錠	ACE阻害剤	284
	PH214	白 ❶	アンブロキソール塩酸塩錠15mg「杏林」（キョーリンリメディオ／杏林）	アンブロキソール塩酸塩	15mg 1錠	気道潤滑去痰剤	378
	Sc214／4	淡赤 ❶	ピタバスタチンCa錠4mg「三和」（三和化学）	ピタバスタチンカルシウム水和物	4mg 1錠	HMG-CoA還元酵素阻害剤	2948
	SJ214	白 ❶	テグレトール錠200mg（サンファーマ）	カルバマゼピン	200mg 1錠	向精神作用性てんかん・躁状態治療剤	1150
	TZ214／25	淡赤 ❶	チラーヂンS錠25μg（あすか／武田薬品）	レボチロキシンナトリウム水和物	25μg 1錠	甲状腺ホルモン	4411
	VT214	白 ❶	セレコックス錠100mg（ヴィアトリス）	セレコキシブ	100mg 1錠	非ステロイド性消炎・鎮痛剤（シクロオキシゲナーゼ-2選択的阻害剤）	1918
	ZNC214／25 ZNC214：25	白	テノーミン錠25（太陽ファルマ）	アテノロール	25mg 1錠	β₁-遮断剤	115
	▥214	白～微黄	デキサメタゾンプロピオン酸エステルクリーム0.1%「ラクール」（東光薬品／ラクール）	デキサメタゾンプロピオン酸エステル	0.1% 1g	副腎皮質ホルモン	2220
	▣214	白	フリバスOD錠25mg（旭化成）	ナフトピジル	25mg 1錠	排尿障害治療剤	2614
	ピタバスタチンYD2 YD214	極薄黄赤	ピタバスタチンCa錠2mg「YD」（陽進堂／共創未来）	ピタバスタチンカルシウム水和物	2mg 1錠	HMG-CoA還元酵素阻害剤	2948

200
|
299

番号	識別コード	色 (①:割線有)	商品名(会社名)	一般名	規格単位	薬効	掲載ページ
215	EE215／0.5	白	ドキサゾシン錠0.5mg「EMEC」(アルフレッサファーマ／エルメッド／日医工)	ドキサゾシンメシル酸塩	0.5mg 1錠	α_1-遮断剤	2391
	LPR215 LPR215[1mg]	白	ロペラミド塩酸塩カプセル1mg「NIG」(日医工岐阜／日医工／武田薬品)	ロペラミド塩酸塩	1mg 1カプセル	止瀉剤	4524
	NN215	薄橙	クリアミン配合錠S0.5 (日医工)	クリアミン配合錠S	1錠	頭痛治療剤	1256
	NS215	白 ①	ビソプロロールフマル酸塩錠5mg「日新」(日新)	ビソプロロールフマル酸塩	5mg 1錠	選択的β_1-アンタゴニスト	2944
	SJ215	白 ①	リオレサール錠5mg (サンファーマ)	バクロフェン	5mg 1錠	抗痙縮GABA誘導体	2773
	SW215	白	カプトプリル錠25「SW」(沢井)	カプトプリル	25mg 1錠	ACE阻害剤	1085
	VT215	白 ①	セレコックス錠200mg (ヴィアトリス)	セレコキシブ	200mg 1錠	非ステロイド性消炎・鎮痛剤(シクロオキシゲナーゼ-2選択的阻害剤)	1918
	ZNC215／50 ZNC215：50	白	テノーミン錠50 (太陽ファルマ)	アテノロール	50mg 1錠	β_1-遮断剤	115
	⌂215	白	フリバスOD錠50mg (旭化成)	ナフトピジル	50mg 1錠	排尿障害治療剤	2614
	Kowa215	白	MDSコーワ錠150 (興和)	デキストラン硫酸エステルナトリウム イオウ	150mg 1錠	高脂血症改善剤	2227
	ピタバスタチンYD4 YD215	白	ピタバスタチンCa錠4mg「YD」(陽進堂／共創未来)	ピタバスタチンカルシウム水和物	4mg 1錠	HMG-CoA還元酵素阻害剤	2948
216	EE216／10	白	シンバスタチン錠10mg「EMEC」(アルフレッサファーマ／エルメッド／日医工)	シンバスタチン	10mg 1錠	HMG-CoA還元酵素阻害剤	1728
	NS216	白	ジラゼプ塩酸塩錠50mg「日新」(日新)	ジラゼプ塩酸塩水和物	50mg 1錠	心・腎疾患治療剤	1700
	SJ216	白 ①	リオレサール錠10mg (サンファーマ)	バクロフェン	10mg 1錠	抗痙縮GABA誘導体	2773
	⊡216	無〜微黄透明	ジクロフェナクNaゲル1%「日本臓器」(東光薬品／日本臓器)	ジクロフェナクナトリウム	1% 1g	フェニル酢酸系消炎鎮痛剤	1579
	⌂216	白	フリバスOD錠75mg (旭化成)	ナフトピジル	75mg 1錠	排尿障害治療剤	2614
	Ⓣ216 TYK216	白 ①	ジスチグミン臭化物錠5mg「NIG」(日医工岐阜／日医工／武田薬品)	ジスチグミン臭化物	5mg 1錠	コリンエステラーゼ阻害剤	1597
	クロピドグレルYD25 YD216	白〜微黄白	クロピドグレル錠25mg「YD」(陽進堂)	クロピドグレル硫酸塩	25mg 1錠	抗血小板剤	1317
217	EE217／20	白	シンバスタチン錠20mg「EMEC」(アルフレッサファーマ／エルメッド／日医工)	シンバスタチン	20mg 1錠	HMG-CoA還元酵素阻害剤	1728
	NP217／10 NP-217	微赤 ①	フロセミド錠10mg「NP」(ニプロ)	フロセミド	10mg 1錠	ループ利尿剤	3405
	NPI217	黄	ベニジピン塩酸塩錠2mg「NPI」(日本薬品工業／日本ケミファ)	ベニジピン塩酸塩	2mg 1錠	ジヒドロピリジン系Ca拮抗剤	3524
	NPI217A	黄 ①	ベニジピン塩酸塩錠4mg「NPI」(日本薬品工業／日本ケミファ)	ベニジピン塩酸塩	4mg 1錠	ジヒドロピリジン系Ca拮抗剤	3524
	PH217	淡黄褐	スピロノラクトン錠25mg「杏林」(キョーリンリメディオ／杏林)	スピロノラクトン	25mg 1錠	抗アルドステロン性降圧利尿剤	1761
	TP217 TP-217	白 ①	オキサトミド錠30mg「NP」(ニプロ)	オキサトミド	30mg 1錠	アレルギー性疾患治療剤	942
	TU217／10	白 ①	アムロジピン錠10mg「TCK」(辰巳化学)	アムロジピンベシル酸塩	10mg 1錠	ジヒドロピリジン系Ca拮抗剤	264
	Tw217	白〜淡黄	シプロフロキサシン錠200mg「トーワ」(東和薬品)	シプロフロキサシン	200mg 1錠	ニューキノロン系抗菌剤	1659
	TZ217／10	白	プロピベリン塩酸塩錠10mg「あすか」(あすか／武田薬品)	プロピベリン塩酸塩	10mg 1錠	排尿抑制ベンジル酸誘導体	3433
	⌂217	黄白〜淡黄①	フリバス錠75mg (旭化成)	ナフトピジル	75mg 1錠	排尿障害治療剤	2614
	Ⓝ217	淡黄	ブラダロン錠200mg (日本新薬)	フラボキサート塩酸塩	200mg 1錠	フラボン系頻尿治療剤	3258
	℗217／2.5	白	ガスモチン錠2.5mg (住友ファーマ)	モサプリドクエン酸塩水和物	2.5mg 1錠	消化管運動促進剤	4014
	クロピドグレルYD75 YD217	白〜微黄白	クロピドグレル錠75mg「YD」(陽進堂)	クロピドグレル硫酸塩	75mg 1錠	抗血小板剤	1317
218	K Ⓝ218	白	カリジノゲナーゼ錠25単位「日医工」(日医工)	カリジノゲナーゼ	25単位 1錠	循環系作用酵素	1124
	NS218／2.5	白	ビソプロロールフマル酸塩錠2.5mg「日新」(日新)	ビソプロロールフマル酸塩	2.5mg 1錠	選択的β_1-アンタゴニスト	2944
	⊡218	無半透明	クロベタゾールプロピオン酸エステル軟膏0.05%「ラクール」(東光薬品／ラクール)	クロベタゾールプロピオン酸エステル	0.05% 1g	副腎皮質ホルモン	1362
	℗218／5	白	ガスモチン錠5mg (住友ファーマ)	モサプリドクエン酸塩水和物	5mg 1錠	消化管運動促進剤	4014
	Ⓝ218 Ⓝ218	白	コルドリン錠12.5mg (日本新薬)	クロフェダノール塩酸塩	12.5mg 1錠	中枢性鎮咳剤	1329

番号	識別コード	色 (①：割線有)	商品名(会社名)	一般名	規格単位	薬効	掲載ページ
218	ロスバスタチン YD2.5 YD218	薄赤みの黄 〜くすんだ 赤みの黄	ロスバスタチン錠2.5mg「YD」(陽進堂)	ロスバスタチンカルシウム	2.5mg 1錠	HMG-CoA還元酵素阻害剤	4487
219	HP219L	無〜微黄透明	アポハイドローション20%(久光)	オキシブチニン塩酸塩	20% 1g	排尿障害治療剤・原発性手掌多汗症治療剤	960
	ZNC219/10 ZNC219：10	白　①	インデラル錠10mg(太陽ファルマ)	プロプラノロール塩酸塩	10mg 1錠	β-遮断剤	3437
	🎗219	白	クロベタゾールプロピオン酸エステルクリーム0.05%「ラクール」(東光薬品／ラクール)	クロベタゾールプロピオン酸エステル	0.05% 1g	副腎皮質ホルモン	1362
220	FF220/25	薄黄みの赤	クエチアピン錠25mg「FFP」(共創未来)	クエチアピンフマル酸塩	25mg 1錠	抗精神病，D₂・5-HT₂拮抗剤	1225
	KH220	淡黄	コバシル錠2mg(協和キリン)	ペリンドプリルエルブミン	2mg 1錠	ACE阻害剤	3610
	KSK220	帯黄暗赤	センノシド錠12mg「クニヒロ」(皇漢堂)	センノシド	12mg 1錠	緩下剤	1923
	MO220	白	酸化マグネシウム錠250mg「モチダ」(持田製販／持田)	酸化マグネシウム	250mg 1錠	制酸・緩下剤	3798
	MPI220	淡橙	アスペノンカプセル10(バイエル薬品)	アプリンジン塩酸塩	10mg 1カプセル	不整脈治療剤	194
	TU220/2.5	白	イミダプリル塩酸塩錠2.5mg「TCK」(辰巳化学)	イミダプリル塩酸塩	2.5mg 1錠	ACE阻害剤	504
	Tw220	黄	ベニジピン塩酸塩錠2mg「トーワ」(東和薬品)	ベニジピン塩酸塩	2mg 1錠	ジヒドロピリジン系Ca拮抗剤	3524
	TYK220	白〜淡黄白	カルシトリオールカプセル0.25μg「NIG」(日医工岐阜／日医工／武田薬品)	カルシトリオール	0.25μg 1カプセル	活性型ビタミンD₃	1136
	🎗220	無半透明	ベタメタゾンジプロピオン酸エステル軟膏0.064%「ラクール」(東光薬品／ラクール)	ベタメタゾンジプロピオン酸エステル	0.064% 1g	副腎皮質ホルモン	3505
	ロスバスタチン YD5 YD220	薄赤みの黄 〜くすんだ 赤みの黄	ロスバスタチン錠5mg「YD」(陽進堂)	ロスバスタチンカルシウム	5mg 1錠	HMG-CoA還元酵素阻害剤	4487
221	FF221/100	薄黄	クエチアピン錠100mg「FFP」(共創未来)	クエチアピンフマル酸塩	100mg 1錠	抗精神病，D₂・5-HT₂拮抗剤	1225
	KH221	白〜微黄白	コバシル錠4mg(協和キリン)	ペリンドプリルエルブミン	4mg 1錠	ACE阻害剤	3610
	Kw221/200	橙黄	バルプロ酸ナトリウム錠200mg「アメル」(共和薬品)	バルプロ酸ナトリウム	200mg 1錠	抗てんかん，躁病・躁状態，片頭痛治療剤	2858
	MO221	白	酸化マグネシウム錠330mg「モチダ」(持田製販／持田)	酸化マグネシウム	330mg 1錠	制酸・緩下剤	3798
	MPI221	橙	アスペノンカプセル20(バイエル薬品)	アプリンジン塩酸塩	20mg 1カプセル	不整脈治療剤	194
	MSD221	薄赤黄　①	ジャヌビア錠25mg(MSD)	シタグリプチンリン酸塩水和物	25mg 1錠	選択的DPP-4阻害剤・糖尿病用剤	1611
	NS221	白〜微黄白	ニカルジピン塩酸塩錠10mg「日新」(日新)	ニカルジピン塩酸塩	10mg 1錠	ジヒドロピリジン系Ca拮抗剤	2628
	TG221/8	淡黄白　①	アゼルニジピン錠8mg「タナベ」(ニプロES)	アゼルニジピン	8mg 1錠	持続性Ca拮抗剤	90
	TG221/8	淡黄白　①	アゼルニジピン錠8mg「ニプロ」(ニプロES)	アゼルニジピン	8mg 1錠	持続性Ca拮抗剤	90
	TU221/5	白　①	イミダプリル塩酸塩錠5mg「TCK」(辰巳化学)	イミダプリル塩酸塩	5mg 1錠	ACE阻害剤	504
	TYK221	淡赤	カルシトリオールカプセル0.5μg「NIG」(日医工岐阜／日医工／武田薬品)	カルシトリオール	0.5μg 1カプセル	活性型ビタミンD₃	1136
	🎗221	無半透明	クロベタゾン酪酸エステル軟膏0.05%「ラクール」(東光薬品／ラクール)	クロベタゾン酪酸エステル	0.05% 1g	副腎皮質ホルモン	1364
	⊕221	白　①	ベラチン錠1mg(ニプロES)	ツロブテロール	1mg 1錠	気管支拡張β₂-刺激剤	2190
	Kowa221	白	リバゼブ配合錠LD(興和)	ピタバスタチンカルシウム水和物・エゼチミブ	1錠	HMG-CoA還元酵素阻害剤/小腸コレステロールトランスポーター阻害剤配合剤	2951
	n221/2.5 n221	白	ゾルミトリプタンOD錠2.5mg「日医工」(日医工)	ゾルミトリプタン	2.5mg 1錠	5-HT₁B/₁D受容体作動型片頭痛治療剤	1978
	△221/7.5	白〜帯黄白①	アデカット7.5mg錠(武田テバ薬品／武田薬品)	デラプリル塩酸塩	7.5mg 1錠	ACE阻害剤	2355
222	AK222	淡紅　①	グリメピリド錠1mg「AA」(あすか／武田薬品)	グリメピリド	1mg 1錠	スルホニル尿素系血糖降下剤	1278
	FF222/200	白	クエチアピン錠200mg「FFP」(共創未来)	クエチアピンフマル酸塩	200mg 1錠	抗精神病，D₂・5-HT₂拮抗剤	1225
	KSK222	青紫	アズレンスルホン酸ナトリウム・L-グルタミン配合顆粒「クニヒロ」(皇漢堂)	アズレンスルホン酸ナトリウム水和物・L-グルタミン	1g	消炎性抗潰瘍剤	70
	Kw222/200	白	スルピリド錠200mg「アメル」(共和薬品)	スルピリド	200mg 1錠	ベンザミド系抗潰瘍・精神安定剤	1777

番号	識別コード	色（◑：割線有）	商品名（会社名）	一般名	規格単位	薬効	掲載ページ
222	NF222／5	淡橙 ◑	ゾルピデム酒石酸塩錠5mg「AFP」（アルフレッサファーマ）	ゾルピデム酒石酸塩	5mg 1錠	入眠剤	1973
	NP222／イマチニブ100 NP-222 ◑	くすんだ黄赤〜濃黄赤 ◑	イマチニブ錠100mg「ニプロ」（ニプロ）	イマチニブメシル酸塩	100mg 1錠	抗悪性腫瘍剤・チロシンキナーゼ阻害剤	493
	TG222／16	淡黄白 ◑	アゼルニジピン錠16mg「タナベ」（ニプロES）	アゼルニジピン	16mg 1錠	持続性Ca拮抗剤	90
	TG222／16	淡黄白 ◑	アゼルニジピン錠16mg「ニプロ」（ニプロES）	アゼルニジピン	16mg 1錠	持続性Ca拮抗剤	90
	TU222／10	白 ◑	イミダプリル塩酸塩錠10mg「TCK」（辰巳化学）	イミダプリル塩酸塩	10mg 1錠	ACE阻害剤	504
	YD222／2.5	淡黄赤	オロパタジン塩酸塩錠2.5mg「YD」（陽進堂）	オロパタジン塩酸塩	2.5mg 1錠	アレルギー性疾患治療剤	1037
	◑222／0.2 ◑222：0.2	黄	スインプロイク錠0.2mg（塩野義）	ナルデメジントシル酸塩	0.2mg 1錠	経口末梢性μオピオイド受容体拮抗薬	2620
	Kowa 222	淡黄	リバゼブ配合錠HD（興和）	ピタバスタチンカルシウム水和物・エゼチミブ	1錠	HMG-CoA還元酵素阻害剤／小腸コレステロールトランスポーター阻害剤配合剤	2951
	Ⓝ222	白	エビプロスタット配合錠DB（日本新薬）	エビプロスタット配合錠DB	1錠	前立腺肥大症治療剤	786
	△222／15	極薄橙 ◑	アデカット15mg錠（武田テバ薬品／武田薬品）	デラプリル塩酸塩	15mg 1錠	ACE阻害剤	2355
223	NF223／10	淡橙 ◑	ゾルピデム酒石酸塩錠10mg「AFP」（アルフレッサファーマ）	ゾルピデム酒石酸塩	10mg 1錠	入眠剤	1973
	NPI223	白	アンブロキソール塩酸塩錠15mg「NPI」（日本薬品工業）	アンブロキソール塩酸塩	15mg 1錠	気道潤滑去痰剤	378
	Sc223	淡黄 ◑	ダイアート錠60mg（三和化学）	アゾセミド	60mg 1錠	ループ利尿剤	93
	YD223／5	淡黄赤	オロパタジン塩酸塩錠5mg「YD」（陽進堂）	オロパタジン塩酸塩	5mg 1錠	アレルギー性疾患治療剤	1037
	⑥223	白	イフェンプロジル酒石酸塩錠10mg「あすか」（あすか／武田薬品）	イフェンプロジル酒石酸塩	10mg 1錠	鎮うん剤	473
	n223／1 n223 1 n223	白	アナストロゾール錠1mg「日医工」（日医工）	アナストロゾール	1mg 1錠	アロマターゼ阻害・閉経後乳癌治療剤	147
	△223／30	薄橙 ◑	アデカット30mg錠（武田テバ薬品／武田薬品）	デラプリル塩酸塩	30mg 1錠	ACE阻害剤	2355
224	MED224／2.5	白 ◑	イミダプリル塩酸塩錠2.5mg「ケミファ」（メディサ／日本ケミファ）	イミダプリル塩酸塩	2.5mg 1錠	ACE阻害剤	504
	NP224／イマチニブ200 NP-224 ◑	くすんだ黄赤〜濃黄赤 ◑	イマチニブ錠200mg「ニプロ」（ニプロ）	イマチニブメシル酸塩	200mg 1錠	抗悪性腫瘍剤・チロシンキナーゼ阻害剤	493
	Sc224	白 ◑	ダイアート錠30mg（三和化学）	アゾセミド	30mg 1錠	ループ利尿剤	93
	TZ224／50	白 ◑	チラーヂンS錠50μg（あすか／武田薬品）	レボチロキシンナトリウム水和物	50μg 1錠	甲状腺ホルモン	4411
	YD224／5	白	ラフチジン錠5mg「YD」（陽進堂）	ラフチジン	5mg 1錠	H₂-受容体拮抗剤	4103
	Ⓔ224	橙	ノイキノン糖衣錠10mg（エーザイ）	ユビデカレノン	10mg 1錠	代謝性強心剤	4048
	⑥224	白	イフェンプロジル酒石酸塩錠20mg「あすか」（あすか／武田薬品）	イフェンプロジル酒石酸塩	20mg 1錠	鎮うん剤	473
225	GSI／225 GSI-225	青	デシコビ配合錠HT（ギリアド）	エムトリシタビン・テノホビル・アラフェナミドフマル酸塩	1錠	抗ウイルス化学療法剤	845
	MED225／5	白 ◑	イミダプリル塩酸塩錠5mg「ケミファ」（メディサ／日本ケミファ）	イミダプリル塩酸塩	5mg 1錠	ACE阻害剤	504
	NP225／2.5 NP-225	白	モサプリドクエン酸塩錠2.5mg「NP」（ニプロ）	モサプリドクエン酸塩水和物	2.5mg 1錠	消化管運動促進剤	4014
	t225 t225[250mg]	白	カルボシステイン錠250mg「NIG」（日医工岐阜／ニプロES／日医工／武田薬品）	L-カルボシステイン	250mg 1錠	気道粘液調整・粘膜正常化剤	1166
	TP225 TP-225	白	エパルレスタット錠50mg「NP」（ニプロ）	エパルレスタット	50mg 1錠	アルドース還元酵素阻害剤	779
	Tw225／10	白〜微黄	エピナスチン塩酸塩錠10mg「トーワ」（東和薬品）	エピナスチン塩酸塩	10mg 1錠	アレルギー性疾患治療剤	783
	UPJOHN225	橙／淡橙	ダラシンカプセル150mg（ファイザー）	クリンダマイシン	150mg 1カプセル	リンコマイシン系抗生物質	1281
	YD225／10	白	ラフチジン錠10mg「YD」（陽進堂）	ラフチジン	10mg 1錠	H₂-受容体拮抗剤	4103
	n581 プランルカスト225mg プランルカスト225mg n581	白〜帯黄白	プランルカストカプセル225mg「日医工」（日医工）	プランルカスト水和物	225mg 1カプセル	ロイコトリエン受容体拮抗剤	3268
226	KYO226	淡赤	ニフェジピンL錠20mg「KPI」（京都薬品／アルフレッサファーマ）	ニフェジピン	20mg 1錠	ジヒドロピリジン系Ca拮抗剤	2652

番号	識別コード	色 (◎：割線有)	商品名(会社名)	一般名	規格単位	薬効	掲載 ページ
226	MED226／10	白　◎	イミダプリル塩酸塩錠10mg「ケミファ」(メディサ／日本ケミファ)	イミダプリル塩酸塩	10mg 1錠	ACE阻害剤	504
	Tw226／20	白〜微黄	エピナスチン塩酸塩錠20mg「トーワ」(東和薬品)	エピナスチン塩酸塩	20mg 1錠	アレルギー性疾患治療剤	783
	⊕226	帯黄白　◎	アレギサール錠10mg (ニプロES)	ペミロラストカリウム	10mg 1錠	アレルギー性疾患治療剤	3564
	アトルバYD5 YD226	紅	アトルバスタチン錠5mg「YD」(陽進堂)	アトルバスタチンカルシウム水和物	5mg 1錠	HMG-CoA還元酵素阻害剤	128
227	227 t227[20mg]	白	メトプロロール酒石酸塩錠20mg「NIG」(日医工岐阜／日医工／武田薬品)	メトプロロール酒石酸塩	20mg 1錠	β_1-遮断剤	3960
	NP227／5 NP-227	白　◎	モサプリドクエン酸塩錠5mg「NP」(ニプロ)	モサプリドクエン酸塩水和物	5mg 1錠	消化管運動促進剤	4014
	SW227	白〜帯黄白	カモスタットメシル酸塩錠100mg「サワイ」(メディサ／沢井)	カモスタットメシル酸塩	100mg 1錠	蛋白分解酵素阻害剤	1110
	TU227	白	スマトリプタン錠50mg「TCK」(辰巳化学／フェルゼン)	スマトリプタン	50mg 1錠	5-HT$_{1B/1D}$受容体作動型片頭痛治療剤	1768
	Tw227	白〜淡黄白	ベラプロストNa錠20μg「トーワ」(東和薬品)	ベラプロストナトリウム	20μg 1錠	プロスタサイクリン(PGI$_2$)誘導体	3597
	TZ227／20	白	プロピベリン塩酸塩錠20mg「あすか」(あすか／武田薬品)	プロピベリン塩酸塩	20mg 1錠	排尿抑制ベンジル酸誘導体	3433
	⊕227	微黄白〜帯黄白　◎	アレギサール錠5mg (ニプロES)	ペミロラストカリウム	5mg 1錠	アレルギー性疾患治療剤	3564
	⊕227 ♥227	薄赤	アイセントレス錠400mg (MSD)	ラルテグラビルカリウム	400mg 1錠	HIVインテグラーゼ阻害剤	4149
	アトルバYD10 YD227	白	アトルバスタチン錠10mg「YD」(陽進堂)	アトルバスタチンカルシウム水和物	10mg 1錠	HMG-CoA還元酵素阻害剤	128
	トラネキサム250 日医工 ⓝ227	白	トラネキサム酸錠250mg「日医工」(日医工)	トラネキサム酸	250mg 1錠	抗プラスミン剤	2474
228	△228 5 △228	白	5mcgチロナミン錠(武田薬品)	リオチロニンナトリウム	5μg 1錠	甲状腺ホルモン	4181
	G228	白　◎	アンブロキソール塩酸塩錠15mg「CEO」(セオリア／武田薬品)	アンブロキソール塩酸塩	15mg 1錠	気道潤滑去痰剤	378
	⊕228	白	セレクトール錠100mg (日本新薬)	セリプロロール塩酸塩	100mg 1錠	β-遮断剤	1893
	モンテルカスト YD5 YD228	淡橙	モンテルカスト錠5mg「YD」(陽進堂)	モンテルカストナトリウム	5mg 1錠	ロイコトリエン受容体拮抗剤	4043
229	AK229	白　◎	ロラメット錠1.0 (あすか／武田薬品)	ロルメタゼパム	1mg 1錠	睡眠導入剤	4550
	t229[5mg] 229	白	メトクロプラミド錠5mg「NIG」(日医工岐阜／日医工／武田薬品)	メトクロプラミド	5mg 1錠	ベンザミド系消化器機能異常治療剤	3951
	Tw229	淡紅	ベラプロストNa錠40μg「トーワ」(東和薬品)	ベラプロストナトリウム	40μg 1錠	プロスタサイクリン(PGI$_2$)誘導体	3597
	△229 25 △229	白　◎	25mcgチロナミン錠(武田薬品)	リオチロニンナトリウム	25μg 1錠	甲状腺ホルモン	4181
	E229	微黄赤〜帯黄赤	デタントール錠0.5mg (エーザイ)	ブナゾシン塩酸塩	0.5mg 1錠	α_1-遮断剤	3229
	⊕229	白	セレクトール錠200mg (日本新薬)	セリプロロール塩酸塩	200mg 1錠	β-遮断剤	1893
	⌒229	白〜帯黄白	コデインリン酸塩錠5mg「シオエ」(シオエ／日本新薬)	コデインリン酸塩水和物	5mg 1錠	麻薬性鎮咳剤	1450
	モンテルカスト YD10 YD229	淡橙	モンテルカスト錠10mg「YD」(陽進堂)	モンテルカストナトリウム	10mg 1錠	ロイコトリエン受容体拮抗剤	4043
230	EK-230	淡茶〜灰褐	太虎堂の芎帰調血飲エキス顆粒(太虎精堂／クラシエ薬品)	芎帰調血飲	1g	漢方製剤	4579
	EP230／2.5	白	モサプリドクエン酸塩錠2.5mg「DSEP」(第一三共エスファ)	モサプリドクエン酸塩水和物	2.5mg 1錠	消化管運動促進剤	4014
	NS230／20	淡黄	バルサルタン錠20mg「日新」(日新)	バルサルタン	20mg 1錠	選択的AT$_1$受容体遮断剤	2840
	Tai TM-230	淡茶〜灰褐	太虎堂の芎帰調血飲エキス顆粒(太虎精堂)	芎帰調血飲	1g	漢方製剤	4579
	Tw230	黄　◎	ベニジピン塩酸塩錠4mg「トーワ」(東和薬品)	ベニジピン塩酸塩	4mg 1錠	ジヒドロピリジン系Ca拮抗剤	3524
	E230	白	デタントール錠1mg (エーザイ)	ブナゾシン塩酸塩	1mg 1錠	α_1-遮断剤	3229
	Kowa230	白	MDSコーワ錠300 (興和)	デキストラン硫酸エステルナトリウム イオウ	300mg 1錠	高脂血症改善剤	2227
	△230／5	黄白　◎	カルスロット錠5 (武田テバ薬品／武田薬品)	マニジピン塩酸塩	5mg 1錠	ジヒドロピリジン系Ca拮抗剤	3811
231	2／KW231	白　◎	ジアゼパム錠2mg「アメル」(共和薬品／日本ジェネリック)	ジアゼパム	2mg 1錠	マイナートランキライザー	1553
	EP231／5	白　◎	モサプリドクエン酸塩錠5mg「DSEP」(第一三共エスファ)	モサプリドクエン酸塩水和物	5mg 1錠	消化管運動促進剤	4014
	KRM231／10	淡赤	ニフェジピンL錠10mg「杏林」(キョーリンリメディオ／杏林)	ニフェジピン	10mg 1錠	ジヒドロピリジン系Ca拮抗剤	2652

番号	識別コード	色 (Ⓘ：割線有)	商品名(会社名)	一般名	規格単位	薬効	掲載ページ
231	MO231	微黄白	デソパン錠60mg（持田）	トリロスタン	60mg 1錠	副腎皮質ホルモン合成阻害剤	2533
	NS231／40	白 Ⓘ	バルサルタン錠40mg「日新」（日新）	バルサルタン	40mg 1錠	選択的AT₁受容体遮断剤	2840
	PH231	白 Ⓘ	シンバスタチン錠5mg「杏林」（キョーリンリメディオ／杏林）	シンバスタチン	5mg 1錠	HMG-CoA還元酵素阻害剤	1728
	SANKYO231	白	メバロチン錠5（第一三共）	プラバスタチンナトリウム	5mg 1錠	HMG-CoA還元酵素阻害剤	3256
	TU231／2.5	淡橙	アムロジピンOD錠2.5mg「TCK」（辰巳化学／フェルゼン）	アムロジピンベシル酸塩	2.5mg 1錠	ジヒドロピリジン系Ca拮抗剤	264
	cH231	白	プラバスタチンNa錠5mg「チョーセイ」（長生堂／日本ジェネリック）	プラバスタチンナトリウム	5mg 1錠	HMG-CoA還元酵素阻害剤	3256
	△231／10	淡黄 Ⓘ	カルスロット錠10（武田テバ薬品／武田薬品）	マニジピン塩酸塩	10mg 1錠	ジヒドロピリジン系Ca拮抗剤	3811
232	5／KW232	黄 Ⓘ	ジアゼパム錠5mg「アメル」（共和薬品／日本ジェネリック）	ジアゼパム	5mg 1錠	マイナートランキライザー	1553
	AK232	微黄白 Ⓘ	グリメピリド錠3mg「AA」（あすか／武田薬品）	グリメピリド	3mg 1錠	スルホニル尿素系血糖降下剤	1278
	DS232	淡赤	シュアポスト錠0.25mg（住友ファーマ）	レパグリニド	0.25mg 1錠	速効型インスリン分泌促進剤	4386
	FF232／2	白～帯黄白	カンデサルタン錠2mg「FFP」（共創未来）	カンデサルタン シレキセチル	2mg 1錠	アンギオテンシンⅡ受容体拮抗剤	1184
	KRM232／20	淡赤	ニフェジピンL錠20mg「杏林」（キョーリンリメディオ／杏林）	ニフェジピン	20mg 1錠	ジヒドロピリジン系Ca拮抗剤	2652
	NCP232D	白	レバミピド錠100mg「ケミファ」（日本ケミファ）	レバミピド	100mg 1錠	胃炎・胃潰瘍治療剤	4390
	NS232／80	白 Ⓘ	バルサルタン錠80mg「日新」（日新）	バルサルタン	80mg 1錠	選択的AT₁受容体遮断剤	2840
	SANKYO232	微紅	メバロチン錠10（第一三共）	プラバスタチンナトリウム	10mg 1錠	HMG-CoA還元酵素阻害剤	3256
	TU232／5	淡橙	アムロジピンOD錠5mg「TCK」（辰巳化学／フェルゼン）	アムロジピンベシル酸塩	5mg 1錠	ジヒドロピリジン系Ca拮抗剤	264
	YD232／AV0.5 YD232	淡黄	デュタステリド錠0.5mgAV「YD」（陽進堂）	デュタステリド	0.5mg 1錠	5α-還元酵素阻害薬	2332
	Є232	白	アゼプチン錠0.5mg（エーザイ）	アゼラスチン塩酸塩	0.5mg 1錠	アレルギー性疾患治療剤	90
	Ⓝ232	白	ガスロンN錠2mg（日本新薬）	イルソグラジンマレイン酸塩	2mg 1錠	粘膜防御性胃炎・胃潰瘍治療剤	521
	cH232	微紅 Ⓘ	プラバスタチンNa錠10mg「チョーセイ」（長生堂／日本ジェネリック）	プラバスタチンナトリウム	10mg 1錠	HMG-CoA還元酵素阻害剤	3256
	△232／20	薄橙黄 Ⓘ	カルスロット錠20（武田テバ薬品／武田薬品）	マニジピン塩酸塩	20mg 1錠	ジヒドロピリジン系Ca拮抗剤	3811
233	233／BY 233BY	白 Ⓘ	クラリチン錠10mg（バイエル薬品／塩野義）	ロラタジン	10mg 1錠	持続性選択H₁-受容体拮抗・アレルギー治療剤	4545
	DS233	白 Ⓘ	シュアポスト錠0.5mg（住友ファーマ）	レパグリニド	0.5mg 1錠	速効型インスリン分泌促進剤	4386
	EE233／10	白 Ⓘ	ロラタジン錠10mg「EE」（エルメッド／日医工）	ロラタジン	10mg 1錠	持続性選択H₁-受容体拮抗・アレルギー治療剤	4545
	FF233／4	白～帯黄白 Ⓘ	カンデサルタン錠4mg「FFP」（共創未来）	カンデサルタン シレキセチル	4mg 1錠	アンギオテンシンⅡ受容体拮抗剤	1184
	NS233／160	白 Ⓘ	バルサルタン錠160mg「日新」（日新）	バルサルタン	160mg 1錠	選択的AT₁受容体遮断剤	2840
	SW233／20	淡黄 Ⓘ	グリクラジド錠20mg「サワイ」（メディサ／沢井）	グリクラジド	20mg 1錠	スルホニル尿素系血糖降下剤	1257
	TU233／10	淡橙 Ⓘ	アムロジピンOD錠10mg「TCK」（辰巳化学）	アムロジピンベシル酸塩	10mg 1錠	ジヒドロピリジン系Ca拮抗剤	264
	Є233	白	アゼプチン錠1mg（エーザイ）	アゼラスチン塩酸塩	1mg 1錠	アレルギー性疾患治療剤	90
	Ⓝ233	白 Ⓘ	ガスロンN錠4mg（日本新薬）	イルソグラジンマレイン酸塩	4mg 1錠	粘膜防御性胃炎・胃潰瘍治療剤	521
	オランザピンOD5日医工 Ⓝ233	微黄～淡黄	オランザピンOD錠5mg「日医工」（日医工）	オランザピン	5mg 1錠	抗精神病剤・双極性障害治療剤・制吐剤	1021
	フェブキソYD10 YD233	白～微黄 Ⓘ	フェブキソスタット錠10mg「YD」（陽進堂）	フェブキソスタット	10mg 1錠	非プリン型選択的キサンチンオキシダーゼ阻害剤・高尿酸血症治療剤	3148
234	FF234／8	極薄橙 Ⓘ	カンデサルタン錠8mg「FFP」（共創未来）	カンデサルタン シレキセチル	8mg 1錠	アンギオテンシンⅡ受容体拮抗剤	1184
	NS234／2.5	白	ゾルミトリプタンOD錠2.5mg「日新」（日新）	ゾルミトリプタン	2.5mg 1錠	5-HT₁ᵦ/₁ᴅ受容体作動型片頭痛治療剤	1978
	TZ234／100	黄	チラーヂンS錠100μg（あすか／武田薬品）	レボチロキシンナトリウム水和物	100μg 1錠	甲状腺ホルモン	4411
	⊕234	白	ウルソ錠50mg（田辺三菱）	ウルソデオキシコール酸	50mg 1錠	肝・胆・消化機能改善剤	659
	Ⓝ234	青	アズノールST錠口腔用5mg（日本新薬）	アズレン	5mg 1錠	消炎剤	68
	オランザピンOD10日医工 Ⓝ234	微黄～淡黄	オランザピンOD錠10mg「日医工」（日医工）	オランザピン	10mg 1錠	抗精神病剤・双極性障害治療剤・制吐剤	1021
	フェブキソ20YD YD234	白～微黄 Ⓘ	フェブキソスタット錠20mg「YD」（陽進堂）	フェブキソスタット	20mg 1錠	非プリン型選択的キサンチンオキシダーゼ阻害剤・高尿酸血症治療剤	3148

200
ー
299

番号	識別コード	色 (◑：割線有)	商品名（会社名）	一般名	規格単位	薬効	掲載ページ
235	FF235／12	薄橙　◑	カンデサルタン錠12mg「FFP」（共創未来）	カンデサルタン シレキセチル	12mg 1錠	アンギオテンシンII受容体拮抗剤	1184
	HC235	白	スナイリンドライシロップ1%（ヴィアトリス・ヘルスケア／ヴィアトリス）	ピコスルファートナトリウム水和物	1% 1g	緩下剤	2934
	MO235	白	ディナゲスト錠1mg（持田）	ジエノゲスト	1mg 1錠	子宮内膜症治療剤・子宮腺筋症に伴う疼痛改善治療剤・月経困難症治療剤	1564
	NP235／2.5 NP-235	淡黄　◑	プレドニゾロン錠2.5mg「NP」（ニプロ）	プレドニゾロン	2.5mg 1錠	副腎皮質ホルモン	3366
	Tw235	帯褐黄	ニルバジピン錠4mg「トーワ」（東和薬）	ニルバジピン	4mg 1錠	ジヒドロピリジン系Ca拮抗剤	2685
	⊕235	白　◑	ウルソ錠100mg（田辺三菱）	ウルソデオキシコール酸	100mg 1錠	肝・胆・消化機能改善剤	659
	€235	白	インフリーカプセル100mg（エーザイ）	インドメタシン ファルネシル	100mg 1カプセル	インドール酢酸系消炎鎮痛剤	623
	✈235	淡黄	ゾスパタ錠40mg（アステラス）	ギルテリチニブフマル酸塩	40mg 1錠	抗悪性腫瘍剤（FLT3阻害剤）	1208
	フェブキソ40YD YD235	白〜微黄	フェブキソスタット錠40mg「YD」（陽進堂）	フェブキソスタット	40mg 1錠	非プリン型選択的キサンチンオキシダーゼ阻害剤・高尿酸血症治療剤	3148
236	HC236	白〜微黄白	ポリフル細粒83.3%（ヴィアトリス）	ポリカルボフィルカルシウム	83.3% 1g	過敏性腸症候群治療剤	3754
	KW236	白	チミペロン錠0.5mg「アメル」（共和薬品）	チミペロン	0.5mg 1錠	ブチロフェノン系精神安定剤	2167
	MO236	白	ディナゲストOD錠1mg（持田）	ジエノゲスト	1mg 1錠	子宮内膜症治療剤・子宮腺筋症に伴う疼痛改善治療剤・月経困難症治療剤	1564
	NS236	白〜微黄白◑	ドンペリドン錠10mg「日新」（日新）	ドンペリドン	10mg 1錠	消化管運動改善剤	2599
	SW236	白　◑	グリクラジド錠40mg「サワイ」（メデ ィサ／沢井）	グリクラジド	40mg 1錠	スルホニル尿素系血糖降下剤	1257
237	HC237	白	ポリフル錠500mg（ヴィアトリス）	ポリカルボフィルカルシウム	500mg 1錠	過敏性腸症候群治療剤	3754
	KRM237／2.5	黄	タダラフィル錠2.5mgZA「杏林」（キョーリンリメディオ／杏林）	タダラフィル	2.5mg 1錠	ホスホジエステラーゼ5阻害剤	2027
	KW237	白　◑	チミペロン錠1mg「アメル」（共和薬品）	チミペロン	1mg 1錠	ブチロフェノン系精神安定剤	2167
	NS237	白	ドンペリドン錠5mg「日新」（日新）	ドンペリドン	5mg 1錠	消化管運動改善剤	2599
	Sc237	白	ダイアモックス錠250mg（三和化学）	アセタゾラミド	250mg 1錠	炭酸脱水酵素抑制剤	71
	TPR237 t237[50mg]	灰青緑／淡橙	テプレノンカプセル50mg「日医工P」（日医工ファーマ／日医工）	テプレノン	50mg 1カプセル	テルペン系胃炎・胃潰瘍治療剤	2315
	€237	白	タンボコール錠50mg（エーザイ）	フレカイニド酢酸塩	50mg 1錠	不整脈治療剤	3352
238	KRM238／5	白	タダラフィル錠5mgZA「杏林」（キョーリンリメディオ／杏林）	タダラフィル	5mg 1錠	ホスホジエステラーゼ5阻害剤	2027
	KW238	白　◑	チミペロン錠3mg「アメル」（共和薬品）	チミペロン	3mg 1錠	ブチロフェノン系精神安定剤	2167
	€238	白	タンボコール錠100mg（エーザイ）	フレカイニド酢酸塩	100mg 1錠	不整脈治療剤	3352
239	239 ENP-10	白	オメプラゾール錠10mg「ケミファ」（シオノ／日本ケミファ）	オメプラゾール	10mg 1錠	プロトンポンプインヒビター	1010
	AK239	淡黄	ラベプラゾールNa錠10mg「AA」（あすか／武田薬品）	ラベプラゾールナトリウム	10mg 1錠	プロトンポンプインヒビター	4112
	EE239	白〜微黄白	ノルフロキサシン錠100mg「EMEC」（エルメッド／日医工）	ノルフロキサシン	100mg 1錠	ニューキノロン系抗菌剤	2742
	NCP239	白〜淡黄（灰白〜淡灰黄の斑点）◑	メサラジン錠250mg「ケミファ」（日本ケミファ／日本薬品工業／共創未来）	メサラジン	250mg 1錠	潰瘍性大腸炎・クローン病治療剤	3911
	Tw／239 Tw239	白〜淡黄白	ドンペリドン錠10mg「トーワ」（東和薬品）	ドンペリドン	10mg 1錠	消化管運動改善剤	2599
240	BG-12 240mg	淡緑	テクフィデラカプセル240mg（バイオジェン）	フマル酸ジメチル	240mg 1カプセル	多発性硬化症治療剤	3242
	EE240	白〜微黄白	ノルフロキサシン錠200mg「EMEC」（エルメッド／日医工）	ノルフロキサシン	200mg 1錠	ニューキノロン系抗菌剤	2742
	KRM240／20	赤褐	タダラフィル錠20mgAD「杏林」（キョーリンリメディオ／三和化学／共創未来／杏林）	タダラフィル	20mg 1錠	ホスホジエステラーゼ5阻害剤	2027
	SW240／50	白〜微黄白	アロプリノール錠50mg「サワイ」（沢井）	アロプリノール	50mg 1錠	キサンチンオキシダーゼ阻害剤・高尿酸血症治療剤	363
	Tw240／7.5	白　◑	ゾピクロン錠7.5mg「トーワ」（東和薬品）	ゾピクロン	7.5mg 1錠	シクロピロロン系睡眠障害改善剤	1937
	ナフトピジル25 日医工 ⓝ240	白　◑	ナフトピジル錠25mg「日医工」（日医工）	ナフトピジル	25mg 1錠	排尿障害治療剤	2614
241	IC-241	灰白	YM散「イセイ」（コーアイセイ）	健胃消化剤	1g	消化剤	1429
	SANKYO241／8	淡黄白	カルブロック錠8mg（第一三共）	アゼルニジピン	8mg 1錠	持続性Ca拮抗剤	90

200｜299

番号	識別コード	色(⦶：割線有)	商品名(会社名)	一般名	規格単位	薬効	掲載ページ
241	Sc241／2	白～帯黄白	**カンデサルタン錠2mg「三和」**(三和化学)	カンデサルタン シレキセチル	2mg 1錠	アンギオテンシンⅡ受容体拮抗剤	1184
	TU241／5	白	**ラフチジン錠5mg「TCK」**(辰巳化学)	ラフチジン	5mg 1錠	H_2-受容体拮抗剤	4103
	ナフトピジル50 日医工 ⓝ241	白 ⦶	**ナフトピジル錠50mg「日医工」**(日医工)	ナフトピジル	50mg 1錠	排尿障害治療剤	2614
242	AK242／2	白～帯黄白	**カンデサルタン錠2mg「あすか」**(あすか／武田薬品)	カンデサルタン シレキセチル	2mg 1錠	アンギオテンシンⅡ受容体拮抗剤	1184
	SANKYO242／16	淡黄白 ⦶	**カルブロック錠16mg**(第一三共)	アゼルニジピン	16mg 1錠	持続性Ca拮抗剤	90
	Sc242／4	白～帯黄白⦶	**カンデサルタン錠4mg「三和」**(三和化学)	カンデサルタン シレキセチル	4mg 1錠	アンギオテンシンⅡ受容体拮抗剤	1184
	TBP242	淡橙	**カリジノゲナーゼ錠25単位「サワイ」**(東菱薬品／沢井)	カリジノゲナーゼ	25単位 1錠	循環系作用酵素	1124
	TU242／10	白	**ラフチジン錠10mg「TCK」**(辰巳化学)	ラフチジン	10mg 1錠	H_2-受容体拮抗剤	4103
	Tw242／10	白	**クロチアゼパム錠10mg「トーワ」**(東和薬品)	クロチアゼパム	10mg 1錠	心身安定剤	1309
	✪242	薄黄	**アイセントレス錠600mg**(MSD)	ラルテグラビルカリウム	600mg 1錠	HIVインテグラーゼ阻害剤	4149
	ナフトピジル75 日医工 ⓝ242	黄白～淡黄⦶	**ナフトピジル錠75mg「日医工」**(日医工)	ナフトピジル	75mg 1錠	排尿障害治療剤	2614
	メコバラYD500 YD242	赤	**メコバラミン錠500μg「YD」**(陽進堂)	メコバラミン	0.5mg 1錠	補酵素型ビタミンB_{12}	3907
243	Sc243／8	極薄橙 ⦶	**カンデサルタン錠8mg「三和」**(三和化学)	カンデサルタン シレキセチル	8mg 1錠	アンギオテンシンⅡ受容体拮抗剤	1184
	TBP243	淡橙	**カリジノゲナーゼ錠50単位「サワイ」**(東菱薬品／沢井)	カリジノゲナーゼ	50単位 1錠	循環系作用酵素	1124
	Tw243	白～微黄白	**カモスタットメシル酸塩錠100mg「トーワ」**(東和薬品)	カモスタットメシル酸塩	100mg 1錠	蛋白分解酵素阻害剤	1110
	n243／25 n243 25 ⓝ243	薄黄みの赤	**クエチアピン錠25mg「日医工」**(日医工)	クエチアピンフマル酸塩	25mg 1錠	抗精神病，D_2・5-HT_2拮抗剤	1225
	◬243／5	白 ⦶	**プレドニゾロン錠「タケダ」5mg**(武田テバ薬品／武田薬品)	プレドニゾロン	5mg 1錠	副腎皮質ホルモン	3366
244	244	淡赤褐～淡赤	**ハイイータン錠50mg**(海和／大鵬薬品)	グマロンチニブ水和物	50mg 1錠	抗悪性腫瘍剤/MET阻害剤	1239
	Sc244／12	薄橙 ⦶	**カンデサルタン錠12mg「三和」**(三和化学)	カンデサルタン シレキセチル	12mg 1錠	アンギオテンシンⅡ受容体拮抗剤	1184
	TU244／8	淡黄白 ⦶	**アゼルニジピン錠8mg「TCK」**(辰巳化学)	アゼルニジピン	8mg 1錠	持続性Ca拮抗剤	90
	Tw244	白 ⦶	**ベタキソロール塩酸塩錠10mg「トーワ」**(東和薬品)	ベタキソロール塩酸塩	10mg 1錠	β_1-遮断剤	3490
	TZ244／12.5	赤	**チラーヂンS錠12.5μg**(あすか／武田薬品)	レボチロキシンナトリウム水和物	12.5μg 1錠	甲状腺ホルモン	4411
	n244／100 n244 100 ⓝ244	薄黄	**クエチアピン錠100mg「日医工」**(日医工)	クエチアピンフマル酸塩	100mg 1錠	抗精神病，D_2・5-HT_2拮抗剤	1225
245	NS245	橙	**エレトリプタン錠20mg「日新」**(日新)	エレトリプタン臭化水素酸塩	20mg 1錠	5-$HT_{1B/1D}$受容体作動型片頭痛治療剤	896
	TG245	黄 ⦶	**レボフロキサシン錠250mg「タナベ」**(ニプロES)	レボフロキサシン水和物	250mg 1錠(レボフロキサシンとして)	ニューキノロン系抗菌剤	4432
	TG245	黄 ⦶	**レボフロキサシン錠250mg「NP」**(ニプロES)	レボフロキサシン水和物	250mg 1錠(レボフロキサシンとして)	ニューキノロン系抗菌剤	4432
	TU245／16	淡黄白 ⦶	**アゼルニジピン錠16mg「TCK」**(辰巳化学)	アゼルニジピン	16mg 1錠	持続性Ca拮抗剤	90
	Tw245	帯褐黄	**ニルバジピン錠2mg「トーワ」**(東和薬品)	ニルバジピン	2mg 1錠	ジヒドロピリジン系Ca拮抗剤	2685
	⊕245	白	**ボンゾール錠100mg**(田辺三菱)	ダナゾール	100mg 1錠	エチステロン誘導体	2036
	n245／200 n245 200 ⓝ245	白	**クエチアピン錠200mg「日医工」**(日医工)	クエチアピンフマル酸塩	200mg 1錠	抗精神病，D_2・5-HT_2拮抗剤	1225
	CH245 ch245	黄 ⦶	**レボフロキサシン錠250mg「CH」**(長生堂／日本ジェネリック)	レボフロキサシン水和物	250mg 1錠(レボフロキサシンとして)	ニューキノロン系抗菌剤	4432
246	HP246C	白	**ボレークリーム1%**(久光)	ブテナフィン塩酸塩	1% 1g	ベンジルアミン系抗真菌剤	3224
	t246[2mg]	淡赤 ⦶	**トリクロルメチアジド錠2mg「NIG」**(日医工岐阜／日医工／武田薬品)	トリクロルメチアジド	2mg 1錠	チアジド系降圧利尿剤	2519

番号	識別コード	色 (①：割線有)	商品名(会社名)	一般名	規格単位	薬効	掲載ページ
246	TG246	薄橙 ①	レボフロキサシン錠500mg「タナベ」(ニプロES)	レボフロキサシン水和物	500mg 1錠 (レボフロキサシンとして)	ニューキノロン系抗菌剤	4432
	TG246	薄橙 ①	レボフロキサシン錠500mg「NP」(ニプロES)	レボフロキサシン水和物	500mg 1錠 (レボフロキサシンとして)	ニューキノロン系抗菌剤	4432
	Tw246／5	白 ①	ベタキソロール塩酸塩錠5mg「トーワ」(東和薬品)	ベタキソロール塩酸塩	5mg 1錠	β₁-遮断剤	3490
	⊕246	白	ボンゾール錠200mg (田辺三菱)	ダナゾール	200mg 1錠	エチステロン誘導体	2036
	ch246 ch246	薄橙 ①	レボフロキサシン錠500mg「CH」(長生堂／日本ジェネリック)	レボフロキサシン水和物	500mg 1錠 (レボフロキサシンとして)	ニューキノロン系抗菌剤	4432
247	HP247L	無透明	ボレー外用液1% (久光)	ブテナフィン塩酸塩	1% 1mL	ベンジルアミン系抗真菌剤	3224
	TU247	白	ロサルヒド配合錠LD「TCK」(辰巳化学)	ロサルタンカリウム・ヒドロクロロチアジド	1錠	持続性アンギオテンシンⅡ受容体拮抗剤・利尿剤合剤	4483
	Tw247	白	エパルレスタット錠50mg「トーワ」(東和薬品)	エパルレスタット	50mg 1錠	アルドース還元酵素阻害剤	779
	YD247	淡赤	センノシド錠12mg「YD」(陽進堂／共創未来)	センノシド	12mg 1錠	緩下剤	1923
	Ｅ247 3	黄	アリセプトD錠3mg (エーザイ)	ドネペジル,-塩酸塩	3mg 1錠	アルツハイマー型, レビー小体型認知症治療剤	2426
248	HP248S	無透明	ボレースプレー1% (久光)	ブテナフィン塩酸塩	1% 1mL	ベンジルアミン系抗真菌剤	3224
	NS248	白	ジラゼプ塩酸塩錠100mg「日新」(日新)	ジラゼプ塩酸塩水和物	100mg 1錠	心・腎疾患治療剤	1700
	PH248	淡黄白	ニトレンジピン錠5mg「杏林」(キョーリンリメディオ／杏林)	ニトレンジピン	5mg 1錠	ジヒドロピリジン系Ca拮抗剤	2642
	SW248	白 ①	アロプリノール錠100mg「サワイ」(沢井)	アロプリノール	100mg 1錠	キサンチンオキシダーゼ阻害剤・高尿酸血症治療剤	363
	Ｅ248 5	白	アリセプトD錠5mg (エーザイ)	ドネペジル,-塩酸塩	5mg 1錠	アルツハイマー型, レビー小体型認知症治療剤	2426
249	AK249	淡黄	ラベプラゾールNa錠20mg「AA」(あすか／武田薬品)	ラベプラゾールナトリウム	20mg 1錠	プロトンポンプインヒビター	4112
	PH249	淡黄	ニトレンジピン錠10mg「杏林」(キョーリンリメディオ／杏林)	ニトレンジピン	10mg 1錠	ジヒドロピリジン系Ca拮抗剤	2642
250	250	白	カルボシステイン錠250mg「ツルハラ」(鶴原)	L-カルボシステイン	250mg 1錠	気道粘液調整・粘膜正常化剤	1166
	250SAW	薄橙	サワシリン錠250 (LTL)	アモキシシリン水和物	250mg 1錠	合成ペニシリン	275
	250レボカルニチンFFアメル	白	レボカルニチンFF錠250mg「アメル」(共和薬品)	レボカルニチン	250mg 1錠	ミトコンドリア機能賦活剤	4405
	A250 TTS-668	白	アジスロマイシン錠250mg「タカタ」(高田)	アジスロマイシン水和物	250mg 1錠	15員環マクロライド系抗生物質	30
	AA250	ピンク	ザイティガ錠250mg (ヤンセン)	アビラテロン酢酸エステル	250mg 1錠	前立腺癌治療剤(CYP17阻害剤)	180
	AZM EP／AZM250 AZM EP AZM250	白〜帯黄白	アジスロマイシン錠250mg「DSEP」(全星薬品工業／第一三共エスファ)	アジスロマイシン水和物	250mg 1錠	15員環マクロライド系抗生物質	30
	BF250	白〜微帯黄灰白	ホスレノールチュアブル錠250mg (バイエル薬品)	炭酸ランタン水和物	250mg 1錠	高リン血症治療剤	4174
	CellCeptセルセプト250Roche	淡青／淡赤褐	セルセプトカプセル250 (中外)	ミコフェノール酸 モフェチル	250mg 1カプセル	免疫抑制剤	3844
	Diacomit250mg	明るい帯紫赤	ディアコミットカプセル250mg (Meiji Seika)	スチリペントール	250mg 1カプセル	抗てんかん剤	1747
	DS271／250	白〜帯黄白	ダービグルコ錠250mg (住友ファーマ)	メトホルミン塩酸塩	250mg 1錠	ビグアナイド系血糖降下剤	3962
	DS271／250	白〜帯黄白	メトホルミン塩酸塩錠250mgMT「DSPB」(住友プロモ／住友ファーマ)	メトホルミン塩酸塩	250mg 1錠	ビグアナイド系血糖降下剤	3962
	E250	黄	エサンブトール錠250mg (サンド)	エタンブトール塩酸塩	250mg 1錠	抗酸菌症治療剤	736
	FAMVIR／250 FAMVIR250	白	ファムビル錠250mg (旭化成／マルホ)	ファムシクロビル	250mg 1錠	抗ヘルペスウイルス剤	3077
	FJ66／250mg	黄 ①	レボフロキサシン錠250mg「F」(富士製薬)	レボフロキサシン水和物	250mg 1錠 (レボフロキサシンとして)	ニューキノロン系抗菌剤	4432
	FOD250	白	ホスレノールOD錠250mg (バイエル薬品)	炭酸ランタン水和物	250mg 1錠	高リン血症治療剤	4174
	GFTN250／GFTN EP GFTN250EP	褐	ゲフィチニブ錠250mg「DSEP」(第一三共エスファ)	ゲフィチニブ	250mg 1錠	抗悪性腫瘍剤・上皮成長因子受容体チロシンキナーゼ阻害剤	1418
	HP250L	無透明	アトラント外用液1% (久光／田辺三菱／鳥居薬品)	ネチコナゾール塩酸塩	1% 1mL	イミダゾール系抗真菌剤	2711
	IC201／250 IC-201	白〜灰白	炭酸ランタンOD錠250mg「イセイ」(コーアイセイ)	炭酸ランタン水和物	250mg 1錠	高リン血症治療剤	4174

番号	識別コード	色 (①:割線有)		商品名(会社名)	一般名	規格単位	薬効	掲載ページ
250	IRESSA250	褐		イレッサ錠250（アストラゼネカ）	ゲフィチニブ	250mg 1錠	抗悪性腫瘍剤・上皮成長因子受容体チロシンキナーゼ阻害剤	1418
	IW09／250mg	黄	①	レボフロキサシン錠250mg「イワキ」（岩城）	レボフロキサシン水和物	250mg 1錠（レボフロキサシンとして）	ニューキノロン系抗菌剤	4432
	JG F26／メトホルミンMT250JG	白	①	メトホルミン塩酸塩錠250mgMT「JG」（日本ジェネリック）	メトホルミン塩酸塩	250mg 1錠	ビグアナイド系血糖降下剤	3962
	JG G35／250	褐		ゲフィチニブ錠250mg「JG」（日本ジェネリック）	ゲフィチニブ	250mg 1錠	抗悪性腫瘍剤・上皮成長因子受容体チロシンキナーゼ阻害剤	1418
	JG N70／250	白〜灰白		炭酸ランタンOD錠250mg「JG」（日本ジェネリック）	炭酸ランタン水和物	250mg 1錠	高リン血症治療剤	4174
	KISSEI PA250	茶		ピートルチュアブル錠250mg（キッセイ）	スクロオキシ水酸化鉄	250mg 1錠	高リン血症治療剤	1742
	KPh／250 KPh250	黄〜黄褐		アザルフィジンEN錠250mg（あゆみ）	サラゾスルファピリジン	250mg 1錠	潰瘍性大腸炎治療・抗リウマチ剤	1522
	KR01 250 KR01	白〜微黄白		フォスブロック錠250mg（協和キリン）	セベラマー塩酸塩	250mg 1錠	高リン血症治療剤	1869
	Kw031／AZM250	白〜帯黄白		アジスロマイシン錠250mg「アメル」（共和薬品）	アジスロマイシン水和物	250mg 1錠	15員環マクロライド系抗生物質	30
	LFX250	黄	①	レボフロキサシン錠250mg「科研」（シオノ／科研）	レボフロキサシン水和物	250mg 1錠（レボフロキサシンとして）	ニューキノロン系抗菌剤	4432
	LP250	白		ロペラミド塩酸塩カプセル1mg「ホリイ」（堀井薬品）	ロペラミド塩酸塩	1mg 1カプセル	止瀉剤	4524
	LX250	黄	①	レボフロキサシン錠250mg「ケミファ」（大興／日本ケミファ）	レボフロキサシン水和物	250mg 1錠（レボフロキサシンとして）	ニューキノロン系抗菌剤	4432
	ME250	深紅／淡桃		メコバラミンカプセル250μg「日新」（日新）	メコバラミン	0.25mg 1カプセル	補酵素型ビタミンB_{12}	3907
	MMF250NIG NIG MMF250	淡赤褐／淡青		ミコフェノール酸モフェチルカプセル250mg「NIG」（日医工岐阜／日医工／武田薬品）	ミコフェノール酸 モフェチル	250mg 1カプセル	免疫抑制剤	3844
	M Mテプミトコ250	白みのやわらかい赤		テプミトコ錠250mg（メルクバイオ）	テポチニブ塩酸塩水和物	250mg 1錠	抗悪性腫瘍剤・チロシンキナーゼ阻害薬	2317
	NP727／AZM250 NP-727	白〜帯黄白		アジスロマイシン錠250mg「NP」（ニプロ）	アジスロマイシン水和物	250mg 1錠	15員環マクロライド系抗生物質	30
	OHARA250	薄紅	①	ネオドパストン配合錠L250（大原薬品）	レボドパ・カルビドパ水和物	1錠	パーキンソニズム治療剤	4415
	Pfizer CRZ250	淡赤		ザーコリカプセル250mg（ファイザー）	クリゾチニブ	250mg 1カプセル	抗悪性腫瘍剤・チロシンキナーゼ阻害薬	1271
	Sc31／250	白〜帯黄白	①	メトホルミン塩酸塩錠250mgMT「三和」（三和化学）	メトホルミン塩酸塩	250mg 1錠	ビグアナイド系血糖降下剤	3962
	SF250	黄〜黄褐		サラゾスルファピリジン腸溶錠250mg「SN」（シオノ）	サラゾスルファピリジン	250mg 1錠	潰瘍性大腸炎治療・抗リウマチ剤	1522
	SLT250	青／白		セファクロルカプセル250mg「SN」（シオノ／あゆみ）	セファクロル	250mg 1カプセル	セフェム系抗生物質	1825
	SLV250	黄	①	レボフロキサシン錠250mg「サンド」（サンド）	レボフロキサシン水和物	250mg 1錠（レボフロキサシンとして）	ニューキノロン系抗菌剤	4432
	SW FC／250	白		ファムシクロビル錠250mg「サワイ」（沢井）	ファムシクロビル	250mg 1錠	抗ヘルペスウイルス剤	3077
	t225 t225[250mg]	白		カルボシステイン錠250mg「NIG」（日医工岐阜／ニプロES／日医工／武田薬品）	L-カルボシステイン	250mg 1錠	気道粘液調整・粘膜正常化剤	1166
	t404 t404[250mg]	黄〜黄褐		サラゾスルファピリジン腸溶錠250mg「NIG」（日医工岐阜／日医工／武田薬品）	サラゾスルファピリジン	250mg 1錠	潰瘍性大腸炎治療・抗リウマチ剤	1522
	TE F1／250	白〜帯黄白	①	メトホルミン塩酸塩錠250mgMT「TE」（トーアエイヨー）	メトホルミン塩酸塩	250mg 1錠	ビグアナイド系血糖降下剤	3962
	Tu AM・250	暗赤／白		アモキシシリンカプセル250mg「TCK」（辰巳化学／日本ジェネリック）	アモキシシリン水和物	250mg 1カプセル	合成ペニシリン	275
	Tu KU・250	青／白		セファクロルカプセル250mg「TCK」（辰巳化学）	セファクロル	250mg 1カプセル	セフェム系抗生物質	1825
	TU334／250	白	①	メトホルミン塩酸塩錠250mgMT「TCK」（辰巳化学）	メトホルミン塩酸塩	250mg 1錠	ビグアナイド系血糖降下剤	3962

番号	識別コード	色 (①:割線有)	商品名(会社名)	一般名	規格単位	薬効	掲載ページ
250	Tu-KR250	白	カルボシステイン錠250mg「TCK」(辰巳化学)	L-カルボシステイン	250mg 1錠	気道粘液調整・粘膜正常化剤	1166
	Tu-LP250	薄紅 ①	レプリントン配合錠L250（辰巳化学）	レボドパ・カルビドパ水和物	1錠	パーキンソニズム治療剤	4415
	Tw CCL250 Tw.CCL250	青/白	セファクロルカプセル250mg「トーワ」	セファクロル	250mg 1カプセル	セフェム系抗生物質	1825
	Tw CEX250 Tw.CEX250	緑/類白	セファレキシンカプセル250mg「トーワ」(東和薬品)	セファレキシン	250mg 1カプセル	セファロスポリン系抗生物質	1830
	Tw.L1 TwL1／250	黄 ①	レボフロキサシン錠250mg「トーワ」(東和薬品)	レボフロキサシン水和物	250mg 1錠（レボフロキサシンとして）	ニューキノロン系抗菌剤	4432
	Tw.L3 TwL3／250	淡黄 ①	レボフロキサシンOD錠250mg「トーワ」(東和薬品)	レボフロキサシン水和物	250mg 1錠（レボフロキサシンとして）	ニューキノロン系抗菌剤	4432
	Tw710／250	白	カルボシステイン錠250mg「トーワ」(東和薬品)	L-カルボシステイン	250mg 1錠	気道粘液調整・粘膜正常化剤	1166
	Tw718／250	白	アジスロマイシン錠250mg「トーワ」(東和薬品)	アジスロマイシン水和物	250mg 1錠	15員環マクロライド系抗生物質	30
	TwM1／ メトホルミン250 Tw.M1	白 ①	メトホルミン塩酸塩錠250mgMT「トーワ」(東和薬品)	メトホルミン塩酸塩	250mg 1錠	ビグアナイド系血糖降下剤	3962
	ucb250	青	イーケプラ錠250mg（ユーシービー）	レベチラセタム	250mg 1錠	抗てんかん剤	4399
	YA／250 YA250	白～帯黄白①	メトホルミン塩酸塩錠250mgMT「VTRS」(ヴィアトリス・ヘルスケア／ヴィアトリス)	メトホルミン塩酸塩	250mg 1錠	ビグアナイド系血糖降下剤	3962
	YD566 レボフロキサシン250 YD	黄 ①	レボフロキサシン錠250mg「陽進」(陽進堂)	レボフロキサシン水和物	250mg 1錠（レボフロキサシンとして）	ニューキノロン系抗菌剤	4432
	YO MG2／250	白	酸化マグネシウム錠250mg「ヨシダ」(吉田／共創未来)	酸化マグネシウム	250mg 1錠	制酸・緩下剤	3798
	Z133／250	白	ファムシクロビル錠250mg「日本臓器」(小財家／日本臓器)	ファムシクロビル	250mg 1錠	抗ヘルペスウイルス剤	3077
	Ｅ250 10	淡赤 ①	アリセプトD錠10mg（エーザイ）	ドネペジル, -塩酸塩	10mg 1錠	アルツハイマー型, レビー小体型認知症治療剤	2426
	n758／ メトホルミン250 n758 メトホルミン250 ⓝ758	白 ①	メトホルミン塩酸塩錠250mgMT「日医工」(日医工)	メトホルミン塩酸塩	250mg 1錠	ビグアナイド系血糖降下剤	3962
	n789／250 n789 250 ⓝ789	白	アジスロマイシン錠250mg「日医工」(日医工)	アジスロマイシン水和物	250mg 1錠	15員環マクロライド系抗生物質	30
	n-PG250	白	ペングッド錠250mg（日医工）	バカンピシリン塩酸塩	250mg 1錠	アンピシリンエステル	2761
	ⓚPTG250	茶	ピートル顆粒分包250mg（キッセイ）	スクロオキシ水酸化鉄	250mg 1包	高リン血症治療剤	1742
	Pfizer／ZTM250 Pfizer ZTM250	白	ジスロマック錠250mg（ファイザー）	アジスロマイシン水和物	250mg 1錠	15員環マクロライド系抗生物質	30
	Ｅパリエット10 250SAW Ⓣ763	淡黄 薄橙 白	ラベファインパック(エーザイ／EA)	ラベプラゾールナトリウム・アモキシシリン水和物・メトロニダゾール	1シート	ヘリコバクター・ピロリ除菌用組み合わせ製剤	4121
	Ｅパリエット10 250SAW クラリス200	淡黄 薄橙 白	ラベキュアパック400 (エーザイ／EA)	ラベプラゾールナトリウム・アモキシシリン水和物・クラリスロマイシン	1シート	ヘリコバクター・ピロリ除菌用組み合わせ製剤	4116
	Ｅパリエット10 250SAW クラリス200	淡黄 薄橙 白	ラベキュアパック800 (エーザイ／EA)	ラベプラゾールナトリウム・アモキシシリン水和物・クラリスロマイシン	1シート	ヘリコバクター・ピロリ除菌用組み合わせ製剤	4116
	アジスロマイシン250 SW	白	アジスロマイシン錠250mg「サワイ」(沢井)	アジスロマイシン水和物	250mg 1錠	15員環マクロライド系抗生物質	30
	アモキシシリン250mg トーワ	茶/白	アモキシシリンカプセル250mg「トーワ」(東和薬品)	アモキシシリン水和物	250mg 1カプセル	合成ペニシリン	275
	エルカルチン FF250	白	エルカルチンFF錠250mg（大塚）	レボカルニチン塩化物	250mg 1錠	ミトコンドリア機能賦活剤	4405
	オランザピン OD2.5日医工 ⓝ250	微黄～淡黄	オランザピンOD錠2.5mg「日医工」(日医工)	オランザピン	2.5mg 1錠	抗精神病剤・双極性障害治療剤・制吐剤	1021
	カマ250KE01	白	酸化マグネシウム錠250mg「ケンエー」(健栄／日本ジェネリック)	酸化マグネシウム	250mg 1錠	制酸・緩下剤	3798
	カマ250KE01	白(緑)	酸化マグネシウム錠250mg「ケンエー」(健栄)	酸化マグネシウム	250mg 1錠	制酸・緩下剤	3798
	カルボシステイン250 JG	白	カルボシステイン錠250mg「JG」(日本ジェネリック／共創未来)	L-カルボシステイン	250mg 1錠	気道粘液調整・粘膜正常化剤	1166
	キックリン 250mg ✦	淡黄	キックリンカプセル250mg（アステラス）	ビキサロマー	250mg 1カプセル	高リン血症治療剤	2927

番号	識別コード	色 （①：割線有）	商品名（会社名）	一般名	規格単位	薬効	掲載ページ
250	クラビット／250mg	黄 ①	クラビット錠250mg（第一三共）	レボフロキサシン水和物	250mg 1錠（レボフロキサシンとして）	ニューキノロン系抗菌剤	4432
	ゲフィチニブ250日医工 ⓝ211	褐	ゲフィチニブ錠250mg「日医工」（日医工）	ゲフィチニブ	250mg 1錠	抗悪性腫瘍剤・上皮成長因子受容体チロシンキナーゼ阻害剤	1418
	ゲフィチニブ250サンド	褐	ゲフィチニブ錠250mg「サンド」（ダイト／サンド）	ゲフィチニブ	250mg 1錠	抗悪性腫瘍剤・上皮成長因子受容体チロシンキナーゼ阻害剤	1418
	ゲフィチニブNK250	褐	ゲフィチニブ錠250mg「NK」（日本化薬）	ゲフィチニブ	250mg 1錠	抗悪性腫瘍剤・上皮成長因子受容体チロシンキナーゼ阻害剤	1418
	サワイゲフィチニブ250	褐	ゲフィチニブ錠250mg「サワイ」（沢井）	ゲフィチニブ	250mg 1錠	抗悪性腫瘍剤・上皮成長因子受容体チロシンキナーゼ阻害剤	1418
	サワシリン250LT	褐／白	サワシリンカプセル250（LTL）	アモキシシリン水和物	250mg 1カプセル	合成ペニシリン	275
	ジメリン250	白又は微黄帯白 ①	ジメリン錠250mg（共和薬品）	アセトヘキサミド	250mg 1錠	スルホニル尿素系血糖降下剤	82
	セファクロル250mgサワイ	青／白	セファクロルカプセル250mg「SW」（沢井）	セファクロル	250mg 1カプセル	セフェム系抗生物質	1825
	トラネキサム250日医工 ⓝ227	白	トラネキサム酸錠250mg「日医工」（日医工）	トラネキサム酸	250mg 1錠	抗プラスミン剤	2474
	ドパストン250オーハラ	淡黄赤	ドパストンカプセル250mg（大原薬品）	レボドパ	250mg 1カプセル	抗パーキンソン剤	4413
	ファムシクロビル250JG	白	ファムシクロビル錠250mg「JG」（ダイト／日本ジェネリック）	ファムシクロビル	250mg 1錠	抗ヘルペスウイルス剤	3077
	ファムシクロビル250KMP	白	ファムシクロビル錠250mg「KMP」（共創未来）	ファムシクロビル	250mg 1錠	抗ヘルペスウイルス剤	3077
	ファムシクロビル250VTRS	白	ファムシクロビル錠250mg「VTRS」（ヴィアトリス・ヘルスケア／ヴィアトリス）	ファムシクロビル	250mg 1錠	抗ヘルペスウイルス剤	3077
	ファムシクロビル250日医工 ⓝ036	白	ファムシクロビル錠250mg「日医工」（日医工）	ファムシクロビル	250mg 1錠	抗ヘルペスウイルス剤	3077
	ファムシクロビル250トーワ	白	ファムシクロビル錠250mg「トーワ」（東和薬品）	ファムシクロビル	250mg 1錠	抗ヘルペスウイルス剤	3077
	ファムシクロビルYD250ファムシクロビル250YD	白	ファムシクロビル錠250mg「YD」（コーアバイオテックベイ／陽進堂）	ファムシクロビル	250mg 1錠	抗ヘルペスウイルス剤	3077
	ファムシクロビルタカタ250	白	ファムシクロビル錠250mg「タカタ」（高田）	ファムシクロビル	250mg 1錠	抗ヘルペスウイルス剤	3077
	ポンタール250	白	ポンタールカプセル250mg（ファイザー）	メフェナム酸	250mg 1カプセル	アントラニル酸系解熱消炎鎮痛剤	3981
	マグミット250	白	マグミット錠250mg（マグミット製薬／フェルゼン／シオエ／日本新薬／丸石）	酸化マグネシウム	250mg 1錠	制酸・緩下剤	3798
	メコバラミン250JG	極薄赤	メコバラミン錠250μg「JG」（日本ジェネリック／共創未来）	メコバラミン	0.25mg 1錠	補酵素型ビタミンB_{12}	3907
	メトホルミンDSEP250MT	白～帯黄白①	メトホルミン塩酸塩錠250mgMT「DSEP」（第一三共エスファ）	メトホルミン塩酸塩	250mg 1錠	ビグアナイド系血糖降下剤	3962
	メトホルミンMT250ニプロ	白～帯黄白①	メトホルミン塩酸塩錠250mgMT「ニプロ」（ニプロ）	メトホルミン塩酸塩	250mg 1錠	ビグアナイド系血糖降下剤	3962
	ランタン250／フソー	白～灰白	炭酸ランタンOD錠250mg「フソー」（扶桑薬品）	炭酸ランタン水和物	250mg 1錠	高リン血症治療剤	4174
	レナジェル250	白～微黄白	レナジェル錠250mg（中外）	セベラマー塩酸塩	250mg 1錠	高リン血症治療剤	1869
	レベチラ／250NS	青	レベチラセタム錠250mg「日新」（日新）	レベチラセタム	250mg 1錠	抗てんかん剤	4399
	レベチラ／250メイジ	青	レベチラセタム錠250mg「明治」（Meiji Seika）	レベチラセタム	250mg 1錠	抗てんかん剤	4399
	レベチラセタム250JG	青	レベチラセタム錠250mg「JG」（日本ジェネリック）	レベチラセタム	250mg 1錠	抗てんかん剤	4399
	レベチラセタム250／VTRS	青	レベチラセタム錠250mg「VTRS」（ダイト／ヴィアトリス）	レベチラセタム	250mg 1錠	抗てんかん剤	4399
	レベチラセタム250杏林	青	レベチラセタム錠250mg「杏林」（キョーリンリメディオ／杏林）	レベチラセタム	250mg 1錠	抗てんかん剤	4399
	レベチラセタム250日医工	青	レベチラセタム錠250mg「日医工」（日医工）	レベチラセタム	250mg 1錠	抗てんかん剤	4399
	レベチラセタム250アメル	青	レベチラセタム錠250mg「アメル」（共和薬品）	レベチラセタム	250mg 1錠	抗てんかん剤	4399

番号	識別コード	色 (Ⓘ：割線有)	商品名(会社名)	一般名	規格単位	薬効	掲載 ページ
250	レベチラセタム250 サワイ	青	レベチラセタム錠250mg「サワイ」(沢井)	レベチラセタム	250mg 1錠	抗てんかん剤	4399
	レベチラセタム250 サンド	淡青	レベチラセタム錠250mg「サンド」(サンド)	レベチラセタム	250mg 1錠	抗てんかん剤	4399
	レベチラセタム250 タカタ	青	レベチラセタム錠250mg「タカタ」(高田)	レベチラセタム	250mg 1錠	抗てんかん剤	4399
	レベチラセタム250 トーワ	青	レベチラセタム錠250mg「トーワ」(東和薬品／三和化学／共創未来)	レベチラセタム	250mg 1錠	抗てんかん剤	4399
	レベチラセタム250 フェルゼン	青	レベチラセタム錠250mg「フェルゼン」(フェルゼン)	レベチラセタム	250mg 1錠	抗てんかん剤	4399
	レボカルニチン FF250トーワ	白	レボカルニチンFF錠250mg「トーワ」(東和薬品／共創未来／三和化学)	レボカルニチン	250mg 1錠	ミトコンドリア機能賦活剤	4405
	レボフロ／ 250EP レボフロ250EP	黄	Ⓘ	レボフロキサシン錠250mg「DSEP」(第一三共エスファ)	レボフロキサシン水和物	250mg 1錠 (レボフロキサシンとして)	ニューキノロン系抗菌剤	4432
	レボフロキサシン250 杏林	黄	Ⓘ	レボフロキサシン錠250mg「杏林」(キョーリンリメディオ／杏林)	レボフロキサシン水和物	250mg 1錠 (レボフロキサシンとして)	ニューキノロン系抗菌剤	4432
	レボフロキサシン250 日医工 ⓝ953	黄	Ⓘ	レボフロキサシン錠250mg「日医工」(日医工)	レボフロキサシン水和物	250mg 1錠 (レボフロキサシンとして)	ニューキノロン系抗菌剤	4432
	レボフロキサシン250 タカタ	黄	Ⓘ	レボフロキサシン錠250mg「タカタ」(高田)	レボフロキサシン水和物	250mg 1錠 (レボフロキサシンとして)	ニューキノロン系抗菌剤	4432
	レボフロキサシン SW250	黄	Ⓘ	レボフロキサシン錠250mg「サワイ」(沢井)	レボフロキサシン水和物	250mg 1錠 (レボフロキサシンとして)	ニューキノロン系抗菌剤	4432
	レボフロキサシン ZE250	黄	Ⓘ	レボフロキサシン錠250mg「ZE」(全星薬品工業／全星薬品)	レボフロキサシン水和物	250mg 1錠 (レボフロキサシンとして)	ニューキノロン系抗菌剤	4432
	レボフロキサシン セオリア 250mg	黄	Ⓘ	レボフロキサシン錠250mg「CEO」(セオリア／武田薬品)	レボフロキサシン水和物	250mg 1錠 (レボフロキサシンとして)	ニューキノロン系抗菌剤	4432
251	HP251C	白	アトラントクリーム1%(久光／田辺三菱／鳥居薬品)	ネチコナゾール塩酸塩	1% 1g	イミダゾール系抗真菌剤	2711
	KW251／SUM50	白～帯黄白	スマトリプタン錠50mg「アメル」(共和薬品)	スマトリプタン	50mg 1錠	5-HT$_{1B/1D}$受容体作動型片頭痛治療剤	1768
	KYO251	白～帯黄白	ナトリックス錠1(京都薬品／日本セルヴィエ／住友ファーマ)	インダパミド	1mg 1錠	非チアジド系降圧剤	600
	NS251／2	白～帯黄白	カンデサルタン錠2mg「日新」(日新)	カンデサルタン シレキセチル	2mg 1錠	アンギオテンシンⅡ受容体拮抗剤	1184
	NTG Sc251	白	バソレーターテープ27mg(三和化学)	ニトログリセリン	(27mg) 14cm²1枚	冠動脈拡張剤	2644
	OH251 OH-251	白～帯黄白	スパカール錠40mg(大原薬品)	トレピブトン	40mg 1錠	膵・胆道疾患治療剤	2575
	PH251	薄桃	エナラプリルマレイン酸塩錠2.5mg「杏林」(キョーリンリメディオ／共創未来／杏林)	エナラプリルマレイン酸塩	2.5mg 1錠	ACE阻害剤	767
	SW251	白～微黄白	セチリジン塩酸塩OD錠5mg「サワイ」(沢井)	セチリジン塩酸塩	5mg 1錠	持続性選択H$_1$-受容体拮抗剤	1806
	t251[25mg] t251	白	アテノロール錠25mg「NIG」(日医工岐阜／日医工／武田薬品)	アテノロール	25mg 1錠	β_1-遮断剤	115
	TU251／25	白	Ⓘ	ロサルタンカリウム錠25mg「TCK」(辰巳化学)	ロサルタンカリウム	25mg 1錠	アンギオテンシンⅡ受容体拮抗剤	4481
	Tw／251 Tw251	白	メトクロプラミド錠5mg「トーワ」(東和薬品)	メトクロプラミド	5mg 1錠	ベンザミド系消化器機能異常治療剤	3951
	YD251／2.5	白	モサプリドクエン酸塩錠2.5mg「YD」(陽進堂)	モサプリドクエン酸塩水和物	2.5mg 1錠	消化管運動促進剤	4014
	🔒251	白	炭カル錠500mg「旭化成」(旭化成)	沈降炭酸カルシウム	500mg 1錠	制酸吸着・高リン血症剤	1132
	Pfizer／CDT251	白	カデュエット配合錠2番(ヴィアトリス)	アムロジピンベシル酸塩・アトルバスタチンカルシウム水和物	1錠	持続性Ca拮抗剤・HMG-CoA還元酵素阻害剤	266
252	AK252／4	白～帯黄白Ⓘ	カンデサルタン錠4mg「あすか」(あすか／武田薬品)	カンデサルタン シレキセチル	4mg 1錠	アンギオテンシンⅡ受容体拮抗剤	1184
	HP252-O	白～微黄	アトラント軟膏1%(久光／田辺三菱／鳥居薬品)	ネチコナゾール塩酸塩	1% 1g	イミダゾール系抗真菌剤	2711
	KYO252	淡桃	ナトリックス錠2(京都薬品／日本セルヴィエ／住友ファーマ)	インダパミド	2mg 1錠	非チアジド系降圧剤	600

番号	識別コード	色 (◑：割線有)	商品名(会社名)	一般名	規格単位	薬効	掲載ページ
252	NS252／4	白〜帯黄白◑	カンデサルタン錠4mg「日新」(日新)	カンデサルタン シレキセチル	4mg 1錠	アンギオテンシンⅡ受容体拮抗剤	1184
	NT252 NT-252	帯赤灰	ニフェジピンCR錠10mg「NP」(ニプロ)	ニフェジピン	10mg 1錠	ジヒドロピリジン系Ca拮抗剤	2652
	PH252	薄桃 ◑	エナラプリルマレイン酸塩錠5mg「杏林」(キョーリンリメディオ/共創未来／杏林)	エナラプリルマレイン酸塩	5mg 1錠	ACE阻害剤	767
	SW252	白〜微黄白	セチリジン塩酸塩OD錠10mg「サワイ」(沢井)	セチリジン塩酸塩	10mg 1錠	持続性選択H₁-受容体拮抗剤	1806
	t252[50mg] 252	白	アテノロール錠50mg「NIG」(日医工岐阜/日医工/武田薬品)	アテノロール	50mg 1錠	β_1-遮断剤	115
	TT／252 TT252	白	チウラジール錠50mg (ニプロES)	プロピルチオウラシル	50mg 1錠	抗甲状腺剤	3435
	TTS252／25 TTS-252	薄黄みの赤	クエチアピン錠25mg「タカタ」(高田)	クエチアピンフマル酸塩	25mg 1錠	抗精神病、D₂・5-HT₂拮抗剤	1225
	TU252／50	白 ◑	ロサルタンカリウム錠50mg「TCK」(辰巳化学)	ロサルタンカリウム	50mg 1錠	アンギオテンシンⅡ受容体拮抗剤	4481
	Tw／252 Tw252	白	ジソピラミドリン酸塩徐放錠150mg「トーワ」(東和薬品)	ジソピラミド	150mg 1錠	不整脈治療剤	1608
	YD252／5	白 ◑	モサプリドクエン酸塩錠5mg「YD」(陽進堂)	モサプリドクエン酸塩水和物	5mg 1錠	消化管運動促進剤	4014
253	NP253／5 NP-253	淡黄	メロキシカム錠5mg「NP」(ニプロ)	メロキシカム	5mg 1錠	非ステロイド性消炎鎮痛剤	4000
	NS253／8	極薄橙	カンデサルタン錠8mg「日新」(日新)	カンデサルタン シレキセチル	8mg 1錠	アンギオテンシンⅡ受容体拮抗剤	1184
	NT253 NT-253	淡赤	ニフェジピンCR錠20mg「NP」(ニプロ)	ニフェジピン	20mg 1錠	ジヒドロピリジン系Ca拮抗剤	2652
	TTS253／50 TTS-253	白	クエチアピン錠50mg「タカタ」(高田)	クエチアピンフマル酸塩	50mg 1錠	抗精神病、D₂・5-HT₂拮抗剤	1225
	TU253／100	白	ロサルタンカリウム錠100mg「TCK」(辰巳化学)	ロサルタンカリウム	100mg 1錠	アンギオテンシンⅡ受容体拮抗剤	4481
	Tw253／10	帯赤灰	ニフェジピンCR錠10mg「トーワ」(東和薬品)	ニフェジピン	10mg 1錠	ジヒドロピリジン系Ca拮抗剤	2652
	YD253	白	スマトリプタン錠50mg「YD」(陽進堂)	スマトリプタン	50mg 1錠	5-HT₁ᴮ/₁ᴰ受容体作動型片頭痛治療剤	1768
254	NS254／12	薄橙 ◑	カンデサルタン錠12mg「日新」(日新)	カンデサルタン シレキセチル	12mg 1錠	アンギオテンシンⅡ受容体拮抗剤	1184
	NT254 NT-254	淡赤褐	ニフェジピンCR錠40mg「NP」(ニプロ)	ニフェジピン	40mg 1錠	ジヒドロピリジン系Ca拮抗剤	2652
	TTS254／100 TTS-254	薄黄	クエチアピン錠100mg「タカタ」(高田)	クエチアピンフマル酸塩	100mg 1錠	抗精神病、D₂・5-HT₂拮抗剤	1225
	TU254／2.5	白	モサプリドクエン酸塩錠2.5mg「TCK」(辰巳化学)	モサプリドクエン酸塩水和物	2.5mg 1錠	消化管運動促進剤	4014
	Tw254／20	淡赤	ニフェジピンCR錠20mg「トーワ」(東和薬品)	ニフェジピン	20mg 1錠	ジヒドロピリジン系Ca拮抗剤	2652
	TZ254／75	淡黄	チラーヂンS錠75μg (あすか/武田薬品)	レボチロキシンナトリウム水和物	75μg 1錠	甲状腺ホルモン	4411
	✚254	白	コロネル錠500mg (アステラス)	ポリカルボフィルカルシウム	500mg 1錠	過敏性腸症候群治療剤	3754
	メトトレキサート2mg SW-254 SW-254	黄	メトトレキサートカプセル2mg「サワイ」(沢井)	メトトレキサート〔抗リウマチ剤〕	2mg 1カプセル	抗リウマチ剤	3952
255	GSI／255	灰	オデフシィ配合錠(ヤンセン)	リルピビリン塩酸塩・テノホビルアラフェナミドフマル酸塩・エムトリシタビン	1錠	抗ウイルス化学療法剤	4308
	h255 h-255	白 ◑	プレドニゾロン錠5mg「VTRS」(ヴィアトリス・ヘルスケア/ヴィアトリス)	プレドニゾロン	5mg 1錠	副腎皮質ホルモン	3366
	MO255	白	フロリード腟坐剤100mg (持田)	ミコナゾール	100mg 1個	フェネチルイミダゾール系抗真菌剤	3839
	NS255／0.5	淡黄	デュタステリド錠0.5mgAV「NS」(日新/日本薬品工業/日本ケミファ)	デュタステリド	0.5mg 1錠	5α-還元酵素阻害薬	2332
	TSU255／50	白	シロスタゾールOD錠50mg「ツルハラ」(鶴原)	シロスタゾール	50mg 1錠	抗血小板剤	1718
	TTS255／200 TTS-255	白	クエチアピン錠200mg「タカタ」(高田)	クエチアピンフマル酸塩	200mg 1錠	抗精神病、D₂・5-HT₂拮抗剤	1225
	TU255／5	白 ◑	モサプリドクエン酸塩錠5mg「TCK」(辰巳化学)	モサプリドクエン酸塩水和物	5mg 1錠	消化管運動促進剤	4014
	Tw255／40	淡赤褐	ニフェジピンCR錠40mg「トーワ」(東和薬品)	ニフェジピン	40mg 1錠	ジヒドロピリジン系Ca拮抗剤	2652
	Ɛ255／0.5 Ɛ255	淡黄 ◑	ワーファリン錠0.5mg (エーザイ)	ワルファリンカリウム	0.5mg 1錠	抗凝血剤	4556
	Ⓝ255	白	ガスロンN・OD錠2mg (日本新薬)	イルソグラジンマレイン酸塩	2mg 1錠	粘膜防御性胃炎・胃潰瘍治療剤	521

番号	識別コード	色 (①：割線有)	商品名(会社名)	一般名	規格単位	薬効	掲載 ページ
255	ⅢFFF／CDT255	白	カデュエット配合錠1番(ヴィアトリス)	アムロジピンベシル酸塩・アトルバスタチンカルシウム水和物	1錠	持続性Ca拮抗剤・HMG-CoA還元酵素阻害剤	266
256	KP256 KP-256	白	ムコダイン錠250mg(杏林)	L-カルボシステイン	250mg 1錠	気道粘液調整・粘膜正常化剤	1166
	KRM256	橙赤	メコバラミン錠500μg「杏林」(キョーリンリメディオ／杏林)	メコバラミン	0.5mg 1錠	補酵素型ビタミンB₁₂	3907
	TSU256／100	白 ①	シロスタゾールOD錠100mg「ツルハラ」(鶴原)	シロスタゾール	100mg 1錠	抗血小板剤	1718
	∈256／1 ∈256	白 ①	ワーファリン錠1mg(エーザイ)	ワルファリンカリウム	1mg 1錠	抗凝血剤	4556
	Ⓝ256／4	白 ①	ガスロンN・OD錠4mg(日本新薬)	イルソグラジンマレイン酸塩	4mg 1錠	粘膜防御性胃炎・胃潰瘍治療剤	521
	アムバロOD日医工 Ⓝ256	淡黄	アムバロ配合OD錠「日医工」(日医工)	バルサルタン・アムロジピンベシル酸塩	1錠	選択的AT₁受容体ブロッカー・持続性Ca拮抗剤合剤	2842
257	NP257／5 NP-257	黄白	パロキセチン錠5mg「NP」(ニプロ)	パロキセチン塩酸塩水和物	5mg 1錠	選択的セロトニン再取り込み阻害剤(SSRI)	2878
	NS257	白	アテノロール錠50mg「日新」(日新／サンド)	アテノロール	50mg 1錠	β₁-遮断剤	115
	TKS257	白 ①	ベンズブロマロン錠50mg「NM」(シオノギファーマ／日医工／武田薬品)	ベンズブロマロン	50mg 1錠	高尿酸血症改善剤	3643
	TTS257／50 TTS-257	白	スマトリプタン錠50mg「タカタ」(高田)	スマトリプタン	50mg 1錠	5-HT₁B/₁D受容体作動型片頭痛治療剤	1768
	∈257／5 ∈257	微帯赤橙 ①	ワーファリン錠5mg(エーザイ)	ワルファリンカリウム	5mg 1錠	抗凝血剤	4556
	Ⓝ257 0.5	白 ①	オドリック錠0.5mg(日本新薬)	トランドラプリル	0.5mg 1錠	ACE阻害剤	2505
258	MO258	白	フロリードDクリーム1%(持田)	ミコナゾール	1% 1g	フェネチルイミダゾール系抗真菌剤	3839
	NP258／10 NP-258	淡黄 ①	メロキシカム錠10mg「NP」(ニプロ)	メロキシカム	10mg 1錠	非ステロイド性消炎鎮痛剤	4000
	TKS258	白	ベンズブロマロン錠25mg「NM」(シオノギファーマ／日医工／武田薬品)	ベンズブロマロン	25mg 1錠	高尿酸血症改善剤	3643
	Ⓝ258 1	白 ①	オドリック錠1mg(日本新薬)	トランドラプリル	1mg 1錠	ACE阻害剤	2505
	ミルタザピン15 YD YD258	黄	ミルタザピン錠15mg「YD」(陽進堂／アルフレッサファーマ)	ミルタザピン	15mg 1錠	ノルアドレナリン・セロトニン作動性抗うつ剤	3888
259	KRM259	微黄透明	イコサペント酸エチル粒状カプセル300mg「杏林」(キョーリンリメディオ／杏林)	イコサペント酸エチル	300mg 1包	EPA剤	412
	⊜259	乳白～薄ベージュ	ヘモクロンカプセル200mg(天藤)	トリベノシド	200mg 1カプセル	経口痔核治療剤	2527
	⊜259G	白～帯黄白	ボラザG坐剤(天藤)	トリベノシド・リドカイン	1個	痔核局所治療剤	2528
	ミルタザピン30 YD YD259	黄赤 ①	ミルタザピン錠30mg「YD」(陽進堂／アルフレッサファーマ)	ミルタザピン	30mg 1錠	ノルアドレナリン・セロトニン作動性抗うつ剤	3888
260	KRM260	微黄透明	イコサペント酸エチル粒状カプセル600mg「杏林」(キョーリンリメディオ／杏林)	イコサペント酸エチル	600mg 1包	EPA剤	412
	TC260 5g TC260 10g	白	メサデルムクリーム0.1%(岡山大鵬／大鵬薬品)	デキサメタゾンプロピオン酸エステル	0.1% 1g	副腎皮質ホルモン	2220
	TSU260	赤／肌	ジアイナ配合カプセル(鶴原)	複合ビタミンB剤	1カプセル	混合ビタミン	2956
261	261 t261[100mg]	白	イブプロフェン錠100mg「NIG」(日医工岐阜／日医工／武田薬品)	イブプロフェン	100mg 1錠	フェニルプロピオン酸系解熱消炎鎮痛剤	477
	AFP261	白 ①	エースコール錠1mg(アルフレッサファーマ)	テモカプリル塩酸塩	1mg 1錠	ACE阻害剤	2323
	KRM261	微黄透明	イコサペント酸エチル粒状カプセル900mg「杏林」(キョーリンリメディオ／杏林)	イコサペント酸エチル	900mg 1包	EPA剤	412
	TC261 5g TC261 10g	白～微黄	メサデルム軟膏0.1%(岡山大鵬／大鵬薬品)	デキサメタゾンプロピオン酸エステル	0.1% 1g	副腎皮質ホルモン	2220
	∈261	淡赤 ①	イノベロン錠100mg(エーザイ)	ルフィナミド	100mg 1錠	抗てんかん剤	4344
	Ⓝ261	黄	ウプトラビ錠0.2mg(日本新薬)	セレキシパグ	0.2mg 1錠	選択的プロスタサイクリン(PGI₂)受容体作動薬	1912
	⬛261／5	白 ①	プレドニゾロン錠5mg(旭化成)(旭化成)	プレドニゾロン	5mg 1錠	副腎皮質ホルモン	3366
262	AFP262	白 ①	エースコール錠2mg(アルフレッサファーマ)	テモカプリル塩酸塩	2mg 1錠	ACE阻害剤	2323
	AK262／8	極薄橙	カンデサルタン錠8mg「あすか」(あすか／武田薬品)	カンデサルタン シレキセチル	8mg 1錠	アンギオテンシンⅡ受容体拮抗剤	1184
	KW262	白 ①	アンブロキソール塩酸塩錠15mg「アメル」(共和薬品)	アンブロキソール塩酸塩	15mg 1錠	気道潤滑去痰剤	378

番号	識別コード	色 (①：割線有)	商品名(会社名)	一般名	規格単位	薬効	掲載ページ
262	t262 t262[200mg]	白	イブプロフェン錠200mg「NIG」(日医工岐阜／日医工／武田薬品)	イブプロフェン	200mg 1錠	フェニルプロピオン酸系解熱消炎鎮痛剤	477
	TBP262	白	ファモチジンOD錠10mg「TBP」(東菱薬品／扶桑薬品)	ファモチジン	10mg 1錠	H₂-受容体拮抗剤	3079
	TC262	白	メサデルムローション0.1%(岡山大鵬／大鵬薬品)	デキサメタゾンプロピオン酸エステル	0.1% 1g	副腎皮質ホルモン	2220
	CH262／0.1	白	タムスロシン塩酸塩OD錠0.1mg「CH」(長生堂／日本ジェネリック)	タムスロシン塩酸塩	0.1mg 1錠	α₁-遮断剤	2075
	E262	淡赤 ①	イノベロン錠200mg(エーザイ)	ルフィナミド	200mg 1錠	抗てんかん剤	4344
	Ⓝ262	淡赤褐	ウプトラビ錠0.4mg(日本新薬)	セレキシパグ	0.4mg 1錠	選択的プロスタサイクリン(PGI₂)受容体作動薬	1912
263	AFP263	白 ①	エースコール錠4mg(アルフレッサファーマ)	テモカプリル塩酸塩	4mg 1錠	ACE阻害剤	2323
	SW263	白 ①	ベタメタゾン錠0.5mg「サワイ」(沢井)	ベタメタゾン	0.5mg 1錠	副腎皮質ホルモン	3496
	TBP263	白	ファモチジンOD錠20mg「TBP」(東菱薬品／扶桑薬品)	ファモチジン	20mg 1錠	H₂-受容体拮抗剤	3079
	CH263／0.2	白	タムスロシン塩酸塩OD錠0.2mg「CH」(長生堂／日本ジェネリック)	タムスロシン塩酸塩	0.2mg 1錠	α₁-遮断剤	2075
	✿TYK263	白〜帯黄白	テプレノン細粒10%「日医工P」(日医工ファーマ／日医工)	テプレノン	10% 1g	テルペン系胃炎・胃潰瘍治療剤	2315
	カペシタビン300 日医工 Ⓝ263	白	カペシタビン錠300mg「日医工」(日医工)	カペシタビン	300mg 1錠	抗悪性腫瘍ドキシフルリジンプロドラッグ	1093
264	NS264	白 ①	一硝酸イソソルビド錠20mg「日新」(日新／日本ジェネリック)	一硝酸イソソルビド	20mg 1錠	冠動脈拡張剤	1698
265	Sc265	無透明〜微黄半透明	ケトプロフェンパップ30mg「三和」(救急薬品／三和化学)	ケトプロフェン	10cm×14cm 1枚	プロピオン酸系消炎鎮痛剤	1410
	🔒265／1	白 ①	プレドニゾロン錠1mg(旭化成)(旭化成)	プレドニゾロン	1mg 1錠	副腎皮質ホルモン	3366
266	TZ266	白 ①	ホーリン錠1mg(あすか／武田薬品)	エストリオール	1mg 1錠	卵胞ホルモン	700
267	MSD267／ MAXALT	微帯赤	マクサルト錠10mg(杏林／エーザイ)	リザトリプタン安息香酸塩	10mg 1錠	5-HT₁B/₁D受容体作動型片頭痛治療剤	4186
	Sc267	淡褐	ケトプロフェンテープ20mg「三和」(救急薬品／三和化学)	ケトプロフェン	7cm×10cm 1枚	プロピオン酸系消炎鎮痛剤	1410
268	268⊕100 ⊕268	白	オキナゾール膣錠100mg(田辺三菱)	オキシコナゾール硝酸塩	100mg 1錠	イミダゾール系抗真菌剤	956
	KW268	白	セチリジン塩酸塩錠5mg「アメル」(共和薬品)	セチリジン塩酸塩	5mg 1錠	持続性選択H₁-受容体拮抗剤	1806
	Sc268	淡褐	ケトプロフェンテープ40mg「三和」(救急薬品／三和化学)	ケトプロフェン	10cm×14cm 1枚	プロピオン酸系消炎鎮痛剤	1410
269	269⊕600 ⊕269	白	オキナゾール膣錠600mg(田辺三菱)	オキシコナゾール硝酸塩	600mg 1錠	イミダゾール系抗真菌剤	956
	AK269	白	タムスロシン塩酸塩OD錠0.1mg「あすか」(あすか／武田薬品)	タムスロシン塩酸塩	0.1mg 1錠	α₁-遮断剤	2075
	KW269	白	セチリジン塩酸塩錠10mg「アメル」(共和薬品)	セチリジン塩酸塩	10mg 1錠	持続性選択H₁-受容体拮抗剤	1806
	t269 t269[25mg]	白〜微黄	クロルマジノン酢酸エステル錠25mg「タイヨー」(日医工岐阜／日医工／武田薬品)	クロルマジノン酢酸エステル	25mg 1錠	黄体ホルモン剤	1386
	TC269 TC270	白	バップフォー細粒2%(大鵬薬品)	プロピベリン塩酸塩	2% 1g	排尿抑制ベンジル酸誘導体	3433
	𝐙269 𝐙270	淡赤(白)	トミロン細粒小児用20%(富士フイルム富山化学)	セフテラム ピボキシル	200mg 1g	セフェム系抗生物質	1854
270	KYO270	白〜帯黄白	ジゴキシン錠0.0625「KYO」(京都薬品／トーアエイヨー)	ジゴキシン	0.0625mg 1錠	ジギタリス強心配糖体	1594
	NS270／2.5	白	モサプリドクエン酸塩錠2.5mg「日新」(日新)	モサプリドクエン酸塩水和物	2.5mg 1錠	消化管運動促進剤	4014
	TC269 TC270	白	バップフォー細粒2%(大鵬薬品)	プロピベリン塩酸塩	2% 1g	排尿抑制ベンジル酸誘導体	3433
	Tw270／8	黄 ①	ベニジピン塩酸塩錠8mg「トーワ」(東和薬品)	ベニジピン塩酸塩	8mg 1錠	ジヒドロピリジン系Ca拮抗剤	3524
	𝐙269 𝐙270	淡赤(白)	トミロン細粒小児用20%(富士フイルム富山化学)	セフテラム ピボキシル	200mg 1g	セフェム系抗生物質	1854
	アムバロYD YD270	帯黄白	アムバロ配合錠「YD」(陽進堂)	バルサルタン・アムロジピンベシル酸塩	1錠	選択的AT₁受容体ブロッカー・持続性Ca拮抗薬合剤	2842
271	DS271／250	白〜帯黄白①	メトグルコ250mg(住友ファーマ)	メトホルミン塩酸塩	250mg 1錠	ビグアナイド系血糖降下剤	3962
	DS271／250	白〜帯黄白①	メトホルミン塩酸塩錠250mgMT「DSPB」(住友プロモ／住友ファーマ)	メトホルミン塩酸塩	250mg 1錠	ビグアナイド系血糖降下剤	3962
	FF271	白	ピタバスタチンCa錠1mg「FFP」(共創未来)	ピタバスタチンカルシウム水和物	1mg 1錠	HMG-CoA還元酵素阻害剤	2948

200
-
299

番号	識別コード	色 (①:割線有)	商品名(会社名)	一般名	規格単位	薬効	掲載ページ
271	KYO271	帯黄白　①	ハーフジゴキシンKY錠0.125（京都薬品／トーアエイヨー）	ジゴキシン	0.125mg 1錠	ジギタリス強心配糖体	1594
	MH271	淡黄	フルタミド錠125mg「VTRS」（ヴィアトリス・ヘルスケア／ヴィアトリス）	フルタミド	125mg 1錠	非ステロイド性抗アンドロゲン剤	3305
	NF271	白(赤褐)	カプトリルーRカプセル18.75mg（アルフレッサファーマ）	カプトプリル	18.75mg 1カプセル	ACE阻害剤	1085
	NP271／10 NP-271	帯紅白	パロキセチン錠10mg「NP」（ニプロ）	パロキセチン塩酸塩水和物	10mg 1錠	選択的セロトニン再取り込み阻害剤(SSRI)	2878
	TC271／10	白	バップフォー錠10（大鵬薬品）	プロピベリン塩酸塩	10mg 1錠	排尿抑制ベンジル酸誘導体	3433
	TU271／2	白〜帯黄白	カンデサルタン錠2mg「TCK」（辰巳化学）	カンデサルタン シレキセチル	2mg 1錠	アンギオテンシンⅡ受容体拮抗剤	1184
	Tw271	白	ベザフィブラート徐放錠100mg「トーワ」（東和薬品）	ベザフィブラート	100mg 1錠	高脂血症治療剤	3486
	YD271	淡橙　①	ゾルピデム酒石酸塩錠5mg「YD」（陽進堂）	ゾルピデム酒石酸塩	5mg 1錠	入眠剤	1973
272	AK272／12	薄橙　①	カンデサルタン錠12mg「あすか」（あすか／武田薬品）	カンデサルタン シレキセチル	12mg 1錠	アンギオテンシンⅡ受容体拮抗剤	1184
	DS272／500	白〜帯黄白①	メトグルコ錠500mg（住友ファーマ）	メトホルミン塩酸塩	500mg 1錠	ビグアナイド系血糖降下剤	3962
	DS272／500	白〜帯黄白①	メトホルミン塩酸塩錠500mgMT「DSPB」（住友プロモ／住友ファーマ）	メトホルミン塩酸塩	500mg 1錠	ビグアナイド系血糖降下剤	3962
	FF272	極薄赤①	ピタバスタチンCa錠2mg「FFP」（共創未来）	ピタバスタチンカルシウム水和物	2mg 1錠	HMG-CoA還元酵素阻害剤	2948
	Kw272／ZOL5	淡橙　①	ゾルピデム酒石酸塩錠5mg「アメル」（共和薬品）	ゾルピデム酒石酸塩	5mg 1錠	入眠剤	1973
	KYO272	白　①	ジゴキシンKY錠0.25（京都薬品／トーアエイヨー）	ジゴキシン	0.25mg 1錠	ジギタリス強心配糖体	1594
	NP272／20 NP-272	帯紅白	パロキセチン錠20mg「NP」（ニプロ）	パロキセチン塩酸塩水和物	20mg 1錠	選択的セロトニン再取り込み阻害剤(SSRI)	2878
	OH272／2 OH-272	黄	ベニジピン塩酸塩錠2mg「OME」（大原薬品／エルメッド／日医工）	ベニジピン塩酸塩	2mg 1錠	ジヒドロピリジン系Ca拮抗剤	3524
	TBP272	白〜微黄白	ファモチジン錠10mg「TBP」（東菱薬品／扶桑薬品）	ファモチジン	10mg 1錠	H₂-受容体拮抗剤	3079
	TC272／20	白	バップフォー錠20（大鵬薬品）	プロピベリン塩酸塩	20mg 1錠	排尿抑制ベンジル酸誘導体	3433
	TU272／4	白〜帯黄白①	カンデサルタン錠4mg「TCK」（辰巳化学／フェルゼン）	カンデサルタン シレキセチル	4mg 1錠	アンギオテンシンⅡ受容体拮抗剤	1184
	Tw272	白	ベザフィブラート徐放錠200mg「トーワ」（東和薬品）	ベザフィブラート	200mg 1錠	高脂血症治療剤	3486
	YD272	淡橙　①	ゾルピデム酒石酸塩錠10mg「YD」（陽進堂）	ゾルピデム酒石酸塩	10mg 1錠	入眠剤	1973
	△272／LD	淡黄	ユニシア配合錠LD（武田テバ薬品／武田薬品）	カンデサルタン シレキセチル・アムロジピンベシル酸塩	1錠	持続性アンギオテンシンⅡ受容体拮抗剤・持続性Ca拮抗剤配合剤	1187
273	FF273	極薄黄赤①	ピタバスタチンCa錠4mg「FFP」（共創未来）	ピタバスタチンカルシウム水和物	4mg 1錠	HMG-CoA還元酵素阻害剤	2948
	Kw273／ZOL10	淡橙　①	ゾルピデム酒石酸塩錠10mg「アメル」（共和薬品）	ゾルピデム酒石酸塩	10mg 1錠	入眠剤	1973
	MH273／1	白　①	プレドニゾロン錠1mg「VTRS」（ヴィアトリス・ヘルスケア／ヴィアトリス）	プレドニゾロン	1mg 1錠	副腎皮質ホルモン	3366
	OH273／4 OH-273	黄	ベニジピン塩酸塩錠4mg「OME」（大原薬品／エルメッド／日医工）	ベニジピン塩酸塩	4mg 1錠	ジヒドロピリジン系Ca拮抗剤	3524
	TBP273	白〜微黄白	ファモチジン錠20mg「TBP」（東菱薬品／扶桑薬品）	ファモチジン	20mg 1錠	H₂-受容体拮抗剤	3079
	TSU273	白　①	カルボシステイン錠500mg「ツルハラ」（鶴原）	L-カルボシステイン	500mg 1錠	気道粘液調整・粘膜正常化剤	1166
	TU273／8	極薄橙	カンデサルタン錠8mg「TCK」（辰巳化学／フェルゼン）	カンデサルタン シレキセチル	8mg 1錠	アンギオテンシンⅡ受容体拮抗剤	1184
	Tw273／10	白	プロピベリン塩酸塩錠10mg「トーワ」（東和薬品）	プロピベリン塩酸塩	10mg 1錠	排尿抑制ベンジル酸誘導体	3433
	△273／HD	淡赤	ユニシア配合錠HD（武田テバ薬品／武田薬品）	カンデサルタン シレキセチル・アムロジピンベシル酸塩	1錠	持続性アンギオテンシンⅡ受容体拮抗剤・持続性Ca拮抗剤配合剤	1187
274	KRM274	淡赤〜淡赤褐又は淡赤紫	イミダフェナシン錠0.1mg「杏林」（キョーリンリメディオ／杏林）	イミダフェナシン	0.1mg 1錠	過活動膀胱治療剤	501
	OH274／8 OH-274	黄　①	ベニジピン塩酸塩錠8mg「OME」（大原薬品／エルメッド／日医工）	ベニジピン塩酸塩	8mg 1錠	ジヒドロピリジン系Ca拮抗剤	3524
	TU274／12	薄橙　①	カンデサルタン錠12mg「TCK」（辰巳化学）	カンデサルタン シレキセチル	12mg 1錠	アンギオテンシンⅡ受容体拮抗剤	1184
	Tw274／20	白	プロピベリン塩酸塩錠20mg「トーワ」（東和薬品）	プロピベリン塩酸塩	20mg 1錠	排尿抑制ベンジル酸誘導体	3433
	YD274／25mg	白	セルトラリン錠25mg「YD」（陽進堂）	セルトラリン塩酸塩	25mg 1錠	選択的セロトニン再取り込み阻害剤(SSRI)	1894

番号	識別コード	色 (①：割線有)		商品名(会社名)	一般名	規格単位	薬効	掲載ページ
274	△274／20／2.5	微赤		ザクラス配合錠LD（武田薬品）	アジルサルタン・アムロジピンベシル酸塩	1錠	持続性AT₁受容体遮断剤・持続性Ca拮抗薬配合剤	44
275	E50 TTS-275	白		エパルレスタット錠50mg「タカタ」（高田／三和化学）	エパルレスタット	50mg 1錠	アルドース還元酵素阻害剤	779
	FF275／25	白	①	ナフトピジルOD錠25mg「FFP」（共創未来）	ナフトピジル	25mg 1錠	排尿障害治療剤	2614
	KRM275	白		イミダフェナシンOD錠0.1mg「杏林」（キョーリンリメディオ／杏林）	イミダフェナシン	0.1mg 1錠	過活動膀胱治療剤	501
	NF275	白	①	カプトリル錠12.5mg（アルフレッサファーマ）	カプトプリル	12.5mg 1錠	ACE阻害剤	1085
	PH275	白		メキシレチン塩酸塩錠50mg「杏林」（キョーリンリメディオ／杏林）	メキシレチン塩酸塩	50mg 1錠	不整脈治療・糖尿病性神経障害治療剤	3902
	SW275	白		シンバスタチン錠20mg「SW」（メディサ／沢井）	シンバスタチン	20mg 1錠	HMG-CoA還元酵素阻害剤	1728
	TU275	白		ロサルヒド配合錠HD「TCK」（辰巳化学）	ロサルタンカリウム・ヒドロクロロチアジド	1錠	持続性アンジオテンシンII受容体拮抗剤・利尿剤合剤	4483
	Tw275	白～灰白		オメプラゾール錠10mg「トーワ」（東和薬品）	オメプラゾール	10mg 1錠	プロトンポンプインヒビター	1010
	YD275／50	白		セルトラリン錠50mg「YD」（陽進堂）	セルトラリン塩酸塩	50mg 1錠	選択的セロトニン再取り込み阻害剤(SSRI)	1894
	∠275	淡赤	①	オゼックス錠小児用60mg（富士フイルム富山化学）	トスフロキサシントシル酸塩水和物	60mg 1錠	ニューキノロン系抗菌剤	2414
	△275／20／5	微黄		ザクラス配合錠HD（武田薬品）	アジルサルタン・アムロジピンベシル酸塩	1錠	持続性AT₁受容体遮断剤・持続性Ca拮抗薬配合剤	44
	∈275／2 ∈275	橙		フィコンパ錠2mg（エーザイ）	ペランパネル水和物	2mg 1錠	抗てんかん剤	3601
	ⓝ275R100 ⓝ275 ⓝ275/R100	白		ジルチアゼム塩酸塩徐放カプセル100mg「日医工」（日医工）	ジルチアゼム塩酸塩	100mg 1カプセル	ベンゾチアゼピン系Ca拮抗剤	1705
276	FF276／50	白	①	ナフトピジルOD錠50mg「FFP」（共創未来）	ナフトピジル	50mg 1錠	排尿障害治療剤	2614
	NF276	白	①	カプトリル錠25mg（アルフレッサファーマ）	カプトプリル	25mg 1錠	ACE阻害剤	1085
	NS276／5	白	①	モサプリドクエン酸塩錠5mg「日新」（日新）	モサプリドクエン酸塩水和物	5mg 1錠	消化管運動促進剤	4014
	PH276	白		メキシレチン塩酸塩錠100mg「杏林」（キョーリンリメディオ／杏林）	メキシレチン塩酸塩	100mg 1錠	不整脈治療・糖尿病性神経障害治療剤	3902
	Tw276	白～灰白		オメプラゾール錠20mg「トーワ」（東和薬品）	オメプラゾール	20mg 1錠	プロトンポンプインヒビター	1010
	TZ276	微黄		プロスタール錠25（あすか／武田薬品）	クロルマジノン酢酸エステル	25mg 1錠	黄体ホルモン剤	1386
	YD276／100	白		セルトラリン錠100mg「YD」（陽進堂）	セルトラリン塩酸塩	100mg 1錠	選択的セロトニン再取り込み阻害剤(SSRI)	1894
	ⓝ276R200 ⓝ276 ⓝ276/R200	赤／白		ジルチアゼム塩酸塩徐放カプセル200mg「日医工」（日医工）	ジルチアゼム塩酸塩	200mg 1カプセル	ベンゾチアゼピン系Ca拮抗剤	1705
277	FF277／75	白	①	ナフトピジルOD錠75mg「FFP」（共創未来）	ナフトピジル	75mg 1錠	排尿障害治療剤	2614
	MSD／277 MSD277	薄赤黄		ジャヌビア錠100mg（MSD）	シタグリプチンリン酸塩水和物	100mg 1錠	選択的DPP-4阻害剤・糖尿病用剤	1611
	NP277／5 NP-277	白	①	プレドニゾロン錠5mg「NP」（ニプロ）	プレドニゾロン	5mg 1錠	副腎皮質ホルモン	3366
	OH277 OH-277	白		ロイコン錠10mg（大原薬品）	アデニン	10mg 1錠	白血球減少症用プリン塩基	112
	TU277	白		リザトリプタンOD錠10mg「TCK」（辰巳化学）	リザトリプタン安息香酸塩	10mg 1錠	5-HT₁ʙ/₁ᴅ受容体作動型片頭痛治療剤	4186
	∈277／4 ∈277	赤		フィコンパ錠4mg（エーザイ）	ペランパネル水和物	4mg 1錠	抗てんかん剤	3601
278	KRM278	無～淡黄褐の透明又は微半透明		デュタステリドカプセル0.5mgAV「杏林」（森下仁丹／キョーリンリメディオ／杏林）	デュタステリド	0.5mg 1カプセル	5α-還元酵素阻害薬	2332
	NS278	淡黄	①	ユビデカレノン錠10mg「日新」（日新）	ユビデカレノン	10mg 1錠	代謝性強心剤	4048
279	AK279	白		タムスロシン塩酸塩OD錠0.2mg「あすか」（あすか／武田薬品）	タムスロシン塩酸塩	0.2mg 1錠	α₁-遮断剤	2075
	Sc279	無～淡黄透明		ジクロフェナクナトリウムテープ15mg「三和」（三和化学）	ジクロフェナクナトリウム	7cm×10cm 1枚	フェニル酢酸系消炎鎮痛剤	1579
280	Sc280	無～淡黄透明		ジクロフェナクナトリウムテープ30mg「三和」（三和化学）	ジクロフェナクナトリウム	10cm×14cm 1枚	フェニル酢酸系消炎鎮痛剤	1579
281	KRM281／CI10	くすんだ黄		タダラフィル錠10mgCI「杏林」（キョーリンリメディオ／杏林）	タダラフィル	10mg 1錠	ホスホジエステラーゼ5阻害剤	2027
	Sc281	白		セロシオンカプセル10（三和化学）	プロパゲルマニウム	10mg 1カプセル	B型慢性肝炎治療・ゲルマニウム剤	3429

200-299

番号	識別コード	色 (①:割線有)	商品名(会社名)	一般名	規格単位	薬効	掲載ページ
281	△281	白	タケプロンカプセル15(武田テバ薬品/武田薬品)	ランソプラゾール	15mg 1カプセル	プロトンポンプインヒビター	4168
282	AK282／LD	淡黄	カムシア配合錠LD「あすか」(あすか/武田薬品)	カンデサルタン シレキセチル・アムロジピンベシル酸塩	1錠	持続性アンジオテンシンⅡ受容体拮抗剤・持続性Ca拮抗剤配合剤	1187
	KRM282／CI20	くすんだ黄①	タダラフィル錠20mgCI「杏林」(キョーリンリメディオ/杏林)	タダラフィル	20mg 1錠	ホスホジエステラーゼ5阻害剤	2027
283	AK283／50	青　①	シルデナフィル錠50mgVI「あすか」(あすか/武田薬品)	シルデナフィルクエン酸塩	50mg 1錠	ホスホジエステラーゼ5阻害剤	1709
	KRM283 5	白	エバスチン錠5mg「杏林」(キョーリンリメディオ/杏林)	エバスチン	5mg 1錠	持続性選択H₁-受容体拮抗剤	778
	MO283	淡青	ロコルナール錠50mg(持田)	トラピジル	50mg 1錠	循環機能改善剤	2475
	NS283	白　①	アンブロキソール塩酸塩錠15mg「日新」(日新/第一三共エスファ)	アンブロキソール塩酸塩	15mg 1錠	気道潤滑去痰剤	378
	TJN283／SPR	白　①	スピロペント錠10μg(帝人)	クレンブテロール塩酸塩	10μg 1錠	気管支拡張β₂-刺激・腹圧性尿失禁治療剤	1300
	△283	薄橙／薄黄	タケプロンカプセル30(武田テバ薬品/武田薬品)	ランソプラゾール	30mg 1カプセル	プロトンポンプインヒビター	4168
284	HM284	微黄白〜淡黄	カリエード散(東洋製化/小野薬品)	ポリスチレンスルホン酸カルシウム	1g	高カリウム血症改善イオン交換樹脂	3761
	KRM284 10	白　①	エバスチン錠10mg「杏林」(キョーリンリメディオ/杏林)	エバスチン	10mg 1錠	持続性選択H₁-受容体拮抗剤	778
	MO284	白	ロコルナール錠100mg(持田)	トラピジル	100mg 1錠	循環機能改善剤	2475
	NS284	白〜類白	ピコスルファートナトリウム顆粒1%「ゼリア」(日新/ゼリア新薬)	ピコスルファートナトリウム水和物	1% 1g	緩下剤	2934
	TJN284	帯微青白／青	サルコートカプセル外用50μg(帝人)	ベクロメタゾンプロピオン酸エステル	50μg 1カプセル	副腎皮質ホルモン	3483
285	KRM285 OD5	薄紅	エバスチンOD錠5mg「杏林」(キョーリンリメディオ/杏林)	エバスチン	5mg 1錠	持続性選択H₁-受容体拮抗剤	778
286	KRM286 OD10	白　①	エバスチンOD錠10mg「杏林」(キョーリンリメディオ/杏林)	エバスチン	10mg 1錠	持続性選択H₁-受容体拮抗剤	778
	NS286	白	リトドリン塩酸塩錠5mg「日新」(日新/日本ジェネリック)	リトドリン塩酸塩	5mg 1錠	切迫流・早産治療β₂-刺激剤	4236
287	287／2	淡黄赤	シロドシンOD錠2mg「ツルハラ」(鶴原)	シロドシン	2mg 1錠	選択的α₁A-遮断剤・前立腺肥大症に伴う排尿障害改善薬	1720
	KRM287／OD2.5	極薄黄	オロパタジン塩酸塩OD錠2.5mg「杏林」(キョーリンリメディオ/杏林)	オロパタジン塩酸塩	2.5mg 1錠	アレルギー性疾患治療剤	1037
	MO287 ロサルヒドLD MO287	白	ロサルヒド配合錠LD「モチダ」(持田製販/持田)	ロサルタンカリウム・ヒドロクロロチアジド	1錠	持続性アンジオテンシンⅡ受容体拮抗剤・利尿剤合剤	4483
288	KRM288／OD5	極薄黄　①	オロパタジン塩酸塩OD錠5mg「杏林」(キョーリンリメディオ/杏林)	オロパタジン塩酸塩	5mg 1錠	アレルギー性疾患治療剤	1037
	TSU288／4	淡黄赤	シロドシンOD錠4mg「ツルハラ」(鶴原)	シロドシン	4mg 1錠	選択的α₁A-遮断剤・前立腺肥大症に伴う排尿障害改善薬	1720
	Tw288	白	アロチノロール塩酸塩錠5mg「トーワ」(東和薬品)	アロチノロール塩酸塩	5mg 1錠	α, β-遮断剤	362
	モチダロサルヒドHD／MO288 ロサルヒドHD MO288	白	ロサルヒド配合錠HD「モチダ」(持田製販/持田)	ロサルタンカリウム・ヒドロクロロチアジド	1錠	持続性アンジオテンシンⅡ受容体拮抗剤・利尿剤合剤	4483
290	NS290	白	レバミピド錠100mg「NS」(日新/科研)	レバミピド	100mg 1錠	胃炎・胃潰瘍治療剤	4390
291	t291	白　①	アンブロキソール塩酸塩錠15mg「タイヨー」(武田テバファーマ/武田薬品)	アンブロキソール塩酸塩	15mg 1錠	気道潤滑去痰剤	378
	Tw291	白	ジルチアゼム塩酸塩錠60mg「トーワ」(東和薬品)	ジルチアゼム塩酸塩	60mg 1錠	ベンゾチアゼピン系Ca拮抗剤	1705
292	AK292／HD	淡赤	カムシア配合錠HD「あすか」(あすか/武田薬品)	カンデサルタン シレキセチル・アムロジピンベシル酸塩	1錠	持続性アンジオテンシンⅡ受容体拮抗剤・持続性Ca拮抗剤配合剤	1187
	KRM292 5	白〜微黄白	ドンペリドン錠5mg「杏林」(キョーリンリメディオ/杏林)	ドンペリドン	5mg 1錠	消化管運動改善剤	2599
	TSU292	白	クロルフェネシンカルバミン酸エステル錠125mg「ツルハラ」(鶴原)	クロルフェネシンカルバミン酸エステル	125mg 1錠	筋緊張性疼痛疾患治療剤	1379
293	FCI293／20 FCI293 20	明るい赤みの黄〜つよい赤みの黄	タダラフィル錠20mgCI「FCI」(富士化学)	タダラフィル	20mg 1錠	ホスホジエステラーゼ5阻害剤	2027
	KRM293	白〜淡黄白	ドンペリドン錠10mg「杏林」(キョーリンリメディオ/杏林)	ドンペリドン	10mg 1錠	消化管運動改善剤	2599
	TSU293	白	クロルフェネシンカルバミン酸エステル錠250mg「ツルハラ」(鶴原)	クロルフェネシンカルバミン酸エステル	250mg 1錠	筋緊張性疼痛疾患治療剤	1379
	△293／4C	極薄黄	エカード配合錠LD(武田テバ薬品/武田薬品)	カンデサルタン シレキセチル・ヒドロクロロチアジド	1錠	持続性アンジオテンシンⅡ受容体拮抗薬・利尿配合剤	1190

300
|
399

番号	識別コード	色 (Ⓘ：割線有)		商品名(会社名)	一般名	規格単位	薬効	掲載ページ
294	KRM294	白〜淡黄白		ベラプロストNa錠20μg「杏林」(キョーリンリメディオ／杏林)	ベラプロストナトリウム	20μg 1錠	プロスタサイクリン(PGI₂)誘導体	3597
	△294／8C	極薄紅		エカード配合錠HD (武田テバ薬品／武田薬品)	カンデサルタン シレキセチル・ヒドロクロロチアジド	1錠	持続性アンギオテンシンⅡ受容体拮抗薬・利尿薬配合剤	1190
296	アプレース100 KP-296	白		アプレース錠100mg (杏林)	トロキシピド	100mg 1錠	胃炎・消化性潰瘍治療剤	2588
297	SW297／20	白		タモキシフェン錠20mg「サワイ」(沢井／日本ジェネリック)	タモキシフェンクエン酸塩	20mg 1錠	抗エストロゲン剤	2077
	𝑛297 Ⓝ297	白		アンブロキソール塩酸塩錠15mg「日医工」(日医工)	アンブロキソール塩酸塩	15mg 1錠	気道潤滑去痰剤	378
298	PH298	白〜微黄白		ファモチジン錠10mg「杏林」(キョーリンリメディオ／杏林)	ファモチジン	10mg 1錠	H₂-受容体拮抗剤	3079
	𝑛298／10 𝑛298 10 Ⓝ298-L10	淡赤		ニフェジピンL錠10mg「日医工」(日医工)	ニフェジピン	10mg 1錠	ジヒドロピリジン系Ca拮抗剤	2652
299	PH299	白〜微黄白		ファモチジン錠20mg「杏林」(キョーリンリメディオ／杏林)	ファモチジン	20mg 1錠	H₂-受容体拮抗剤	3079
	SW299／10	白		タモキシフェン錠10mg「サワイ」(沢井／日本ジェネリック)	タモキシフェンクエン酸塩	10mg 1錠	抗エストロゲン剤	2077
	t299	白〜微黄白		エルサメットS配合錠(日医工岐阜／日医工／武田薬品)	エビプロスタット配合錠DB	1錠	前立腺肥大症治療剤	786
	𝑛299／20 𝑛299 20 Ⓝ299-L20	淡赤		ニフェジピンL錠20mg「日医工」(日医工)	ニフェジピン	20mg 1錠	ジヒドロピリジン系Ca拮抗剤	2652
300	300／BAYER 300BAYER	白		ニュベクオ錠300mg (バイエル薬品)	ダロルタミド	300mg 1錠	前立腺癌治療剤	2124
	BM300	白	Ⓘ	オイグルコン錠1.25mg (太陽ファルマ)	グリベンクラミド	1.25mg 1錠	スルホニル尿素系血糖降下剤	1276
	GILEAD4331／300 GILEAD 4331-300	薄青		ビリアード錠300mg (ギリアド)	テノホビル ジソプロキシルフマル酸塩	300mg 1錠	抗ウイルス・HIV逆転写酵素阻害剤	2301
	GPN300	白		ガバペン錠300mg (富士製薬)	ガバペンチン	300mg 1錠	抗てんかん剤	1072
	GSK300	白		テノゼット錠300mg (グラクソ・スミスクライン)	テノホビル ジソプロキシルフマル酸塩	300mg 1錠	抗ウイルス・HIV逆転写酵素阻害剤	2301
	IN300 FJ IN300	白		イソコナゾール硝酸塩膣錠300mg「F」(富士製薬)	イソコナゾール硝酸塩	300mg 1個	抗真菌剤	429
	S AC／300 S AC：300	白〜褐白 (褐の斑点)		アシテアダニ舌下錠300単位(IR) (塩野義)	アシテア	300IR1錠	減感作療法薬(アレルゲン免疫療法)	38
	TTS300 TTS-300	白〜微黄白		アロプリノール錠50mg「タカタ」(高田)	アロプリノール	50mg 1錠	キサンチンオキシダーゼ阻害剤・高尿酸血症治療剤	363
	Tw300／0.5	白		アゼラスチン塩酸塩錠0.5mg「トーワ」(東和薬品)	アゼラスチン塩酸塩	0.5mg 1錠	アレルギー性疾患治療剤	90
	VDT／300	黄		バフセオ錠300mg (田辺三菱)	バダデュスタット	300mg 1錠	HIF-PH阻害剤・腎性貧血治療剤	2792
	YO MG5／300	白		酸化マグネシウム錠300mg「ヨシダ」(吉田)	酸化マグネシウム	300mg 1錠	制酸・緩下剤	3798
	アセト300 アミノフェン／ アセトアミノフェン 300マルイシ	白	Ⓘ	アセトアミノフェン錠300mg「マルイシ」(丸石)	アセトアミノフェン	300mg 1錠	アミノフェノール系解熱鎮痛剤	77
	アセトアミノフェン 300JG	白		アセトアミノフェン錠300mg「JG」(長生堂／日本ジェネリック)	アセトアミノフェン	300mg 1錠	アミノフェノール系解熱鎮痛剤	77
	カペシタビン300	白		カペシタビン錠300mg「NK」(日本化薬)	カペシタビン	300mg 1錠	抗悪性腫瘍ドキシフルリジンプロドラッグ	1093
	カペシタビン300 JG	白		カペシタビン錠300mg「JG」(日本ジェネリック)	カペシタビン	300mg 1錠	抗悪性腫瘍ドキシフルリジンプロドラッグ	1093
	カペシタビン300 日医工 Ⓝ263	白		カペシタビン錠300mg「日医工」(日医工)	カペシタビン	300mg 1錠	抗悪性腫瘍ドキシフルリジンプロドラッグ	1093
	カペシタビン300 サワイ	白		カペシタビン錠300mg「サワイ」(沢井)	カペシタビン	300mg 1錠	抗悪性腫瘍ドキシフルリジンプロドラッグ	1093
	カペシタビン300 トーワ	白		カペシタビン錠300mg「トーワ」(東和薬品)	カペシタビン	300mg 1錠	抗悪性腫瘍ドキシフルリジンプロドラッグ	1093
	カペシタビン300 ヤクルト YA829	白		カペシタビン錠300mg「ヤクルト」(ダイト／ヤクルト)	カペシタビン	300mg 1錠	抗悪性腫瘍ドキシフルリジンプロドラッグ	1093
	ゼローダ300	白		ゼローダ錠300 (チェプラ)	カペシタビン	300mg 1錠	抗悪性腫瘍ドキシフルリジンプロドラッグ	1093
301	CG301	淡黄赤		ボルタレン錠25mg (ノバルティス)	ジクロフェナクナトリウム	25mg 1錠	フェニル酢酸系消炎鎮痛剤	1579
	KYO301	淡黄白		新レシカルボン坐剤(京都薬品／ゼリア新薬)	炭酸水素ナトリウム・無水リン酸二水素ナトリウム	1個	便秘治療剤	2128
	NF301	白〜淡黄白		アミサリン錠125mg (アルフレッサファーマ)	プロカインアミド塩酸塩	125mg 1錠	不整脈治療剤	3385

番号	識別コード	色 (①：割線有)	商品名(会社名)	一般名	規格単位	薬効	掲載ページ
301	S301	白	フェロミア錠50mg（アルフレッサファーマ／エーザイ）	クエン酸第一鉄ナトリウム	鉄50mg 1錠	可溶性非イオン型鉄剤	1232
	SH SH301	白	アロプリノール錠100mg「あゆみ」（あゆみ）	アロプリノール	100mg 1錠	キサンチンオキシダーゼ阻害剤・高尿酸血症治療剤	363
	TA TA301	橙／白	セスデンカプセル30mg（ニプロES）	チメピジウム臭化物水和物	30mg 1カプセル	鎮痙四級アンモニウム塩	2170
	TSU301	白　①	ジアゼパム錠2mg「ツルハラ」（鶴原）	ジアゼパム	2mg 1錠	マイナートランキライザー	1553
	TTS301 TTS-301	白～微帯黄白　①	アロプリノール錠100mg「タカタ」（高田）	アロプリノール	100mg 1錠	キサンチンオキシダーゼ阻害剤・高尿酸血症治療剤	363
	Tu301	白	エパルレスタット錠50mg「TCK」（辰巳化学）	エパルレスタット	50mg 1錠	アルドース還元酵素阻害剤	779
	❄301	白～淡黄	インテナースパップ70mg（東光薬品／ラクール／祐徳薬品）	インドメタシン	10cm×14cm 1枚	インドール酢酸系解熱消炎鎮痛剤・未熟児動脈管開存症治療剤	619
	Ｅ301	チョコレート	チョコラA錠1万単位（アルフレッサファーマ／エーザイ）	ビタミンA	10,000単位 1錠	ビタミンA	2954
	Ｓ301	黄	パンテチン錠100mg「シオエ」（シオエ／日本新薬）	パンテチン	100mg 1錠	代謝異常改善剤	2900
	硝酸イソソルビドテープ40mg「EMEC」 EE301	無半透明～微黄半透明	硝酸イソソルビドテープ40mg「EMEC」（救急薬品／エルメッド／日医工）	硝酸イソソルビド	40mg 1枚	冠動脈拡張剤	1693
302	AK302／4C	極薄黄	カデチア配合錠LD「あすか」（あすか／武田薬品）	カンデサルタン シレキセチル・ヒドロクロロチアジド	1錠	持続性アンジオテンシンⅡ受容体拮抗薬・利尿薬配合剤	1190
	BM302	白　①	オイグルコン錠2.5mg（太陽ファルマ）	グリベンクラミド	2.5mg 1錠	スルホニル尿素系血糖降下剤	1276
	EE302	微黄半透明～黄半透明	フェルビナクテープ70mg「EMEC」（救急薬品／エルメッド／日医工）	フェルビナク	10cm×14cm 1枚	鎮痛消炎フェンブフェン活性体	3153
	JP302	白	ロペミンカプセル1mg（ヤンセン）	ロペラミド塩酸塩	1mg 1カプセル	止瀉剤	4524
	NF302	白～淡黄白	アミサリン錠250mg（アルフレッサファーマ）	プロカインアミド塩酸塩	250mg 1錠	不整脈治療剤	3385
	TSU302	黄　①	ジアゼパム錠5mg「ツルハラ」（鶴原）	ジアゼパム	5mg 1錠	マイナートランキライザー	1553
	TTS302／0.125 TTS-302	淡黄白	プラミペキソール塩酸塩錠0.125mg「タカタ」（高田）	プラミペキソール塩酸塩水和物	0.125mg 1錠	ドパミン作動性抗パーキンソン剤，レストレスレッグス症候群治療剤	3258
	Tw302	白	ジフェニドール塩酸塩錠25mg「トーワ」（東和薬品）	ジフェニドール塩酸塩	25mg 1錠	抗めまい剤	1649
	ZNC302／80 ZNC302：80	白	カソデックス錠80mg（アストラゼネカ）	ビカルタミド	80mg 1錠	前立腺癌治療剤	2926
	❄302	白～淡黄	フェルビナクパップ70mg「東光」（東光薬品／日本ジェネリック）	フェルビナク	10cm×14cm 1枚	鎮痛消炎フェンブフェン活性体	3153
	⊕302	黄～淡褐黄①	ハイボン錠40mg（ニプロES）	リボフラビン酪酸エステル	40mg 1錠	ビタミンB₂	4283
	Ｅ302	橙	ユベラ錠50mg（アルフレッサファーマ／エーザイ）	トコフェロール酢酸エステル	50mg 1錠	ビタミンE	2404
	Ｎ302	白　①	グリコラン錠250mg（日本新薬）	メトホルミン塩酸塩	250mg 1錠	ビグアナイド系血糖降下剤	3962
303	AZ303／OD80 AZ303：OD80	白～微黄白	カソデックスOD錠80mg（アストラゼネカ）	ビカルタミド	80mg 1錠	前立腺癌治療剤	2926
	KRM303	橙	レボセチリジン塩酸塩DS0.5%「杏林」（キョーリンリメディオ／杏林）	レボセチリジン塩酸塩	0.5% 1g	持続性選択H₁-受容体拮抗剤	4407
	PH303	橙黄	リボフラビン酪酸エステル錠20mg「杏林」（キョーリンリメディオ／杏林）	リボフラビン酪酸エステル	20mg 1錠	ビタミンB₂	4283
	TA303	白	ヘルベッサーRカプセル100mg（田辺三菱）	ジルチアゼム塩酸塩	100mg 1カプセル	ベンゾチアゼピン系Ca拮抗剤	1705
	TSU303	青　①	ジアゼパム錠10mg「ツルハラ」（鶴原）	ジアゼパム	10mg 1錠	マイナートランキライザー	1553
	TTS303／0.5 TTS-303	淡黄白	プラミペキソール塩酸塩錠0.5mg「タカタ」（高田）	プラミペキソール塩酸塩水和物	0.5mg 1錠	ドパミン作動性抗パーキンソン剤，レストレスレッグス症候群治療剤	3258
	Tw303	橙	トコフェロール酢酸エステル錠50mg「トーワ」（東和薬品）	トコフェロール酢酸エステル	50mg 1錠	ビタミンE	2404
	❄303	白～淡黄白	ラクール冷シップ（東光薬品／ラクール）	外皮用消炎鎮痛配合剤	10g	消炎・鎮痛剤	1691
304	AFP304	白　①	ズファジラン錠10mg（アルフレッサファーマ）	イソクスプリン塩酸塩	10mg 1錠	脳・末梢血行動態改善剤，子宮鎮痙剤	429
	CLN304 25 CLN304	薄橙(白)	ベプシドカプセル25mg（クリニジェン）	エトポシド	25mg 1カプセル	抗悪性腫瘍剤	762
	DS304	白	アロプリノール錠50mg「DSP」（住友ファーマ）	アロプリノール	50mg 1錠	キサンチンオキシダーゼ阻害剤・高尿酸血症治療剤	363
	HD304 HD-304	白　①	スピロノラクトン錠25mg「NP」（ニプロ）	スピロノラクトン	25mg 1錠	抗アルドステロン性降圧利尿剤	1761
	HP304T	淡褐～褐半透明(淡褐～褐)	ナボールテープ15mg（久光）	ジクロフェナクナトリウム	7cm×10cm 1枚	フェニル酢酸系消炎鎮痛剤	1579

番号	識別コード	色 (Ⓘ：割線有)	商品名(会社名)	一般名	規格単位	薬効	掲載ページ
304	KRM304	白〜微青	プランルカストDS10％「杏林」（キョーリンリメディオ／杏林）	プランルカスト水和物	10% 1g	ロイコトリエン受容体拮抗剤	3268
	TA304	赤／白	ヘルベッサーRカプセル200mg（田辺三菱）	ジルチアゼム塩酸塩	200mg 1カプセル	ベンゾチアゼピン系Ca拮抗剤	1705
	▓304	淡黄赤〜淡赤褐	ラクール温シップ（東光薬品／ラクール）	外皮用消炎鎮痛配合剤	10g	消炎・鎮痛剤	1691
0305	ⓝ0305	淡赤	セフジニルカプセル50mg「日医工」（日医工）	セフジニル	50mg 1カプセル	セフェム系抗生物質	1850
305	CG305	白	ボルタレンSRカプセル37.5mg（同仁医薬／ノバルティス）	ジクロフェナクナトリウム	37.5mg 1カプセル	フェニル酢酸系消炎鎮痛剤	1579
	CLN305 50 CLN305	薄橙(白)	ベプシドカプセル50mg（クリニジェン）	エトポシド	50mg 1カプセル	抗悪性腫瘍剤	762
	DEMSER ATON305 ATON305	青／淡青	デムサーカプセル250mg（小野薬品）	メチロシン	250mg 1カプセル	チロシン水酸化酵素阻害剤	3946
	HP305T	淡褐〜褐半透明(淡褐〜褐)	ナボールテープL30mg（久光）	ジクロフェナクナトリウム	10cm×14cm 1枚	フェニル酢酸系消炎鎮痛剤	1579
	KH305	白	ナウゼリン錠5（協和キリン）	ドンペリドン	5mg 1錠	消化管運動改善剤	2599
	NOM305／50	白	メキシレチン塩酸塩錠50mg「KCC」（ネオクリティケア）	メキシレチン塩酸塩	50mg 1錠	不整脈治療・糖尿病性神経障害治療剤	3902
	▓305	白〜淡黄	フェルビナクパップ140mg「東光」（東光薬品／日本ジェネリック）	フェルビナク	20cm×14cm 1枚	鎮痛消炎フェンブフェン活性体	3153
	Ⓝ305	薄緑／クリーム	トラネキサム酸カプセル250mg「NSKK」（日本新薬）	トラネキサム酸	250mg 1カプセル	抗プラスミン剤	2474
	P305	白　Ⓘ	アロプリノール錠100mg「DSP」（住友ファーマ）	アロプリノール	100mg 1錠	キサンチンオキシダーゼ阻害剤・高尿酸血症治療剤	363
	ono305	白〜帯黄白	フオイパン錠100mg（小野薬品）	カモスタットメシル酸塩	100mg 1錠	蛋白分解酵素阻害剤	1110
	ケタス10mg KP-305	白	ケタスカプセル10mg（杏林）	イブジラスト	10mg 1カプセル	脳血管障害・気管支喘息改善・アレルギー性結膜炎治療剤, ホスホジエステラーゼ阻害剤	473
0306	ⓝ0306	淡赤	セフジニルカプセル100mg「日医工」（日医工）	セフジニル	100mg 1カプセル	セフェム系抗生物質	1850
306	HP306P	白〜淡褐	ナボールパップ70mg（久光）	ジクロフェナクナトリウム	7cm×10cm 1枚	フェニル酢酸系消炎鎮痛剤	1579
	KH306	白	ナウゼリン錠10（協和キリン）	ドンペリドン	10mg 1錠	消化管運動改善剤	2599
	NOM306／100	白	メキシレチン塩酸塩錠100mg「KCC」（ネオクリティケア）	メキシレチン塩酸塩	100mg 1錠	不整脈治療・糖尿病性神経障害治療剤	3902
	TU306	微黄透明	イコサペント酸エチル粒状カプセル300mg「TCK」（辰巳化学）	イコサペント酸エチル	300mg 1包	EPA剤	412
	Tw306	淡赤	ジピリダモール錠25mg「トーワ」（東和薬品）	ジピリダモール	25mg 1錠	冠循環増強・抗血小板剤	1646
	△306	白	5mgアリナミンF糖衣錠（武田テバ薬品／武田薬品）	フルスルチアミン	5mg 1錠	活性型ビタミンB₁	3304
	Ᵹ306	橙	カルバゾクロムスルホン酸Na錠30mg「あすか」（あすか／武田薬品／千寿）	カルバゾクロムスルホン酸ナトリウム水和物	30mg 1錠	血管強化・止血剤	1149
	cн306	白	タチオン錠50mg（長生堂／日本ジェネリック）	グルタチオン	50mg 1錠	生体酸化還元平衡剤	1291
307	HP307P	白〜淡褐	ナボールパップ140mg（久光）	ジクロフェナクナトリウム	10cm×14cm 1枚	フェニル酢酸系消炎鎮痛剤	1579
	SW307	白　Ⓘ	アシクロビル錠200mg「サワイ」（沢井）	アシクロビル	200mg 1錠	抗ウイルス剤	25
	TU307	微黄透明	イコサペント酸エチル粒状カプセル600mg「TCK」（辰巳化学）	イコサペント酸エチル	600mg 1包	EPA剤	412
	Tw307	白	メコバラミン錠500「トーワ」（東和薬品）	メコバラミン	0.5mg 1錠	補酵素型ビタミンB₁₂	3907
	△307	黄	25mgアリナミンF糖衣錠（武田テバ薬品／武田薬品）	フルスルチアミン	25mg 1錠	活性型ビタミンB₁	3304
	cн307	白	タチオン錠100mg（長生堂／日本ジェネリック）	グルタチオン	100mg 1錠	生体酸化還元平衡剤	1291
	ラベプラゾール5 日医工 ⓝ307	淡黄	ラベプラゾールナトリウム錠5mg「日医工」（日医工）	ラベプラゾールナトリウム	5mg 1錠	プロトンポンプインヒビター	4112
308	HP308T	白〜淡黄	ジクトルテープ75mg（久光）	ジクロフェナクナトリウム	75mg 1枚	フェニル酢酸系消炎鎮痛剤	1579
	KH308	白〜帯黄白	ナウゼリン坐剤10（協和キリン）	ドンペリドン	10mg 1個	消化管運動改善剤	2599
	PFIZER／308 Pfizer308	白	ジスロマック錠600mg（ファイザー）	アジスロマイシン水和物	600mg 1錠	15員環マクロライド系抗生物質	30
	TU308	微黄透明	イコサペント酸エチル粒状カプセル900mg「TCK」（辰巳化学）	イコサペント酸エチル	900mg 1包	EPA剤	412
	Tw308	橙	ユビデカレノン錠10mg「トーワ」（東和薬品）	ユビデカレノン	10mg 1錠	代謝性強心剤	4048

300
|
399

番号	識別コード	色 (◑:割線有)	商品名(会社名)	一般名	規格単位	薬効	掲載ページ
308	△308 50 △308	黄	50mgアリナミンF糖衣錠(武田テバ薬品／武田薬品)	フルスルチアミン	50mg 1錠	活性型ビタミンB₁	3304
	▓308	白〜淡黄	ロキソプロフェンNaパップ100mg「ラクール」(東光薬品／ラクール)	ロキソプロフェンナトリウム水和物	10cm×14cm 1枚	プロピオン酸系消炎鎮痛剤	4473
309	KH309	白〜帯黄白	ナウゼリン坐剤30(協和キリン)	ドンペリドン	30mg 1個	消化管運動改善剤	2599
	SW-309	白〜微黄白	アシクロビルDS80%「サワイ」(沢井)	アシクロビル	80% 1g	抗ウイルス剤	25
	t309[200mg] t309	白	◑	アセトアミノフェン錠200mg「NIG」(日医工岐阜／日医工／武田薬品)	アセトアミノフェン	200mg 1錠	アミノフェノール系解熱鎮痛剤	77
	t309 t309[200mg]	白	◑	アセトアミノフェン錠200mg「武田テバ」(日医工岐阜／日医工／武田薬品)	アセトアミノフェン	200mg 1錠	アミノフェノール系解熱鎮痛剤	77
	Tw309	茶褐	センノシド錠12mg「トーワ」(東和薬品／共創未来／ジェイドルフ)	センノシド	12mg 1錠	緩下剤	1923
	▓309	白〜淡黄	ロキソプロフェンNaパップ200mg「ラクール」(東光薬品／ラクール)	ロキソプロフェンナトリウム水和物	20cm×14cm 1枚	プロピオン酸系消炎鎮痛剤	4473
310	KH310	白	ナウゼリンドライシロップ1%(協和キリン)	ドンペリドン	1% 1g	消化管運動改善剤	2599
	TTS310／2.5 TTS-310	白〜帯黄白	リセドロン酸Na錠2.5mg「タカタ」(高田)	リセドロン酸ナトリウム水和物	2.5mg 1錠	ビスホスホネート系骨吸収抑制剤	4209
311	FY311／20	白〜淡黄白	トピロリック錠20mg(富士薬品)	トピロキソスタット	20mg 1錠	非プリン型選択的キサンチンオキシダーゼ阻害剤・高尿酸血症治療剤	2437
	KH311	白〜帯黄白	ナウゼリン坐剤60(協和キリン)	ドンペリドン	60mg 1個	消化管運動改善剤	2599
	KSK311／5	淡橙	◑	ゾルピデム酒石酸塩錠5mg「クニヒロ」(皇漢堂)	ゾルピデム酒石酸塩	5mg 1錠	入眠剤	1973
	N311	灰褐〜褐	コタロー九味檳榔湯エキス細粒(小太郎漢方)	九味檳榔湯	1g	漢方製剤	4580
	NP311 0.2 NP-311	白	◑	ボグリボース錠0.2mg「NP」(ニプロ)	ボグリボース	0.2mg 1錠	α-グルコシダーゼ阻害・食後過血糖改善剤	3668
	NS311／15	白〜帯黄白	ピオグリタゾン錠15mg「NS」(日新／科研)	ピオグリタゾン塩酸塩	15mg 1錠	インスリン抵抗性改善血糖降下剤	2912
	Tu311	白	サルポグレラート塩酸塩錠50mg「TCK」(辰巳化学)	サルポグレラート塩酸塩	50mg 1錠	5-HT₂ブロッカー	1538
	Tw311	黄	フルスルチアミン錠25mg「トーワ」(東和薬品)	フルスルチアミン	25mg 1錠	活性型ビタミンB₁	3304
	△311	淡紅	ベネット錠17.5mg(武田薬品)	リセドロン酸ナトリウム水和物	17.5mg 1錠	ビスホスホネート系骨吸収抑制剤	4209
	Kowa 311	白	レスタミンコーワ錠10mg(興和)	ジフェンヒドラミン塩酸塩	10mg 1錠	抗ヒスタミン剤	1652
	E311／1	白	ルネスタ錠1mg(エーザイ)	エスゾピクロン	1mg 1錠	不眠症治療剤	682
	n311 ⓝ311	白	セチリジン塩酸塩錠5mg「日医工」(日医工)	セチリジン塩酸塩	5mg 1錠	持続性選択H₁-受容体拮抗剤	1806
	セレスタミン／ TTS311 TTS-311	白	セレスタミン配合錠(高田)	ベタメタゾン・d-クロルフェニラミンマレイン酸塩	1錠	副腎皮質ホルモン配合剤	3499
312	AK312／8C	極薄紅	カデチア配合錠HD「あすか」(あすか／武田薬品)	カンデサルタン シレキセチル・ヒドロクロロチアジド	1錠	持続性アンギオテンシンⅡ受容体拮抗薬・利尿薬配合剤	1190
	FY312／40	白〜淡黄白	◑	トピロリック錠40mg(富士薬品)	トピロキソスタット	40mg 1錠	非プリン型選択的キサンチンオキシダーゼ阻害剤・高尿酸血症治療剤	2437
	KH312	極薄黄	ナウゼリンOD錠5(協和キリン)	ドンペリドン	5mg 1錠	消化管運動改善剤	2599
	NP312 0.3 NP-312	白	ボグリボース錠0.3mg「NP」(ニプロ)	ボグリボース	0.3mg 1錠	α-グルコシダーゼ阻害・食後過血糖改善剤	3668
	NS312／30	白〜帯黄白	◑	ピオグリタゾン錠30mg「NS」(日新／科研)	ピオグリタゾン塩酸塩	30mg 1錠	インスリン抵抗性改善血糖降下剤	2912
	Sc312	淡黄	◑	スイニー錠100mg(三和化学／興和)	アナグリプチン	100mg 1錠	選択的DPP-4阻害剤・2型糖尿病治療剤	139
	TTS312／17.5 TTS-312	淡紅	リセドロン酸Na錠17.5mg「タカタ」(高田)	リセドロン酸ナトリウム水和物	17.5mg 1錠	ビスホスホネート系骨吸収抑制剤	4209
	Tu312	白	サルポグレラート塩酸塩錠100mg「TCK」(辰巳化学)	サルポグレラート塩酸塩	100mg 1錠	5-HT₂ブロッカー	1538
	P312／0.75	白	セレネース錠0.75mg(住友ファーマ)	ハロペリドール	0.75mg 1錠	ブチロフェノン系精神安定剤	2887
	E312／2	淡黄	◑	ルネスタ錠2mg(エーザイ)	エスゾピクロン	2mg 1錠	不眠症治療剤	682
	△312／75	微黄	ベネット錠75mg(武田薬品)	リセドロン酸ナトリウム水和物	75mg 1錠	ビスホスホネート系骨吸収抑制剤	4209
	n312 ⓝ312	白	セチリジン塩酸塩錠10mg「日医工」(日医工)	セチリジン塩酸塩	10mg 1錠	持続性選択H₁-受容体拮抗剤	1806
313	FY313／60	白〜淡黄白	◑	トピロリック錠60mg(富士薬品)	トピロキソスタット	60mg 1錠	非プリン型選択的キサンチンオキシダーゼ阻害剤・高尿酸血症治療剤	2437
	HM313	白	マルファ懸濁用配合顆粒(東洋製化／小野薬品)	水酸化アルミニウムゲル・水酸化マグネシウム	1g	胃炎・消化性潰瘍治療剤	1731
	HP313T	淡褐〜褐半透明	モーラステープ20mg(久光)	ケトプロフェン	7cm×10cm 1枚	プロピオン酸系消炎鎮痛剤	1410

番号	識別コード	色 (①:割線有)	商品名(会社名)	一般名	規格単位	薬効	掲載ページ
313	KH313	極薄黄	ナウゼリンOD錠10(協和キリン)	ドンペリドン	10mg 1錠	消化管運動改善剤	2599
	M S50 M313	白	スマトリプタン錠50mg「VTRS」(ヴィアトリス・ヘルスケア/ヴィアトリス)	スマトリプタン	50mg 1錠	5-HT$_{1B/1D}$受容体作動型片頭痛治療剤	1768
	NY313	白〜黄みの白	カチーフN錠5mg(武田薬品)	フィトナジオン	5mg 1錠	ビタミンK$_1$	3090
	PH313/0.2	白〜帯黄白	ベグリボース錠0.2mg「杏林」(キョーリンリメディオ/杏林)	ボグリボース	0.2mg 1錠	α-グルコシダーゼ阻害・食後過血糖改善剤	3668
	TU313/5	白	アレンドロン酸錠5mg「TCK」(辰巳化学)	アレンドロン酸ナトリウム水和物	5mg 1錠	骨粗鬆症治療剤	349
	P313/1.5	白 ①	セレネース錠1.5mg(住友ファーマ)	ハロペリドール	1.5mg 1錠	ブチロフェノン系精神安定剤	2887
	E313/3	淡赤	ルネスタ錠3mg(エーザイ)	エスゾピクロン	3mg 1錠	不眠症治療剤	682
	n313 ⓝ313	白	サクコルチン配合錠(日医工)	ベタメタゾン・d-クロルフェニラミンマレイン酸塩	1錠	副腎皮質ホルモン配合剤	3499
314	HP314T	淡褐〜褐半透明	モーラステープL40mg(久光)	ケトプロフェン	10cm×14cm 1枚	プロピオン酸系消炎鎮痛剤	1410
	N314	黄褐〜黄	コタロー梔子柏皮湯エキス細粒(小太郎漢方)	梔子柏皮湯	1g	漢方製剤	4603
	PH314/0.3	白〜帯黄白	ボグリボース錠0.3mg「杏林」(キョーリンリメディオ/杏林)	ボグリボース	0.3mg 1錠	α-グルコシダーゼ阻害・食後過血糖改善剤	3668
315	HP315P	白〜淡黄白	モーラスパップ30mg(久光)	ケトプロフェン	10cm×14cm 1枚	プロピオン酸系消炎鎮痛剤	1410
	KP-315	帯黄白〜微黄	アプレース細粒20%(杏林)	トロキシピド	20% 1g	胃炎・消化性潰瘍治療剤	2588
	NF315	白〜微黄白	シンレスタール錠250mg(アルフレッサファーマ)	プロブコール	250mg 1錠	高脂質血症治療剤	3436
	Sc315	白 ①	グリベンクラミド錠1.25mg「三和」(三和化学)	グリベンクラミド	1.25mg 1錠	スルホニル尿素系血糖降下剤	1276
	TSU315/25	白	セルトラリン錠25mg「ツルハラ」(鶴原)	セルトラリン塩酸塩	25mg 1錠	選択的セロトニン再取り込み阻害剤(SSRI)	1894
	ɭɭ315 LL315	黄〜暗黄	ミノマイシン錠50mg(ファイザー)	ミノサイクリン塩酸塩	50mg 1錠	テトラサイクリン系抗生物質	3871
316	HP316P	白〜淡黄白	モーラスパップ60mg(久光)	ケトプロフェン	20cm×14cm 1枚	プロピオン酸系消炎鎮痛剤	1410
	TSU316/50	白 ①	セルトラリン錠50mg「ツルハラ」(鶴原)	セルトラリン塩酸塩	50mg 1錠	選択的セロトニン再取り込み阻害剤(SSRI)	1894
	Tw316	白〜微黄白	ファモチジン錠10mg「トーワ」(東和薬品)	ファモチジン	10mg 1錠	H$_2$-受容体拮抗剤	3079
	TZ316	白	プロセキソール錠0.5mg(あすか/武田薬品)	エチニルエストラジオール	0.5mg 1錠	卵胞ホルモン	741
	Ɗ316	黄 ①	アーチスト錠1.25mg(第一三共)	カルベジロール	1.25mg 1錠	α, β-遮断剤	1160
317	HP317P	白〜淡黄	モーラスパップXR120mg(久光)	ケトプロフェン	10cm×14cm 1枚	プロピオン酸系消炎鎮痛剤	1410
	KSK317/10	淡橙 ①	ゾルピデム酒石酸塩錠10mg「クニヒロ」(皇漢堂)	ゾルピデム酒石酸塩	10mg 1錠	入眠剤	1973
	Sc317	白 ①	グリベンクラミド錠2.5mg「三和」(三和化学)	グリベンクラミド	2.5mg 1錠	スルホニル尿素系血糖降下剤	1276
	SW317	白	アシクロビル錠400mg「サワイ」(沢井)	アシクロビル	400mg 1錠	抗ウイルス剤	25
	T317	白	タウリン散98%「大正」(大正)	タウリン	98% 1g	肝・循環機能改善剤・MELAS脳卒中様発作抑制剤	1995
	TSU317/100	白 ①	セルトラリン錠100mg「ツルハラ」(鶴原)	セルトラリン塩酸塩	100mg 1錠	選択的セロトニン再取り込み阻害剤(SSRI)	1894
	Tw317	白〜微黄白	ファモチジン錠20mg「トーワ」(東和薬品)	ファモチジン	20mg 1錠	H$_2$-受容体拮抗剤	3079
	Ɗ317	白〜微黄白①	アーチスト錠2.5mg(第一三共)	カルベジロール	2.5mg 1錠	α, β-遮断剤	1160
	P317/1	白〜帯黄白	セレネース錠1mg(住友ファーマ)	ハロペリドール	1mg 1錠	ブチロフェノン系精神安定剤	2887
	△317/25/500	微赤	イニシンク配合錠(帝人/武田薬品)	アログリプチン安息香酸塩・メトホルミン塩酸塩	1錠	選択的DPP-4阻害剤/ビグアナイド系薬配合剤・2型糖尿病治療剤	358
318	DCT25 TTS-318	白	ジセタミン錠25(高田)	セチアミン塩酸塩水和物	25mg 1錠	ビタミンB$_1$誘導体	1821
	HP318P	白〜淡黄	モーラスパップXR240mg(久光)	ケトプロフェン	20cm×14cm 1枚	プロピオン酸系消炎鎮痛剤	1410
	MO318	白	経口用トロンビン細粒5千単位(持田)	トロンビン	5,000単位 0.5g 1包	局所用止血剤	2596
	SW-318	白〜微黄白	アシクロビル顆粒40%「サワイ」(沢井)	アシクロビル	40% 1g	抗ウイルス剤	25
	Ɗ318	黄 ①	アーチスト錠10mg(第一三共)	カルベジロール	10mg 1錠	α, β-遮断剤	1160
	P318/3	白〜帯黄白	セレネース錠3mg(住友ファーマ)	ハロペリドール	3mg 1錠	ブチロフェノン系精神安定剤	2887
319	MO319	白	経口用トロンビン細粒1万単位(持田)	トロンビン	10,000単位 1g 1包	局所用止血剤	2596
	N319	茶褐〜黄褐	コタロー大柴胡湯去大黄エキス細粒(小太郎漢方)	大柴胡湯去大黄	1g	漢方製剤	4623

300
|
399

番号	識別コード	色 (①：割線有)	商品名(会社名)	一般名	規格単位	薬効	掲載ページ
319	D319	白〜微黄白①	アーチスト錠20mg（第一三共）	カルベジロール	20mg 1錠	α, β-遮断剤	1160
320	HM320	微黄白〜淡黄	ポリスチレンスルホン酸Ca散96.7％分包5.17g＜ハチ＞（東洋製化／小野薬品）	ポリスチレンスルホン酸カルシウム	96.7% 1g	高カリウム血症改善イオン交換樹脂	3761
	N320	淡褐	コタロー腸癰湯エキス細粒（小太郎漢方）	腸癰湯	1g	漢方製剤	4627
	SS320	白	スペリア錠200（久光）	フドステイン	200mg 1錠	気道分泌細胞正常化剤	3226
	TBP320	白	メコバラミン錠250μg「日医工」（東菱薬品／日医工）	メコバラミン	0.25mg 1錠	補酵素型ビタミンB₁₂	3907
	Tw320／6	白　①	ベタヒスチンメシル酸塩錠6mg「トーワ」（東和薬品）	ベタヒスチンメシル酸塩	6mg 1錠	めまい・平衡障害治療剤	3496
	✱320	淡黄赤	ダフクリア錠200mg（ゼリア新薬）	フィダキソマイシン	200mg 1錠	クロストリジウム・ディフィシル感染症治療剤	3088
	LL320／LL320	薄ベージュ	ミノマイシンカプセル50mg（ファイザー）	ミノサイクリン塩酸塩	50mg 1カプセル	テトラサイクリン系抗生物質	3871
	◇IM150-320 ◇・IM150-320	無透明	アテキュラ吸入用カプセル高用量（ノバルティス）	インダカテロール酢酸塩・モメタゾンフランカルボン酸エステル	1カプセル	喘息治療配合剤	596
321	FY321／0.5	白〜淡黄白	ユリス錠0.5mg（富士薬品／持田）	ドチヌラド	0.5mg 1錠	選択的尿酸再吸収阻害薬・高尿酸血症治療剤	2423
	KC-321	白	アドフィードパップ40mg（リードケミカル／科研）	フルルビプロフェン	10cm×14cm 1枚	フェニルアルカン酸系消炎鎮痛剤	3345
	KSK321／2.5	白	アムロジピン錠2.5mg「クニヒロ」（皇漢堂）	アムロジピンベシル酸塩	2.5mg 1錠	ジヒドロピリジン系Ca拮抗剤	264
	M321	白	酸化マグネシウム錠250mg「VTRS」（ヴィアトリス・ヘルスケア／ヴィアトリス）	酸化マグネシウム	250mg 1錠	制酸・緩下剤	3798
	NP321／5 NP-321	淡橙　①	ゾルピデム酒石酸塩錠5mg「NP」（ニプロ）	ゾルピデム酒石酸塩	5mg 1錠	入眠剤	1973
	Sc321／0.5	濃紅　①	グリメピリド錠0.5mg「三和」（三和化学）	グリメピリド	0.5mg 1錠	スルホニル尿素系血糖降下剤	1278
	TBP321	白	メコバラミン錠500μg「日医工」（東菱薬品／日医工）	メコバラミン	0.5mg 1錠	補酵素型ビタミンB₁₂	3907
	TU321／15	白〜帯黄白①	ピオグリタゾン錠15mg「TCK」（辰巳化学）	ピオグリタゾン塩酸塩	15mg 1錠	インスリン抵抗性改善血糖降下剤	2912
	E321	白	メチコバール錠250μg（エーザイ）	メコバラミン	0.25mg 1錠	補酵素型ビタミンB₁₂	3907
	△321／15/500	白	メタクト配合錠LD（武田テバ薬品／武田薬品）	ピオグリタゾン塩酸塩・メトホルミン塩酸塩	1錠	チアゾリジン系薬・ビグアナイド系薬配合2型糖尿病治療剤	2919
	n321 Ⓝ321	白〜微黄白	ジソピラミドリン酸塩徐放錠150mg「日医工」（日医工ファーマ／日医工）	ジソピラミド	150mg 1錠	不整脈治療剤	1608
	アルタット 75TZ321 TZ321	白	アルタットカプセル75mg（あすか／武田薬品）	ロキサチジン酢酸エステル塩酸塩	75mg 1カプセル	H₂-受容体拮抗剤	4466
322	FY322／1	白〜淡黄白①	ユリス錠1mg（富士薬品／持田）	ドチヌラド	1mg 1錠	選択的尿酸再吸収阻害薬・高尿酸血症治療剤	2423
	KC-322	白	フルルバンパップ40mg（大協薬品／科研）	フルルビプロフェン	10cm×14cm 1枚	フェニルアルカン酸系消炎鎮痛剤	3345
	KSK322／5	白　①	アムロジピン錠5mg「クニヒロ」（皇漢堂）	アムロジピンベシル酸塩	5mg 1錠	ジヒドロピリジン系Ca拮抗剤	264
	M322	白	酸化マグネシウム錠330mg「VTRS」（ヴィアトリス・ヘルスケア／ヴィアトリス）	酸化マグネシウム	330mg 1錠	制酸・緩下剤	3798
	Sc322／1	微紅　①	グリメピリド錠1mg「三和」（三和化学）	グリメピリド	1mg 1錠	スルホニル尿素系血糖降下剤	1278
	TSU322／5	極薄黄	ソリフェナシンコハク酸塩錠5mg「ツルハラ」（鶴原）	コハク酸ソリフェナシン	5mg 1錠	過活動膀胱治療剤	1970
	TU322／30	白〜帯黄白①	ピオグリタゾン錠30mg「TCK」（辰巳化学）	ピオグリタゾン塩酸塩	30mg 1錠	インスリン抵抗性改善血糖降下剤	2912
	Tw322／2.5	白〜帯黄白	リセドロン酸Na錠2.5mg「トーワ」（東和薬品）	リセドロン酸ナトリウム水和物	2.5mg 1錠	ビスホスホネート系骨吸収抑制剤	4209
	E322	白	メチコバール錠500μg（エーザイ）	メコバラミン	0.5mg 1錠	補酵素型ビタミンB₁₂	3907
	⬛322	白	ブレディニンOD錠25（旭化成）	ミゾリビン	25mg 1錠	核酸合成阻害イミダゾール系免疫抑制剤	3849
	P322／25	白　①	セタプリル錠25mg（住友ファーマ）	アラセプリル	25mg 1錠	ACE阻害剤	284
	△322／30/500	帯黄白	メタクト配合錠HD（武田テバ薬品／武田薬品）	ピオグリタゾン塩酸塩・メトホルミン塩酸塩	1錠	チアゾリジン系薬・ビグアナイド系薬配合2型糖尿病治療剤	2919
	n322／3 n322 3 Ⓝ322	黄	ドネペジル塩酸塩錠3mg「日医工」（日医工）	ドネペジル, -塩酸塩	3mg 1錠	アルツハイマー型，レビー小体型認知症治療剤	2426
323	323／2.5	白	ソリフェナシンコハク酸塩錠2.5mg「ツルハラ」（鶴原）	コハク酸ソリフェナシン	2.5mg 1錠	過活動膀胱治療剤	1970

番号	識別コード	色 (①：割線有)	商品名(会社名)	一般名	規格単位	薬効	掲載ページ
323	CH323	白	ジルチアゼム塩酸塩錠30mg「CH」(長生堂／日本ジェネリック)	ジルチアゼム塩酸塩	30mg 1錠	ベンゾチアゼピン系Ca拮抗剤	1705
	FY323／2 FY323	極薄紅 ①	ユリス錠2mg(富士薬品／持田)	ドチヌラド	2mg 1錠	選択的尿酸再吸収阻害薬・高尿酸血症治療剤	2423
	KW323	濃青／白	ダルメートカプセル15(共和薬品)	フルラゼパム塩酸塩	15mg 1カプセル	ベンゾジアゼピン系催眠調整剤	3342
	M323	白	酸化マグネシウム錠500mg「VTRS」(ヴィアトリス・ヘルスケア／ヴィアトリス)	酸化マグネシウム	500mg 1錠	制酸・緩下剤	3798
	NF323	白〜帯黄白①	テナキシル錠1mg(アルフレッサファーマ)	インダパミド	1mg 1錠	非チアジド系降圧剤	600
	NP323／5 NP-323	淡紅	エバスチンOD錠5mg「NP」(ニプロ)	エバスチン	5mg 1錠	持続性選択H₁-受容体拮抗剤	778
	Sc323／3	微黄白	グリメピリド錠3mg「三和」(三和化学)	グリメピリド	3mg 1錠	スルホニル尿素系血糖降下剤	1278
	Tw323／17.5	淡紅	リセドロン酸Na錠17.5mg「トーワ」(東和薬品)	リセドロン酸ナトリウム水和物	17.5mg 1錠	ビスホスホネート系骨吸収抑制剤	4209
	♟323	白 ①	ブレディニンOD錠50(旭化成)	ミゾリビン	50mg 1錠	核酸合成阻害イミダゾール系免疫抑制剤	3849
	△323／15／1	白〜帯黄白／帯赤白	ソニアス配合錠LD(武田テバ薬品／武田薬品)	ピオグリタゾン塩酸塩・グリメピリド	1錠	チアゾリジン系薬／スルホニル尿素系薬配合剤・2型糖尿病治療剤	2915
	n323／5 n323 5 ⓝ323	白	ドネペジル塩酸塩錠5mg「日医工」(日医工)	ドネペジル，-塩酸塩	5mg 1錠	アルツハイマー型，レビー小体型認知症治療剤	2426
324	0／PT324	白 ①	コートリル錠10mg(ファイザー)	ヒドロコルチゾン	10mg 1錠	副腎皮質ホルモン	2983
	Kw324／TAL5	白 ①	タルチレリン錠5mg「アメル」(共和薬品)	タルチレリン水和物	5mg 1錠	経口脊髄小脳変性症治療剤	2094
	N324	淡褐〜褐	コタロー桔梗石膏エキス細粒(小太郎漢方)	桔梗石膏	1g	漢方製剤	4578
	NF324	淡桃	テナキシル錠2mg(アルフレッサファーマ)	インダパミド	2mg 1錠	非チアジド系降圧剤	600
	Tw324／5	淡橙	ゾルピデム酒石酸塩錠5mg「トーワ」(東和薬品)	ゾルピデム酒石酸塩	5mg 1錠	入眠剤	1973
	♟324	白	ブレディニン錠25(旭化成)	ミゾリビン	25mg 1錠	核酸合成阻害イミダゾール系免疫抑制剤	3849
	n324／10 n324 10 ⓝ324	赤橙	ドネペジル塩酸塩錠10mg「日医工」(日医工)	ドネペジル，-塩酸塩	10mg 1錠	アルツハイマー型，レビー小体型認知症治療剤	2426
	△324／30／3	白〜帯黄白／帯黄白	ソニアス配合錠HD(武田テバ薬品／武田薬品)	ピオグリタゾン塩酸塩・グリメピリド	1錠	チアゾリジン系薬／スルホニル尿素系薬配合剤・2型糖尿病治療剤	2915
	LL324／LL324	薄ベージュ	ミノマイシンカプセル100mg(ファイザー)	ミノサイクリン塩酸塩	100mg 1カプセル	テトラサイクリン系抗生物質	3871
	ch324 ch324	白	ジルチアゼム塩酸塩錠60mg「CH」(長生堂／日本ジェネリック)	ジルチアゼム塩酸塩	60mg 1錠	ベンゾチアゼピン系Ca拮抗剤	1705
325	325 t325	淡黄	ベラパミル塩酸塩錠40mg「タイヨー」(日医工岐阜／日医工／武田薬品)	ベラパミル塩酸塩	40mg 1錠	フェニルアルキルアミン系Ca拮抗剤	3594
	NP325／10 NP-325	淡橙	ゾルピデム酒石酸塩錠10mg「NP」(ニプロ)	ゾルピデム酒石酸塩	10mg 1錠	入眠剤	1973
	TTS325 TTS-325	白	レバミピド錠100mg「タカタ」(高田)	レバミピド	100mg 1錠	胃炎・胃潰瘍治療剤	4390
	Tw325／10	淡橙	ゾルピデム酒石酸塩錠10mg「トーワ」(東和薬品)	ゾルピデム酒石酸塩	10mg 1錠	入眠剤	1973
	♟325	白 ①	ブレディニン錠50(旭化成)	ミゾリビン	50mg 1錠	核酸合成阻害イミダゾール系免疫抑制剤	3849
	✿／325 325	白	ベルソムラ錠15mg(MSD)	スボレキサント	15mg 1錠	オレキシン受容体拮抗剤・不眠症治療剤	1766
	エリスロマイシン200 SW-325	橙	エリスロマイシン錠200mg「サワイ」(沢井)	エリスロマイシン	200mg 1錠	マクロライド系抗生物質	862
	トアラセット配合トーワ／ トラマドール37.5 アセトアミノフェン325	淡黄	トアラセット配合錠「トーワ」(東和薬品)	トラマドール塩酸塩・アセトアミノフェン	1錠	慢性疼痛・抜歯後疼痛治療剤	2496
326	NF326	白	アナフラニール錠10mg(アルフレッサファーマ)	クロミプラミン塩酸塩	10mg 1錠	うつ病・遺尿症治療剤・情動脱力発作治療剤	1368
	TC326	光沢のある白〜微帯黄白	ネオファーゲンC配合錠(大鵬薬品)	グリチロン配合錠	1錠	肝臓疾患・アレルギー用剤	1274
	TZ326	微黄	プロスタールL錠50mg(あすか／武田薬品)	クロルマジノン酢酸エステル	50mg 1錠	黄体ホルモン剤	1386
327	KSK327／10	白 ①	アムロジピン錠10mg「クニヒロ」(皇漢堂)	アムロジピンベシル酸塩	10mg 1錠	ジヒドロピリジン系Ca拮抗剤	264

番号	識別コード	色 (①:割線有)	商品名(会社名)	一般名	規格単位	薬効	掲載ページ
327	NF327	白	アナフラニール錠25mg（アルフレッサファーマ）	クロミプラミン塩酸塩	25mg 1錠	うつ病・遺尿症療療剤・情動脱力発作治療剤	1368
	NP327／10 NP-327	白	エバスチンOD錠10mg「NP」（ニプロ）	エバスチン	10mg 1錠	持続性選択H₁-受容体拮抗剤	778
	Tw327	白～帯帯白①	ゾピクロン錠10mg「トーワ」（東和薬）	ゾピクロン	10mg 1錠	シクロピロロン系睡眠障害改善剤	1937
328	SANKYO328	白	リバオール錠20mg（アルフレッサファーマ）	ジクロロ酢酸ジイソプロピルアミン	20mg 1錠	肝機能改善剤	1561
329	AK329	白～微黄	ルテウム腟用坐剤400mg（あすか／武田薬品）	プロゲステロン	400mg 1個	黄体ホルモン	3397
	△329	無透明	ビタノイリンカプセル25（武田テバ薬品／武田薬品）	複合ビタミンB剤	1カプセル	混合ビタミン	2956
330	YO MG1／330	白	酸化マグネシウム錠330mg「ヨシダ」（吉田／共創未来）	酸化マグネシウム	330mg 1錠	制酸・緩下剤	3798
	△330	無透明	ビタノイリンカプセル50（武田テバ薬品／武田薬品）	複合ビタミンB剤	1カプセル	混合ビタミン	2956
	Kowa／330 Kowa 330	白	ランツジールコーワ錠30mg（興和）	アセメタシン	30mg 1錠	インドメタシンプロドラッグ	88
	カマ330KE02	白	酸化マグネシウム錠330mg「ケンエー」（健栄／日本ジェネリック）	酸化マグネシウム	330mg 1錠	制酸・緩下剤	3798
	カマ330KE02	白(青)	酸化マグネシウム錠330mg「ケンエー」（健栄）	酸化マグネシウム	330mg 1錠	制酸・緩下剤	3798
	マグミット330	白	マグミット錠330mg（マグミット製薬／フェルゼン／シオエ／日本新薬／丸石）	酸化マグネシウム	330mg 1錠	制酸・緩下剤	3798
331	331 ENP-20	白	オメプラゾール錠20mg「ケミファ」（シオノ／日本ケミファ）	オメプラゾール	20mg 1錠	プロトンポンプインヒビター	1010
	KSK331／2.5	淡黄赤	オロパタジン塩酸塩錠2.5mg「クニヒロ」（皇漢堂）	オロパタジン塩酸塩	2.5mg 1錠	アレルギー性疾患治療剤	1037
	KW331	白　①	トリヘキシフェニジル塩酸塩錠2mg「アメル」（共和薬品）	トリヘキシフェニジル塩酸塩	2mg 1錠	抗パーキンソン剤	2523
	NP331／2.5 NP-331	淡橙	アムロジピンOD錠2.5mg「NP」（ニプロ）	アムロジピンベシル酸塩	2.5mg 1錠	ジヒドロピリジン系Ca拮抗剤	264
	TTS331／0.2 TTS-331	帯黄白　①	ボグリボースOD錠0.2mg「タカタ」（高田）	ボグリボース	0.2mg 1錠	α-グルコシダーゼ阻害・食後過血糖改善剤	3668
	Tw331／20	白　①	リシノプリル錠20mg「トーワ」（東和薬品）	リシノプリル水和物	20mg 1錠	ACE阻害剤	4193
	UPJOHN331	橙／淡橙	ダラシンカプセル75mg（ファイザー）	クリンダマイシン	75mg 1カプセル	リンコマイシン系抗生物質	1281
	ono331	白	イメンドカプセル80mg（小野薬品）	アプレピタント	80mg 1カプセル	選択的NK₁受容体拮抗型制吐剤	196
	n331／2.5 n331	白	モサプリドクエン酸塩錠2.5mg「日医工」（日医工）	モサプリドクエン酸塩水和物	2.5mg 1錠	消化管運動促進剤	4014
	ono332 ono331	淡赤／白 白	イメンドカプセルセット（小野薬品）	アプレピタント	1セット	選択的NK₁受容体拮抗型制吐剤	196
332	NF332	灰赤	トフラニール錠10mg（アルフレッサファーマ）	イミプラミン塩酸塩	10mg 1錠	抗うつ剤・遺尿症治療剤	506
	NP332／5 NP-332	淡橙　①	アムロジピンOD錠5mg「NP」（ニプロ）	アムロジピンベシル酸塩	5mg 1錠	ジヒドロピリジン系Ca拮抗剤	264
	TTS332／0.3 TTS-332	微黄	ボグリボースOD錠0.3mg「タカタ」（高田）	ボグリボース	0.3mg 1錠	α-グルコシダーゼ阻害・食後過血糖改善剤	3668
	ono332	淡赤／白	イメンドカプセル125mg（小野薬品）	アプレピタント	125mg 1カプセル	選択的NK₁受容体拮抗型制吐剤	196
	n332／5 n332	白　①	モサプリドクエン酸塩錠5mg「日医工」（日医工）	モサプリドクエン酸塩水和物	5mg 1錠	消化管運動促進剤	4014
	ono332 ono331	淡赤／白 白	イメンドカプセルセット(小野薬品)	アプレピタント	1セット	選択的NK₁受容体拮抗型制吐剤	196
333	333	白	アトーゼット配合錠HD（オルガノン／バイエル薬品）	エゼチミブ・アトルバスタチンカルシウム水和物	1錠	小腸コレステロールトランスポーター阻害剤／HMG-CoA還元酵素阻害剤配合剤	711
	NF333	灰赤	トフラニール錠25mg（アルフレッサファーマ）	イミプラミン塩酸塩	25mg 1錠	抗うつ剤・遺尿症治療剤	506
	NP333 NP-333	白　①	テモカプリル塩酸塩錠1mg「NP」（ニプロ）	テモカプリル塩酸塩	1mg 1錠	ACE阻害剤	2323
	NY333	薄橙みの黄～薄黄	フォリアミン錠（富士製薬）	葉酸	5mg 1錠	ビタミンB	4052
	Tw333／50	白～微黄白	アロプリノール錠50mg「トーワ」（東和薬品）	アロプリノール	50mg 1錠	キサンチンオキシダーゼ阻害剤・高尿酸血症治療剤	363
334	TU334／250	白　①	メトホルミン塩酸塩錠250mgMT「TCK」（辰巳化学）	メトホルミン塩酸塩	250mg 1錠	ビグアナイド系血糖降下剤	3962
	Tw334	白　①	ジラゼプ塩酸塩錠100mg「トーワ」（東和薬品）	ジラゼプ塩酸塩水和物	100mg 1錠	心・腎疾患治療剤	1700

番号	識別コード	色 (①:割線有)	商品名(会社名)	一般名	規格単位	薬効	掲載 ページ
335	NP335 NP-335	白　①	テモカプリル塩酸塩錠2mg「NP」(ニプロ)	テモカプリル塩酸塩	2mg 1錠	ACE阻害剤	2323
	TU335／500	白　①	メトホルミン塩酸塩錠500mgMT「TCK」(辰巳化学)	メトホルミン塩酸塩	500mg 1錠	ビグアナイド系血糖降下剤	3962
	Tw335／20	淡黄	グリクラジド錠20mg「トーワ」(東和薬品)	グリクラジド	20mg 1錠	スルホニル尿素系血糖降下剤	1257
	n335／3 n335 3 ⓝ335	白	リスペリドン錠3mg「日医工」(日医工)	リスペリドン	3mg 1錠	抗精神病, D_2・5-HT_2拮抗剤	4201
	◈335 ♣335	白	ベルソムラ錠20mg (MSD)	スボレキサント	20mg 1錠	オレキシン受容体拮抗剤・不眠症治療剤	1766
336	NS336	白	ワルファリンK錠1mg「日新」(日新)	ワルファリンカリウム	1mg 1錠	抗凝血剤	4556
	UPJOHN336	濃青／淡青	リンコシンカプセル250mg (ファイザー)	リンコマイシン塩酸塩水和物	250mg 1カプセル	リンコマイシン系抗生物質	4322
337	KSK337／5	淡黄赤	オロパタジン塩酸塩錠5mg「クニヒロ」(皇漢堂)	オロパタジン塩酸塩	5mg 1錠	アレルギー性疾患治療剤	1037
	NP337 NP-337	白	テモカプリル塩酸塩錠4mg「NP」(ニプロ)	テモカプリル塩酸塩	4mg 1錠	ACE阻害剤	2323
	Tw337／10	白　①	ロラタジンOD錠10mg「トーワ」(東和薬品)	ロラタジン	10mg 1錠	持続性選択H_1-受容体拮抗・アレルギー治療剤	4545
	n337／2.5 n337 2.5 ⓝ337	帯赤黄	レトロゾール錠2.5mg「日医工」(日医工)	レトロゾール	2.5mg 1錠	アロマターゼ阻害剤	4372
338	SW338	橙黄　①	ユビデカレノン錠10mg「サワイ」(沢井)	ユビデカレノン	10mg 1錠	代謝性強心剤	4048
339	AK339	淡黄	ラベプラゾールNa錠5mg「AA」(あすか／武田薬品)	ラベプラゾールナトリウム	5mg 1錠	プロトンポンプインヒビター	4112
	NPI339A	白	シロスタゾール錠50mg「ケミファ」(日本薬品工業／日本ケミファ)	シロスタゾール	50mg 1錠	抗血小板剤	1718
	NPI339B	白	シロスタゾール錠100mg「ケミファ」(日本薬品工業／日本ケミファ)	シロスタゾール	100mg 1錠	抗血小板剤	1718
340	Tw340／12	白　①	ベタヒスチンメシル酸塩錠12mg「トーワ」(東和薬品)	ベタヒスチンメシル酸塩	12mg 1錠	めまい・平衡障害治療剤	3496
341	NP341／2 NP-341	白～帯黄白	カンデサルタン錠2mg「ニプロ」(ニプロ)	カンデサルタン シレキセチル	2mg 1錠	アンギオテンシンⅡ受容体拮抗剤	1184
	Sc341／20	白～淡黄白	ウリアデック錠20mg (三和化学)	トピロキソスタット	20mg 1錠	非プリン型選択的キサンチンオキシダーゼ阻害剤・高尿酸血症治療剤	2437
	TSU341	白　①	ダイフェン配合錠(鶴原)	スルファメトキサゾール・トリメトプリム	1錠	合成抗菌剤	1781
	TZ341	赤褐 白 黄 赤	アンジュ28錠(あすか／武田薬品)	エチニルエストラジオール・レボノルゲストレル	(28日分)1組	経口避妊剤	742
	△341／0.2	帯黄白　①	ベイスンOD錠0.2 (武田テバ薬品／武田薬品)	ボグリボース	0.2mg 1錠	α-グルコシダーゼ阻害・食後過血糖改善剤	3668
	❤341	橙／淡黄	トラネキサム酸カプセル250mg「旭化成」(旭化成)	トラネキサム酸	250mg 1カプセル	抗プラスミン剤	2474
	◎341／5 ◎341：5	薄橙	プレドニン錠5mg (シオノギファーマ／塩野義)	プレドニゾロン	5mg 1錠	副腎皮質ホルモン	3366
342	NP342／4 NP-342	白～帯黄白①	カンデサルタン錠4mg「ニプロ」(ニプロ)	カンデサルタン シレキセチル	4mg 1錠	アンギオテンシンⅡ受容体拮抗剤	1184
	Sc342／40	白～淡黄白	ウリアデック錠40mg (三和化学)	トピロキソスタット	40mg 1錠	非プリン型選択的キサンチンオキシダーゼ阻害剤・高尿酸血症治療剤	2437
	△342／0.3	微黄	ベイスンOD錠0.3 (武田テバ薬品／武田薬品)	ボグリボース	0.3mg 1錠	α-グルコシダーゼ阻害・食後過血糖改善剤	3668
	nSU50 ⓝ342	白	ジラゼプ塩酸塩錠50mg「日医工」(日医工)	ジラゼプ塩酸塩水和物	50mg 1錠	心・腎疾患治療剤	1700
343	NP343／8 NP-343	極薄橙	カンデサルタン錠8mg「ニプロ」(ニプロ)	カンデサルタン シレキセチル	8mg 1錠	アンギオテンシンⅡ受容体拮抗剤	1184
	NS343	白～微黄白	アロプリノール錠50mg「日新」(日新／第一三共エスファ)	アロプリノール	50mg 1錠	キサンチンオキシダーゼ阻害剤・高尿酸血症治療剤	363
	NS343／50	白～微黄白	アロプリノール錠50mg「NS」(日新／第一三共エスファ)	アロプリノール	50mg 1錠	キサンチンオキシダーゼ阻害剤・高尿酸血症治療剤	363
	Sc343／60	白～淡黄白①	ウリアデック錠60mg (三和化学)	トピロキソスタット	60mg 1錠	非プリン型選択的キサンチンオキシダーゼ阻害剤・高尿酸血症治療剤	2437
	Tw343／30	薄橙	フェキソフェナジン塩酸塩錠30mg「トーワ」(東和薬品／共創未来)	フェキソフェナジン塩酸塩	30mg 1錠	アレルギー性疾患治療剤	3111
	n343 ⓝ343	白　①	ジラゼプ塩酸塩錠100mg「日医工」(日医工)	ジラゼプ塩酸塩水和物	100mg 1錠	心・腎疾患治療剤	1700

300
｜
399

番号	識別コード	色 (①：割線有)	商品名(会社名)	一般名	規格単位	薬効	掲載ページ
344	KW344	白	ドネペジル塩酸塩細粒0.5%「アメル」(共和薬品)	ドネペジル，-塩酸塩	0.5% 1g	アルツハイマー型，レビー小体型認知症治療剤	2426
	SW344	白	クエン酸第一鉄Na錠50mg「サワイ」(沢井)	クエン酸第一鉄ナトリウム	鉄50mg 1錠	可溶性非イオン型鉄剤	1232
	TU344	白	ミチグリニドCa・OD錠5mg「TCK」(辰巳化学)	ミチグリニドカルシウム水和物	5mg 1錠	速効型インスリン分泌促進剤	3859
	Tw344／60	薄橙 ①	フェキソフェナジン塩酸塩錠60mg「トーワ」(東和薬品/共創未来)	フェキソフェナジン塩酸塩	60mg 1錠	アレルギー性疾患治療剤	3111
345	NP345／12 NP-345	薄橙 ①	カンデサルタン錠12mg「ニプロ」(ニプロ)	カンデサルタン シレキセチル	12mg 1錠	アンギオテンシンⅡ受容体拮抗剤	1184
	TU345	白 ①	ミチグリニドCa・OD錠10mg「TCK」(辰巳化学)	ミチグリニドカルシウム水和物	10mg 1錠	速効型インスリン分泌促進剤	3859
	Tw345	白	スマトリプタン錠50mg「トーワ」(東和薬品)	スマトリプタン	50mg 1錠	5-HT$_{1B/1D}$受容体作動型片頭痛治療剤	1768
	〒 t345[81mg]	淡橙	バッサミン配合錠A81(日医工岐阜/日医工/武田薬品)	アスピリン・ダイアルミネート	81mg 1錠	抗血小板剤	56
347	Tw347／0.5	白	グリメピリド錠0.5mg「トーワ」(東和薬品)	グリメピリド	0.5mg 1錠	スルホニル尿素系血糖降下剤	1278
	YD347／5	帯紅白	パロキセチン錠5mg「YD」(陽進堂)	パロキセチン塩酸塩水和物	5mg 1錠	選択的セロトニン再取り込み阻害剤(SSRI)	2878
	◎347／0.5 ◎347：0.5	白	リンデロン錠0.5mg(シオノギファーマ/塩野義)	ベタメタゾン	0.5mg 1錠	副腎皮質ホルモン	3496
348	YD348／10	帯紅白	パロキセチン錠10mg「YD」(陽進堂)	パロキセチン塩酸塩水和物	10mg 1錠	選択的セロトニン再取り込み阻害剤(SSRI)	2878
349	NS349	白	アロプリノール錠100mg「日新」(日新/第一三共エスファ)	アロプリノール	100mg 1錠	キサンチンオキシダーゼ阻害剤・高尿酸血症治療剤	363
	NS349	白	アロプリノール錠100mg「NS」(日新/第一三共エスファ)	アロプリノール	100mg 1錠	キサンチンオキシダーゼ阻害剤・高尿酸血症治療剤	363
	YD349／20	帯紅白	パロキセチン錠20mg「YD」(陽進堂)	パロキセチン塩酸塩水和物	20mg 1錠	選択的セロトニン再取り込み阻害剤(SSRI)	2878
350	KYK350 ⓝ715	白	ファモチジンD錠10mg「日医工」(日医工)	ファモチジン	10mg 1錠	H$_2$受容体拮抗剤	3079
	NS350／15	白〜帯黄白①	ピオグリタゾンOD錠15mg「NS」(日新/科研)	ピオグリタゾン塩酸塩	15mg 1錠	インスリン抵抗性改善血糖降下剤	2912
	TTS350 TTS-350	白〜帯黄白①	ボグリボース錠0.2mg「タカタ」(高田)	ボグリボース	0.2mg 1錠	α-グルコシダーゼ阻害・食後過血糖改善剤	3668
	Tw350／0.5	白	リスペリドンOD錠0.5mg「トーワ」(東和薬品)	リスペリドン	0.5mg 1錠	抗精神病，D$_2$・5-HT$_2$拮抗剤	4201
	バルサルタン20 日医工 ⓝ350	淡黄 ①	バルサルタン錠20mg「日医工」(日医工)	バルサルタン	20mg 1錠	選択的AT$_1$受容体遮断剤	2840
351	FCI351／0.2 FCI351 0.2	赤橙	フィナステリド錠0.2mg「FCI」(富士化学)	フィナステリド	0.2mg 1錠	5α-還元酵素Ⅱ型阻害薬	3090
	KS351／3	黄	ドネペジル塩酸塩錠3mg「クニヒロ」(皇漢堂)	ドネペジル，-塩酸塩	3mg 1錠	アルツハイマー型，レビー小体型認知症治療剤	2426
	NP351／0.5 NP-351	白	リスペリドン錠0.5mg「NP」(ニプロ)	リスペリドン	0.5mg 1錠	抗精神病，D$_2$・5-HT$_2$拮抗剤	4201
	NS351／30	白〜帯黄白①	ピオグリタゾンOD錠30mg「NS」(日新/科研)	ピオグリタゾン塩酸塩	30mg 1錠	インスリン抵抗性改善血糖降下剤	2912
	TTS351 TTS-351	白〜帯黄白①	ボグリボース錠0.3mg「タカタ」(高田)	ボグリボース	0.3mg 1錠	α-グルコシダーゼ阻害・食後過血糖改善剤	3668
	Tw351／1	淡紅 ①	グリメピリド錠1mg「トーワ」(東和薬品)	グリメピリド	1mg 1錠	スルホニル尿素系血糖降下剤	1278
	△351／0.2	白〜帯黄白①	ベイスン錠0.2(武田テバ薬品/武田薬品)	ボグリボース	0.2mg 1錠	α-グルコシダーゼ阻害・食後過血糖改善剤	3668
	アルタット 37.5TZ351 TZ351	白	アルタットカプセル37.5mg(あすか/武田薬品)	ロキサチジン酢酸エステル塩酸塩	37.5mg 1カプセル	H$_2$受容体拮抗剤	4466
	バルサルタン40 日医工 ⓝ351	白 ①	バルサルタン錠40mg「日医工」(日医工)	バルサルタン	40mg 1錠	選択的AT$_1$受容体遮断剤	2840
352	FCI352／1 FCI352 1	薄赤	フィナステリド錠1mg「FCI」(富士化学)	フィナステリド	1mg 1錠	5α-還元酵素Ⅱ型阻害薬	3090
	HM352 04 HM352 06 HM352 08 HM352 12	白	酸化マグネシウム細粒83%＜ハチ＞(東洋製化/丸石)	酸化マグネシウム	83% 1g	制酸・緩下剤	3798
	KS352／5	白	ドネペジル塩酸塩錠5mg「クニヒロ」(皇漢堂)	ドネペジル，-塩酸塩	5mg 1錠	アルツハイマー型，レビー小体型認知症治療剤	2426
	KW352	灰	トリラホン錠2mg(共和薬品)	ペルフェナジン	2mg 1錠	フェノチアジン系精神安定剤	3626
	MO352／15	白〜帯黄白①	ピオグリタゾン錠15mg「モチダ」(持田製販/持田)	ピオグリタゾン塩酸塩	15mg 1錠	インスリン抵抗性改善血糖降下剤	2912

番号	識別コード	色 (◨:割線有)	商品名(会社名)	一般名	規格単位	薬効	掲載ページ
352	NP352／1 NP-352	白	リスペリドン錠1mg「NP」(ニプロ)	リスペリドン	1mg 1錠	抗精神病，D_2・5-HT_2拮抗剤	4201
	SW352	白～微黄白	トフィソパム錠50mg「サワイ」(沢井)	トフィソパム	50mg 1錠	ベンゾジアゼピン系自律神経調整剤	2446
	Tw352／3	白 ◨	リスペリドンOD錠3mg「トーワ」(東和薬品)	リスペリドン	3mg 1錠	抗精神病，D_2・5-HT_2拮抗剤	4201
	△352／0.3	白～帯黄白	ベイスン錠0.3(武田テバ薬品／武田薬品)	ボグリボース	0.3mg 1錠	α-グルコシダーゼ阻害・食後過血糖改善剤	3668
	バルサルタン80 日医工 ⓝ352	白 ◨	バルサルタン錠80mg「日医工」(日医工)	バルサルタン	80mg 1錠	選択的AT_1受容体遮断剤	2840
353	353	白	アトーゼット配合錠LD (オルガノン／バイエル薬品)	エゼチミブ・アトルバスタチンカルシウム水和物	1錠	小腸コレステロールトランスポーター阻害剤／HMG-CoA還元酵素阻害剤配合剤	711
	KW353	灰	トリラホン錠4mg (共和薬品)	ペルフェナジン	4mg 1錠	フェノチアジン系精神安定剤	3626
	MO353／30	白～帯黄白◨	ピオグリタゾン錠30mg「モチダ」(持田製販／持田)	ピオグリタゾン塩酸塩	30mg 1錠	インスリン抵抗性改善血糖降下剤	2912
	NP353／2 NP-353	白	リスペリドン錠2mg「NP」(ニプロ)	リスペリドン	2mg 1錠	抗精神病，D_2・5-HT_2拮抗剤	4201
	Tw353／3	微黄白 ◨	グリメピリド錠3mg「トーワ」(東和薬品)	グリメピリド	3mg 1錠	スルホニル尿素系血糖降下剤	1278
	ⓝ353／160 ⓝ353 160 ⓝ353	白 ◨	バルサルタン錠160mg「日医工」(日医工)	バルサルタン	160mg 1錠	選択的AT_1受容体遮断剤	2840
354	NS354	白	サルポグレラート塩酸塩錠50mg「NS」(日新)	サルポグレラート塩酸塩	50mg 1錠	5-HT_2ブロッカー	1538
	TTS354 50mg TTS354	青／白	フルコナゾールカプセル50mg「タカタ」(高田)	フルコナゾール	50mg 1カプセル	トリアゾール系抗真菌剤	3298
355	KW355	灰	トリラホン錠8mg (共和薬品)	ペルフェナジン	8mg 1錠	フェノチアジン系精神安定剤	3626
	NS355	白	サルポグレラート塩酸塩錠100mg「NS」(日新)	サルポグレラート塩酸塩	100mg 1錠	5-HT_2ブロッカー	1538
	TTS355 100mg TTS355	緑／白	フルコナゾールカプセル100mg「タカタ」(高田)	フルコナゾール	100mg 1カプセル	トリアゾール系抗真菌剤	3298
	Tw355／1	白 ◨	リスペリドンOD錠1mg「トーワ」(東和薬品)	リスペリドン	1mg 1錠	抗精神病，D_2・5-HT_2拮抗剤	4201
356	KYK356 ⓝ796	白 ◨	ファモチジンD錠20mg「日医工」(日医工)	ファモチジン	20mg 1錠	H_2-受容体拮抗剤	3079
	NS356	淡紅	グリメピリド錠1mg「日新」(日新)	グリメピリド	1mg 1錠	スルホニル尿素系血糖降下剤	1278
357	KS357／10	赤	ドネペジル塩酸塩錠10mg「クニヒロ」(皇漢堂)	ドネペジル，-塩酸塩	10mg 1錠	アルツハイマー型，レビー小体型認知症治療剤	2426
	NS357	微黄白 ◨	グリメピリド錠3mg「日新」(日新)	グリメピリド	3mg 1錠	スルホニル尿素系血糖降下剤	1278
	PH357	白	エパルレスタット錠50mg「杏林」(キョーリンリメディオ／杏林)	エパルレスタット	50mg 1錠	アルドース還元酵素阻害剤	779
	Tw357／2	白 ◨	リスペリドンOD錠2mg「トーワ」(東和薬品)	リスペリドン	2mg 1錠	抗精神病，D_2・5-HT_2拮抗剤	4201
358	NS358	白	グリメピリド錠0.5mg「日新」(日新)	グリメピリド	0.5mg 1錠	スルホニル尿素系血糖降下剤	1278
360	FJ360／5	白	ノアルテン錠(5mg)(富士製薬)	ノルエチステロン	5mg 1錠	黄体ホルモン	2730
361	TZ361	赤褐 白 黄	アンジュ21錠(あすか／武田薬品)	エチニルエストラジオール・レボノルゲストレル	(21日分)1組	経口避妊剤	742
362	SW362	白～淡黄白	チクロピジン塩酸塩錠100mg「サワイ」(メディサ／沢井)	チクロピジン塩酸塩	100mg 1錠	抗血小板剤	2159
363	Y363D	白	エパルレスタット錠50mg「YD」(陽進堂／共創未来)	エパルレスタット	50mg 1錠	アルドース還元酵素阻害剤	779
	ポララミン／ TTS363 TTS-363	白 ◨	ポララミン錠2mg (高田)	クロルフェニラミンマレイン酸塩	2mg 1錠	抗ヒスタミン剤	1377
364	AK AK364	淡赤 白	ドロエチ配合錠「あすか」(あすか／武田薬品)	ドロスピレノン・エチニルエストラジオール・ベータデクス	1シート	黄体ホルモン・卵胞ホルモン混合子宮内膜症に伴う疼痛改善剤・月経困難症治療剤	2588
	AK AK364	淡赤 白	ドロエチ配合錠「あすか」(あすか／武田薬品)	ドロスピレノン・エチニルエストラジオール・ベータデクス	1錠	黄体ホルモン・卵胞ホルモン混合子宮内膜症に伴う疼痛改善剤・月経困難症治療剤	2588
	FJ364／2	白	ルトラール錠2mg (富士製薬)	クロルマジノン酢酸エステル	2mg 1錠	黄体ホルモン剤	1386
	KP-364	白	ムコダインDS50%(杏林)	L-カルボシステイン	50% 1g	気道粘液調整・粘膜正常化剤	1166
	YD364	白	プロピベリン塩酸塩錠10mg「YD」(陽進堂)	プロピベリン塩酸塩	10mg 1錠	排尿抑制ベンジル酸誘導体	3433
365	SW-365	淡黄透明	イコサペント酸エチルカプセル300mg「サワイ」(メディサ／沢井)	イコサペント酸エチル	300mg 1カプセル	EPA剤	412
	YD365	白	プロピベリン塩酸塩錠20mg「YD」(陽進堂)	プロピベリン塩酸塩	20mg 1錠	排尿抑制ベンジル酸誘導体	3433

番号	識別コード (Ⓘ：割線有)	色 (Ⓘ：割線有)	商品名(会社名)	一般名	規格単位	薬効	掲載 ページ
366	366 YD366	白	セチリジン塩酸塩錠5mg「YD」(陽進堂)	セチリジン塩酸塩	5mg 1錠	持続性選択H₁-受容体拮抗剤	1806
	NS366	白～淡黄	アカルボース錠50mg「NS」(日新)	アカルボース	50mg 1錠	α-グルコシダーゼ阻害剤	6
	PH366	白	チクロピジン塩酸塩錠100mg「杏林」(キョーリンリメディオ/杏林)	チクロピジン塩酸塩	100mg 1錠	抗血小板剤	2159
367	367 YD367	白	セチリジン塩酸塩錠10mg「YD」(陽進堂/共創未来)	セチリジン塩酸塩	10mg 1錠	持続性選択H₁-受容体拮抗剤	1806
	NS367	白～淡黄Ⓘ	アカルボース錠100mg「NS」(日新)	アカルボース	100mg 1錠	α-グルコシダーゼ阻害剤	6
	TSU367	白～微帯黄Ⓘ	ニトラゼパム錠5mg「ツルハラ」(鶴原)	ニトラゼパム	5mg 1錠	ベンゾジアゼピン系催眠剤	2641
368	TSU368	白～微帯黄Ⓘ	ニトラゼパム錠10mg「ツルハラ」(鶴原)	ニトラゼパム	10mg 1錠	ベンゾジアゼピン系催眠剤	2641
	YD368／5	白	エバスチン錠5mg「YD」(陽進堂)	エバスチン	5mg 1錠	持続性選択H₁-受容体拮抗剤	778
369	YD369／10	白	エバスチン錠10mg「YD」(陽進堂)	エバスチン	10mg 1錠	持続性選択H₁-受容体拮抗剤	778
370	KW370／100	白	炭酸リチウム錠100mg「アメル」(共和薬品)	炭酸リチウム	100mg 1錠	躁病・躁状態治療剤	4212
	NS370／17.5	淡紅	リセドロン酸Na錠17.5mg「日新」(日新)	リセドロン酸ナトリウム水和物	17.5mg 1錠	ビスホスホネート系骨吸収抑制剤	4209
	P10 TTS-370	薄橙	プロピベリン塩酸塩錠10mg「タカタ」(高田)	プロピベリン塩酸塩	10mg 1錠	排尿抑制ベンジル酸誘導体	3433
	Tw370／25	淡黄白	ホリナート錠25mg「トーワ」(東和薬品)	ホリナートカルシウム	25mg 1錠	抗葉酸代謝拮抗剤	3771
	𝑛370／3 𝑛370 3 ⓝ370	黄	ドネペジル塩酸塩OD錠3mg「日医工」(日医工)	ドネペジル, -塩酸塩	3mg 1錠	アルツハイマー型, レビー小体型認知症治療剤	2426
371	HD371／0.5 HD-371	桃　Ⓘ	ワルファリンK錠0.5mg「NP」(ニプロ)	ワルファリンカリウム	0.5mg 1錠	抗凝血剤	4556
	HP371T	無(薄橙)	エストラーナテープ0.72mg(久光)	エストラジオール	(0.72mg) 9cm² 1枚	エストラジオール製剤	685
	KP371 KP-371	薄赤	キプレスチュアブル錠5mg(杏林)	モンテルカストナトリウム	5mg 1錠	ロイコトリエン受容体拮抗剤	4043
	KW371／200	白	炭酸リチウム錠200mg「アメル」(共和薬品)	炭酸リチウム	200mg 1錠	躁病・躁状態治療剤	4212
	NP371／25 NP-371	白　Ⓘ	ロサルタンカリウム錠25mg「NP」(ニプロ)	ロサルタンカリウム	25mg 1錠	アンギオテンシンⅡ受容体拮抗剤	4481
	NS371／2.5	白～帯黄白	リセドロン酸Na錠2.5mg「日新」(日新)	リセドロン酸ナトリウム水和物	2.5mg 1錠	ビスホスホネート系骨吸収抑制剤	4209
	P20 TTS-371	橙	プロピベリン塩酸塩錠20mg「タカタ」(高田)	プロピベリン塩酸塩	20mg 1錠	排尿抑制ベンジル酸誘導体	3433
	TU371／0.5	白	グリメピリド錠0.5mg「TCK」(辰巳化学)	グリメピリド	0.5mg 1錠	スルホニル尿素系血糖降下剤	1278
	Tw371	黄	フルボキサミンマレイン酸塩錠25mg「トーワ」(東和薬品)	フルボキサミンマレイン酸塩	25mg 1錠	選択的セロトニン再取り込み阻害剤(SSRI)	3337
	𝑛371／5 𝑛371 5 ⓝ371	白	ドネペジル塩酸塩OD錠5mg「日医工」(日医工)	ドネペジル, -塩酸塩	5mg 1錠	アルツハイマー型, レビー小体型認知症治療剤	2426
372	2mg t372 t372	帯褐黄	ニルバジピン錠2mg「NIG」(日医工岐阜/日医工/武田薬品)	ニルバジピン	2mg 1錠	ジヒドロピリジン系Ca拮抗剤	2685
	DSC372	白／白～帯黄白	レザルタス配合錠LD(第一三共)	オルメサルタン メドキソミル・アゼルニジピン	1錠	高親和性ARB/持続性Ca拮抗薬配合剤	1034
	HD372／1 HD-372	白　Ⓘ	ワルファリンK錠1mg「NP」(ニプロ)	ワルファリンカリウム	1mg 1錠	抗凝血剤	4556
	HP372T	無(薄橙)	エストラーナテープ0.36mg(久光)	エストラジオール	(0.36mg) 4.5cm² 1枚	エストラジオール製剤	685
	KP372 KP-372	明るい灰黄	キプレス錠10mg(杏林)	モンテルカストナトリウム	10mg 1錠	ロイコトリエン受容体拮抗剤	4043
	NP372／50 NP-372	白　Ⓘ	ロサルタンカリウム錠50mg「NP」(ニプロ)	ロサルタンカリウム	50mg 1錠	アンギオテンシンⅡ受容体拮抗剤	4481
	TTS372／2.5 TTS-372	白	アムロジピン錠2.5mg「タカタ」(高田)	アムロジピンベシル酸塩	2.5mg 1錠	ジヒドロピリジン系Ca拮抗剤	264
	TU372／1	淡紅　Ⓘ	グリメピリド錠1mg「TCK」(辰巳化学)	グリメピリド	1mg 1錠	スルホニル尿素系血糖降下剤	1278
	Tw372	黄	フルボキサミンマレイン酸塩錠50mg「トーワ」(東和薬品)	フルボキサミンマレイン酸塩	50mg 1錠	選択的セロトニン再取り込み阻害剤(SSRI)	3337
	𝑛372／10 𝑛372 10 ⓝ372	淡赤	ドネペジル塩酸塩OD錠10mg「日医工」(日医工)	ドネペジル, -塩酸塩	10mg 1錠	アルツハイマー型, レビー小体型認知症治療剤	2426
373	DSC373	白／白～帯黄白	レザルタス配合錠HD(第一三共)	オルメサルタン メドキソミル・アゼルニジピン	1錠	高親和性ARB/持続性Ca拮抗薬配合剤	1034
	HD373／2 HD-373	淡黄　Ⓘ	ワルファリンK錠2mg「NP」(ニプロ)	ワルファリンカリウム	2mg 1錠	抗凝血剤	4556
	HP373T	無(薄橙)	エストラーナテープ0.18mg(久光)	エストラジオール	(0.18mg) 2.25cm² 1枚	エストラジオール製剤	685

300
｜
399

番号	識別コード	色 （①：割線有）	商品名（会社名）	一般名	規格単位	薬効	掲載ページ
373	KP-373	白	キプレス細粒4mg（杏林）	モンテルカストナトリウム	4mg 1包	ロイコトリエン受容体拮抗剤	4043
	NP373／100 NP-373	白	ロサルタンカリウム錠100mg「NP」（ニプロ）	ロサルタンカリウム	100mg 1錠	アンギオテンシンⅡ受容体拮抗剤	4481
	TTS373／5 TTS-373	白　①	アムロジピン錠5mg「タカタ」（高田）	アムロジピンベシル酸塩	5mg 1錠	ジヒドロピリジン系Ca拮抗剤	264
	TU373／3	微黄白	グリメピリド錠3mg「TCK」（辰巳化学）	グリメピリド	3mg 1錠	スルホニル尿素系血糖降下剤	1278
	Tw373	黄	フルボキサミンマレイン酸塩錠75mg「トーワ」（東和薬品）	フルボキサミンマレイン酸塩	75mg 1錠	選択的セロトニン再取り込み阻害剤(SSRI)	3337
	n373 Ⓝ373	白	シロスタゾール錠50mg「日医工」（日医工）	シロスタゾール	50mg 1錠	抗血小板剤	1718
374	4mg t374 t374	帯褐黄	ニルバジピン錠4mg「NIG」（日医工岐阜／日医工／武田薬品）	ニルバジピン	4mg 1錠	ジヒドロピリジン系Ca拮抗剤	2685
	HP374T	無（薄橙）	エストラーナテープ0.09mg（久光）	エストラジオール	(0.09mg) 1.125cm²1枚	エストラジオール製剤	685
	KP374 KP-374	明るい灰黄	キプレス錠5mg（杏林）	モンテルカストナトリウム	5mg 1錠	ロイコトリエン受容体拮抗剤	4043
	TTS374／10 TTS-374	白　①	アムロジピン錠10mg「タカタ」（高田）	アムロジピンベシル酸塩	10mg 1錠	ジヒドロピリジン系Ca拮抗剤	264
	n374 Ⓝ374	白	シロスタゾール錠100mg「日医工」（日医工）	シロスタゾール	100mg 1錠	抗血小板剤	1718
375	KP-375	白	キプレスOD錠10mg（杏林）	モンテルカストナトリウム	10mg 1錠	ロイコトリエン受容体拮抗剤	4043
	TTS375／2.5 TTS-375	黄	オロパタジン塩酸塩OD錠2.5mg「タカタ」（高田）	オロパタジン塩酸塩	2.5mg 1錠	アレルギー性疾患治療剤	1037
	Tw375／25	白　①	ロサルタンK錠25mg「トーワ」（東和薬品）	ロサルタンカリウム	25mg 1錠	アンギオテンシンⅡ受容体拮抗剤	4481
	△375	白	キャブピリン配合錠（武田薬品）	アスピリン・ボノプラザンフマル酸塩	1錠	アスピリン・ボノプラザンフマル酸塩配合剤	60
376	AK AK376	白	プラノバール配合錠（あすか／武田薬品）	ノルゲストレル・エチニルエストラジオール	1錠	黄体・卵胞混合ホルモン	2738
	SW376	淡黄	メコバラミン錠500μg「SW」（沢井／日本ケミファ）	メコバラミン	0.5mg 1錠	補酵素型ビタミンB₁₂	3907
	TTS376／5 TTS-376	黄	オロパタジン塩酸塩OD錠5mg「タカタ」（高田）	オロパタジン塩酸塩	5mg 1錠	アレルギー性疾患治療剤	1037
	Tw376／50	白　①	ロサルタンK錠50mg「トーワ」（東和薬品）	ロサルタンカリウム	50mg 1錠	アンギオテンシンⅡ受容体拮抗剤	4481
	△376／15	帯黄白	アクトスOD錠15（武田テバ薬品／武田薬品）	ピオグリタゾン塩酸塩	15mg 1錠	インスリン抵抗性改善血糖降下剤	2912
377	KW377	白　①	チザニジン錠1mg「アメル」（共和薬品）	チザニジン塩酸塩	1mg 1錠	筋緊張緩和剤	2164
	Tw377／100	白　①	ロサルタンK錠100mg「トーワ」（東和薬品）	ロサルタンカリウム	100mg 1錠	アンギオテンシンⅡ受容体拮抗剤	4481
	△377／30	帯黄白	アクトスOD錠30（武田テバ薬品／武田薬品）	ピオグリタゾン塩酸塩	30mg 1錠	インスリン抵抗性改善血糖降下剤	2912
379	TSU379	白	カルテオロール塩酸塩錠5mg「ツルハラ」（鶴原）	カルテオロール塩酸塩	5mg 1錠	β-遮断剤	1143
380	TSU380	白〜微黄白	シメチジン錠200mg「ツルハラ」（鶴原）	シメチジン	200mg 1錠	H₂-受容体拮抗剤	1680
381	HP381T	白	フェルビナクテープ70mg「久光」（久光）	フェルビナク	10cm×14cm 1枚	鎮痛消炎フェンブフェン活性体	3153
382	TSU382	白	シメチジン錠400mg「ツルハラ」（鶴原）	シメチジン	400mg 1錠	H₂-受容体拮抗剤	1680
	△382／15 25	微黄	リオベル配合錠LD（帝人／武田薬品）	アログリプチン安息香酸塩・ピオグリタゾン塩酸塩	1錠	選択的DPP-4阻害剤／チアゾリジン系薬配合剤・2型糖尿病治療剤	355
383	TSU383	白　①	テオフィリン徐放錠100mg「ツルハラ」（鶴原）	テオフィリン	100mg 1錠	キサンチン系気管支拡張剤	2195
	△383／30 25	微黄赤	リオベル配合錠HD（帝人／武田薬品）	アログリプチン安息香酸塩・ピオグリタゾン塩酸塩	1錠	選択的DPP-4阻害剤／チアゾリジン系薬配合剤・2型糖尿病治療剤	355
385	KW／385	白〜微黄白	マプロチリン塩酸塩錠10mg「アメル」（共和薬品）	マプロチリン塩酸塩	10mg 1錠	四環系抗うつ剤	3812
	SW385	白	アマンタジン塩酸塩錠50mg「サワイ」（沢井）	アマンタジン塩酸塩	50mg 1錠	精神活動改善剤・抗パーキンソン剤・抗A型インフルエンザウイルス剤	219
386	KW／386	淡黄	マプロチリン塩酸塩錠25mg「アメル」（共和薬品）	マプロチリン塩酸塩	25mg 1錠	四環系抗うつ剤	3812
	SW386	白	アマンタジン塩酸塩錠100mg「サワイ」（沢井）	アマンタジン塩酸塩	100mg 1錠	精神活動改善剤・抗パーキンソン剤・抗A型インフルエンザウイルス剤	219
387	NS387	白〜帯黄白①	ボグリボース錠0.2mg「NS」（日新／科研）	ボグリボース	0.2mg 1錠	α-グルコシダーゼ阻害・食後過血糖改善剤	3668

300
ー
399

番号	識別コード	色 (Ⅰ：割線有)	商品名(会社名)	一般名	規格単位	薬効	掲載 ページ
387	TSU387 5mg TSU387	白	チキジウム臭化物カプセル5mg「ツルハラ」(鶴原)	チキジウム臭化物	5mg 1カプセル	キノリジジン系抗ムスカリン剤	2158
388	NS388	白～帯黄白	ボグリボース錠0.3mg「NS」(日新／科研)	ボグリボース	0.3mg 1錠	α-グルコシダーゼ阻害・食後過血糖改善剤	3668
	TSU388 10mg TSU388	白	チキジウム臭化物カプセル10mg「ツルハラ」(鶴原)	チキジウム臭化物	10mg 1カプセル	キノリジジン系抗ムスカリン剤	2158
	△D388	淡黄赤	ザファテック錠50mg(帝人／武田薬品)	トレラグリプチンコハク酸塩	50mg 1錠	持続性選択的DPP-4阻害剤・2型糖尿病治療剤	2583
389	△D389	淡赤 Ⅰ	ザファテック錠100mg(帝人／武田薬品)	トレラグリプチンコハク酸塩	100mg 1錠	持続性選択的DPP-4阻害剤・2型糖尿病治療剤	2583
390	FJ390／50	白	クロミッド錠50mg(富士製薬)	クロミフェンクエン酸塩	50mg 1錠	排卵誘発剤/抗エストロゲン剤	1366
	TYK390	白	タムスロシン塩酸塩OD錠0.1mg「NIG」(日医工岐阜／日医工／武田薬品)	タムスロシン塩酸塩	0.1mg 1錠	α₁-遮断剤	2075
	△390／15	白～帯黄白	アクトス錠15(武田テバ薬品／武田薬品)	ピオグリタゾン塩酸塩	15mg 1錠	インスリン抵抗性改善血糖降下剤	2912
391	HP391P	白～淡黄	インサイドパップ70mg(久光)	インドメタシン	10cm×14cm 1枚	インドール酢酸系解熱消炎鎮痛剤・未熟児動脈管開存症治療剤	619
	SW391／10	白	クロチアゼパム錠10mg「サワイ」(沢井)	クロチアゼパム	10mg 1錠	心身安定剤	1309
	TYK391	白	タムスロシン塩酸塩OD錠0.2mg「NIG」(日医工岐阜／日医工／武田薬品)	タムスロシン塩酸塩	0.2mg 1錠	α₁-遮断剤	2075
	△391／30	白～帯黄白Ⅰ	アクトス錠30(武田テバ薬品／武田薬品)	ピオグリタゾン塩酸塩	30mg 1錠	インスリン抵抗性改善血糖降下剤	2912
394	NCP394A	白	アロプリノール錠100mg「ケミファ」(日本ケミファ)	アロプリノール	100mg 1錠	キサンチンオキシダーゼ阻害剤・高尿酸血症治療剤	363
395	Sc395／25	淡黄	セイブル錠25mg(三和化学)	ミグリトール	25mg 1錠	糖尿病食後過血糖改善剤	3834
	△395	白～帯黄白	ベネット錠2.5mg(武田薬品)	リセドロン酸ナトリウム水和物	2.5mg 1錠	ビスホスホネート系骨吸収抑制剤	4209
396	AK396／LD	白	フリウェル配合錠LD「あすか」(あすか／武田薬品)	ノルエチステロン・エチニルエストラジオール〔治療用〕	1錠	月経困難症治療剤	2734
	Sc396／50	白 Ⅰ	セイブル錠50mg(三和化学)	ミグリトール	50mg 1錠	糖尿病食後過血糖改善剤	3834
	SW396	白	ロラゼパム錠0.5mg「サワイ」(沢井／日本ジェネリック)	ロラゼパム	0.5mg 1錠	マイナートランキライザー・抗痙攣剤	4542
	Tw396	白	トラビジル錠50mg「トーワ」(東和薬)	トラピジル	50mg 1錠	循環機能改善剤	2475
397	Sc397／75	白 Ⅰ	セイブル錠75mg(三和化学)	ミグリトール	75mg 1錠	糖尿病食後過血糖改善剤	3834
	SW397	白 Ⅰ	ロラゼパム錠1mg「サワイ」(沢井)	ロラゼパム	1mg 1錠	マイナートランキライザー・抗痙攣剤	4542
	ミノドロン1日医工 ⓝ397	白	ミノドロン酸錠1mg「日医工」(日医工)	ミノドロン酸水和物	1mg 1錠	骨粗鬆症治療剤	3875
398	SW398	白	スルピリド錠200mg「サワイ」(沢井)	スルピリド	200mg 1錠	ベンザミド系抗潰瘍・精神安定剤	1777
	Tw398	白	スルピリド錠200mg「トーワ」(東和薬)	スルピリド	200mg 1錠	ベンザミド系抗潰瘍・精神安定剤	1777
	ミノドロン50日医工 ⓝ398	極薄赤	ミノドロン酸錠50mg「日医工」(日医工)	ミノドロン酸水和物	50mg 1錠	骨粗鬆症治療剤	3875
399	SW399	白	スルピリド錠100mg「サワイ」(沢井)	スルピリド	100mg 1錠	ベンザミド系抗潰瘍・精神安定剤	1777
	Tw399	白	スルピリド錠100mg「トーワ」(東和薬)	スルピリド	100mg 1錠	ベンザミド系抗潰瘍・精神安定剤	1777
400	ch400	橙	メナテトレノンカプセル15mg「CH」(長生堂／日本ジェネリック)	メナテトレノン	15mg 1カプセル	止血機構賦活ビタミンK₂	3976
	GPN400	白	ガバペン錠400mg(富士製薬)	ガバペンチン	400mg 1錠	抗てんかん剤	1072
	KRM400	白～淡黄	ロキソプロフェンNaパップ100mg「杏林」(キョーリンリメディオ／杏林)	ロキソプロフェンナトリウム水和物	10cm×14cm 1枚	プロピオン酸系消炎鎮痛剤	4473
	M400	淡灰赤 Ⅰ	アベロックス錠400mg(バイエル薬品)	モキシフロキサシン塩酸塩	400mg 1錠	ニューキノロン系抗菌剤	4009
	PF／U400 PF U400	白 Ⅰ	ユニフィルLA錠400mg(大塚)	テオフィリン	400mg 1錠	キサンチン系気管支拡張剤	2195
	PF／U400 ⓝ831	白	ユニコン400(日医工)	テオフィリン	400mg 1錠	キサンチン系気管支拡張剤	2195
	SW M400	帯赤褐～褐	メサラジン腸溶錠400mg「サワイ」(沢井／日本ジェネリック)	メサラジン	400mg 1錠	潰瘍性大腸炎・クローン病治療剤	3911
	TTS400 TTS-400	白	セチリジン塩酸塩錠5mg「タカタ」(高田)	セチリジン塩酸塩	5mg 1錠	持続性選択H₁-受容体拮抗剤	1806
	UG400	帯赤褐～褐	メサラジン腸溶錠400mg「VTRS」(ヴィアトリス・ヘルスケア／ヴィアトリス)	メサラジン	400mg 1錠	潰瘍性大腸炎・クローン病治療剤	3911

400
ｌ
499

番号	識別コード	色 (◖:割線有)	商品名(会社名)	一般名	規格単位	薬効	掲載 ページ
400	YO MG4／400	白	酸化マグネシウム錠400mg「ヨシダ」(吉田)	酸化マグネシウム	400mg 1錠	制酸・緩下剤	3798
	アリピプラゾール YD3 YD400	白	アリピプラゾール錠3mg「YD」(陽進堂)	アリピプラゾール	3mg 1錠	抗精神病薬	289
401	AK401	白〜淡黄白	アムロジピン錠2.5mg「あすか」(あすか／武田薬品)	アムロジピンベシル酸塩	2.5mg 1錠	ジヒドロピリジン系Ca拮抗剤	264
	EP401／15	白〜帯黄白◖	ピオグリタゾン錠15mg「DSEP」(第一三共エスファ)	ピオグリタゾン塩酸塩	15mg 1錠	インスリン抵抗性改善血糖降下剤	2912
	KB-401 EK-401	淡褐	クラシエ甘草湯エキス細粒(クラシエ／クラシエ薬品)	甘草湯	1g	漢方製剤	4576
	KH401	白	ヒスロン錠5(協和キリン)	メドロキシプロゲステロン酢酸エステル	5mg 1錠	黄体ホルモン	3968
	KRM401	淡黄半透明	ロキソプロフェンNaテープ50mg「杏林」(キョーリンリメディオ／杏林)	ロキソプロフェンナトリウム水和物	7cm×10cm 1枚	プロピオン酸系消炎鎮痛剤	4473
	QQ401	白	ボグリボースODフィルム0.2「QQ」(救急薬品／持田)	ボグリボース	0.2mg 1錠	α-グルコシダーゼ阻害・食後過血糖改善剤	3668
	t401	白	オラドールトローチ0.5mg(日医工岐阜／日医工／武田薬品)	ドミフェン臭化物	0.5mg 1錠	口内殺菌・陽イオン界面活性剤	2455
	TTS401 TTS-401	白	セチリジン塩酸塩錠10mg「タカタ」(高田)	セチリジン塩酸塩	10mg 1錠	持続性選択H₁-受容体拮抗剤	1806
	Tw401	薄黄赤／極薄黄褐	メキシレチン塩酸塩カプセル50mg「トーワ」(東和薬品)	メキシレチン塩酸塩	50mg 1カプセル	不整脈治療・糖尿病性神経障害治療剤	3902
	0ⁿo401 80 0ⁿo401	黄	ベレキシブル80mg(小野薬品)	チラブルチニブ塩酸塩	80mg 1錠	抗悪性腫瘍剤・ブルトン型チロシンキナーゼ阻害剤	2174
	⑩401	白	エストラサイトカプセル156.7mg(日本新薬)	エストラムスチンリン酸エステルナトリウム水和物	156.7mg 1カプセル	前立腺癌治療アルキル化剤	699
	アリピプラゾール YD6 YD401	白	アリピプラゾール錠6mg「YD」(陽進堂)	アリピプラゾール	6mg 1錠	抗精神病薬	289
402	EP402／30	白〜帯黄白◖	ピオグリタゾン錠30mg「DSEP」(第一三共エスファ)	ピオグリタゾン塩酸塩	30mg 1錠	インスリン抵抗性改善血糖降下剤	2912
	KB-402 EK-402	淡褐〜褐	クラシエ茵蔯蒿湯エキス細粒(クラシエ／クラシエ薬品)	茵蔯蒿湯	1g	漢方製剤	4565
	KRM402	淡黄半透明	ロキソプロフェンNaテープ100mg「杏林」(キョーリンリメディオ／杏林)	ロキソプロフェンナトリウム水和物	10cm×14cm 1枚	プロピオン酸系消炎鎮痛剤	4473
	QQ402	白	ボグリボースODフィルム0.3「QQ」(救急薬品／持田)	ボグリボース	0.3mg 1錠	α-グルコシダーゼ阻害・食後過血糖改善剤	3668
	t402	淡紅	オラドールSトローチ0.5mg(日医工岐阜／日医工／武田薬品)	ドミフェン臭化物	0.5mg 1錠	口内殺菌・陽イオン界面活性剤	2455
	Tw402	薄黄赤／白	メキシレチン塩酸塩カプセル100mg「トーワ」(東和薬品)	メキシレチン塩酸塩	100mg 1カプセル	不整脈治療・糖尿病性神経障害治療剤	3902
	⑩402	白	アムノレイク錠2mg(東光薬品／日本新薬)	タミバロテン	2mg 1錠	合成レチノイド	2073
	アリピプラゾール YD12 YD402	白	アリピプラゾール錠12mg「YD」(陽進堂)	アリピプラゾール	12mg 1錠	抗精神病薬	289
403	DK403	白	エナラプリルマレイン酸塩錠2.5mg「フソー」(ダイト／扶桑薬品)	エナラプリルマレイン酸塩	2.5mg 1錠	ACE阻害剤	767
	EP403／15	白〜帯黄白◖	ピオグリタゾンOD錠15mg「DSEP」(第一三共エスファ)	ピオグリタゾン塩酸塩	15mg 1錠	インスリン抵抗性改善血糖降下剤	2912
	KRM403	淡褐	ケトプロフェンテープ20mg「杏林」(キョーリンリメディオ／杏林)	ケトプロフェン	7cm×10cm 1枚	プロピオン酸系消炎鎮痛剤	1410
	TG403	淡青／白	ピルシカイニド塩酸塩カプセル25mg「タナベ」(ニプロES)	ピルシカイニド塩酸塩水和物	25mg 1カプセル	不整脈治療剤	3041
	Tw403	灰青緑／淡橙	テプレノンカプセル50mg「トーワ」(東和薬品)	テプレノン	50mg 1カプセル	テルペン系胃炎・胃潰瘍治療剤	2315
	アリピプラゾール YD24 YD403	白	アリピプラゾール錠24mg「YD」(陽進堂)	アリピプラゾール	24mg 1錠	抗精神病薬	289
404	DK404	薄桃　◖	エナラプリルマレイン酸塩錠5mg「フソー」(ダイト／扶桑薬品)	エナラプリルマレイン酸塩	5mg 1錠	ACE阻害剤	767
	EP404／30	白〜帯黄白◖	ピオグリタゾンOD錠30mg「DSEP」(第一三共エスファ)	ピオグリタゾン塩酸塩	30mg 1錠	インスリン抵抗性改善血糖降下剤	2912
	KRM404	淡褐	ケトプロフェンテープ40mg「杏林」(キョーリンリメディオ／杏林)	ケトプロフェン	10cm×14cm 1枚	プロピオン酸系消炎鎮痛剤	1410
	t404 t404[250mg]	黄〜黄褐	サラゾスルファピリジン腸溶錠250mg「NIG」(日医工岐阜／日医工／武田薬品)	サラゾスルファピリジン	250mg 1錠	潰瘍性大腸炎治療・抗リウマチ剤	1522
	TG404	青／白	ピルシカイニド塩酸塩カプセル50mg「タナベ」(ニプロES)	ピルシカイニド塩酸塩水和物	50mg 1カプセル	不整脈治療剤	3041

番号	識別コード	色 (①：割線有)		商品名(会社名)	一般名	規格単位	薬効	掲載ページ
404	n404／25 n404 25 ⓝ404	白		ラモトリギン錠25mg「日医工」(日医工)	ラモトリギン	25mg 1錠	抗てんかん・双極性障害治療剤	4143
	⑪404 TYK404	白〜淡黄		プランルカスト錠112.5mg「NIG」(日医工岐阜／日医工／武田薬品)	プランルカスト水和物	112.5mg 1錠	ロイコトリエン受容体拮抗剤	3268
	オルメサルタン YD5 YD404	淡黄白		オルメサルタン錠5mg「YD」(陽進堂)	オルメサルタン メドキソミル	5mg 1錠	高親和性AT₁レセプターブロッカー	1031
405	IC405 IC-405	淡赤	①	トリクロルメチアジド錠2mg「イセイ」(コーアイセイ)	トリクロルメチアジド	2mg 1錠	チアジド系降圧利尿剤	2519
	KH405	白	①	ヒスロンH錠200mg(協和キリン)	メドロキシプロゲステロン酢酸エステル	200mg 1錠	黄体ホルモン	3968
	NS405	白	①	タベジール錠1mg(日新)	クレマスチンフマル酸塩	1mg 1錠	ベンツヒドリルエーテル系抗ヒスタミン剤	1299
	Tw405	白		チキジウム臭化物カプセル10mg「トーワ」(東和薬品)	チキジウム臭化物	10mg 1カプセル	キノリジジン系抗ムスカリン剤	2158
	n405／100 n405 100 ⓝ405	白		ラモトリギン錠100mg「日医工」(日医工)	ラモトリギン	100mg 1錠	抗てんかん・双極性障害治療剤	4143
	オルメサルタン YD10 YD405	白	①	オルメサルタン錠10mg「YD」(陽進堂)	オルメサルタン メドキソミル	10mg 1錠	高親和性AT₁レセプターブロッカー	1031
406	AK406／ULD	白		フリウェル配合錠ULD「あすか」(あすか／武田薬品)	ノルエチステロン・エチニルエストラジオール〔治療用〕	1錠	月経困難症治療剤	2734
	QQ406	白		ゾルピデム酒石酸塩ODフィルム5mg「モチダ」(救急薬品／持田)	ゾルピデム酒石酸塩	5mg 1錠	入眠剤	1973
	Z406	白半透明		ジクロフェナクNaテープ15mg「日本臓器」(日本臓器)	ジクロフェナクナトリウム	7cm×10cm 1枚	フェニル酢酸系消炎鎮痛剤	1579
	n406／2 n406 2 ⓝ406	白		ラモトリギン錠小児用2mg「日医工」(日医工)	ラモトリギン	2mg 1錠	抗てんかん・双極性障害治療剤	4143
	オルメサルタン YD20 YD406	白	①	オルメサルタン錠20mg「YD」(陽進堂)	オルメサルタン メドキソミル	20mg 1錠	高親和性AT₁レセプターブロッカー	1031
407	NF407	青／白		ノイエルカプセル200mg(アルフレッサファーマ)	セトラキサート塩酸塩	200mg 1カプセル	胃炎・潰瘍治療剤	1822
	QQ407	淡橙白		ゾルピデム酒石酸塩ODフィルム10mg「モチダ」(救急薬品／持田)	ゾルピデム酒石酸塩	10mg 1錠	入眠剤	1973
	Z407	白半透明		ジクロフェナクNaテープ30mg「日本臓器」(日本臓器)	ジクロフェナクナトリウム	10cm×14cm 1枚	フェニル酢酸系消炎鎮痛剤	1579
	n407／5 n407 5 ⓝ407	白		ラモトリギン錠小児用5mg「日医工」(日医工)	ラモトリギン	5mg 1錠	抗てんかん・双極性障害治療剤	4143
	⑪407 TYK407	白〜淡黄	①	プランルカスト錠225mg「NIG」(日医工岐阜／日医工／武田薬品)	プランルカスト水和物	225mg 1錠	ロイコトリエン受容体拮抗剤	3268
	オルメサルタン YD40 YD407	白	①	オルメサルタン錠40mg「YD」(陽進堂)	オルメサルタン メドキソミル	40mg 1錠	高親和性AT₁レセプターブロッカー	1031
408	QQ408／2.5	白		アムロジピン錠2.5mg「QQ」(救急薬品／日医工／武田薬品)	アムロジピンベシル酸塩	2.5mg 1錠	ジヒドロピリジン系Ca拮抗剤	264
	Z408	白		ジクロフェナクNaクリーム1%「日本臓器」(日本臓器)	ジクロフェナクナトリウム	1% 1g	フェニル酢酸系消炎鎮痛剤	1579
409	DK409	白〜微黄		エピナスチン塩酸塩錠10mg「CEO」(ダイト／セオリア／武田薬品)	エピナスチン塩酸塩	10mg 1錠	アレルギー性疾患治療剤	783
	DK409	白〜微黄		エピナスチン塩酸塩錠10mg「ダイト」(ダイト／共創未来)	エピナスチン塩酸塩	10mg 1錠	アレルギー性疾患治療剤	783
	QQ409／5	白	①	アムロジピン錠5mg「QQ」(救急薬品／日医工／武田薬品)	アムロジピンベシル酸塩	5mg 1錠	ジヒドロピリジン系Ca拮抗剤	264
410	DK410	白〜微黄		エピナスチン塩酸塩錠20mg「CEO」(ダイト／セオリア／武田薬品)	エピナスチン塩酸塩	20mg 1錠	アレルギー性疾患治療剤	783
	DK410	白〜微黄		エピナスチン塩酸塩錠20mg「ダイト」(ダイト／共創未来)	エピナスチン塩酸塩	20mg 1錠	アレルギー性疾患治療剤	783
	NS410	白〜微黄		エピナスチン塩酸塩錠10mg「日新」(日新)	エピナスチン塩酸塩	10mg 1錠	アレルギー性疾患治療剤	783
	QQ410／10	白	①	アムロジピン錠10mg「QQ」(救急薬品／日医工／武田薬品)	アムロジピンベシル酸塩	10mg 1錠	ジヒドロピリジン系Ca拮抗剤	264
	SW410	白		スルピリド錠50mg「サワイ」(沢井)	スルピリド	50mg 1錠	ベンザミド系抗潰瘍・精神安定剤	1777
	Tw410	青／白		ピルシカイニド塩酸塩カプセル50mg「トーワ」(東和薬品)	ピルシカイニド塩酸塩水和物	50mg 1カプセル	不整脈治療剤	3041
	漢：EK-410	褐		三和附子理中湯エキス細粒(三和生薬／クラシエ薬品)	附子理中湯	1g	漢方製剤	4641

400
ー
499

番号	識別コード	色 (◐：割線有)	商品名(会社名)	一般名	規格単位	薬効	掲載ページ
410	ナフトピジル OD25日医工 ⓝ410	白　◐	ナフトピジルOD錠25mg「日医工」(日医工)	ナフトピジル	25mg 1錠	排尿障害治療剤	2614
411	AK411	白〜淡黄白	アムロジピン錠5mg「あすか」(あすか/武田薬品)	アムロジピンベシル酸塩	5mg 1錠	ジヒドロピリジン系Ca拮抗剤	264
	NS411	白〜微黄◐	エピナスチン塩酸塩錠20mg「日新」(日新)	エピナスチン塩酸塩	20mg 1錠	アレルギー性疾患治療剤	783
	TSU411	白〜微黄白◐	ニカルジピン塩酸塩錠20mg「ツルハラ」(鶴原)	ニカルジピン塩酸塩	20mg 1錠	ジヒドロピリジン系Ca拮抗剤	2628
	TTS411 TTS-411	白	エバスチン錠5mg「タカタ」(高田)	エバスチン	5mg 1錠	持続性選択H$_1$-受容体拮抗剤	778
	Tw411	淡黄	アンブロキソール塩酸塩徐放カプセル45mg「トーワ」(東和薬品)	アンブロキソール塩酸塩	45mg 1カプセル	気道潤滑去痰剤	378
	Z411	白	ジクロフェナクNaパップ70mg「日本臓器」(日本臓器)	ジクロフェナクナトリウム	7cm×10cm 1枚	フェニル酢酸系消炎鎮痛剤	1579
	cʜ411 ch411	白〜微黄白	トリモール錠2mg(長生堂/日本ジェネリック)	ピロヘプチン塩酸塩	2mg 1錠	抗パーキンソン剤	3064
	ナフトピジル OD50日医工 ⓝ411	白　◐	ナフトピジルOD錠50mg「日医工」(日医工)	ナフトピジル	50mg 1錠	排尿障害治療剤	2614
412	412	白〜微黄白	ニカルジピン塩酸塩錠10mg「ツルハラ」(鶴原)	ニカルジピン塩酸塩	10mg 1錠	ジヒドロピリジン系Ca拮抗剤	2628
	MN412	白	セチリジン塩酸塩錠5mg「MNP」(日新/Meファルマ)	セチリジン塩酸塩	5mg 1錠	持続性選択H$_1$-受容体拮抗剤	1806
	TTS412 TTS-412	白	エバスチン錠10mg「タカタ」(高田)	エバスチン	10mg 1錠	持続性選択H$_1$-受容体拮抗剤	778
	TYK-412	白〜淡黄	アセトアミノフェン坐剤小児用100mg「NIG」(日医工岐阜/日医工/武田薬品)	アセトアミノフェン	100mg 1個	アミノフェノール系解熱鎮痛剤	77
	Z412	白	ジクロフェナクNaパップ140mg「日本臓器」(日本臓器)	ジクロフェナクナトリウム	10cm×14cm 1枚	フェニル酢酸系消炎鎮痛剤	1579
	ナフトピジル OD75日医工 ⓝ412	白　◐	ナフトピジルOD錠75mg「日医工」(日医工)	ナフトピジル	75mg 1錠	排尿障害治療剤	2614
413	MN413	白	セチリジン塩酸塩錠10mg「MNP」(日新/Meファルマ)	セチリジン塩酸塩	10mg 1錠	持続性選択H$_1$-受容体拮抗剤	1806
	Tw413	青/白	ピルシカイニド塩酸塩カプセル25mg「トーワ」(東和薬品)	ピルシカイニド塩酸塩水和物	25mg 1カプセル	不整脈治療剤	3041
	TYK-413	白〜淡黄	アセトアミノフェン坐剤小児用200mg「NIG」(日医工岐阜/日医工/武田薬品)	アセトアミノフェン	200mg 1個	アミノフェノール系解熱鎮痛剤	77
414	AK414	白〜微黄白	トライコア錠53.3mg(ヴィアトリス/あすか/武田薬品)	フェノフィブラート	53.3mg 1錠	高脂血症治療剤	3144
	NS414/5	淡赤	エバスチンOD錠5mg「NS」(日新/共創未来)	エバスチン	5mg 1錠	持続性選択H$_1$-受容体拮抗剤	778
	TTS414 TTS-414	薄紅	エバスチンOD錠5mg「タカタ」(高田)	エバスチン	5mg 1錠	持続性選択H$_1$-受容体拮抗剤	778
	Tw414	白〜微帯褐白	ランソプラゾールカプセル15mg「トーワ」(東和薬品)	ランソプラゾール	15mg 1カプセル	プロトンポンプインヒビター	4168
415	NS415/10	白	エバスチンOD錠10mg「NS」(日新/共創未来)	エバスチン	10mg 1錠	持続性選択H$_1$-受容体拮抗剤	778
	TSU415	薄紅　◐	ロキソプロフェンNa錠60mg「ツルハラ」(鶴原)	ロキソプロフェンナトリウム水和物	60mg 1錠	プロピオン酸系消炎鎮痛剤	4473
	TTS415 TTS-415	白	エバスチンOD錠10mg「タカタ」(高田)	エバスチン	10mg 1錠	持続性選択H$_1$-受容体拮抗剤	778
	Tw415	白〜微帯褐白	ランソプラゾールカプセル30mg「トーワ」(東和薬品)	ランソプラゾール	30mg 1カプセル	プロトンポンプインヒビター	4168
416	NS416/5	白	エバスチン錠5mg「NS」(日新)	エバスチン	5mg 1錠	持続性選択H$_1$-受容体拮抗剤	778
	TYK-416	白〜淡黄	アセトアミノフェン坐剤小児用50mg「NIG」(日医工岐阜/日医工/武田薬品)	アセトアミノフェン	50mg 1個	アミノフェノール系解熱鎮痛剤	77
	cʜ416/25 ch416	黄	フルボキサミンマレイン酸塩錠25mg「CH」(長生堂/日本ジェネリック)	フルボキサミンマレイン酸塩	25mg 1錠	選択的セロトニン再取り込み阻害剤(SSRI)	3337
	ベポタスチン5 日医工 ⓝ416	白	ベポタスチンベシル酸塩錠5mg「日医工」(日医工)	ベポタスチンベシル酸塩	5mg 1錠	アレルギー性疾患治療剤	3556
417	NS417/10	白　◐	エバスチン錠10mg「NS」(日新)	エバスチン	10mg 1錠	持続性選択H$_1$-受容体拮抗剤	778
	cʜ417/50 ch417	黄	フルボキサミンマレイン酸塩錠50mg「CH」(長生堂/日本ジェネリック)	フルボキサミンマレイン酸塩	50mg 1錠	選択的セロトニン再取り込み阻害剤(SSRI)	3337
	ベポタスチン10 日医工 ⓝ417	白　◐	ベポタスチンベシル酸塩錠10mg「日医工」(日医工)	ベポタスチンベシル酸塩	10mg 1錠	アレルギー性疾患治療剤	3556

400
|
499

番号	識別コード	色 （①：割線有）	商品名(会社名)	一般名	規格単位	薬効	掲載ページ
418	cH418／75 ch418	黄	フルボキサミンマレイン酸塩錠75mg 「CH」(長生堂／日本ジェネリック)	フルボキサミンマレイン酸塩	75mg 1錠	選択的セロトニン再取り込み阻害剤(SSRI)	3337
	ベポタスチンOD5日医工 ⓝ418	白	ベポタスチンベシル酸塩OD錠5mg「日医工」(日医工)	ベポタスチンベシル酸塩	5mg 1錠	アレルギー性疾患治療剤	3556
419	Tw419	淡赤／白	エメダスチンフマル酸塩徐放カプセル1mg「トーワ」(東和薬品)	エメダスチンフマル酸塩	1mg 1カプセル	アレルギー性疾患治療剤	855
	ベポタスチンOD10日医工 ⓝ419	白 ①	ベポタスチンベシル酸塩OD錠10mg「日医工」(日医工)	ベポタスチンベシル酸塩	10mg 1錠	アレルギー性疾患治療剤	3556
420	SW420	白	マックターゼ配合錠(沢井)	総合消化酵素製剤	1錠	消化剤	1691
	Tw420	白	エメダスチンフマル酸塩徐放カプセル2mg「トーワ」(東和薬品)	エメダスチンフマル酸塩	2mg 1カプセル	アレルギー性疾患治療剤	855
	Z420	無透明	ケトコナゾール外用ポンプスプレー2%「日本臓器」(日本臓器)	ケトコナゾール	2% 1g	イミダゾール系抗真菌剤	1407
421	DK421	薄紅 ①	ドパコール配合錠L50（ダイト／扶桑薬品）	レボドパ・カルビドパ水和物	1錠	パーキンソニズム治療剤	4415
	NS421	薄赤	モンテルカストチュアブル錠5mg「明治」(日新／Meファルマ)	モンテルカストナトリウム	5mg 1錠	ロイコトリエン受容体拮抗剤	4043
	cH421／0125	淡紫	トリアゾラム錠0.125mg「CH」(長生堂／日本ジェネリック)	トリアゾラム	0.125mg 1錠	ベンゾジアゼピン系睡眠導入剤	2507
	ⓝ421 ⓝ421	白〜微黄白	チアプリド錠25mg「日医工」(日医工ファーマ／日医工)	チアプリド塩酸塩	25mg 1錠	ベンザミド系精神・ジスキネジア改善剤	2133
422	NS422／5	明るい灰黄	モンテルカスト錠5mg「日新」(日新／Meファルマ)	モンテルカストナトリウム	5mg 1錠	ロイコトリエン受容体拮抗剤	4043
	SW422	白〜帯黄白	ベザフィブラートSR錠200mg「サワイ」(沢井／扶桑薬品)	ベザフィブラート	200mg 1錠	高脂血症治療剤	3486
	t422	白	オメプラゾール腸溶錠10mg「武田テバ」(武田テバファーマ／武田薬品)	オメプラゾール	10mg 1錠	プロトンポンプインヒビター	1010
	Z422	無透明	ヘパリン類似物質外用泡状スプレー0.3%「日本臓器」(日本臓器)	ヘパリン類似物質	1g	抗炎症血行促進・皮膚保湿剤	3545
	cH422	白 ①	トリアゾラム錠0.25mg「CH」(長生堂／日本ジェネリック)	トリアゾラム	0.25mg 1錠	ベンゾジアゼピン系睡眠導入剤	2507
	◒422	白〜微黄	カイロック細粒40%(藤本)	シメチジン	40% 1g	H₂-受容体拮抗剤	1680
423	NS423／10	明るい灰黄	モンテルカスト錠10mg「日新」(日新／Meファルマ)	モンテルカストナトリウム	10mg 1錠	ロイコトリエン受容体拮抗剤	4043
	SW423	白〜帯黄白	ベザフィブラートSR錠100mg「サワイ」(沢井)	ベザフィブラート	100mg 1錠	高脂血症治療剤	3486
	t423	白	オメプラゾール腸溶錠20mg「武田テバ」(武田テバファーマ／武田薬品)	オメプラゾール	20mg 1錠	プロトンポンプインヒビター	1010
424	AK424	白〜微黄白	トライコア80mg（ヴィアトリス／あすか／武田薬品）	フェノフィブラート	80mg 1錠	高脂血症治療剤	3144
	t424	淡黄 ①	マニジピン塩酸塩錠10mg「NIG」(日医工岐阜／日医工／武田薬品)	マニジピン塩酸塩	10mg 1錠	ジヒドロピリジン系Ca拮抗剤	3811
	◆424	白〜微黄白	タガメット錠200mg(住友ファーマ)	シメチジン	200mg 1錠	H₂-受容体拮抗剤	1680
	リセドロン75日医工 ⓝ424	微黄	リセドロン酸Na錠75mg「日医工」(日医工)	リセドロン酸ナトリウム水和物	75mg 1錠	ビスホスホネート系骨吸収抑制剤	4209
425	NS425	白	レボセチリジン塩酸塩OD錠2.5mg「日新」(日新)	レボセチリジン塩酸塩	2.5mg 1錠	持続性選択H₁-受容体拮抗剤	4407
	t425	薄橙黄 ①	マニジピン塩酸塩錠20mg「NIG」(日医工岐阜／日医工／武田薬品)	マニジピン塩酸塩	20mg 1錠	ジヒドロピリジン系Ca拮抗剤	3811
	Tw425	白／白	スプラタストトシル酸塩カプセル50mg「トーワ」(東和薬品)	スプラタストトシル酸塩	50mg 1カプセル	アレルギー性疾患治療剤	1762
426	NS426	白	レボセチリジン塩酸塩OD錠5mg「日新」(日新)	レボセチリジン塩酸塩	5mg 1錠	持続性選択H₁-受容体拮抗剤	4407
	Tw426	白／白	スプラタストトシル酸塩カプセル100mg「トーワ」(東和薬品)	スプラタストトシル酸塩	100mg 1カプセル	アレルギー性疾患治療剤	1762
	ナルフラフィン2.5日医工 ⓝ426	淡黄白	ナルフラフィン塩酸塩カプセル2.5μg「日医工」(日医工)	ナルフラフィン塩酸塩	2.5μg 1カプセル	経口瘙痒症改善剤	2622
427	Tw427	黄	メトトレキサートカプセル2mg「トーワ」(東和薬品)	メトトレキサート〔抗リウマチ剤〕	2mg 1カプセル	抗リウマチ剤	3952
428	SW428	白	アテノロール錠50mg「サワイ」(沢井)	アテノロール	50mg 1錠	β₁-遮断剤	115
	Tw428	淡赤	セフジニルカプセル100mg「トーワ」(東和薬品)	セフジニル	100mg 1カプセル	セフェム系抗生物質	1850
429	Tw429	白〜帯黄白	プランルカストカプセル112.5mg「トーワ」(東和薬品)	プランルカスト水和物	112.5mg 1カプセル	ロイコトリエン受容体拮抗剤	3268
	ⓝ429 ⓝ429	白〜微黄白	チアプリド錠50mg「日医工」(日医工ファーマ／日医工)	チアプリド塩酸塩	50mg 1錠	ベンザミド系精神・ジスキネジア改善剤	2133
430	Tw430	白〜帯黄白	セフジニルカプセル50mg「トーワ」(東和薬品)	セフジニル	50mg 1カプセル	セフェム系抗生物質	1850

番号	識別コード	色 (◐:割線有)	商品名(会社名)	一般名	規格単位	薬効	掲載 ページ
431	t431／0.5	白　◐	ワルファリンK錠0.5mg「NIG」(日医工岐阜／日医工／武田薬品)	ワルファリンカリウム	0.5mg 1錠	抗凝血剤	4556
	TSU431	白〜淡黄白◐	チザニジン錠1mg「ツルハラ」(鶴原)	チザニジン塩酸塩	1mg 1錠	筋緊張緩和剤	2164
432	PT432	白	ミニプレス錠0.5mg (ファイザー)	プラゾシン塩酸塩	0.5mg 1錠	α_1-遮断剤	3254
	t432／1	白　◐	ワルファリンK錠1mg「NIG」(日医工岐阜／日医工／武田薬品)	ワルファリンカリウム	1mg 1錠	抗凝血剤	4556
	n432／8 n432 8 n432	淡黄白	アゼルニジピン錠8mg「日医工」(日医工)	アゼルニジピン	8mg 1錠	持続性Ca拮抗剤	90
433	1／PT433	淡橙	ミニプレス錠1mg (ファイザー)	プラゾシン塩酸塩	1mg 1錠	α_1-遮断剤	3254
	n433／16 n433 16 n433	淡黄白	アゼルニジピン錠16mg「日医工」(日医工)	アゼルニジピン	16mg 1錠	持続性Ca拮抗剤	90
434	TC434	白	ユーエフティ配合カプセルT100 (大鵬薬品)	テガフール・ウラシル	100mg 1カプセル (テガフール相当量)	抗悪性腫瘍剤	2198
	Tw434	淡橙	チキジウム臭化物カプセル5mg「トーワ」(東和薬品)	チキジウム臭化物	5mg 1カプセル	キノリジジン系抗ムスカリン剤	2158
	ℒℒ434	白　◐	アーテン錠(2mg) (ファイザー)	トリヘキシフェニジル塩酸塩	2mg 1錠	抗パーキンソン剤	2523
435	SW435	白	メトプロロール酒石酸塩錠40mg「サワイ」(沢井)	メトプロロール酒石酸塩	40mg 1錠	β_1-遮断剤	3960
436	TSU436／20	白	テルミサルタン錠20mg「ツルハラ」(鶴原)	テルミサルタン	20mg 1錠	持続性AT_1受容体遮断剤	2372
437	TC437	白〜黄白	ユーエフティE配合顆粒T100 (大鵬薬品)	テガフール・ウラシル	100mg 1包 (テガフール相当量)	抗悪性腫瘍剤	2198
	TSU437／40	白　◐	テルミサルタン錠40mg「ツルハラ」(鶴原)	テルミサルタン	40mg 1錠	持続性AT_1受容体遮断剤	2372
	メマンチン YD OD5 YD437	淡赤白	メマンチン塩酸塩OD錠5mg「YD」(陽進堂)	メマンチン塩酸塩	5mg 1錠	NMDA受容体拮抗アルツハイマー型認知症治療剤	3991
438	TC438	白〜黄白	ユーエフティE配合顆粒T150 (大鵬薬品)	テガフール・ウラシル	150mg 1包 (テガフール相当量)	抗悪性腫瘍剤	2198
	TSU438／80	白　◐	テルミサルタン錠80mg「ツルハラ」(鶴原)	テルミサルタン	80mg 1錠	持続性AT_1受容体遮断剤	2372
	ⓝ438	淡黄	シナール配合錠(シオノギファーマ/塩野義)	アスコルビン酸・パントテン酸カルシウム	1錠	ビタミンC製剤	48
	メマンチン YD OD10 YD438	淡黄白	メマンチン塩酸塩OD錠10mg「YD」(陽進堂)	メマンチン塩酸塩	10mg 1錠	NMDA受容体拮抗アルツハイマー型認知症治療剤	3991
439	TC439	白〜黄白	ユーエフティE配合顆粒T200 (大鵬薬品)	テガフール・ウラシル	200mg 1包 (テガフール相当量)	抗悪性腫瘍剤	2198
	メマンチン YD OD20 YD439	白〜微黄白◐	メマンチン塩酸塩OD錠20mg「YD」(陽進堂)	メマンチン塩酸塩	20mg 1錠	NMDA受容体拮抗アルツハイマー型認知症治療剤	3991
440	t440	白	シンバスタチン錠10mg「武田テバ」(武田テバファーマ／武田薬品)	シンバスタチン	10mg 1錠	HMG-CoA還元酵素阻害剤	1728
	アイピーディ50 TC440	白	アイピーディカプセル50 (大鵬薬品)	スプラタストトシル酸塩	50mg 1カプセル	アレルギー性疾患治療剤	1762
441	AK441	白	オステラック錠100 (あすか／武田薬品)	エトドラク	100mg 1錠	ピラノ酢酸系消炎鎮痛剤	760
	CHINO FPF441	緑	チノカプセル125 (藤本)	ケノデオキシコール酸	125mg 1カプセル	胆石溶解剤	1415
	t441	白　◐	シンバスタチン錠20mg「武田テバ」(武田テバファーマ／武田薬品)	シンバスタチン	20mg 1錠	HMG-CoA還元酵素阻害剤	1728
	Tw441／8	淡黄白　◐	アゼルニジピン錠8mg「トーワ」(東和薬品)	アゼルニジピン	8mg 1錠	持続性Ca拮抗剤	90
	アイピーディ100 TC441	白	アイピーディカプセル100 (大鵬薬品)	スプラタストトシル酸塩	100mg 1カプセル	アレルギー性疾患治療剤	1762
442	IC-442	黄〜橙黄◐	リボフラビン酪酸エステル錠20mg「イセイ」(コーアイセイ)	リボフラビン酪酸エステル	20mg 1錠	ビタミンB_2	4283
	TC442	白	ティーエスワン配合カプセルT20 (大鵬薬品)	テガフール・ギメラシル・オテラシルカリウム	20mg 1カプセル (テガフール相当量)	抗悪性腫瘍剤	2201
	Tw442／16	淡黄白　◐	アゼルニジピン錠16mg「トーワ」(東和薬品)	アゼルニジピン	16mg 1錠	持続性Ca拮抗剤	90
443	TC443	橙／白	ティーエスワン配合カプセルT25 (大鵬薬品)	テガフール・ギメラシル・オテラシルカリウム	25mg 1カプセル (テガフール相当量)	抗悪性腫瘍剤	2201

400
ー
499

番号	識別コード	色 (◍:割線有)	商品名(会社名)	一般名	規格単位	薬効	掲載 ページ
444	SW444	淡黄赤	ジクロフェナクNa錠25mg「サワイ」(沢井)	ジクロフェナクナトリウム	25mg 1錠	フェニル酢酸系消炎鎮痛剤	1579
	TC444 TC446	白	アイピーディドライシロップ5%(大鵬薬品)	スプラタストトシル酸塩	5% 1g	アレルギー性疾患治療剤	1762
446	TC444 TC446	白	アイピーディドライシロップ5%(大鵬薬品)	スプラタストトシル酸塩	5% 1g	アレルギー性疾患治療剤	1762
447	OT447／25	淡黄白	ホリナート錠25mg「タイホウ」(岡山大鵬)	ホリナートカルシウム	25mg 1錠	抗葉酸代謝拮抗剤	3771
	SW447	淡黄	エトドラク錠100mg「SW」(沢井)	エトドラク	100mg 1錠	ピラノ酢酸系消炎鎮痛剤	760
	TC447／25	淡黄白	ユーゼル錠25mg(大鵬薬品)	ホリナートカルシウム	25mg 1錠	抗葉酸代謝拮抗剤	3771
448	MH448	白	アスピリン腸溶錠100mg「VTRS」(ヴィアトリス・ヘルスケア／ヴィアトリス)	アスピリン	100mg 1錠	サリチル酸系解熱鎮痛・抗血小板剤	51
	Sc448／30	薄橙	フェキソフェナジン塩酸塩錠30mg「三和」(日本薬品工業／三和化学)	フェキソフェナジン塩酸塩	30mg 1錠	アレルギー性疾患治療剤	3111
	SW448	淡黄	エトドラク錠200mg「SW」(沢井)	エトドラク	200mg 1錠	ピラノ酢酸系消炎鎮痛剤	760
	⋂448	白～淡黄白	シクロスポリンカプセル25mg「日医工」(日医工)	シクロスポリン	25mg 1カプセル	免疫抑制剤	1570
449	NCP449／60	薄橙	フェキソフェナジン塩酸塩錠60mg「ケミファ」(日本ケミファ／日本薬品工業)	フェキソフェナジン塩酸塩	60mg 1錠	アレルギー性疾患治療剤	3111
	NPI449A	白～微黄白◍	オキサトミド錠30mg「ケミファ」(日本薬品工業／日本ケミファ)	オキサトミド	30mg 1錠	アレルギー性疾患治療剤	942
	Sc449／60	薄橙	フェキソフェナジン塩酸塩錠60mg「三和」(日本薬品工業／三和化学)	フェキソフェナジン塩酸塩	60mg 1錠	アレルギー性疾患治療剤	3111
	⋂449	白～淡黄白	シクロスポリンカプセル50mg「日医工」(日医工)	シクロスポリン	50mg 1カプセル	免疫抑制剤	1570
450	VGC／450 VGC450	淡赤	バリキサ錠450mg(田辺三菱)	バルガンシクロビル塩酸塩	450mg 1錠	抗サイトメガロウイルス化学療法剤	2835
	△450／40	黄～橙黄	ブロニカ錠40(武田テバ薬品／武田薬品)	セラトロダスト	40mg 1錠	トロンボキサンA₂受容体拮抗剤	1889
451	AK451	白	オステラック錠200(あすか／武田薬品)	エトドラク	200mg 1錠	ピラノ酢酸系消炎鎮痛剤	760
	TC451	白	ティーエスワン配合顆粒T20(大鵬薬品)	テガフール・ギメラシル・オテラシルカリウム	20mg 1包(テガフール相当量)	抗悪性腫瘍剤	2201
	TYK451	白	セチリジン塩酸塩錠5mg「NIG」(日医工岐阜／日医工／武田薬品)	セチリジン塩酸塩	5mg 1錠	持続性選択H₁-受容体拮抗剤	1806
	△451／80	黄～橙黄◍	ブロニカ錠80(武田テバ薬品／武田薬品)	セラトロダスト	80mg 1錠	トロンボキサンA₂受容体拮抗剤	1889
452	TC452	白	ティーエスワン配合顆粒T25(大鵬薬品)	テガフール・ギメラシル・オテラシルカリウム	25mg 1包(テガフール相当量)	抗悪性腫瘍剤	2201
	TYK452	白	セチリジン塩酸塩錠10mg「NIG」(日医工岐阜／日医工／武田薬品)	セチリジン塩酸塩	10mg 1錠	持続性選択H₁-受容体拮抗剤	1806
453	ⓣ453／2.5 TYK453	白	アムロジピン錠2.5mg「TYK」(コーアバイオテックベイ／日医工／武田薬品)	アムロジピンベシル酸塩	2.5mg 1錠	ジヒドロピリジン系Ca拮抗剤	264
454	SW454	白	ザルトプロフェン錠80mg「サワイ」(沢井)	ザルトプロフェン	80mg 1錠	プロピオン酸系消炎鎮痛剤	1533
	ⓣ454／5 TYK454	白　　◍	アムロジピン錠5mg「TYK」(コーアバイオテックベイ／日医工／武田薬品)	アムロジピンベシル酸塩	5mg 1錠	ジヒドロピリジン系Ca拮抗剤	264
455	ⓣ455／10 TYK455	白　　◍	アムロジピン錠10mg「TYK」(コーアバイオテックベイ／日医工／武田薬品)	アムロジピンベシル酸塩	10mg 1錠	ジヒドロピリジン系Ca拮抗剤	264
456	⋂456 ⋂456	白～微帯黄白	グラマリール錠25mg(日医工)	チアプリド塩酸塩	25mg 1錠	ベンザミド系精神・ジスキネジア改善剤	2133
457	⋂457 ⋂457	白～微帯黄白	グラマリール錠50mg(日医工)	チアプリド塩酸塩	50mg 1錠	ベンザミド系精神・ジスキネジア改善剤	2133
460	YD460	白	ベラプロストNa錠20μg「YD」(陽進堂／共創未来)	ベラプロストナトリウム	20μg 1錠	プロスタサイクリン(PGI₂)誘導体	3597
461	FCI 461	極薄黄赤～薄黄赤	デュタステリド錠0.5mgZA「FCI」(富士化学)	デュタステリド	0.5mg 1錠	5α-還元酵素阻害薬	2332
	SW461	白	カルボシステイン錠250mg「サワイ」(沢井)	L-カルボシステイン	250mg 1錠	気道粘液調整・粘膜正常化剤	1166
465	465 YD465	白　　◍	ドンペリドン錠10mg「YD」(陽進堂)	ドンペリドン	10mg 1錠	消化管運動改善剤	2599
466	ナテグリニド30 日医工 ⋂466	白	ナテグリニド錠30mg「日医工」(日医工)	ナテグリニド	30mg 1錠	速効型インスリン分泌促進薬	2606
467	ナテグリニド90 日医工 ⋂467	淡赤	ナテグリニド錠90mg「日医工」(日医工)	ナテグリニド	90mg 1錠	速効型インスリン分泌促進薬	2606

番号	識別コード	色 (①:割線有)	商品名(会社名)	一般名	規格単位	薬効	掲載ページ
468	20 PH468	白～微黄①	エピナスチン塩酸塩錠20mg「杏林」 (キョーリンリメディオ/杏林)	エピナスチン塩酸塩	20mg 1錠	アレルギー性疾患治療剤	783
	SW-468	白	マックメット懸濁用配合DS (沢井)	水酸化アルミニウムゲル・水酸化マグネシウム	1g	胃炎・消化性潰瘍治療剤	1731
	YD468	白～微黄	エピナスチン塩酸塩錠10mg「YD」(陽進堂/共創未来)	エピナスチン塩酸塩	10mg 1錠	アレルギー性疾患治療剤	783
	n468 ⓝ468	白	ファモチジン錠10mg「日医工」(日医工)	ファモチジン	10mg 1錠	H₂-受容体拮抗剤	3079
469	YD469	白～微黄	エピナスチン塩酸塩錠20mg「YD」(陽進堂/共創未来)	エピナスチン塩酸塩	20mg 1錠	アレルギー性疾患治療剤	783
	n469 ⓝ469	白	ファモチジン錠20mg「日医工」(日医工)	ファモチジン	20mg 1錠	H₂-受容体拮抗剤	3079
470	SW470	白　①	アンブロキソール塩酸塩錠15mg「サワイ」(沢井)	アンブロキソール塩酸塩	15mg 1錠	気道潤滑去痰剤	378
471	DSC471	黄	リクシアナ錠15mg (第一三共)	エドキサバントシル酸塩水和物	15mg 1錠	経口活性化血液凝固第X因子(FXa)阻害剤	754
	IC-471	白	ピリドキサール錠10mg「イセイ」(コーアイセイ/岩城)	ピリドキサールリン酸エステル水和物	10mg 1錠	補酵素型ビタミンB₆	3038
	NS471／30	薄橙	フェキソフェナジン塩酸塩錠30mg「日新」(日新)	フェキソフェナジン塩酸塩	30mg 1錠	アレルギー性疾患治療剤	3111
	TTS471／1 TTS-471	極薄赤　①	ピタバスタチンCa錠1mg「タカタ」(高田)	ピタバスタチンカルシウム水和物	1mg 1錠	HMG-CoA還元酵素阻害剤	2948
472	DSC472	淡赤　①	リクシアナ錠30mg (第一三共)	エドキサバントシル酸塩水和物	30mg 1錠	経口活性化血液凝固第X因子(FXa)阻害剤	754
	NS472／60	薄橙	フェキソフェナジン塩酸塩錠60mg「日新」(日新)	フェキソフェナジン塩酸塩	60mg 1錠	アレルギー性疾患治療剤	3111
	SW-472	白～淡黄半透明	フェルビナクパップ70mg「サワイ」(沢井)	フェルビナク	10cm×14cm 1枚	鎮痛消炎フェンブフェン活性体	3153
	TTS472／2 TTS-472	極薄赤　①	ピタバスタチンCa錠2mg「タカタ」(高田)	ピタバスタチンカルシウム水和物	2mg 1錠	HMG-CoA還元酵素阻害剤	2948
473	TTS473／4 TTS-473	極薄赤　①	ピタバスタチンCa錠4mg「タカタ」(高田)	ピタバスタチンカルシウム水和物	4mg 1錠	HMG-CoA還元酵素阻害剤	2948
475	DSC475	黄　①	リクシアナ錠60mg (第一三共)	エドキサバントシル酸塩水和物	60mg 1錠	経口活性化血液凝固第X因子(FXa)阻害剤	754
	アンブロキソールL45mg SW-475 SW-475	淡黄	アンブロキソール塩酸塩Lカプセル45mg「サワイ」(沢井)	アンブロキソール塩酸塩	45mg 1カプセル	気道潤滑去痰剤	378
476	S476	赤褐	リアルダ錠1200mg (持田)	メサラジン	1,200mg 1錠	潰瘍性大腸炎・クローン病治療剤	3911
480	MO480	白	ロラタジンODフィルム10mg「モチダ」(救急薬品/持田)	ロラタジン	10mg 1錠	持続性選択H₁-受容体拮抗・アレルギー治療剤	4545
	✔YD480 YD480	灰青緑/淡橙	テプレノンカプセル50mg「YD」(陽進堂/ニプロ/共創未来/日本ジェネリック)	テプレノン	50mg 1カプセル	テルペン系胃炎・胃潰瘍治療剤	2315
481	✔YD481	白/薄黄赤	メキシレチン塩酸塩カプセル100mg「YD」(陽進堂)	メキシレチン塩酸塩	100mg 1カプセル	不整脈治療・糖尿病性神経障害治療剤	3902
	プランルカスト112.5mg SW-481 SW-481	白～帯黄白	プランルカストカプセル112.5mg「サワイ」(沢井)	プランルカスト水和物	112.5mg 1カプセル	ロイコトリエン受容体拮抗剤	3268
485	✔YD485 YD485	淡青緑/白	ニザチジンカプセル75mg「YD」(陽進堂)	ニザチジン	75mg 1カプセル	H₂受容体拮抗剤	2637
486	YD486	淡黄白	カルシトリオールカプセル0.25μg「YD」(陽進堂/共創未来)	カルシトリオール	0.25μg 1カプセル	活性型ビタミンD₃	1136
487	YD487	淡紅	カルシトリオールカプセル0.5μg「YD」(陽進堂/共創未来)	カルシトリオール	0.5μg 1カプセル	活性型ビタミンD₃	1136
488	FPF488	黄緑	ヨーデルS糖衣錠-80 (藤本)	センナエキス	80mg 1錠	緩下剤	1923
	YD488	橙	メナテトレノンカプセル15mg「YD」(陽進堂)	メナテトレノン	15mg 1カプセル	止血機構賦活ビタミンK₂	3976
489	S489 20mg	淡黄白	ビバンセカプセル20mg (武田薬品)	リスデキサンフェタミンメシル酸塩	20mg 1カプセル	中枢神経刺激剤	4199
	S489 30mg	橙/白	ビバンセカプセル30mg (武田薬品)	リスデキサンフェタミンメシル酸塩	30mg 1カプセル	中枢神経刺激剤	4199
	TAISHO489	乳白	パンデルローション0.1% (大正)	酪酸プロピオン酸ヒドロコルチゾン	0.1% 1mL	副腎皮質ホルモン	2992
490	TAISHO490	無～白	パンデル軟膏0.1% (大正)	酪酸プロピオン酸ヒドロコルチゾン	0.1% 1g	副腎皮質ホルモン	2992
491	TAISHO491	白	パンデルクリーム0.1% (大正)	酪酸プロピオン酸ヒドロコルチゾン	0.1% 1g	副腎皮質ホルモン	2992
494	YD494	白～帯黄白	テプレノン細粒10%「YD」(陽進堂/共創未来)	テプレノン	10% 1g	テルペン系胃炎・胃潰瘍治療剤	2315
496	n496 ⓝ496	白	ソリフェナシンコハク酸塩錠2.5mg「日医工」(日医工)	コハク酸ソリフェナシン	2.5mg 1錠	過活動膀胱治療剤	1970

400
-
499

番号	識別コード	色 (Ⓘ:割線有)	商品名(会社名)	一般名	規格単位	薬効	掲載ページ
497	n497 ⓝ497	極薄黄	ソリフェナシンコハク酸塩錠5mg「日医工」(日医工)	コハク酸ソリフェナシン	5mg 1錠	過活動膀胱治療剤	1970
498	n498 ⓝ498	白	ソリフェナシンコハク酸塩OD錠2.5mg「日医工」(日医工)	コハク酸ソリフェナシン	2.5mg 1錠	過活動膀胱治療剤	1970
499	n499 ⓝ499	淡黄	ソリフェナシンコハク酸塩OD錠5mg「日医工」(日医工)	コハク酸ソリフェナシン	5mg 1錠	過活動膀胱治療剤	1970
500	500レベチラセタム／レベチラセタム500トーワ	黄　Ⓘ	レベチラセタム錠500mg「トーワ」(東和薬品／三和化学／共創未来)	レベチラセタム	500mg 1錠	抗てんかん剤	4399
	AA500 500／AA	紫	ザイティガ錠500mg(ヤンセン)	アビラテロン酢酸エステル	500mg 1錠	前立腺癌治療剤(CYP17阻害剤)	180
	BF500	白～微帯黄灰白	ホスレノールチュアブル錠500mg(バイエル薬品)	炭酸ランタン水和物	500mg 1錠	高リン血症治療剤	4174
	CHM VCV500 CHM／VCV500	白～微黄白	バラシクロビル錠500mg「CHM」(ケミックス)	バラシクロビル塩酸塩	500mg 1錠	抗ウイルス剤	2810
	CHP500	帯紫赤／帯青緑	ハイドレアカプセル500mg(クリニジェン)	ヒドロキシカルバミド	500mg 1カプセル	抗悪性腫瘍剤	2972
	DS272／500	白～帯黄白Ⓘ	メトグルコ500mg(住友ファーマ)	メトホルミン塩酸塩	500mg 1錠	ビグアナイド系血糖降下剤	3962
	DS272／500	白～帯黄白Ⓘ	メトホルミン塩酸塩錠500mgMT「DSPB」(住友プロモ／住友ファーマ)	メトホルミン塩酸塩	500mg 1錠	ビグアナイド系血糖降下剤	3962
	FJ67／500mg	薄橙　Ⓘ	レボフロキサシン錠500mg「F」(富士製薬)	レボフロキサシン水和物	500mg 1錠(レボフロキサシンとして)	ニューキノロン系抗菌剤	4432
	FOD500	白	ホスレノールOD錠500mg(バイエル薬品)	炭酸ランタン水和物	500mg 1錠	高リン血症治療剤	4174
	IC202／500 IC-202	白～灰白	炭酸ランタンOD錠500mg「イセイ」(コーアイセイ)	炭酸ランタン水和物	500mg 1錠	高リン血症治療剤	4174
	IW08／500mg	薄橙　Ⓘ	レボフロキサシン錠500mg「イワキ」(岩城)	レボフロキサシン水和物	500mg 1錠(レボフロキサシンとして)	ニューキノロン系抗菌剤	4432
	JG J07／500	白～微黄白	バラシクロビル錠500mg「JG」(日本ジェネリック)	バラシクロビル塩酸塩	500mg 1錠	抗ウイルス剤	2810
	KISSEI PA500	茶	ピートルチュアブル錠500mg(キッセイ)	スクロオキシ水酸化鉄	500mg 1錠	高リン血症治療剤	1742
	LFX500	薄橙　Ⓘ	レボフロキサシン錠500mg「科研」(シオノ／科研)	レボフロキサシン水和物	500mg 1錠(レボフロキサシンとして)	ニューキノロン系抗菌剤	4432
	LX500	薄橙　Ⓘ	レボフロキサシン錠500mg「ケミファ」(大興／日本ケミファ)	レボフロキサシン水和物	500mg 1錠(レボフロキサシンとして)	ニューキノロン系抗菌剤	4432
	MH646 500 MH646	白又はほとんど白	炭酸水素ナトリウム錠500mg「VTRS」(ヴィアトリス・ヘルスケア／ヴィアトリス)	炭酸水素ナトリウム	500mg 1錠	制酸・中和剤	2126
	NCP500	白～淡黄(灰白～淡灰黄の斑点)	メサラジン錠500mg「ケミファ」(日本ケミファ／日本薬品工業／共創未来)	メサラジン	500mg 1錠	潰瘍性大腸炎・クローン病治療剤	3911
	NS500／0.5	白	ドキサゾシン錠0.5mg「NS」(日新／第一三共エスファ)	ドキサゾシンメシル酸塩	0.5mg 1錠	α_1-遮断剤	2391
	O.S-OL500	白	セファレキシンドライシロップ小児用50%「日医工」(日医工)	セファレキシン	500mg 1g	セファロスポリン系抗生物質	1830
	Sc32／500	微黄　Ⓘ	メトホルミン塩酸塩錠500mgMT「三和」(三和化学)	メトホルミン塩酸塩	500mg 1錠	ビグアナイド系血糖降下剤	3962
	SLV500	薄橙　Ⓘ	レボフロキサシン錠500mg「サンド」(サンド)	レボフロキサシン水和物	500mg 1錠(レボフロキサシンとして)	ニューキノロン系抗菌剤	4432
	SW500	白　Ⓘ	シンバスタチン錠5mg「SW」(メディサ／沢井)	シンバスタチン	5mg 1錠	HMG-CoA還元酵素阻害剤	1728
	TEF2／500	微黄　Ⓘ	メトホルミン塩酸塩錠500mgMT「TE」(トーアエイヨー)	メトホルミン塩酸塩	500mg 1錠	ビグアナイド系血糖降下剤	3962
	TU335／500	白	メトホルミン塩酸塩錠500mgMT「TCK」(辰巳化学)	メトホルミン塩酸塩	500mg 1錠	ビグアナイド系血糖降下剤	3962
	Tu-CG500	橙赤	メコバラミン錠500μg「TCK」(辰巳化学)	メコバラミン	0.5mg 1錠	補酵素型ビタミンB_{12}	3907
	Tw.L2 TwL2／500	薄橙　Ⓘ	レボフロキサシン錠500mg「トーワ」(東和薬品)	レボフロキサシン水和物	500mg 1錠(レボフロキサシンとして)	ニューキノロン系抗菌剤	4432

番号	識別コード	色 (⬜:割線有)	商品名(会社名)	一般名	規格単位	薬効	掲載 ページ
500	Tw.L4 TwL4／500	淡黄 ①	レボフロキサシンOD錠500mg「トーワ」(東和薬品)	レボフロキサシン水和物	500mg 1錠 (レボフロキサシンとして)	ニューキノロン系抗菌剤	4432
	Tw027／500	白～微黄白	バラシクロビル錠500mg「トーワ」(東和薬品)	バラシクロビル塩酸塩	500mg 1錠	抗ウイルス剤	2810
	Tw500／15	白～帯黄白①	ピオグリタゾン錠15mg「トーワ」(東和薬品)	ピオグリタゾン塩酸塩	15mg 1錠	インスリン抵抗性改善血糖降下剤	2912
	Tw719／500	白	アジスロマイシン錠500mg「トーワ」(東和薬品)	アジスロマイシン水和物	500mg 1錠	15員環マクロライド系抗生物質	30
	ucb500	黄	イーケプラ錠500mg(ユーシービー)	レベチラセタム	500mg 1錠	抗てんかん剤	4399
	UCY500	白～微帯黄白	ブフェニール錠500mg(オーファンパシフィック)	フェニル酪酸ナトリウム	500mg 1錠	尿素サイクル異常症薬	3132
	YA／500 YA500	白～帯黄白①	メトホルミン塩酸塩錠500mgMT「VTRS」(ヴィアトリス・ヘルスケア／ヴィアトリス)	メトホルミン塩酸塩	500mg 1錠	ビグアナイド系血糖降下剤	3962
	YD567 レボフロキサシン500 YD	薄橙 ①	レボフロキサシン錠500mg「陽進」(陽進堂)	レボフロキサシン水和物	500mg 1錠 (レボフロキサシンとして)	ニューキノロン系抗菌剤	4432
	YO MG0／500	白	酸化マグネシウム錠500mg「ヨシダ」(吉田／共創未来)	酸化マグネシウム	500mg 1錠	制酸・緩下剤	3798
	Z134／500	白	ファムシクロビル錠500mg「日本臓器」(小財家／日本臓器)	ファムシクロビル	500mg 1錠	抗ヘルペスウイルス剤	3077
	⚠317／25/500	微赤	イニシンク配合錠(帝人／武田薬品)	アログリプチン安息香酸塩・メトホルミン塩酸塩	1錠	選択的DPP-4阻害剤/ビグアナイド系薬配合剤・2型糖尿病治療剤	358
	⚠321／15／500	白	メタクト配合錠LD(武田テバ薬品／武田薬品)	ピオグリタゾン塩酸塩・メトホルミン塩酸塩	1錠	チアゾリジン系薬・ビグアナイド系薬配合2型糖尿病治療剤	2919
	⚠322／30／500	帯黄白	メタクト配合錠HD(武田テバ薬品／武田薬品)	ピオグリタゾン塩酸塩・メトホルミン塩酸塩	1錠	チアゾリジン系薬・ビグアナイド系薬配合2型糖尿病治療剤	2919
	Kowa500	白 ①	コメリアンコーワ錠100(興和)	ジラゼプ塩酸塩水和物	100mg 1錠	心・腎疾患治療剤	1700
	n759／ メトホルミン500 n759 メトホルミン500 n759	白 ①	メトホルミン塩酸塩錠500mgMT「日医工」(日医工)	メトホルミン塩酸塩	500mg 1錠	ビグアナイド系血糖降下剤	3962
	n790／500 n790 500 n790	白	アジスロマイシン錠500mg「日医工」(日医工)	アジスロマイシン水和物	500mg 1錠	15員環マクロライド系抗生物質	30
	ⓀPTG500	茶	ピートル顆粒分包500mg(キッセイ)	スクロオキシ水酸化鉄	500mg 1包	高リン血症治療剤	1742
	アセトアミノフェン500／ アセトアミノフェン500マルイシ	白	アセトアミノフェン錠500mg「マルイシ」(丸石)	アセトアミノフェン	500mg 1錠	アミノフェノール系解熱鎮痛剤	77
	カマ500KE03	白	酸化マグネシウム錠500mg「ケンエー」(健栄／日本ジェネリック)	酸化マグネシウム	500mg 1錠	制酸・緩下剤	3798
	カマ500KE03	白(ピンク)	酸化マグネシウム錠500mg「ケンエー」(健栄)	酸化マグネシウム	500mg 1錠	制酸・緩下剤	3798
	カルボシステイン500 JG	白 ①	カルボシステイン錠500mg「JG」(日本ジェネリック／共創未来)	L-カルボシステイン	500mg 1錠	気道粘液調整・粘膜正常化剤	1166
	クラビット／ 500mg	薄橙	クラビット錠500mg(第一三共)	レボフロキサシン水和物	500mg 1錠 (レボフロキサシンとして)	ニューキノロン系抗菌剤	4432
	ツイミーグ500	白～帯黄白	ツイミーグ錠500mg(住友ファーマ)	イメグリミン塩酸塩	500mg 1錠	糖尿病用剤	511
	バラシクロ／ 500EE バラシクロ 500EE	白～微黄白①	バラシクロビル錠500mg「EE」(エルメッド／日医工)	バラシクロビル塩酸塩	500mg 1錠	抗ウイルス剤	2810
	バラシクロビル500 DSEP／ バラシクロビル500 第一三共エスファ	白～微黄白	バラシクロビル錠500mg「DSEP」(第一三共エスファ)	バラシクロビル塩酸塩	500mg 1錠	抗ウイルス剤	2810
	バラシクロビル500 FFP	白～微黄白	バラシクロビル錠500mg「FFP」(共創未来)	バラシクロビル塩酸塩	500mg 1錠	抗ウイルス剤	2810
	バラシクロビル500mg NIG	白～微黄白	バラシクロビル錠500mg「NIG」(日医工岐阜／日医工／武田薬品)	バラシクロビル塩酸塩	500mg 1錠	抗ウイルス剤	2810
	バラシクロビル500 NPI	白～微黄白	バラシクロビル錠500mg「NPI」(日本薬品工業)	バラシクロビル塩酸塩	500mg 1錠	抗ウイルス剤	2810
	バラシクロビル500 SATO	白～微黄白	バラシクロビル錠500mg「サトウ」(佐藤)	バラシクロビル塩酸塩	500mg 1錠	抗ウイルス剤	2810
	バラシクロビル500 杏林	白～微黄白	バラシクロビル錠500mg「杏林」(キョーリンリメディオ／杏林)	バラシクロビル塩酸塩	500mg 1錠	抗ウイルス剤	2810

番号	識別コード	色 (Ⓘ:割線有)	商品名(会社名)	一般名	規格単位	薬効	掲載ページ
500	バラシクロビル500 三和	白〜微黄白	バラシクロビル錠500mg「三和」(三和化学)	バラシクロビル塩酸塩	500mg 1錠	抗ウイルス剤	2810
	バラシクロビル500 Z131	白〜微黄白	バラシクロビル錠500mg「日本臓器」(東洋カプセル/日本臓器)	バラシクロビル塩酸塩	500mg 1錠	抗ウイルス剤	2810
	バラシクロビル500 アメル	白〜微黄白	バラシクロビル錠500mg「アメル」(共和薬品)	バラシクロビル塩酸塩	500mg 1錠	抗ウイルス剤	2810
	バラシクロビル500 イワキ	白〜微黄白	バラシクロビル錠500mg「イワキ」(岩城)	バラシクロビル塩酸塩	500mg 1錠	抗ウイルス剤	2810
	バラシクロビル500 ケミファ	白〜微黄白	バラシクロビル錠500mg「ケミファ」(日本ケミファ/日本薬品工業)	バラシクロビル塩酸塩	500mg 1錠	抗ウイルス剤	2810
	バラシクロビル500 ニプロ	白〜微黄白	バラシクロビル錠500mg「NP」(ニプロ)	バラシクロビル塩酸塩	500mg 1錠	抗ウイルス剤	2810
	バラシクロビル SW500	白〜微黄白Ⓘ	バラシクロビル錠500mg「サワイ」(沢井)	バラシクロビル塩酸塩	500mg 1錠	抗ウイルス剤	2810
	マグミット500	白	マグミット錠500mg(マグミット製薬/フェルゼン/シオエ/日本新薬/丸石)	酸化マグネシウム	500mg 1錠	制酸・緩下剤	3798
	メコバラYD500 YD242	赤	メコバラミン錠500μg「YD」(陽進堂)	メコバラミン	0.5mg 1錠	補酵素型ビタミンB12	3907
	メコバラミン500 JG	白	メコバラミン錠500μg「JG」(日本ジェネリック/日創未来)	メコバラミン	0.5mg 1錠	補酵素型ビタミンB12	3907
	メトホル500/ メトホルミン500 トーワ	白　Ⓘ	メトホルミン塩酸塩錠500mgMT「トーワ」(東和薬品)	メトホルミン塩酸塩	500mg 1錠	ビグアナイド系血糖降下剤	3962
	メトホルミン DSEP500MT	白〜帯黄白Ⓘ	メトホルミン塩酸塩錠500mgMT「DSEP」(第一三共エスファ)	メトホルミン塩酸塩	500mg 1錠	ビグアナイド系血糖降下剤	3962
	メトホルミン MT500JG	白　Ⓘ	メトホルミン塩酸塩錠500mgMT「JG」(日本ジェネリック)	メトホルミン塩酸塩	500mg 1錠	ビグアナイド系血糖降下剤	3962
	メトホルミン MT500ニプロ	白〜帯黄白Ⓘ	メトホルミン塩酸塩錠500mgMT「ニプロ」(ニプロ)	メトホルミン塩酸塩	500mg 1錠	ビグアナイド系血糖降下剤	3962
	ランタン500/ フソー	白〜灰白	炭酸ランタンOD錠500mg「フソー」(扶桑薬品)	炭酸ランタン水和物	500mg 1錠	高リン血症治療剤	4174
	ランタンJG/ 500	白〜灰白	炭酸ランタンOD錠500mg「JG」(日本ジェネリック)	炭酸ランタン水和物	500mg 1錠	高リン血症治療剤	4174
	レベチラ/ 500NS	黄	レベチラセタム錠500mg「日新」(日新)	レベチラセタム	500mg 1錠	抗てんかん剤	4399
	レベチラ/500 メイジ	黄　Ⓘ	レベチラセタム錠500mg「明治」(Meiji Seika)	レベチラセタム	500mg 1錠	抗てんかん剤	4399
	レベチラセタム500 JG	黄	レベチラセタム錠500mg「JG」(日本ジェネリック)	レベチラセタム	500mg 1錠	抗てんかん剤	4399
	レベチラセタム500/ VTRS	黄　Ⓘ	レベチラセタム錠500mg「VTRS」(ダイト/ヴィアトリス)	レベチラセタム	500mg 1錠	抗てんかん剤	4399
	レベチラセタム500 杏林	黄　Ⓘ	レベチラセタム錠500mg「杏林」(キョーリンリメディオ/杏林)	レベチラセタム	500mg 1錠	抗てんかん剤	4399
	レベチラセタム500 日医工	黄　Ⓘ	レベチラセタム錠500mg「日医工」(日医工)	レベチラセタム	500mg 1錠	抗てんかん剤	4399
	レベチラセタム500 アメル	黄	レベチラセタム錠500mg「アメル」(共和薬品)	レベチラセタム	500mg 1錠	抗てんかん剤	4399
	レベチラセタム500 サワイ	黄　Ⓘ	レベチラセタム錠500mg「サワイ」(沢井)	レベチラセタム	500mg 1錠	抗てんかん剤	4399
	レベチラセタム500 サンド	黄	レベチラセタム錠500mg「サンド」(サンド)	レベチラセタム	500mg 1錠	抗てんかん剤	4399
	レベチラセタム500 タカタ	黄	レベチラセタム錠500mg「タカタ」(高田)	レベチラセタム	500mg 1錠	抗てんかん剤	4399
	レベチラセタム500 フェルゼン	黄　Ⓘ	レベチラセタム錠500mg「フェルゼン」(フェルゼン)	レベチラセタム	500mg 1錠	抗てんかん剤	4399
	レボフロ/ 500EP レボフロ500EP	薄橙　Ⓘ	レボフロキサシン錠500mg「DSEP」(第一三共エスファ)	レボフロキサシン水和物	500mg 1錠(レボフロキサシンとして)	ニューキノロン系抗菌剤	4432
	レボフロキサシン500 杏林	薄橙　Ⓘ	レボフロキサシン錠500mg「杏林」(キョーリンリメディオ/日本薬品工業/杏林)	レボフロキサシン水和物	500mg 1錠(レボフロキサシンとして)	ニューキノロン系抗菌剤	4432
	レボフロキサシン500 日医工 ⓝ954	薄橙　Ⓘ	レボフロキサシン錠500mg「日医工」(日医工)	レボフロキサシン水和物	500mg 1錠(レボフロキサシンとして)	ニューキノロン系抗菌剤	4432
	レボフロキサシン500 タカタ	薄橙　Ⓘ	レボフロキサシン錠500mg「タカタ」(高田)	レボフロキサシン水和物	500mg 1錠(レボフロキサシンとして)	ニューキノロン系抗菌剤	4432

番号	識別コード	色 (◐：割線有)	商品名(会社名)	一般名	規格単位	薬効	掲載 ページ
500	レボフロキサシン SW500	薄橙　◐	レボフロキサシン錠500mg「サワイ」 (沢井)	レボフロキサシン水和物	500mg 1錠 (レボフロキ サシンとし て)	ニューキノロン系抗菌剤	4432
	レボフロキサシン ZE500	薄橙　◐	レボフロキサシン錠500mg「ZE」(全 星薬品工業/全星薬品)	レボフロキサシン水和物	500mg 1錠 (レボフロキ サシンとし て)	ニューキノロン系抗菌剤	4432
	レボフロキサシン セオリア500mg	薄橙　◐	レボフロキサシン錠500mg「CEO」 (セオリア/武田薬品)	レボフロキサシン水和物	500mg 1錠 (レボフロキ サシンとし て)	ニューキノロン系抗菌剤	4432
501	CG501	微帯黄白～ 淡黄	メトピロンカプセル250mg(セオリア /武田薬品)	メチラポン	250mg 1カプ セル	下垂体ACTH分泌機能検査 薬，副腎皮質ホルモン合成阻 害剤	3922
	DK501	薄紅　◐	ドパコール配合錠L250(ダイト/扶桑 薬品)	レボドパ・カルビドパ水和 物	1錠	パーキンソニズム治療剤	4415
	TU501	白	セチリジン塩酸塩錠5mg「TCK」(辰 巳化学)	セチリジン塩酸塩	5mg 1錠	持続性選択H₁-受容体拮抗剤	1806
	Tw501／30	白～帯黄白◐	ピオグリタゾン錠30mg「トーワ」(東 和薬品)	ピオグリタゾン塩酸塩	30mg 1錠	インスリン抵抗性改善血糖降 下剤	2912
	⬡501	淡褐	硝酸イソソルビドテープ40mg「東光」 (東光薬品/日本ジェネリック/ラクー ル)	硝酸イソソルビド	40mg 1枚	冠動脈拡張剤	1693
	Kowa501	白	レミカットカプセル1mg(興和)	エメダスチンフマル酸塩	1mg 1カプセ ル	アレルギー性疾患治療剤	855
	⊕HP501	白～淡黄	ジクロフェナクNa坐剤25mg「日新」 (日新/久光)	ジクロフェナクナトリウム	25mg 1個	フェニル酢酸系消炎鎮痛剤	1579
	ツムラ-501	赤紫	ツムラ紫雲膏(ツムラ)	紫雲膏	1g	漢方製剤	4602
502	DK502	薄桃　◐	エナラプリルマレイン酸塩錠10mg「フ ソー」(ダイト/扶桑薬品)	エナラプリルマレイン酸塩	10mg 1錠	ACE阻害剤	767
	Kw502／100	黄	バルプロ酸ナトリウム錠100mg「アメ ル」(共和薬品)	バルプロ酸ナトリウム	100mg 1錠	抗てんかん，躁病・躁状態， 片頭痛治療剤	2858
	NF502	薄橙～橙	パントシン錠30(アルフレッサファー マ)	パンテチン	30mg 1錠	代謝異常改善剤	2900
	NS502	薄桃　◐	エナラプリルマレイン酸塩錠5mg「日 新」(日新/第一三共エスファ)	エナラプリルマレイン酸塩	5mg 1錠	ACE阻害剤	767
	t502 25mg／ t502	淡青／白	ピルシカイニド塩酸塩カプセル25mg 「NIG」(日医工岐阜/日医工/武田薬 品)	ピルシカイニド塩酸塩水和 物	25mg 1カプ セル	不整脈治療剤	3041
	TTS502／50 TTS-502	白	サルポグレラート塩酸塩錠50mg「タカ タ」(高田)	サルポグレラート塩酸塩	50mg 1錠	5-HT₂ブロッカー	1538
	TU502	白	セチリジン塩酸塩錠10mg「TCK」(辰 巳化学)	セチリジン塩酸塩	10mg 1錠	持続性選択H₁-受容体拮抗剤	1806
	Tw502／15	淡黄白　◐	ピオグリタゾンOD錠15mg「トーワ」 (東和薬品)	ピオグリタゾン塩酸塩	15mg 1錠	インスリン抵抗性改善血糖降 下剤	2912
	Kowa502	白	レミカットカプセル2mg(興和)	エメダスチンフマル酸塩	2mg 1カプセ ル	アレルギー性疾患治療剤	855
	P502	薄橙	ノリトレン錠10mg(住友ファーマ)	ノルトリプチリン塩酸塩	10mg 1錠	三環系情動調整剤	2740
	⊕HP502	白～淡黄	ジクロフェナクNa坐剤50mg「日新」 (日新/久光)	ジクロフェナクナトリウム	50mg 1個	フェニル酢酸系消炎鎮痛剤	1579
503	503／1MG 503：1MG	白	インチュニブ錠1mg(武田薬品)	グアンファシン塩酸塩	1mg 1錠	注意欠陥/多動性障害治療 剤・選択的α₂ₐアドレナリン 受容体作動薬	1222
	503／3MG 503：3MG	淡緑白	インチュニブ錠3mg(武田薬品)	グアンファシン塩酸塩	3mg 1錠	注意欠陥/多動性障害治療 剤・選択的α₂ₐアドレナリン 受容体作動薬	1222
	DK503	白　　◐	ロラタジン錠10mg「ケミファ」(ダイ ト/日本薬品工業/日本ケミファ)	ロラタジン	10mg 1錠	持続性選択H₁-受容体拮抗・ アレルギー治療剤	4545
	Kw503／PI15	白～帯黄白◐	ピオグリタゾン錠15mg「アメル」(共 和薬品)	ピオグリタゾン塩酸塩	15mg 1錠	インスリン抵抗性改善血糖降 下剤	2912
	NF503	白～微黄白	パントシン錠60(アルフレッサファー マ)	パンテチン	60mg 1錠	代謝異常改善剤	2900
	SW503	白～微黄白	ジソピラミド徐放錠150mg「SW」(沢 井)	ジソピラミド	150mg 1錠	不整脈治療剤	1608
	t503 50mg／ t503	青／白	ピルシカイニド塩酸塩カプセル50mg 「NIG」(日医工岐阜/日医工/武田薬 品)	ピルシカイニド塩酸塩水和 物	50mg 1カプ セル	不整脈治療剤	3041
	TTS503／100 TTS-503	白	サルポグレラート塩酸塩錠100mg「タ カタ」(高田)	サルポグレラート塩酸塩	100mg 1錠	5-HT₂ブロッカー	1538
	Tw503／30	淡黄白　◐	ピオグリタゾンOD錠30mg「トーワ」 (東和薬品)	ピオグリタゾン塩酸塩	30mg 1錠	インスリン抵抗性改善血糖降 下剤	2912
	P503 25／P503	橙	ノリトレン錠25mg(住友ファーマ)	ノルトリプチリン塩酸塩	25mg 1錠	三環系情動調整剤	2740

番号	識別コード	色（①：割線有）	商品名（会社名）	一般名	規格単位	薬効	掲載ページ
504	DK504	白	ロラタジンOD錠10mg「ケミファ」（ダイト／日本薬品工業／日本ケミファ）	ロラタジン	10mg 1錠	持続性選択H₁-受容体拮抗・アレルギー治療剤	4545
	MI504	白〜帯黄白	バランス錠5mg（丸石）	クロルジアゼポキシド	5mg 1錠	マイナートランキライザー	1376
	NF504	白〜微黄白	パントシン錠100（アルフレッサファーマ）	パンテチン	100mg 1錠	代謝異常改善剤	2900
	t504	白	沈降炭酸カルシウム錠250mg「NIG」（日医工岐阜／日医工／武田薬品）	沈降炭酸カルシウム	250mg 1錠	制酸吸着・高リン血症剤	1132
	TA504	白	サアミオン散1%（田辺三菱）	ニセルゴリン	1% 1g	脳循環代謝改善剤	2639
	ピタバスタチン1日医工 ⑩504	極薄黄赤	ピタバスタチンカルシウム錠1mg「日医工」（日医工）	ピタバスタチンカルシウム水和物	1mg 1錠	HMG-CoA還元酵素阻害剤	2948
505	DK／505 DK505	白	アナストロゾール錠1mg「ケミファ」（ダイト／日本ケミファ）	アナストロゾール	1mg 1錠	アロマターゼ阻害・閉経後乳癌治療剤	147
	Kw505／PI30	白〜帯黄白①	ピオグリタゾン錠30mg「アメル」（共和薬品）	ピオグリタゾン塩酸塩	30mg 1錠	インスリン抵抗性改善血糖降下剤	2912
	M505	白	カルタン錠500（ヴィアトリス／扶桑薬品）	沈降炭酸カルシウム	500mg 1錠	制酸吸着・高リン血症剤	1132
	MI505	白〜帯黄白	バランス錠10mg（丸石）	クロルジアゼポキシド	10mg 1錠	マイナートランキライザー	1376
	NF505	白〜微黄白	パントシン錠200（アルフレッサファーマ）	パンテチン	200mg 1錠	代謝異常改善剤	2900
	t505	白	沈降炭酸カルシウム錠500mg「NIG」（日医工岐阜／日医工／武田薬品）	沈降炭酸カルシウム	500mg 1錠	制酸吸着・高リン血症剤	1132
	Tw505	白	シンバスタチン錠20mg「トーワ」（東和薬品）	シンバスタチン	20mg 1錠	HMG-CoA還元酵素阻害剤	1728
	テプレノン 50mg SW-505 SW-505	灰青緑／淡橙	テプレノンカプセル50mg「サワイ」（沢井）	テプレノン	50mg 1カプセル	テルペン系胃炎・胃潰瘍治療剤	2315
	ピタバスタチン2日医工 ⑩505	極薄黄赤	ピタバスタチンカルシウム錠2mg「日医工」（日医工）	ピタバスタチンカルシウム水和物	2mg 1錠	HMG-CoA還元酵素阻害剤	2948
506	DK506	白	ロサルタンK錠25mg「科研」（ダイト／科研）	ロサルタンカリウム	25mg 1錠	アンジオテンシンⅡ受容体拮抗剤	4481
	M506	白	カルタン錠250（ヴィアトリス）	沈降炭酸カルシウム	250mg 1錠	制酸吸着・高リン血症剤	1132
	TA506	白〜微黄白	タナドーパ顆粒75%（田辺三菱）	ドカルパミン	75% 1g	ドパミンプロドラッグ	2390
	⊠506	無〜淡黄半透明（褐）	ケトプロフェンテープ20mg「東光」（東光薬品／ラクール）	ケトプロフェン	7cm×10cm 1枚	プロピオン酸系消炎鎮痛剤	1410
	ピタバスタチン4日医工 ⑩506	淡黄	ピタバスタチンカルシウム錠4mg「日医工」（日医工）	ピタバスタチンカルシウム水和物	4mg 1錠	HMG-CoA還元酵素阻害剤	2948
507	DK507	白	ロサルタンK錠50mg「科研」（ダイト／科研）	ロサルタンカリウム	50mg 1錠	アンジオテンシンⅡ受容体拮抗剤	4481
	M507	白	カルタンOD錠500mg（ヴィアトリス／扶桑薬品）	沈降炭酸カルシウム	500mg 1錠	制酸吸着・高リン血症剤	1132
	NS507	白 ①	ドキサゾシン錠1mg「NS」（日新／第一三共エスファ）	ドキサゾシンメシル酸塩	1mg 1錠	α₁-遮断剤	2391
	t507	白	エパルレスタット錠50mg「NIG」（日医工岐阜／科研／日医工／武田薬品）	エパルレスタット	50mg 1錠	アルドース還元酵素阻害剤	779
	Tw507／12.5	淡黄 ①	ヒドロクロロチアジドOD錠12.5mg「トーワ」（東和薬品）	ヒドロクロロチアジド	12.5mg 1錠	チアジド系降圧利尿剤	2982
	⊠507	無〜淡黄半透明（褐）	ケトプロフェンテープ40mg「東光」（東光薬品／ラクール）	ケトプロフェン	10cm×14cm 1枚	プロピオン酸系消炎鎮痛剤	1410
508	DK508	白	ロサルタンK錠100mg「科研」（ダイト／科研）	ロサルタンカリウム	100mg 1錠	アンジオテンシンⅡ受容体拮抗剤	4481
	M508	白	カルタンOD錠250mg（ヴィアトリス）	沈降炭酸カルシウム	250mg 1錠	制酸吸着・高リン血症剤	1132
	NS508	淡橙 ①	ドキサゾシン錠2mg「NS」（日新／第一三共エスファ）	ドキサゾシンメシル酸塩	2mg 1錠	α₁-遮断剤	2391
	⊠508	淡黄半透明	ロキソプロフェンNaテープ50mg「ラクール」（東光薬品／ラクール）	ロキソプロフェンナトリウム水和物	7cm×10cm 1枚	プロピオン酸系消炎鎮痛剤	4473
509	DK509／2.5	淡黄赤	オロパタジン塩酸塩錠2.5mg「AA」（ダイト／あすか／武田薬品）	オロパタジン塩酸塩	2.5mg 1錠	アレルギー性疾患治療剤	1037
	DK509／2.5	淡黄赤	オロパタジン塩酸塩錠2.5mg「ダイト」（ダイト／共創未来）	オロパタジン塩酸塩	2.5mg 1錠	アレルギー性疾患治療剤	1037
	NS509／4	白 ①	ドキサゾシン錠4mg「NS」（日新／第一三共エスファ）	ドキサゾシンメシル酸塩	4mg 1錠	α₁-遮断剤	2391
	VLE509／CR	白	ジソピラミド徐放錠150mg「VTRS」（ヴィアトリス・ヘルスケア／ヴィアトリス）	ジソピラミド	150mg 1錠	不整脈治療剤	1608
	⊠509	淡黄半透明	ロキソプロフェンNaテープ100mg「ラクール」（東光薬品／ラクール）	ロキソプロフェンナトリウム水和物	10cm×14cm 1枚	プロピオン酸系消炎鎮痛剤	4473
510	DK510	淡黄赤 ①	オロパタジン塩酸塩錠5mg「AA」（ダイト／あすか／武田薬品）	オロパタジン塩酸塩	5mg 1錠	アレルギー性疾患治療剤	1037

500

番号	識別コード	色 (①：割線有)	商品名(会社名)	一般名	規格単位	薬効	掲載ページ
510	DK510	淡黄赤 ①	オロパタジン塩酸塩錠5mg「ダイト」(ダイト／共創未来)	オロパタジン塩酸塩	5mg 1錠	アレルギー性疾患治療剤	1037
	GSI／510 GSI-510	緑	ゲンボイヤ配合錠(ギリアド)	エルビテグラビル・コビシスタット・エムトリシタビン・テノホビル・アラフェナミドフマル酸塩	1錠	抗ウイルス化学療法剤	881
	MI510	白	ホリゾン錠2mg(丸石)	ジアゼパム	2mg 1錠	マイナートランキライザー	1553
	NS510	白	ファモチジンOD錠10mg「日新」(日新)	ファモチジン	10mg 1錠	H₂-受容体拮抗剤	3079
511	DK511／10	淡紅白	パロキセチン錠10mg「科研」(ダイト／科研)	パロキセチン塩酸塩水和物	10mg 1錠	選択的セロトニン再取り込み阻害剤(SSRI)	2878
	DSC511	白	ヴァンフリタ錠17.7mg(第一三共)	キザルチニブ塩酸塩	17.7mg 1錠	抗悪性腫瘍剤・FLT3阻害剤	1196
	MI511	白	ホリゾン錠5mg(丸石)	ジアゼパム	5mg 1錠	マイナートランキライザー	1553
	NS511	白 ①	ファモチジンOD錠20mg「日新」(日新)	ファモチジン	20mg 1錠	H₂-受容体拮抗剤	3079
	Sc511	白	沈降炭酸カルシウム錠250mg「三和」(三和化学)	沈降炭酸カルシウム	250mg 1錠	制酸吸着・高リン血症剤	1132
	SW511	白〜微黄白	ファモチジン錠10「サワイ」(沢井)	ファモチジン	10mg 1錠	H₂-受容体拮抗剤	3079
	YD511／2.5	白	レボセチリジン塩酸塩OD錠2.5mg「YD」(陽進堂)	レボセチリジン塩酸塩	2.5mg 1錠	持続性選択H₁-受容体拮抗剤	4407
512	DK512／20	淡紅白	パロキセチン錠20mg「科研」(ダイト／科研)	パロキセチン塩酸塩水和物	20mg 1錠	選択的セロトニン再取り込み阻害剤(SSRI)	2878
	DSC512	黄	ヴァンフリタ錠26.5mg(第一三共)	キザルチニブ塩酸塩	26.5mg 1錠	抗悪性腫瘍剤・FLT3阻害剤	1196
	Sc512	白	沈降炭酸カルシウム錠500mg「三和」(三和化学)	沈降炭酸カルシウム	500mg 1錠	制酸吸着・高リン血症剤	1132
	SW512	白〜微黄白①	ファモチジン20「サワイ」(沢井)	ファモチジン	20mg 1錠	H₂-受容体拮抗剤	3079
	YD512／5	白 ①	レボセチリジン塩酸塩OD錠5mg「YD」(陽進堂)	レボセチリジン塩酸塩	5mg 1錠	持続性選択H₁-受容体拮抗剤	4407
513	DK513／5	帯紅白	パロキセチン錠5mg「科研」(ダイト／科研)	パロキセチン塩酸塩水和物	5mg 1錠	選択的セロトニン再取り込み阻害剤(SSRI)	2878
	KW513	白	ヒスタブロック配合錠(共和薬品)	ベタメタゾン・d-クロルフェニラミンマレイン酸塩	1錠	副腎皮質ホルモン配合剤	3499
	SW-513	白	ファモチジン細粒2%「サワイ」(沢井)	ファモチジン	2% 1g	H₂-受容体拮抗剤	3079
514	DK514／50	淡黄白〜淡黄	リルゾール錠50mg「AA」(ダイト／あすか／武田薬品)	リルゾール	50mg 1錠	筋萎縮性側索硬化症用剤	4298
	n514 ⓝ514	白	アスピリン腸溶錠100mg「日医工」(日医工)	アスピリン	100mg 1錠	サリチル酸系解熱鎮痛・抗血小板剤	51
515	DK515／2.5	極薄黄	オロパタジン塩酸塩OD錠2.5mg「AA」(ダイト／あすか／武田薬品)	オロパタジン塩酸塩	2.5mg 1錠	アレルギー性疾患治療剤	1037
	DK515／2.5	極薄黄	オロパタジン塩酸塩OD錠2.5mg「ダイト」(ダイト／共創未来)	オロパタジン塩酸塩	2.5mg 1錠	アレルギー性疾患治療剤	1037
	NP515／80 NP-515	白	ビカルタミド錠80mg「NP」(ニプロ)	ビカルタミド	80mg 1錠	前立腺癌治療剤	2926
	SS515	淡橙 ①	ドラール錠15(久光)	クアゼパム	15mg 1錠	ベンゾジアゼピン系睡眠障害改善剤	1218
	Tw515／5	淡黄	メロキシカム錠5mg「トーワ」(東和薬品)	メロキシカム	5mg 1錠	非ステロイド性消炎鎮痛剤	4000
	◆515	緑／黄緑透明	トリテレン・カプセル50mg(京都薬品／住友ファーマ)	トリアムテレン	50mg 1カプセル	抗アルドステロン性降圧利尿剤	2517
516	DK516／5	極薄黄	オロパタジン塩酸塩OD錠5mg「AA」(ダイト／あすか／武田薬品)	オロパタジン塩酸塩	5mg 1錠	アレルギー性疾患治療剤	1037
	DK516／5	極薄黄	オロパタジン塩酸塩OD錠5mg「ダイト」(ダイト／共創未来)	オロパタジン塩酸塩	5mg 1錠	アレルギー性疾患治療剤	1037
517	DK517	極薄橙	フェキソフェナジン塩酸塩錠30mg「ダイト」(ダイト／フェルゼン／科研)	フェキソフェナジン塩酸塩	30mg 1錠	アレルギー性疾患治療剤	3111
	NS517	黄 ①	ベニジピン塩酸塩錠4mg「NS」(日新／科研)	ベニジピン塩酸塩	4mg 1錠	ジヒドロピリジン系Ca拮抗剤	3524
	SW517	白	メトプロロール酒石酸塩錠20mg「サワイ」(沢井)	メトプロロール酒石酸塩	20mg 1錠	β₁-遮断剤	3960
	Tw517／10	淡黄 ①	メロキシカム錠10mg「トーワ」(東和薬品)	メロキシカム	10mg 1錠	非ステロイド性消炎鎮痛剤	4000
	000517	白	ステーブラOD錠0.1mg(小野薬品)	イミダフェナシン	0.1mg 1錠	過活動膀胱治療剤	501
	イルアミクスLD／DS517	白〜帯黄白	イルアミクス配合錠LD「DSPB」(住友プロモ／住友ファーマ)	イルベサルタン・アムロジピンベシル酸塩	1錠	長時間作用型アンギオテンシンⅡ受容体拮抗剤・持続性Ca拮抗剤配合剤	523
518	DK518	薄橙	フェキソフェナジン塩酸塩錠60mg「ダイト」(ダイト／フェルゼン／科研)	フェキソフェナジン塩酸塩	60mg 1錠	アレルギー性疾患治療剤	3111
520	DK／520 DK520	白	ピタバスタチンCa錠1mg「科研」(ダイト／科研)	ピタバスタチンカルシウム水和物	1mg 1錠	HMG-CoA還元酵素阻害剤	2948
	SS520	淡橙 ①	ドラール錠20(久光)	クアゼパム	20mg 1錠	ベンゾジアゼピン系睡眠障害改善剤	1218

500

番号	識別コード	色 (◨：割線有)	商品名(会社名)	一般名	規格単位	薬効	掲載 ページ
520	SW520／10	白	一硝酸イソソルビド錠10mg「サワイ」(沢井)	一硝酸イソソルビド	10mg 1錠	冠動脈拡張剤	1698
	t520	白　◨	メチルジゴキシン錠0.1mg「NIG」(日医工岐阜／日医工／武田薬品)	メチルジゴキシン	0.1mg 1錠	ジギタリス強心配糖体	3925
	TTS520 TTS-520	白　◨	リスペリドンOD錠1mg「タカタ」(高田)	リスペリドン	1mg 1錠	抗精神病，D₂・5-HT₂拮抗剤	4201
521	AK521	白　◨	ロラタジン錠10mg「AA」(あすか／武田薬品)	ロラタジン	10mg 1錠	持続性選択H₁-受容体拮抗・アレルギー治療剤	4545
	DK521	白　◨	ピタバスタチンCa錠2mg「科研」(ダイト／科研)	ピタバスタチンカルシウム水和物	2mg 1錠	HMG-CoA還元酵素阻害剤	2948
	KS521／3	黄	ドネペジル塩酸塩OD錠3mg「クニヒロ」(皇漢堂)	ドネペジル，-塩酸塩	3mg 1錠	アルツハイマー型，レビー小体型認知症治療剤	2426
	P521／30	白　◨	ナディック錠30mg (住友ファーマ)	ナドロール	30mg 1錠	β-遮断剤	2609
	SW521／25	白	アテノロール錠25mg「サワイ」(沢井)	アテノロール	25mg 1錠	β₁-遮断剤	115
	t521 t521[3mg]	白　◨	メキタジン錠3mg「NIG」(日医工岐阜／日医工／武田薬品)	メキタジン	3mg 1錠	フェノチアジン系抗ヒスタミン剤	3905
	TTS521 TTS-521	白　◨	リスペリドンOD錠2mg「タカタ」(高田)	リスペリドン	2mg 1錠	抗精神病，D₂・5-HT₂拮抗剤	4201
	TU521	白　◨	ロラタジン錠10mg「TCK」(辰巳化学／ニプロES)	ロラタジン	10mg 1錠	持続性選択H₁-受容体拮抗・アレルギー治療剤	4545
	◨521／200 ◨521：200	淡黄〜淡黄褐	ピレスパ錠200mg (塩野義)	ピルフェニドン	200mg 1錠	抗線維化剤	3054
522	DK522	白　◨	ピタバスタチンCa錠4mg「科研」(ダイト／科研)	ピタバスタチンカルシウム水和物	4mg 1錠	HMG-CoA還元酵素阻害剤	2948
	KS522／5	白	ドネペジル塩酸塩OD錠5mg「クニヒロ」(皇漢堂)	ドネペジル，-塩酸塩	5mg 1錠	アルツハイマー型，レビー小体型認知症治療剤	2426
	Kw522R	白	バルプロ酸ナトリウムSR錠100mg「アメル」(共和薬品)	バルプロ酸ナトリウム	100mg 1錠	抗てんかん，躁病・躁状態，片頭痛治療剤	2858
	NS522	白	プロピベリン塩酸塩錠10mg「NS」(日新)	プロピベリン塩酸塩	10mg 1錠	排尿抑制ベンジル酸誘導体	3433
	TTS522 TTS-522	白	リスペリドンOD錠3mg「タカタ」(高田)	リスペリドン	3mg 1錠	抗精神病，D₂・5-HT₂拮抗剤	4201
	YD522 1 YD522	白　◨	ドキサゾシン錠1mg「YD」(陽進堂／高田)	ドキサゾシンメシル酸塩	1mg 1錠	α₁-遮断剤	2391
	cH522 ch522	白　◨	トリヘキシフェニジル塩酸塩錠2mg「CH」(長生堂／日本ジェネリック)	トリヘキシフェニジル塩酸塩	2mg 1錠	抗パーキンソン剤	2523
523	DK／523 DK523	帯赤黄	レトロゾール錠2.5mg「ケミファ」(ダイト／日本ケミファ)	レトロゾール	2.5mg 1錠	アロマターゼ阻害剤	4372
	NS523	白	プロピベリン塩酸塩錠20mg「NS」(日新)	プロピベリン塩酸塩	20mg 1錠	排尿抑制ベンジル酸誘導体	3433
	TTS523／0.5 TTS-523	白	リスペリドンOD錠0.5mg「タカタ」(高田)	リスペリドン	0.5mg 1錠	抗精神病，D₂・5-HT₂拮抗剤	4201
	YD523 2 YD523	淡橙	ドキサゾシン錠2mg「YD」(陽進堂／高田)	ドキサゾシンメシル酸塩	2mg 1錠	α₁-遮断剤	2391
524	t524	白	ランソプラゾールカプセル15mg「NIG」(日医工岐阜／日医工／武田薬品)	ランソプラゾール	15mg 1カプセル	プロトンポンプインヒビター	4168
	Tw524／100	白〜微黄	アミオダロン塩酸塩錠100mg「トーワ」(東和薬品)	アミオダロン塩酸塩	100mg 1錠	不整脈治療剤	221
	YD524	白　◨	ファモチジンOD錠20mg「YD」(陽進堂／ニプロ)	ファモチジン	20mg 1錠	H₂-受容体拮抗剤	3079
525	NP525／50 NP-525	白	サルポグレラート塩酸塩錠50mg「NP」(ニプロ)	サルポグレラート塩酸塩	50mg 1錠	5-HT₂ブロッカー	1538
	t525	白	ランソプラゾールカプセル30mg「NIG」(日医工岐阜／日医工／武田薬品)	ランソプラゾール	30mg 1カプセル	プロトンポンプインヒビター	4168
	Tw525／0.1	白	タムスロシン塩酸塩OD錠0.1mg「トーワ」(東和薬品)	タムスロシン塩酸塩	0.1mg 1錠	α₁-遮断剤	2075
	YD525／0.2	白　◨	ボグリボース錠0.2mg「YD」(陽進堂／共創未来)	ボグリボース	0.2mg 1錠	α-グルコシダーゼ阻害・食後過血糖改善剤	3668
	n525 ⓝ525	白　◨	プリミドン錠250mg「日医工」(日医工)	プリミドン	250mg 1錠	バルビツール酸系抗てんかん剤	3282
526	t526	極薄黄／白	タムスロシン塩酸塩カプセル0.1mg「NIG」(日医工岐阜／日医工／武田薬品)	タムスロシン塩酸塩	0.1mg 1カプセル	α₁-遮断剤	2075
	YD526／0.3	白	ボグリボース錠0.3mg「YD」(陽進堂／共創未来)	ボグリボース	0.3mg 1錠	α-グルコシダーゼ阻害・食後過血糖改善剤	3668
527	BMS／527 BMS527	白〜微黄白	スプリセル錠20mg (ブリストル)	ダサチニブ	20mg 1錠	抗悪性腫瘍剤・チロシンキナーゼ阻害剤	2014
	KS527／10	淡赤	ドネペジル塩酸塩OD錠10mg「クニヒロ」(皇漢堂)	ドネペジル，-塩酸塩	10mg 1錠	アルツハイマー型，レビー小体型認知症治療剤	2426

500

番号	識別コード	色 (①:割線有)	商品名(会社名)	一般名	規格単位	薬効	掲載 ページ
527	NP527／100 NP-527	白	サルポグレラート塩酸塩錠100mg「NP」(ニプロ)	サルポグレラート塩酸塩	100mg 1錠	5-HT$_2$ブロッカー	1538
	NS527	薄桃　①	エナラプリルマレイン酸塩錠10mg「日新」(日新／第一三共エスファ)	エナラプリルマレイン酸塩	10mg 1錠	ACE阻害剤	767
	t527	極薄赤／白	タムスロシン塩酸塩カプセル0.2mg「NIG」(日医工岐阜／日医工／武田薬品)	タムスロシン塩酸塩	0.2mg 1カプセル	α_1-遮断剤	2075
	Tw527／0.2	白	タムスロシン塩酸塩OD錠0.2mg「トーワ」(東和薬品)	タムスロシン塩酸塩	0.2mg 1錠	α_1-遮断剤	2075
	イルアミクスHD／ DS527	薄橙	イルアミクス配合錠HD「DSPB」(住友ブロモ／住友ファーマ)	イルベサルタン・アムロジピンベシル酸塩	1錠	長時間作用型アンギオテンシンⅡ受容体拮抗剤・持続性Ca拮抗剤配合剤	523
528	BMS／528 BMS528	白〜微黄白	スプリセル錠50mg(ブリストル)	ダサチニブ	50mg 1錠	抗悪性腫瘍剤・チロシンキナーゼ阻害剤	2014
	SW528	白〜帯黄白	ニセルゴリン錠5mg「サワイ」(沢井)	ニセルゴリン	5mg 1錠	脳循環代謝改善剤	2639
530	530 Kowa	白	ハイパジールコーワ錠3(興和)	ニプラジロール	3mg 1錠	β-遮断剤	2656
	LDロサルヒド科研 DK530	白	ロサルヒド配合錠LD「科研」(ダイト／科研)	ロサルタンカリウム・ヒドロクロロチアジド	1錠	持続性アンギオテンシンⅡ受容体拮抗剤・利尿剤合剤	4483
	TTS530／25 TTS-530	白　①	ロサルタンK錠25mg「タカタ」(高田)	ロサルタンカリウム	25mg 1錠	アンギオテンシンⅡ受容体拮抗剤	4481
531	531 Kowa	白	ハイパジールコーワ錠6(興和)	ニプラジロール	6mg 1錠	β-遮断剤	2656
	AK531	白	ロラタジンOD錠10mg「AA」(あすか／武田薬品)	ロラタジン	10mg 1錠	持続性選択H$_1$-受容体拮抗・アレルギー治療剤	4545
	DSC531 50 DSC531	白	エザルミア錠50mg(第一三共)	バレメタットトシル酸塩	50mg 1錠	抗悪性腫瘍剤・EZH1/2阻害剤	2871
	IC531／2.5 IC-531	白	アムロジピン錠2.5mg「イセイ」(コーアイセイ)	アムロジピンベシル酸塩	2.5mg 1錠	ジヒドロピリジン系Ca拮抗剤	264
	NS531	淡黄白	ニトレンジピン錠5mg「日新」(日新)	ニトレンジピン	5mg 1錠	ジヒドロピリジン系Ca拮抗剤	2642
	TTS531／50 TTS-531	白　①	ロサルタンK錠50mg「タカタ」(高田)	ロサルタンカリウム	50mg 1錠	アンギオテンシンⅡ受容体拮抗剤	4481
	TU531／30	薄橙	フェキソフェナジン塩酸塩錠30mg「TCK」(辰巳化学)	フェキソフェナジン塩酸塩	30mg 1錠	アレルギー性疾患治療剤	3111
	Tw531／0.5	白　①	ワルファリンK錠0.5mg「トーワ」(東和薬品)	ワルファリンカリウム	0.5mg 1錠	抗凝血剤	4556
	◆531	白	アロチノロール塩酸塩錠5mg「DSP」(住友ファーマ)	アロチノロール塩酸塩	5mg 1錠	α, β-遮断剤	362
	クロピドグレル25／ 科研 DK531	白〜微黄白	クロピドグレル錠25mg「科研」(ダイト／科研)	クロピドグレル硫酸塩	25mg 1錠	抗血小板剤	1317
532	DSC532 100 DSC532	赤白	エザルミア錠100mg(第一三共)	バレメタットトシル酸塩	100mg 1錠	抗悪性腫瘍剤・EZH1/2阻害剤	2871
	IC532／5 IC-532	白　①	アムロジピン錠5mg「イセイ」(コーアイセイ)	アムロジピンベシル酸塩	5mg 1錠	ジヒドロピリジン系Ca拮抗剤	264
	TTS532／100 TTS-532	白　①	ロサルタンK錠100mg「タカタ」(高田)	ロサルタンカリウム	100mg 1錠	アンギオテンシンⅡ受容体拮抗剤	4481
	TU532／60	薄橙	フェキソフェナジン塩酸塩錠60mg「TCK」(辰巳化学)	フェキソフェナジン塩酸塩	60mg 1錠	アレルギー性疾患治療剤	3111
	Tw532／1	白　①	ワルファリンK錠1mg「トーワ」(東和薬品)	ワルファリンカリウム	1mg 1錠	抗凝血剤	4556
	◆532	薄橙	アロチノロール塩酸塩錠10mg「DSP」(住友ファーマ)	アロチノロール塩酸塩	10mg 1錠	α, β-遮断剤	362
	クロピドグレル75／ 科研 DK532	白〜微黄白	クロピドグレル錠75mg「科研」(ダイト／科研)	クロピドグレル硫酸塩	75mg 1錠	抗血小板剤	1317
533	IC533／10 IC-533	白　①	アムロジピン錠10mg「イセイ」(コーアイセイ)	アムロジピンベシル酸塩	10mg 1錠	ジヒドロピリジン系Ca拮抗剤	264
	TU533	薄赤	モンテルカストチュアブル錠5mg「TCK」(辰巳化学)	モンテルカストナトリウム	5mg 1錠	ロイコトリエン受容体拮抗剤	4043
534	NS534	白	アムロジピン錠2.5mg「NS」(日新)	アムロジピンベシル酸塩	2.5mg 1錠	ジヒドロピリジン系Ca拮抗剤	264
	Tw534	白　①	グリベンクラミド錠1.25mg「トーワ」(東和薬品)	グリベンクラミド	1.25mg 1錠	スルホニル尿素系血糖降下剤	1276
535	NS535	白	アムロジピン錠5mg「NS」(日新)	アムロジピンベシル酸塩	5mg 1錠	ジヒドロピリジン系Ca拮抗剤	264
	SW535	帯褐黄	ニルバジピン錠4mg「サワイ」(沢井)	ニルバジピン	4mg 1錠	ジヒドロピリジン系Ca拮抗剤	2685
	YD535	白〜淡黄白	テルビナフィン錠125mg「YD」(陽進堂)	テルビナフィン塩酸塩	125mg 1錠	アリルアミン系抗真菌剤	2367
	n535 n535	白　①	デカドロン錠0.5mg(日医工)	デキサメタゾン	0.5mg 1錠	副腎皮質ホルモン	2208
536	536／2.5 YD536	白	イミダプリル塩酸塩錠2.5mg「YD」(陽進堂)	イミダプリル塩酸塩	2.5mg 1錠	ACE阻害剤	504
	IC536／2.5 IC-536	淡橙	アムロジピンOD錠2.5mg「イセイ」(コーアイセイ)	アムロジピンベシル酸塩	2.5mg 1錠	ジヒドロピリジン系Ca拮抗剤	264

番号	識別コード	色 （Ⓘ：割線有）	商品名(会社名)	一般名	規格単位	薬効	掲載ページ
536	NS536	白	タムスロシン塩酸塩OD錠0.1mg「日新」(日新)	タムスロシン塩酸塩	0.1mg 1錠	α_1-遮断剤	2075
537	IC537／5 IC-537	淡橙　Ⓘ	アムロジピンOD錠5mg「イセイ」(コーアイセイ)	アムロジピンベシル酸塩	5mg 1錠	ジヒドロピリジン系Ca拮抗剤	264
	NS537	白	タムスロシン塩酸塩OD錠0.2mg「日新」(日新)	タムスロシン塩酸塩	0.2mg 1錠	α_1-遮断剤	2075
	SW537	帯褐黄	ニルバジピン錠2mg「サワイ」(沢井)	ニルバジピン	2mg 1錠	ジヒドロピリジン系Ca拮抗剤	2685
	YD537／5	白　Ⓘ	イミダプリル塩酸塩錠5mg「YD」(陽進堂)	イミダプリル塩酸塩	5mg 1錠	ACE阻害剤	504
538	IC538／10 IC-538	淡橙	アムロジピンOD錠10mg「イセイ」(コーアイセイ)	アムロジピンベシル酸塩	10mg 1錠	ジヒドロピリジン系Ca拮抗剤	264
	YD538／10	白　Ⓘ	イミダプリル塩酸塩錠10mg「YD」(陽進堂)	イミダプリル塩酸塩	10mg 1錠	ACE阻害剤	504
	➲62H ⓝ538	帯黄白～黄白	イトラコナゾール錠100mg「日医工」(日医工)	イトラコナゾール	100mg 1錠	トリアゾール系抗真菌剤	448
	セルトラリン25／科研 DK538	白	セルトラリン錠25mg「科研」(ダイト／科研)	セルトラリン塩酸塩	25mg 1錠	選択的セロトニン再取り込み阻害剤(SSRI)	1894
539	セルトラリン50科研 DK539	白　Ⓘ	セルトラリン錠50mg「科研」(ダイト／科研)	セルトラリン塩酸塩	50mg 1錠	選択的セロトニン再取り込み阻害剤(SSRI)	1894
540	ⓝ540	白　Ⓘ	コートン錠25mg(日医工)	コルチゾン酢酸エステル	25mg 1錠	副腎皮質ホルモン	1463
	セルトラリン100科研 DK540	白　Ⓘ	セルトラリン錠100mg「科研」(ダイト／科研)	セルトラリン塩酸塩	100mg 1錠	選択的セロトニン再取り込み阻害剤(SSRI)	1894
	レボセチYD2.5 YD540	白	レボセチリジン塩酸塩錠2.5mg「YD」(陽進堂／アルフレッサファーマ)	レボセチリジン塩酸塩	2.5mg 1錠	持続性選択H$_1$-受容体拮抗剤	4407
541	SW541	白	シルニジピン錠5mg「サワイ」(沢井)	シルニジピン	5mg 1錠	ジヒドロピリジン系Ca拮抗剤	1716
	Tw541／0.5	白	ドキサゾシン錠0.5mg「トーワ」(東和薬品)	ドキサゾシンメシル酸塩	0.5mg 1錠	α_1-遮断剤	2391
	ⓟ541	緑／淡緑	アタラックス－Pカプセル25mg(ファイザー)	ヒドロキシジンパモ酸塩	25mg 1カプセル	抗アレルギー性精神安定剤	2977
	レボセチYD5 YD541	白	レボセチリジン塩酸塩錠5mg「YD」(陽進堂／アルフレッサファーマ)	レボセチリジン塩酸塩	5mg 1錠	持続性選択H$_1$-受容体拮抗剤	4407
542	SW542	白	シルニジピン錠10mg「サワイ」(沢井)	シルニジピン	10mg 1錠	ジヒドロピリジン系Ca拮抗剤	1716
	Tw542／4	白	ドキサゾシン錠4mg「トーワ」(東和薬品)	ドキサゾシンメシル酸塩	4mg 1錠	α_1-遮断剤	2391
	ⓟ542	緑／白	アタラックス－Pカプセル50mg(ファイザー)	ヒドロキシジンパモ酸塩	50mg 1カプセル	抗アレルギー性精神安定剤	2977
	ⓝ542 ⓝ542	青	トリプタノール錠10(日医工)	アミトリプチリン塩酸塩	10mg 1錠	三環系抗うつ剤	232
	ナフトピジルYD25 YD542	白　Ⓘ	ナフトピジル錠25mg「YD」(陽進堂)	ナフトピジル	25mg 1錠	排尿障害治療剤	2614
543	NS543	黄	ベニジピン塩酸塩錠2mg「NS」(日新／科研)	ベニジピン塩酸塩	2mg 1錠	ジヒドロピリジン系Ca拮抗剤	3524
	SW543	白	シルニジピン錠20mg「サワイ」(沢井)	シルニジピン	20mg 1錠	ジヒドロピリジン系Ca拮抗剤	1716
	Tw543／100	くすんだ黄赤～濃黄赤	イマチニブ錠100mg「トーワ」(東和薬品)	イマチニブメシル酸塩	100mg 1錠	抗悪性腫瘍剤・チロシンキナーゼ阻害剤	493
	ⓝ543 ⓝ543	黄	トリプタノール錠25(日医工)	アミトリプチリン塩酸塩	25mg 1錠	三環系抗うつ剤	232
	ナフトピジルYD50 YD543	白　Ⓘ	ナフトピジル錠50mg「YD」(陽進堂)	ナフトピジル	50mg 1錠	排尿障害治療剤	2614
544	NS544／8	黄　Ⓘ	ベニジピン塩酸塩錠8mg「NS」(日新／科研)	ベニジピン塩酸塩	8mg 1錠	ジヒドロピリジン系Ca拮抗剤	3524
	ナフトピジルYD75 YD544	黄白	ナフトピジル錠75mg「YD」(陽進堂)	ナフトピジル	75mg 1錠	排尿障害治療剤	2614
545	Pd LA40LT545 LT545	白	ペルジピンLAカプセル40mg(LTL)	ニカルジピン塩酸塩	40mg 1カプセル	ジヒドロピリジン系Ca拮抗剤	2628
	Tw545／200	くすんだ黄赤～濃黄赤　Ⓘ	イマチニブ錠200mg「トーワ」(東和薬品)	イマチニブメシル酸塩	200mg 1錠	抗悪性腫瘍剤・チロシンキナーゼ阻害剤	493
	ⓝ545 4 ⓝ545	淡赤	デカドロン錠4mg(日医工)	デキサメタゾン	4mg 1錠	副腎皮質ホルモン	2208
	オランザピンYD2.5 YD545	白	オランザピン錠2.5mg「YD」(陽進堂／アルフレッサファーマ)	オランザピン	2.5mg 1錠	抗精神病剤・双極性障害治療剤・制吐剤	1021
546	オランザピンYD5 YD546	白	オランザピン錠5mg「YD」(陽進堂／アルフレッサファーマ)	オランザピン	5mg 1錠	抗精神病剤・双極性障害治療剤・制吐剤	1021
547	NP547／0.25 NP-547	微赤	エチゾラム錠0.25mg「NP」(ニプロ)	エチゾラム	0.25mg 1錠	チエノジアゼピン系精神安定剤	738

500

番号	識別コード	色 (◫:割線有)	商品名(会社名)	一般名	規格単位	薬効	掲載 ページ
547	八547	白	プロノン錠150mg(トーアエイヨー)	プロパフェノン塩酸塩	150mg 1錠	不整脈治療剤	3430
	オランザピン YD10 YD547	白	オランザピン錠10mg「YD」(陽進堂／アルフレッサファーマ)	オランザピン	10mg 1錠	抗精神病剤・双極性障害治療剤・制吐剤	1021
548	YD548／30	薄橙	フェキソフェナジン塩酸塩錠30mg「YD」(陽進堂)	フェキソフェナジン塩酸塩	30mg 1錠	アレルギー性疾患治療剤	3111
	八548	白	プロノン錠100mg(トーアエイヨー)	プロパフェノン塩酸塩	100mg 1錠	不整脈治療剤	3430
549	イミダフェナシン YD0.1 YD549	淡赤〜淡赤 褐又は淡赤 紫	イミダフェナシン錠0.1mg「YD」(陽進堂／共創未来)	イミダフェナシン	0.1mg 1錠	過活動膀胱治療剤	501
550	DK550	白	ロサルヒド配合錠HD「科研」(ダイト／科研)	ロサルタンカリウム・ヒドロクロロチアジド	1錠	持続性アンギオテンシンII受容体拮抗剤・利尿剤合剤	4483
	SW550／10	白 ◫	シンバスタチン錠10mg「SW」(メディサ／沢井)	シンバスタチン	10mg 1錠	HMG-CoA還元酵素阻害剤	1728
	YD550	淡橙 ◫	クアゼパム錠15mg「YD」(陽進堂／日本ジェネリック)	クアゼパム	15mg 1錠	ベンゾジアゼピン系睡眠障害改善剤	1218
	Kowa 550	白	コメリアンコーワ錠50(興和)	ジラゼプ塩酸塩水和物	50mg 1錠	心・腎疾患治療剤	1700
551	DS551 50 DS551	白〜帯黄白	イルベサルタン錠50mg「DSPB」(住友プロモ／住友ファーマ)	イルベサルタン	50mg 1錠	長時間作用型アンギオテンシンII受容体拮抗剤	522
	NP551／30 NP-551	白	フェキソフェナジン塩酸塩OD錠30mg「NP」(ニプロ)	フェキソフェナジン塩酸塩	30mg 1錠	アレルギー性疾患治療剤	3111
	SW551	白 ◫	一硝酸イソソルビド錠20mg「サワイ」(沢井)	一硝酸イソソルビド	20mg 1錠	冠動脈拡張剤	1698
	TTS551／15 TTS-551	白〜帯黄白	ピオグリタゾン錠15mg「タカタ」(高田)	ピオグリタゾン塩酸塩	15mg 1錠	インスリン抵抗性改善血糖降下剤	2912
	YD551	淡橙 ◫	クアゼパム錠20mg「YD」(陽進堂)	クアゼパム	20mg 1錠	ベンゾジアゼピン系睡眠障害改善剤	1218
	n551／2.5 n551	薄橙	アムロジピンOD錠2.5mg「日医工」(日医工)	アムロジピンベシル酸塩	2.5mg 1錠	ジヒドロピリジン系Ca拮抗剤	264
	551／3 551：3	微赤〜淡赤	ムルプレタ錠3mg(塩野義)	ルストロンボパグ	3mg 1錠	経口血小板産生促進剤・トロンボポエチン受容体作動薬	4332
	モンテルカスト5／ 科研 DK551	明るい灰黄	モンテルカスト錠5mg「科研」(ダイト／科研)	モンテルカストナトリウム	5mg 1錠	ロイコトリエン受容体拮抗剤	4043
552	DS552 100 DS552	白〜帯黄白◫	イルベサルタン錠100mg「DSPB」(住友プロモ／住友ファーマ)	イルベサルタン	100mg 1錠	長時間作用型アンギオテンシンII受容体拮抗剤	522
	NP552／60 NP-552	白 ◫	フェキソフェナジン塩酸塩OD錠60mg「NP」(ニプロ)	フェキソフェナジン塩酸塩	60mg 1錠	アレルギー性疾患治療剤	3111
	NS552	白	アテノロール錠25mg「日新」(日新／サンド)	アテノロール	25mg 1錠	β_1-遮断剤	115
	SW552	白 ◫	ベタキソロール塩酸塩錠5mg「サワイ」(沢井／日本ジェネリック)	ベタキソロール塩酸塩	5mg 1錠	β_1-遮断剤	3490
	TSU552／ 80 12.5	極薄赤	バルヒディオ配合錠EX「ツルハラ」(鶴原)	バルサルタン・ヒドロクロロチアジド	1錠	選択的AT_1受容体ブロッカー・利尿剤合剤	2848
	TTS552／30 TTS-552	白〜帯黄白◫	ピオグリタゾン錠30mg「タカタ」(高田)	ピオグリタゾン塩酸塩	30mg 1錠	インスリン抵抗性改善血糖降下剤	2912
	YD552	白 ◫	ドラマミン錠50mg(陽進堂)	ジメンヒドリナート	50mg 1錠	鎮うん・鎮吐剤	1685
	n552／5 n552	薄橙 ◫	アムロジピンOD錠5mg「日医工」(日医工)	アムロジピンベシル酸塩	5mg 1錠	ジヒドロピリジン系Ca拮抗剤	264
	モンテルカスト10／ 科研 DK552	明るい灰黄	モンテルカスト錠10mg「科研」(ダイト／科研)	モンテルカストナトリウム	10mg 1錠	ロイコトリエン受容体拮抗剤	4043
553	DK553	淡黄 ◫	メトトレキサート錠2mg「ダイト」(ダイト／フェルゼン)	メトトレキサート〔抗リウマチ剤〕	2mg 1錠	抗リウマチ剤	3952
	DS553 200 DS553	白〜帯黄白◫	イルベサルタン錠200mg「DSPB」(住友プロモ／住友ファーマ)	イルベサルタン	200mg 1錠	長時間作用型アンギオテンシンII受容体拮抗剤	522
	NP553／8 NP-553	淡黄白	アゼルニジピン錠8mg「NP」(ニプロ)	アゼルニジピン	8mg 1錠	持続性Ca拮抗剤	90
	NS553	白 ◫	アラセプリル錠12.5mg「日新」(日新)	アラセプリル	12.5mg 1錠	ACE阻害剤	284
	SW553	白 ◫	ベタキソロール塩酸塩錠10mg「サワイ」(沢井)	ベタキソロール塩酸塩	10mg 1錠	β_1-遮断剤	3490
	TSU553／ 80 6.25	薄赤	バルヒディオ配合錠MD「ツルハラ」(鶴原)	バルサルタン・ヒドロクロロチアジド	1錠	選択的AT_1受容体ブロッカー・利尿剤合剤	2848
	n553 n553	白 ◫	タルチレリンOD錠5mg「日医工」(日医工)	タルチレリン水和物	5mg 1錠	経口脊髄小脳変性症治療剤	2094
555	KW555／OD0.25	白 ◫	ブロチゾラムOD錠0.25mg「アメル」(共和薬品)	ブロチゾラム	0.25mg 1錠	チエノトリアゾロジアゼピン系睡眠導入剤	3411
	NP555／16 NP-555	淡黄白 ◫	アゼルニジピン錠16mg「NP」(ニプロ)	アゼルニジピン	16mg 1錠	持続性Ca拮抗剤	90
	TSU555／40	白 ◫	バルサルタン錠40mg「ツルハラ」(鶴原)	バルサルタン	40mg 1錠	選択的AT_1受容体遮断剤	2840

番号	識別コード	色（①：割線有）	商品名（会社名）	一般名	規格単位	薬効	掲載ページ
555	TTS555／2.5 TTS-555	淡黄赤	オロパタジン塩酸塩錠2.5mg「タカタ」（高田）	オロパタジン塩酸塩	2.5mg 1錠	アレルギー性疾患治療剤	1037
	アムロジピン2.5 日医工 ⓝ555	白	アムロジピン錠2.5mg「日医工」（日医工）	アムロジピンベシル酸塩	2.5mg 1錠	ジヒドロピリジン系Ca拮抗剤	264
	モンテルカスト チュアブル5科研 DK555	薄赤	モンテルカストチュアブル錠5mg「科研」（ダイト／科研）	モンテルカストナトリウム	5mg 1錠	ロイコトリエン受容体拮抗剤	4043
556	TSU556／80	白　①	バルサルタン錠80mg「ツルハラ」（鶴原）	バルサルタン	80mg 1錠	選択的AT₁受容体遮断剤	2840
	TTS556／5 TTS-556	淡黄赤	オロパタジン塩酸塩錠5mg「タカタ」（高田）	オロパタジン塩酸塩	5mg 1錠	アレルギー性疾患治療剤	1037
557	NP557 NP-557	白	エチゾラム錠0.5mg「NP」（ニプロ）	エチゾラム	0.5mg 1錠	チエノジアゼピン系精神安定剤	738
	TSU557／160	白　①	バルサルタン錠160mg「ツルハラ」（鶴原）	バルサルタン	160mg 1錠	選択的AT₁受容体遮断剤	2840
	ⓝ557 ⓝ557	白　①	アムロジピン錠5mg「日医工」（日医工）	アムロジピンベシル酸塩	5mg 1錠	ジヒドロピリジン系Ca拮抗剤	264
558	ⓝ558／10 ⓝ558	白　①	アムロジピン錠10mg「日医工」（日医工）	アムロジピンベシル酸塩	10mg 1錠	ジヒドロピリジン系Ca拮抗剤	264
561	AK561	白〜淡黄白①	アムロジピン錠10mg「あすか」（あすか／武田薬品）	アムロジピンベシル酸塩	10mg 1錠	ジヒドロピリジン系Ca拮抗剤	264
	KW561	白〜淡黄白	カモスタットメシル酸塩錠100mg「アメル」（共和薬品）	カモスタットメシル酸塩	100mg 1錠	蛋白分解酵素阻害剤	1110
	TSU561	白〜微黄白	バラシクロビル錠500mg「ツルハラ」（鶴原）	バラシクロビル塩酸塩	500mg 1錠	抗ウイルス剤	2810
562	TSU562	白	ベタヒスチンメシル酸塩錠6mg「TSU」（鶴原／日本ジェネリック）	ベタヒスチンメシル酸塩	6mg 1錠	めまい・平衡障害治療剤	3496
	ⓝ562	橙	トコフェロールニコチン酸エステルカプセル200mg「日医工」（日医工ファーマ／日医工）	トコフェロールニコチン酸エステル	200mg 1カプセル	ビタミンE	2405
	アムロジピン YD10 YD562	白　①	アムロジピン錠10mg「YD」（陽進堂）	アムロジピンベシル酸塩	10mg 1錠	ジヒドロピリジン系Ca拮抗剤	264
564	ⓝ564 ⓝ564 ⓝ564	白〜帯黄白	ベザフィブラートSR錠100mg「日医工」（日医工）	ベザフィブラート	100mg 1錠	高脂血症治療剤	3486
565	KW565／1	帯青白　①	フルニトラゼパム錠1mg「アメル」（共和薬品）	フルニトラゼパム	1mg 1錠	不眠症治療剤・麻酔導入剤	3328
566	KW566／2	帯青白　①	フルニトラゼパム錠2mg「アメル」（共和薬品）	フルニトラゼパム	2mg 1錠	不眠症治療剤・麻酔導入剤	3328
	YD566 レボフロキサシン250 YD	黄　①	レボフロキサシン錠250mg「陽進」（陽進堂）	レボフロキサシン水和物	250mg 1錠（レボフロキサシンとして）	ニューキノロン系抗菌剤	4432
567	YD567 レボフロキサシン500 YD	薄橙　①	レボフロキサシン錠500mg「陽進」（陽進堂）	レボフロキサシン水和物	500mg 1錠（レボフロキサシンとして）	ニューキノロン系抗菌剤	4432
568	568 100mg	白	ゾリンザカプセル100mg（MSD／大鵬薬品）	ボリノスタット	100mg 1カプセル	抗悪性腫瘍・ヒストン脱アセチル化酵素（HDAC）阻害剤	3775
	ⓝ568 プランルカスト112.5mg プランルカスト112.5mg ⓝ568 ⓝ568	白〜帯黄白	プランルカストカプセル112.5mg「日医工」（日医工）	プランルカスト水和物	112.5mg 1カプセル	ロイコトリエン受容体拮抗剤	3268
	シロドシンYD2 YD568	淡赤白	シロドシン錠2mg「YD」（陽進堂）	シロドシン	2mg 1錠	選択的α₁ᴬ-遮断剤・前立腺肥大症に伴う排尿障害改善薬	1720
569	TSU569	白　①	ハロペリドール錠1.5mg「ツルハラ」（鶴原）	ハロペリドール	1.5mg 1錠	ブチロフェノン系精神安定剤	2887
	シロドシン4YD YD569	淡赤白　①	シロドシン錠4mg「YD」（陽進堂）	シロドシン	4mg 1錠	選択的α₁ᴬ-遮断剤・前立腺肥大症に伴う排尿障害改善薬	1720
570	NS570	白　①	アムロジピン錠10mg「NS」（日新）	アムロジピンベシル酸塩	10mg 1錠	ジヒドロピリジン系Ca拮抗剤	264
	SW570／2.5	白	イミダプリル塩酸塩錠2.5mg「サワイ」（沢井）	イミダプリル塩酸塩	2.5mg 1錠	ACE阻害剤	504
	Tw570／0.125	淡赤	プラミペキソール塩酸塩OD錠0.125mg「トーワ」（東和薬品）	プラミペキソール塩酸塩水和物	0.125mg 1錠	ドパミン作動性抗パーキンソン剤、レストレスレッグス症候群治療剤	3258
	アムロジピン YD OD2.5 YD570	淡黄	アムロジピンOD錠2.5mg「YD」（陽進堂）	アムロジピンベシル酸塩	2.5mg 1錠	ジヒドロピリジン系Ca拮抗剤	264
571	NS571	白	ロラタジンOD錠10mg「日新」（日新）	ロラタジン	10mg 1錠	持続性選択H₁-受容体拮抗・アレルギー治療剤	4545
	SW571／5	白　①	イミダプリル塩酸塩錠5mg「サワイ」（沢井）	イミダプリル塩酸塩	5mg 1錠	ACE阻害剤	504

500
I

番号	識別コード	色 （Ⓘ：割線有）	商品名（会社名）	一般名	規格単位	薬効	掲載ページ
571	TSU571	白 Ⓘ	ベタヒスチンメシル酸塩錠12mg「TSU」（鶴原）	ベタヒスチンメシル酸塩	12mg 1錠	めまい・平衡障害治療剤	3496
	Tw571／2.5	白〜帯黄白	モサプリドクエン酸塩錠2.5mg「トーワ」（東和薬品）	モサプリドクエン酸塩水和物	2.5mg 1錠	消化管運動促進剤	4014
	𝑛571 ⓝ571	白	チザニジン錠1mg「日医工」（日医工）	チザニジン塩酸塩	1mg 1錠	筋緊張緩和剤	2164
	アムロジピン YD OD5 YD571	淡黄	アムロジピンOD錠5mg「YD」（陽進堂）	アムロジピンベシル酸塩	5mg 1錠	ジヒドロピリジン系Ca拮抗剤	264
572	572Tri	紫	トリーメク配合錠（ヴィーブ／グラクソ・スミスクライン）	ドルテグラビルナトリウム・アバカビル硫酸塩・ラミブジン	1錠	抗ウイルス化学療法剤	2541
	KS572	黄 Ⓘ	レボフロキサシン錠250mg「クニヒロ」（皇漢堂）	レボフロキサシン水和物	250mg 1錠（レボフロキサシンとして）	ニューキノロン系抗菌剤	4432
	KW572	薄黄 Ⓘ	メシル酸ペルゴリド錠50μg「アメル」（共和薬品）	ペルゴリドメシル酸塩	50μg 1錠	抗パーキンソン剤	3614
	NS572	白 Ⓘ	ロラタジン錠10mg「日新」（日新）	ロラタジン	10mg 1錠	持続性選択H₁-受容体拮抗・アレルギー治療剤	4545
	SV572／50	黄	テビケイ錠50mg（ヴィーブ／グラクソ・スミスクライン）	ドルテグラビルナトリウム	50mg 1錠	HIVインテグラーゼ阻害剤	2536
	SW572／10	白 Ⓘ	イミダプリル塩酸塩錠10mg「サワイ」（沢井）	イミダプリル塩酸塩	10mg 1錠	ACE阻害剤	504
	Tw572／5	白〜帯黄白 Ⓘ	モサプリドクエン酸塩錠5mg「トーワ」（東和薬品）	モサプリドクエン酸塩水和物	5mg 1錠	消化管運動促進剤	4014
	YD572／5	淡赤	エバスチンOD錠5mg「YD」（陽進堂）	エバスチン	5mg 1錠	持続性選択H₁-受容体拮抗剤	778
573	KS573	薄橙 Ⓘ	レボフロキサシン錠500mg「クニヒロ」（皇漢堂）	レボフロキサシン水和物	500mg 1錠（レボフロキサシンとして）	ニューキノロン系抗菌剤	4432
	KW573	薄緑 Ⓘ	メシル酸ペルゴリド錠250μg「アメル」（共和薬品）	ペルゴリドメシル酸塩	250μg 1錠	抗パーキンソン剤	3614
	YD573／10	白	エバスチンOD錠10mg「YD」（陽進堂）	エバスチン	10mg 1錠	持続性選択H₁-受容体拮抗剤	778
574	SW574	白	セフジトレンピボキシル錠100mg「SW」（沢井）	セフジトレン ピボキシル	100mg 1錠	セフェム系抗生物質	1847
	TSU574	白〜微黄	ノルフロキサシン錠100mg「ツルハラ」（鶴原）	ノルフロキサシン	100mg 1錠	ニューキノロン系抗菌剤	2742
	YD574	白	グリメピリド錠0.5mg「YD」（陽進堂）	グリメピリド	0.5mg 1錠	スルホニル尿素系血糖降下剤	1278
	𝑛574／5 ⓝ574	白	デノパミン錠5mg「日医工」（日医工）	デノパミン	5mg 1錠	心機能改善剤	2297
575	TSU575	白〜微黄	ノルフロキサシン錠200mg「ツルハラ」（鶴原）	ノルフロキサシン	200mg 1錠	ニューキノロン系抗菌剤	2742
	YD575	白	ファモチジンOD錠10mg「YD」（陽進堂）	ファモチジン	10mg 1錠	H₂-受容体拮抗剤	3079
	𝑛575 ⓝ575	白	デノパミン錠10mg「日医工」（日医工）	デノパミン	10mg 1錠	心機能改善剤	2297
577	KW577	白	ニセルゴリン錠5mg「アメル」（共和薬品）	ニセルゴリン	5mg 1錠	脳循環代謝改善剤	2639
	NP577 NP-577	白	エチゾラム錠1mg「NP」（ニプロ）	エチゾラム	1mg 1錠	チエノジアゼピン系精神安定剤	738
	SW577	白〜淡黄	シプロフロキサシン錠100mg「SW」（沢井）	シプロフロキサシン	100mg 1錠	ニューキノロン系抗菌剤	1659
	Tw577／0.5	淡赤 Ⓘ	プラミペキソール塩酸塩OD錠0.5mg「トーワ」（東和薬品）	プラミペキソール塩酸塩水和物	0.5mg 1錠	ドパミン作動性抗パーキンソン剤, レストレスレッグス症候群治療剤	3258
	YD577	淡紅 Ⓘ	グリメピリド錠1mg「YD」（陽進堂）	グリメピリド	1mg 1錠	スルホニル尿素系血糖降下剤	1278
	𝑛577 𝑛577 ⓝ577	白	ベザフィブラートSR錠200mg「日医工」（日医工）	ベザフィブラート	200mg 1錠	高脂血症治療剤	3486
578	YD578	微黄白 Ⓘ	グリメピリド錠3mg「YD」（陽進堂）	グリメピリド	3mg 1錠	スルホニル尿素系血糖降下剤	1278
581	5NLP TTS-581	微黄橙	ニューレプチル錠5mg（高田）	プロペリシアジン	5mg 1錠	フェノチアジン系精神安定剤	3444
	NS581／25	白 Ⓘ	ナフトピジルOD錠25mg「日新」（日新）	ナフトピジル	25mg 1錠	排尿障害治療剤	2614
	ⓝ581 プランルカスト225mg プランルカスト225mg ⓝ581 ⓝ581	白〜帯黄白	プランルカストカプセル225mg「日医工」（日医工）	プランルカスト水和物	225mg 1カプセル	ロイコトリエン受容体拮抗剤	3268
582	10NLP TTS-582	淡黄橙	ニューレプチル錠10mg（高田）	プロペリシアジン	10mg 1錠	フェノチアジン系精神安定剤	3444
	NS582／50	白 Ⓘ	ナフトピジルOD錠50mg「日新」（日新）	ナフトピジル	50mg 1錠	排尿障害治療剤	2614

500

番号	識別コード	色 (Ⓘ:割線有)	商品名(会社名)	一般名	規格単位	薬効	掲載ページ
583	25NLP TTS-583	黄橙	ニューレプチル錠25mg (高田)	プロペリシアジン	25mg 1錠	フェノチアジン系精神安定剤	3444
	NS583／75	白　Ⓘ	ナフトピジルOD錠75mg「日新」(日新)	ナフトピジル	75mg 1錠	排尿障害治療剤	2614
586	𝑛586／10 𝑛586	薄橙　Ⓘ	アムロジピンOD錠10mg「日医工」(日医工)	アムロジピンベシル酸塩	10mg 1錠	ジヒドロピリジン系Ca拮抗剤	264
587	TSU587	白〜帯黄白Ⓘ	ピオグリタゾン錠15mg「TSU」(鶴原)	ピオグリタゾン塩酸塩	15mg 1錠	インスリン抵抗性改善血糖降下剤	2912
588	KW588 50	白	フルコナゾールカプセル50mg「アメル」(共和薬品)	フルコナゾール	50mg 1カプセル	トリアゾール系抗真菌剤	3298
	TSU588	白〜帯黄白Ⓘ	ピオグリタゾン錠30mg「TSU」(鶴原)	ピオグリタゾン塩酸塩	30mg 1錠	インスリン抵抗性改善血糖降下剤	2912
589	589／1	白	ピタバスタチンCa錠1mg「ツルハラ」(鶴原)	ピタバスタチンカルシウム水和物	1mg 1錠	HMG-CoA還元酵素阻害剤	2948
	KW589 100	橙	フルコナゾールカプセル100mg「アメル」(共和薬品)	フルコナゾール	100mg 1カプセル	トリアゾール系抗真菌剤	3298
590	KwP／590	白	プラミペキソール塩酸塩錠0.125mg「アメル」(共和薬品)	プラミペキソール塩酸塩水和物	0.125mg 1錠	ドパミン作動性抗パーキンソン剤、レストレスレッグス症候群治療剤	3258
	TSU590／2	薄赤　Ⓘ	ピタバスタチンCa錠2mg「ツルハラ」(鶴原)	ピタバスタチンカルシウム水和物	2mg 1錠	HMG-CoA還元酵素阻害剤	2948
591	KwP／591	白　Ⓘ	プラミペキソール塩酸塩錠0.5mg「アメル」(共和薬品)	プラミペキソール塩酸塩水和物	0.5mg 1錠	ドパミン作動性抗パーキンソン剤、レストレスレッグス症候群治療剤	3258
	SW591	淡黄	フルバスタチン錠10mg「サワイ」(沢井)	フルバスタチンナトリウム	10mg 1錠	HMG-CoA還元酵素阻害剤	3330
	TSU591／4	淡黄　Ⓘ	ピタバスタチンCa錠4mg「ツルハラ」(鶴原)	ピタバスタチンカルシウム水和物	4mg 1錠	HMG-CoA還元酵素阻害剤	2948
	⊗591 ❖591	黄	プレバイミス錠240mg (MSD)	レテルモビル	240mg 1錠	抗サイトメガロウイルス化学療法剤	4368
592	SW592	淡黄	フルバスタチン錠20mg「サワイ」(沢井)	フルバスタチンナトリウム	20mg 1錠	HMG-CoA還元酵素阻害剤	3330
	TTS592 TTS-592	青	コルヒチン錠0.5mg「タカタ」(高田)	コルヒチン	0.5mg 1錠	痛風・家族性地中海熱治療剤	1465
593	SW593	淡黄	フルバスタチン錠30mg「サワイ」(沢井)	フルバスタチンナトリウム	30mg 1錠	HMG-CoA還元酵素阻害剤	3330
	𝑛593	青／淡青	フェルムカプセル100mg (日医工)	フマル酸第一鉄	鉄100mg 1カプセル	鉄欠乏性貧血治療剤	3244
599	MH599	白　Ⓘ	シンバスタチン錠5mg「VTRS」(ヴィアトリス・ヘルスケア／ヴィアトリス)	シンバスタチン	5mg 1錠	HMG-CoA還元酵素阻害剤	1728
600	1KL600	白	ポラキス錠1 (クリニジェン)	オキシブチニン塩酸塩	1mg 1錠	排尿障害治療剤・原発性手掌多汗症治療剤	960
	269⊕600 ⊕269	白	オキナゾール腟錠600mg (田辺三菱)	オキシコナゾール硝酸塩	600mg 1錠	イミダゾール系抗真菌剤	956
	2KL600	白　Ⓘ	ポラキス錠2 (クリニジェン)	オキシブチニン塩酸塩	2mg 1錠	排尿障害治療剤・原発性手掌多汗症治療剤	960
	3KL600	白	ポラキス錠3 (クリニジェン)	オキシブチニン塩酸塩	3mg 1錠	排尿障害治療剤・原発性手掌多汗症治療剤	960
	600／ZYV 600ZYV	白〜微黄白	ザイボックス錠600mg (ファイザー)	リネゾリド	600mg 1錠	オキサゾリジノン系合成抗菌剤	4250
	FJ003 600	白	オキシコナゾール硝酸塩腟錠600mg「F」(富士製薬)	オキシコナゾール硝酸塩	600mg 1錠	イミダゾール系抗真菌剤	956
	KW600	橙	メスチノン錠60mg (共和薬品)	ピリドスチグミン臭化物	60mg 1錠	抗コリンエステラーゼ剤	3040
	MH600	白　Ⓘ	シンバスタチン錠10mg「VTRS」(ヴィアトリス・ヘルスケア／ヴィアトリス)	シンバスタチン	10mg 1錠	HMG-CoA還元酵素阻害剤	1728
	SW LZ／600	白〜微黄白	リネゾリド錠600mg「サワイ」(沢井)	リネゾリド	600mg 1錠	オキサゾリジノン系合成抗菌剤	4250
	TMC／600MG TMC600MG	橙	プリジスタ錠600mg (ヤンセン)	ダルナビル エタノール付加物	600mg 1錠	抗ウイルス化学療法剤	2096
	セレコキシブ YD100 YD600	白	セレコキシブ錠100mg「YD」(陽進堂)	セレコキシブ	100mg 1錠	非ステロイド性消炎・鎮痛剤(シクロオキシゲナーゼ-2選択的阻害剤)	1918
	リネゾリド600 明治	白〜微黄白	リネゾリド錠600mg「明治」(Meiji Seika)	リネゾリド	600mg 1錠	オキサゾリジノン系合成抗菌剤	4250
601	KH601／ オルケディア1	黄白	オルケディア錠1mg (協和キリン)	エボカルセト	1mg 1錠	カルシウム受容体作動薬	831
	MH601	白　Ⓘ	シンバスタチン錠20mg「VTRS」(ヴィアトリス・ヘルスケア／ヴィアトリス)	シンバスタチン	20mg 1錠	HMG-CoA還元酵素阻害剤	1728
	NF601	白〜淡黄白	ガンマロン錠250mg (アルフレッサファーマ)	ガンマ-アミノ酪酸	250mg 1錠	脳代謝促進剤	254

番号	識別コード	色 （①：割線有）	商品名（会社名）	一般名	規格単位	薬効	掲載 ページ
601	SW601	白	フラボキサート塩酸塩錠200mg「サワイ」（沢井）	フラボキサート塩酸塩	200mg 1錠	フラボン系頻尿治療剤	3258
	t601	白〜淡黄	アカルボース錠50mg「NIG」（日医工岐阜／日医工／武田薬品）	アカルボース	50mg 1錠	α-グルコシダーゼ阻害剤	6
	⊞601	淡橙　①	マイスリー錠5mg（アステラス）	ゾルピデム酒石酸塩	5mg 1錠	入眠剤	1973
	セレコキシブ200 YD YD601	白　①	セレコキシブ錠200mg「YD」（陽進堂）	セレコキシブ	200mg 1錠	非ステロイド性消炎・鎮痛剤（シクロオキシゲナーゼ-2選択的阻害剤）	1918
602	KH602／ オルケディア2	淡黄	オルケディア錠2mg（協和キリン）	エボカルセト	2mg 1錠	カルシウム受容体作動薬	831
	t602	白〜淡黄①	アカルボース錠100mg「NIG」（日医工岐阜／日医工／武田薬品）	アカルボース	100mg 1錠	α-グルコシダーゼ阻害剤	6
	Kowa602	緑	プロタノールS錠15mg（興和）	イソプレナリン塩酸塩	15mg 1錠	β-刺激剤	435
603	KH603／ オルケディア4	黄赤	オルケディア錠4mg（協和キリン）	エボカルセト	4mg 1錠	カルシウム受容体作動薬	831
	t603	白〜淡黄白①	テルビナフィン錠125mg「NIG」（日医工岐阜／日医工／武田薬品）	テルビナフィン塩酸塩	125mg 1錠	アリルアミン系抗真菌剤	2367
	TU603	白〜淡黄白①	テルビナフィン錠125mg「TCK」（辰巳化学／科研）	テルビナフィン塩酸塩	125mg 1錠	アリルアミン系抗真菌剤	2367
	YD603	白	シンバスタチン錠10mg「YD」（陽進堂）	シンバスタチン	10mg 1錠	HMG-CoA還元酵素阻害剤	1728
	Kowa603	白	セレニカR錠200mg（興和）	バルプロ酸ナトリウム	200mg 1錠	抗てんかん，躁病・躁状態，片頭痛治療剤	2858
604	MO604	白	イソプリノシン錠400mg（持田）	イノシン プラノベクス	400mg 1錠	免疫賦活剤	459
	NF604	黄橙	ドパゾール錠200mg（アルフレッサファーマ）	レボドパ	200mg 1錠	抗パーキンソン剤	4413
	YD604	白	シンバスタチン錠20mg「YD」（陽進堂）	シンバスタチン	20mg 1錠	HMG-CoA還元酵素阻害剤	1728
	Kowa604	白	セレニカR錠400mg（興和）	バルプロ酸ナトリウム	400mg 1錠	抗てんかん，躁病・躁状態，片頭痛治療剤	2858
605	Tu605	白	クラリスロマイシン錠小児用50mg「TCK」（辰巳化学／ニプロES）	クラリスロマイシン	50mg 1錠	マクロライド系抗生物質	1250
	YD605	黄	ドネペジル塩酸塩OD錠3mg「YD」（陽進堂）	ドネペジル，-塩酸塩	3mg 1錠	アルツハイマー型，レビー小体型認知症治療剤	2426
	Ɗ605	橙／白	トランサミンカプセル250mg（第一三共）	トラネキサム酸	250mg 1カプセル	抗プラスミン剤	2474
606	Tu606	白	クラリスロマイシン錠200mg「TCK」（辰巳化学／フェルゼン）	クラリスロマイシン	200mg 1錠	マクロライド系抗生物質	1250
	YD606	白	ドネペジル塩酸塩OD錠5mg「YD」（陽進堂）	ドネペジル，-塩酸塩	5mg 1錠	アルツハイマー型，レビー小体型認知症治療剤	2426
	Ɗ606	白	トランサミン錠250mg（第一三共）	トラネキサム酸	250mg 1錠	抗プラスミン剤	2474
	ʅʅ606	黄	リウマトレックスカプセル2mg（ファイザー）	メトトレキサート〔抗リウマチ剤〕	2mg 1カプセル	抗リウマチ剤	3952
607	0.5mg⊞607 ⊞607	淡黄	プログラフカプセル0.5mg（アステラス）	タクロリムス水和物	0.5mg 1カプセル	免疫抑制剤	1999
	YD607	淡赤	ドネペジル塩酸塩OD錠10mg「YD」（陽進堂）	ドネペジル，-塩酸塩	10mg 1錠	アルツハイマー型，レビー小体型認知症治療剤	2426
608	YD608	白　①	ロラタジン錠10mg「YD」（陽進堂）	ロラタジン	10mg 1錠	持続性選択H₁-受容体拮抗・アレルギー治療剤	4545
	Ɗ608	白〜淡黄白	トランサミン錠500mg（第一三共）	トラネキサム酸	500mg 1錠	抗プラスミン剤	2474
609	GS609	白	オーグメンチン配合錠250RS（グラクソ・スミスクライン）	アモキシシリン水和物・クラブラン酸カリウム	（375mg）1錠	β-ラクタマーゼ阻害剤配合抗生物質	278
	NF609	白〜淡黄白	ATP腸溶錠20mg「AFP」（アルフレッサファーマ）	アデノシン三リン酸ニナトリウム水和物	20mg 1錠	代謝賦活・抗めまい剤	114
	YD609	白　①	ロラタジンOD錠10mg「YD」（陽進堂）	ロラタジン	10mg 1錠	持続性選択H₁-受容体拮抗・アレルギー治療剤	4545
610	GS610	白	オーグメンチン配合錠125SS（グラクソ・スミスクライン）	アモキシシリン水和物・クラブラン酸カリウム	（187.5mg）1錠	β-ラクタマーゼ阻害剤配合抗生物質	278
	YD610／60	白	フェキソフェナジン塩酸塩OD錠60mg「YD」（陽進堂）	フェキソフェナジン塩酸塩	60mg 1錠	アレルギー性疾患治療剤	3111
611	NF611	白	キネダック錠50mg（アルフレッサファーマ）	エパルレスタット	50mg 1錠	アルドース還元酵素阻害剤	779
	⊞611	白	ロドピン錠100mg（LTL）	ゾテピン	100mg 1錠	チエピン系統合失調症治療剤	1927
	⑥611	白(薄灰〜淡黄の斑点)	フランドル錠20mg（トーアエイヨー）	硝酸イソソルビド	20mg 1錠	冠動脈拡張剤	1693
	タムスロシン0.1mg SW-611 SW-611	極薄黄／白	タムスロシン塩酸塩カプセル0.1mg「サワイ」（沢井）	タムスロシン塩酸塩	0.1mg 1カプセル	α₁-遮断剤	2075
612	タムスロシン0.2mg SW-612 SW-612	極薄赤／白	タムスロシン塩酸塩カプセル0.2mg「サワイ」（沢井）	タムスロシン塩酸塩	0.2mg 1カプセル	α₁-遮断剤	2075
613	YD613／0.5	白	ドキサゾシン錠0.5mg「YD」（陽進堂）	ドキサゾシンメシル酸塩	0.5mg 1錠	α₁-遮断剤	2391

番号	識別コード	色 (Ⓘ:割線有)	商品名（会社名）	一般名	規格単位	薬効	掲載 ページ
613	囗613 フランドルテープ	白半透明	フランドルテープ40mg（トーアエイヨー）	硝酸イソソルビド	40mg 1枚	冠動脈拡張剤	1693
614	NPI614	白	クラリスロマイシン錠200mg「NPI」（日本薬品工業）	クラリスロマイシン	200mg 1錠	マクロライド系抗生物質	1250
	YD614／4	白	ドキサゾシン錠4mg「YD」（陽進堂）	ドキサゾシンメシル酸塩	4mg 1錠	α_1-遮断剤	2391
615	Tu615	白〜微黄白	バラシクロビル錠500mg「TCK」（辰巳化学）	バラシクロビル塩酸塩	500mg 1錠	抗ウイルス剤	2810
	アムロジピン YD OD10 YD615	淡黄 Ⓘ	アムロジピンOD錠10mg「YD」（陽進堂）	アムロジピンベシル酸塩	10mg 1錠	ジヒドロピリジン系Ca拮抗剤	264
616	ナフトピジル YD OD25 YD616	白	ナフトピジルOD錠25mg「YD」（陽進堂）	ナフトピジル	25mg 1錠	排尿障害治療剤	2614
617	1mg囗617 囗617	白	プログラフカプセル1mg（アステラス）	タクロリムス水和物	1mg 1カプセル	免疫抑制剤	1999
	ナフトピジル YD OD50 YD617	白	ナフトピジルOD錠50mg「YD」（陽進堂）	ナフトピジル	50mg 1錠	排尿障害治療剤	2614
618	ナフトピジル YD OD75 YD618	白	ナフトピジルOD錠75mg「YD」（陽進堂）	ナフトピジル	75mg 1錠	排尿障害治療剤	2614
620	SHP620 SHP／620	青	リブテンシティ錠200mg（武田薬品）	マリバビル	200mg 1錠	抗サイトメガロウイルス化学療法剤	3820
621	CP621	微青 Ⓘ	ソタコール錠80mg（サンドファーマ／サンド）	ソタロール塩酸塩	80mg 1錠	β-遮断剤	1925
	T621／0.15	白	ホーネル錠0.15（大正）	ファレカルシトリオール	0.15μg 1錠	活性型ビタミンD_3製剤	3084
	囗621	白	ロドピン錠25mg（LTL）	ゾテピン	25mg 1錠	チエピン系統合失調症治療剤	1927
	οΩΩ621	白	リカルボン錠1mg（小野薬品）	ミノドロン酸水和物	1mg 1錠	骨粗鬆症治療剤	3875
622	622	白	ジルテック錠5（ユーシービー／第一三共／グラクソ・スミスクライン）	セチリジン塩酸塩	5mg 1錠	持続性選択H₁-受容体拮抗剤	1806
	CP622	微青 Ⓘ	ソタコール錠40mg（サンドファーマ／サンド）	ソタロール塩酸塩	40mg 1錠	β-遮断剤	1925
	KH622	淡黄	オングリザ錠2.5mg（協和キリン）	サキサグリプチン水和物	2.5mg 1錠	選択的DPP-4阻害剤・2型糖尿病治療剤	1498
	T622／0.3	白 Ⓘ	ホーネル錠0.3（大正）	ファレカルシトリオール	0.3μg 1錠	活性型ビタミンD_3製剤	3084
	n622 Ⓝ622	白	ピンドロール錠5mg「日医工」（日医工）	ピンドロール	5mg 1錠	β-遮断剤	3069
623	623	白	ジルテック錠10（ユーシービー／第一三共／グラクソ・スミスクライン）	セチリジン塩酸塩	10mg 1錠	持続性選択H₁-受容体拮抗剤	1806
	GX623	黄	ザイアジェン錠300mg（ヴィーブ／グラクソ・スミスクライン）	アバカビル硫酸塩	300mg 1錠	抗ウイルス・HIV逆転写酵素阻害剤	154
	KH623	淡紅	オングリザ錠5mg（協和キリン）	サキサグリプチン水和物	5mg 1錠	選択的DPP-4阻害剤・2型糖尿病治療剤	1498
	SW623	白	エンペラシン配合錠（沢井）	ベタメタゾン・d-クロルフェニラミンマレイン酸塩	1錠	副腎皮質ホルモン配合剤	3499
625	JG N56／.625	白 Ⓘ	ビソプロロールフマル酸塩錠0.625mg「JG」（日本ジェネリック）	ビソプロロールフマル酸塩	0.625mg 1錠	選択的β_1-アンタゴニスト	2944
	LSH625	白	ロサルヒド配合錠LD「サンド」（サンド）	ロサルタンカリウム・ヒドロクロロチアジド	1錠	持続性アンギオテンシンⅡ受容体拮抗剤・利尿剤合剤	4483
	MS122／.625	白 Ⓘ	ビソプロロールフマル酸塩錠0.625mg「明治」（Meファルマ）	ビソプロロールフマル酸塩	0.625mg 1錠	選択的β_1-アンタゴニスト	2944
	NS211／.625	白 Ⓘ	ビソプロロールフマル酸塩錠0.625mg「日新」（日新）	ビソプロロールフマル酸塩	0.625mg 1錠	選択的β_1-アンタゴニスト	2944
	SW BL／.625	白 Ⓘ	ビソプロロールフマル酸塩錠0.625mg「サワイ」（沢井）	ビソプロロールフマル酸塩	0.625mg 1錠	選択的β_1-アンタゴニスト	2944
	Sz WL／.625 WL0.625	白 Ⓘ	ビソプロロールフマル酸塩錠0.625mg「サンド」（サンド）	ビソプロロールフマル酸塩	0.625mg 1錠	選択的β_1-アンタゴニスト	2944
	ZE62／.625	白 Ⓘ	ビソプロロールフマル酸塩錠0.625mg「ZE」（全星薬品工業／全星薬品）	ビソプロロールフマル酸塩	0.625mg 1錠	選択的β_1-アンタゴニスト	2944
	n755／.625 n755 .625 Ⓝ755	白 Ⓘ	ビソプロロールフマル酸塩錠0.625mg「日医工」（日医工）	ビソプロロールフマル酸塩	0.625mg 1錠	選択的β_1-アンタゴニスト	2944
629	629／30	薄橙	フェキソフェナジン塩酸塩錠30mg「ツルハラ」（鶴原）	フェキソフェナジン塩酸塩	30mg 1錠	アレルギー性疾患治療剤	3111
630	KW630	白	エペリゾン塩酸塩錠50mg「アメル」（共和薬品）	エペリゾン塩酸塩	50mg 1錠	γ-系筋緊張・循環改善剤	811
	SW630／10	白	イフェンプロジル酒石酸塩錠10mg「サワイ」（沢井）	イフェンプロジル酒石酸塩	10mg 1錠	鎮うん剤	473
	TAISHO630	無〜淡黄白透明	ロコアテープ（大正／帝人）	エスフルルビプロフェン・ハッカ油	10cm×14cm 1枚	経皮吸収型鎮痛消炎剤	704
	TSU630／60	薄橙	フェキソフェナジン塩酸塩錠60mg「ツルハラ」（鶴原）	フェキソフェナジン塩酸塩	60mg 1錠	アレルギー性疾患治療剤	3111
631	囗631	淡橙 Ⓘ	マイスリー錠10mg（アステラス）	ゾルピデム酒石酸塩	10mg 1錠	入眠剤	1973

500

番号	識別コード	色 (①:割線有)	商品名(会社名)	一般名	規格単位	薬効	掲載ページ
631	プレガバリン25mg 日医工 ⓝ631	白		プレガバリンカプセル25mg「日医工」 (日医工)	プレガバリン	25mg 1カプセル	疼痛治療剤(神経障害性疼痛・線維筋痛症)	3355
632	プレガバリン75mg 日医工 ⓝ632	濃赤褐/白		プレガバリンカプセル75mg「日医工」 (日医工)	プレガバリン	75mg 1カプセル	疼痛治療剤(神経障害性疼痛・線維筋痛症)	3355
633	プレガバリン150mg 日医工 ⓝ633	白		プレガバリンカプセル150mg「日医工」 (日医工)	プレガバリン	150mg 1カプセル	疼痛治療剤(神経障害性疼痛・線維筋痛症)	3355
634	▉634	白		プリンペラン錠5(日医工)	メトクロプラミド	5mg 1錠	ベンザミド系消化器機能異常治療剤	3951
635	m50 TTS-635	白		クラリスロマイシン錠小児用50mg「タカタ」(高田)	クラリスロマイシン	50mg 1錠	マクロライド系抗生物質	1250
636	プレガバリン YD OD25 YD636	白		プレガバリンOD錠25mg「YD」(陽進堂)	プレガバリン	25mg 1錠	疼痛治療剤(神経障害性疼痛・線維筋痛症)	3355
637	プレガバリン YD OD50 YD637	白	①	プレガバリンOD錠50mg「YD」(陽進堂)	プレガバリン	50mg 1錠	疼痛治療剤(神経障害性疼痛・線維筋痛症)	3355
638	ⓝ638 ⓝ638	白		プラミペキソール塩酸塩錠0.125mg「日医工」(日医工)	プラミペキソール塩酸塩水和物	0.125mg 1錠	ドパミン作動性抗パーキンソン剤、レストレスレッグス症候群治療剤	3258
	プレガバリン YD OD75 YD638	白		プレガバリンOD錠75mg「YD」(陽進堂)	プレガバリン	75mg 1錠	疼痛治療剤(神経障害性疼痛・線維筋痛症)	3355
639	ⓝ639 ⓝ639	白	①	プラミペキソール塩酸塩錠0.5mg「日医工」(日医工)	プラミペキソール塩酸塩水和物	0.5mg 1錠	ドパミン作動性抗パーキンソン剤、レストレスレッグス症候群治療剤	3258
	プレガバリン YD OD150 YD639	白	①	プレガバリンOD錠150mg「YD」(陽進堂)	プレガバリン	150mg 1錠	疼痛治療剤(神経障害性疼痛・線維筋痛症)	3355
640	YD640	白		ファモチジン錠10mg「YD」(陽進堂)	ファモチジン	10mg 1錠	H_2-受容体拮抗剤	3079
	タケキャブ20 △640 ①763	微赤 白 白 ①		ボノピオンパック(武田薬品)	ボノプラザンフマル酸塩・アモキシシリン水和物・メトロニダゾール	1シート	ヘリコバクター・ピロリ除菌用組み合わせ製剤	3737
	タケキャブ20 △640 クラリス200	微赤 白 白 ①		ボノサップパック400(武田薬品)	ボノプラザンフマル酸塩・アモキシシリン水和物・クラリスロマイシン	1シート	ヘリコバクター・ピロリ除菌用組み合わせ製剤	3733
	タケキャブ20 △640 クラリス200	微赤 白 白 ①		ボノサップパック800(武田薬品)	ボノプラザンフマル酸塩・アモキシシリン水和物・クラリスロマイシン	1シート	ヘリコバクター・ピロリ除菌用組み合わせ製剤	3733
641	TSU641	白		ジルチアゼム塩酸塩錠30mg「ツルハラ」(鶴原)	ジルチアゼム塩酸塩	30mg 1錠	ベンゾチアゼピン系Ca拮抗剤	1705
	YD641	白		ファモチジン錠20mg「YD」(陽進堂)	ファモチジン	20mg 1錠	H_2-受容体拮抗剤	3079
	⋏641 ビソノテープβ1 遮断剤8mg	白半透明		ビソノテープ8mg(トーアエイヨー)	ビソプロロール	8mg 1枚	選択的β_1-アンタゴニスト	2944
642	TSU642	白		ジルチアゼム塩酸塩錠60mg「ツルハラ」(鶴原)	ジルチアゼム塩酸塩	60mg 1錠	ベンゾチアゼピン系Ca拮抗剤	1705
	YD642 ラベプラゾール YD10	淡黄		ラベプラゾールNa錠10mg「YD」(陽進堂)	ラベプラゾールナトリウム	10mg 1錠	プロトンポンプインヒビター	4112
	⋏642 ビソノテープβ1 遮断剤4mg	白半透明		ビソノテープ4mg(トーアエイヨー)	ビソプロロール	4mg 1枚	選択的β_1-アンタゴニスト	2944
643	⋏643 β1遮断剤 ビソノテープ2mg	白半透明		ビソノテープ2mg(トーアエイヨー)	ビソプロロール	2mg 1枚	選択的β_1-アンタゴニスト	2944
	ラベプラゾール YD20 YD643	淡黄		ラベプラゾールNa錠20mg「YD」(陽進堂)	ラベプラゾールナトリウム	20mg 1錠	プロトンポンプインヒビター	4112
645	TTS645/3 TTS-645	黄		ドネペジル塩酸塩錠3mg「タカタ」(高田)	ドネペジル、-塩酸塩	3mg 1錠	アルツハイマー型、レビー小体型認知症治療剤	2426
	℗645	白	①	複合アレビアチン配合錠(住友ファーマ)	フェニトイン・フェノバルビタール	1錠	抗てんかん剤	3123
646	MH646 500 MH646	白又はほとんど白		炭酸水素ナトリウム錠500mg「VTRS」(ヴィアトリス・ヘルスケア/ヴィアトリス)	炭酸水素ナトリウム	500mg 1錠	制酸・中和剤	2126
	TTS646/5 TTS-646	白		ドネペジル塩酸塩錠5mg「タカタ」(高田)	ドネペジル、-塩酸塩	5mg 1錠	アルツハイマー型、レビー小体型認知症治療剤	2426
	ロサルヒド YD LD YD646	白		ロサルヒド配合錠LD「YD」(陽進堂)	ロサルタンカリウム・ヒドロクロロチアジド	1錠	持続性アンギオテンシンⅡ受容体拮抗剤・利尿剤合剤	4483
647	0.5mg✈647 ✈647	淡黄/橙		グラセプターカプセル0.5mg(アステラス)	タクロリムス水和物	0.5mg 1カプセル	免疫抑制剤	1999

番号	識別コード	色 (Ⓘ：割線有)	商品名(会社名)	一般名	規格単位	薬効	掲載ページ
647	NMB647	薄青	メネシット配合錠100 (オルガノン)	レボドパ・カルビドパ水和物	1錠	パーキンソニズム治療剤	4415
	TSU647	淡赤	ジピリダモール錠100mg「ツルハラ」(鶴原)	ジピリダモール	100mg 1錠	冠循環増強・抗血小板剤	1646
	TTS647／10 TTS-647	赤橙	ドネペジル塩酸塩錠10mg「タカタ」(高田)	ドネペジル,‐塩酸塩	10mg 1錠	アルツハイマー型，レビー小体型認知症治療剤	2426
	YD647／60	薄橙	フェキソフェナジン塩酸塩錠60mg「YD」(陽進堂)	フェキソフェナジン塩酸塩	60mg 1錠	アレルギー性疾患治療剤	3111
648	ロサルヒド YD HD YD648	白	ロサルヒド配合錠HD「YD」(陽進堂)	ロサルタンカリウム・ヒドロクロロチアジド	1錠	持続性アンギオテンシンⅡ受容体拮抗剤・利尿剤合剤	4483
649	YD649 ラベプラゾール YD5	淡黄	ラベプラゾールNa錠5mg「YD」(陽進堂)	ラベプラゾールナトリウム	5mg 1錠	プロトンポンプインヒビター	4112
650	50T650 T650	淡橙	メタルカプターゼカプセル50mg (大正)	ペニシラミン	50mg 1カプセル	リウマチ・ウイルソン病治療・金属解毒剤	3526
	KW650／5	淡黄	メロキシカム錠5mg「アメル」(共和薬品)	メロキシカム	5mg 1錠	非ステロイド性消炎鎮痛剤	4000
	ⓝ650	淡緑／白	フェンラーゼ配合カプセル(日医工ファーマ／日医工)	総合消化酵素製剤	1カプセル	消化剤	1691
651	100T651 T651	赤／淡黄	メタルカプターゼカプセル100mg (大正)	ペニシラミン	100mg 1カプセル	リウマチ・ウイルソン病治療・金属解毒剤	3526
	KW651 Ⓘ	淡黄	メロキシカム錠10mg「アメル」(共和薬品)	メロキシカム	10mg 1錠	非ステロイド性消炎鎮痛剤	4000
	MO651	白〜微黄	ベセルナクリーム5%(持田)	イミキモド	5% 250mg 1包	尖圭コンジローマ治療剤，日光角化症治療剤	498
	⊞651	白	ロドピン錠50mg (LTL)	ゾテピン	50mg 1錠	チエピン系統合失調症治療剤	1927
652	M652／0.2 Ⓘ	帯黄白	ボグリボースOD錠0.2mg「杏林」(キョーリンリメディオ／杏林)	ボグリボース	0.2mg 1錠	α-グルコシダーゼ阻害・食後過血糖改善剤	3668
	MO652	白〜微黄白	フロリードゲル経口用2%(持田／ジーシー昭和)	ミコナゾール	2% 1g	フェネチルイミダゾール系抗真菌剤	3839
	T652 200T652	淡褐／淡黄	メタルカプターゼカプセル200mg (大正)	ペニシラミン	200mg 1カプセル	リウマチ・ウイルソン病治療・金属解毒剤	3526
653	M653／0.3	微黄	ボグリボースOD錠0.3mg「杏林」(キョーリンリメディオ／杏林)	ボグリボース	0.3mg 1錠	α-グルコシダーゼ阻害・食後過血糖改善剤	3668
	MO653	白〜微黄白	バラシクロビル粒状錠500mg「モチダ」(持田製販／持田)	バラシクロビル塩酸塩	500mg 1包	抗ウイルス剤	2810
654	100Ⓘ654 Ⓘ654 100	薄赤	フロモックス錠100mg (塩野義)	セフカペン ピボキシル塩酸塩水和物	100mg 1錠	セフェム系抗生物質	1845
	75Ⓘ654 Ⓘ654 75	白	フロモックス錠75mg (塩野義)	セフカペン ピボキシル塩酸塩水和物	75mg 1錠	セフェム系抗生物質	1845
	NMB654	薄青	メネシット配合錠250 (オルガノン)	レボドパ・カルビドパ水和物	1錠	パーキンソニズム治療剤	4415
655	KC-655	白〜帯褐白	プロナーゼMS (科研)	プロナーゼ	20,000単位	消炎酵素・胃内粘液溶解除去剤	3421
657	5mg⊞657 ⊞657	灰赤	プログラフカプセル5mg (アステラス)	タクロリムス水和物	5mg 1カプセル	免疫抑制剤	1999
660	nr TTS-660	白〜帯黄白	テルビナフィン錠125mg「タカタ」(高田／マルホ)	テルビナフィン塩酸塩	125mg 1錠	アリルアミン系抗真菌剤	2367
	YD660	白	レバミピド錠100mg「YD」(陽進堂)	レバミピド	100mg 1錠	胃炎・胃潰瘍治療剤	4390
	〇⋂〇660 Ⓘ	薄赤黄	グラクティブ錠25mg (小野薬品)	シタグリプチンリン酸塩水和物	25mg 1錠	選択的DPP-4阻害剤・糖尿病用剤	1611
661	YD661	白〜微黄白	ニザチジン錠150mg「YD」(陽進堂)	ニザチジン	150mg 1錠	H₂受容体拮抗剤	2637
	P661	白	ピロニック錠100mg (住友ファーマ)	尿素(^{13}C)	100mg 1錠	ヘリコバクター・ピロリ感染診断用剤	2679
	〇⋂〇661	極薄赤黄	グラクティブ錠50mg (小野薬品)	シタグリプチンリン酸塩水和物	50mg 1錠	選択的DPP-4阻害剤・糖尿病用剤	1611
662	YD662	白	ザルトプロフェン錠80mg「YD」(陽進堂／日本ジェネリック)	ザルトプロフェン	80mg 1錠	プロピオン酸系消炎鎮痛剤	1533
	〇⋂〇662	薄赤黄	グラクティブ錠100mg (小野薬品)	シタグリプチンリン酸塩水和物	100mg 1錠	選択的DPP-4阻害剤・糖尿病用剤	1611
	ザルトプロフェン YD80 YD662	白	ザルトプロフェン錠80mg「YD」(陽進堂／共創未来)	ザルトプロフェン	80mg 1錠	プロピオン酸系消炎鎮痛剤	1533
663	YD663／40	白	ベラプロストNa錠40μg「YD」(陽進堂／共創未来)	ベラプロストナトリウム	40μg 1錠	プロスタサイクリン(PGI₂)誘導体	3597
	〇⋂〇663	明るい灰	グラクティブ錠12.5mg (小野薬品)	シタグリプチンリン酸塩水和物	12.5mg 1錠	選択的DPP-4阻害剤・糖尿病用剤	1611
664	YD664	白	リトドリン塩酸塩錠5mg「YD」(陽進堂)	リトドリン塩酸塩	5mg 1錠	切迫流・早産治療β₂-刺激剤	4236
665	ⓝ665 ⓝ665	白	プロプラノロール塩酸塩錠10mg「日医工」(日医工)	プロプラノロール塩酸塩	10mg 1錠	β-遮断剤	3437

500

番号	識別コード	色（◐：割線有）	商品名（会社名）	一般名	規格単位	薬効	掲載ページ
667	YD667／2	黄	ベニジピン塩酸塩錠2mg「YD」（陽進堂／共創未来）	ベニジピン塩酸塩	2mg 1錠	ジヒドロピリジン系Ca拮抗剤	3524
668	A250 TTS-668	白	アジスロマイシン錠250mg「タカタ」（高田）	アジスロマイシン水和物	250mg 1錠	15員環マクロライド系抗生物質	30
	YD668／4	黄　◐	ベニジピン塩酸塩錠4mg「YD」（陽進堂／共創未来）	ベニジピン塩酸塩	4mg 1錠	ジヒドロピリジン系Ca拮抗剤	3524
671	KW671	淡黄	ミルナシプラン塩酸塩錠15mg「アメル」（共和薬品）	ミルナシプラン塩酸塩	15mg 1錠	セロトニン・ノルアドレナリン再取り込み阻害剤（SNRI）	3891
672	KW672	白〜帯黄白	ミルナシプラン塩酸塩錠25mg「アメル」（共和薬品）	ミルナシプラン塩酸塩	25mg 1錠	セロトニン・ノルアドレナリン再取り込み阻害剤（SNRI）	3891
673	KW673	白〜帯黄白	ミルナシプラン塩酸塩錠12.5mg「アメル」（共和薬品）	ミルナシプラン塩酸塩	12.5mg 1錠	セロトニン・ノルアドレナリン再取り込み阻害剤（SNRI）	3891
675	KW675／50	白〜帯黄白	ミルナシプラン塩酸塩錠50mg「アメル」（共和薬品）	ミルナシプラン塩酸塩	50mg 1錠	セロトニン・ノルアドレナリン再取り込み阻害剤（SNRI）	3891
676	SANKYO676	白〜微黄白	バナン錠100mg（第一三共／グラクソ・スミスクライン）	セフポドキシム プロキセチル	100mg 1錠	セフェム系抗生物質	1858
677	1mg⚡677 ⚡677	白／橙	グラセプターカプセル1mg（アステラス）	タクロリムス水和物	1mg 1カプセル	免疫抑制剤	1999
	ⓝ677	白	ケトチフェンカプセル1mg「日医工」（日医工ファーマ／日医工）	ケトチフェンフマル酸塩	1mg 1カプセル	アレルギー性疾患治療剤	1408
678	000678	白〜帯黄白	オノンカプセル112.5mg（小野薬品）	プランルカスト水和物	112.5mg 1カプセル	ロイコトリエン受容体拮抗剤	3268
679	SW679	白〜帯黄白	シプロフロキサシン錠200mg「SW」（沢井）	シプロフロキサシン	200mg 1錠	ニューキノロン系抗菌剤	1659
680	KW680	白	モサプリドクエン酸塩錠2.5mg「アメル」（共和薬品）	モサプリドクエン酸塩水和物	2.5mg 1錠	消化管運動促進剤	4014
	MO680	白〜微黄白	レボフロキサシン粒状錠250mg「モチダ」（持田製販／持田）	レボフロキサシン水和物	250mg 1包（レボフロキサシンとして）	ニューキノロン系抗菌剤	4432
681	KW681	白　◐	モサプリドクエン酸塩錠5mg「アメル」（共和薬品）	モサプリドクエン酸塩水和物	5mg 1錠	消化管運動促進剤	4014
	MO681	白〜微黄白	レボフロキサシン粒状錠500mg「モチダ」（持田製販／持田）	レボフロキサシン水和物	500mg 1包（レボフロキサシンとして）	ニューキノロン系抗菌剤	4432
683	TJN683／MUC	白　◐	ムコソルバン錠15mg（帝人）	アンブロキソール塩酸塩	15mg 1錠	気道潤滑去痰剤	378
687	5mg⚡687 ⚡687	灰赤／橙	グラセプターカプセル5mg（アステラス）	タクロリムス水和物	5mg 1カプセル	免疫抑制剤	1999
	ⓝ687 ⓝ687	白〜微黄◐	ドンペリドン錠10mg「日医工」（日医工）	ドンペリドン	10mg 1錠	消化管運動改善剤	2599
693	SW693	白	トラピジル錠50mg「サワイ」（沢井）	トラピジル	50mg 1錠	循環機能改善剤	2475
694	SW694	白	トラピジル錠100mg「サワイ」（沢井）	トラピジル	100mg 1錠	循環機能改善剤	2475
	アトルバスタチン5 日医工 ⓝ694	極薄紅	アトルバスタチン錠5mg「日医工」（日医工）	アトルバスタチンカルシウム水和物	5mg 1錠	HMG-CoA還元酵素阻害剤	128
695	50mg Ⓟfizer695 Pfizer695	白	ピメノールカプセル50mg（ファイザー）	ピルメノール塩酸塩水和物	50mg 1カプセル	不整脈治療剤	3055
	アトルバスタチン10 日医工 ⓝ695	白	アトルバスタチン錠10mg「日医工」（日医工）	アトルバスタチンカルシウム水和物	10mg 1錠	HMG-CoA還元酵素阻害剤	128
696	100mg Ⓟfizer696 Pfizer696	白	ピメノールカプセル100mg（ファイザー）	ピルメノール塩酸塩水和物	100mg 1カプセル	不整脈治療剤	3055
	SW696	白	イフェンプロジル酒石酸塩錠20mg「サワイ」（沢井）	イフェンプロジル酒石酸塩	20mg 1錠	鎮うん剤	473
698	SW698	白	カルテオロール塩酸塩錠5mg「サワイ」（沢井）	カルテオロール塩酸塩	5mg 1錠	β-遮断剤	1143
699	YD699	橙	レボセチリジン塩酸塩ドライシロップ0.5%「YD」（陽進堂）	レボセチリジン塩酸塩	0.5% 1g	持続性選択H₁-受容体拮抗剤	4407
700	700	白〜淡黄白	チクロピジン塩酸塩錠100mg「ツルハラ」（鶴原）	チクロピジン塩酸塩	100mg 1錠	抗血小板剤	2159
	EK-700	黒褐	ウチダの八味丸M（ウチダ和漢薬／クラシエ薬品）	八味地黄丸	10丸	漢方製剤	4637
	SW700／2.5	白	ニコランジル錠2.5mg「サワイ」（メディサ／沢井）	ニコランジル	2.5mg 1錠	狭心症・急性心不全治療剤	2635
	TTS700 TTS-700	白	アジスロマイシン小児用錠100mg「タカタ」（高田）	アジスロマイシン水和物	100mg 1錠	15員環マクロライド系抗生物質	30
	Tw700／0.625	白	ビソプロロールフマル酸塩錠0.625mg「トーワ」（東和薬品）	ビソプロロールフマル酸塩	0.625mg 1錠	選択的β₁-アンタゴニスト	2944
	✿700	白	ビフェルトロ錠100mg（MSD）	ドラビリン	100mg 1錠	抗ウイルス化学療法剤	2476
701	701	白　◐	カバサール錠1.0mg（ファイザー）	カベルゴリン	1mg 1錠	抗パーキンソン剤	1098

500

番号	識別コード	色 (①:割線有)		商品名(会社名)	一般名	規格単位	薬効	掲載ページ
701	CEO701	白	①	ベタヒスチンメシル酸塩錠6mg「CEO」(セオリア/武田薬品)	ベタヒスチンメシル酸塩	6mg 1錠	めまい・平衡障害治療剤	3496
	GILEAD／701 GILEAD-701	青		ツルバダ配合錠(ギリアド)	エムトリシタビン・テノホビル ジソプロキシルフマル酸塩	1錠	抗ウイルス化学療法剤	850
	KH701	極薄黄		フォゼベル錠5mg(協和キリン)	テナパノル塩酸塩	5mg 1錠	高リン血症治療剤	2282
	t701 t701 112.5mg	白〜帯黄白		プランルカストカプセル112.5mg「NIG」(日医工岐阜/日医工/武田薬品)	プランルカスト水和物	112.5mg 1カプセル	ロイコトリエン受容体拮抗剤	3268
	TC701 TC702	白		MS冷シップ「タイホウ」(岡山大鵬/大鵬薬品)	外皮用消炎鎮痛配合剤	10g	消炎・鎮痛剤	1691
	TP-701	白〜淡黄		インドメタシン坐剤50「NP」(ニプロ)	インドメタシン	50mg 1個	インドール酢酸系解熱消炎鎮痛剤・未熟児動脈管開存症治療剤	619
	TTS701／30 TTS-701	薄橙		フェキソフェナジン塩酸塩錠30mg「タカタ」(高田)	フェキソフェナジン塩酸塩	30mg 1錠	アレルギー性疾患治療剤	3111
	Tw701	白〜淡黄		シプロフロキサシン錠100mg「トーワ」(東和薬品)	シプロフロキサシン	100mg 1錠	ニューキノロン系抗菌剤	1659
	🔲701	無透明		ケトコナゾール外用液2%「NR」(東光薬品/ラクール)	ケトコナゾール	2% 1g	イミダゾール系抗真菌剤	1407
	𝓃701 ⓝ701	白		タムスロシン塩酸塩OD錠0.1mg「日医工」(日医工)	タムスロシン塩酸塩	0.1mg 1錠	α_1-遮断剤	2075
702	CEO702	白	①	ベタヒスチンメシル酸塩錠12mg「CEO」(セオリア/武田薬品)	ベタヒスチンメシル酸塩	12mg 1錠	めまい・平衡障害治療剤	3496
	h-702	白		乳酸カルシウム「VTRS」原末(ヴィアトリス・ヘルスケア/ヴィアトリス)	乳酸カルシウム水和物	10g	カルシウム補給剤	1135
	KH702	黄		フォゼベル錠10mg(協和キリン)	テナパノル塩酸塩	10mg 1錠	高リン血症治療剤	2282
	NF702	白	①	イスコチン錠100mg(アルフレッサファーマ)	イソニアジド	100mg 1錠	結核化学療法剤	431
	T702	白〜淡黄白		リーマス錠100(大正)	炭酸リチウム	100mg 1錠	躁病・躁状態治療剤	4212
	T702	白〜淡黄白		炭酸リチウム錠100mg「大正」(トクホン/大正)	炭酸リチウム	100mg 1錠	躁病・躁状態治療剤	4212
	TC701 TC702	白		MS冷シップ「タイホウ」(岡山大鵬/大鵬薬品)	外皮用消炎鎮痛配合剤	10g	消炎・鎮痛剤	1691
	TP-702	白〜淡黄		インドメタシン坐剤25「NP」(ニプロ)	インドメタシン	25mg 1個	インドール酢酸系解熱消炎鎮痛剤・未熟児動脈管開存症治療剤	619
	TTS702／60 TTS-702	薄橙		フェキソフェナジン塩酸塩錠60mg「タカタ」(高田)	フェキソフェナジン塩酸塩	60mg 1錠	アレルギー性疾患治療剤	3111
	Tw702／5	白		ラフチジン錠5mg「トーワ」(東和薬品)	ラフチジン	5mg 1錠	H_2-受容体拮抗剤	4103
	YD702	白		ビホナゾールクリーム1%「YD」(陽進堂)	ビホナゾール	1% 1g	抗真菌剤	3012
	🔲702	白		ヘパリン類似物質ローション0.3%「ラクール」(東光薬品/ラクール)	ヘパリン類似物質	1g	抗炎症血行促進・皮膚保湿剤	3545
	𝓃702 ⓝ702	白		タムスロシン塩酸塩OD錠0.2mg「日医工」(日医工)	タムスロシン塩酸塩	0.2mg 1錠	α_1-遮断剤	2075
703	5／SW703	白	①	リシノプリル錠5mg「サワイ」(沢井)	リシノプリル水和物	5mg 1錠	ACE阻害剤	4193
	KH703	黄赤		フォゼベル錠20mg(協和キリン)	テナパノル塩酸塩	20mg 1錠	高リン血症治療剤	2282
	T703	白〜淡黄白		リーマス錠200(大正)	炭酸リチウム	200mg 1錠	躁病・躁状態治療剤	4212
	T703	白〜淡黄白		炭酸リチウム錠200mg「大正」(トクホン/大正)	炭酸リチウム	200mg 1錠	躁病・躁状態治療剤	4212
	TC703 TC704	淡赤褐〜淡赤褐		MS温シップ「タイホウ」(岡山大鵬/大鵬薬品)	外皮用消炎鎮痛配合剤	10g	消炎・鎮痛剤	1691
	TSU703	白		ケトチフェンカプセル1mg「ツルハラ」(鶴原)	ケトチフェンフマル酸塩	1mg 1カプセル	アレルギー性疾患治療剤	1408
	Tu703	白		トスフロキサシントシル酸塩錠75mg「TCK」(辰巳化学/日本ジェネリック)	トスフロキサシントシル酸塩水和物	75mg 1錠	ニューキノロン系抗菌剤	2414
	Tw703／10	白		ラフチジン錠10mg「トーワ」(東和薬品)	ラフチジン	10mg 1錠	H_2-受容体拮抗剤	4103
	YD703	白〜微黄		ヘパリン類似物質クリーム0.3%「YD」(陽進堂)	ヘパリン類似物質	1g	抗炎症血行促進・皮膚保湿剤	3545
	🔲703	無透明〜極微白濁		フェルビナクローション3%「ラクール」(東光薬品/ラクール)	フェルビナク	3% 1mL	鎮痛消炎フェンブフェン活性体	3153
704	KH704	暗黄赤		フォゼベル錠30mg(協和キリン)	テナパノル塩酸塩	30mg 1錠	高リン血症治療剤	2282
	TC703 TC704	淡黄赤〜淡赤褐		MS温シップ「タイホウ」(岡山大鵬/大鵬薬品)	外皮用消炎鎮痛配合剤	10g	消炎・鎮痛剤	1691
	Tu704	白		トスフロキサシントシル酸塩錠150mg「TCK」(辰巳化学)	トスフロキサシントシル酸塩水和物	150mg 1錠	ニューキノロン系抗菌剤	2414

500

番号	識別コード	色 (Ⓘ:割線有)	商品名(会社名)	一般名	規格単位	薬効	掲載 ページ
704	❖704	無～微黄透明	ジクロフェナクNaローション1%「日本臓器」(東光薬品／日本臓器)	ジクロフェナクナトリウム	1% 1g	フェニル酢酸系消炎鎮痛剤	1579
705	TC705	白	フェルビナクパップ70mg「タイホウ」(岡山大鵬／大鵬薬品)	フェルビナク	10cm×14cm 1枚	鎮痛消炎フェンブフェン活性体	3153
	Tw705／25	薄黄みの赤	クエチアピン錠25mg「トーワ」(東和薬品)	クエチアピンフマル酸塩	25mg 1錠	抗精神病、D₂・5-HT₂拮抗剤	1225
	❖705	無透明	クロベタゾールプロピオン酸エステルローション0.05%「ラクール」(東光薬品／ラクール)	クロベタゾールプロピオン酸エステル	0.05% 1g	副腎皮質ホルモン	1362
706	Tw706／100	薄黄	クエチアピン錠100mg「トーワ」(東和薬品)	クエチアピンフマル酸塩	100mg 1錠	抗精神病、D₂・5-HT₂拮抗剤	1225
	YD706	無～微黄透明	ヘパリン類似物質ローション0.3%「YD」(陽進堂)	ヘパリン類似物質	1g	抗炎症血行促進・皮膚保湿剤	3545
707	SW707	微紅　Ⓘ	プラバスタチンNa錠10mg「サワイ」(沢井)	プラバスタチンナトリウム	10mg 1錠	HMG-CoA還元酵素阻害剤	3256
	Tw707／200	白	クエチアピン錠200mg「トーワ」(東和薬品)	クエチアピンフマル酸塩	200mg 1錠	抗精神病、D₂・5-HT₂拮抗剤	1225
	n707／0.25 n707 0.25 Ⓝ707	微赤	エチゾラム錠0.25mg「日医工」(日医工)	エチゾラム	0.25mg 1錠	チエノジアゼピン系精神安定剤	738
708	SW708	白	プラバスタチンNa錠5mg「サワイ」(沢井)	プラバスタチンナトリウム	5mg 1錠	HMG-CoA還元酵素阻害剤	3256
	TC708	淡白半透明～白半透明	ロキソプロフェンナトリウムテープ50mg「タイホウ」(岡山大鵬／大鵬薬品)	ロキソプロフェンナトリウム水和物	7cm×10cm 1枚	プロピオン酸系消炎鎮痛剤	4473
709	TC709	淡白半透明～白半透明	ロキソプロフェンナトリウムテープ100mg「タイホウ」(岡山大鵬／大鵬薬品)	ロキソプロフェンナトリウム水和物	10cm×14cm 1枚	プロピオン酸系消炎鎮痛剤	4473
710	MSD710	白	シングレアOD錠10mg(オルガノン)	モンテルカストナトリウム	10mg 1錠	ロイコトリエン受容体拮抗剤	4043
	SW710	白	リシノプリル錠10mg「サワイ」(沢井)	リシノプリル水和物	10mg 1錠	ACE阻害剤	4193
	TTS710／2.5 TTS-710	微黄白～淡黄白	アムロジピンOD錠2.5mg「タカタ」(高田)	アムロジピンベシル酸塩	2.5mg 1錠	ジヒドロピリジン系Ca拮抗剤	264
	Tw710／250	白	カルボシステイン錠250mg「トーワ」(東和薬品)	L-カルボシステイン	250mg 1錠	気道粘液調整・粘膜正常化剤	1166
	n710 Ⓝ710	微青紫～薄青紫	トリアゾラム錠0.125mg「日医工」(日医工)	トリアゾラム	0.125mg 1錠	ベンゾジアゼピン系睡眠導入剤	2507
711	KP711 KP-711	白～微黄	バクシダール錠100mg(杏林)	ノルフロキサシン	100mg 1錠	ニューキノロン系抗菌剤	2742
	NF711	暗赤褐	クロロマイセチン錠50(アルフレッサファーマ)	クロラムフェニコール	50mg 1錠	抗生物質	1373
	SW711	白	セチプチリンマレイン酸塩錠1mg「サワイ」(沢井)	セチプチリンマレイン酸塩	1mg 1錠	四環系抗うつ剤	1805
	TH711	白	エパルレスタット錠50mg「フソー」(東菱薬品／扶桑薬品)	エパルレスタット	50mg 1錠	アルドース還元酵素阻害剤	779
	TTS711／5 TTS-711	微黄白～淡黄白	アムロジピンOD錠5mg「タカタ」(高田)	アムロジピンベシル酸塩	5mg 1錠	ジヒドロピリジン系Ca拮抗剤	264
	YD711	白～淡黄	インドメタシンパップ70mg「YD」(陽進堂)	インドメタシン	10cm× 14cm 1枚	インドール酢酸系解熱消炎鎮痛剤・未熟児動脈管開存症治療剤	619
	Ⓘ711／125 Ⓘ711：125	白～淡黄白	ゾコーバ錠125mg(塩野義)	エンシトレルビル・フマル酸	125mg 1錠	抗SARS-CoV-2剤	915
	n711 Ⓝ711	青～淡青Ⓘ	トリアゾラム錠0.25mg「日医工」(日医工)	トリアゾラム	0.25mg 1錠	ベンゾジアゼピン系睡眠導入剤	2507
712	MSD712	薄桃	レニベース錠5(オルガノン)	エナラプリルマレイン酸塩	5mg 1錠	ACE阻害剤	767
	NF712	暗赤褐	クロロマイセチン錠250(アルフレッサファーマ)	クロラムフェニコール	250mg 1錠	抗生物質	1373
	SW712	白	シロスタゾール錠50mg「サワイ」(沢井)	シロスタゾール	50mg 1錠	抗血小板剤	1718
	TTS712／10 TTS-712	微黄白～淡黄白	アムロジピンOD錠10mg「タカタ」(高田)	アムロジピンベシル酸塩	10mg 1錠	ジヒドロピリジン系Ca拮抗剤	264
	n712／OD80 n712OD80 Ⓝ712	白～微黄白	ビカルタミドOD錠80mg「日医工」(日医工)	ビカルタミド	80mg 1錠	前立腺癌治療剤	2926
713	MSD713	薄桃	レニベース錠10(オルガノン)	エナラプリルマレイン酸塩	10mg 1錠	ACE阻害剤	767
	NF713／0.5	白	トロペロン錠0.5mg(アルフレッサファーマ／田辺三菱)	チミペロン	0.5mg 1錠	ブチロフェノン系精神安定剤	2167
	NP713／0.5 NP-713	白　Ⓘ	グリメピリド錠0.5mg「NP」(ニプロ)	グリメピリド	0.5mg 1錠	スルホニル尿素系血糖降下剤	1278
	PH／713 PH713	白	クラリスロマイシン錠50mg小児用「杏林」(キョーリンリメディオ／杏林)	クラリスロマイシン	50mg 1錠	マクロライド系抗生物質	1250
	SW713	白	シロスタゾール錠100mg「サワイ」(沢井)	シロスタゾール	100mg 1錠	抗血小板剤	1718

500

番号	識別コード	色 (⛋:割線有)	商品名(会社名)	一般名	規格単位	薬効	掲載ページ
713	Tw713	白	クラリスロマイシン錠小児用50mg「トーワ」(東和薬品)	クラリスロマイシン	50mg 1錠	マクロライド系抗生物質	1250
	YD713	無透明	コールタイジン点鼻液(陽進堂)	塩酸テトラヒドロゾリン・プレドニゾロン	1mL	抗炎症・血管収縮剤	2278
714	PH714	白	クラリスロマイシン錠200mg「杏林」(キョーリンリメディオ/杏林)	クラリスロマイシン	200mg 1錠	マクロライド系抗生物質	1250
	TU714	黄 ⛋	レボフロキサシン錠250mg「TCK」(辰巳化学/フェルゼン)	レボフロキサシン水和物	250mg 1錠(レボフロキサシンとして)	ニューキノロン系抗菌剤	4432
	Tw714	白	クラリスロマイシン錠200mg「トーワ」(東和薬品)	クラリスロマイシン	200mg 1錠	マクロライド系抗生物質	1250
	YD714	黄	テラマイシン軟膏(ポリミキシンB含有)(陽進堂)	オキシテトラサイクリン塩酸塩・ポリミキシンB硫酸塩	1g	複合抗生物質製剤	957
715	KYK350 ⓝ715	白	ファモチジンD錠10mg「日医工」(日医工)	ファモチジン	10mg 1錠	H₂-受容体拮抗剤	3079
	NF715/1	白	トロペロン錠1mg(アルフレッサファーマ/田辺三菱)	チミペロン	1mg 1錠	ブチロフェノン系精神安定剤	2167
	NP715/1 NP-715	淡紅 ⛋	グリメピリド錠1mg「NP」(ニプロ)	グリメピリド	1mg 1錠	スルホニル尿素系血糖降下剤	1278
	SW715	白〜淡黄白	ベラプロストNa錠20μg「サワイ」(沢井)	ベラプロストナトリウム	20μg 1錠	プロスタサイクリン(PGI₂)誘導体	3597
	TU715	薄橙 ⛋	レボフロキサシン錠500mg「TCK」(辰巳化学/フェルゼン)	レボフロキサシン水和物	500mg 1錠(レボフロキサシンとして)	ニューキノロン系抗菌剤	4432
	Tw715	白 ⛋	カルボシステイン錠500mg「トーワ」(東和薬品)	L-カルボシステイン	500mg 1錠	気道粘液調整・粘膜正常化剤	1166
	VT715	極薄紅	リピトール錠5mg(ヴィアトリス)	アトルバスタチンカルシウム水和物	5mg 1錠	HMG-CoA還元酵素阻害剤	128
	YD715	淡黄〜黄	テラ・コートリル軟膏(陽進堂)	オキシテトラサイクリン塩酸塩・ヒドロコルチゾン	1g	副腎皮質ホルモン・抗生物質配合剤	957
716	Tw716/0.5	白〜微黄白	エンテカビル錠0.5mg「トーワ」(東和薬品)	エンテカビル水和物	0.5mg 1錠	抗ウイルス化学療法剤	921
	VT716	白	リピトール錠10mg(ヴィアトリス)	アトルバスタチンカルシウム水和物	10mg 1錠	HMG-CoA還元酵素阻害剤	128
	YD716	無透明	20%マンニットール注射液「YD」(陽進堂)	D-マンニトール	20% 300mL 1袋	脳圧眼圧降下・利尿剤	3824
717	MH-717	暗赤褐	ポビドンヨードゲル10%「VTRS」(ヴィアトリス・ヘルスケア/ヴィアトリス)	ポビドンヨード	10% 10g	殺菌消毒剤	3740
	MSD717	白	プレミネント配合錠LD(オルガノン)	ロサルタンカリウム・ヒドロクロロチアジド	1錠	持続性アンギオテンシンⅡ受容体拮抗剤・利尿剤合剤	4483
	NF717/3	白 ⛋	トロペロン錠3mg(アルフレッサファーマ/田辺三菱)	チミペロン	3mg 1錠	ブチロフェノン系精神安定剤	2167
	NP717/3 NP-717	微黄白 ⛋	グリメピリド錠3mg「NP」(ニプロ)	グリメピリド	3mg 1錠	スルホニル尿素系血糖降下剤	1278
	SW717	白〜微黄白 ⛋	オキサトミド錠30mg「サワイ」(沢井)	オキサトミド	30mg 1錠	アレルギー性疾患治療剤	942
	Tw717	白〜微黄白	セフポドキシムプロキセチル錠100mg「トーワ」(東和薬品)	セフポドキシム プロキセチル	100mg 1錠	セフェム系抗生物質	1858
	YD717	無透明	マンニットールS注射液(陽進堂)		300mL 1袋	脳圧降下・浸透圧利尿剤 体液用剤	2722
718	Tw718/250	白	アジスロマイシン錠250mg「トーワ」(東和薬品)	アジスロマイシン水和物	250mg 1錠	15員環マクロライド系抗生物質	30
719	Tw719/500	白	アジスロマイシン錠500mg「トーワ」(東和薬品)	アジスロマイシン水和物	500mg 1錠	15員環マクロライド系抗生物質	30
720	SW720	薄黄赤	エナラプリルマレイン酸塩錠2.5mg「サワイ」(沢井)	エナラプリルマレイン酸塩	2.5mg 1錠	ACE阻害剤	767
	TTS720/3 TTS-720	黄 ⛋	ドネペジル塩酸塩OD錠3mg「タカタ」(高田)	ドネペジル, -塩酸塩	3mg 1錠	アルツハイマー型, レビー小体型認知症治療剤	2426
	ⓝ720 ⓝ720	白	トスフロキサシントシル酸塩錠75mg「日医工」(日医工)	トスフロキサシントシル酸塩水和物	75mg 1錠	ニューキノロン系抗菌剤	2414
721	KP721 KP-721	白〜微黄	バクシダール錠200mg(杏林)	ノルフロキサシン	200mg 1錠	ニューキノロン系抗菌剤	2742
	NF721	白〜微黄白	タリビッド錠100mg(アルフレッサファーマ)	オフロキサシン	100mg 1錠	ニューキノロン系抗菌剤	996
	NP721/10 NP-721	白 ⛋	ロラタジン錠10mg「NP」(ニプロ)	ロラタジン	10mg 1錠	持続性選択H₁-受容体拮抗・アレルギー治療剤	4545
	P721	白	バルプロ酸ナトリウム錠100mg「DSP」(住友ファーマ)	バルプロ酸ナトリウム	100mg 1錠	抗てんかん, 躁病・躁状態, 片頭痛治療剤	2858
	SW721	薄黄赤 ⛋	エナラプリルマレイン酸塩錠5mg「サワイ」(沢井)	エナラプリルマレイン酸塩	5mg 1錠	ACE阻害剤	767
	TTS721/5 TTS-721	白 ⛋	ドネペジル塩酸塩OD錠5mg「タカタ」(高田)	ドネペジル, -塩酸塩	5mg 1錠	アルツハイマー型, レビー小体型認知症治療剤	2426

500

番号	識別コード	色 (◑：割線有)	商品名(会社名)	一般名	規格単位	薬効	掲載 ページ
721	Tw721	白	セフジトレンピボキシル錠100mg「トーワ」(東和薬品)	セフジトレン ピボキシル	100mg 1錠	セフェム系抗生物質	1847
	n721 Ⓝ721	白	トスフロキサシントシル酸塩錠150mg「日医工」(日医工)	トスフロキサシントシル酸塩水和物	150mg 1錠	ニューキノロン系抗菌剤	2414
722	NP722／10 NP-722	白	ロラタジンOD錠10mg「NP」(ニプロ)	ロラタジン	10mg 1錠	持続性選択H₁-受容体拮抗・アレルギー治療剤	4545
	P722	白	バルプロ酸ナトリウム錠200mg「DSP」(住友ファーマ)	バルプロ酸ナトリウム	200mg 1錠	抗てんかん、躁病・躁状態、片頭痛治療剤	2858
	SW722	白 ◑	ニコランジル錠5mg「サワイ」(メディサ/日本ジェネリック/第一三共エスファ/沢井)	ニコランジル	5mg 1錠	狭心症・急性心不全治療剤	2635
	TTS722／10 TTS-722	淡赤	ドネペジル塩酸塩OD錠10mg「タカタ」(高田)	ドネペジル,-塩酸塩	10mg 1錠	アルツハイマー型、レビー小体型認知症治療剤	2426
	YD722	無透明	エダラボン点滴静注バッグ30mg「YD」(陽進堂)	エダラボン	30mg 100mL 1キット	脳保護剤(フリーラジカルスカベンジャー)	732
723	M723	青/淡橙	ミコフェノール酸モフェチルカプセル250mg「VTRS」(ヴィアトリス・ヘルスケア/ヴィアトリス)	ミコフェノール酸 モフェチル	250mg 1カプセル	免疫抑制剤	3844
	n723 Ⓝ723	白	ロキシスロマイシン錠150mg「日医工」(日医工ファーマ/日医工)	ロキシスロマイシン	150mg 1錠	酸安定性マクロライド系抗生物質	4472
724	Tw724	白 ◑	イトプリド塩酸塩錠50mg「トーワ」(東和薬品)	イトプリド塩酸塩	50mg 1錠	消化管運動賦活剤	447
	YD724	白〜微黄	ベタメタゾン吉草酸エステルクリーム0.12%「YD」(陽進堂)	ベタメタゾン吉草酸エステル	0.12% 1g	副腎皮質ホルモン	3501
725	Tw725／5	淡黄	タンドスピロンクエン酸塩錠5mg「トーワ」(東和薬品)	タンドスピロンクエン酸塩	5mg 1錠	非ベンゾジアゼピン系・セロトニン作動性抗不安薬	2129
	YD725	白	プレドニゾロンクリーム0.5%「YD」(陽進堂)	プレドニゾロン	0.5% 1g	副腎皮質ホルモン	3366
	➤725	淡黄	リンゼス錠0.25mg(アステラス)	リナクロチド	0.25mg 1錠	グアニル酸シクラーゼC受容体アゴニスト	4249
	ジルチアゼムR 100mg SW-725 SW-725	白	ジルチアゼム塩酸塩Rカプセル100mg「サワイ」(沢井)	ジルチアゼム塩酸塩	100mg 1カプセル	ベンゾチアゼピン系Ca拮抗剤	1705
726	◈726	白	リポバス錠5(オルガノン)	シンバスタチン	5mg 1錠	HMG-CoA還元酵素阻害剤	1728
	ジルチアゼムR 200mg SW-726 SW-726	赤/白	ジルチアゼム塩酸塩Rカプセル200mg「サワイ」(沢井)	ジルチアゼム塩酸塩	200mg 1カプセル	ベンゾチアゼピン系Ca拮抗剤	1705
727	NP727／ AZM250 NP-727	白〜帯黄白	アジスロマイシン錠250mg「NP」(ニプロ)	アジスロマイシン水和物	250mg 1錠	15員環マクロライド系抗生物質	30
	SW727	白〜微黄白◑	チザニジン錠1mg「サワイ」(沢井)	チザニジン塩酸塩	1mg 1錠	筋緊張緩和剤	2164
	Tw727／10	白 ◑	タンドスピロンクエン酸塩錠10mg「トーワ」(東和薬品)	タンドスピロンクエン酸塩	10mg 1錠	非ベンゾジアゼピン系・セロトニン作動性抗不安薬	2129
	YD727	白〜微黄	ベタメタゾンジプロピオン酸エステル軟膏0.064%「YD」(陽進堂)	ベタメタゾンジプロピオン酸エステル	0.064% 1g	副腎皮質ホルモン	3505
729	YD729	無〜微黄透明	ヘパリン類似物質外用スプレー0.3%「YD」(陽進堂/日本ジェネリック)	ヘパリン類似物質	1g	抗炎症血行促進・皮膚保湿剤	3545
730	TSU730	白 ◑	アンブロキソール塩酸塩錠15mg「ツルハラ」(鶴原)	アンブロキソール塩酸塩	15mg 1錠	気道潤滑去痰剤	378
	TTS730／5 TTS-730	淡橙 ◑	ゾルピデム酒石酸塩錠5mg「タカタ」(高田)	ゾルピデム酒石酸塩	5mg 1錠	入眠剤	1973
	Tw730／20	白 ◑	タンドスピロンクエン酸塩錠20mg「トーワ」(東和薬品)	タンドスピロンクエン酸塩	20mg 1錠	非ベンゾジアゼピン系・セロトニン作動性抗不安薬	2129
	n730／5 n730 5 Ⓝ730	黄白 ◑	マニジピン塩酸塩錠5mg「日医工」(日医工)	マニジピン塩酸塩	5mg 1錠	ジヒドロピリジン系Ca拮抗剤	3811
731	NP731／80 NP-731	白〜微黄白	ビカルタミドOD錠80mg「ニプロ」(ニプロ)	ビカルタミド	80mg 1錠	前立腺癌治療剤	2926
	PH731／10	白	プロピベリン塩酸塩錠10mg「杏林」(キョーリンリメディオ/杏林)	プロピベリン塩酸塩	10mg 1錠	排尿抑制ベンジル酸誘導体	3433
	SW731	白〜帯黄白◑	ゾピクロン錠7.5mg「サワイ」(沢井)	ゾピクロン	7.5mg 1錠	シクロピロロン系睡眠障害改善剤	1937
	TTS731／10 TTS-731	淡橙 ◑	ゾルピデム酒石酸塩錠10mg「タカタ」(高田)	ゾルピデム酒石酸塩	10mg 1錠	入眠剤	1973
	Tw／731 Tw731	白	セチリジン塩酸塩錠5mg「トーワ」(東和薬品)	セチリジン塩酸塩	5mg 1錠	持続性選択H₁-受容体拮抗剤	1806
	YD731	無半透明	ジフロラゾン酢酸エステル軟膏0.05%「YD」(陽進堂)	ジフロラゾン酢酸エステル	0.05% 1g	副腎皮質ホルモン	1667
	➤731	白	レグナイト錠300mg(アステラス)	ガバペンチン・エナカルビル	300mg 1錠	レストレスレッグス症候群治療剤	1076
	n731／10 n731 10 Ⓝ731	淡黄 ◑	マニジピン塩酸塩錠10mg「日医工」(日医工)	マニジピン塩酸塩	10mg 1錠	ジヒドロピリジン系Ca拮抗剤	3811

500

番号	識別コード	色 （①：割線有）	商品名（会社名）	一般名	規格単位	薬効	掲載ページ
732	NP732／2.5 NP-732	白～帯黄白	リセドロン酸Na錠2.5mg「NP」（ニプロ）	リセドロン酸ナトリウム水和物	2.5mg 1錠	ビスホスホネート系骨吸収抑制剤	4209
	PH732／20	白	プロピベリン塩酸塩錠20mg「杏林」（キョーリンリメディオ／杏林）	プロピベリン塩酸塩	20mg 1錠	排尿抑制ベンジル酸誘導体	3433
	SW732	白～帯黄白	ゾピクロン錠10mg「サワイ」（沢井）	ゾピクロン	10mg 1錠	シクロピロロン系催眠睡眠障害改善剤	1937
	Tw732	白 ①	セチリジン塩酸塩錠10mg「トーワ」（東和薬品）	セチリジン塩酸塩	10mg 1錠	持続性選択H₁-受容体拮抗剤	1806
	YD732	白	ジフロラゾン酢酸エステルクリーム0.05%「YD」（陽進堂）	ジフロラゾン酢酸エステル	0.05% 1g	副腎皮質ホルモン	1667
	n732／20 n732 20 n732	薄橙黄	マニジピン塩酸塩錠20mg「日医工」（日医工）	マニジピン塩酸塩	20mg 1錠	ジヒドロピリジン系Ca拮抗剤	3811
733	A733 10mg A733／10mg	暗橙／白	ジャクスタピッドカプセル10mg（レコルダティ）	ロミタピドメシル酸塩	10mg 1カプセル	高脂血症治療剤	4526
	A733 20mg A733／20mg	白	ジャクスタピッドカプセル20mg（レコルダティ）	ロミタピドメシル酸塩	20mg 1カプセル	高脂血症治療剤	4526
	A733 5mg A733／5mg	暗橙	ジャクスタピッドカプセル5mg（レコルダティ）	ロミタピドメシル酸塩	5mg 1カプセル	高脂血症治療剤	4526
	SW733	白 ①	ブロチゾラム錠0.25mg「サワイ」（メディサ／沢井）	ブロチゾラム	0.25mg 1錠	チエノトリアゾロジアゼピン系睡眠導入剤	3411
	Tw733／5	白	エバスチン錠5mg「トーワ」（東和薬品）	エバスチン	5mg 1錠	持続性選択H₁-受容体拮抗剤	778
	YD733	無半透明	フルオシノロンアセトニド軟膏0.025%「YD」（陽進堂）	フルオシノロンアセトニド	0.025% 1g	副腎皮質ホルモン	3292
734	Tw734／10	白 ①	エバスチン錠10mg「トーワ」（東和薬品）	エバスチン	10mg 1錠	持続性選択H₁-受容体拮抗剤	778
735	SW735	薄桃 ①	エナラプリルマレイン酸塩錠10mg「サワイ」（沢井）	エナラプリルマレイン酸塩	10mg 1錠	ACE阻害剤	767
	T735	白	リンラキサー錠125mg（大正）	クロルフェネシンカルバミン酸エステル	125mg 1錠	筋緊張性疼痛疾患治療剤	1379
	YD735	白	プレドニゾロン吉草酸エステル酢酸エステルクリーム0.3%「YD」（陽進堂）	プレドニゾロン吉草酸エステル酢酸エステル	0.3% 1g	副腎皮質ホルモン	3369
	◈735	白	リポバス錠10（オルガノン）	シンバスタチン	10mg 1錠	HMG-CoA還元酵素阻害剤	1728
736	SW736	薄黄 ①	ペルゴリド錠50μg「サワイ」（沢井）	ペルゴリドメシル酸塩	50μg 1錠	抗パーキンソン剤	3614
	YD736	白～微黄白	プレドニゾロン吉草酸エステル酢酸エステル軟膏0.3%「YD」（陽進堂）	プレドニゾロン吉草酸エステル酢酸エステル	0.3% 1g	副腎皮質ホルモン	3369
737	SW737	薄緑 ①	ペルゴリド錠250μg「サワイ」（沢井）	ペルゴリドメシル酸塩	250μg 1錠	抗パーキンソン剤	3614
	T737	白	リンラキサー錠250mg（大正）	クロルフェネシンカルバミン酸エステル	250mg 1錠	筋緊張性疼痛疾患治療剤	1379
	YD737	白～微黄	クロベタゾン酪酸エステル軟膏0.05%「YD」（陽進堂）	クロベタゾン酪酸エステル	0.05% 1g	副腎皮質ホルモン	1364
740	YD740	白	アダパレンゲル0.1%「YD」（陽進堂）	アダパレン	0.1% 1g	尋常性痤瘡治療剤	95
	◈740	白	リポバス錠20（オルガノン）	シンバスタチン	20mg 1錠	HMG-CoA還元酵素阻害剤	1728
741	4.5mgリバスチグミン「YD」／YD741	無透明（ベージュ）	リバスチグミンテープ4.5mg「YD」（陽進堂）	リバスチグミン	4.5mg 1枚	アルツハイマー型認知症治療剤	4257
	HC741	白 ①	フスコデ配合錠（ヴィアトリス・ヘルスケア／ヴィアトリス）	フスコデ	1錠	鎮咳剤	3199
	Tw741／50	白	サルポグレラート塩酸塩錠50mg「トーワ」（東和薬品）	サルポグレラート塩酸塩	50mg 1錠	5-HT₂ブロッカー	1538
742	9mgリバスチグミン「YD」／YD742	無透明（ベージュ）	リバスチグミンテープ9mg「YD」（陽進堂）	リバスチグミン	9mg 1枚	アルツハイマー型認知症治療剤	4257
	T742	白	ロルカム錠2mg（大正）	ロルノキシカム	2mg 1錠	オキシカム系消炎鎮痛剤	4548
	Tw742／100	白 ①	サルポグレラート塩酸塩錠100mg「トーワ」（東和薬品）	サルポグレラート塩酸塩	100mg 1錠	5-HT₂ブロッカー	1538
743	13.5mgリバスチグミン「YD」／YD743	無透明（ベージュ）	リバスチグミンテープ13.5mg「YD」（陽進堂）	リバスチグミン	13.5mg 1枚	アルツハイマー型認知症治療剤	4257
	Tw743／75	白	セフカペンピボキシル塩酸塩錠75mg「トーワ」（シー・エイチ・オー／東和薬品）	セフカペン ピボキシル塩酸塩水和物	75mg 1錠	セフェム系抗生物質	1845
744	18mgリバスチグミン「YD」／YD744	無透明（ベージュ）	リバスチグミンテープ18mg「YD」（陽進堂）	リバスチグミン	18mg 1枚	アルツハイマー型認知症治療剤	4257
	Tw744／100	薄赤	セフカペンピボキシル塩酸塩錠100mg「トーワ」（シー・エイチ・オー／東和薬品）	セフカペン ピボキシル塩酸塩水和物	100mg 1錠	セフェム系抗生物質	1845
745	745	白	プレミネント配合錠HD（オルガノン）	ロサルタンカリウム・ヒドロクロロチアジド	1錠	持続性アンギオテンシンⅡ受容体拮抗剤・利尿剤合剤	4483
	Tw745／80	白	ビカルタミド錠80mg「トーワ」（東和薬品）	ビカルタミド	80mg 1錠	前立腺癌治療剤	2926

500

番号	識別コード	色 (Ⓘ:割線有)	商品名(会社名)	一般名	規格単位	薬効	掲載ページ
747	Tw747／5	黄白　Ⓘ	パロキセチン錠5mg「トーワ」(東和薬品)	パロキセチン塩酸塩水和物	5mg 1錠	選択的セロトニン再取り込み阻害剤(SSRI)	2878
748	Sz748	白	フルコナゾールカプセル50mg「サンド」(サンド)	フルコナゾール	50mg 1カプセル	トリアゾール系抗真菌剤	3298
749	Sz749	橙	フルコナゾールカプセル100mg「サンド」(サンド)	フルコナゾール	100mg 1カプセル	トリアゾール系抗真菌剤	3298
750	Tw750／5	帯紅白	パロキセチンOD錠5mg「トーワ」(東和薬品)	パロキセチン塩酸塩水和物	5mg 1錠	選択的セロトニン再取り込み阻害剤(SSRI)	2878
	YD750	淡褐〜褐	ロキソプロフェンNaテープ50mg「YD」(陽進堂)	ロキソプロフェンナトリウム水和物	7cm×10cm 1枚	プロピオン酸系消炎鎮痛剤	4473
751	SW751／15	淡橙　Ⓘ	クアゼパム錠15mg「サワイ」(沢井)	クアゼパム	15mg 1錠	ベンゾジアゼピン系睡眠障害改善剤	1218
	TTS751／15 TTS-751	白〜帯黄白Ⓘ	ピオグリタゾンOD錠15mg「タカタ」(高田)	ピオグリタゾン塩酸塩	15mg 1錠	インスリン抵抗性改善血糖降下剤	2912
	Tw751	白	ドンペリドン錠5mg「トーワ」(東和薬品)	ドンペリドン	5mg 1錠	消化管運動改善剤	2599
	YD751	淡褐〜褐	ロキソプロフェンNaテープ100mg「YD」(陽進堂)	ロキソプロフェンナトリウム水和物	10cm×14cm 1枚	プロピオン酸系消炎鎮痛剤	4473
	⊕751	薄赤	シングレアチュアブル錠5mg(オルガノン)	モンテルカストナトリウム	5mg 1錠	ロイコトリエン受容体拮抗剤	4043
752	SW752／20	淡橙　Ⓘ	クアゼパム錠20mg「サワイ」(沢井)	クアゼパム	20mg 1錠	ベンゾジアゼピン系睡眠障害改善剤	1218
	TSU752	白	メキタジン錠3mg「ツルハラ」(鶴原)	メキタジン	3mg 1錠	フェノチアジン系抗ヒスタミン剤	3905
	TTS752／30 TTS-752	白〜帯黄白Ⓘ	ピオグリタゾンOD錠30mg「タカタ」(高田)	ピオグリタゾン塩酸塩	30mg 1錠	インスリン抵抗性改善血糖降下剤	2912
	Tw752／10	帯紅白　Ⓘ	パロキセチンOD錠10mg「トーワ」(東和薬品)	パロキセチン塩酸塩水和物	10mg 1錠	選択的セロトニン再取り込み阻害剤(SSRI)	2878
	YD752	白〜淡黄	ロキソプロフェンNaパップ100mg「YD」(陽進堂)	ロキソプロフェンナトリウム水和物	10cm×14cm 1枚	プロピオン酸系消炎鎮痛剤	4473
	⊕752	明るい灰黄	シングレア錠10mg(オルガノン)	モンテルカストナトリウム	10mg 1錠	ロイコトリエン受容体拮抗剤	4043
753	Tw753／20	帯紅白　Ⓘ	パロキセチンOD錠20mg「トーワ」(東和薬品)	パロキセチン塩酸塩水和物	20mg 1錠	選択的セロトニン再取り込み阻害剤(SSRI)	2878
	YD753	白〜微黄	ノギロン軟膏0.1%(陽進堂)	トリアムシノロンアセトニド	0.1% 1g	副腎皮質ホルモン	2511
	n753／2.5 n753 2.5 Ⓝ753	白	ビソプロロールフマル酸塩錠2.5mg「日医工」(日医工)	ビソプロロールフマル酸塩	2.5mg 1錠	選択的β₁-アンタゴニスト	2944
754	Tw754／10	帯紅白　Ⓘ	パロキセチン錠10mg「トーワ」(東和薬品)	パロキセチン塩酸塩水和物	10mg 1錠	選択的セロトニン再取り込み阻害剤(SSRI)	2878
	n754 Ⓝ754	白	ビソプロロールフマル酸塩錠5mg「日医工」(日医工)	ビソプロロールフマル酸塩	5mg 1錠	選択的β₁-アンタゴニスト	2944
755	Tw755／20	帯紅白　Ⓘ	パロキセチン錠20mg「トーワ」(東和薬品)	パロキセチン塩酸塩水和物	20mg 1錠	選択的セロトニン再取り込み阻害剤(SSRI)	2878
	YD755	無〜微黄透明	ロキソプロフェンNa外用ポンプスプレー1%「YD」(陽進堂)	ロキソプロフェンナトリウム水和物	1% 1g	プロピオン酸系消炎鎮痛剤	4473
	n755／.625 n755 .625 Ⓝ755	白　Ⓘ	ビソプロロールフマル酸塩錠0.625mg「日医工」(日医工)	ビソプロロールフマル酸塩	0.625mg 1錠	選択的β₁-アンタゴニスト	2944
756	TSU756	白	プラバスタチンナトリウム錠5mg「ツルハラ」(鶴原)	プラバスタチンナトリウム	5mg 1錠	HMG-CoA還元酵素阻害剤	3256
	Tw756／2.5	淡黄赤	オロパタジン塩酸塩錠2.5mg「トーワ」(東和薬品)	オロパタジン塩酸塩	2.5mg 1錠	アレルギー性疾患治療剤	1037
	YD756	無〜微黄透明	YDソリタ-T1号輸液(陽進堂)	開始液	200mL 1袋	電解質補液	1041
	YD756	無〜微黄透明	YDソリタ-T1号輸液(陽進堂)	開始液	500mL 1袋	電解質補液	1041
757	h757 h-757	白	キニジン硫酸塩錠100mg「VTRS」(ヴィアトリス・ヘルスケア／ヴィアトリス)	キニジン硫酸塩水和物	100mg 1錠	不整脈治療剤	1200
	SW757／20	白　Ⓘ	リシノプリル錠20mg「サワイ」(沢井)	リシノプリル水和物	20mg 1錠	ACE阻害剤	4193
	TSU757	微紅　Ⓘ	プラバスタチンナトリウム錠10mg「ツルハラ」(鶴原)	プラバスタチンナトリウム	10mg 1錠	HMG-CoA還元酵素阻害剤	3256
	Tw757／5	淡黄赤	オロパタジン塩酸塩錠5mg「トーワ」(東和薬品)	オロパタジン塩酸塩	5mg 1錠	アレルギー性疾患治療剤	1037
758	YD758	無〜微黄透明	YDソリタ-T3号G輸液(陽進堂)	維持液	200mL 1袋	電解質輸液	421
	YD758	無〜微黄透明	YDソリタ-T3号G輸液(陽進堂)	維持液	500mL 1袋	電解質輸液	421
	n758／ メトホルミン250 n758 メトホルミン250 Ⓝ758	白　Ⓘ	メトホルミン塩酸塩錠250mgMT「日医工」(日医工)	メトホルミン塩酸塩	250mg 1錠	ビグアナイド系血糖降下剤	3962
759	YD759	無〜微黄透明	YDソリタ-T3号輸液(陽進堂)	維持液	200mL 1袋	電解質輸液	421
	YD759	無〜微黄透明	YDソリタ-T3号輸液(陽進堂)	維持液	500mL 1袋	電解質輸液	421

500
ı

番号	識別コード	色 (①：割線有)	商品名(会社名)	一般名	規格単位	薬効	掲載ページ
759	n759／ メトホルミン500 n759 メトホルミン500 Ⓝ759	白　①	メトホルミン塩酸塩錠500mgMT「日医工」(日医工)	メトホルミン塩酸塩	500mg 1錠	ビグアナイド系血糖降下剤	3962
761	FJ761	白	フラジール腟錠250mg (富士製薬)	メトロニダゾール	250mg 1錠	抗原虫剤・癌性皮膚潰瘍臭改善薬・酒さ治療薬	3971
	Tw761／0.5	淡紅	デュタステリド錠0.5mgZA「トーワ」(東和薬品)	デュタステリド	0.5mg 1錠	5α-還元酵素阻害薬	2332
763	Ⓧ763	白	フラジール内服錠250mg (シオノギファーマ／塩野義)	メトロニダゾール	250mg 1錠	抗原虫剤・癌性皮膚潰瘍臭改善薬・酒さ治療薬	3971
	Ｅパリエット10 250SAW Ⓧ763	淡黄 薄橙 白	ラベファインパック(エーザイ／EA)	ラベプラゾールナトリウム・アモキシシリン水和物・メトロニダゾール	1シート	ヘリコバクター・ピロリ除菌用組み合わせ製剤	4121
	タケキャプ20 △640 Ⓧ763	微赤 白 白　①	ボノピオンパック(武田薬品)	ボノプラザンフマル酸塩・アモキシシリン水和物・メトロニダゾール	1シート	ヘリコバクター・ピロリ除菌用組み合わせ製剤	3737
767	n767 Ⓝ767	淡黄　①	メロキシカム錠10mg「日医工」(日医工)	メロキシカム	10mg 1錠	非ステロイド性消炎鎮痛剤	4000
768	n768／5 n768 5 Ⓝ768	淡黄	メロキシカム錠5mg「日医工」(日医工)	メロキシカム	5mg 1錠	非ステロイド性消炎鎮痛剤	4000
770	SW770	白～帯黄白	オキシブチニン塩酸塩錠1mg「サワイ」(沢井)	オキシブチニン塩酸塩	1mg 1錠	排尿障害治療剤・原発性手掌多汗症治療剤	960
	TTS770／5 TTS-770	帯紅白	パロキセチン錠5mg「タカタ」(高田)	パロキセチン塩酸塩水和物	5mg 1錠	選択的セロトニン再取り込み阻害剤(SSRI)	2878
771	771	白～微黄白	ファモチジン錠20mg「ツルハラ」(鶴原)	ファモチジン	20mg 1錠	H₂-受容体拮抗剤	3079
	PH／771 PH771	白	セチリジン塩酸塩錠5mg「PH」(キョーリンリメディオ／杏林)	セチリジン塩酸塩	5mg 1錠	持続性選択H₁-受容体拮抗剤	1806
	SW771	白～帯黄白①	オキシブチニン塩酸塩錠2mg「サワイ」(沢井)	オキシブチニン塩酸塩	2mg 1錠	排尿障害治療剤・原発性手掌多汗症治療剤	960
	TTS771／10 TTS-771	帯紅白	パロキセチン錠10mg「タカタ」(高田)	パロキセチン塩酸塩水和物	10mg 1錠	選択的セロトニン再取り込み阻害剤(SSRI)	2878
	Tw771／0.5	白	エチゾラム錠0.5mg「トーワ」(東和薬品)	エチゾラム	0.5mg 1錠	チエノジアゼピン系精神安定剤	738
	Ⓧ771／10 Ⓧ771：10	白～淡黄白	ゾフルーザ錠10mg (塩野義)	バロキサビル・マルボキシル	10mg 1錠	抗インフルエンザウイルス剤	2875
	Ｐ771／5	薄橙　①	マイスタン錠5mg (住友ファーマ／アルフレッサファーマ)	クロバザム	5mg 1錠	ベンゾジアゼピン系抗てんかん剤	1313
772	PH／772 PH772	白	セチリジン塩酸塩錠10mg「PH」(キョーリンリメディオ／杏林)	セチリジン塩酸塩	10mg 1錠	持続性選択H₁-受容体拮抗剤	1806
	SW772	白～帯黄白①	オキシブチニン塩酸塩錠3mg「サワイ」(沢井)	オキシブチニン塩酸塩	3mg 1錠	排尿障害治療剤・原発性手掌多汗症治療剤	960
	TTS772／20 TTS-772	帯紅白	パロキセチン錠20mg「タカタ」(高田)	パロキセチン塩酸塩水和物	20mg 1錠	選択的セロトニン再取り込み阻害剤(SSRI)	2878
	Tw772／1	白	エチゾラム錠1mg「トーワ」(東和薬品)	エチゾラム	1mg 1錠	チエノジアゼピン系精神安定剤	738
	Ｐ772／10	白　①	マイスタン錠10mg (住友ファーマ／アルフレッサファーマ)	クロバザム	10mg 1錠	ベンゾジアゼピン系抗てんかん剤	1313
	Ⓧ772／20 Ⓧ772：20	白～淡黄白	ゾフルーザ錠20mg (塩野義)	バロキサビル・マルボキシル	20mg 1錠	抗インフルエンザウイルス剤	2875
773	NP773／3 NP-773	黄	ドネペジル塩酸塩OD錠3mg「NP」(ニプロ)	ドネペジル,‐塩酸塩	3mg 1錠	アルツハイマー型，レビー小体型認知症治療剤	2426
	SW773	白	ミドドリン塩酸塩錠2mg「サワイ」(沢井)	ミドドリン塩酸塩	2mg 1錠	α₁-刺激剤	3870
774	n774 Ⓝ774	白	ザルトプロフェン錠80mg「日医工」(日医工)	ザルトプロフェン	80mg 1錠	プロピオン酸系消炎鎮痛剤	1533
775	775／5	明るい灰黄	モンテルカスト錠5mg「ツルハラ」(鶴原)	モンテルカストナトリウム	5mg 1錠	ロイコトリエン受容体拮抗剤	4043
	NP775／5 NP-775	白	ドネペジル塩酸塩OD錠5mg「NP」(ニプロ)	ドネペジル,‐塩酸塩	5mg 1錠	アルツハイマー型，レビー小体型認知症治療剤	2426
	SW775	白　①	トランドラプリル錠0.5mg「サワイ」(沢井)	トランドラプリル	0.5mg 1錠	ACE阻害剤	2505
776	2.5ロスバOD／ TTS776 TTS-776	白	ロスバスタチンOD錠2.5mg「タカタ」(高田)	ロスバスタチンカルシウム	2.5mg 1錠	HMG-CoA還元酵素阻害剤	4487
	TSU776／10	明るい灰黄	モンテルカスト錠10mg「ツルハラ」(鶴原)	モンテルカストナトリウム	10mg 1錠	ロイコトリエン受容体拮抗剤	4043
	Tw776／0.25	微赤	エチゾラム錠0.25mg「トーワ」(東和薬品)	エチゾラム	0.25mg 1錠	チエノジアゼピン系精神安定剤	738

500
1

番号	識別コード	色 (⬖:割線有)	商品名(会社名)	一般名	規格単位	薬効	掲載 ページ
777	5ロスバOD／ TTS777 TTS-777	白	ロスバスタチンOD錠5mg「タカタ」 (高田)	ロスバスタチンカルシウム	5mg 1錠	HMG-CoA還元酵素阻害剤	4487
	777	ピンク	リフヌア錠45mg(MSD／杏林)	ゲーファピキサントクエン 酸塩	45mg 1錠	選択的P2X3受容体拮抗薬・ 咳嗽治療薬	1416
	KP777 KP-777	白	ムコダイン錠500mg(杏林)	L-カルボシステイン	500mg 1錠	気道粘液調整・粘膜正常化剤	1166
	NP777／10 NP-777	淡赤	ドネペジル塩酸塩OD錠10mg「NP」 (ニプロ)	ドネペジル，-塩酸塩	10mg 1錠	アルツハイマー型，レビー小 体型認知症治療剤	2426
	SW777	白 ⬖	トランドラプリル錠1mg「サワイ」(沢 井)	トランドラプリル	1mg 1錠	ACE阻害剤	2505
	*n*777 *n*777	極薄紅	ロキソプロフェンナトリウム錠60mg 「日医工」(日医工)	ロキソプロフェンナトリウ ム水和物	60mg 1錠	プロピオン酸系消炎鎮痛剤	4473
779	⬖779／100 20 ⬖779：100 20	白	バクタミニ配合錠(シオノギファーマ／ 塩野義)	スルファメトキサゾール・ トリメトプリム	1錠	合成抗菌剤	1781
780	HC780	白	ホクナリンテープ0.5mg(ヴィアトリ ス)	ツロブテロール	0.5mg 1枚	気管支拡張β₂-刺激剤	2190
	⬖780	白	バクタ配合錠(シオノギファーマ／塩野 義)	スルファメトキサゾール・ トリメトプリム	1錠	合成抗菌剤	1781
781	HC781	白	ホクナリンテープ1mg(ヴィアトリス)	ツロブテロール	1mg 1枚	気管支拡張β₂-刺激剤	2190
	⊛／781 ❖781	黄	マリゼブ錠12.5mg(MSD／キッセイ)	オマリグリプチン	12.5mg 1錠	持続性選択的DPP-4阻害剤・ 経口糖尿病用剤	1001
782	HC782	白	ホクナリンテープ2mg(ヴィアトリス)	ツロブテロール	2mg 1枚	気管支拡張β₂-刺激剤	2190
	⊛／782 ❖782	白	マリゼブ錠25mg(MSD／キッセイ)	オマリグリプチン	25mg 1錠	持続性選択的DPP-4阻害剤・ 経口糖尿病用剤	1001
785	*n*MOXO *n*785	白	モノフィリン錠100mg(日医工)	プロキシフィリン	100mg 1錠	キサンチン系利尿剤	3392
789	*n*789／250 *n*789 250 *n*789	白	アジスロマイシン錠250mg「日医工」 (日医工)	アジスロマイシン水和物	250mg 1錠	15員環マクロライド系抗生物 質	30
790	*n*790／500 *n*790 500 *n*790	白	アジスロマイシン錠500mg「日医工」 (日医工)	アジスロマイシン水和物	500mg 1錠	15員環マクロライド系抗生物 質	30
792	MH792	薄黄 ⬖	ペルゴリド錠50μg「VTRS」(ヴィアト リス・ヘルスケア／ヴィアトリス)	ペルゴリドメシル酸塩	50μg 1錠	抗パーキンソン剤	3614
796	KYK356 *n*796	白 ⬖	ファモチジンD錠20mg「日医工」(日 医工)	ファモチジン	20mg 1錠	H₂-受容体拮抗剤	3079
800	KT800	淡紅 ⬖	グリメピリド錠1mg「NIG」(日医工岐 阜／日医工／武田薬品)	グリメピリド	1mg 1錠	スルホニル尿素系血糖降下剤	1278
	TG／800	ピンク	プレジコビックス配合錠(ヤンセン)	ダルナビル・エタノール付 加物・コビシスタット	1錠	抗ウイルス化学療法剤	2102
801	KT801	微黄白 ⬖	グリメピリド錠3mg「NIG」(日医工岐 阜／日医工／武田薬品)	グリメピリド	3mg 1錠	スルホニル尿素系血糖降下剤	1278
	✇801	無透明	ケトコナゾール外用ポンプスプレー2% 「NR」(東光薬品／ラクール)	ケトコナゾール	2% 1g	イミダゾール系抗真菌剤	1407
802	000802	白〜帯黄白	プレグランディン腟坐剤1mg(小野薬 品)	ゲメプロスト	1mg 1個	プロスタグランジンE₁誘導体	1428
803	HC803	白 ⬖	ガナトン錠50mg(ヴィアトリス)	イトプリド塩酸塩	50mg 1錠	消化管運動賦活剤	447
	KH803	黄橙	アセチルスピラマイシン錠100(サンド ファーマ／サンド)	スピラマイシン酢酸エステ ル	100mg 1錠	マクロライド系抗生物質	1760
	*n*803／0.2 *n*803 0.2 *n*803	白〜帯黄白	ボグリボース錠0.2mg「日医工」(日医 工)	ボグリボース	0.2mg 1錠	α-グルコシダーゼ阻害・食後 過血糖改善剤	3668
804	KH804	黄橙	アセチルスピラマイシン錠200(サンド ファーマ／サンド)	スピラマイシン酢酸エステ ル	200mg 1錠	マクロライド系抗生物質	1760
	*n*804／0.3 *n*804 0.3 *n*804	白〜帯黄白	ボグリボース錠0.3mg「日医工」(日医 工)	ボグリボース	0.3mg 1錠	α-グルコシダーゼ阻害・食後 過血糖改善剤	3668
	✇804	無透明〜極 微白濁	フェルビナク外用ポンプスプレー3% 「ラクール」(東光薬品／ラクール)	フェルビナク	3% 1mL	鎮痛消炎フェンブフェン活性 体	3153
807	SANKYO807／2	白 ⬖	メテバニール錠2mg(第一三共プロ／ 第一三共)	オキシメテバノール	2mg 1錠	鎮咳剤	965
811	丙 t811	黄褐	リーダイ配合錠(日医工岐阜／日医工／ 武田薬品)	ベルベリン塩化物水和物・ ゲンノショウコエキス	1錠	止瀉剤	3630
813	オロパタジン2.5 日医工 *n*813	淡黄赤	オロパタジン塩酸塩錠2.5mg「日医工」 (日医工)	オロパタジン塩酸塩	2.5mg 1錠	アレルギー性疾患治療剤	1037
814	*n*814 *n*814	淡黄赤 ⬖	オロパタジン塩酸塩錠5mg「日医工」 (日医工)	オロパタジン塩酸塩	5mg 1錠	アレルギー性疾患治療剤	1037
815	SANKYO／815 SANKYO815	白〜帯黄白	コデインリン酸塩錠20mg「第一三共」 (第一三共プロ／第一三共)	コデインリン酸塩水和物	20mg 1錠	麻薬性鎮咳剤	1450
	*n*815 *n*815	白	エナラプリルマレイン酸塩錠2.5mg 「NikP」(日医工ファーマ／日医工)	エナラプリルマレイン酸塩	2.5mg 1錠	ACE阻害剤	767

500
┃

番号	識別コード	色 (①:割線有)	商品名(会社名)	一般名	規格単位	薬効	掲載ページ
816	n816 n816	薄桃 ①	エナラプリルマレイン酸塩錠5mg「NikP」(日医工ファーマ／日医工)	エナラプリルマレイン酸塩	5mg 1錠	ACE阻害剤	767
817	n817 n817	薄桃	エナラプリルマレイン酸塩錠10mg「NikP」(日医工ファーマ／日医工)	エナラプリルマレイン酸塩	10mg 1錠	ACE阻害剤	767
818	n818／5 n818 5 n818	白	アレンドロン酸錠5mg「日医工」(日医工)	アレンドロン酸ナトリウム水和物	5mg 1錠	骨粗鬆症治療剤	349
819	n819／35 n819 35 n819	白	アレンドロン酸錠35mg「日医工」(日医工)	アレンドロン酸ナトリウム水和物	35mg 1錠	骨粗鬆症治療剤	349
820	n820／0.2 n820 0.2 n820	帯黄白 ①	ボグリボースOD錠0.2mg「日医工」(日医工)	ボグリボース	0.2mg 1錠	α-グルコシダーゼ阻害・食後過血糖改善剤	3668
821	YA821／ イマチニブ100	くすんだ黄赤〜濃黄赤	イマチニブ錠100mg「ヤクルト」(高田)	イマチニブメシル酸塩	100mg 1錠	抗悪性腫瘍剤・チロシンキナーゼ阻害剤	493
	n821／0.3 n821 0.3 n821	微黄	ボグリボースOD錠0.3mg「日医工」(日医工)	ボグリボース	0.3mg 1錠	α-グルコシダーゼ阻害・食後過血糖改善剤	3668
822	YA822／ イマチニブ200	くすんだ黄赤〜濃黄赤	イマチニブ錠200mg「ヤクルト」(高田)	イマチニブメシル酸塩	200mg 1錠	抗悪性腫瘍剤・チロシンキナーゼ阻害剤	493
	n822 n822	白〜帯黄白	リセドロン酸Na錠2.5mg「日医工」(日医工)	リセドロン酸ナトリウム水和物	2.5mg 1錠	ビスホスホネート系骨吸収抑制剤	4209
823	リセドロン17.5 日医工 n823	淡紅	リセドロン酸Na錠17.5mg「日医工」(日医工)	リセドロン酸ナトリウム水和物	17.5mg 1錠	ビスホスホネート系骨吸収抑制剤	4209
828	KW828	薄紅 ①	ロキソプロフェンNa錠60mg「アメル」(共和薬品)	ロキソプロフェンナトリウム水和物	60mg 1錠	プロピオン酸系消炎鎮痛剤	4473
	YA828／ ゲフィチニブ	褐	ゲフィチニブ錠250mg「ヤクルト」(高田)	ゲフィチニブ	250mg 1錠	抗悪性腫瘍剤・上皮成長因子受容体チロシンキナーゼ阻害剤	1418
829	KW829／1	白	ブロムペリドール錠1mg「アメル」(共和薬品)	ブロムペリドール	1mg 1錠	ブチロフェノン系精神安定剤	3453
	カペシタビン300 ヤクルト YA829	白	カペシタビン錠300mg「ヤクルト」(ダイト／ヤクルト)	カペシタビン	300mg 1錠	抗悪性腫瘍ドキシフルリジンプロドラッグ	1093
830	KW830／3	白	ブロムペリドール錠3mg「アメル」(共和薬品)	ブロムペリドール	3mg 1錠	ブチロフェノン系精神安定剤	3453
	PF／U200 n830	白	ユニコン錠200(日医工)	テオフィリン	200mg 1錠	キサンチン系気管支拡張剤	2195
831	KW831／6	白	ブロムペリドール錠6mg「アメル」(共和薬品)	ブロムペリドール	6mg 1錠	ブチロフェノン系精神安定剤	3453
	PF／U400 n831	白	ユニコン錠400(日医工)	テオフィリン	400mg 1錠	キサンチン系気管支拡張剤	2195
834	Sz834	黄	メトトレキサートカプセル2mg「サンド」(サンド)	メトトレキサート〔抗リウマチ剤〕	2mg 1カプセル	抗リウマチ剤	3952
837	PF／U100 n837	白	ユニコン錠100(日医工)	テオフィリン	100mg 1錠	キサンチン系気管支拡張剤	2195
844	n844／0.5 n844 0.5 n844	白 ①	グリメピリドOD錠0.5mg「日医工」(日医工)	グリメピリド	0.5mg 1錠	スルホニル尿素系血糖降下剤	1278
845	YD845	白〜微黄白	ドンペリドン錠5mg「YD」(陽進堂)	ドンペリドン	5mg 1錠	消化管運動改善剤	2599
	n845／1 n845 1 n845	淡紅	グリメピリドOD錠1mg「日医工」(日医工)	グリメピリド	1mg 1錠	スルホニル尿素系血糖降下剤	1278
846	YD846	白〜微黄白	イフェンプロジル酒石酸塩錠20mg「YD」(陽進堂)	イフェンプロジル酒石酸塩	20mg 1錠	鎮うん剤	473
	n846／3 n846 3 n846	微黄白	グリメピリドOD錠3mg「日医工」(日医工)	グリメピリド	3mg 1錠	スルホニル尿素系血糖降下剤	1278
847	YD847／25	白 ①	ロサルタンカリウム錠25mg「YD」(陽進堂)	ロサルタンカリウム	25mg 1錠	アンギオテンシンⅡ受容体拮抗剤	4481
848	YD848／50	白 ①	ロサルタンカリウム錠50mg「YD」(陽進堂)	ロサルタンカリウム	50mg 1錠	アンギオテンシンⅡ受容体拮抗剤	4481
849	YD849／100	白	ロサルタンカリウム錠100mg「YD」(陽進堂)	ロサルタンカリウム	100mg 1錠	アンギオテンシンⅡ受容体拮抗剤	4481
850	850	白	ロスーゼット配合錠HD(オルガノン／バイエル薬品)	エゼチミブ・ロスバスタチンカルシウム	1錠	小腸コレステロールトランスポーター阻害剤・HMG-CoA還元酵素阻害剤配合剤	715
851	30△851 △851	淡黄	パシーフカプセル30mg(武田薬品)	モルヒネ塩酸塩水和物	30mg 1カプセル	鎮痛・鎮咳・止瀉剤	4034
852	60△852 △852	淡黄	パシーフカプセル60mg(武田薬品)	モルヒネ塩酸塩水和物	60mg 1カプセル	鎮痛・鎮咳・止瀉剤	4034

500
I

番号	識別コード	色 (①:割線有)	商品名(会社名)	一般名	規格単位	薬効	掲載 ページ
853	120△853 △853	淡黄	パシーフカプセル120mg(武田薬品)	モルヒネ塩酸塩水和物	120mg 1カプセル	鎮痛・鎮咳・止瀉剤	4034
854	ロサルヒドHD 日医工 ⓝ854	白	ロサルヒド配合錠HD「日医工」(日医工)	ロサルタンカリウム・ヒドロクロロチアジド	1錠	持続性アンギオテンシンⅡ受容体拮抗剤・利尿剤合剤	4483
855	ロサルヒドLD 日医工 ⓝ855	白	ロサルヒド配合錠LD「日医工」(日医工)	ロサルタンカリウム・ヒドロクロロチアジド	1錠	持続性アンギオテンシンⅡ受容体拮抗剤・利尿剤合剤	4483
860	YD063	黄	パンテチン錠100mg「YD」(陽進堂/日医工)	パンテチン	100mg 1錠	代謝異常改善剤	2900
	YD860	黄	ジクロフェナクNa錠25mg「YD」(陽進堂)	ジクロフェナクナトリウム	25mg 1錠	フェニル酢酸系消炎鎮痛剤	1579
861	TSU861	橙黄 ①	リボフラビン酪酸エステル錠20mg「ツルハラ」(鶴原)	リボフラビン酪酸エステル	20mg 1錠	ビタミンB₂	4283
871	KW871	白 ①	ブロチゾラム錠0.25mg「アメル」(共和薬品)	ブロチゾラム	0.25mg 1錠	チエノトリアゾロジアゼピン系睡眠導入剤	3411
	△871/20	白〜微黄白	コデインリン酸塩錠20mg「タケダ」(武田薬品)	コデインリン酸塩水和物	20mg 1錠	麻薬性鎮咳剤	1450
874	M874	白	リン酸コデイン錠5mg「VTRS」(ヴィアトリス・ヘルスケア/ヴィアトリス)	コデインリン酸塩水和物	5mg 1錠	麻薬性鎮咳剤	1450
	M874	白	コデインリン酸塩錠5mg「VTRS」(ヴィアトリス・ヘルスケア/ヴィアトリス)	コデインリン酸塩水和物	5mg 1錠	麻薬性鎮咳剤	1450
878	ⓝ878/5 ⓝ878 5 ⓝ878	白	ラフチジン錠5mg「日医工」(日医工)	ラフチジン	5mg 1錠	H₂-受容体拮抗剤	4103
879	ⓝ879/10 ⓝ879 10 ⓝ879	白	ラフチジン錠10mg「日医工」(日医工)	ラフチジン	10mg 1錠	H₂-受容体拮抗剤	4103
883	✓YD883 YD883	薄黄赤/極薄黄褐	メキシレチン塩酸塩カプセル50mg「YD」(陽進堂)	メキシレチン塩酸塩	50mg 1カプセル	不整脈治療・糖尿病性神経障害治療剤	3902
884	フルコナゾール50mg SW-884 SW-884	白	フルコナゾールカプセル50mg「サワイ」(沢井)	フルコナゾール	50mg 1カプセル	トリアゾール系抗真菌剤	3298
885	フルコナゾール100mg SW-885 SW-885	橙	フルコナゾールカプセル100mg「サワイ」(沢井)	フルコナゾール	100mg 1カプセル	トリアゾール系抗真菌剤	3298
886	ⓝ886 ⓝ886	淡黄 ①	メトトレキサート錠2mg「日医工」(日医工)	メトトレキサート〔抗リウマチ剤〕	2mg 1錠	抗リウマチ剤	3952
892	ラベプラゾール10 日医工 ⓝ892	淡黄	ラベプラゾールナトリウム錠10mg「日医工」(日医工)	ラベプラゾールナトリウム	10mg 1錠	プロトンポンプインヒビター	4112
893	2 1/2/893	黄	エリキュース錠2.5mg(ブリストル/ファイザー)	アピキサバン	2.5mg 1錠	経口FXa阻害剤	174
	ラベプラゾール20 日医工 ⓝ893	淡黄	ラベプラゾールナトリウム錠20mg「日医工」(日医工)	ラベプラゾールナトリウム	20mg 1錠	プロトンポンプインヒビター	4112
894	5/894	桃	エリキュース錠5mg(ブリストル/ファイザー)	アピキサバン	5mg 1錠	経口FXa阻害剤	174
	ⓝ894 ⓝ894	黄	フルボキサミンマレイン酸塩錠25mg「日医工」(日医工)	フルボキサミンマレイン酸塩	25mg 1錠	選択的セロトニン再取り込み阻害剤(SSRI)	3337
895	BMS895 6mg BMS895	薄黄赤	ソーティクツ錠6mg(ブリストル)	デュークラバシチニブ	6mg 1錠	TYK2阻害剤	2329
	ⓝ895 ⓝ895	黄	フルボキサミンマレイン酸塩錠50mg「日医工」(日医工)	フルボキサミンマレイン酸塩	50mg 1錠	選択的セロトニン再取り込み阻害剤(SSRI)	3337
896	ⓝ896 ⓝ896	黄	フルボキサミンマレイン酸塩錠75mg「日医工」(日医工)	フルボキサミンマレイン酸塩	75mg 1錠	選択的セロトニン再取り込み阻害剤(SSRI)	3337
897	ⓝ897/0.5 ⓝ897 0.5 ⓝ897	白	タクロリムス錠0.5mg「日医工」(日医工)	タクロリムス水和物	0.5mg 1錠	免疫抑制剤	1999
898	ⓝ898/1 ⓝ898 1 ⓝ898	白	タクロリムス錠1mg「日医工」(日医工)	タクロリムス水和物	1mg 1錠	免疫抑制剤	1999
899	ⓝ899/5 ⓝ899 5 ⓝ899	白	タクロリムス錠5mg「日医工」(日医工)	タクロリムス水和物	5mg 1錠	免疫抑制剤	1999
901	JK901	淡黄	イトリゾールカプセル50(ヤンセン)	イトラコナゾール	50mg 1カプセル	トリアゾール系抗真菌剤	448
	SW901	白〜微黄白	シメチジン錠200mg「サワイ」(沢井)	シメチジン	200mg 1錠	H₂-受容体拮抗剤	1680
902	HC902	白	チアトンカプセル5mg(ヴィアトリス)	チキジウム臭化物	5mg 1カプセル	キノリジジン系抗ムスカリン剤	2158
	JK902	白	ニゾラールクリーム2%(ヤンセン)	ケトコナゾール	2% 1g	イミダゾール系抗真菌剤	1407
	SW902	白	シメチジン錠400mg「サワイ」(沢井)	シメチジン	400mg 1錠	H₂-受容体拮抗剤	1680
	TAISHO902	淡黄	ヤクバンテープ20mg(トクホン/大正)	フルルビプロフェン	7cm×10cm 1枚	フェニルアルカン酸系消炎鎮痛剤	3345

番号	識別コード (①:割線有)	色 (①:割線有)	商品名(会社名)	一般名	規格単位	薬効	掲載ページ
902	⊗902／10 ⊗902：10	薄黄褐	MSコンチン錠10mg（シオノギファーマ／塩野義）	モルヒネ硫酸塩水和物	10mg 1錠	持続性癌疼痛治療剤	4040
	⊗902／30 ⊗902：30	青紫〜赤紫	MSコンチン錠30mg（シオノギファーマ／塩野義）	モルヒネ硫酸塩水和物	30mg 1錠	持続性癌疼痛治療剤	4040
	⊗902／60 ⊗902：60	橙	MSコンチン錠60mg（シオノギファーマ／塩野義）	モルヒネ硫酸塩水和物	60mg 1錠	持続性癌疼痛治療剤	4040
903	HC903	白	チアトンカプセル10mg（ヴィアトリス）	チキジウム臭化物	10mg 1カプセル	キノリジジン系抗ムスカリン剤	2158
	t903	白	アレンドロン酸錠5mg「NIG」（日医工岐阜／日医工）	アレンドロン酸ナトリウム水和物	5mg 1錠	骨粗鬆症治療剤	349
	TAISHO903	淡黄	ヤクバンテープ40mg（トクホン／大正）	フルルビプロフェン	10cm×14cm 1枚	フェニルアルカン酸系消炎鎮痛剤	3345
904	SW904	白 ①	ピレンゼピン塩酸塩錠25mg「サワイ」（沢井）	ピレンゼピン塩酸塩水和物	25mg 1錠	胃炎・消化性潰瘍治療剤	3057
	t904	淡黄	フルバスタチン錠10mg「NIG」（日医工岐阜／日医工／武田薬品）	フルバスタチンナトリウム	10mg 1錠	HMG-CoA還元酵素阻害剤	3330
	TAISHO904	淡黄	ヤクバンテープ60mg（トクホン／大正）	フルルビプロフェン	15cm×14cm 1枚	フェニルアルカン酸系消炎鎮痛剤	3345
905	SW905	白	ピコスルファートNa錠2.5mg「サワイ」（沢井／日本ジェネリック）	ピコスルファートナトリウム水和物	2.5mg 1錠	緩下剤	2934
	t905	淡黄	フルバスタチン錠20mg「NIG」（日医工岐阜／日医工／武田薬品）	フルバスタチンナトリウム	20mg 1錠	HMG-CoA還元酵素阻害剤	3330
906	t906	淡黄	フルバスタチン錠30mg「NIG」（日医工岐阜／日医工／武田薬品）	フルバスタチンナトリウム	30mg 1錠	HMG-CoA還元酵素阻害剤	3330
907	SW907	白〜微黄白	トリメブチンマレイン酸塩錠100mg「サワイ」（沢井）	トリメブチンマレイン酸塩	100mg 1錠	消化管運動調律剤	2532
911	911	白	レバミピド錠100mg「TSU」（鶴原）	レバミピド	100mg 1錠	胃炎・胃潰瘍治療剤	4390
912	SW-912	橙	ニフェジピンカプセル10mg「サワイ」（沢井）	ニフェジピン	10mg 1カプセル	ジヒドロピリジン系Ca拮抗剤	2652
913	SW-913	橙	ニフェジピンカプセル5mg「サワイ」（沢井）	ニフェジピン	5mg 1カプセル	ジヒドロピリジン系Ca拮抗剤	2652
	TSU913／25	白	レボメプロマジン錠25mg「ツルハラ」（鶴原）	レボメプロマジン	25mg 1錠	フェノチアジン系精神安定剤	4443
915	n915	無半透明	ツロブテロールテープ0.5mg「日医工」（日医工）	ツロブテロール	0.5mg 1枚	気管支拡張β_2-刺激剤	2190
	P915／10	白 ①	リズミック錠10mg（住友ファーマ）	アメジニウムメチル硫酸塩	10mg 1錠	低血圧治療剤	271
918	OGT918 100	白	ブレーザベスカプセル100mg（ヤンセン）	ミグルスタット	100mg 1カプセル	グルコシルセラミド合成酵素阻害剤	3837
	n918	無半透明	ツロブテロールテープ1mg「日医工」（日医工）	ツロブテロール	1mg 1枚	気管支拡張β_2-刺激剤	2190
919	n919	無半透明	ツロブテロールテープ2mg「日医工」（日医工）	ツロブテロール	2mg 1枚	気管支拡張β_2-刺激剤	2190
920	SW920	白	硝酸イソソルビド徐放錠20mg「サワイ」（沢井）	硝酸イソソルビド	20mg 1錠	冠動脈拡張剤	1693
	⊗920：5 ⊗920／5	薄橙	オキシコンチンTR錠5mg（シオノギファーマ／塩野義）	オキシコドン塩酸塩水和物	5mg 1錠	疼痛治療剤	950
921	SW921	淡橙	アロチノロール塩酸塩錠10mg「サワイ」（沢井）	アロチノロール塩酸塩	10mg 1錠	α，β-遮断剤	362
	ϕ200mg ϕ921	白	レベトールカプセル200mg（MSD）	リバビリン	200mg 1カプセル	抗ウイルス剤	4259
	⊗921：10 ⊗921／10	白	オキシコンチンTR錠10mg（シオノギファーマ／塩野義）	オキシコドン塩酸塩水和物	10mg 1錠	疼痛治療剤	950
922	SW-922	白	硝酸イソソルビドテープ40mg「サワイ」（沢井）	硝酸イソソルビド	40mg 1枚	冠動脈拡張剤	1693
	⊗922：20 ⊗922／20	淡赤	オキシコンチンTR錠20mg（シオノギファーマ／塩野義）	オキシコドン塩酸塩水和物	20mg 1錠	疼痛治療剤	950
923	t923／5	黄白 ①	マニジピン塩酸塩錠5mg「NIG」（日医工岐阜／日医工／武田薬品）	マニジピン塩酸塩	5mg 1錠	ジヒドロピリジン系Ca拮抗剤	3811
	TSU923／ 50 12.5	白〜微黄白	ロサルヒド配合錠LD「ツルハラ」（鶴原）	ロサルタンカリウム・ヒドロクロロチアジド	1錠	持続性アンギオテンシンⅡ受容体拮抗剤・利尿剤合剤	4483
	⊗923：40 ⊗923／40	微黄白〜淡黄	オキシコンチンTR錠40mg（シオノギファーマ／塩野義）	オキシコドン塩酸塩水和物	40mg 1錠	疼痛治療剤	950
	ピルシカイニド25mg SW-923 SW-923	淡青／白	ピルシカイニド塩酸塩カプセル25mg「サワイ」（沢井）	ピルシカイニド塩酸塩水和物	25mg 1カプセル	不整脈治療剤	3041
924	TSU924／ 100 12.5	白〜微黄白	ロサルヒド配合錠HD「ツルハラ」（鶴原）	ロサルタンカリウム・ヒドロクロロチアジド	1錠	持続性アンギオテンシンⅡ受容体拮抗剤・利尿剤合剤	4483
	ピルシカイニド50mg SW-924 SW-924	青／白	ピルシカイニド塩酸塩カプセル50mg「サワイ」（沢井）	ピルシカイニド塩酸塩水和物	50mg 1カプセル	不整脈治療剤	3041

500

番号	識別コード	色(①:割線有)	商品名(会社名)	一般名	規格単位	薬効	掲載ページ
925	925／2.5	薄赤みの黄〜くすんだ赤みの黄	ロスバスタチン錠2.5mg「ツルハラ」(鶴原)	ロスバスタチンカルシウム	2.5mg 1錠	HMG-CoA還元酵素阻害剤	4487
926	TSU926／5	薄赤みの黄〜くすんだ赤みの黄	ロスバスタチン錠5mg「ツルハラ」(鶴原)	ロスバスタチンカルシウム	5mg 1錠	HMG-CoA還元酵素阻害剤	4487
928	YA928	白	オペプリム(ヤクルト)	ミトタン	500mg 1カプセル	副腎皮質ホルモン合成阻害剤	3868
	メキシレチン50mg SW-928 SW-928	淡黄赤／淡黄褐	メキシレチン塩酸塩カプセル50mg「サワイ」(沢井)	メキシレチン塩酸塩	50mg 1カプセル	不整脈治療・糖尿病性神経障害治療剤	3902
929	メキシレチン100mg SW-929 SW-929	淡黄赤／白	メキシレチン塩酸塩カプセル100mg「サワイ」(沢井)	メキシレチン塩酸塩	100mg 1カプセル	不整脈治療・糖尿病性神経障害治療剤	3902
931	n931 ⓝ931	白 ①	リスペリドン錠1mg「日医工」(日医工)	リスペリドン	1mg 1錠	抗精神病, D_2・5-HT_2拮抗剤	4201
933	n933 ⓝ933	白	リスペリドン錠2mg「日医工」(日医工)	リスペリドン	2mg 1錠	抗精神病, D_2・5-HT_2拮抗剤	4201
941	トアラセットYD YD941	淡黄	トアラセット配合錠「YD」(陽進堂)	トラマドール塩酸塩・アセトアミノフェン	1錠	慢性疼痛・抜歯後疼痛治療剤	2496
942	LT／942 LT942	暗黄	レトロゾール錠2.5mg「VTRS」(ヴィアトリス・ヘルスケア／ヴィアトリス)	レトロゾール	2.5mg 1錠	アロマターゼ阻害剤	4372
	SW942	淡黄赤	ビタダン配合錠(メディサ／沢井)	複合ビタミンB剤	1錠	混合ビタミン	2956
943	エスゾピクロンYD1 YD943	白	エスゾピクロン錠1mg「YD」(陽進堂)	エスゾピクロン	1mg 1錠	不眠症治療剤	682
944	エスゾYD2／エスゾピクロンYD2 YD944	淡黄 ①	エスゾピクロン錠2mg「YD」(陽進堂)	エスゾピクロン	2mg 1錠	不眠症治療剤	682
945	SW-945	褐透明	アルファカルシドールカプセル0.25μg「サワイ」(沢井)	アルファカルシドール	0.25μg 1カプセル	活性型ビタミンD_3	317
	エスゾピクロンYD3 YD945	淡赤	エスゾピクロン錠3mg「YD」(陽進堂)	エスゾピクロン	3mg 1錠	不眠症治療剤	682
946	SW-946	淡黄褐透明	アルファカルシドールカプセル0.5μg「サワイ」(沢井)	アルファカルシドール	0.5μg 1カプセル	活性型ビタミンD_3	317
	ジルムロYD LD YD946	微赤	ジルムロ配合錠LD「YD」(陽進堂)	アジルサルタン・アムロジピンベシル酸塩	1錠	持続性AT_1受容体遮断剤・持続性Ca拮抗薬配合剤	44
947	SW-947	微黄透明	アルファカルシドールカプセル1μg「サワイ」(沢井)	アルファカルシドール	1μg 1カプセル	活性型ビタミンD_3	317
	ジルムロYD HD YD947	微黄	ジルムロ配合錠HD「YD」(陽進堂)	アジルサルタン・アムロジピンベシル酸塩	1錠	持続性AT_1受容体遮断剤・持続性Ca拮抗薬配合剤	44
948	ソリフェナシンYD2.5 YD948	白	ソリフェナシンコハク酸塩錠2.5mg「YD」(陽進堂)	コハク酸ソリフェナシン	2.5mg 1錠	過活動膀胱治療剤	1970
949	ソリフェナシンYD5 YD949	極薄黄	ソリフェナシンコハク酸塩錠5mg「YD」(陽進堂)	コハク酸ソリフェナシン	5mg 1錠	過活動膀胱治療剤	1970
950	SW-950	白	リックル配合顆粒(沢井)	肝硬変用アミノ酸製剤	4.74g 1包	分岐鎖アミノ酸製剤	236
951	⊕951	白	ニューロタン錠25mg(オルガノン)	ロサルタンカリウム	25mg 1錠	アンギオテンシンⅡ受容体拮抗剤	4481
952	⊕952	白	ニューロタン錠50mg(オルガノン)	ロサルタンカリウム	50mg 1錠	アンギオテンシンⅡ受容体拮抗剤	4481
953	レボフロキサシン250 日医工 ⓝ953	黄 ①	レボフロキサシン錠250mg「日医工」(日医工)	レボフロキサシン水和物	250mg 1錠(レボフロキサシンとして)	ニューキノロン系抗菌剤	4432
954	レボフロキサシン500 日医工 ⓝ954	薄橙 ①	レボフロキサシン錠500mg「日医工」(日医工)	レボフロキサシン水和物	500mg 1錠(レボフロキサシンとして)	ニューキノロン系抗菌剤	4432
960	SW960／1	白	ブロムペリドール錠1mg「サワイ」(沢井)	ブロムペリドール	1mg 1錠	ブチロフェノン系精神安定剤	3453
	✤960	白	ニューロタン錠100mg(オルガノン)	ロサルタンカリウム	100mg 1錠	アンギオテンシンⅡ受容体拮抗剤	4481
	アムロジピンYD2.5 YD960	白	アムロジピン錠2.5mg「YD」(陽進堂)	アムロジピンベシル酸塩	2.5mg 1錠	ジヒドロピリジン系Ca拮抗剤	264
961	SW961	白	ブロムペリドール錠3mg「サワイ」(沢井)	ブロムペリドール	3mg 1錠	ブチロフェノン系精神安定剤	3453
	アムロジピンYD5 YD961	白 ①	アムロジピン錠5mg「YD」(陽進堂)	アムロジピンベシル酸塩	5mg 1錠	ジヒドロピリジン系Ca拮抗剤	264
962	SW962	白	ブロムペリドール錠6mg「サワイ」(沢井)	ブロムペリドール	6mg 1錠	ブチロフェノン系精神安定剤	3453

500

番号	識別コード	色 (①：割線有)	商品名(会社名)	一般名	規格単位	薬効	掲載ページ
963	YD963／8	黄　①	ベニジピン塩酸塩錠8mg「YD」(陽進堂／共創未来)	ベニジピン塩酸塩	8mg 1錠	ジヒドロピリジン系Ca拮抗剤	3524
966	YD966	白	サルポグレラート塩酸塩錠50mg「YD」(陽進堂)	サルポグレラート塩酸塩	50mg 1錠	5-HT$_2$ブロッカー	1538
967	YD967	白	サルポグレラート塩酸塩錠100mg「YD」(陽進堂)	サルポグレラート塩酸塩	100mg 1錠	5-HT$_2$ブロッカー	1538
985	シロスタゾールOD50日医工　⑰985	白	シロスタゾールOD錠50mg「日医工」(日医工)	シロスタゾール	50mg 1錠	抗血小板剤	1718
986	シロスタゾールOD100日医工　⑰986	白　①	シロスタゾールOD錠100mg「日医工」(日医工)	シロスタゾール	100mg 1錠	抗血小板剤	1718
1001	A1001	白／青	ガラフォルドカプセル123mg(アミカス)	ミガーラスタット塩酸塩	123mg 1カプセル	ファブリー病治療剤	3832
1029	MY1029C	白〜微黄白	モメタゾンフランカルボン酸エステルクリーム0.1%「MYK」(前田薬品／日医工)	モメタゾンフランカルボン酸エステル(水和物)	0.1% 1g	副腎皮質ホルモン	4022
	MY1029L	無透明	モメタゾンフランカルボン酸エステルローション0.1%「MYK」(前田薬品／日医工)	モメタゾンフランカルボン酸エステル(水和物)	0.1% 1g	副腎皮質ホルモン	4022
	MY1029O	微黄白	モメタゾンフランカルボン酸エステル軟膏0.1%「MYK」(前田薬品／日医工)	モメタゾンフランカルボン酸エステル(水和物)	0.1% 1g	副腎皮質ホルモン	4022
1125	1125	白	ロサルヒド配合錠HD「サンド」(サンド)	ロサルタンカリウム・ヒドロクロロチアジド	1錠	持続性アンギオテンシンⅡ受容体拮抗剤・利尿剤合剤	4483
1182	NK1182	黄／白	サリグレンカプセル30mg(日本化薬)	セビメリン塩酸塩水和物	30mg 1カプセル	口腔乾燥症状改善薬	1824
1197	PH1197	微黄白〜淡黄	ポリスチレンスルホン酸Ca「杏林」原末(キョーリンリメディオ／杏林)	ポリスチレンスルホン酸カルシウム	1g	高カリウム血症善イオン交換樹脂	3761
1286	1286／20 5	微黄	ジルムロ配合錠HD「ツルハラ」(鶴原)	アジルサルタン・アムロジピンベシル酸塩	1錠	持続性AT$_1$受容体遮断剤・持続性Ca拮抗剤配合剤	44
1287	1287／20 2.5	微赤	ジルムロ配合錠LD「ツルハラ」(鶴原)	アジルサルタン・アムロジピンベシル酸塩	1錠	持続性AT$_1$受容体遮断剤・持続性Ca拮抗剤配合剤	44
1427	5／1427	淡黄〜黄	フォシーガ錠5mg(アストラゼネカ／小野薬品)	ダパグリフロジンプロピレングリコール水和物	5mg 1錠	選択的SGLT2阻害剤	2044
1428	10／1428	淡黄〜黄	フォシーガ錠10mg(アストラゼネカ／小野薬品)	ダパグリフロジンプロピレングリコール水和物	10mg 1錠	選択的SGLT2阻害剤	2044
1611	BMS／1611 BMS1611	白〜微黄白	バラクルード錠0.5mg(ブリストル)	エンテカビル水和物	0.5mg 1錠	抗ウイルス化学療法剤	921
2001	◎2001	無〜淡黄透明	ロトリガ粒状カプセル2g(武田薬品)	オメガ-3脂肪酸エチル	2g 1包	EPA・DHA製剤	1009
	⑰2001	無〜淡黄透明	オメガ−3脂肪酸エチル粒状カプセル2g「武田テバ」(武田テバファーマ／武田薬品)	オメガ-3脂肪酸エチル	2g 1包	EPA・DHA製剤	1009
2013	NK2013	白	ミリステープ5mg(日本化薬)	ニトログリセリン	(5mg) 4.05cm× 4.50cm 1枚	冠動脈拡張剤	2644
2015	NK2015	白	ニトロペン舌下錠0.3mg(日本化薬)	ニトログリセリン	0.3mg 1錠	冠動脈拡張剤	2644
2100	HP2100-O	白〜微黄	エクラー軟膏0.3%(久光／鳥居薬品)	デプロドンプロピオン酸エステル	0.3% 1g	副腎皮質ホルモン	2316
2101	HP2101C	白	エクラークリーム0.3%(久光／鳥居薬品)	デプロドンプロピオン酸エステル	0.3% 1g	副腎皮質ホルモン	2316
2102	HP2102L	白	エクラーローション0.3%(久光／鳥居薬品)	デプロドンプロピオン酸エステル	0.3% 1g	副腎皮質ホルモン	2316
2621	NS2621	白	ディクアノン懸濁用配合顆粒(日新)	水酸化アルミニウムゲル・水酸化マグネシウム	1g	胃炎・消化性潰瘍治療剤	1731
2980	*Lu* 2980 80mg *Lu* 2980	青	レットヴィモカプセル80mg(日本イーライリリー)	セルペルカチニブ	80mg 1カプセル	抗悪性腫瘍剤 RET受容体型チロシンキナーゼ阻害剤	1904
3102	HP3102T	無透明〜淡黄透明	エクラープラスター20μg／cm²(久光)	デプロドンプロピオン酸エステル	(1.5mg) 7.5cm×10cm	副腎皮質ホルモン	2316
3140	HP3140T	白	ツロブテロールテープ0.5mg「久光」(久光)	ツロブテロール	0.5mg 1枚	気管支拡張β$_2$-刺激剤	2190
3141	HP3141T	白	ツロブテロールテープ1mg「久光」(久光)	ツロブテロール	1mg 1枚	気管支拡張β$_2$-刺激剤	2190
3142	HP3142T	白	ツロブテロールテープ2mg「久光」(久光)	ツロブテロール	2mg 1枚	気管支拡張β$_2$-刺激剤	2190
3160	HP3160T	白	フェントステープ0.5mg(久光／協和キリン)	フェンタニルクエン酸塩	0.5mg 1枚	麻酔用ピペリジン系鎮痛剤,疼痛治療剤	3162
3161	HP3161T	白	フェントステープ1mg(久光／協和キリン)	フェンタニルクエン酸塩	1mg 1枚	麻酔用ピペリジン系鎮痛剤,疼痛治療剤	3162
3162	HP3162T	白	フェントステープ2mg(久光／協和キリン)	フェンタニルクエン酸塩	2mg 1枚	麻酔用ピペリジン系鎮痛剤,疼痛治療剤	3162
3164	HP3164T	白	フェントステープ4mg(久光／協和キリン)	フェンタニルクエン酸塩	4mg 1枚	麻酔用ピペリジン系鎮痛剤,疼痛治療剤	3162

500
I

番号	識別コード	色 (◐：割線有)	商品名(会社名)	一般名	規格単位	薬効	掲載ページ
3166	HP3166T	白	フェントステープ6mg (久光／協和キリン)	フェンタニルクエン酸塩	6mg 1枚	麻酔用ピペリジン系鎮痛剤, 疼痛治療剤	3162
3168	HP3168T	白	フェントステープ8mg (久光／協和キリン)	フェンタニルクエン酸塩	8mg 1枚	麻酔用ピペリジン系鎮痛剤, 疼痛治療剤	3162
3181	HP3181T	淡桃	フェンタニル3日用テープ2.1mg「HMT」(久光)	フェンタニル	2.1mg 1枚	経皮吸収型持続性疼痛治療剤	3156
3182	HP3182T	淡桃	フェンタニル3日用テープ4.2mg「HMT」(久光)	フェンタニル	4.2mg 1枚	経皮吸収型持続性疼痛治療剤	3156
3184	HP3184T	淡桃	フェンタニル3日用テープ8.4mg「HMT」(久光)	フェンタニル	8.4mg 1枚	経皮吸収型持続性疼痛治療剤	3156
3186	HP3186T	淡桃	フェンタニル3日用テープ12.6mg「HMT」(久光)	フェンタニル	12.6mg 1枚	経皮吸収型持続性疼痛治療剤	3156
3188	HP3188T	淡桃	フェンタニル3日用テープ16.8mg「HMT」(久光)	フェンタニル	16.8mg 1枚	経皮吸収型持続性疼痛治療剤	3156
3191	HP3191T	半透明(淡褐〜褐)	ネオキシテープ73.5mg (久光)	オキシブチニン塩酸塩	73.5mg 1枚	排尿障害治療剤・原発性手掌多汗症治療剤	960
3204	HP3204T	淡褐〜褐	アレサガテープ4mg (久光)	エメダスチンフマル酸塩	4mg 1枚	アレルギー性疾患治療剤	855
3208	HP3208T	淡褐〜褐	アレサガテープ8mg (久光)	エメダスチンフマル酸塩	8mg 1枚	アレルギー性疾患治療剤	855
3210	HP3210T	淡褐〜褐	ハルロピテープ8mg (久光／協和キリン)	ロピニロール塩酸塩	8mg 1枚	ドパミンD₂受容体系作動薬	4511
3211	HP3211T	淡褐〜褐	ハルロピテープ16mg (久光／協和キリン)	ロピニロール塩酸塩	16mg 1枚	ドパミンD₂受容体系作動薬	4511
3212	HP3212T	淡褐〜褐	ハルロピテープ24mg (久光／協和キリン)	ロピニロール塩酸塩	24mg 1枚	ドパミンD₂受容体系作動薬	4511
3213	HP3213T	淡褐〜褐	ハルロピテープ32mg (久光／協和キリン)	ロピニロール塩酸塩	32mg 1枚	ドパミンD₂受容体系作動薬	4511
3214	HP3214T	淡褐〜褐	ハルロピテープ40mg (久光／協和キリン)	ロピニロール塩酸塩	40mg 1枚	ドパミンD₂受容体系作動薬	4511
3220	HP3220T	白半透明	メノエイドコンビパッチ(久光)	エストラジオール・酢酸ノルエチステロン	1枚	経皮吸収型卵胞・黄体ホルモン剤	693
3226	Lilly 3226 5mg Lilly 3226	橙	ストラテラカプセル5mg (日本イーライリリー)	アトモキセチン塩酸塩	5mg 1カプセル	注意欠陥/多動性障害治療剤・選択的ノルアドレナリン再取り込み阻害剤	124
3227	Lilly 3227 10mg Lilly 3227	白	ストラテラカプセル10mg (日本イーライリリー)	アトモキセチン塩酸塩	10mg 1カプセル	注意欠陥/多動性障害治療剤・選択的ノルアドレナリン再取り込み阻害剤	124
3228	Lilly 3228 25mg Lilly 3228	青／白	ストラテラカプセル25mg (日本イーライリリー)	アトモキセチン塩酸塩	25mg 1カプセル	注意欠陥/多動性障害治療剤・選択的ノルアドレナリン再取り込み阻害剤	124
3229	Lilly 3229 40mg Lilly 3229	青	ストラテラカプセル40mg (日本イーライリリー)	アトモキセチン塩酸塩	40mg 1カプセル	注意欠陥/多動性障害治療剤・選択的ノルアドレナリン再取り込み阻害剤	124
3230	HP3230T	(淡桃〜褐)	リバスチグミンテープ4.5mg「久光」(久光)	リバスチグミン	4.5mg 1枚	アルツハイマー型認知症治療剤	4257
3231	HP3231T	(淡桃〜褐)	リバスチグミンテープ9mg「久光」(久光)	リバスチグミン	9mg 1枚	アルツハイマー型認知症治療剤	4257
3232	HP3232T	(淡桃〜褐)	リバスチグミンテープ13.5mg「久光」(久光)	リバスチグミン	13.5mg 1枚	アルツハイマー型認知症治療剤	4257
3233	HP3233T	(淡桃〜褐)	リバスチグミンテープ18mg「久光」(久光)	リバスチグミン	18mg 1枚	アルツハイマー型認知症治療剤	4257
3672	△3672	白	ハイシー顆粒25% (武田テバ薬品/武田薬品)	アスコルビン酸	25% 1g	ビタミンC	47
3977	Lilly 3977 40mg Lilly 3977	灰	レットヴィモカプセル40mg (日本イーライリリー)	セルペルカチニブ	40mg 1カプセル	抗悪性腫瘍剤 RET受容体型チロシンキナーゼ阻害剤	1904
4112	LILLY4112	白	ジプレキサ錠2.5mg (日本イーライリリー)	オランザピン	2.5mg 1錠	抗精神病剤・双極性障害剤・制吐剤	1021
4115	LILLY4115	白	ジプレキサ錠5mg (日本イーライリリー)	オランザピン	5mg 1錠	抗精神病剤・双極性障害剤・制吐剤	1021
4117	LILLY4117	白	ジプレキサ錠10mg (日本イーライリリー)	オランザピン	10mg 1錠	抗精神病剤・双極性障害剤・制吐剤	1021
4165	4165	白	エビスタ錠60mg (日本イーライリリー)	ラロキシフェン塩酸塩	60mg 1錠	選択的エストロゲン受容体調節剤	4156
4312	L-50／4312 L-50 4312	明るい灰	レイボー錠50mg (日本イーライリリー／第一三共)	ラスミジタンコハク酸塩	50mg 1錠	片頭痛治療剤 5-HT₁F受容体作動薬	4082
4331	GILEAD4331／300 GILEAD 4331-300	薄青	ビリアード錠300mg (ギリアド)	テノホビル ジソプロキシルフマル酸塩	300mg 1錠	抗ウイルス・HIV逆転写酵素阻害剤	2301
4467	アドシルカ20 4467	赤褐	アドシルカ錠20mg (日本新薬)	タダラフィル	20mg 1錠	ホスホジエステラーゼ5阻害剤	2027
4491	KI4491	白	オキサトミド錠30mg「ツルハラ」(鶴原)	オキサトミド	30mg 1錠	アレルギー性疾患治療剤	942

500

番号	識別コード	色 (◐:割線有)	商品名(会社名)	一般名	規格単位	薬効	掲載ページ
4491	L-100／4491 L-100 4491	薄紫	レイボー錠100mg（日本イーライリリー／第一三共）	ラスミジタンコハク酸塩	100mg 1錠	片頭痛治療剤 5-HT$_{1F}$受容体作動薬	4082
4522	ZD4522 5	薄赤みの黄〜くすんだ赤みの黄	クレストール錠5mg（アストラゼネカ）	ロスバスタチンカルシウム	5mg 1錠	HMG-CoA還元酵素阻害剤	4487
	ZD4522／2 1/2 ZD4522：2 1/2	薄赤みの黄〜くすんだ赤みの黄	クレストール錠2.5mg（アストラゼネカ）	ロスバスタチンカルシウム	2.5mg 1錠	HMG-CoA還元酵素阻害剤	4487
4890	☆SB／☆4890 SB4890	白	レキップ錠0.25mg（グラクソ・スミスクライン）	ロピニロール塩酸塩	0.25mg 1錠	ドパミンD$_2$受容体系作動薬	4511
4892	☆SB／4892 SB4892	淡黄緑	レキップ錠1mg（グラクソ・スミスクライン）	ロピニロール塩酸塩	1mg 1錠	ドパミンD$_2$受容体系作動薬	4511
4893	☆SB／4893 SB4893	淡紅白	レキップ錠2mg（グラクソ・スミスクライン）	ロピニロール塩酸塩	2mg 1錠	ドパミンD$_2$受容体系作動薬	4511
5250	HP5250Z	微淡黄透明	エスクレ坐剤「250」（久光）	抱水クロラール	250mg 1個	催眠・抗痙攣剤	3667
5500	HP5500Z	微淡黄透明	エスクレ坐剤「500」（久光）	抱水クロラール	500mg 1個	催眠・抗痙攣剤	3667
5755	5755／Ⓜ Ⓜ-5755	白	メサペイン錠5mg（帝國／塩野義／テルモ）	メサドン塩酸塩	5mg 1錠	癌疼痛治療剤	3908
5771	5771／Ⓜ Ⓜ-5771	白	メサペイン錠10mg（帝國／塩野義／テルモ）	メサドン塩酸塩	10mg 1錠	癌疼痛治療剤	3908
6902	Lilly 50／6902 Lilly 6902	青	ジャイパーカ錠50mg（日本イーライリリー／日本新薬）	ピルトブルチニブ	50mg 1錠	抗悪性腫瘍剤 可逆的非共有結合型BTK阻害剤	3051
7014	NK7014 25 NK7014	薄橙(白)	ラステットSカプセル25mg（日本化薬）	エトポシド	25mg 1カプセル	抗悪性腫瘍剤	762
7015	NK7015 50 NK7015	薄橙(白)	ラステットSカプセル50mg（日本化薬）	エトポシド	50mg 1カプセル	抗悪性腫瘍剤	762
7021	NK7021 100 NK7021	白／赤紫	スタラシドカプセル100（日本化薬）	シタラビン オクホスファート水和物	100mg 1カプセル	代謝拮抗性悪性腫瘍剤・シタラビンプロドラッグ	1625
7025	NK7025 50 NK7025	白／赤紫	スタラシドカプセル50（日本化薬）	シタラビン オクホスファート水和物	50mg 1カプセル	代謝拮抗性悪性腫瘍剤・シタラビンプロドラッグ	1625
7026	Lilly 100／7026 Lilly 7026	青	ジャイパーカ錠100mg（日本イーライリリー／日本新薬）	ピルトブルチニブ	100mg 1錠	抗悪性腫瘍剤 可逆的非共有結合型BTK阻害剤	3051
7041	NK NK7041	白〜微灰白	エキセメスタン錠25mg「NK」（日本化薬）	エキセメスタン	25mg 1錠	アロマターゼ阻害・閉経後乳癌治療剤	667
7104	NK7104／40	白	フェアストン錠40（日本化薬）	トレミフェンクエン酸塩	40mg 1錠	乳癌治療剤	2579
7106	NK7106／60	白	フェアストン錠60（日本化薬）	トレミフェンクエン酸塩	60mg 1錠	乳癌治療剤	2579
7205	NK7205	淡黄	オダイン錠125mg（日本化薬）	フルタミド	125mg 1錠	非ステロイド性抗アンドロゲン剤	3305
7421	NK7421 10	白	ベスタチンカプセル10mg（日本化薬）	ウベニメクス	10mg 1カプセル	抗悪性腫瘍剤	653
	NK7421 30	白	ベスタチンカプセル30mg（日本化薬）	ウベニメクス	30mg 1カプセル	抗悪性腫瘍剤	653
7663	7663	白〜微灰白	アロマシン錠25mg（ファイザー）	エキセメスタン	25mg 1錠	アロマターゼ阻害・閉経後乳癌治療剤	667
7916	GSI／7916 GSI・7916	ピンク	エプクルーサ配合錠（ギリアド）	ソホスブビル・ベルパタスビル	1錠	抗ウイルス剤	1941
7985	GSI／7985 GSI・7985	橙	ハーボニー配合錠（ギリアド）	レジパスビル・ソホスブビル	1錠	抗ウイルス剤	4362
8121	JG／8121 JG8121	黄〜帯黄褐	シムツーザ配合錠（ヤンセン）	ダルナビルエタノール付加物・コビシスタット・エムトリシタビン・テノホビルアラフェナミドフマル酸塩	1錠	抗ウイルス化学療法剤	2110
9883	GSI／9883 GSI・9883	紫褐	ビクタルビ配合錠（ギリアド）	ビクテグラビルナトリウム・エムトリシタビン・テノホビルアラフェナミドフマル酸塩	1錠	抗ウイルス化学療法剤	2929

500

英字順（数字を含まない識別コード）

番号	識別コード	色 （①：割線有）	商品名（会社名）	一般名	規格単位	薬効	掲載ページ
A	SPI AA	淡橙	アミティーザカプセル24μg（ヴィアトリス）	ルビプロストン	24μg 1カプセル	クロライドチャネルアクチベーター	4343
	Tw／AA Tw.AA	白	トラピジル錠100mg「トーワ」（東和薬品）	トラピジル	100mg 1錠	循環機能改善剤	2475
	SPI AB	白	アミティーザカプセル12μg（ヴィアトリス）	ルビプロストン	12μg 1カプセル	クロライドチャネルアクチベーター	4343
	NVR ABL	黄赤／淡黄	タシグナカプセル50mg（ノバルティス）	ニロチニブ塩酸塩水和物	50mg 1カプセル	抗悪性腫瘍剤・チロシンキナーゼ阻害剤	2691
	Tw AC Tw.AC	薄橙	アロチノロール塩酸塩錠10mg「トーワ」（東和薬品）	アロチノロール塩酸塩	10mg 1錠	α，β-遮断剤	362
	SW ACT	白	アクタリット錠100mg「サワイ」（沢井）	アクタリット	100mg 1錠	疾患修飾性抗リウマチ薬（DMARD）	13
	SW ADN	白～微黄①	アミオダロン塩酸塩錠100mg「サワイ」（沢井／日本ジェネリック）	アミオダロン塩酸塩	100mg 1錠	不整脈治療剤	221
	CH-AE	白	トラニラストカプセル100mg「CH」（長生堂／日本ジェネリック）	トラニラスト	100mg 1カプセル	アレルギー性疾患治療剤	2472
	AF	白	アニスーマ坐剤（長生堂／日本ジェネリック）	dl-メチルエフェドリン塩酸塩・ジプロフィリン	1個	気管支拡張・鎮咳剤	3924
	TT D AG	淡黄	デュタステリドカプセル0.5mgAV「武田テバ」（武田テバファーマ／武田薬品）	デュタステリド	0.5mg 1カプセル	5α-還元酵素阻害薬	2332
	TV AH／HD	淡赤	カムシア配合錠HD「武田テバ」（武田テバファーマ／武田薬品）	カンデサルタン シレキセチル・アムロジピンベシル酸塩	1錠	持続性アンギオテンシンⅡ受容体拮抗剤・持続性Ca拮抗剤配合剤	1187
	TV AH／HD	淡赤	カムシア配合錠HD「NIG」（日医工岐阜／日医工／武田薬品）	カンデサルタン シレキセチル・アムロジピンベシル酸塩	1錠	持続性アンギオテンシンⅡ受容体拮抗剤・持続性Ca拮抗剤配合剤	1187
	CH-AK	白～帯黄白	デキサメタゾン軟膏口腔用0.1%「CH」（長生堂／日本ジェネリック）	デキサメタゾン	0.1% 1g	副腎皮質ホルモン	2208
	AL	赤	カレトラ配合錠（アッヴィ）	ロピナビル・リトナビル	1錠	抗ウイルス化学療法剤	4504
	NPI AL	白～微黄①	エピナスチン塩酸塩錠20mg「ケミファ」（日本薬品工業／日本ケミファ）	エピナスチン塩酸塩	20mg 1錠	アレルギー性疾患治療剤	783
	TV AL／LD	淡黄	カムシア配合錠LD「武田テバ」（武田テバファーマ／武田薬品）	カンデサルタン シレキセチル・アムロジピンベシル酸塩	1錠	持続性アンギオテンシンⅡ受容体拮抗剤・持続性Ca拮抗剤配合剤	1187
	TV AL／LD	淡黄	カムシア配合錠LD「NIG」（日医工岐阜／日医工／武田薬品）	カンデサルタン シレキセチル・アムロジピンベシル酸塩	1錠	持続性アンギオテンシンⅡ受容体拮抗剤・持続性Ca拮抗剤配合剤	1187
	Tw ALT Tw.ALT	白　①	アルジオキサ錠100mg「トーワ」（東和薬品）	アルジオキサ	100mg 1錠	胃炎・消化性潰瘍治療剤	311
	KW AM／OD	黄	アムロジピンOD錠2.5mg「アメル」（共和薬品）	アムロジピンベシル酸塩	2.5mg 1錠	ジヒドロピリジン系Ca拮抗剤	264
	AML RIS／OD	白	リスペリドンOD錠0.5mg「アメル」（共和薬品）	リスペリドン	0.5mg 1錠	抗精神病，D2・5-HT2拮抗剤	4201
	SWテラムロAP	淡赤	テラムロ配合錠AP「サワイ」（沢井）	テルミサルタン・アムロジピンベシル酸塩	1錠	胆汁排泄型持続性AT1受容体ブロッカー・持続性Ca拮抗薬合剤	2375
	SWテルチアAP	黄橙	テルチア配合錠AP「サワイ」（沢井）	テルミサルタン・ヒドロクロロチアジド	1錠	持続性AT1受容体ブロッカー・利尿剤合剤	2384
	tAP AP	白　①	アロプリノール錠100mg「NIG」（日医工岐阜／日医工／武田薬品）	アロプリノール	100mg 1錠	キサンチンオキシダーゼ阻害剤・高尿酸血症治療剤	363
	テラムロ AP DSEP	淡赤	テラムロ配合錠AP「DSEP」（第一三共エスファ）	テルミサルタン・アムロジピンベシル酸塩	1錠	胆汁排泄型持続性AT1受容体ブロッカー・持続性Ca拮抗薬合剤	2375
	テルチア AP DSEP	黄橙	テルチア配合錠AP「DSEP」（第一三共エスファ）	テルミサルタン・ヒドロクロロチアジド	1錠	持続性AT1受容体ブロッカー・利尿剤合剤	2384
	Tw AR Tw.AR	白～淡黄白	アロプリノール錠100mg「トーワ」（東和薬品）	アロプリノール	100mg 1錠	キサンチンオキシダーゼ阻害剤・高尿酸血症治療剤	363
	SW ASC	白	L-アスパラギン酸Ca錠200mg「サワイ」（沢井）	L-アスパラギン酸カルシウム水和物	200mg 1錠	カルシウム剤	1129
	ASD	白～淡黄	インドメタシンパップ70mg「日医工」（日医工）	インドメタシン	10cm×14cm 1枚	インドール酢酸系解熱消炎鎮痛剤・未熟児動脈管開存症治療剤	619
	TF-ASS	白（淡赤半透明）	トリアムシノロンアセトニド口腔用貼付剤25μg「大正」（帝國／大正）	トリアムシノロンアセトニド	25μg 1枚	副腎皮質ホルモン	2511
	Tw AT Tw.AT	白　①	アンブロキソール塩酸塩錠15mg「トーワ」（東和薬品）	アンブロキソール塩酸塩	15mg 1錠	気道潤滑去痰剤	378
	ATEDIO	淡黄	アテディオ配合錠（EA／持田）	バルサルタン・シルニジピン	1錠	選択的AT1受容体ブロッカー・持続性Ca拮抗薬合剤	2845
B	LG／BAYER LG BAYER	白～帯橙白①	ビルトリシド錠600mg（バイエル薬品）	プラジカンテル	600mg 1錠	吸虫駆除剤	3249
	BC t BC	白	プラデスミン配合錠（日医工岐阜／日医工／武田薬品）	ベタメタゾン・d-クロルフェニラミンマレイン酸塩	1錠	副腎皮質ホルモン配合剤	3499

英字

番号	識別コード	色 (⦶:割線有)	商品名(会社名)	一般名	規格単位	薬効	掲載ページ
B	NVR BCR	黄赤	タシグナカプセル150mg（ノバルティス）	ニロチニブ塩酸塩水和物	150mg 1カプセル	抗悪性腫瘍剤・チロシンキナーゼ阻害剤	2691
	BF-R	白〜微淡黄褐	ビオフェルミンR錠（ビオフェルミン／大正）	耐性乳酸菌	1錠	生菌製剤	2677
	BF-RP	白〜微淡黄褐	ビオフェルミンR散（ビオフェルミン／大正）	耐性乳酸菌	1g	生菌製剤	2677
	BH	白〜微黄白⦶	テルネリン錠1mg（サンファーマ）	チザニジン塩酸塩	1mg 1錠	筋緊張緩和剤	2164
	Tw／BK Tw.BK	白〜微黄白	トリメブチンマレイン酸塩錠100mg「トーワ」（東和薬品）	トリメブチンマレイン酸塩	100mg 1錠	消化管運動調律剤	2532
	O.S BP O.S-BP	白	ブロムヘキシン塩酸塩錠4mg「日医工」（日医工）	ブロムヘキシン塩酸塩	4mg 1錠	気道粘液溶解剤	3452
	SWテラムロBP	淡赤	テラムロ配合錠BP「サワイ」（沢井）	テルミサルタン・アムロジピンベシル酸塩	1錠	胆汁排泄型持続性AT₁受容体ブロッカー・持続性Ca拮抗薬合剤	2375
	SWテルチアBP	黄橙	テルチア配合錠BP「サワイ」（沢井）	テルミサルタン・ヒドロクロロチアジド	1錠	持続性AT₁受容体ブロッカー・利尿剤合剤	2384
	テラムロ BP DSEP	淡赤	テラムロ配合錠BP「DSEP」（第一三共エスファ）	テルミサルタン・アムロジピンベシル酸塩	1錠	胆汁排泄型持続性AT₁受容体ブロッカー・持続性Ca拮抗薬合剤	2375
	テルチア BP DSEP	黄橙	テルチア配合錠BP「DSEP」（第一三共エスファ）	テルミサルタン・ヒドロクロロチアジド	1錠	持続性AT₁受容体ブロッカー・利尿剤合剤	2384
	Br GIPH	白	ブルフェン顆粒20％（科研）	イブプロフェン	20％ 1g	フェニルプロピオン酸系解熱消炎鎮痛剤	477
	BS	白〜淡黄白	ベラプロストNa錠20μg「AFP」（シオノ／アルフレッサファーマ）	ベラプロストナトリウム	20μg 1錠	プロスタサイクリン(PGI₂)誘導体	3597
	BS TYP BS	白 ⦶	バクトラミン配合錠（太陽ファルマ）	スルファメトキサゾール・トリメトプリム	1錠	合成抗菌剤	1781
	Tw BS	白	ベタセレミン配合錠（東和薬品）	ベタメタゾン・d-クロルフェニラミンマレイン酸塩	1錠	副腎皮質ホルモン配合剤	3499
	BT t BT	白 ⦶	ブロチゾラム錠0.25mg「テバ」（武田テバファーマ／武田薬品）	ブロチゾラム	0.25mg 1錠	チエノトリアゾロジアゼピン系睡眠導入剤	3411
	SEARLE／BX	淡青 白〜微黄白橙	シンフェーズT28錠（科研）	エチニルエストラジオール・ノルエチステロン	(28日分)1組	経口避妊剤	2731
	ep／bf epbf	白 ⦶	ビソプロロールフマル酸塩錠0.625mg「DSEP」（第一三共エスファ）	ビソプロロールフマル酸塩	0.625mg 1錠	選択的β₁-アンタゴニスト	2944
C	C NTG	淡橙	ニトギス配合錠A81（シオノ）	アスピリン・ダイアルミネート	81mg 1錠	抗血小板剤	56
	J-C／T/P J-C T/P	淡黄	トラムセット配合錠（ヤンセン／持田）	トラマドール塩酸塩・アセトアミノフェン	1錠	慢性疼痛・抜歯後疼痛治療剤	2496
	NVR／C NVR C	白〜黄	サーティカン錠0.25mg（ノバルティス）	エベロリムス	0.25mg 1錠	免疫抑制剤・抗悪性腫瘍剤(mTOR阻害剤)	811
	KE CAC	白	沈降炭酸カルシウム「ケンエー」（健栄）	沈降炭酸カルシウム	10g	制酸吸着・高リン血症剤	1132
	KE CAL	白	乳酸カルシウム「ケンエー」（健栄）	乳酸カルシウム水和物	10g	カルシウム補給剤	1135
	KE CAL	白	乳酸カルシウム水和物「ケンエー」原末（健栄）	乳酸カルシウム水和物	10g	カルシウム補給剤	1135
	NVR／CCC NVR CCC	微黄	エクメット配合錠LD（ノバルティス／住友ファーマ）	ビルダグリプチン・メトホルミン塩酸塩	1錠	選択的DPP-4阻害剤／ビグアナイド系薬配合剤・2型糖尿病治療剤	3046
	CE／D	白〜微黄	セファランチン錠1mg（メディサ／化研生薬）	セファランチン	1mg 1錠	脱毛・浸出液・白血球減少抑制剤	1829
	NC CE NCCE	白 ⦶	カルバン錠100（日本ケミファ／鳥居薬品）	ベバントロール塩酸塩	100mg 1錠	Ca拮抗・α₁-遮断性β₁-選択的遮断剤	3547
	Tw CE	白	ニセルゴリン錠5mg「トーワ」（東和薬品）	ニセルゴリン	5mg 1錠	脳循環代謝改善剤	2639
	GX CES	緑	アマージ錠2.5mg（グラクソ・スミスクライン）	ナラトリプタン塩酸塩	2.5mg 1錠	5-HT₁ᴮ/₁ᴰ受容体作動型片頭痛治療剤	2618
	NC CF NCCF	白	カルバン錠50（日本ケミファ／鳥居薬品）	ベバントロール塩酸塩	50mg 1錠	Ca拮抗・α₁-遮断性β₁-選択的遮断剤	3547
	CG CWC	微黄〜淡黄（薄橙）	ニコチネルTTS10（グラクソ・スミスクライン・コンシューマー・ヘルスケア／アルフレッサファーマ）	ニコチン	(17.5mg)10cm² 1枚	禁煙補助剤	2632
	CG EME	微黄〜淡黄（薄橙）	ニコチネルTTS30（グラクソ・スミスクライン・コンシューマー・ヘルスケア／アルフレッサファーマ）	ニコチン	(52.5mg)30cm² 1枚	禁煙補助剤	2632
	CG FEF	微黄〜淡黄（薄橙）	ニコチネルTTS20（グラクソ・スミスクライン・コンシューマー・ヘルスケア／アルフレッサファーマ）	ニコチン	(35mg)20cm² 1枚	禁煙補助剤	2632
	CG／FV CG FV	帯赤黄	フェマーラ錠2.5mg（ノバルティス）	レトロゾール	2.5mg 1錠	アロマターゼ阻害剤	4372
	CG／FV LTZ Sz	帯赤黄	レトロゾール錠2.5mg「サンド」（サンド）	レトロゾール	2.5mg 1錠	アロマターゼ阻害剤	4372

番号	識別コード	色 (◐：割線有)	商品名(会社名)	一般名	規格単位	薬効	掲載ページ
C	CG／NC CG NC	黄　◐	リアメット配合錠(ノバルティス)	アルテメテル・ルメファントリン	1錠	抗マラリア剤	315
	NC CG NCCG	白	カルバン錠25 (日本ケミファ／鳥居薬品)	ベバントロール塩酸塩	25mg 1錠	Ca拮抗・α_1-遮断性β_1-選択的遮断剤	3547
	CG／FV CG FV	帯赤黄	フェマーラ錠2.5mg (ノバルティス)	レトロゾール	2.5mg 1錠	アロマターゼ阻害剤	4372
	CG／NC CG NC	黄　◐	リアメット配合錠(ノバルティス)	アルテメテル・ルメファントリン	1錠	抗マラリア剤	315
	CH L	黄～黄褐	サラゾスルファピリジン腸溶錠500mg「CH」(長生堂／日本ジェネリック)	サラゾスルファピリジン	500mg 1錠	潰瘍性大腸炎治療・抗リウマチ剤	1522
	CH T	黄～黄褐	サラゾスルファピリジン腸溶錠250mg「CH」(長生堂／日本ジェネリック)	サラゾスルファピリジン	250mg 1錠	潰瘍性大腸炎治療・抗リウマチ剤	1522
	CH-AE	白	トラニラストカプセル100mg「CH」(長生堂／日本ジェネリック)	トラニラスト	100mg 1カプセル	アレルギー性疾患治療剤	2472
	CH-AK	白～帯黄白	デキサメタゾン軟膏口腔用0.1%「CH」(長生堂／日本ジェネリック)	デキサメタゾン	0.1% 1g	副腎皮質ホルモン	2208
	CH-MC	帯黄赤／微褐黄	メキシレチン塩酸塩カプセル50mg「JG」(長生堂／日本ジェネリック)	メキシレチン塩酸塩	50mg 1カプセル	不整脈治療・糖尿病性神経障害治療剤	3902
	CH-MP	帯黄赤／白	メキシレチン塩酸塩カプセル100mg「JG」(長生堂／日本ジェネリック)	メキシレチン塩酸塩	100mg 1カプセル	不整脈治療・糖尿病性神経障害治療剤	3902
	NVR／CH NVR CH	白～黄	サーティカン錠0.5mg (ノバルティス)	エベロリムス	0.5mg 1錠	免疫抑制剤・抗悪性腫瘍剤(mTOR阻害剤)	811
	NVR／CL NVR CL	白～黄	サーティカン錠0.75mg (ノバルティス)	エベロリムス	0.75mg 1錠	免疫抑制剤・抗悪性腫瘍剤(mTOR阻害剤)	811
	CM t CM	白～帯黄白	カモスタットメシル酸塩錠100mg「テバ」(日医工岐阜／日医工／武田薬品)	カモスタットメシル酸塩	100mg 1錠	蛋白分解酵素阻害剤	1110
	COM	薄黄赤～くすんだ黄赤	コムタン錠100mg (ノバルティス)	エンタカポン	100mg 1錠	末梢COMT阻害剤	919
	CP	白	セチルピリジニウム塩化物トローチ2mg「イワキ」(岩城)	セチルピリジニウム塩化物水和物	2mg 1錠	殺菌消毒剤	1809
	CS	白	ザジテンカプセル1mg (サンファーマ)	ケトチフェンフマル酸塩	1mg 1カプセル	アレルギー性疾患治療剤	1408
	MS-CT	白	MS冷シップ「タカミツ」(タカミツ／三和化学)	外皮用消炎鎮痛配合剤	10g	消炎・鎮痛剤	1691
	SV CTV	白	ボカブリア錠30mg (ヴィーブ／グラクソ・スミスクライン)	カボテグラビルナトリウム	30mg 1錠	HIVインテグラーゼ阻害剤	1105
	CVL／EP CVL EP	白～微黄白◐	カルベジロール錠20mg「DSEP」(第一三共エスファ)	カルベジロール	20mg 1錠	α, β-遮断剤	1160
	CVL／ep CVL ep	黄　◐	カルベジロール錠10mg「DSEP」(第一三共エスファ)	カルベジロール	10mg 1錠	α, β-遮断剤	1160
	CVL／EP CVL EP	白～微黄白◐	カルベジロール錠20mg「DSEP」(第一三共エスファ)	カルベジロール	20mg 1錠	α, β-遮断剤	1160
	CVL／ep CVL ep	黄　◐	カルベジロール錠10mg「DSEP」(第一三共エスファ)	カルベジロール	10mg 1錠	α, β-遮断剤	1160
	CG CWC	微黄～淡黄(薄橙)	ニコチネルTTS10 (グラクソ・スミスクライン・コンシューマー・ヘルスケア／アルフレッサファーマ)	ニコチン	(17.5mg) 10cm²1枚	禁煙補助剤	2632
	Y CY Y-CY	白	チスタニン糖衣錠100mg (ニプロES)	L-エチルシステイン塩酸塩	100mg 1錠	活性SH基含有去痰剤	750
	C.	白	カバサール錠0.25mg (ファイザー)	カベルゴリン	0.25mg 1錠	抗パーキンソン剤	1098
	cccc	白　◐	カーバグル分散錠200mg (レコルダティ)	カルグルミン酸	200mg 1錠	高アンモニア血症治療剤	1127
	chPC	微黄白	ポラプレジンク顆粒15%「CH」(長生堂／日本ジェネリック)	ポラプレジンク	15% 1g	胃潰瘍治療亜鉛・L-カルノシン錯体	3751
	cvl／EP cvl EP	白～微黄白◐	カルベジロール錠2.5mg「DSEP」(第一三共エスファ)	カルベジロール	2.5mg 1錠	α, β-遮断剤	1160
	cvl／ep cvl ep	黄　◐	カルベジロール錠1.25mg「DSEP」(第一三共エスファ)	カルベジロール	1.25mg 1錠	α, β-遮断剤	1160
	cvl／EP cvl EP	白～微黄白◐	カルベジロール錠2.5mg「DSEP」(第一三共エスファ)	カルベジロール	2.5mg 1錠	α, β-遮断剤	1160
	cvl／ep cvl ep	黄　◐	カルベジロール錠1.25mg「DSEP」(第一三共エスファ)	カルベジロール	1.25mg 1錠	α, β-遮断剤	1160
D	CE／D	白～微黄	セファランチン錠1mg (メディサ／化研生薬)	セファランチン	1mg 1錠	脱毛・浸出液・白血球減少抑制剤	1829
	TT D AG	淡黄	デュタステリドカプセル0.5mgAV「武田テバ」(武田テバファーマ／武田薬品)	デュタステリド	0.5mg 1カプセル	5α-還元酵素阻害薬	2332
	◇D	白	ヒダントールD配合錠(藤永／第一三共)	フェニトイン・フェノバルビタール・安息香酸ナトリウムカフェイン	1錠	抗てんかん剤	3127
	PARKE DAVIS	褐／黄	アメパロモカプセル250mg (ファイザー)	パロモマイシン硫酸塩	250mg 1カプセル	腸管アメーバ症治療剤	2892

英字

英字

番号	識別コード	色 (①:割線有)	商品名(会社名)	一般名	規格単位	薬効	掲載 ページ
D	ⓀDC	白	ダクチル錠50mg（キッセイ）	ピペリドレート塩酸塩	50mg 1錠	鎮痙・流早産防止剤	3011
	YP-DFC	白	ジクロフェナクナトリウムクリーム1%「ユートク」（祐徳薬品）	ジクロフェナクナトリウム	1% 1g	フェニル酢酸系消炎鎮痛剤	1579
	DFNH	薄赤	フィナステリド錠1mg「クラシエ」（大興／クラシエ薬品）	フィナステリド	1mg 1錠	5α-還元酵素Ⅱ型阻害薬	3090
	DFNL	薄赤	フィナステリド錠0.2mg「クラシエ」（大興／クラシエ薬品）	フィナステリド	0.2mg 1錠	5α-還元酵素Ⅱ型阻害薬	3090
	Tw DG Tw.DG	白　①	グリクラジド錠40mg「トーワ」（東和薬品）	グリクラジド	40mg 1錠	スルホニル尿素系血糖降下剤	1257
	ニトロダーム TTS SJ DOD SJ DOD	白(薄橙)	ニトロダームTTS25mg（サンファーマ）	ニトログリセリン	(25mg) 10cm²1枚	冠動脈拡張剤	2644
	DS DP	淡赤 白	ヤーズ配合錠（バイエル薬品）	ドロスピレノン・エチニルエストラジオール ベータデクス	1錠	黄体ホルモン・卵胞ホルモン混合子宮内膜症に伴う疼痛改善剤・月経困難症治療剤	2588
	DS DP	淡赤 白	ヤーズ配合錠（バイエル薬品）	ドロスピレノン・エチニルエストラジオール ベータデクス	1シート	黄体ホルモン・卵胞ホルモン混合子宮内膜症に伴う疼痛改善剤・月経困難症治療剤	2588
	Tw DR Tw.DR	白〜微帯黄 又は微帯褐 白　①	ブロモクリプチン錠2.5mg「トーワ」（東和薬品）	ブロモクリプチンメシル酸塩	2.5mg 1錠	持続性ドパミン作動麦角アルカロイド誘導体・抗パーキンソン剤	3458
	DS	淡赤	ヤーズフレックス配合錠（バイエル薬品）	ドロスピレノン・エチニルエストラジオール ベータデクス	1錠	黄体ホルモン・卵胞ホルモン混合子宮内膜症に伴う疼痛改善剤・月経困難症治療剤	2588
	DS DP	淡赤 白	ヤーズ配合錠（バイエル薬品）	ドロスピレノン・エチニルエストラジオール ベータデクス	1錠	黄体ホルモン・卵胞ホルモン混合子宮内膜症に伴う疼痛改善剤・月経困難症治療剤	2588
	DS DP	淡赤 白	ヤーズ配合錠（バイエル薬品）	ドロスピレノン・エチニルエストラジオール ベータデクス	1シート	黄体ホルモン・卵胞ホルモン混合子宮内膜症に伴う疼痛改善剤・月経困難症治療剤	2588
	アムバロDSEP／ アムバロ 第一三共エスファ	帯黄白	アムバロ配合錠「DSEP」（第一三共エスファ）	バルサルタン・アムロジピンベシル酸塩	1錠	選択的AT₁受容体ブロッカー・持続性Ca拮抗薬合剤	2842
	テラムロ AP DSEP	淡赤	テラムロ配合錠AP「DSEP」（第一三共エスファ）	テルミサルタン・アムロジピンベシル酸塩	1錠	胆汁排泄型持続性AT₁受容体ブロッカー・持続性Ca拮抗薬合剤	2375
	テラムロ BP DSEP	淡赤	テラムロ配合錠BP「DSEP」（第一三共エスファ）	テルミサルタン・アムロジピンベシル酸塩	1錠	胆汁排泄型持続性AT₁受容体ブロッカー・持続性Ca拮抗薬合剤	2375
	テルチア AP DSEP	黄橙	テルチア配合錠AP「DSEP」（第一三共エスファ）	テルミサルタン・ヒドロクロロチアジド	1錠	持続性AT₁受容体ブロッカー・利尿剤合剤	2384
	テルチア BP DSEP	黄橙	テルチア配合錠BP「DSEP」（第一三共エスファ）	テルミサルタン・ヒドロクロロチアジド	1錠	持続性AT₁受容体ブロッカー・利尿剤合剤	2384
	トアラセット DSEP／ トアラセット 第一三共エスファ	淡黄	トアラセット配合錠「DSEP」（第一三共エスファ）	トラマドール塩酸塩・アセトアミノフェン	1錠	慢性疼痛・抜歯後疼痛療剤	2496
	レバミピド DSEP	白	レバミピド錠100mg「DSEP」（第一三共エスファ）	レバミピド	100mg 1錠	胃炎・胃潰瘍治療剤	4390
	NVR／DU NVR DU	微橙褐	タブレクタ錠150mg（ノバルティス）	カプマチニブ塩酸塩水和物	150mg 1錠	抗悪性腫瘍剤/MET阻害剤	1088
E	◇E	白	ヒダントールE配合錠（藤永／第一三共）	フェニトイン・フェノバルビタール・安息香酸ナトリウムカフェイン	1錠	抗てんかん剤	3127
	NCP EA	白	エバスチン錠5mg「ケミファ」（日本ケミファ／日本薬品工業／共創未来）	エバスチン	5mg 1錠	持続性選択H₁-受容体拮抗剤	778
	NCP EB	白　①	エバスチン錠10mg「ケミファ」（日本ケミファ／日本薬品工業／共創未来）	エバスチン	10mg 1錠	持続性選択H₁-受容体拮抗剤	778
	NCP EC	薄紅	エバスチンOD錠5mg「ケミファ」（日本ケミファ／日本薬品工業／共創未来）	エバスチン	5mg 1錠	持続性選択H₁-受容体拮抗剤	778
	NCP ED	白	エバスチンOD錠10mg「ケミファ」（日本ケミファ／日本薬品工業／共創未来）	エバスチン	10mg 1錠	持続性選択H₁-受容体拮抗剤	778
	エンテカビル／ EE エンテカビルEE	白〜微黄白	エンテカビル錠0.5mg「EE」（シオノ／エルメッド／日医工）	エンテカビル水和物	0.5mg 1錠	抗ウイルス化学療法剤	921
	トアラセット 配合錠EE／ トラマドール塩酸塩 アセトアミノフェン	淡黄	トアラセット配合錠「EE」（エルメッド／日医工）	トラマドール塩酸塩・アセトアミノフェン	1錠	慢性疼痛・抜歯後疼痛療剤	2496
	☆EISAI☆EISAI EISAI EISAI	白	トラベルミン配合錠（アルフレッサファーマ／エーザイ）	ジフェンヒドラミン・ジプロフィリン	1錠	鎮うん剤	1652
	CG EME	微黄〜淡黄 (薄橙)	ニコチネルTTS30（グラクソ・スミスクライン・コンシューマー・ヘルスケア／アルフレッサファーマ）	ニコチン	(52.5mg) 30cm²1枚	禁煙補助剤	2632
	レバミピド EMEC	白	レバミピド錠100mg「EMEC」（大原薬品／エルメッド／日医工）	レバミピド	100mg 1錠	胃炎・胃潰瘍治療剤	4390

番号	識別コード	色 (①：割線有)	商品名(会社名)	一般名	規格単位	薬効	掲載 ページ
E	CVL／EP CVL EP	白～微黄白①	カルベジロール錠20mg「DSEP」(第一三共エスファ)	カルベジロール	20mg 1錠	α, β-遮断剤	1160
	cvl／EP cvl EP	白～微黄白①	カルベジロール錠2.5mg「DSEP」(第一三共エスファ)	カルベジロール	2.5mg 1錠	α, β-遮断剤	1160
	EP ez	白　①	エゼチミブ錠10mg「DSEP」(第一三共エスファ)	エゼチミブ	10mg 1錠	小腸コレステロールトランスポーター阻害剤	708
	ITN EP	くすんだ黄赤～濃黄赤	イマチニブ錠100mg「DSEP」(第一三共エスファ)	イマチニブメシル酸塩	100mg 1錠	抗悪性腫瘍剤・チロシンキナーゼ阻害剤	493
	LTZ EP	帯赤黄	レトロゾール錠2.5mg「DSEP」(第一三共エスファ)	レトロゾール	2.5mg 1錠	アロマターゼ阻害薬	4372
	ロサルヒド HD EP	白	ロサルヒド配合錠HD「EP」(第一三共エスファ)	ロサルタンカリウム・ヒドロクロロチアジド	1錠	持続性アンギオテンシンⅡ受容体拮抗剤・利尿剤合剤	4483
	ロサルヒド LD EP	白	ロサルヒド配合錠LD「EP」(第一三共エスファ)	ロサルタンカリウム・ヒドロクロロチアジド	1錠	持続性アンギオテンシンⅡ受容体拮抗剤・利尿剤合剤	4483
	SW EPT	白	エパルレスタット錠50mg「サワイ」(沢井)	エパルレスタット	50mg 1錠	アルドース還元酵素阻害剤	779
	Sz ETV	白	エンテカビル錠0.5mg「サンド」(サンド)	エンテカビル水和物	0.5mg 1錠	抗ウイルス化学療法剤	921
	SWバルヒEX	極薄赤	バルヒディオ配合錠EX「サワイ」(沢井)	バルサルタン・ヒドロクロロチアジド	1錠	選択的AT₁受容体ブロッカー・利尿剤合剤	2848
	VH／EX VH EX	極薄赤	バルヒディオ配合錠EX「サンド」(サンド)	バルサルタン・ヒドロクロロチアジド	1錠	選択的AT₁受容体ブロッカー・利尿剤合剤	2848
	バルヒディオ EX JG	極薄赤	バルヒディオ配合錠EX「JG」(日本ジェネリック)	バルサルタン・ヒドロクロロチアジド	1錠	選択的AT₁受容体ブロッカー・利尿剤合剤	2848
	バルヒディオ EX TCK	極薄赤	バルヒディオ配合錠EX「TCK」(辰巳化学)	バルサルタン・ヒドロクロロチアジド	1錠	選択的AT₁受容体ブロッカー・利尿剤合剤	2848
	バルヒディオ EX TV	極薄赤	バルヒディオ配合錠EX「NIG」(日医工岐阜／日医工／武田薬品)	バルサルタン・ヒドロクロロチアジド	1錠	選択的AT₁受容体ブロッカー・利尿剤合剤	2848
	CVL／ep CVL ep	黄　①	カルベジロール錠10mg「DSEP」(第一三共エスファ)	カルベジロール	10mg 1錠	α, β-遮断剤	1160
	cvl／ep cvl ep	黄　①	カルベジロール錠1.25mg「DSEP」(第一三共エスファ)	カルベジロール	1.25mg 1錠	α, β-遮断剤	1160
	ep／bf epbf	白　①	ビソプロロールフマル酸塩錠0.625mg「DSEP」(第一三共エスファ)	ビソプロロールフマル酸塩	0.625mg 1錠	選択的β₁-アンタゴニスト	2944
	EP ez	白　①	エゼチミブ錠10mg「DSEP」(第一三共エスファ)	エゼチミブ	10mg 1錠	小腸コレステロールトランスポーター阻害剤	708
F	KW F	黄	フルボキサミンマレイン酸塩錠25mg「アメル」(共和薬品)	フルボキサミンマレイン酸塩	25mg 1錠	選択的セロトニン再取り込み阻害剤(SSRI)	3337
	SW-F LD	白	フリウェル配合錠LD「サワイ」(沢井)	ノルエチステロン・エチニルエストラジオール〔治療用〕	1錠	月経困難症治療剤	2734
	SW-F ULD	白	フリウェル配合錠ULD「サワイ」(沢井)	ノルエチステロン・エチニルエストラジオール〔治療用〕	1錠	月経困難症治療剤	2734
	◇F	白	ヒダントールF配合錠(藤永／第一三共)	フェニトイン・フェノバルビタール・安息香酸ナトリウムカフェイン	1錠	抗てんかん剤	3127
	NVR／FB NVR FB	白～微黄白①	エクア錠50mg(ノバルティス／住友ファーマ)	ビルダグリプチン	50mg 1錠	選択的DPP-4阻害剤・2型糖尿病治療剤	3044
	MZ-FBS	白～淡黄白半透明	フェルビナクスチック軟膏3%「三笠」(三笠)	フェルビナク	3% 1g	鎮痛消炎フェンブフェン活性体	3153
	MZ-FBST	白～淡黄白半透明	フェルビナクスチック軟膏3%「三笠」(三笠／大正)	フェルビナク	3% 1g	鎮痛消炎フェンブフェン活性体	3153
	ビカルOD／FCI ビカルOD FCI	白～微黄白	ビカルタミドOD錠80mg「ケミファ」(富士化学／日本ケミファ)	ビカルタミド	80mg 1錠	前立腺癌治療剤	2926
	CG FEF	微黄～淡黄(薄橙)	ニコチネルTTS20(グラクソ・スミスクライン・コンシューマー・ヘルスケア／アルフレッサファーマ)	ニコチン	(35mg) 20cm² 1枚	禁煙補助剤	2632
	アムバロ配合錠 FFP	帯黄白	アムバロ配合錠「FFP」(共創未来)	バルサルタン・アムロジピンベシル酸塩	1錠	選択的AT₁受容体ブロッカー・持続性Ca拮抗薬合剤	2842
	ロサルヒド配合錠 FFP／LD	白	ロサルヒド配合錠LD「FFP」(共創未来)	ロサルタンカリウム・ヒドロクロロチアジド	1錠	持続性アンギオテンシンⅡ受容体拮抗剤・利尿剤合剤	4483
	ロサルヒド配合錠 HD FFP	白	ロサルヒド配合錠HD「FFP」(共創未来)	ロサルタンカリウム・ヒドロクロロチアジド	1錠	持続性アンギオテンシンⅡ受容体拮抗剤・利尿剤合剤	4483
	TU-FH	薄赤	フィナステリド錠1mg「TCK」(辰巳化学／岩城／本草)	フィナステリド	1mg 1錠	5α-還元酵素Ⅱ型阻害薬	3090
	FJTF	白　①	ビタミンB₆錠30mg「F」(富士製薬)	ピリドキシン塩酸塩	30mg 1錠	ビタミンB₆	3039
	FJTJ	茶	メチルエルゴメトリンマレイン酸塩錠0.125mg「F」(富士製薬)	メチルエルゴメトリンマレイン酸塩	0.125mg 1錠	子宮収縮止血剤	3924
	TU-FL	薄赤	フィナステリド錠0.2mg「TCK」(辰巳化学／岩城／本草)	フィナステリド	0.2mg 1錠	5α-還元酵素Ⅱ型阻害薬	3090

英字

英字

番号	識別コード	色 (①：割線有)	商品名(会社名)	一般名	規格単位	薬効	掲載ページ
F	FNAH	薄赤	フィナステリド錠1mg「SN」(シオノ/あすか/武田薬品)	フィナステリド	1mg 1錠	5α-還元酵素Ⅱ型阻害薬	3090
	FNAL	薄赤	フィナステリド錠0.2mg「SN」(シオノ/あすか/武田薬品)	フィナステリド	0.2mg 1錠	5α-還元酵素Ⅱ型阻害薬	3090
	FNTH	薄赤	フィナステリド錠1mg「RTO」(リョートー/江州)	フィナステリド	1mg 1錠	5α-還元酵素Ⅱ型阻害薬	3090
	FNTL	薄赤	フィナステリド錠0.2mg「RTO」(リョートー/江州)	フィナステリド	0.2mg 1錠	5α-還元酵素Ⅱ型阻害薬	3090
	TYP／FR	淡赤 ①	マドパー配合錠(太陽ファルマ)	レボドパ・ベンセラジド塩酸塩	1錠	パーキンソニズム治療剤	4422
	TYP／FR	淡赤 ①	マドパー配合錠L100(太陽ファルマ)	レボドパ・ベンセラジド塩酸塩	1錠	パーキンソニズム治療剤	4422
	Tw FRT Tw.FRT	白 ①	フロセミド錠40mg「トーワ」(東和薬品)	フロセミド	40mg 1錠	ループ利尿剤	3405
	FS	淡青	トビエース錠4mg(ファイザー)	フェソテロジンフマル酸塩	4mg 1錠	過活動膀胱治療剤	3116
	FT	青	トビエース錠8mg(ファイザー)	フェソテロジンフマル酸塩	8mg 1錠	過活動膀胱治療剤	3116
	CG／FV CG FV	帯赤黄	フェマーラ錠2.5mg(ノバルティス)	レトロゾール	2.5mg 1錠	アロマターゼ阻害剤	4372
	CG／FV LTZ Sz	帯赤黄	レトロゾール錠2.5mg「サンド」(サンド)	レトロゾール	2.5mg 1錠	アロマターゼ阻害剤	4372
	Tu FZ	白〜微黄白①	アンブロキソール塩酸塩錠15mg「TCK」(辰巳化学)	アンブロキソール塩酸塩	15mg 1錠	気道潤滑去痰剤	378
G	Ⓚ／GBOD ⓀGBOD	淡赤白	グルベス配合OD錠(キッセイ)	ミチグリニドカルシウム水和物・ボグリボース	1錠	速効型インスリン分泌促進剤/α-グルコシダーゼ阻害・食後過血糖改善剤	3862
	Y-GD Y GD	白 ①	ブロチゾラム錠0.25mg「ヨシトミ」(田辺三菱)	ブロチゾラム	0.25mg 1錠	チエノトリアゾロジアゼピン系睡眠導入剤	3411
	Br GIPH	白	ブルフェン顆粒20%(科研)	イブプロフェン	20% 1g	フェニルプロピオン酸系解熱消炎鎮痛剤	477
	GL	白	グリチロン配合錠(ミノファーゲン/EA)	グリチロン配合錠	1錠	肝臓疾患・アレルギー用剤	1274
	SW／GM SW GM	白	グリメピリド錠0.5mg「サワイ」(沢井)	グリメピリド	0.5mg 1錠	スルホニル尿素系血糖降下剤	1278
	GS IM	帯赤白	ダーブロック錠6mg(グラクソ・スミスクライン/協和キリン)	ダプロデュスタット	6mg 1錠	HIF-PH阻害剤	2069
	GS JT	淡紅	ヴォトリエント錠200mg(ノバルティス)	パゾパニブ塩酸塩	200mg 1錠	抗悪性腫瘍剤・キナーゼ阻害剤	2788
	GS KF	灰	ダーブロック錠1mg(グラクソ・スミスクライン/協和キリン)	ダプロデュスタット	1mg 1錠	HIF-PH阻害剤	2069
	GS MUF	淡紅	ザガーロカプセル0.5mg(グラクソ・スミスクライン)	デュタステリド	0.5mg 1カプセル	5α-還元酵素阻害薬	2332
	GS TFH	淡橙	ザガーロカプセル0.1mg(グラクソ・スミスクライン)	デュタステリド	0.1mg 1カプセル	5α-還元酵素阻害薬	2332
	GS XJG	黄	タイケルブ錠250mg(ノバルティス)	ラパチニブトシル酸塩水和物	250mg 1錠	抗悪性腫瘍剤・チロシンキナーゼ阻害剤	4099
	GS／TEZ GS TEZ	帯紅白	パキシル錠5mg(グラクソ・スミスクライン)	パロキセチン塩酸塩水和物	5mg 1錠	選択的セロトニン再取り込み阻害剤(SSRI)	2878
	Tw GST Tw.GST	白	ガスサール錠40mg(東和薬品/日医工)	ジメチコン	40mg 1錠	消化管内ガス排除剤	1679
	GS／TEZ GS TEZ	帯紅白	パキシル錠5mg(グラクソ・スミスクライン)	パロキセチン塩酸塩水和物	5mg 1錠	選択的セロトニン再取り込み阻害剤(SSRI)	2878
	GSYJU	白	レトロビルカプセル100mg(ヴィーブ/グラクソ・スミスクライン)	ジドブジン	100mg 1カプセル	抗ウイルス・HIV逆転写酵素阻害剤	1626
	GX CES	緑	アマージ錠2.5mg(グラクソ・スミスクライン)	ナラトリプタン塩酸塩	2.5mg 1錠	5-HT₁B/₁D受容体作動型片頭痛治療剤	2618
	O.S-GZ	白〜帯褐白	ガスチーム散4万単位/g(日医工)	プロナーゼ	20,000単位	消炎酵素・胃内粘液溶解除去剤	3421
H	H	黄	ビフロキシン配合錠(ゾンネボード)	リボフラビン・ピリドキシン塩酸塩	1錠	ビタミンB₂・B₆剤	4283
	H〜	薄橙	ディレグラ配合錠(LTL)	フェキソフェナジン塩酸塩・塩酸プソイドエフェドリン	1錠	アレルギー性疾患治療剤	3114
	LN H	白	ロサルタンカリウム錠100mg「DK」(大興/三和化学)	ロサルタンカリウム	100mg 1錠	アンギオテンシンⅡ受容体拮抗剤	4481
	NCL HD	白	ロサルヒド配合錠HD「ケミファ」(日本ケミファ/日本薬品工業)	ロサルタンカリウム・ヒドロクロロチアジド	1錠	持続性アンギオテンシンⅡ受容体拮抗剤・利尿剤合剤	4483
	SWイルアミクスHD	薄橙	イルアミクス配合錠HD「サワイ」(沢井)	イルベサルタン・アムロジピンベシル酸塩	1錠	長時間作用型アンギオテンシンⅡ受容体拮抗剤・持続性Ca拮抗剤合剤	523
	TV AH／HD	淡赤	カムシア配合錠HD「武田テバ」(武田テバファーマ/武田薬品)	カンデサルタン シレキセチル・アムロジピンベシル酸塩	1錠	持続性アンギオテンシンⅡ受容体拮抗剤・持続性Ca拮抗剤配合剤	1187

英字

番号	識別コード	色（①：割線有）	商品名（会社名）	一般名	規格単位	薬効	掲載ページ
H	TV AH／HD	淡赤	カムシア配合錠HD「NIG」（日医工岐阜／日医工／武田薬品）	カンデサルタン シレキセチル・アムロジピンベシル酸塩	1錠	持続性アンギオテンシンⅡ受容体拮抗剤・持続性Ca拮抗剤配合剤	1187
	イルアミクスHD JG	薄橙	イルアミクス配合錠HD「JG」（長生堂／日本ジェネリック）	イルベサルタン・アムロジピンベシル酸塩	1錠	長時間作用型アンギオテンシンⅡ受容体拮抗剤・持続性Ca拮抗剤配合剤	523
	イルアミクスHD TCK	薄橙	イルアミクス配合錠HD「TCK」（辰巳化学）	イルベサルタン・アムロジピンベシル酸塩	1錠	長時間作用型アンギオテンシンⅡ受容体拮抗剤・持続性Ca拮抗剤配合剤	523
	イルアミクスHD VTRS	薄橙	イルアミクス配合錠HD「VTRS」（ヴィアトリス・ヘルスケア／ヴィアトリス）	イルベサルタン・アムロジピンベシル酸塩	1錠	長時間作用型アンギオテンシンⅡ受容体拮抗剤・持続性Ca拮抗剤配合剤	523
	イルアミクスHD杏林	薄橙	イルアミクス配合錠HD「杏林」（キョーリンリメディオ／杏林）	イルベサルタン・アムロジピンベシル酸塩	1錠	長時間作用型アンギオテンシンⅡ受容体拮抗剤・持続性Ca拮抗剤配合剤	523
	エゼアトHD JG	白	エゼアト配合錠HD「JG」（日本ジェネリック）	エゼチミブ・アトルバスタチンカルシウム水和物	1錠	小腸コレステロールトランスポーター阻害剤／HMG-CoA還元酵素阻害剤配合剤	711
	カムシアHD日新	淡赤	カムシア配合錠HD「日新」（日新）	カンデサルタン シレキセチル・アムロジピンベシル酸塩	1錠	持続性アンギオテンシンⅡ受容体拮抗剤・持続性Ca拮抗剤配合剤	1187
	カムシアHDサンド	淡赤	カムシア配合錠HD「サンド」（サンド／第一三共エスファ）	カンデサルタン シレキセチル・アムロジピンベシル酸塩	1錠	持続性アンギオテンシンⅡ受容体拮抗剤・持続性Ca拮抗剤配合剤	1187
	ジルムロHD JG	微黄	ジルムロ配合HD「JG」（日本ジェネリック）	アジルサルタン・アムロジピンベシル酸塩	1錠	持続性AT₁受容体遮断剤・持続性Ca拮抗薬配合剤	44
	ジルムロHD TCK	微黄	ジルムロ配合錠HD「TCK」（辰巳化学／フェルゼン）	アジルサルタン・アムロジピンベシル酸塩	1錠	持続性AT₁受容体遮断剤・持続性Ca拮抗薬配合剤	44
	ジルムロHDサワイ	微黄	ジルムロ配合錠HD「サワイ」（沢井）	アジルサルタン・アムロジピンベシル酸塩	1錠	持続性AT₁受容体遮断剤・持続性Ca拮抗薬配合剤	44
	ジルムロODHDサワイ	微黄	ジルムロ配合OD錠HD「サワイ」（沢井）	アジルサルタン・アムロジピンベシル酸塩	1錠	持続性AT₁受容体遮断剤・持続性Ca拮抗薬配合剤	44
	ロサルヒドHD EP	白	ロサルヒド配合錠HD「EP」（第一三共エスファ）	ロサルタンカリウム・ヒドロクロロチアジド	1錠	持続性アンギオテンシンⅡ受容体拮抗剤・利尿剤合剤	4483
	ロサルヒドHD JG	白	ロサルヒド配合錠HD「JG」（日本ジェネリック）	ロサルタンカリウム・ヒドロクロロチアジド	1錠	持続性アンギオテンシンⅡ受容体拮抗剤・利尿剤合剤	4483
	ロサルヒドHD NIG	白	ロサルヒド配合錠HD「NIG」（日医工岐阜／日医工／武田薬品）	ロサルタンカリウム・ヒドロクロロチアジド	1錠	持続性アンギオテンシンⅡ受容体拮抗剤・利尿剤合剤	4483
	ロサルヒドHD NPI	白	ロサルヒド配合錠HD「NPI」（日本薬品工業）	ロサルタンカリウム・ヒドロクロロチアジド	1錠	持続性アンギオテンシンⅡ受容体拮抗剤・利尿剤合剤	4483
	ロサルヒドHD SW	白	ロサルヒド配合錠HD「サワイ」（沢井）	ロサルタンカリウム・ヒドロクロロチアジド	1錠	持続性アンギオテンシンⅡ受容体拮抗剤・利尿剤合剤	4483
	ロサルヒドHD VTRS	白	ロサルヒド配合錠HD「VTRS」（ヴィアトリス・ヘルスケア／ヴィアトリス）	ロサルタンカリウム・ヒドロクロロチアジド	1錠	持続性アンギオテンシンⅡ受容体拮抗剤・利尿剤合剤	4483
	ロサルヒドHD杏林	白	ロサルヒド配合錠HD「杏林」（キョーリンリメディオ／杏林）	ロサルタンカリウム・ヒドロクロロチアジド	1錠	持続性アンギオテンシンⅡ受容体拮抗剤・利尿剤合剤	4483
	ロサルヒドHD三和	白	ロサルヒド配合錠HD「三和」（三和化学）	ロサルタンカリウム・ヒドロクロロチアジド	1錠	持続性アンギオテンシンⅡ受容体拮抗剤・利尿剤合剤	4483
	ロサルヒドHD日新	白	ロサルヒド配合錠HD「日新」（日新）	ロサルタンカリウム・ヒドロクロロチアジド	1錠	持続性アンギオテンシンⅡ受容体拮抗剤・利尿剤合剤	4483
	ロサルヒドHDトーワ	白	ロサルヒド配合錠HD「トーワ」（東和薬品）	ロサルタンカリウム・ヒドロクロロチアジド	1錠	持続性アンギオテンシンⅡ受容体拮抗剤・利尿剤合剤	4483
	ロサルヒド配合錠HD FFP	白	ロサルヒド配合錠HD「FFP」（共創未来）	ロサルタンカリウム・ヒドロクロロチアジド	1錠	持続性アンギオテンシンⅡ受容体拮抗剤・利尿剤合剤	4483
	ロサルヒド配合錠HDアメル	白～帯黄白	ロサルヒド配合錠HD「アメル」（共和薬品）	ロサルタンカリウム・ヒドロクロロチアジド	1錠	持続性アンギオテンシンⅡ受容体拮抗剤・利尿剤合剤	4483
	HIBON	黄～淡褐黄	ハイボン錠20mg（ニプロES）	リボフラビン酪酸エステル	20mg 1錠	ビタミンB₂	4283
	❷HID	白～淡黄	ハップスターID70mg（大石膏盛堂／日医工）	インドメタシン	10cm×14cm 1枚	インドール酢酸系解熱消炎鎮痛剤・未熟児動脈管開存症治療剤	619
	MS-HT	淡黄赤～淡赤褐	MS温シップ「タカミツ」（タカミツ／三和化学）	外皮用消炎鎮痛配合剤	10g	消炎・鎮痛剤	1691
I	Tw／IB Tw.IB	白	イフェンプロジル酒石酸塩錠10mg「トーワ」（東和薬品）	イフェンプロジル酒石酸塩	10mg 1錠	鎮うん剤	473
	SW-IDC	白～帯黄白	インドメタシンクリーム1%「サワイ」（沢井）	インドメタシン	1% 1g	インドール酢酸系解熱消炎鎮痛剤・未熟児動脈管開存症治療剤	619
	℧／II ℧II	薄黄	メーゼント錠2mg（ノバルティス）	シポニモドフマル酸	2mg 1錠	多発性硬化症治療薬	1675
	NVR／IL NVR IL	薄赤	ラジレス錠150mg（オーファンパシフィック）	アリスキレンフマル酸塩	150mg 1錠	直接的レニン阻害剤	286
	GS IM	帯赤白	ダーブロック錠6mg（グラクソ・スミスクライン／協和キリン）	ダプロデュスタット	6mg 1錠	HIF-PH阻害剤	2069

番号	識別コード	色 (Ⓘ:割線有)	商品名(会社名)	一般名	規格単位	薬効	掲載ページ
I	IM／VLE IM VLE	白	イミダプリル塩酸塩錠2.5mg「VTRS」(ヴィアトリス・ヘルスケア／ヴィアトリス)	イミダプリル塩酸塩	2.5mg 1錠	ACE阻害剤	504
	NC IM	くすんだ黄赤～濃黄赤Ⓘ	イマチニブ錠100mg「ケミファ」(日本ケミファ)	イマチニブメシル酸塩	100mg 1錠	抗悪性腫瘍剤・チロシンキナーゼ阻害剤	493
	IM／VLE IM VLE	白	イミダプリル塩酸塩錠2.5mg「VTRS」(ヴィアトリス・ヘルスケア／ヴィアトリス)	イミダプリル塩酸塩	2.5mg 1錠	ACE阻害剤	504
	-NEO-ISCOTIN	白 Ⓘ	ネオイスコチン錠100mg(アルフレッサファーマ)	イソニアジドメタンスルホン酸ナトリウム水和物	100mg 1錠	結核化学療法剤	432
	ITN EP	くすんだ黄赤～濃黄赤Ⓘ	イマチニブ錠100mg「DSEP」(第一三共エスファ)	イマチニブメシル酸塩	100mg 1錠	抗悪性腫瘍剤・チロシンキナーゼ阻害剤	493
J	J-C／T／P J-C T／P	淡黄	トラムセット配合錠(ヤンセン／持田)	トラマドール塩酸塩・アセトアミノフェン	1錠	慢性疼痛・抜歯後疼痛治療剤	2496
	JA TEZ JA／TEZ	帯紅白	パロキセチン錠5mg「SPKK」(サンドファーマ／サンド)	パロキセチン塩酸塩水和物	5mg 1錠	選択的セロトニン再取り込み阻害剤(SSRI)	2878
	J-C／T／P J-C T／P	淡黄	トラムセット配合錠(ヤンセン／持田)	トラマドール塩酸塩・アセトアミノフェン	1錠	慢性疼痛・抜歯後疼痛治療剤	2496
	アムバロ JG	帯黄白	アムバロ配合錠「JG」(日本ジェネリック)	バルサルタン・アムロジピンベシル酸塩	1錠	選択的AT₁受容体ブロッカー・持続性Ca拮抗薬合剤	2842
	イルアミクス HD JG	薄橙	イルアミクス配合錠HD「JG」(長生堂／日本ジェネリック)	イルベサルタン・アムロジピンベシル酸塩	1錠	長時間作用型アンギオテンシンⅡ受容体拮抗剤・持続性Ca拮抗剤配合剤	523
	イルアミクス LD JG	白～帯黄白	イルアミクス配合錠LD「JG」(長生堂／日本ジェネリック)	イルベサルタン・アムロジピンベシル酸塩	1錠	長時間作用型アンギオテンシンⅡ受容体拮抗剤・持続性Ca拮抗剤配合剤	523
	エゼアト HD JG	白	エゼアト配合錠HD「JG」(日本ジェネリック)	エゼチミブ・アトルバスタチンカルシウム水和物	1錠	小腸コレステロールトランスポーター阻害剤/HMG-CoA還元酵素阻害剤配合剤	711
	エゼアト LD JG	白	エゼアト配合錠LD「JG」(日本ジェネリック)	エゼチミブ・アトルバスタチンカルシウム水和物	1錠	小腸コレステロールトランスポーター阻害剤/HMG-CoA還元酵素阻害剤配合剤	711
	ジルムロ HD JG	微黄	ジルムロ配合錠HD「JG」(日本ジェネリック)	アジルサルタン・アムロジピンベシル酸塩	1錠	持続性AT₁受容体遮断剤・持続性Ca拮抗薬配合剤	44
	ジルムロ LD JG	微赤	ジルムロ配合錠LD「JG」(日本ジェネリック)	アジルサルタン・アムロジピンベシル酸塩	1錠	持続性AT₁受容体遮断剤・持続性Ca拮抗薬配合剤	44
	トアラセット JG	淡黄	トアラセット配合錠「JG」(日本ジェネリック)	トラマドール塩酸塩・アセトアミノフェン	1錠	慢性疼痛・抜歯後疼痛治療剤	2496
	バルヒディオ EX JG	極薄赤	バルヒディオ配合錠EX「JG」(日本ジェネリック)	バルサルタン・ヒドロクロロチアジド	1錠	選択的AT₁受容体ブロッカー・利尿剤合剤	2848
	バルヒディオ MD JG	薄赤	バルヒディオ配合錠MD「JG」(日本ジェネリック)	バルサルタン・ヒドロクロロチアジド	1錠	選択的AT₁受容体ブロッカー・利尿剤合剤	2848
	ロサルヒド HD JG	白	ロサルヒド配合錠HD「JG」(日本ジェネリック)	ロサルタンカリウム・ヒドロクロロチアジド	1錠	持続性アンギオテンシンⅡ受容体拮抗剤・利尿剤合剤	4483
	GS JT	淡紅	ヴォトリエント錠200mg(ノバルティス)	パゾパニブ塩酸塩	200mg 1錠	抗悪性腫瘍剤・キナーゼ阻害剤	2788
K	KE CAC	白	沈降炭酸カルシウム「ケンエー」(健栄)	沈降炭酸カルシウム	10g	制酸吸着・高リン血症剤	1132
	KE CAL	白	乳酸カルシウム「ケンエー」(健栄)	乳酸カルシウム水和物	10g	カルシウム補給剤	1135
	KE CAL	白	乳酸カルシウム水和物「ケンエー」原末(健栄)	乳酸カルシウム水和物	10g	カルシウム補給剤	1135
	KE MGO	白	重質酸化マグネシウム「ケンエー」(健栄)	酸化マグネシウム	10g	制酸・緩下剤	3798
	GS KF	灰	ダーブロック錠1mg(グラクソ・スミスクライン／協和キリン)	ダプロデュスタット	1mg 1錠	HIF-PH阻害剤	2069
	トアラセット 配合錠KMP	淡黄	トアラセット配合錠「共創未来」(共創未来)	トラマドール塩酸塩・アセトアミノフェン	1錠	慢性疼痛・抜歯後疼痛治療剤	2496
	トアラセット 配合錠KMP	淡黄	トアラセット配合錠「KMP」(共創未来)	トラマドール塩酸塩・アセトアミノフェン	1錠	慢性疼痛・抜歯後疼痛治療剤	2496
	M-KT	淡褐	ケトプロフェンテープ40mg「日医工」(日医工)	ケトプロフェン	10cm×14cm 1枚	プロピオン酸系消炎鎮痛剤	1410
	S-KT	淡褐	ケトプロフェンテープ20mg「日医工」(日医工)	ケトプロフェン	7cm×10cm 1枚	プロピオン酸系消炎鎮痛剤	1410
	KW AM／OD	黄	アムロジピンOD錠2.5mg「アメル」(共和薬品)	アムロジピンベシル酸塩	2.5mg 1錠	ジヒドロピリジン系Ca拮抗剤	264
	KW F	黄	フルボキサミンマレイン酸塩錠25mg「アメル」(共和薬品)	フルボキサミンマレイン酸塩	25mg 1錠	選択的セロトニン再取り込み阻害剤(SSRI)	3337
	Kw PEE	白～帯白Ⓘ	ペロスピロン塩酸塩錠16mg「アメル」(共和薬品)	ペロスピロン塩酸塩水和物	16mg 1錠	抗精神病剤	3635
	Kw VPA R	白	バルプロ酸ナトリウムSR錠200mg「アメル」(共和薬品)	バルプロ酸ナトリウム	200mg 1錠	抗てんかん，躁病・躁状態，片頭痛治療剤	2858

番号	識別コード	色 (①:割線有)	商品名(会社名)	一般名	規格単位	薬効	掲載 ページ
K	KY-NDL	淡黄透明	ナジフロキサシンローション1％ 「SUN」(サンファーマ)	ナジフロキサシン	1% 1mL	ニューキノロン系抗菌剤	2603
	KY・OL	淡黄	オルセノン軟膏0.25％(サンファーマ /キョーリンリメディオ/杏林)	トレチノイントコフェリル	0.25% 1g	褥瘡・皮膚潰瘍治療剤	2574
	O.S-KY	白	球形吸着炭カプセル286mg「日医工」 (日医工)	球形吸着炭	286mg 1カプ セル	慢性腎不全用吸着剤	2125
L	CH L	黄〜黄褐	サラゾスルファピリジン腸溶錠500mg 「CH」(長生堂/日本ジェネリック)	サラゾスルファピリジン	500mg 1錠	潰瘍性大腸炎治療・抗リウマ チ剤	1522
	L	白〜微黄	オラビ錠口腔用50mg(ネクセラ/久 光)	ミコナゾール	50mg 1錠	フェネチルイミダゾール系抗 真菌剤	3839
	LN L	白 ①	ロサルタンカリウム錠25mg「DK」(大 興/三和化学)	ロサルタンカリウム	25mg 1錠	アンギオテンシンⅡ受容体拮 抗剤	4481
	ᗭ/L ᗭL	微黄 ①	エンレスト錠100mg(ノバルティス)	サクビトリルバルサルタン ナトリウム水和物	100mg 1錠	アンギオテンシン受容体ネプ リライシン阻害薬(ARNI)	1503
	Y LC Y-LC	白 ①	レクチゾール錠25mg(田辺三菱)	ジアフェニルスルホン	25mg 1錠	皮膚疾患、ハンセン病治療剤	1560
	NVR/LCL NVR LCL	白〜微黄白	アフィニトール錠2.5mg(ノバルティ ス)	エベロリムス	2.5mg 1錠	免疫抑制剤・抗悪性腫瘍剤 (mTOR阻害剤)	811
	SW-F LD	白	フリウェル配合錠LD「サワイ」(沢井)	ノルエチステロン・エチニ ルエストラジオール〔治療 用〕	1錠	月経困難症治療剤	2734
	SWイルアミクス LD	白〜帯黄白	イルアミクス配合錠LD「サワイ」(沢 井)	イルベサルタン・アムロジ ピンベシル酸塩	1錠	長時間作用型アンギオテンシ ンⅡ受容体拮抗剤・持続性Ca 拮抗剤配合剤	523
	SWロサルヒド LD	白	ロサルヒド配合錠LD「サワイ」(沢井)	ロサルタンカリウム・ヒド ロクロロチアジド	1錠	持続性アンギオテンシンⅡ受 容体拮抗剤・利尿剤合剤	4483
	TV AL／LD	淡黄	カムシア配合錠LD「武田テバ」(武田 テバファーマ/武田薬品)	カンデサルタン シレキセチ ル・アムロジピンベシル酸 塩	1錠	持続性アンギオテンシンⅡ受 容体拮抗剤・持続性Ca拮抗剤 配合剤	1187
	TV AL／LD	淡黄	カムシア配合錠LD「NIG」(日医工岐 阜/日医工/武田薬品)	カンデサルタン シレキセチ ル・アムロジピンベシル酸 塩	1錠	持続性アンギオテンシンⅡ受 容体拮抗剤・持続性Ca拮抗剤 配合剤	1187
	イルアミクス LD JG	白〜帯黄白	イルアミクス配合錠LD「JG」(長生堂 /日本ジェネリック)	イルベサルタン・アムロジ ピンベシル酸塩	1錠	長時間作用型アンギオテンシ ンⅡ受容体拮抗剤・持続性Ca 拮抗剤配合剤	523
	イルアミクス LD TCK	白〜帯黄白	イルアミクス配合錠LD「TCK」(辰巳 化学)	イルベサルタン・アムロジ ピンベシル酸塩	1錠	長時間作用型アンギオテンシ ンⅡ受容体拮抗剤・持続性Ca 拮抗剤配合剤	523
	イルアミクス LD VTRS	白〜帯黄白	イルアミクス配合錠LD「VTRS」(ヴ ィアトリス・ヘルスケア/ヴィアトリ ス)	イルベサルタン・アムロジ ピンベシル酸塩	1錠	長時間作用型アンギオテンシ ンⅡ受容体拮抗剤・持続性Ca 拮抗剤配合剤	523
	イルアミクス LD杏林	白〜帯黄白	イルアミクス配合錠LD「杏林」(キョ ーリンリメディオ/杏林)	イルベサルタン・アムロジ ピンベシル酸塩	1錠	長時間作用型アンギオテンシ ンⅡ受容体拮抗剤・持続性Ca 拮抗剤配合剤	523
	エゼアト LD JG	白	エゼアト配合錠LD「JG」(日本ジェネ リック)	エゼチミブ・アトルバスタ チンカルシウム水和物	1錠	小腸コレステロールトランス ポーター阻害剤/HMG-CoA 還元酵素阻害配合剤	711
	カムシア LD日新	淡黄	カムシア配合錠LD「日新」(日新)	カンデサルタン シレキセチ ル・アムロジピンベシル酸 塩	1錠	持続性アンギオテンシンⅡ受 容体拮抗剤・持続性Ca拮抗剤 配合剤	1187
	カムシア LDサンド	淡黄	カムシア配合錠LD「サンド」(サンド /第一三共エスファ)	カンデサルタン シレキセチ ル・アムロジピンベシル酸 塩	1錠	持続性アンギオテンシンⅡ受 容体拮抗剤・持続性Ca拮抗剤 配合剤	1187
	ジルムロ LD JG	微赤	ジルムロ配合錠LD「JG」(日本ジェネ リック)	アジルサルタン・アムロジ ピンベシル酸塩	1錠	持続性AT₁受容体遮断剤・持 続性Ca拮抗薬配合剤	44
	ジルムロ LD TCK	微赤	ジルムロ配合錠LD「TCK」(辰巳化学 /フェルゼン)	アジルサルタン・アムロジ ピンベシル酸塩	1錠	持続性AT₁受容体遮断剤・持 続性Ca拮抗薬配合剤	44
	ジルムロ LDサワイ	微赤	ジルムロ配合錠LD「サワイ」(沢井)	アジルサルタン・アムロジ ピンベシル酸塩	1錠	持続性AT₁受容体遮断剤・持 続性Ca拮抗薬配合剤	44
	ジルムロOD LDサワイ	微赤	ジルムロ配合OD錠LD「サワイ」(沢 井)	アジルサルタン・アムロジ ピンベシル酸塩	1錠	持続性AT₁受容体遮断剤・持 続性Ca拮抗薬配合剤	44
	フリウェル LDトーワ	白	フリウェル配合錠LD「トーワ」(東和 薬品)	ノルエチステロン・エチニ ルエストラジオール〔治療 用〕	1錠	月経困難症治療剤	2734
	ロサルヒド LD EP	白	ロサルヒド配合錠LD「EP」(第一三共 エスファ)	ロサルタンカリウム・ヒド ロクロロチアジド	1錠	持続性アンギオテンシンⅡ受 容体拮抗剤・利尿剤合剤	4483
	ロサルヒド LD NIG	白	ロサルヒド配合錠LD「NIG」(日医工 岐阜/日医工/武田薬品)	ロサルタンカリウム・ヒド ロクロロチアジド	1錠	持続性アンギオテンシンⅡ受 容体拮抗剤・利尿剤合剤	4483
	ロサルヒド LD NPI	白	ロサルヒド配合錠LD「NPI」(日本薬 品工業)	ロサルタンカリウム・ヒド ロクロロチアジド	1錠	持続性アンギオテンシンⅡ受 容体拮抗剤・利尿剤合剤	4483
	ロサルヒド LD VTRS	白	ロサルヒド配合錠LD「VTRS」(ヴィ アトリス・ヘルスケア/ヴィアトリス)	ロサルタンカリウム・ヒド ロクロロチアジド	1錠	持続性アンギオテンシンⅡ受 容体拮抗剤・利尿剤合剤	4483
	ロサルヒド LD杏林	白	ロサルヒド配合錠LD「杏林」(キョー リンリメディオ/杏林)	ロサルタンカリウム・ヒド ロクロロチアジド	1錠	持続性アンギオテンシンⅡ受 容体拮抗剤・利尿剤合剤	4483

英字

番号	識別コード	色 (①:割線有)	商品名(会社名)	一般名	規格単位	薬効	掲載ページ
L	ロサルヒド LD三和	白	ロサルヒド配合錠LD「三和」(三和化学)	ロサルタンカリウム・ヒドロクロロチアジド	1錠	持続性アンギオテンシンⅡ受容体拮抗剤・利尿剤合剤	4483
	ロサルヒド LD日新	白	ロサルヒド配合錠LD「日新」(日新)	ロサルタンカリウム・ヒドロクロロチアジド	1錠	持続性アンギオテンシンⅡ受容体拮抗剤・利尿剤合剤	4483
	ロサルヒド LDアメル	白〜帯黄白	ロサルヒド配合錠LD「アメル」(共和薬品)	ロサルタンカリウム・ヒドロクロロチアジド	1錠	持続性アンギオテンシンⅡ受容体拮抗剤・利尿剤合剤	4483
	ロサルヒド LDトーワ	白	ロサルヒド配合錠LD「トーワ」(東和薬品)	ロサルタンカリウム・ヒドロクロロチアジド	1錠	持続性アンギオテンシンⅡ受容体拮抗剤・利尿剤合剤	4483
	ロサルヒド配合錠 FFP／LD	白	ロサルヒド配合錠LD「FFP」(共創未来)	ロサルタンカリウム・ヒドロクロロチアジド	1錠	持続性アンギオテンシンⅡ受容体拮抗剤・利尿剤合剤	4483
	LG	白	サノレックス錠0.5mg(富士フイルム富山化学)	マジンドール	0.5mg 1錠	食欲抑制剤	3809
	LG／BAYER LG BAYER	白〜帯橙白①	ビルトリシド錠600mg(バイエル薬品)	プラジカンテル	600mg 1錠	吸虫駆除剤	3249
	NC LH	白	ロサルヒド配合錠LD「ケミファ」(日本ケミファ／日本薬品工業)	ロサルタンカリウム・ヒドロクロロチアジド	1錠	持続性アンギオテンシンⅡ受容体拮抗剤・利尿剤合剤	4483
	ぃ／LL	淡紅	メキニスト錠2mg(ノバルティス)	トラメチニブ・ジメチルスルホキシド付加物	2mg 1錠	抗悪性腫瘍剤・MEK阻害剤	2500
	NVR／LLO NVR LLO	淡黄	エクメット配合錠HD(ノバルティス／住友ファーマ)	ビルダグリプチン・メトホルミン塩酸塩	1錠	選択的DPP-4阻害剤/ビグアナイド系薬配合剤・2型糖尿病治療剤	3046
	LN H	白	ロサルタンカリウム錠100mg「DK」(大興／三和化学)	ロサルタンカリウム	100mg 1錠	アンギオテンシンⅡ受容体拮抗剤	4481
	LN L	白　①	ロサルタンカリウム錠25mg「DK」(大興／三和化学)	ロサルタンカリウム	25mg 1錠	アンギオテンシンⅡ受容体拮抗剤	4481
	LN M	白　①	ロサルタンカリウム錠50mg「DK」(大興／三和化学)	ロサルタンカリウム	50mg 1錠	アンギオテンシンⅡ受容体拮抗剤	4481
	NVR／LO NVR LO	黄	タブレクタ錠200mg(ノバルティス)	カプマチニブ塩酸塩水和物	200mg 1錠	抗悪性腫瘍剤/MET阻害剤	1088
	Tw LO	白	クロチアゼパム錠5mg「トーワ」(東和薬品)	クロチアゼパム	5mg 1錠	心身安定剤	1309
	LP	白〜淡黄白①	ラミシール錠125mg(サンファーマ)	テルビナフィン塩酸塩	125mg 1錠	アリルアミン系抗真菌剤	2367
	LS ZFP	白	リマプロストアルファデクス錠5μg「SN」(シオノ／日本薬品工業／東和薬品／日本ケミファ)	リマプロスト アルファデクス	5μg 1錠	プロスタグランジンE₁誘導体	4284
	CG／FV LTZ Sz	帯赤黄	レトロゾール錠2.5mg「サンド」(サンド)	レトロゾール	2.5mg 1錠	アロマターゼ阻害剤	4372
	LTZ EP	帯赤黄	レトロゾール錠2.5mg「DSEP」(第一三共エスファ)	レトロゾール	2.5mg 1錠	アロマターゼ阻害剤	4372
	NVR／LZ NVR LZ	青紫白	エンレスト錠50mg(ノバルティス)	サクビトリルバルサルタンナトリウム水和物	50mg 1錠	アンギオテンシン受容体ネプリライシン阻害薬(ARNI)	1503
M	LN M	白　①	ロサルタンカリウム錠50mg「DK」(大興／三和化学)	ロサルタンカリウム	50mg 1錠	アンギオテンシンⅡ受容体拮抗剤	4481
	M	赤	フェロ・グラデュメット錠105mg(ヴィアトリス)	硫酸鉄水和物	105mg 1錠	鉄剤	4288
	M-KT	淡褐	ケトプロフェンテープ40mg「日医工」(日医工)	ケトプロフェン	10cm×14cm 1枚	プロピオン酸系消炎鎮痛剤	1410
	M・S・ TROCHE・	薄青	SPトローチ0.25mg「明治」(Meiji Seika)	デカリニウム塩化物	0.25mg 1錠	口腔・咽喉感染予防剤	2206
	Tw M	橙	メナテトレノンカプセル15mg「トーワ」(東和薬品)	メナテトレノン	15mg 1カプセル	止血機構賦活ビタミンK₂	3976
	CH-MC	帯黄赤／微褐黄	メキシレチン塩酸塩カプセル50mg「JG」(長生堂／日本ジェネリック)	メキシレチン塩酸塩	50mg 1カプセル	不整脈治療・糖尿病性神経障害治療剤	3902
	SWバルヒMD	薄赤	バルヒディオ配合錠MD「サワイ」(沢井)	バルサルタン・ヒドロクロロチアジド	1錠	選択的AT₁受容体ブロッカー・利尿剤合剤	2848
	VH／MD VH MD	薄赤	バルヒディオ配合錠MD「サンド」(サンド)	バルサルタン・ヒドロクロロチアジド	1錠	選択的AT₁受容体ブロッカー・利尿剤合剤	2848
	バルヒディオ MD JG	薄赤	バルヒディオ配合錠MD「JG」(日本ジェネリック)	バルサルタン・ヒドロクロロチアジド	1錠	選択的AT₁受容体ブロッカー・利尿剤合剤	2848
	バルヒディオ MD TCK	薄赤	バルヒディオ配合錠MD「TCK」(辰巳化学)	バルサルタン・ヒドロクロロチアジド	1錠	選択的AT₁受容体ブロッカー・利尿剤合剤	2848
	バルヒディオ MD TV	薄赤	バルヒディオ配合錠MD「NIG」(日医工岐阜／日医工／武田薬品)	バルサルタン・ヒドロクロロチアジド	1錠	選択的AT₁受容体ブロッカー・利尿剤合剤	2848
	ME	白	メトホルミン塩酸塩錠250mg「SN」(シオノ／日本ケミファ／日医工／武田薬品)	メトホルミン塩酸塩	250mg 1錠	ビグアナイド系血糖降下剤	3962
	トアラセットMe	淡黄	トアラセット配合錠「Me」(Meiji Seika／Meファルマ)	トラマドール塩酸塩・アセトアミノフェン	1錠	慢性疼痛・抜歯後疼痛治療剤	2496
	KE MGO	白	重質酸化マグネシウム「ケンエー」(健栄)	酸化マグネシウム	10g	制酸・緩下剤	3798
	CH-MP	帯黄赤／白	メキシレチン塩酸塩カプセル100mg「JG」(長生堂／日本ジェネリック)	メキシレチン塩酸塩	100mg 1カプセル	不整脈治療・糖尿病性神経障害治療剤	3902

番号	識別コード	色 (◑:割線有)	商品名(会社名)	一般名	規格単位	薬効	掲載ページ
M	NPI MP	白	クラリスロマイシン錠50mg小児用「NPI」(日本薬品工業)	クラリスロマイシン	50mg 1錠	マクロライド系抗生物質	1250
	MS-CT	白	MS冷シップ「タカミツ」(タカミツ/三和化学)	外皮用消炎鎮痛配合剤	10g	消炎・鎮痛剤	1691
	MS-HT	淡黄赤〜淡赤褐	MS温シップ「タカミツ」(タカミツ/三和化学)	外皮用消炎鎮痛配合剤	10g	消炎・鎮痛剤	1691
	YP-MTL	淡褐〜褐半透明	モーラステープL40mg(久光/祐徳薬品)	ケトプロフェン	10cm×14cm 1枚	プロピオン酸系消炎鎮痛剤	1410
	YP-MTY	淡褐〜褐半透明	モーラステープ20mg(久光/祐徳薬品)	ケトプロフェン	7cm×10cm 1枚	プロピオン酸系消炎鎮痛剤	1410
	GS MUF	淡紅	ザガーロカプセル0.5mg(グラクソ・スミスクライン)	デュタステリド	0.5mg 1カプセル	5α-還元酵素阻害薬	2332
	TJN MUT	白〜微黄	ムコソルバンL錠45mg(帝人)	アンブロキソール塩酸塩	45mg 1錠	気道潤滑去痰剤	378
	㊣MV	淡赤白	グルベス配合錠(キッセイ)	ミチグリニドカルシウム水和物・ボグリボース	1錠	速効型インスリン分泌促進剤/α-グルコシダーゼ阻害・食後過血糖改善剤	3862
	MYCOBUTIN Pharmacia &Upjohn Pharmacia &Upjohn MYCOBUTIN	濃赤褐	ミコブティンカプセル150mg(ファイザー)	リファブチン	150mg 1カプセル	抗酸菌症治療剤	4274
	MZ-FBS	白〜淡黄白半透明	フェルビナクスチック軟膏3%「三笠」(三笠)	フェルビナク	3% 1g	鎮痛消炎フェンブフェン活性体	3153
	MZ-FBST	白〜淡黄白半透明	フェルビナクスチック軟膏3%「三笠」(三笠/大正)	フェルビナク	3% 1g	鎮痛消炎フェンブフェン活性体	3153
	MZ-TSC	白	MS冷シップ「タイホウ」(岡山大鵬/三笠)	外皮用消炎鎮痛配合剤	10g	消炎・鎮痛剤	1691
	MZ-TSH	淡黄赤〜淡赤褐	MS温シップ「タイホウ」(岡山大鵬/三笠)	外皮用消炎鎮痛配合剤	10g	消炎・鎮痛剤	1691
N	CG/NC CG NC	黄　◑	リアメット配合錠(ノバルティス)	アルテメテル・ルメファントリン	1錠	抗マラリア剤	315
	NC CE NCCE	白	カルバン錠100(日本ケミファ/鳥居薬品)	ベバントロール塩酸塩	100mg 1錠	Ca拮抗・α₁-遮断性β₁-選択的遮断剤	3547
	NC CF NCCF	白	カルバン錠50(日本ケミファ/鳥居薬品)	ベバントロール塩酸塩	50mg 1錠	Ca拮抗・α₁-遮断性β₁-選択的遮断剤	3547
	NC CG NCCG	白	カルバン錠25(日本ケミファ/鳥居薬品)	ベバントロール塩酸塩	25mg 1錠	Ca拮抗・α₁-遮断性β₁-選択的遮断剤	3547
	NC IM	くすんだ黄赤〜濃黄赤	イマチニブ錠100mg「ケミファ」(日本ケミファ)	イマチニブメシル酸塩	100mg 1錠	抗悪性腫瘍剤・チロシンキナーゼ阻害剤	493
	NC LH	白	ロサルヒド配合錠LD「ケミファ」(日本ケミファ/日本薬品工業)	ロサルタンカリウム・ヒドロクロロチアジド	1錠	持続性アンギオテンシンⅡ受容体拮抗剤・利尿剤合剤	4483
	NC PS	白〜帯黄白◑	ピオグリタゾン錠15mg「ケミファ」(日本ケミファ/日本薬品工業)	ピオグリタゾン塩酸塩	15mg 1錠	インスリン抵抗性改善血糖降下剤	2912
	NC CE NCCE	白　◑	カルバン錠100(日本ケミファ/鳥居薬品)	ベバントロール塩酸塩	100mg 1錠	Ca拮抗・α₁-遮断性β₁-選択的遮断剤	3547
	NC CF NCCF	白	カルバン錠50(日本ケミファ/鳥居薬品)	ベバントロール塩酸塩	50mg 1錠	Ca拮抗・α₁-遮断性β₁-選択的遮断剤	3547
	NC CG NCCG	白	カルバン錠25(日本ケミファ/鳥居薬品)	ベバントロール塩酸塩	25mg 1錠	Ca拮抗・α₁-遮断性β₁-選択的遮断剤	3547
	NCL HD	白	ロサルヒド配合錠HD「ケミファ」(日本ケミファ/日本薬品工業)	ロサルタンカリウム・ヒドロクロロチアジド	1錠	持続性アンギオテンシンⅡ受容体拮抗剤・利尿剤合剤	4483
	NCP EA	白	エバスチン錠5mg「ケミファ」(日本ケミファ/日本薬品工業/共創未来)	エバスチン	5mg 1錠	持続性選択H₁-受容体拮抗剤	778
	NCP EB	白　◑	エバスチン錠10mg「ケミファ」(日本ケミファ/日本薬品工業/共創未来)	エバスチン	10mg 1錠	持続性選択H₁-受容体拮抗剤	778
	NCP EC	薄紅	エバスチンOD錠5mg「ケミファ」(日本ケミファ/日本薬品工業/共創未来)	エバスチン	5mg 1錠	持続性選択H₁-受容体拮抗剤	778
	NCP ED	白	エバスチンOD錠10mg「ケミファ」(日本ケミファ/日本薬品工業/共創未来)	エバスチン	10mg 1錠	持続性選択H₁-受容体拮抗剤	778
	NCP U	白　◑	ウラリット配合錠(日本ケミファ)	クエン酸カリウム・クエン酸ナトリウム水和物	1錠	アシドーシス・酸性尿改善剤	1231
	KY-NDL	淡黄透明	ナジフロキサシンローション1%「SUN」(サンファーマ)	ナジフロキサシン	1% 1mL	ニューキノロン系抗菌剤	2603
	-NEO-ISCOTIN	白　◑	ネオイスコチン錠100mg(アルフレッサファーマ)	イソニアジドメタンスルホン酸ナトリウム水和物	100mg 1錠	結核化学療法剤	432
	トアラセット NIG トラマドール アセトアミノフェン	淡黄	トアラセット配合錠「NIG」(日医工岐阜/日医工/武田薬品)	トラマドール塩酸塩・アセトアミノフェン	1錠	慢性疼痛・抜歯後疼痛治療剤	2496
	ロサルヒド HD NIG	白	ロサルヒド配合錠HD「NIG」(日医工岐阜/日医工/武田薬品)	ロサルタンカリウム・ヒドロクロロチアジド	1錠	持続性アンギオテンシンⅡ受容体拮抗剤・利尿剤合剤	4483

英字

番号	識別コード	色 (⓪:割線有)	商品名(会社名)	一般名	規格単位	薬効	掲載ページ
N	ロサルヒド LD NIG	白	ロサルヒド配合錠LD「NIG」(日医工岐阜／日医工／武田薬品)	ロサルタンカリウム・ヒドロクロロチアジド	1錠	持続性アンギオテンシンⅡ受容体拮抗剤・利尿剤合剤	4483
	NK	白～微黄白	ノービア錠100mg(アッヴィ)	リトナビル	100mg 1錠	抗ウイルス・HIVプロテアーゼ阻害剤	4238
	NM	白	アマリール0.5mg錠(サノフィ)	グリメピリド	0.5mg 1錠	スルホニル尿素系血糖降下剤	1278
	NMK	淡紅	アマリール1mg錠(サノフィ)	グリメピリド	1mg 1錠	スルホニル尿素系血糖降下剤	1278
	NMN	微黄白	アマリール3mg錠(サノフィ)	グリメピリド	3mg 1錠	スルホニル尿素系血糖降下剤	1278
	NPI AL	白～微黄⓪	エピナスチン塩酸塩錠20mg「ケミファ」(日本薬品工業／日本ケミファ)	エピナスチン塩酸塩	20mg 1錠	アレルギー性疾患治療剤	783
	NPI MP	白	クラリスロマイシン錠50mg小児用「NPI」(日本薬品工業)	クラリスロマイシン	50mg 1錠	マクロライド系抗生物質	1250
	NPI R	薄桃 ⓪	エナラプリルマレイン酸塩錠5mg「ケミファ」(日本薬品工業／日本ケミファ)	エナラプリルマレイン酸塩	5mg 1錠	ACE阻害剤	767
	ロサルヒド HD NPI	白	ロサルヒド配合錠HD「NPI」(日本薬品工業)	ロサルタンカリウム・ヒドロクロロチアジド	1錠	持続性アンギオテンシンⅡ受容体拮抗剤・利尿剤合剤	4483
	ロサルヒド LD NPI	白	ロサルヒド配合錠LD「NPI」(日本薬品工業)	ロサルタンカリウム・ヒドロクロロチアジド	1錠	持続性アンギオテンシンⅡ受容体拮抗剤・利尿剤合剤	4483
	NS	淡黄白⓪	ニトレンジピン錠10mg「日新」(日新)	ニトレンジピン	10mg 1錠	ジヒドロピリジン系Ca拮抗剤	2642
	NS	淡黄	クロルマジノン酢酸エステル錠25mg「日新」(日新)	クロルマジノン酢酸エステル	25mg 1錠	黄体ホルモン剤	1386
	アムバロ配合錠 NS	帯黄白	アムバロ配合錠「日新」(日新)	バルサルタン・アムロジピンベシル酸塩	1錠	選択的AT₁受容体ブロッカー・持続性Ca拮抗薬合剤	2842
	ロレアス配合錠 NS	白～微黄白	ロレアス配合錠「NS」(日新／日本ケミファ)	クロピドグレル硫酸塩・アスピリン	1錠	抗血小板剤	1320
	Tw NT Tw.NT	白 ⓪	ニトラゼパム錠5mg「トーワ」(東和薬品)	ニトラゼパム	5mg 1錠	ベンゾジアゼピン系催眠剤	2641
	C NTG	淡橙	ニトギス配合錠A81(シオノ)	アスピリン・ダイアルミネート	81mg 1錠	抗血小板剤	56
	NVR ABL	黄赤／淡黄	タシグナカプセル50mg(ノバルティス)	ニロチニブ塩酸塩水和物	50mg 1カプセル	抗悪性腫瘍剤・チロシンキナーゼ阻害剤	2691
	NVR BCR	黄赤	タシグナカプセル150mg(ノバルティス)	ニロチニブ塩酸塩水和物	150mg 1カプセル	抗悪性腫瘍剤・チロシンキナーゼ阻害剤	2691
	NVR TKI	淡黄	タシグナカプセル200mg(ノバルティス)	ニロチニブ塩酸塩水和物	200mg 1カプセル	抗悪性腫瘍剤・チロシンキナーゼ阻害剤	2691
	NVR／CCC NVR CCC	微黄	エクメット配合錠LD(ノバルティス／住友ファーマ)	ビルダグリプチン・メトホルミン塩酸塩	1錠	選択的DPP-4阻害剤/ビグアナイド系薬配合剤・2型糖尿病治療剤	3046
	NVR／CH NVR CH	白～黄	サーティカン錠0.5mg(ノバルティス)	エベロリムス	0.5mg 1錠	免疫抑制剤・抗悪性腫瘍剤(mTOR阻害剤)	811
	NVR／CL NVR CL	白～黄	サーティカン錠0.75mg(ノバルティス)	エベロリムス	0.75mg 1錠	免疫抑制剤・抗悪性腫瘍剤(mTOR阻害剤)	811
	NVR／C NVR C	白～黄	サーティカン錠0.25mg(ノバルティス)	エベロリムス	0.25mg 1錠	免疫抑制剤・抗悪性腫瘍剤(mTOR阻害剤)	811
	NVR／DU NVR DU	微橙褐	タブレクタ錠150mg(ノバルティス)	カプマチニブ塩酸塩水和物	150mg 1錠	抗悪性腫瘍剤/MET阻害剤	1088
	NVR／FB NVR FB	白～微黄白⓪	エクア錠50mg(ノバルティス／住友ファーマ)	ビルダグリプチン	50mg 1錠	選択的DPP-4阻害剤・2型糖尿病治療剤	3044
	NVR／IL NVR IL	薄赤	ラジレス錠150mg(オーファンパシフィック)	アリスキレンフマル酸塩	150mg 1錠	直接的レニン阻害剤	286
	NVR／LCL NVR LCL	白～微黄白	アフィニトール錠2.5mg(ノバルティス)	エベロリムス	2.5mg 1錠	免疫抑制剤・抗悪性腫瘍剤(mTOR阻害剤)	811
	NVR／LLO NVR LLO	淡黄	エクメット配合錠HD(ノバルティス／住友ファーマ)	ビルダグリプチン・メトホルミン塩酸塩	1錠	選択的DPP-4阻害剤/ビグアナイド系薬配合剤・2型糖尿病治療剤	3046
	NVR／LO NVR LO	黄	タブレクタ錠200mg(ノバルティス)	カプマチニブ塩酸塩水和物	200mg 1錠	抗悪性腫瘍剤/MET阻害剤	1088
	NVR／LZ NVR LZ	青紫白	エンレスト錠50mg(ノバルティス)	サクビトリルバルサルタンナトリウム水和物	50mg 1錠	アンギオテンシン受容体ネプリライシン阻害薬(ARNI)	1503
	NVR／SA NVR SA	くすんだ黄赤～濃黄赤⓪	グリベック錠100mg(ノバルティス)	イマチニブメシル酸塩	100mg 1錠	抗悪性腫瘍剤・チロシンキナーゼ阻害剤	493
	NVR／C NVR C	白～黄	サーティカン錠0.25mg(ノバルティス)	エベロリムス	0.25mg 1錠	免疫抑制剤・抗悪性腫瘍剤(mTOR阻害剤)	811
	NVR／CCC NVR CCC	微黄	エクメット配合錠LD(ノバルティス／住友ファーマ)	ビルダグリプチン・メトホルミン塩酸塩	1錠	選択的DPP-4阻害剤/ビグアナイド系薬配合剤・2型糖尿病治療剤	3046
	NVR／CH NVR CH	白～黄	サーティカン錠0.5mg(ノバルティス)	エベロリムス	0.5mg 1錠	免疫抑制剤・抗悪性腫瘍剤(mTOR阻害剤)	811
	NVR／CL NVR CL	白～黄	サーティカン錠0.75mg(ノバルティス)	エベロリムス	0.75mg 1錠	免疫抑制剤・抗悪性腫瘍剤(mTOR阻害剤)	811
	NVR／DU NVR DU	微橙褐	タブレクタ錠150mg(ノバルティス)	カプマチニブ塩酸塩水和物	150mg 1錠	抗悪性腫瘍剤/MET阻害剤	1088

番号	識別コード	色 (①:割線有)	商品名(会社名)	一般名	規格単位	薬効	掲載ページ
N	NVR／FB NVR FB	白～微黄白①	エクア錠50mg（ノバルティス／住友ファーマ）	ビルダグリプチン	50mg 1錠	選択的DPP-4阻害剤・2型糖尿病治療剤	3044
	NVR／IL NVR IL	薄赤	ラジレス錠150mg（オーファンパシフィック）	アリスキレンフマル酸塩	150mg 1錠	直接的レニン阻害剤	286
	NVR／LCL NVR LCL	白～微黄白	アフィニトール錠2.5mg（ノバルティ	エベロリムス	2.5mg 1錠	免疫抑制剤・抗悪性腫瘍剤（mTOR阻害剤）	811
	NVR／LLO NVR LLO	淡黄	エクメット配合錠HD（ノバルティス／住友ファーマ）	ビルダグリプチン・メトホルミン塩酸塩	1錠	選択的DPP-4阻害剤/ビグアナイド系薬配合剤・2型糖尿病治療剤	3046
	NVR／LO NVR LO	黄	タブレクタ錠200mg（ノバルティス）	カプマチニブ塩酸塩水和物	200mg 1錠	抗悪性腫瘍剤/MET阻害剤	1088
	NVR／LZ NVR LZ	青紫白	エンレスト錠50mg（ノバルティス）	サクビトリルバルサルタンナトリウム水和物	50mg 1錠	アンギオテンシン受容体ネプリライシン阻害薬(ARNI)	1503
	NVR／SA NVR SA	くすんだ黄赤～濃黄赤①	グリベック錠100mg（ノバルティス）	イマチニブメシル酸塩	100mg 1錠	抗悪性腫瘍剤・チロシンキナーゼ阻害剤	493
	NXT	桃	マヴィレット配合錠(アッヴィ)	グレカプレビル水和物・ピブレンタスビル	1錠	抗ウイルス化学療法剤	1293
O	AML RIS／OD	白	リスペリドンOD錠0.5mg「アメル」(共和薬品)	リスペリドン	0.5mg 1錠	抗精神病，D2・5-HT2拮抗剤	4201
	KW AM／OD	黄	アムロジピンOD錠2.5mg「アメル」(共和薬品)	アムロジピンベシル酸塩	2.5mg 1錠	ジヒドロピリジン系Ca拮抗剤	264
	カナグルOD	淡黄褐	カナグルOD錠100mg（田辺三菱）	カナグリフロジン水和物	100mg 1錠	SGLT2阻害剤	1062
	ジルムロOD HD サワイ	微黄	ジルムロ配合OD錠HD「サワイ」(沢井)	アジルサルタン・アムロジピンベシル酸塩	1錠	持続性AT1受容体遮断剤・持続性Ca拮抗薬配合剤	44
	ジルムロOD LD サワイ	微赤	ジルムロ配合OD錠LD「サワイ」(沢井)	アジルサルタン・アムロジピンベシル酸塩	1錠	持続性AT1受容体遮断剤・持続性Ca拮抗薬配合剤	44
	ビカルOD／FCI ビカルOD FCI	白～微黄白	ビカルタミドOD錠80mg「ケミファ」(富士化学/日本ケミファ)	ビカルタミド	80mg 1錠	前立腺癌治療剤	2926
	KY・OL	淡黄	オルセノン軟膏0.25%（サンファーマ／キョーリンリメディオ／杏林）	トレチノイントコフェリル	0.25% 1g	褥瘡・皮膚潰瘍治療剤	2574
	ΣOZX	白	オゼックス錠75（富士フイルム富山化学）	トスフロキサシントシル酸塩水和物	75mg 1錠	ニューキノロン系抗菌剤	2414
	O.S BP O.S-BP	白	ブロムヘキシン塩酸塩錠4mg「日医工」(日医工)	ブロムヘキシン塩酸塩	4mg 1錠	気道粘液溶解剤	3452
	O.S RP O.S-RP	白～微黄	ロペラミド塩酸塩錠1mg「あすか」(日医工／あすか／武田薬品)	ロペラミド塩酸塩	1mg 1錠	止瀉剤	4524
	O.S-GZ	白～帯褐色	ガスチーム散4万単位／g（日医工）	プロナーゼ	20,000単位	消炎酵素・胃内粘液溶解除去剤	3421
	O.S-KY	白	球形吸着炭カプセル286mg「日医工」(日医工)	球形吸着炭	286mg 1カプセル	慢性腎不全用吸着剤	2125
	O.S BP O.S-BP	白	ブロムヘキシン塩酸塩錠4mg「日医工」(日医工)	ブロムヘキシン塩酸塩	4mg 1錠	気道粘液溶解剤	3452
	O.S RP O.S-RP	白～微黄	ロペラミド塩酸塩錠1mg「あすか」(日医工／あすか／武田薬品)	ロペラミド塩酸塩	1mg 1錠	止瀉剤	4524
P	J-C／T/P J-C T/P	淡黄	トラムセット配合錠(ヤンセン／持田)	トラマドール塩酸塩・アセトアミノフェン	1錠	慢性疼痛・抜歯後疼痛治療剤	2496
	PARKE DAVIS	褐／黄	アメパロモカプセル250mg（ファイザー）	パロモマイシン硫酸塩	250mg 1カプセル	腸管アメーバ症治療剤	2892
	☙PB	青透明	ラディオガルダーゼカプセル500mg（日本メジフィジックス）	ヘキサシアノ鉄(II)酸鉄(III)水和物	500mg 1カプセル	放射性セシウム体内除去剤タリウム及びタリウム化合物解毒剤	3464
	Kw PEE	白～帯黄白①	ペロスピロン塩酸塩錠16mg「アメル」(共和薬品)	ペロスピロン塩酸塩水和物	16mg 1錠	抗精神病剤	3635
	MYCOBUTIN Pharmacia & Upjohn Pharmacia & Upjohn MYCOBUTIN	濃赤褐	ミコブティンカプセル150mg（ファイザー）	リファブチン	150mg 1カプセル	抗酸菌症治療剤	4274
	PLH	白～帯黄白	プランルカストカプセル112.5mg「DK」（大興／三和化学）	プランルカスト水和物	112.5mg 1カプセル	ロイコトリエン受容体拮抗剤	3268
	PLK	白～帯黄白	プランルカストカプセル112.5mg「科研」(シオノ／科研)	プランルカスト水和物	112.5mg 1カプセル	ロイコトリエン受容体拮抗剤	3268
	sa PLQ	白	プラケニル錠200mg（サノフィ／旭化成）	ヒドロキシクロロキン硫酸塩	200mg 1錠	免疫調整剤	2973
	sa PN	白～淡黄白	パナルジン錠100mg（クリニジェン）	チクロピジン塩酸塩	100mg 1錠	抗血小板剤	2159
	NC PS	白～帯黄白①	ピオグリタゾン錠15mg「ケミファ」(日本ケミファ／日本薬品工業)	ピオグリタゾン塩酸塩	15mg 1錠	インスリン抵抗性改善血糖降下剤	2912
	Tw／PT Tw.PT	白～微黄	チクロピジン塩酸塩錠100mg「トーワ」(東和薬品)	チクロピジン塩酸塩	100mg 1錠	抗血小板剤	2159
	Tw／PZ Tw.PZ	白	ジラゼプ塩酸塩錠50mg「トーワ」(東和薬品)	ジラゼプ塩酸塩水和物	50mg 1錠	心・腎疾患治療剤	1700

英字

英字

番号	識別コード	色 (①：割線有)	商品名(会社名)	一般名	規格単位	薬効	掲載ページ
P	Tw P.S	淡黄	プレドニゾロン錠5mg「トーワ」(東和薬品)	プレドニゾロン	5mg 1錠	副腎皮質ホルモン	3366
R	BF-R	白〜微淡黄褐	ビオフェルミンR錠(ビオフェルミン/大正)	耐性乳酸菌	1錠	生菌製剤	2677
	Kw VPA R	白	バルプロ酸ナトリウムSR錠200mg「アメル」(共和薬品)	バルプロ酸ナトリウム	200mg 1錠	抗てんかん，躁病・躁状態,片頭痛治療剤	2858
	NPI R	薄桃 ①	エナラプリルマレイン酸塩錠5mg「ケミファ」(日本薬品工業/日本ケミファ)	エナラプリルマレイン酸塩	5mg 1錠	ACE阻害剤	767
	RFP	赤/橙	リファンピシンカプセル150mg「サンド」(サンド/ニプロ)	リファンピシン	150mg 1カプセル	抗結核・抗ハンセン病抗生物質	4278
	AML RIS／OD	白	リスペリドンOD錠0.5mg「アメル」(共和薬品)	リスペリドン	0.5mg 1錠	抗精神病，D_2・5-HT_2拮抗剤	4201
	SW RMT	白〜淡黄白①	テルビナフィン錠125mg「サワイ」(沢井)	テルビナフィン塩酸塩	125mg 1錠	アリルアミン系抗真菌剤	2367
	BF-RP	白〜微淡黄褐	ビオフェルミンR散(ビオフェルミン/大正)	耐性乳酸菌	1g	生菌製剤	2677
	O.S RP O.S-RP	白〜微黄	ロペラミド塩酸塩錠1mg「あすか」(日医工/あすか/武田薬品)	ロペラミド塩酸塩	1mg 1錠	止瀉剤	4524
	Tw RP	白	アゼラスチン塩酸塩錠1mg「トーワ」(東和薬品)	アゼラスチン塩酸塩	1mg 1錠	アレルギー性疾患治療剤	90
	RURH	緑/薄緑	リスモダンカプセル50mg (クリニジェン)	ジソピラミド	50mg 1カプセル	不整脈治療剤	1608
	RURY	緑/黄	リスモダンカプセル100mg (クリニジェン)	ジソピラミド	100mg 1カプセル	不整脈治療剤	1608
	RXF	微黄	ラロキシフェン塩酸塩錠60mg「DK」(大興/江州)	ラロキシフェン塩酸塩	60mg 1錠	選択的エストロゲン受容体調節剤	4156
	RXF	極薄黄白	ラロキシフェン塩酸塩錠60mg「DK」(大興/江州)	ラロキシフェン塩酸塩	60mg 1錠	選択的エストロゲン受容体調節剤	4156
	Tw RXM	白	ロキシスロマイシン錠150mg「トーワ」(東和薬品)	ロキシスロマイシン	150mg 1錠	酸安定性マクロライド系抗生物質	4472
	RY	白 ①	アモバン錠7.5 (サノフィ/日医工)	ゾピクロン	7.5mg 1錠	シクロピロロン系睡眠障害改善剤	1937
	ⓇRZ	白	リザベンカプセル100mg (キッセイ)	トラニラスト	100mg 1カプセル	アレルギー性疾患治療剤	2472
S	M・S・TROCHE・	薄青	SPトローチ0.25mg「明治」(Meiji Seika)	デカリニウム塩化物	0.25mg 1錠	口腔・咽喉感染予防剤	2206
	S	淡赤	フルイトラン錠2mg (シオノギファーマ/塩野義)	トリクロルメチアジド	2mg 1錠	チアジド系降圧利尿剤	2519
	S	白 ①	セドリーナ錠2mg (アルフレッサファーマ)	トリヘキシフェニジル塩酸塩	2mg 1錠	抗パーキンソン剤	2523
	S-KT	淡褐	ケトプロフェンテープ20mg「日医工」(日医工)	ケトプロフェン	7cm×10cm 1枚	プロピオン酸系消炎鎮痛剤	1410
	Tw／S Tw.S	白〜微黄	カリジノゲナーゼ錠25単位「トーワ」(東和薬品)	カリジノゲナーゼ	25単位 1錠	循環系作用酵素	1124
	NVR／SA NVR SA	くすんだ黄赤〜濃黄赤	グリベック錠100mg (ノバルティス)	イマチニブメシル酸塩	100mg 1錠	抗悪性腫瘍剤・チロシンキナーゼ阻害剤	493
	ロレアスSANIK	白〜微黄白	ロレアス配合錠「SANIK」(日医工)	クロピドグレル硫酸塩・アスピリン	1錠	抗血小板剤	1320
	センノシドSE-SY	暗赤褐	センノシド錠12mg「セイコー」(生晃栄養/カイゲンファーマ)	センノシド	12mg 1錠	緩下剤	1923
	センノシドSE-SY SE-SY	暗赤褐	センノシド錠12mg「セイコー」(生晃栄養/扶桑薬品)	センノシド	12mg 1錠	緩下剤	1923
	SEARLE／BX	淡青 白〜微黄白 橙	シンフェーズT28錠(科研)	エチニルエストラジオール・ノルエチステロン	(28日分)1組	経口避妊剤	2731
	SEN	淡赤	センノシド錠12mg「サンド」(サンド/三和化学)	センノシド	12mg 1錠	緩下剤	1923
	センノシドSE-SY SE-SY	暗赤褐	センノシド錠12mg「セイコー」(生晃栄養/扶桑薬品)	センノシド	12mg 1錠	緩下剤	1923
	SF	黄〜黄褐	サラゾスルファピリジン腸溶錠500mg「SN」(シオノ)	サラゾスルファピリジン	500mg 1錠	潰瘍性大腸炎治療・抗リウマチ剤	1522
	SJ／XC SJ XC	白 ①	パーロデル錠2.5mg (サンファーマ)	ブロモクリプチンメシル酸塩	2.5mg 1錠	持続性ドパミン作動麦角アルカロイド誘導体・抗パーキンソン剤	3458
	ニトロダームTTS SJ DOD SJ DOD	白(薄橙)	ニトロダームTTS25mg (サンファーマ)	ニトログリセリン	(25mg)10cm²1枚	冠動脈拡張剤	2644
	SJ／XC SJ XC	白 ①	パーロデル錠2.5mg (サンファーマ)	ブロモクリプチンメシル酸塩	2.5mg 1錠	持続性ドパミン作動麦角アルカロイド誘導体・抗パーキンソン剤	3458

番号	識別コード	色 (①:割線有)	商品名(会社名)	一般名	規格単位	薬効	掲載ページ
S	SL	白	セラピナ配合顆粒(シオノ/ヴィアトリス)	PL	1g	総合感冒剤	2910
	ⓀSLG	白～微黄白	サラジェン顆粒0.5%（キッセイ）	ピロカルピン塩酸塩	5mg 1包	副交感神経刺激・縮瞳・口腔乾燥症状改善剤	3058
	Tw SN Tw.SN	白	ジルチアゼム塩酸塩錠30mg「トーワ」(東和薬品)	ジルチアゼム塩酸塩	30mg 1錠	ベンゾチアゼピン系Ca拮抗剤	1705
	SNO	褐	ソアナース軟膏(テイカ/サンファーマ)	精製白糖・ポビドンヨード	1g	褥瘡・皮膚潰瘍治療剤	2763
	Tw SPC Tw.SPC	白	スルピリドカプセル50mg「トーワ」(東和薬品)	スルピリド	50mg 1カプセル	ベンザミド系抗潰瘍・精神安定剤	1777
	SPI AA	淡橙	アミティーザカプセル24μg（ヴィアトリス）	ルビプロストン	24μg 1カプセル	クロライドチャネルアクチベーター	4343
	SPI AB	白	アミティーザカプセル12μg（ヴィアトリス）	ルビプロストン	12μg 1カプセル	クロライドチャネルアクチベーター	4343
	Tw SPL Tw.SPL	白	スピロノラクトン錠25mg「トーワ」(東和薬品)	スピロノラクトン	25mg 1錠	抗アルドステロン性降圧利尿剤	1761
	Tw SR Tw.SR	橙黄	ジクロフェナクNa錠25mg「トーワ」(東和薬品)	ジクロフェナクナトリウム	25mg 1錠	フェニル酢酸系消炎鎮痛剤	1579
	Tw／SS Tw.SS	淡橙	カリジノゲナーゼ錠50単位「トーワ」(東和薬品)	カリジノゲナーゼ	50単位 1錠	循環系作用酵素	1124
	TwSST Tw SST	白	デキストロメトルファン臭化水素酸塩錠15mg「トーワ」(東和薬品)	デキストロメトルファン臭化水素酸塩水和物	15mg 1錠	中枢性鎮咳剤	2228
	SV CTV	白	ボカブリア錠30mg（ヴィーブ/グラクソ・スミスクライン）	カボテグラビルナトリウム	30mg 1錠	HIVインテグラーゼ阻害剤	1105
	SW ACT	白	アクタリット錠100mg「サワイ」(沢井)	アクタリット	100mg 1錠	疾患修飾性抗リウマチ薬(DMARD)	13
	SW ADN	白～微黄①	アミオダロン塩酸塩錠100mg「サワイ」(沢井／日本ジェネリック)	アミオダロン塩酸塩	100mg 1錠	不整脈治療剤	221
	SW ASC	白	L-アスパラギン酸Ca錠200mg「サワイ」(沢井)	L-アスパラギン酸カルシウム水和物	200mg 1錠	カルシウム剤	1129
	SW EPT	白	エパルレスタット錠50mg「サワイ」(沢井)	エパルレスタット	50mg 1錠	アルドース還元酵素阻害剤	779
	SW RMT	白～淡黄白①	テルビナフィン錠125mg「サワイ」(沢井)	テルビナフィン塩酸塩	125mg 1錠	アリルアミン系抗真菌剤	2367
	SW-F LD	白	フリウェル配合錠LD「サワイ」(沢井)	ノルエチステロン・エチニルエストラジオール〔治療用〕	1錠	月経困難症治療剤	2734
	SW-F ULD	白	フリウェル配合錠ULD「サワイ」(沢井)	ノルエチステロン・エチニルエストラジオール〔治療用〕	1錠	月経困難症治療剤	2734
	SW／GM SW GM	白	グリメピリド錠0.5mg「サワイ」(沢井)	グリメピリド	0.5mg 1錠	スルホニル尿素系血糖降下剤	1278
	SW-IDC	白～帯黄白	インドメタシンクリーム1%「サワイ」(沢井)	インドメタシン	1% 1g	インドール酢酸系解熱消炎鎮痛剤・未熟児動脈管開存症治療剤	619
	SWアムバロ	帯黄白	アムバロ配合錠「サワイ」(沢井)	バルサルタン・アムロジピンベシル酸塩	1錠	選択的AT₁受容体ブロッカー・持続性Ca拮抗薬合剤	2842
	SWイルアミクスHD	薄橙	イルアミクス配合錠HD「サワイ」(沢井)	イルベサルタン・アムロジピンベシル酸塩	1錠	長時間作用型アンギオテンシンⅡ受容体拮抗剤・持続性Ca拮抗剤配合剤	523
	SWイルアミクスLD	白～帯黄白	イルアミクス配合錠LD「サワイ」(沢井)	イルベサルタン・アムロジピンベシル酸塩	1錠	長時間作用型アンギオテンシンⅡ受容体拮抗剤・持続性Ca拮抗剤配合剤	523
	SWテラムロAP	淡赤	テラムロ配合錠AP「サワイ」(沢井)	テルミサルタン・アムロジピンベシル酸塩	1錠	胆汁排泄型持続性AT₁受容体ブロッカー・持続性Ca拮抗薬合剤	2375
	SWテラムロBP	淡赤	テラムロ配合錠BP「サワイ」(沢井)	テルミサルタン・アムロジピンベシル酸塩	1錠	胆汁排泄型持続性AT₁受容体ブロッカー・持続性Ca拮抗薬合剤	2375
	SWテルチアAP	黄橙	テルチア配合錠AP「サワイ」(沢井)	テルミサルタン・ヒドロクロロチアジド	1錠	持続性AT₁受容体ブロッカー・利尿剤合剤	2384
	SWテルチアBP	黄橙	テルチア配合錠BP「サワイ」(沢井)	テルミサルタン・ヒドロクロロチアジド	1錠	持続性AT₁受容体ブロッカー・利尿剤合剤	2384
	SWバルヒEX	極薄赤	バルヒディオ配合錠EX「サワイ」(沢井)	バルサルタン・ヒドロクロロチアジド	1錠	選択的AT₁受容体ブロッカー・利尿剤合剤	2848
	SWバルヒMD	薄赤	バルヒディオ配合錠MD「サワイ」(沢井)	バルサルタン・ヒドロクロロチアジド	1錠	選択的AT₁受容体ブロッカー・利尿剤合剤	2848
	SWロサルヒドLD	白	ロサルヒド配合錠LD「サワイ」(沢井)	ロサルタンカリウム・ヒドロクロロチアジド	1錠	持続性アンギオテンシンⅡ受容体拮抗剤・利尿剤合剤	4483
	オフロキサシンSW	白～微黄白	オフロキサシン錠100mg「サワイ」(沢井)	オフロキサシン	100mg 1錠	ニューキノロン系抗菌剤	996
	ロサルヒドHD SW	白	ロサルヒド配合錠HD「サワイ」(沢井)	ロサルタンカリウム・ヒドロクロロチアジド	1錠	持続性アンギオテンシンⅡ受容体拮抗剤・利尿剤合剤	4483

英字

英字

番号	識別コード	色 (⓪：割線有)	商品名(会社名)	一般名	規格単位	薬効	掲載 ページ
S	SW／GM SW GM	白	グリメピリド錠0.5mg「サワイ」(沢井)	グリメピリド	0.5mg 1錠	スルホニル尿素系血糖降下剤	1278
	センノシド SE-SY	暗赤褐	センノシド錠12mg「セイコー」(生晃栄養／カイゲンファーマ)	センノシド	12mg 1錠	緩下剤	1923
	センノシド SE-SY SE-SY	暗赤褐	センノシド錠12mg「セイコー」(生晃栄養／扶桑薬品)	センノシド	12mg 1錠	緩下剤	1923
	CG／FV LTZ Sz	帯赤黄	レトロゾール錠2.5mg「サンド」(サンド)	レトロゾール	2.5mg 1錠	アロマターゼ阻害剤	4372
	Sz ETV	白	エンテカビル錠0.5mg「サンド」(サンド)	エンテカビル水和物	0.5mg 1錠	抗ウイルス化学療法剤	921
	sa	白	ブスコパン錠10mg(サノフィ)	ブチルスコポラミン臭化物	10mg 1錠	鎮痙四級アンモニウム塩	3208
	sa PLQ	白	プラケニル錠200mg(サノフィ／旭化成)	ヒドロキシクロロキン硫酸塩	200mg 1錠	免疫調整剤	2973
	sa PN	白～淡黄白	パナルジン錠100mg(クリニジェン)	チクロピジン塩酸塩	100mg 1錠	抗血小板剤	2159
T	CH T	黄～黄褐	サラゾスルファピリジン腸溶錠250mg「CH」(長生堂／日本ジェネリック)	サラゾスルファピリジン	250mg 1錠	潰瘍性大腸炎治療・抗リウマチ剤	1522
	J-C／T／P J-C T／P	淡黄	トラムセット配合錠(ヤンセン／持田)	トラマドール塩酸塩・アセトアミノフェン	1錠	慢性疼痛・抜歯後疼痛治療剤	2496
	♭／T ♭T	薄赤	メーゼント錠0.25mg(ノバルティス)	シポニモドフマル酸	0.25mg 1錠	多発性硬化症治療薬	1675
	Tw TCC Tw.TCC	橙／淡黄	トラネキサム酸カプセル250mg「トーワ」(東和薬品)	トラネキサム酸	250mg 1カプセル	抗プラスミン剤	2474
	アムバロ配合錠 TCC	帯黄白	アムバロ配合錠「TCK」(辰巳化学)	バルサルタン・アムロジピンベシル酸塩	1錠	選択的AT₁受容体ブロッカー・持続性Ca拮抗薬合剤	2842
	イルアミクス HD TCK	薄橙	イルアミクス配合錠HD「TCK」(辰巳化学)	イルベサルタン・アムロジピンベシル酸塩	1錠	長時間作用型アンジオテンシンⅡ受容体拮抗剤・持続性Ca拮抗剤配合剤	523
	イルアミクス LD TCK	白～帯黄白	イルアミクス配合錠LD「TCK」(辰巳化学)	イルベサルタン・アムロジピンベシル酸塩	1錠	長時間作用型アンジオテンシンⅡ受容体拮抗剤・持続性Ca拮抗剤配合剤	523
	ジルムロ HD TCK	微黄	ジルムロ配合錠HD「TCK」(辰巳化学／フェルゼン)	アジルサルタン・アムロジピンベシル酸塩	1錠	持続性AT₁受容体遮断剤・持続性Ca拮抗薬配合剤	44
	ジルムロ LD TCK	微黄	ジルムロ配合錠LD「TCK」(辰巳化学／フェルゼン)	アジルサルタン・アムロジピンベシル酸塩	1錠	持続性AT₁受容体遮断剤・持続性Ca拮抗薬配合剤	44
	センノシド TCK	暗赤褐	センノシド錠12mg「TCK」(辰巳化学)	センノシド	12mg 1錠	緩下剤	1923
	トアラセット TCK	淡黄	トアラセット配合錠「TCK」(辰巳化学)	トラマドール塩酸塩・アセトアミノフェン	1錠	慢性疼痛・抜歯後疼痛治療剤	2496
	バルヒディオ EX TCK	極薄赤	バルヒディオ配合錠EX「TCK」(辰巳化学)	バルサルタン・ヒドロクロロチアジド	1錠	選択的AT₁受容体ブロッカー・利尿剤合剤	2848
	バルヒディオ MD TCK	薄赤	バルヒディオ配合錠MD「TCK」(辰巳化学)	バルサルタン・ヒドロクロロチアジド	1錠	選択的AT₁受容体ブロッカー・利尿剤合剤	2848
	GS／TEZ GS TEZ	帯紅白	パキシル錠5mg(グラクソ・スミスクライン)	パロキセチン塩酸塩水和物	5mg 1錠	選択的セロトニン再取り込み阻害剤(SSRI)	2878
	JA TEZ JA／TEZ	帯紅白	パロキセチン錠5mg「SPKK」(サンドファーマ／サンド)	パロキセチン塩酸塩水和物	5mg 1錠	選択的セロトニン再取り込み阻害剤(SSRI)	2878
	TF-ASS	白(淡赤半透明)	トリアムシノロンアセトニド口腔用貼付剤25μg「大正」(帝國／大正)	トリアムシノロンアセトニド	25μg 1枚	副腎皮質ホルモン	2511
	GS TFH	淡橙	ザガーロカプセル0.1mg(グラクソ・スミスクライン)	デュタステリド	0.1mg 1カプセル	5α-還元酵素阻害薬	2332
	TJN MUT	白～微黄	ムコソルバンL錠45mg(帝人)	アンブロキソール塩酸塩	45mg 1錠	気道潤滑去痰剤	378
	NVR TKI	淡黄	タシグナカプセル200mg(ノバルティ)	ニロチニブ塩酸塩水和物	200mg 1カプセル	抗悪性腫瘍剤・チロシンキナーゼ阻害剤	2691
	J-C／T／P J-C T／P	淡黄	トラムセット配合錠(ヤンセン／持田)	トラマドール塩酸塩・アセトアミノフェン	1錠	慢性疼痛・抜歯後疼痛治療剤	2496
	M・S・ TROCHE・	薄青	SPトローチ0.25mg「明治」(Meiji Seika)	デカリニウム塩化物	0.25mg 1錠	口腔・咽喉感染予防剤	2206
	MZ-TSC	白	MS冷シップ「タイホウ」(岡山大鵬／三笠)	外皮用消炎鎮痛配合剤	10g	消炎・鎮痛剤	1691
	MZ-TSH	淡黄赤～淡赤褐	MS温シップ「タイホウ」(岡山大鵬／三笠)	外皮用消炎鎮痛配合剤	10g	消炎・鎮痛剤	1691
	TT	白　⓪	レボセチリジン塩酸塩錠5mg「武田テバ」(武田テバファーマ／武田薬品)	レボセチリジン塩酸塩	5mg 1錠	持続性選択H₁-受容体拮抗剤	4407
	TT D AG	淡黄	デュタステリドカプセル0.5mgAV「武田テバ」(武田テバファーマ／武田薬品)	デュタステリド	0.5mg 1カプセル	5α-還元酵素阻害薬	2332
	TTラメ	薄橙みの黄	ラメルテオン錠8mg「武田テバ」(武田テバファーマ／武田薬品)	ラメルテオン	8mg 1錠	メラトニン受容体アゴニスト	4138
	♭／TT	黄	メキニスト錠0.5mg(ノバルティス)	トラメチニブ・ジメチルスルホキシド付加物	0.5mg 1錠	抗悪性腫瘍剤・MEK阻害剤	2500

番号	識別コード	色 (①:割線有)	商品名(会社名)	一般名	規格単位	薬効	掲載ページ
T	TTH	黄～黄褐	サラゾスルファピリジン腸溶錠500mg「NIG」(日医工岐阜／日医工／武田薬品)	サラゾスルファピリジン	500mg 1錠	潰瘍性大腸炎治療・抗リウマチ剤	1522
	ニトロダームTTS SJ DOD SJ DOD	白(薄橙)	ニトロダームTTS25mg (サンファーマ)	ニトログリセリン	(25mg)10cm²1枚	冠動脈拡張剤	2644
	TU-FH	薄赤	フィナステリド錠1mg「TCK」(辰巳化学／岩城／本草)	フィナステリド	1mg 1錠	5α-還元酵素Ⅱ型阻害薬	3090
	TU-FL	薄赤	フィナステリド錠0.2mg「TCK」(辰巳化学／岩城／本草)	フィナステリド	0.2mg 1錠	5α-還元酵素Ⅱ型阻害薬	3090
	TUKR	白 ①	カルボシステイン錠500mg「TCK」(辰巳化学)	L-カルボシステイン	500mg 1錠	気道粘液調整・粘膜正常化剤	1166
	Tu FZ	白～微黄白	アンブロキソール塩酸塩錠15mg「TCK」(辰巳化学)	アンブロキソール塩酸塩	15mg 1錠	気道潤滑去痰剤	378
	TuHF	白	ジメモルファンリン酸塩錠10mg「TCK」(辰巳化学)	ジメモルファンリン酸塩	10mg 1錠	鎮咳剤	1684
	TV AH／HD	淡赤	カムシア配合錠HD「武田テバ」(武田テバファーマ／武田薬品)	カンデサルタン シレキセチル・アムロジピンベシル酸塩	1錠	持続性アンギオテンシンⅡ受容体拮抗剤・持続性Ca拮抗剤配合剤	1187
	TV AH／HD	淡赤	カムシア配合錠HD「NIG」(日医工岐阜／日医工／武田薬品)	カンデサルタン シレキセチル・アムロジピンベシル酸塩	1錠	持続性アンギオテンシンⅡ受容体拮抗剤・持続性Ca拮抗剤配合剤	1187
	TV AL／LD	淡黄	カムシア配合錠LD「武田テバ」(武田テバファーマ／武田薬品)	カンデサルタン シレキセチル・アムロジピンベシル酸塩	1錠	持続性アンギオテンシンⅡ受容体拮抗剤・持続性Ca拮抗剤配合剤	1187
	TV AL／LD	淡黄	カムシア配合錠LD「NIG」(日医工岐阜／日医工／武田薬品)	カンデサルタン シレキセチル・アムロジピンベシル酸塩	1錠	持続性アンギオテンシンⅡ受容体拮抗剤・持続性Ca拮抗剤配合剤	1187
	アムバロTV	帯黄白	アムバロ配合錠「NIG」(日医工岐阜／日医工／武田薬品)	バルサルタン・アムロジピンベシル酸塩	1錠	選択的AT₁受容体ブロッカー・持続性Ca拮抗薬合剤	2842
	バルヒディオ EX TV	極薄赤	バルヒディオ配合錠EX「NIG」(日医工岐阜／日医工／武田薬品)	バルサルタン・ヒドロクロロチアジド	1錠	選択的AT₁受容体ブロッカー・利尿剤合剤	2848
	バルヒディオ MD TV	薄赤	バルヒディオ配合錠MD「NIG」(日医工岐阜／日医工／武田薬品)	バルサルタン・ヒドロクロロチアジド	1錠	選択的AT₁受容体ブロッカー・利尿剤合剤	2848
	TVFS	薄赤	フィナステリド錠0.2mg「NIG」(日医工岐阜／日医工／武田薬品)	フィナステリド	0.2mg 1錠	5α-還元酵素Ⅱ型阻害薬	3090
	TVTAP	淡赤	テラムロ配合錠AP「NIG」(日医工岐阜／日医工／武田薬品)	テルミサルタン・アムロジピンベシル酸塩	1錠	胆汁排泄型持続性AT₁受容体ブロッカー・持続性Ca拮抗薬合剤	2375
	TVTBP	淡赤	テラムロ配合錠BP「NIG」(日医工岐阜／日医工／武田薬品)	テルミサルタン・アムロジピンベシル酸塩	1錠	胆汁排泄型持続性AT₁受容体ブロッカー・持続性Ca拮抗薬合剤	2375
	Tw AC Tw.AC	薄橙	アロチノロール塩酸塩錠10mg「トーワ」(東和薬品)	アロチノロール塩酸塩	10mg 1錠	α, β-遮断剤	362
	Tw ALT Tw.ALT	白 ①	アルジオキサ錠100mg「トーワ」(東和薬品)	アルジオキサ	100mg 1錠	胃炎・消化性潰瘍治療剤	311
	Tw AR Tw.AR	白～淡黄白	アロプリノール錠100mg「トーワ」(東和薬品)	アロプリノール	100mg 1錠	キサンチンオキシダーゼ阻害剤・高尿酸血症治療剤	363
	Tw AT Tw.AT	白 ①	アンブロキソール塩酸塩錠15mg「トーワ」(東和薬品)	アンブロキソール塩酸塩	15mg 1錠	気道潤滑去痰剤	378
	Tw BS	白	ベタセレミン配合錠(東和薬品)	ベタメタゾン・d-クロルフェニラミンマレイン酸塩	1錠	副腎皮質ホルモン配合剤	3499
	Tw CE	白	ニセルゴリン錠5mg「トーワ」(東和薬品)	ニセルゴリン	5mg 1錠	脳循環代謝改善剤	2639
	Tw DG Tw.DG	白 ①	グリクラジド錠40mg「トーワ」(東和薬品)	グリクラジド	40mg 1錠	スルホニル尿素系血糖降下剤	1257
	Tw DR Tw.DR	白～微帯黄又は微帯褐白	ブロモクリプチン錠2.5mg「トーワ」(東和薬品)	ブロモクリプチンメシル酸塩	2.5mg 1錠	持続性ドパミン作動麦角アルカロイド誘導体・抗パーキンソン剤	3458
	Tw FRT Tw.FRT	白 ①	フロセミド錠40mg「トーワ」(東和薬品)	フロセミド	40mg 1錠	ループ利尿剤	3405
	Tw GST Tw.GST	白	ガスサール錠40mg (東和薬品／日医工)	ジメチコン	40mg 1錠	消化管内ガス排除剤	1679
	Tw LO	白	クロチアゼパム錠5mg「トーワ」(東和薬品)	クロチアゼパム	5mg 1錠	心身安定剤	1309
	Tw M	橙	メナテトレノンカプセル15mg「トーワ」(東和薬品)	メナテトレノン	15mg 1カプセル	止血機構賦活ビタミンK₂	3976
	Tw NT Tw.NT	白 ①	ニトラゼパム錠5mg「トーワ」(東和薬品)	ニトラゼパム	5mg 1錠	ベンゾジアゼピン系催眠剤	2641
	Tw P.S	淡黄	プレドニゾロン錠5mg「トーワ」(東和薬品)	プレドニゾロン	5mg 1錠	副腎皮質ホルモン	3366
	Tw RP	白	アゼラスチン塩酸塩錠1mg「トーワ」(東和薬品)	アゼラスチン塩酸塩	1mg 1錠	アレルギー性疾患治療剤	90

英字

英字

番号	識別コード	色 (①:割線有)	商品名(会社名)	一般名	規格単位	薬効	掲載ページ
T	Tw RXM	白	ロキシスロマイシン錠150mg「トーワ」(東和薬品)	ロキシスロマイシン	150mg 1錠	酸安定性マクロライド系抗生物質	4472
	Tw SN Tw.SN	白	ジルチアゼム塩酸塩錠30mg「トーワ」(東和薬品)	ジルチアゼム塩酸塩	30mg 1錠	ベンゾチアゼピン系Ca拮抗剤	1705
	Tw SPC Tw.SPC	白	スルピリドカプセル50mg「トーワ」(東和薬品)	スルピリド	50mg 1カプセル	ベンザミド系抗潰瘍・精神安定剤	1777
	Tw SPL Tw.SPL	白	スピロノラクトン錠25mg「トーワ」(東和薬品)	スピロノラクトン	25mg 1錠	抗アルドステロン性降圧利尿剤	1761
	Tw SR Tw.SR	橙黄	ジクロフェナクNa錠25mg「トーワ」(東和薬品)	ジクロフェナクナトリウム	25mg 1錠	フェニル酢酸系消炎鎮痛剤	1579
	Tw TCC Tw.TCC	橙/淡黄	トラネキサム酸カプセル250mg「トーワ」(東和薬品)	トラネキサム酸	250mg 1カプセル	抗プラスミン剤	2474
	Tw/AA Tw.AA	白	トラピジル錠100mg「トーワ」(東和薬品)	トラピジル	100mg 1錠	循環機能改善剤	2475
	Tw/BK Tw.BK	白～微黄白	トリメブチンマレイン酸塩錠100mg「トーワ」(東和薬品)	トリメブチンマレイン酸塩	100mg 1錠	消化管運動調律剤	2532
	Tw/IB Tw.IB	白	イフェンプロジル酒石酸塩錠10mg「トーワ」(東和薬品)	イフェンプロジル酒石酸塩	10mg 1錠	鎮うん剤	473
	Tw/PT Tw.PT	白～微黄	チクロピジン塩酸塩錠100mg「トーワ」(東和薬品)	チクロピジン塩酸塩	100mg 1錠	抗血小板剤	2159
	Tw/PZ Tw.PZ	白	ジラゼプ塩酸塩錠50mg「トーワ」(東和薬品)	ジラゼプ塩酸塩水和物	50mg 1錠	心・腎疾患治療剤	1700
	TwSST Tw SST	白	デキストロメトルファン臭化水素酸塩錠15mg「トーワ」(東和薬品)	デキストロメトルファン臭化水素酸塩水和物	15mg 1錠	中枢性鎮咳剤	2228
	Tw/SS Tw.SS	淡橙	カリジノゲナーゼ錠50単位「トーワ」(東和薬品)	カリジノゲナーゼ	50単位 1錠	循環系作用酵素	1124
	Tw/S Tw.S	白～微黄	カリジノゲナーゼ錠25単位「トーワ」(東和薬品)	カリジノゲナーゼ	25単位 1錠	循環系作用酵素	1124
	TwBIC Tw.BIC	白	ビカルタミドOD錠80mg「トーワ」(東和薬品)	ビカルタミド	80mg 1錠	前立腺癌治療剤	2926
	TwD.L Tw.D.L	白(薄灰～淡黄の斑点)	硝酸イソソルビド徐放錠20mg「トーワ」(東和薬品)	硝酸イソソルビド	20mg 1錠	冠動脈拡張剤	1693
	TwGP	白～微黄白	トフィソパム錠50mg「トーワ」(東和薬品)	トフィソパム	50mg 1錠	ベンゾジアゼピン系自律神経調整剤	2446
	TwHP Tw.HP	白 ①	メキタジン錠3mg「トーワ」(東和薬品)	メキタジン	3mg 1錠	フェノチアジン系抗ヒスタミン剤	3905
	TwLBT Tw.LBT	白	ブロムヘキシン塩酸塩錠4mg「トーワ」(東和薬品)	ブロムヘキシン塩酸塩	4mg 1錠	気道粘液溶解剤	3452
	TwON Tw.ON	橙黄	カルバゾクロムスルホン酸Na錠30mg「トーワ」(東和薬品)	カルバゾクロムスルホン酸ナトリウム水和物	30mg 1錠	血管強化・止血剤	1149
	TwPP Tw.PP	白 ①	プロプラノロール塩酸塩錠10mg「トーワ」(東和薬品)	プロプラノロール塩酸塩	10mg 1錠	β-遮断剤	3437
	TwSST Tw SST	白	デキストロメトルファン臭化水素酸塩錠15mg「トーワ」(東和薬品)	デキストロメトルファン臭化水素酸塩水和物	15mg 1錠	中枢性鎮咳剤	2228
	TwTG	白	カルテオロール塩酸塩錠5mg「トーワ」(東和薬品)	カルテオロール塩酸塩	5mg 1錠	β-遮断剤	1143
	Tw/AA Tw.AA	白	トラピジル錠100mg「トーワ」(東和薬品)	トラピジル	100mg 1錠	循環機能改善剤	2475
	Tw AC Tw.AC	薄橙	アロチノロール塩酸塩錠10mg「トーワ」(東和薬品)	アロチノロール塩酸塩	10mg 1錠	α, β-遮断剤	362
	Tw ALT Tw.ALT	白 ①	アルジオキサ錠100mg「トーワ」(東和薬品)	アルジオキサ	100mg 1錠	胃炎・消化性潰瘍治療剤	311
	Tw AR Tw.AR	白～淡黄白	アロプリノール錠100mg「トーワ」(東和薬品)	アロプリノール	100mg 1錠	キサンチンオキシダーゼ阻害剤・高尿酸血症治療剤	363
	Tw AT Tw.AT	白 ①	アンブロキソール塩酸塩錠15mg「トーワ」(東和薬品)	アンブロキソール塩酸塩	15mg 1錠	気道潤滑去痰剤	378
	TwBIC Tw.BIC	白	ビカルタミドOD錠80mg「トーワ」(東和薬品)	ビカルタミド	80mg 1錠	前立腺癌治療剤	2926
	Tw/BK Tw.BK	白～微黄白	トリメブチンマレイン酸塩錠100mg「トーワ」(東和薬品)	トリメブチンマレイン酸塩	100mg 1錠	消化管運動調律剤	2532
	Tw.BRC	白	トラニラストカプセル100mg「トーワ」(東和薬品)	トラニラスト	100mg 1カプセル	アレルギー性疾患治療剤	2472
	Tw DG Tw.DG	白 ①	グリクラジド錠40mg「トーワ」(東和薬品)	グリクラジド	40mg 1錠	スルホニル尿素系血糖降下剤	1257
	Tw DR Tw.DR	白～微帯黄又は微帯褐白	ブロモクリプチン錠2.5mg「トーワ」(東和薬品)	ブロモクリプチンメシル酸塩	2.5mg 1錠	持続性ドパミン作動麦角アルカロイド誘導体・抗パーキンソン剤	3458
	TwD.L Tw.D.L	白(薄灰～淡黄の斑点)	硝酸イソソルビド徐放錠20mg「トーワ」(東和薬品)	硝酸イソソルビド	20mg 1錠	冠動脈拡張剤	1693

番号	識別コード	色 (◫：割線有)	商品名(会社名)	一般名	規格単位	薬効	掲載ページ
T	Tw FRT / Tw.FRT	白 ◫	フロセミド錠40mg「トーワ」(東和薬品)	フロセミド	40mg 1錠	ループ利尿剤	3405
	Tw GST / Tw.GST	白	ガスサール錠40mg(東和薬品／日医工)	ジメチコン	40mg 1錠	消化管内ガス排除剤	1679
	TwHP / Tw.HP	白 ◫	メキタジン錠3mg「トーワ」(東和薬品)	メキタジン	3mg 1錠	フェノチアジン系抗ヒスタミン剤	3905
	Tw／IB / Tw.IB	白	イフェンプロジル酒石酸塩錠10mg「トーワ」(東和薬品)	イフェンプロジル酒石酸塩	10mg 1錠	鎮うん剤	473
	TwLBT / Tw.LBT	白	ブロムヘキシン塩酸塩錠4mg「トーワ」(東和薬品)	ブロムヘキシン塩酸塩	4mg 1錠	気道粘液溶解剤	3452
	Tw.NE	赤／黄	トコフェロールニコチン酸エステルカプセル100mg「トーワ」(東和薬品)	トコフェロールニコチン酸エステル	100mg 1カプセル	ビタミンE	2405
	Tw NT / Tw.NT	白 ◫	ニトラゼパム錠5mg「トーワ」(東和薬品)	ニトラゼパム	5mg 1錠	ベンゾジアゼピン系催眠剤	2641
	TwON / Tw.ON	橙黄	カルバゾクロムスルホン酸Na錠30mg「トーワ」(東和薬品)	カルバゾクロムスルホン酸ナトリウム水和物	30mg 1錠	血管強化・止血剤	1149
	TwPP / Tw.PP	白 ◫	プロプラノロール塩酸塩錠10mg「トーワ」(東和薬品)	プロプラノロール塩酸塩	10mg 1錠	β-遮断剤	3437
	Tw／PT / Tw.PT	白～微黄	チクロピジン塩酸塩錠100mg「トーワ」(東和薬品)	チクロピジン塩酸塩	100mg 1錠	抗血小板剤	2159
	Tw／PZ / Tw.PZ	白	ジラゼプ塩酸塩錠50mg「トーワ」(東和薬品)	ジラゼプ塩酸塩水和物	50mg 1錠	心・腎疾患治療剤	1700
	Tw／S / Tw.S	白～微黄	カリジノゲナーゼ錠25単位「トーワ」(東和薬品)	カリジノゲナーゼ	25単位 1錠	循環系作用酵素	1124
	Tw SN / Tw.SN	白	ジルチアゼム塩酸塩錠30mg「トーワ」(東和薬品)	ジルチアゼム塩酸塩	30mg 1錠	ベンゾチアゼピン系Ca拮抗剤	1705
	Tw SPC / Tw.SPC	白	スルピリドカプセル50mg「トーワ」(東和薬品)	スルピリド	50mg 1カプセル	ベンザミド系抗潰瘍・精神安定剤	1777
	Tw SPL / Tw.SPL	白	スピロノラクトン錠25mg「トーワ」(東和薬品)	スピロノラクトン	25mg 1錠	抗アルドステロン性降圧利尿剤	1761
	Tw SR / Tw.SR	橙黄	ジクロフェナクNa錠25mg「トーワ」(東和薬品)	ジクロフェナクナトリウム	25mg 1錠	フェニル酢酸系消炎鎮痛剤	1579
	Tw／SS / Tw.SS	淡橙	カリジノゲナーゼ錠50単位「トーワ」(東和薬品)	カリジノゲナーゼ	50単位 1錠	循環系作用酵素	1124
	Tw TCC / Tw.TCC	橙／淡黄	トラネキサム酸カプセル250mg「トーワ」(東和薬品)	トラネキサム酸	250mg 1カプセル	抗プラスミン剤	2474
	BS TYP / BS	白 ◫	バクトラミン配合錠(太陽ファルマ)	スルファメトキサゾール・トリメトプリム	1錠	合成抗菌剤	1781
	TYP／FR	淡赤 ◫	マドパー配合錠(太陽ファルマ)	レボドパ・ベンセラジド塩酸塩	1錠	パーキンソニズム治療剤	4422
	TYP／FR	淡赤 ◫	マドパー配合錠L100(太陽ファルマ)	レボドパ・ベンセラジド塩酸塩	1錠	パーキンソニズム治療剤	4422
	TZ / t TZ	白 ◫	チザニジン錠1mg「テバ」(日医工岐阜／日医工／武田薬品)	チザニジン塩酸塩	1mg 1錠	筋緊張緩和剤	2164
	BC / t BC	白	プラデスミン配合錠(日医工岐阜／日医工／武田薬品)	ベタメタゾン・d-クロルフェニラミンマレイン酸塩	1錠	副腎皮質ホルモン配合剤	3499
	BT / t BT	白 ◫	ブロチゾラム錠0.25mg「テバ」(武田テバファーマ／武田薬品)	ブロチゾラム	0.25mg 1錠	チエノトリアゾロジアゼピン系睡眠導入剤	3411
	CM / t CM	白～帯黄白	カモスタットメシル酸塩錠100mg「テバ」(日医工岐阜／日医工／武田薬品)	カモスタットメシル酸塩	100mg 1錠	蛋白分解酵素阻害剤	1110
	TZ / t TZ	白 ◫	チザニジン錠1mg「テバ」(日医工岐阜／日医工／武田薬品)	チザニジン塩酸塩	1mg 1錠	筋緊張緩和剤	2164
	tAP / AP	白 ◫	アロプリノール錠100mg「NIG」(日医工岐阜／日医工／武田薬品)	アロプリノール	100mg 1錠	キサンチンオキシダーゼ阻害剤・高尿酸血症治療剤	363
U	NCP U	白	ウラリット配合錠(日本ケミファ)	クエン酸カリウム・クエン酸ナトリウム水和物	1錠	アシドーシス・酸性尿改善剤	1231
	U	橙 ◫	プロベラ錠2.5mg(ファイザー)	メドロキシプロゲステロン酢酸エステル	2.5mg 1錠	黄体ホルモン	3968
	SW-F ULD	白	フリウェル配合錠ULD「サワイ」(沢井)	ノルエチステロン・エチニルエストラジオール〔治療用〕	1錠	月経困難症治療剤	2734
	フリウェルULD トーワ	白	フリウェル配合錠ULD「トーワ」(東和薬品)	ノルエチステロン・エチニルエストラジオール〔治療用〕	1錠	月経困難症治療剤	2734
	MYCOBUTIN Pharmacia & Upjohn / Pharmacia & Upjohn MYCOBUTIN	濃赤褐	ミコブティンカプセル150mg(ファイザー)	リファブチン	150mg 1カプセル	抗酸菌症治療剤	4274
	ⓇUT	白	ウテメリン錠5mg(キッセイ)	リトドリン塩酸塩	5mg 1錠	切迫流・早産治療β_2-刺激剤	4236
V	VEM	帯赤白～橙白	ゼルボラフ錠240mg(中外)	ベムラフェニブ	240mg 1錠	抗悪性腫瘍剤・BRAF阻害剤	3583

英字

番号	識別コード	色 (◐:割線有)	商品名(会社名)	一般名	規格単位	薬効	掲載 ページ
V	VH／EX VH EX	極薄赤	バルヒディオ配合錠EX「サンド」(サンド)	バルサルタン・ヒドロクロロチアジド	1錠	選択的AT$_1$受容体ブロッカー・利尿剤合剤	2848
	VH／MD VH MD	薄赤	バルヒディオ配合錠MD「サンド」(サンド)	バルサルタン・ヒドロクロロチアジド	1錠	選択的AT$_1$受容体ブロッカー・利尿剤合剤	2848
	VH／EX VH EX	極薄赤	バルヒディオ配合錠EX「サンド」(サンド)	バルサルタン・ヒドロクロロチアジド	1錠	選択的AT$_1$受容体ブロッカー・利尿剤合剤	2848
	VH／MD VH MD	薄赤	バルヒディオ配合錠MD「サンド」(サンド)	バルサルタン・ヒドロクロロチアジド	1錠	選択的AT$_1$受容体ブロッカー・利尿剤合剤	2848
	IM／VLE IM VLE	白	イミダプリル塩酸塩錠2.5mg「VTRS」(ヴィアトリス・ヘルスケア／ヴィアトリス)	イミダプリル塩酸塩	2.5mg 1錠	ACE阻害剤	504
	Kw VPA R	白	バルプロ酸ナトリウムSR錠200mg「アメル」(共和薬品)	バルプロ酸ナトリウム	200mg 1錠	抗てんかん，躁病・躁状態，片頭痛治療剤	2858
	イルアミクス HD VTRS	薄橙	イルアミクス配合錠HD「VTRS」(ヴィアトリス・ヘルスケア／ヴィアトリス)	イルベサルタン・アムロジピンベシル酸塩	1錠	長時間作用型アンギオテンシンⅡ受容体拮抗剤・持続性Ca拮抗剤配合剤	523
	イルアミクス LD VTRS	白〜帯黄白	イルアミクス配合錠LD「VTRS」(ヴィアトリス・ヘルスケア／ヴィアトリス)	イルベサルタン・アムロジピンベシル酸塩	1錠	長時間作用型アンギオテンシンⅡ受容体拮抗剤・持続性Ca拮抗剤配合剤	523
	トアラセット配合錠 VTRS	淡黄	トアラセット配合錠「VTRS」(ヴィアトリス・ヘルスケア／ヴィアトリス)	トラマドール塩酸塩・アセトアミノフェン	1錠	慢性疼痛・抜歯後疼痛治療剤	2496
	ロサルヒド HD VTRS	白	ロサルヒド配合錠HD「VTRS」(ヴィアトリス・ヘルスケア／ヴィアトリス)	ロサルタンカリウム・ヒドロクロロチアジド	1錠	持続性アンギオテンシンⅡ受容体拮抗剤・利尿剤合剤	4483
	ロサルヒド LD VTRS	白	ロサルヒド配合錠LD「VTRS」(ヴィアトリス・ヘルスケア／ヴィアトリス)	ロサルタンカリウム・ヒドロクロロチアジド	1錠	持続性アンギオテンシンⅡ受容体拮抗剤・利尿剤合剤	4483
X	SJ／XC SJ XC	白　◐	パーロデル錠2.5mg(サンファーマ)	ブロモクリプチンメシル酸塩	2.5mg 1錠	持続性ドパミン作動麦角アルカロイド誘導体・抗パーキンソン剤	3458
	GS XJG	黄	タイケルブ錠250mg(ノバルティス)	ラパチニブトシル酸塩水和物	250mg 1錠	抗悪性腫瘍剤・チロシンキナーゼ阻害剤	4099
	XX	白　◐	ザイザル錠5mg(グラクソ・スミスクライン)	レボセチリジン塩酸塩	5mg 1錠	持続性選択H$_1$-受容体拮抗剤	4407
Y	Y CY Y-CY	白	チスタニン糖衣錠100mg(ニプロES)	L-エチルシステイン塩酸塩	100mg 1錠	活性SH基含有去痰剤	750
	Y LC Y-LC	白　◐	レクチゾール錠25mg(田辺三菱)	ジアフェニルスルホン	25mg 1錠	皮膚疾患，ハンセン病治療剤	1560
	Y-GD Y GD	白　◐	ブロチゾラム錠0.25mg「ヨシトミ」(田辺三菱)	ブロチゾラム	0.25mg 1錠	チエノトリアゾロジアゼピン系睡眠導入剤	3411
	Y CY Y-CY	白	チスタニン糖衣錠100mg(ニプロES)	L-エチルシステイン塩酸塩	100mg 1錠	活性SH基含有去痰剤	750
	Y-GD Y GD	白　◐	ブロチゾラム錠0.25mg「ヨシトミ」(田辺三菱)	ブロチゾラム	0.25mg 1錠	チエノトリアゾロジアゼピン系睡眠導入剤	3411
	Y LC Y-LC	白　◐	レクチゾール錠25mg(田辺三菱)	ジアフェニルスルホン	25mg 1錠	皮膚疾患，ハンセン病治療剤	1560
	YP-DFC	白	ジクロフェナクナトリウムクリーム1%「ユートク」(祐徳薬品)	ジクロフェナクナトリウム	1% 1g	フェニル酢酸系消炎鎮痛剤	1579
	YP-MTL	淡褐〜褐半透明	モーラステープL40mg(久光／祐徳薬品)	ケトプロフェン	10cm×14cm 1枚	プロピオン酸系消炎鎮痛剤	1410
	YP-MTY	淡褐〜褐半透明	モーラステープ20mg(久光／祐徳薬品)	ケトプロフェン	7cm×10cm 1枚	プロピオン酸系消炎鎮痛剤	1410
	YP-YPT	無半透明 (淡褐〜褐)	リドカインテープ18mg「YP」(祐徳薬品)	リドカイン	(18mg) 30.5mm× 50.0mm1枚	アニリド系局所麻酔・不整脈治療剤	4223
	✚YPT	無半透明 (淡褐〜褐)	リドカインテープ18mg「YP」(祐徳薬品／メディキット)	リドカイン	(18mg) 30.5mm× 50.0mm1枚	アニリド系局所麻酔・不整脈治療剤	4223
Z	Z	淡橙黄	ザルティア錠2.5mg(日本新薬)	タダラフィル	2.5mg 1錠	ホスホジエステラーゼ5阻害剤	2027
	Z	黄	ジプレキサザイディス錠2.5mg(日本イーライリリー)	オランザピン	2.5mg 1錠	抗精神病剤・双極性障害治療剤・制吐剤	1021
	ZBN	白	アラバ錠10mg(サノフィ)	レフルノミド	10mg 1錠	抗リウマチ剤	4395
	ZBO	微黄白	アラバ錠20mg(サノフィ)	レフルノミド	20mg 1錠	抗リウマチ剤	4395
	ZBP	白	アラバ錠100mg(サノフィ)	レフルノミド	100mg 1錠	抗リウマチ剤	4395
	ZC	白　◐	アモバン錠10(サノフィ／日医工)	ゾピクロン	10mg 1錠	シクロピロロン系睡眠障害改善剤	1937
	LS ZFP	白	リマプロストアルファデクス錠5μg「SN」(シオノ／日本薬品工業／東和薬品／日本ケミファ)	リマプロスト アルファデクス	5μg 1錠	プロスタグランジンE$_1$誘導体	4284
	ZP	白〜微黄	コンドロイチンZ錠(ゼリア新薬)	コンドロイチン硫酸エステルナトリウム	400mg 1錠	結合織成分	1495

マーク順（数字，英字を含まない識別コード）

番号	識別コード	色 （①：割線有）	商品名（会社名）	一般名	規格単位	薬効	掲載ページ
	⊙	白	アデスタン腟錠300mg（バイエル薬品）	イソコナゾール硝酸塩	300mg 1個	抗真菌剤	429
	⊕	橙赤	ペルサンチン 錠25mg（Medical Parkland）	ジピリダモール	25mg 1錠	冠循環増強・抗血小板剤	1646
	◠	白	ミニリンメルトOD錠60μg（フェリング／キッセイ）	デスモプレシン酢酸塩水和物	60μg 1錠	バソプレシン誘導体	2254
	◡	白	ミニリンメルトOD錠120μg（フェリング／キッセイ）	デスモプレシン酢酸塩水和物	120μg 1錠	バソプレシン誘導体	2254
	△	白	ミニリンメルトOD錠240μg（フェリング／キッセイ）	デスモプレシン酢酸塩水和物	240μg 1錠	バソプレシン誘導体	2254
	⊙	白	プリモボラン錠5mg（バイエル薬品）	メテノロン	5mg 1錠	蛋白同化ステロイド	3948
	☽	白～淡灰白	ミヤBM細粒（ミヤリサン）	酪酸菌製剤	1g	生菌製剤	4063
	☽	白～淡灰白	ミヤBM錠（ミヤリサン）	酪酸菌製剤	1錠	生菌製剤	4063
	⊙	白 ①	エバミール錠1.0（バイエル薬品）	ロルメタゼパム	1mg 1錠	睡眠導入剤	4550
	⊕	明るい灰黄	ジュリナ錠0.5mg（バイエル薬品）	エストラジオール	0.5mg 1錠	エストラジオール製剤	685
	⊕	薄帯黄赤	フルダラ錠10mg（サノフィ）	フルダラビンリン酸エステル	10mg 1錠	抗悪性腫瘍剤	3306
	▢	白	マクサルトRPD錠10mg（杏林／エーザイ）	リザトリプタン安息香酸塩	10mg 1錠	5-HT$_{1B/1D}$受容体作動型片頭痛治療剤	4186
	⊗	淡赤	ウェールナラ配合錠（バイエル薬品）	エストラジオール・レボノルゲストレル	1錠	経口エストラジオール・プロゲスチン配合閉経後骨粗鬆症治療剤	696
	⬡	白～微褐	ミティキュアダニ舌下錠3,300JAU（鳥居薬品）	ミティキュア	3,300JAU1錠	ダニアレルギーの減感作療法（アレルゲン免疫療法）薬	3865
	⬡	白～微褐	ミティキュアダニ舌下錠10,000JAU（鳥居薬品）	ミティキュア	10,000JAU 1錠	ダニアレルギーの減感作療法（アレルゲン免疫療法）薬	3865
	♤	白～帯黄褐	シダキュアスギ花粉舌下錠2,000JAU（鳥居薬品）	スギ花粉原末	2,000JAU1錠	スギ花粉症の減感作療法（アレルゲン免疫療法）薬	1739
	♤	白～帯黄褐	シダキュアスギ花粉舌下錠5,000JAU（鳥居薬品）	スギ花粉原末	5,000JAU1錠	スギ花粉症の減感作療法（アレルゲン免疫療法）薬	1739
	▢ウルグート	白	ウルグートカプセル200mg（共和薬品）	ベネキサート塩酸塩 ベータデクス	200mg 1カプセル	胃炎・消化性潰瘍治療剤	3528
	Ｅエラスチーム	白	エラスチーム錠1800（エーザイ）	エラスターゼES	1,800単位 1錠	脂質代謝異常改善剤	857
	アストミン	白	アストミン錠10mg（オーファンパシフィック）	ジメモルファンリン酸塩	10mg 1錠	鎮咳剤	1684
	アムバロケミファ	帯黄白	アムバロ配合錠「ケミファ」（日本ケミファ／日本薬品工業）	バルサルタン・アムロジピンベシル酸塩	1錠	選択的AT$_1$受容体ブロッカー・持続性Ca拮抗薬合剤	2842
	アムバロ杏林	帯黄白	アムバロ配合錠「杏林」（キョーリンリメディオ／杏林）	バルサルタン・アムロジピンベシル酸塩	1錠	選択的AT$_1$受容体ブロッカー・持続性Ca拮抗薬合剤	2842
	アムバロ配合錠アメル	帯黄白	アムバロ配合錠「アメル」（共和薬品）	バルサルタン・アムロジピンベシル酸塩	1錠	選択的AT$_1$受容体ブロッカー・持続性Ca拮抗薬合剤	2842
	エクフィナ	白	エクフィナ錠50mg（エーザイ）	サフィナミドメシル酸塩	50mg 1錠	パーキンソン病治療剤	1516
	カナリア	薄橙	カナリア配合錠（田辺三菱／第一三共）	テネリグリプチン臭化水素酸塩水和物・カナグリフロジン水和物	1錠	選択的DPP-4阻害剤/SGLT2阻害剤配合剤・2型糖尿病治療剤	2288
	クラリスロマイシン大正	白	クラリスロマイシン錠200mg「大正」（トクホン／大正）	クラリスロマイシン	200mg 1錠	マクロライド系抗生物質	1250
	グラケー	橙	グラケーカプセル15mg（エーザイ）	メナテトレノン	15mg 1カプセル	止血機構賦活ビタミンK$_2$	3976
	グレースビット	白～微黄白	グレースビット錠50mg（第一三共）	シタフロキサシン水和物	50mg 1錠	ニューキノロン系抗菌剤	1618
	グーフィス	淡黄	グーフィス錠5mg（EA／持田）	エロビキシバット水和物	5mg 1錠	胆汁酸トランスポーター阻害剤	905
	ケフラール	白／青	ケフラールカプセル250mg（共和薬品）	セファクロル	250mg 1カプセル	セフェム系抗生物質	1825
	ケフレックス	白／帯灰緑	ケフレックスカプセル250mg（共和薬品）	セファレキシン	250mg 1カプセル	セファロスポリン系抗生物質	1830
	コンプラビン	白～微黄白	コンプラビン配合錠（サノフィ）	クロピドグレル硫酸塩・アスピリン	1錠	抗血小板剤	1320
	スージャヌ	淡黄赤	スージャヌ配合錠（MSD／アステラス）	シタグリプチンリン酸塩水和物・イプラグリフロジン・L-プロリン	1錠	選択的DPP-4阻害剤/選択的SGLT2阻害剤配合剤・2型糖尿病治療剤	1614
	センノシド杏林	暗赤褐	センノシド錠12mg「杏林」（東洋カプセル／キョーリンリメディオ／杏林）	センノシド	12mg 1錠	緩下剤	1923
	ツロブテロール	無～微黄透明	ツロブテロールテープ0.5mg「NP」（ニプロ）	ツロブテロール	0.5mg 1枚	気管支拡張β$_2$-刺激剤	2190
	ツロブテロール	無～微黄透明	ツロブテロールテープ1mg「NP」（ニプロ）	ツロブテロール	1mg 1枚	気管支拡張β$_2$-刺激剤	2190
	ツロブテロール	無～微黄透明	ツロブテロールテープ2mg「NP」（ニプロ）	ツロブテロール	2mg 1枚	気管支拡張β$_2$-刺激剤	2190
	トアラセットあすか	淡黄	トアラセット配合錠「あすか」（あすか）	トラマドール塩酸塩・アセトアミノフェン	1錠	慢性疼痛・抜歯後疼痛治療剤	2496

番号	識別コード	色 (Ⅰ：割線有)	商品名(会社名)	一般名	規格単位	薬効	掲載 ページ
	トアラセット ケミファ	淡黄	トアラセット配合錠「ケミファ」(日本 薬品工業／日本ケミファ)	トラマドール塩酸塩・アセ トアミノフェン	1錠	慢性疼痛・抜歯後疼痛治療剤	2496
	トアラセットサンド ／トラマドール アセトアミノフェン	淡黄	トアラセット配合錠「サンド」(サンド)	トラマドール塩酸塩・アセ トアミノフェン	1錠	慢性疼痛・抜歯後疼痛治療剤	2496
	トアラセット 三笠	淡黄	トアラセット配合錠「三笠」(三笠)	トラマドール塩酸塩・アセ トアミノフェン	1錠	慢性疼痛・抜歯後疼痛治療剤	2496
	トアラセット 日新	淡黄	トアラセット配合錠「日新」(日新)	トラマドール塩酸塩・アセ トアミノフェン	1錠	慢性疼痛・抜歯後疼痛治療剤	2496
	トアラセット 杏林	淡黄	トアラセット配合錠「杏林」(キョーリ ンリメディオ／杏林)	トラマドール塩酸塩・アセ トアミノフェン	1錠	慢性疼痛・抜歯後疼痛治療剤	2496
	トアラセット 配合錠オーハラ	淡黄	トアラセット配合錠「オーハラ」(大原 薬品)	トラマドール塩酸塩・アセ トアミノフェン	1錠	慢性疼痛・抜歯後疼痛治療剤	2496
	トアラセット 配合錠サワイ	淡黄	トアラセット配合錠「サワイ」(沢井)	トラマドール塩酸塩・アセ トアミノフェン	1錠	慢性疼痛・抜歯後疼痛治療剤	2496
	トアラセット 配合錠マルイシ	淡黄	トアラセット配合錠「マルイシ」(丸石)	トラマドール塩酸塩・アセ トアミノフェン	1錠	慢性疼痛・抜歯後疼痛治療剤	2496
	ナルフラフィン キッセイ	淡黄白	ナルフラフィン塩酸塩カプセル2.5μg 「キッセイ」(キッセイ)	ナルフラフィン塩酸塩	2.5μg 1カプ セル	経口瘙痒症改善剤	2622
	ナルフラフィン ケミファ	淡黄白	ナルフラフィン塩酸塩カプセル2.5μg 「ケミファ」(日本薬品工業／日本ケミ ファ)	ナルフラフィン塩酸塩	2.5μg 1カプ セル	経口瘙痒症改善剤	2622
	プソフェキ配合錠 サワイ	薄橙	プソフェキ配合「サワイ」(沢井)	フェキソフェナジン塩酸 塩・塩酸プソイドエフェド リン	1錠	アレルギー性疾患治療剤	3114
	プロパジール	白 Ⅰ	プロパジール錠50mg(あすか／武田薬 品)	プロピルチオウラシル	50mg 1錠	抗甲状腺剤	3435
	ベオーバ	淡緑	ベオーバ錠50mg(杏林／キッセイ)	ビベグロン	50mg 1錠	選択的β₃-アドレナリン受容 体作動性過活動膀胱治療剤	3006
	ムコスタ	白	ムコスタ錠100mg(大塚)	レバミピド	100mg 1錠	胃炎・胃潰瘍治療剤	4390
	ラキソベロン	白	ラキソベロン錠2.5mg(帝人)	ピコスルファートナトリウ ム水和物	2.5mg 1錠	緩下剤	2934
	ラスビック	淡黄	ラスビック錠75mg(杏林)	ラスクフロキサシン塩酸塩	75mg 1錠	ニューキノロン系抗菌剤	4076
	リオナ	白	リオナ錠250mg(日本たばこ／鳥居薬 品)	クエン酸第二鉄水和物	250mg 1錠	高リン血症・鉄欠乏性貧血治 療剤	1233
	リフキシマ	淡赤	リフキシマ錠200mg(あすか／武田薬 品)	リファキシミン	200mg 1錠	難吸収性リファマイシン系抗 菌薬	4273
	レバミピド オーツカ	白	レバミピド錠100mg「オーツカ」(大塚 製薬工場)	レバミピド	100mg 1錠	胃炎・胃潰瘍治療剤	4390
	レルミナ	淡黄赤	レルミナ錠40mg(あすか／武田薬品)	レルゴリクス	40mg 1錠	GnRH(性腺刺激ホルモン放 出ホルモン)アンタゴニスト	4454
	ロレアス杏林	白～微黄白	ロレアス配合錠「杏林」(キョーリンリ メディオ／杏林)	クロピドグレル硫酸塩・ア スピリン	1錠	抗血小板剤	1320

会社マーク

—————— *M E M O* ——————

———————— *M E M O* ————————

—————— *M E M O* ——————

———————— *M E M O* ————————

———— *M E M O* ————

不　許
複　製

コピー，磁気テープ，マイクロフィルム等
の作成，その他一切の複製はできません。

JAPIC「医療用医薬品集」2025　薬剤識別コード一覧

令和6年8月31日　発行

編集・発行　一般財団法人 日本医薬情報センター（JAPIC）
　　　代 表 者　　赤 川 治 郎
　　　〒150-0002
　　　東京都渋谷区渋谷2—12—15 長井記念館5階
　　　電話（03）5466-1811（代）
　　　https://www.japic.or.jp

発　　　売　丸善出版株式会社
　　　〒101-0051
　　　東京都千代田区神田神保町2—17
　　　神田神保町ビル6階
　　　電話（03）3512-3256
　　　https://www.maruzen-publishing.co.jp

©2024　ISBN978-4-86515-237-1 C3547　印刷 TOPPAN株式会社

JAPIC（一般財団法人日本医薬情報センター）の出版物

（価格は税込）

【医療用医薬品集】
（CD-ROM付）

14,300円

- ●約50年の編集実績
- ●網羅性、正確性にすぐれた、使いやすい医薬品集です
- ●「薬剤識別コード一覧」を収載
- ●更新情報メールの無料提供（要登録）
- ●CD-ROM付き（Windows版）

【医療用医薬品集 普及新版】

5,280円

- ●医療用医薬品集の普及版
- ●投与上必須の効能効果、用法用量、使用上の注意に着目し抜粋
- ●重要な項目はそのまま掲載し、妊産婦、高齢者、小児等への投与はコンパクトにまとめてあります

【一般用医薬品集】

9,900円

- ●国内に流通する一般用医薬品を網羅。「要指導医薬品」も掲載しております。
- ●最新の一般用医薬品添付文書をJAPICで収集し、編集
- ●付録として、ブランド名別成分比較表、一般用医薬品のリスク区分（第1類～第3類）等を収載

【医療用・一般用医薬品集インストール版】

（CD-ROM）
年4回セット **26,186円**
単品 **14,300円**

- ●毎年1・4・7・10月にデータ更新版を発行
- ●Windows版
- ●医療用・一般用医薬品データを収載
- ●"院内採用医薬品集"編集機能を搭載

【改訂新版 重篤副作用疾患別対応マニュアル】
第1集、第2集、第3集、第4集、第5集

各 2,112円

- ●本マニュアルは厚生労働省の重篤副作用疾患総合対策事業として、平成17年度から作成されているものです。改訂新版では新規作成マニュアルを含め令和4年2月公開までのマニュアルを纏め、見やすい書籍版として発刊しました

新薬承認審査報告書集
【日本の新薬】 全125巻

- ●日本における新薬の承認審査報告書の集大成版
- ●新医薬品の承認審査報告書の平成10年1月～令和4年12月公開分までの審査報告書の全文を収録

●1～120巻各巻 **24,200円** ●121～125巻各巻 **30,800円** ●最新121～125巻セット **77,000円**

【日本の医薬品 構造式集】

1,980円

- ●国内で販売されている医療用医薬品約1,500成分の構造式を収載（一部の高分子製剤、低分子製剤などを除く）
- ●構造式、一般名、化学名、薬効分類、効能・効果、分子量、分子式、先発品等の代表品を記載

お問合せ・お申込先　一般財団法人日本医薬情報センター（JAPIC）
東京都渋谷区渋谷2-12-15
事務局 渉外担当　TEL：0120-181-276　FAX：0120-181-461
（URL）https://www.japic.or.jp/